Peter Bichsel

Kolumnen, Kolumnen

Suhrkamp Verlag

Umschlaggestaltung:
Hermann Michels und Regina Göllner

Satz: Hümmer GmbH, Waldbüttelbrunn
Druck: Pustet, Regensburg
Printed in Germany
Erste Auflage 2005
ISBN 3-518-41664-2

2 3 4 5 – 09 08 07 06 05

Kolumnen, Kolumnen

Eine Geschichte zur falschen Zeit

Ich habe ihn seit Jahren nicht mehr gesehen, und er ist nicht erreichbar, aber er könnte morgen wieder vor der Türe stehn und lächeln und »Tag« sagen. Wenn er kommt, bleibt er einige Tage und wird seine Abreise wie immer erst eine Stunde zuvor ankündigen, und dann geht er wieder und ist nicht erreichbar.

Wenn er noch lebt – ich hoffe es und nehme es an –, dann wird er sich nicht verändert haben, wird einen roten Schal tragen und eine schwarzblaue Jacke, wird zuhören, wird anderer Meinung sein, ohne es auszusprechen, wird nicht stören, ein angenehmer Gast sein, und nach seiner Abreise stellen wir seine letzten drei Jahre aus Mutmaßungen zusammen.

Er hat sich in seinem Leben für nichts entschieden, für keine Frau, für keine Ideologie, weder Hippie noch Kommunarde, kein Landstreicher, kein Clochard, kein Verehrer von irgendwem – auch nicht von Arthur Gordon Pym –, und es liegt ihm fern, sein Leben theoretisch zu untermauern – es beschäftigt ihn nicht, daß andere anders leben, und ich habe ihm, das fällt mir auf, noch nie über mein oder unser oder das Leben geklagt, es hätte keinen Sinn, er beschäftigt sich nicht mit Leben. Er hatte mal mit Drogen und auch mal mit Alkohol, auch mal mit Kunst und auch mal mit einem Studium zu tun, aber all das hat ihn nicht erreicht.

Das letzte Mal kam er aus Mexiko und hat dort unter Indianern gelebt, nicht geforscht oder entdeckt oder entwickelt oder beobachtet, sondern einfach gefragt, ob es hier ein Haus gebe, und es gab eins.

»Was hast du da gemacht?« – »Gezeichnet.« – »Zeig mal«, und er bringt einige Bleistiftzeichnungen – keine Indianer –, Landschaften, zwanzig vielleicht oder dreißig, die Arbeit von zwei Jahren.

Es macht mich nervös, daß er sich nicht setzt. Er steht mitten in der Stube, den ganzen Tag, auch am zweiten Tag und auch am dritten. Ich halte es nicht aus und schreie ihn an, er entschuldigt sich und setzt sich. »Die Indianer stehen«, sagt er. Ich habe sie aus Büchern kauernd in Erinnerung, aber es hat keinen Sinn, ihn darauf aufmerksam zu machen.

»Hie und da geht einer plötzlich weg«, sagt er, dreht ab aus dem Stehen heraus und beginnt sich zu bewegen, mit kleinen schnellen Schrittchen, und die andern wissen – ohne es auszusprechen –, der geht in die Stadt. Zwei Tage wird der Marsch dauern, dann wird er in der Stadt stehen, so wie er hier gestanden hat, bis Sonnenuntergang an einer Ecke in der Stadt, wird wieder abdrehen, wird drei Tage später wieder hier stehen und nichts erzählen. Die Dinge in der Stadt haben keine Namen, daß es sie gibt, überrascht ihn nicht, daß sie eine Funktion haben könnten, fällt ihm nicht ein. Leben anschauen, nicht beobachten, nur anschauen.

Und die Moral, keine Moral.

Frage: »Von was hast du denn gelebt? – Geld?« Er überlegt, erschrickt, ich ziehe die Frage zurück, bereue sie. Er hatte nie Geld und sah immer gepflegt aus und sauber, kein Gammler. Wie er das nur macht, und immer dieselben Kleider, und die sind immer sauber. »Er hat sie gewaschen«, sagt meine Frau. Mir scheint, sie werden dabei nicht naß, wie schafft er das? Jedenfalls beschäftigt er sich während des Waschens nicht mit dem Trocknen.

Vielleicht steht er morgen vor der Tür, mit rotem Schal, dunkelblauer Jacke und zwei quadratischen Taschen aus starkem Segelstoff – handwerkliche Spezialanfertigungen –, in der einen Tasche eine Schallplattensammlung, in der andern einen Plattenspieler, ein – zwar kurzes – Leben lang mitgeschleppt, in Mexiko ohne elektrischen Anschluß gehütet und durchgebracht. Eine Liebe zu Bob Dylan – »Ich mag ihn nicht«, sag ich aus irgendeiner Laune heraus. Er verteidigt ihn nicht. Er spielt auch keine Platten in der Zeit, in der er hier ist. Warum der Plattenspieler? Weil er reist, braucht er Gepäck vielleicht? Besitz vielleicht oder Engagement oder Vergangenheit? Zum ersten Mal sah ich ihn in Berlin in einem Jazzlokal – ja vielleicht Vergangenheit, etwas mitschleppen, was einmal war.

Ende.

PS: Die Geschichte meint nichts. Ich mag ihn, wir lieben ihn, das ist alles, und oft scheint mir der Platz in der Mitte der Stube, wo er zu stehen pflegt, ausgespart.

Die Geschichte ist zur falschen Zeit erzählt – Betriebsschließungen, Arbeitslose, Krise –, eine Geschichte aber, für die es keine richtige Zeit gibt. O Merkur, Schutzherr der Diebe (das hab ich von Ezra Pound), gib mir eine Zeit für diese Geschichte, gib mir eine Zeit, in der es nicht unanständig wäre, davon zu erzählen.

Ja, ich weiß, es ist mir auch aufgefallen – der Plattenspieler, er hat ihn aus unserer Konsumgesellschaft, und die Jeans und die Jacke und alles. Ja, ich weiß, daß es Familien mit Kindern und Väter ohne Arbeit gibt, ich weiß, daß nicht alle so können wie er, und ich weiß, daß auch er zusammenbrechen wird, eines Tages – wen freut das? Mich nicht.

Ich habe ihn nie gefragt, ob er glücklich sei – wen fragt man das schon? (Die Mutter fragt es in ihrer Unbeholfenheit die Tochter am Tage der Hochzeit, stell ich mir vor oder hab ich gelesen.) Aber ich weiß, daß er es nicht ist, ein Mann ohne Hoffnung ist meine Hoffnung.

Von mir wollte ich schreiben: Treffen mit F. M., um die Frage zu prüfen, ob / Teilnahme an Veranstaltung und Demonstration Entlassener / Vorstandssitzung der Partei / Parteiversammlung / Besprechen des Voranschlags der Gemeinde / keine Zeit für E. Y. / Ärger über F. / Telefon mit E. über neues Programm und Wahlen / zur Kenntnis genommen, daß Hunger in so und so / Ausweisung meines Freundes G. (Ausländer) / Bürgerpflicht, Bürgerpflicht.

Soll ich hingehen und ihm sagen: Klaus, du bist ein Schmarotzer, so geht das nicht, du kannst nicht die ganze Welt verrecken lassen.

Ich weiß nicht, warum ich anders lebe als er. Ich weiß nur, daß ich nicht könnte wie er. Ich denke beim Waschen ans Trocknen und lasse es sein. Einen Plattenspieler würde ich nie länger als eine Woche unbenutzt mittragen, die Motivation würde mir fehlen.

So tu ich halt da so rum und glaube, es der Welt schuldig zu sein, und diskutiere in der Partei über den Bau der Straßen, über die er geht.

Für ihn tu ich's gern, eigentlich für ihn.

Aber – er braucht sie nicht.

So halt für die, die weniger Talent haben als er, die müssen ja auch.

Und auch für mich, aber halben Herzens.

Freibeuter sind keine Piraten

Angenommen, ein Staat würde das Töten von Menschen bewilligen, je nach Staatsform durch Regierungsentscheid, durch einen Entscheid des Parlaments oder durch Volkswillen. Es ist auch anzunehmen, daß er es nicht unumschränkt täte, vielleicht Schonzeiten einbauen würde, so ähnlich wie Betreibungsferien, Töten an Feiertagen verbieten würde oder vielleicht auch nur eine sehr »weitherzige« Interpretation des Selbstverteidigungsrechts zulassen würde. (Ich denke dabei an Wildwestfilme und staune jedenfalls darüber, daß der gute Cowboy mein Rechtsempfinden nicht stört.)

Also angenommen – es wäre soweit, die Opposition ist mit ihren Argumenten unterlegen, die Abstimmung haben wir hinter uns – schwache Stimmbeteiligung usw.

Nun, ich habe den Eindruck, daß mich nicht nur der Staat allein vom Töten abhält, daß es da noch etwas in mir drinnen gibt, Hemmungen oder Bildung oder Moral oder vielleicht eine gewisse Liebe zu Menschen. Ich habe den Eindruck, daß es uns – jedenfalls anfänglich – nicht leichtfallen würde. Vielleicht – aber daran zweifle ich – wäre unsere Generation noch nicht so recht fähig, von den »neuen Freiheiten« Gebrauch zu machen.

Vielleicht müßte man uns dazu überreden.

Wer würde das tun? Mit Sicherheit der Hersteller der Waffen, und er würde, das ist anzunehmen, nicht von Töten sprechen, sondern von Verteidigung.

Wie viele Leute würden wohl dem Gesetz nicht Folge leisten, das heißt auf die propagierte Verteidigung verzichten? Und wie viele Fachleute und Interessenvertreter würden wohl nach und nach zugunsten der »Verteidigung« votieren? Wann und in welcher Kirche würde die Verteidigungsindustrie ihren ersten Pfarrer finden? Oder was verspräche sich die Fremdenindustrie davon?

Grauenhafte Utopie?

Nein, ich meine etwas anderes.

Ich meine unsern Glauben, daß Anstand und Gesetz, daß Recht und Gerechtigkeit identisch seien, ich meine unsern ohnmächtigen Glauben daran, daß Unanständigkeit nie Gesetz werden kann.

Wenn ich das Wort Rechtsstaat höre, erinnere ich mich an Dienstverweigererprozesse vor Schweizer Militärgerichten (das gibt es!). Mehr als einmal habe ich erlebt, daß dort der Ankläger – ich wähle das Wort mit Bedacht – genüßlich darauf hingewiesen hat, daß wir (Gott sei Dank oder immer noch) in einem Rechtsstaat leben. Ich habe seither eine Allergie gegen den Begriff Rechtsstaat.

Zugegeben, Töten ist ein schlechtes Beispiel, und Militärgerichtsprozesse sind ein ebenso schlechtes. Ich meine auch nicht die Sache mit den Atomkraftwerken, und ich meine auch nicht den Vergleich im Ehrbeleidigungsprozeß zwischen Kurt Marti und einem Herrn C. Ich meine auch nicht die Fristenlösung (wo unter anderen eine Kirche mit gutem Recht versucht, ihre Ansichten zu staatlichem Gesetz zu machen, weil sie weiß, daß staatliches Recht auch für ihre Treuesten höher steht als göttliches und so, wenn nicht Bankrott, so doch so etwas wie Nachlaßstundung anmeldet).

Ich meine die Genüßlichkeit, mit der einer, der ganz persönlich vielleicht eher an seinem Recht zweifeln würde, auf sein gesetzliches Recht pocht und daß er von Aushöhlung (und das mit Recht) des Rechts spricht, wenn ihm nicht buchstabengetreu Nachachtung verschafft wird – von Ausbeutung des Rechts spricht er nie. (Freibeuter übrigens waren staatlich konzessionierte Piraten.)

Ich denke zum Beispiel daran, daß es in der Schweiz kaum einen Schutz für Arbeitslose gibt – weil das Recht ist, ist es wohl recht so –, Gewissen ist für Freibeuter eine Angelegenheit des Staates, und nachdem die Unternehmer in unserer Demokratie eine Minderheit sind, können sie behaupten, daß nicht sie, sondern die Mehrheit es so wollte.

Nun gut, wer einen Staat will, muß auch den Rechtsstaat wollen, ich sehe das ein.

Ich mag nur den Zynismus jener nicht, die im Recht sind, und ich verwehre mich dagegen, daß Resignation (auf der andern Seite) staatsfreundlicher sein soll als Rebellion.

Denn wenn Resignation dem Staate lieb wäre, dann müßte er zugeben, daß er ein entpolitisiertes Volk will. Resignation kann zwar Staatstreue sein, aber sie ist zugleich staatsfeindlich; und es gibt eine Staatstreue, die die Demokratie lächerlich macht, ad absurdum führt und umbringt. Das wäre der letzte Sieg der genüßlerischen Zyniker.

Die Freibeuter (= gesetzeskonforme Piraten) werden sich darauf berufen, daß in unserer Demokratie das Volk die Gesetze mache. Sie haben damit ein doppeltes Alibi, sie glauben nicht nur gesetzestreu zu handeln, sondern auch demokratisch. Sie rechnen mit der Ohnmacht des Volkes und bezeichnen diese Ohnmacht als Volkswillen.

Schließlich stehn wir kopfschüttelnd vor einem Gesetz, von dem behauptet wird, wir hätten es selbst gemacht, und wir sind zu Recht ins Unrecht gesetzt.

Kein Wunder, daß wir das zynische Lächeln jener, die im Recht sind, nicht mögen.

Freibeuter jedenfalls sind an der Demokratie nicht interessiert, sie dient ihnen nur als willkommenes Alibi, und jede andere Staatsform, die sie ins »Recht« setzen würde, wäre ihnen ebenso lieb.

Also, angenommen ein Staat würde ...

Engagement

Ein Gespräch mit einem erwachsenen Menschen, nachts allerdings und auf der Straße nach Wirtschaftsschluß. Ich weiß nicht, ob er unter anderen Umständen mit mir sprechen würde, und dann weiß ich auch nicht, ob ich es tun würde.

Bankprokurist oder so etwas ist er, und morgens um eins hat keiner Lust, dem andern weh zu tun, und man legt das Gespräch zum vornherein auf Einverständnis an.

Er kennt mich, ich kenne ihn, und nun ist jeder darauf bedacht, das Vorurteil des andern zu widerlegen. Man vertauscht die Rollen, er spielt den Fortschrittlichen und ich den Konservativen. Ich entgegne ihm, wie er entgegnen würde, tagsüber, und er denkt so – denkt er –, wie ich tagsüber denke. Wir haben jedenfalls jetzt keinen schlechten Eindruck voneinander. Extremisten – weiß Gott – sind wir nicht.

Das Thema des Gesprächs? Philosophie nennt man das wohl? Irgend etwas über Charakter, dann auch über Treue, über Landesverteidigung und dann auch – aber das nicht von mir, sondern von ihm –, daß der Kommunismus, richtig verstanden, Christus und seine Jünger und so, eigentlich richtig besehen schon richtig wäre, aber keinen Extremismus jedenfalls und Demokratie jedenfalls – und dann wieder Charakter –.

Und dann, so gegen zwei Uhr, kam die Sache mit dem Fähnrich. »Seit sechs Jahren trage ich die Fahne«, sagte er. Auf mein deplaziertes »Wo?« sagte er: »In unserm Verein.« Ich wagte nicht zu fragen, in was für einem Verein, aber es stellte sich später heraus, daß »unser« Verein ein Unteroffiziersverein ist.

»Nun wollten sie mich zum Rücktritt zwingen und wollten einen andern Fähnrich, einen Freisinnigen«, sagte er, und er fragte mich, ob ich wisse, wie er da reagiert habe.

Ich versuchte es vorerst mehrmals mit »Ich weiß es nicht«, aber damit gab er sich nicht zufrieden.

Und nun suchte ich die Antwort, von der ich glaubte, sie müßte ihm gefallen, und ich sagte: »Du hast sicher gesagt ›Leckt mich am Arsch‹ und die Sache hingeschmissen.« Und im selben Augenblick wußte ich, daß das falsch war. Er sagte erschreckend lange nichts und dann ohne jede Emotion: »Nein, ich habe gekämpft. Ich habe eine Ansprache vorbereitet und vor der Generalversammlung gesprochen, und ich erreichte das absolute Mehr im ersten Wahlgang, und das ist jetzt schon drei Jahre her, und ich trage die Fahne noch immer.«

Charakter? Entweder ist man für die Fahne, oder man ist gegen die Fahne, und wenn man dafür ist, legt man auch Wert darauf, sie zu tragen.

Ich weiß nicht weshalb, aber ich möchte eigentlich auch Charakter haben – auf die Gefahr hin, daß Charakter bedeutet, eine ganze Welt auf eine Fahne zu reduzieren.

Nun, ich schaff es ganz einfach nicht. Das ist mir aufgefallen, als ich kürzlich im Vereinsblatt der Kanarienzüchter einen Nachruf auf einen Menschen las, der sein Leben in den Dienst der Kanarien gestellt hat, vierzig Jahre lang Punktrichter war und sozusagen der Vater des neuen Wettkampfreglementes.

Es ist sehr schwer, dies ohne Spott mitzuteilen. Ich gebe zu, es gelingt mir nicht, aber ich bemühe mich darum.

Ein Leben, reduziert auf die Bedürfnisse des Kanarienzüchtervereins, vielleicht dabei nicht nur über das neue Wettkampfreglement diskutiert, sondern auch über die Frage, ob man die Statuten so interpretieren dürfe, daß auch Frauen in den Verein aufgenommen werden könnten, und vielleicht auch dafür gesorgt, daß der Verein Fritzens Kandidatur für den Gemeinderat kräftig unterstützte.

Ein sinnloses Leben für den, der dem keinen Sinn abringen kann.

Es gibt sogar eine lateinische Bezeichnung für die Leute, die Streichholzbriefchen sammeln, und gestern hat mir einer wütend erzählt, daß er dem Eisenbahnamateurklub die ganze Sache hingeschmissen und am selben Abend den Austritt geschrieben habe. Ich habe ihn lange befragt – denn es interessierte mich –, aber ich konnte die Gründe für dieses Tun nicht ausfindig machen. Er erzählte von einem Schaltpult und von dem Schlüssel dazu. Ich begriff nichts, aber seine echte Wut überzeugte mich davon, daß hier nichts Unwesentliches geschehen war.

Angenommen, ich müßte einem Brasilianer das Problem der jurassischen Separatisten erklären. Was mir mit Bestimmtheit nicht gelingen würde, wäre, begreiflich zu machen, daß das Problem nicht unwesentlich sei.

Probleme sind nicht vergleichbar. Die Fristenlösung hat nicht Priorität vor der Frage der Atomwerke, und die Einführung der Arbeitslosenversicherung ist nicht vergleichbar mit der Gegnerschaft der Batteriehaltung von Hühnern. Und vor dem Ganzen erscheint das Einzelne immer als lächerlich. Streichholzbriefchen sammeln aber wäre vielleicht doch eine Möglichkeit, doch kann man es offensichtlich nicht tun ohne Leidenschaft.

Das Heil der Welt, das ist sicher, liegt nicht in der Befreiung des Juras und nicht in der Fristenlösung und nicht in der Bodenhaltung der Hühner, nicht in einem gerechteren Wettkampfreglement für Kanarien, aber es besteht kein Anlaß, darüber zu lachen, weil es vor dem Ganzen als unwesentlich erscheint. Und vielleicht ist wirklich ein Leben im Dienste der Kanarien ein Leben.

Freudianer werden feststellen, daß alles nichts anderes ist als Kompensation, aber sie haben unrecht.

Mit tausend Maschinenpistolen

Wissen Sie, was ein Kassiber ist?

Ich weiß, Sie wissen es – und vielleicht erst seit kurzem –, und sehr wahrscheinlich wird nun dieses Wort, wo es auch immer auftauchen wird, die Assoziation BM auslösen.

Ein Kassiber ist ein heimliches Schreiben von Gefangenen und an Gefangene. Man stellt sich das traurig vor und sentimental oder gar poetisch und erwartet eigentlich, daß einem ein solcher Kassiber die Möglichkeit gibt, Erbarmen mit dem Gefangenen, Verständnis für ihn aufzubringen.

B & M (das könnte auch ohne weiteres die Bezeichnung für eine Firma sein, von der man vielleicht wüßte, daß sie in üble Pläne verstrickt ist) ist ein Thema für Kolumnisten geworden und zu einem eigentlichen Wettbewerbsgegenstand unter ihnen.

Wettbewerbsfrage: Wer findet das erlösende Gegenwort?

Das Gegenwort zu Kriminellen heißt Kriminalisierte.

Das Gegenwort zu Gruppe heißt Bande.

Usw.

Daß etwas mit Kassibern war und daß man Anwälten den Vorwurf macht, damit etwas zu tun gehabt zu haben, davon hat man schon seit einiger Zeit gehört, und Poeten mögen sich Vorstellungen über ihren Inhalt gemacht haben – ein Lebenszeichen von Menschen vielleicht oder gar ein Satz über das Zwitschern von Vögeln vor den Gittern, vielleicht ein bißchen Traurigkeit oder ein Lächeln.

Nun findet man einige der Kassiber in Zeitungen abgedruckt –
nichts für Poeten und kaum etwas für Politologen, sondern Anweisungen an Mitkämpfer, allerdings auch diese nicht überraschend,
denn wer sich schon zum Mitkämpfer entschieden hat, wird diese
Anweisungen kaum mehr nötig haben, und wüßte man nichts von
praktischen Aktionen, man würde die Sätze für Theorie halten, für
sehr einfache Theorie zudem.

»nehmt Urlaub, macht blau, wir brauchen jede Stunde«

»wie habt ihr die Knäste aufgeteilt? wie organisiert, daß alle Knäste
die Gefangenenzeitung kriegen ...«

»welche ausländische Zeitung hat noch nicht die Presseerklärung?
für die internationale Presse eine internationale Protestresolution
gegen die Bundesregierung organisieren«

Fälschungen sind das sicher nicht, denn würde irgend jemand fäl-
schen, er würde es besser tun. Er wüßte zum Beispiel, daß A und G
sich lieben (nun ist man enttäuscht, daß davon im Gerichtssaal gar
nichts zum Ausdruck kommt), oder er wüßte, daß das Böse viel rea-
ler organisiert und viel geheimer und unverständlicher mitteilt.

»Kriminalisierung« – kein erlösendes, aber immerhin ein Gegenwort –, darauf hat man sich zwischen links und rechts annähernd
geeinigt.

Auch mir fiel es leicht, diese Formel zu übernehmen, ich glaubte,
daß sie doch ein wenig vorsichtiger sei als das übliche »kriminell«.
Nun – nach der Lektüre der Kassiber – zweifle ich.

Sie sind – daran ist wohl nicht zu rütteln – straffällig geworden,
haben sich strafbar gemacht. Und sie sind der Gesellschaft feindlich
gesinnt, der bestehenden zwar nur, aber zu der gehören wir.

Straffällige fragt man (die Lehrer tun das mit Vorliebe): »Was
hast du dir denn dabei gedacht?« Und die Frage zielt darauf hin, daß
er einsieht, daß es gut ist, daß man ihn erwischt hat, denn so konnte
es ja nicht weitergehn.

Nun sind dies aber Straffällige – und vielleicht meint man das mit
dem Wort »kriminalisiert« –, die man mit dieser Frage nicht rumkriegt, weil sie an *diesem* Weitergehn nicht interessiert sind. Sie werden sich mit ihren Richtern nie versöhnen und ihren Anwälten nie
dankbar sein.

Mit Gegenwörtern ist hier nichts zu machen – kein Thema für Kolumnisten.

Vielleicht können wir vorläufig jenem den Preis überreichen, der auf die Formel gekommen ist – auf das »erlösende« Gegenwort –, daß B so etwas wie ein Räuberhauptmann sei. B würde es uns allen sehr leichtmachen, wenn er diese Bezeichnung annähme.

Er würde von uns unter unsern bewundernden Blicken zum Galgen geführt, ein munteres Völklein in bunten Kleidern würde sich auf dem Dorfplatz versammeln, und Großväter würden später ihren Enkeln erzählen: »Ja, ja, der Andreas, er hat das ganze Land mit Feuer und Schrecken überzogen; er hatte, das muß man sagen, ein Herz für die Armen; und arm waren die Menschen damals. Ich hab gesehen, wie sie ihn durch die Straßen führten, stolz hob er sein Haupt, und alle sahen, daß er sich was dachte, aber niemand wußte was – ein harter Kerl.«

Nein, Poeten werden keine Lösung finden.

Persönlicher Ehrgeiz, Eitelkeit, Arroganz? – Mit solchen Einschätzungen ist nichts erreicht, weil sie die Leute noch lange nicht von Normalpolitikern unterscheiden würden.

Nun wird behauptet – und dies nicht nur in Deutschland, sondern auch bei uns –, daß B & M dem Faschismus Vorschub leisten mit ihrem Tun, mit ihrem Verhalten und ihrer Gefährlichkeit. Eigenartig, daß dies mitunter und nicht selten von potentiellen Faschisten selbst behauptet wird, als hätten sie ohne B & M die Absicht gehabt, uns den Sozialismus zu schenken – »den habt ihr euch jetzt für lange Zeit verscherzt; wenn ihr jetzt sehr nett seid, bekommt ihr ihn vielleicht nächste Woche«.

Kein Anlaß zum Spotten, ich weiß es, und ich weiß, daß sie nicht nur B. und S. in Z. oder R. in W. hassen (die mag ich auch nicht). Sie hassen auch mich aus ganzem Herzen. Und auch ich begreife nicht, was sie wollen, und wenn ich es wüßte, ich wäre – so glaube ich – nicht dafür.

Wenn ich aber für ihren Haß auf mich ein bißchen Verständnis aufbrächte, es nützte mir nichts, denn es nähme sie kein bißchen für mich ein. Die wollen viel mehr von mir und lassen sich nicht durch ein Lächeln zum Lächeln bringen.

Ich schreibe das alles in Hilflosigkeit und weiß, daß mir kein Satz dazu gelingen wird.

»Wer ohne Schuld ist, werfe den ersten Stein!« – es würde nach dieser Aufforderung die größte Pyramide der Welt. Und ich weiß nicht, wie J. aus N. mit diesem Satz Leute davon abhalten konnte, eine Straffällige zu steinigen – wohl einfach, weil sie erbärmlich aussah. (Denn für Erbarmen hat man zu kriechen, und oft auch für Recht und Gerechtigkeit.)

Und auch unsere Gerichte sind immer auf mindestens einen kleinen Schimmer von Erbärmlichkeit, auf einen kleinen Schimmer von Einverständnis der Angeklagten angewiesen. Ohne das sind sie ohnmächtig.

»und liebe zum Menschen nur möglich ist in der todbringenden haßerfüllten Attake auf den imperialismus-faschismus«

Ich weiß nicht – aber jedenfalls ist das keine Generalstabsanweisung. Es scheint mir viel eher recht privat zu sein, geschrieben in einer Sprache allerdings, die wir sonst nicht als privat bezeichnen würden. Aber ich meine, daß dieser Kassiber nichts enthält, was der Empfänger nicht bereits wußte. Er ist also, was private Briefe oft sind, nötig für den Absender und nicht für den Empfänger – also doch ein Lebenszeichen von Menschen.

Am Biertisch erzählen die Männer, was mit denen zu geschehen habe. »An die Wand und mit tausend Maschinenpistolen niedermähen«, hat einer gesagt. Warum tausend? Ein Ritualmord? – Der Mann regte sich sehr auf und stotterte.

Ich konnte dazu nichts sagen.

Der Mann hat unrecht – unrecht vor den Gesetzen. Er ließ sich bereits faschistisieren und war dazu gerne und zum vornherein bereit. Ich habe dem Mann auch nichts erwidert – und also das Gesetz bereits im Stich gelassen. Sitze ich jetzt im selben Boot wie er? Ich möchte das nicht. Hingegen tut es mir weh, daß B & M mich hassen. Ihm macht das offensichtlich nichts aus. Im Gegenteil, er reagiert auf Haß mit Begeisterung, und fast habe ich ihn im Verdacht, daß er zu jenen Schweizern gehört, die die Deutschen um diese Sache beneiden.

Ich versuche eine andere Meinung zu haben – es gelingt nicht, nichts zu machen.

Offensichtlich sind wir bereits so weit, daß selbst der Versuch zum Nachdenken mit dem neuen Reizwort »Sympathisant« qualifiziert wird. Das Nachdenken über B & M hat uns leichtzufallen, das befiehlt uns die Presse.

Nichts zu machen.

Nur eines: Die Rechtsextremen – davon bin ich überzeugt – wären nicht weniger rechtsextrem ohne sie. B & M haben nichts ausgelöst (auch keinen Rechtsrutsch), und sie haben an dieser Welt nichts verändert, sie sind höchstens ein Alibi, und sie sind hoffnungslos verloren, denn offensichtlich wird man mit ihnen nicht fertig, ohne sie fertigzumachen.

Das haben sie sich zwar selbst eingebrockt, aber sie zwingen uns nun, die Suppe mit ihnen auszulöffeln. Es wird nicht leicht sein, dabei saubere Hände zu bewahren.

Wenn einer jemanden umbringt aus Eigennutz und um sich zu bereichern, dann paßt er jedenfalls besser in unser Denksystem, und er hat denn auch vor Gericht eine entsprechend reellere Chance. Vielleicht meint der Unterschied zwischen Kriminellen und Kriminalisierten genau das.

(PS: Kürzlich ist einer tödlich verunglückt, der mich gehaßt hat. Sein Tod tat mir leid. Ich hätte mir gern gegönnt, daß er älter und versöhnlicher geworden wäre, aber ich weiß, wäre es eingetreten, er hätte es sich übelgenommen.)

Die ästhetische Revolution

Ich weiß, es ist gemein, die Zufälligkeit zu erwähnen, daß der Herr uns gegenüber Zahnarzt war, er hätte auch sonst ein Herr zwischen vierzig und fünfzig sein können, aber hie und da entdeckt man in Zufälligkeiten alte Vorurteile und kann sich dann nicht beherrschen.

An der Wand in jenem Restaurant hing ein Bild von einem Maler, den ich sehr mag, und der Herr fragte nun, was das Bild denn bedeute und ob dieser Maler wohl auch zeichnen könne. Jemand antwortete ihm etwas, aber das überzeugte ihn offensichtlich nicht – die Sache mit »Geschmier« und »Kindergarten« und so. Ich konnte mich zu meiner eigenen Überraschung beherrschen und sagte nichts. Aber ich erinnerte mich nun plötzlich – ich hatte es längst vergessen –, daß wir uns einmal, vor zwanzig, fünfundzwanzig Jahren, dafür eingesetzt hatten, dafür gekämpft hatten, mit Engagement, mit Wut und Entsetzen.

»Für moderne Kunst« oder »Gegen moderne Kunst« hießen die Parolen, und ich erinnere mich an Lehrer vor fünfundzwanzig Jahren, die mit ein paar Paul-Klee-Reproduktionen die Musterlacher in ihrer Klasse schnell auf ihrer Gegnerseite hatten und Klee und Picasso verfolgten wie Pornographie. Einige unter uns entdeckten bald, daß hier unsere Emanzipationschance läge (wir nannten das zwar nicht so), und wir wurden vorerst einmal zu Gegnern der Gegner und hatten es fortan leicht, die Spießer zu definieren und uns auch von unseren Eltern zu distanzieren.

Wir begannen zu pilgern, erst in Buchhandlungen, um Kunstkarten zu kaufen, dann auch in Museen, und endlich wurden es echte Pilgerfahrten von Kirche zu Kirche, nach Ronchamp zu Corbusier, nach Courfaivre und Audincourt zu Léger und dann auch etwas später zu Gehr nach Oberwil. Fast wären uns Corbusier, Léger und Gehr eine Messe wert gewesen, und sogenannt progressive Priester scheinen das bemerkt zu haben und führten ihre Schäfchen in Autocars zur modernen Kunst.

Das pädagogische Thema hieß »Wie bringt man die Kinder zur modernen Kunst?«, und manch ein Lehrer bekam damit ein wenig Schwierigkeiten mit seiner Schulkommission und war stolz darauf.

Die Revolution war im Gange: Klee gegen Anker, Strawinski gegen Beethoven, Charlie Parker gegen Ilse Werner – in der Literatur hauten wir zwar noch ein bißchen daneben mit Bergengruen gegen Goethe, aber wir wußten halt noch nicht viel anderes.

Die Fronten waren klar: Ein Nierentisch oder helle Eschenmöbel genügten als Ausweis für unsere Seite – ein Schritt in eine Wohnung, und man wußte, ob man sich bei Freund oder Feind befand. Wer für Picasso war, hatte unser Vertrauen, unabhängig davon, woher sein Geld für den Picasso kam; viel Geld übrig zu haben für Kunst galt als humanitär.

Hitler war gegen moderne Kunst, das wußten wir, und insofern kamen unsere Gegner in ein schiefes Licht, und unser Kampf erschien uns politisch – wir hatten den Dreh gefunden, die Welt zu verändern, und sahen das Elend der Welt in einer großen Aargauer Möbelfirma und ihr Heil in Bauhaus, Beton und Flachdach.

Nun sitzen wir auf einem Stapel alter Modern-Jazz-Platten, sind betrogen und wissen nicht einmal, von wem. Es sind keine Schuldigen zu finden, so gern ich auch das jemandem in die Schuhe schieben möchte. Dahinter lag nun offensichtlich – und Marxisten mögen das mit Recht bezweifeln – nicht die geringste Absicht. Kunst ist was Bürgerliches, und wir haben mit unsern nächtelangen erhitzten Diskussionen das Geschäft der Bürgerlichen betrieben. Mit bürgerlicher Unterstützung vermeintlich gegen den Bürger gekämpft, unter dem Arm Ortegas »Aufstand der Massen« als Dienstreglement.

Oft kommt es mir vor, als hätte man uns mit Absicht Scheinkämpfe geliefert, um uns von Wesentlicherem abzuhalten. Wir haben zwar unsern Lehrern den Vorwurf gemacht, sie erzählten uns zuwenig Kulturgeschichte, aber wir haben offensichtlich doch von Klassik, Romanik und Gotik so viel mitbekommen, daß wir plötzlich mit diesem 20. Jahrhundert nichts anderes im Sinn hatten, als ihm ein äußeres ästhetisches Gepräge zu geben. Und daß wir mit der Zeit selbst nichts im Sinn hatten, das muß doch für einige recht angenehm gewesen sein.

Wir haben Ästhetik mit Kultur verwechselt und nahmen dem Bürgertum eigentlich nur die Satteldächer übel. Wir waren die großartigsten Don Quijotes. Ich bin nicht nur traurig darüber und lasse die Bilder an meinen Wänden hängen (ich mag sie) und kaufe gar hie und da ein neues dazu. Aber der Kampf gegen die Satteldächer hat viel unnötige Kraft gekostet.

Vielleicht liegt auch darin der Schock von 1968, daß es da plötz-

lich eine Jugend gab, die nicht mehr bereit war, den Kampf gegen
Satteldächer aufzunehmen, für die Gut und Böse keine ästhetische
Frage mehr war. Inzwischen kann man sich nicht mehr progressiv
auf-möbeln, und man weiß inzwischen, daß eine Kunstsammlung
der Menschheit nicht dient.

Ich entschuldige mich in aller Form bei der gewissen großen Möbelfirma für meinen damaligen Windmühlenkampf. (Bin in diesem
Sinn auch froh, daß er ihr offensichtlich nicht geschadet hat.)

Der Zahnarzt übrigens hält an seinem Kampf gegen die »Schmie-
rer« fest, und er hat sich im Restaurant sehr ereifert. Recht so – ein
letzter Mohikaner. Im Grunde genommen gehören er und wir viel
eher ins Museum der fünfziger Jahre als all das, um das wir gestritten haben.

Was haben sie gegen K. F. ?

K. F. ist unbeliebt. »Den mag ich einfach nicht«, sagen die Leute,
und der Satz ist bezeichnend für ihre Haltung, eine Abneigung ohne
Argumente. Vielleicht seine Stimme, vielleicht sein Tonfall. »Er ist
sicher intelligent«, sagen die Leute, »sehr intelligent sogar«, und es
ist ihnen klar, zu was Intelligenz taugt: zum Geldverdienen, zum Kar-
rieremachen, zum Berühmtwerden. So wurde es ihnen erzählt, und
so haben sie es in der Schule erlebt. Musterschüler, hört man, ein
Klassenerster, der nur im Turnen schlecht ist, aber selbst das, so hört
man, war er auch nicht.

Kürzlich wurde er wieder ausgepfiffen, als man ihn bei einem öffentlichen Anlaß begrüßte; dafür applaudierte man einem ehemaligen Kollegen von K. F. frenetisch, der nun wieder für jene Wirtschaft
tätig ist, die die Steuern, die er als Finanzminister hätte haben sollen,
recht ungern bezahlt. Ihn hält man eher für schlau, das ist eine eidgenössische Tugend.

K. F. tut mir richtig leid, und ich bin überzeugt, daß man ihm
unrecht tut. Ich bin überzeugt, daß seine politische Haltung (und

ich möchte hier gar gern ein persönliches Leider hinzufügen) der Mehrheit unserer Bürger und vielleicht genau jenen Pfeifern entsprechen würde, wenn diese eine politische Haltung hätten.

K. F. ist der einzige Bundesrat, der vom Volk gewählt wurde, zwar vielleicht nicht gerade ohne emotionelle Gründe, aber im ganzen doch recht zufällig ausgewählt aus den sieben, gewählt zum eidgenössischen Buhmann.

K. F. bemüht sich, und er bemüht sich redlich. Er macht nicht in billiger Imagepflege, nicht in Volkstümlichkeit, aber wenn man ihn sieht im Fernsehen, dann merkt man, hier redet einer, der weiß, daß er schlecht ankommt. Ich leide mit ihm, wenn ich ihn leiden sehe.

Das hat alles gar nichts zu tun mit seiner Haltung in der Frage des Schwangerschaftsabbruchs, hat nichts zu tun mit seiner Haltung in der Frage der Chileflüchtlinge – es sind nicht die Linken, die pfeifen, und keiner wird wegen K. F. eine linke Partei wählen.

Die Arbeit von K. F. ist im Volk unbekannt, kaum einer der Pfeifer wüßte sein Departement zu nennen, man weiß höchstens, daß er weder das Militär- noch das Finanzdepartement hat. Seine Arbeit entzieht sich jeder Kritik.

Man erzählt sich Witze – ausschließlich Wanderanekdoten, bereits von andern Politikern in andern Ländern zu andern Zeiten erzählt.

Beispiel. K. F. versucht auf Anraten von Werbefachleuten, zu Fuß die Aare zu überqueren. Es gelingt auch. Anderntags in der Zeitung die Schlagzeile: »K. F. kann nicht schwimmen.«

Man unterschiebt ihm also, daß er mit Äußerlichkeiten sein Image aufpolieren wolle. Wir wissen alle, daß er das nicht tut. Und wenn auch – die Pfeifer haben sich darauf eingeschworen, daß dem nichts mehr gelingen darf.

K. F. hat auch echte Feinde. Die sprechen von seinem Ehrgeiz und andern persönlichen Qualitäten, die ihn allerdings kaum von andern Politikern unterscheiden.

Unter den Pfeifern hat K. F. keine Feinde. Niemand ist wirklich gegen ihn – ein fleißiger, gescheiter Mann –, niemand unter den Pfeifern hat etwas gegen seine Politik.

Die Pfeifer haben sich nur entschieden, einen nicht zu mögen, und zufällig haben sie ihn gewählt. Gäbe es mehrere K. F., man müßte von Rassismus sprechen. Mit seiner Person – davon bin ich überzeugt – hat das alles nichts zu tun. K. F. ist ein Opfer, das Opfer der eidgenössischen Entpolitisierung, das Opfer einer Besänftigungspolitik, das Opfer eines gewollt langweiligen Fernsehens, das Opfer einer Leisetreterpolitik, die mitunter auch von seiner Partei vertreten wird.

Sollte es jemandem gelingen, ihn sympathisch zu machen – nichts wäre damit gewonnen, denn daran liegt es nicht. Es liegt daran, daß in der Schweiz Politik ausschließlich mit Samthandschuhen gemacht wird, daß vom Fernsehen einem Politiker noch nie harte Fragen gestellt wurden, daß selbst K. F. von diesem Fernsehen noch nie hart angegriffen wurde, sondern nur sanft ausgestellt.

Wie sollen die Leute lernen, echt und hart zu kritisieren, wenn sie vom Fernsehen nur sogenannte Objektivität vorgesetzt bekommen? Wie sollen sie lernen, die Arbeit dieser sieben zu beurteilen, wenn sie nur ihre mehr oder weniger sympathischen Köpfe kennen?

K. F. tut mir leid, man sollte wirklich etwas für ihn tun. Man sollte ihn endlich angreifen und gegen ihn so unmanierlich kämpfen, wie das in wachen Demokratien üblich ist.

Vielleicht möchten die Leute ihn mal schreien hören. Und darauf haben die Leute ein Recht, ein Recht auf seine Subjektivität und auf seine Emotionalität.

Aber im Parlament kämpfen Hofer und seine untapferen Mannen gegen diese Möglichkeit. Sie werfen unserem langweiligen Fernsehen vor, es sei zuwenig langweilig. Sie wollen mehr Objektivität.

Sie sind offensichtlich daran interessiert, daß die politischen Zuneigungen und Abneigungen generell so zufällig werden wie die Abneigung gegen K. F.

Das ist ungerecht, K. F. hat ein lebendigeres Fernsehen verdient.

Im übrigen wäre ich im allgemeinen gegen die politische Haltung von K. F. Aber das steht in diesem Land offensichtlich nicht zur Diskussion. Und zu Stimme, Tonfall und Gesicht von K. F. fällt mir nichts ein. Im angestrebten Stummfilmfernsehen kämen er und manch anderer jedenfalls noch schlechter weg.

Das Fernsehen soll offensichtlich so etwas werden wie ein großer nationaler Werbespot. Damit kommen wir nicht weit. Entdemokratisierung der Demokratie – eidgenössische Schulmeisterei – das Volk zu Schülern machen, wo es der Lehrer zu sein hätte – jetzt pfeift das Volk halt wie Schüler oder wie Halbtapfere in einer Diktatur.

Eine demokratische Regierung vor einem Volk, das wie Unterdrückte reagiert? Demokratie ist eben nicht nur eine Regierungsform.

Erwachsenwerden

Liebe damalige und ehemalige Erwachsene,

ihr wart alle in irgendeiner freundlichen oder unfreundlichen Form unter vielen andern an meiner Erziehung beteiligt. Von euch kenne ich das Wort Erwachsener, und es hatte so viel Gewicht, daß ich Lust darauf bekam, einer zu werden.

Ich bin jetzt seit zwanzig Jahren über zwanzig Jahre alt und darf nun wohl annehmen, endgültig zu euch zu gehören.

Ich bin ein Erwachsener.

Immerhin wird mir immer noch Jugend vorgeworfen – keinen Aktivdienst geleistet, die Krise der dreißiger Jahre nicht erlebt, den und den nicht gekannt, alles Dinge, die ich nicht mehr schaffen werde, sosehr ich mich auch bemühen wollte – da ist immer einer, der noch erwachsener ist, bereits im Landsturm, bereits AHV-Bezüger –

und immer Versprechungen –

ich hielt mit sieben die Achtjährigen für erwachsener und die Zwölfjährigen für bestandene Männer. Ich hielt mit zwanzig die Dreißigjährigen für erwachsen und mit dreißig die Fünfunddreißigjährigen und mit fünfunddreißig die Vierzigjährigen –

gut, ich habe gelernt, daß man nicht unbedingt aus eigenen Erfahrungen auf die Erfahrung der andern schließen kann, aber ich habe den Verdacht, daß vor fünf Jahren die Vierzigjährigen nicht bestandener waren als ich heute –

Ich gebe es auf, ich habe mich entschieden, stehenzubleiben, ich habe mich entschieden, nicht erwachsen zu werden, die Krise der dreißiger Jahre nicht erlebt zu haben, keinen Aktivdienst geleistet zu haben –

ich glaube, ein Recht darauf zu haben, einen zwanzigjährigen Versuch abzubrechen –

Ich weiß, ich bin ungerecht, weil ich mich als Maßstab nehme – aber ihr damaligen Erwachsenen habt mich getäuscht. Ich versuchte euch zu erreichen und sah, daß die älteren anders waren als ich, und ich hatte Lust darauf, auch so anders zu werden, und jedesmal, wenn ich's erreichte, blieb ich derselbe –

Was habt ihr mir alles versprochen.

»Wenn du erst mal erwachsen bist ...« – »Dazu bist du noch zu jung ...« – »Du wirst schon noch sehen ...«

Ihr habt mir versprochen, ein Erwachsener werden zu dürfen, und ich hielt das für erstrebenswert.

Es ist nicht eure Schuld, es hätte mir auffallen sollen, daß ihr mich immer in kritischen Situationen auf das Erwachsensein vertröstet habt – wenn ich euch nach etwas gefragt habe, von dem ich glaubte, ihr wüßtet es, und ihr habt so getan, als wüßtet ihr es.

Meine Fragen blieben unbeantwortet. Ihr habt gesagt, ich müsse erst erwachsen werden – nun glaube ich annehmen zu dürfen, ich sei es, und habe die Antwort immer noch nicht.

Kindliche Frage: »Warum gibt es Krieg?«

Ich hab mir da so einiges zusammengereimt, aber die Erwachsenen sagen auch heute noch nichts anderes, als daß ich unrecht hätte.

Man hat denn auch beschlossen in Bern, daß man kein Friedensforschungsinstitut gründen will. Ist man an der Antwort nicht interessiert? Nein keineswegs – man hat bereits eine Antwort und will sie sich durch Fragen nicht verderben lassen.

In Kindersprache übersetzt, heißt die Antwort: »Kriege gibt es, weil es Kommunisten gibt.«

Ein Institut, das auf andere Ursachen käme, wäre staatsgefährdend.

»Wollt ihr es so haben wie die Kommunisten?«

»Nein, so wollen wir es nicht haben.«

In Bern wird auch – von Journalisten etwa – zusammengestellt, welcher Parlamentarier am meisten Anfragen gestellt hat, und wer am meisten fragt, ist der Dümmste.

Vielleicht heißt Erwachsensein fraglos in Antworten leben, Antworten zu haben ohne Fragen.

Wer fragt, ist ein Feind der bestehenden Antworten.

»Warum gibt es Krieg?«

»Leider gibt es Krieg.«

»Warum brauchen wir eine Armee?«

»Leider brauchen wir eine Armee.«

»Warum liefern wir Waffen nach Spanien?«

»Leider müssen wir Waffen liefern nach Spanien.«

Die letzte Antwort ist erfunden.

Warum stimmt sie nicht?

Weil wir Waffen liefern nach Spanien, ohne zu fragen. Weil man, verdammt noch mal, nicht immer fragen kann.

Das alles ist sehr kompliziert, und alles hat seine Kehrseite und alles seine Vor- und Nachteile.

Fragen sind gefährliche Vereinfachungen.

»Warum gibt es Reiche und Arme?«

Nein, so geht das nun wirklich nicht.

Vielleicht täusche ich mich, aber mir ist so, als hättet ihr mir damals gesagt, daß ich's begreifen werde, wenn ich erwachsen bin.

Und wenn ich meine Nebenerwachsenen anschaue, dann sehe ich solche, die den Eindruck machen, als hätten sie es begriffen. Ein Offizier zum Beispiel macht mir diesen Eindruck. Er macht mir den Eindruck, daß er die Ordnung begriffen hat.

Ich habe einmal ein Kind gehört, das seine Mutter fragte: »Was haben wir heute für einen Tag?« Und die Mutter antwortete: »Mittwoch!« Da fragte das Kind: »Was wäre, wenn Donnerstag wäre?«

Eine unbeantwortbare Frage, sicher, aber ich kann mir nicht helfen, ich halte sie trotzdem für interessant, und ich habe das Kind im Verdacht, daß es wußte, daß es dazu keine Antwort gibt, und daß es froh darüber war, weil es in der Frage bleiben konnte.

Kinder können in Fragen leben. Erwachsene leben in Antworten.

Die Ordnung begreifen heißt: in Antworten leben.

Nicht »Warum gibt es Kriege?«, sondern »Es gibt Kriege«.

Nicht »Warum brauchen wir eine Armee?«, sondern »Wir brauchen

eine Armee«. Nicht »Warum haben wir Waffen nach Spanien geliefert?«

sondern –

sondern –

Hand aufs Herz, ist es vorstellbar, daß jemals die Verantwortlichen
kommen und sagen: »Es war falsch!«?

Ich weiß, so einfach ist das nicht, Außenhandelsdefizit, Arbeitsplätze usw.

Ich weiß, andere tun es auch. Ich weiß, die Welt ist nun einmal so.

»Wenn du erwachsen bist, wirst du's begreifen«, dieser Satz liegt
mir in den Ohren.

Ich hab's nicht begriffen.

(PS. Neulich wurden in Spanien fünf Menschen hingerichtet. Die sind
jetzt tot.)

Vor den Wahlen – nach den Wahlen

Ich schreibe diese Zeilen eine Woche vor den Wahlen, und Sie werden sie eine Woche nach den Wahlen lesen.

»Vor den Wahlen – nach den Wahlen«, für einige hundert oder tausend Leute ist dies gegenwärtig – nämlich während ich das schreibe –
zu einer ständigen Formel geworden.

Wenn Sie es lesen – in zwei Wochen –, wird die Formel vergessen
sein.

Kandidaten, Wahlhelfer, Parteileute haben gegenwärtig keine Zeit,
denn dies und das hat noch »vor den Wahlen« zu geschehen, und alles
andere wird verschoben auf »nach den Wahlen«.

Ich habe heute morgen Flugblätter verteilt, aus Überzeugung und
weil man halt auch einmal muß und nicht nur immer – und, ich nehme
an, Sie kennen das – es fällt einem nicht unbedingt leicht. Ich meine
das als Alibi – ich meine damit, ich mache da auch mit bei diesem
Staat.

Wir freuen uns alle auf »nach den Wahlen« – zwar ohne Aussicht auf Wahlerfolg, was ist schon ein Sitz mehr oder zehn, wir freuen uns eben darauf, daß sie vorbei sind.

Das ist kein Spott – das wird Ihnen jeder Kandidat und Wahlhelfer erzählen: »Wenn es nur vorbei wäre.«

Ich weiß auch, wie unaktuell diese Zeilen in vierzehn Tagen sein werden – so unaktuell, daß es möglich wäre, den Wahlkommentar zum voraus zu schreiben: Stabilität – keine Veränderung – leichte Verschiebung. Überraschenderweise wurde der eine nicht mehr gewählt und überraschenderweise der andere.

Man nennt in diesem Land sogar selbstverständliche Zufälle Überraschungen.

Sie haben gewählt. Es ist gut, in einem Land zu leben, in dem man wählen kann.

Was haben Sie gewählt?

Sie haben – wen Sie auch immer gewählt haben – diesen Staat gewählt.

Wenn ein Staat Wahlen ausschreibt – das ist so –, dann schreibt er sich selbst zur Wahl aus. Nicht wählen kann man diesen Staat nicht.

Ich halte ihn im übrigen auch für einigermaßen wählbar.

Die Regierung stand nicht zur Wahl.

Vor den Wahlen – nach den Wahlen; man müßte Veränderung erwarten dürfen. Aber Veränderung stand auch nicht zur Wahl.

Ein Programm sollte man wählen können, aber zur Wahl standen nur die Versprechen, sich für dies oder jenes einzusetzen – zum vornherein ist klar, daß man sich als Demokrat nur für etwas einsetzen und nichts durchsetzen kann. Das wirkt unter Umständen beruhigend, kein Gewählter braucht jetzt gleich loszulegen und seine Versprechen zu verwirklichen versuchen – das hat alles seine Zeit, das hat alles seine vier Jahre Zeit.

Hans Tschäni hat es vor einer Woche bereits im Tages-Anzeiger geschrieben, er halte dieses kleinmütige Parlament für unfähig, eine Verfassungsrevision durchzuführen. Ich frage nicht ihn, sondern Sie, ob er nun wohl das Parlament vor den Wahlen oder das Parlament nach den Wahlen gemeint habe.

Oder hat er das Parlament an und für sich gemeint? Dann wäre dieses Parlament an und für sich nicht mehr wählbar.

Hans Tschänis Kolumne hat mich sehr beeindruckt, und eigentlich wäre es das beste, sie hier noch einmal abzudrucken.

Ich kenne Hans Tschäni von seinen Artikeln her als tapferen und braven Demokraten und bin überrascht von seiner harten Resignation.

Er schrieb – wie er schreibt – seine Zeilen aus Distanz, aus den Ferien. Er war also nicht im Parlament, als der Radio- und Fernsehartikel behandelt wurde, und er glaubt, daß diese Distanz ihn bitter werden ließ.

Ich war auf der Tribüne während dieser Verhandlungen und kann ihm sagen, daß er dort nicht minder bitter geworden wäre.

Oder – um es milder zu sagen – traurig konnte man dort werden.

Auf der Tribüne saß jedenfalls eine andere Schweiz als unten im Parlament.

Auf der Tribüne saßen die Interessierten – Leute, die sich in ihren Parteien mit diesem Stoff auseinandergesetzt hatten, Leute, die mit diesem Medium zu tun hatten, zu tun haben, vielleicht auch Fernsehzuschauer – jedenfalls wurde auf der Tribüne weder geschwatzt noch gekichert, und die Leute auf der Tribüne waren da, um die Debatte zu hören, das heißt, sie hatten den kindlichen Glauben daran, daß da unten Reden gehalten werden, um über die Sache zu diskutieren. Auf der Tribüne saßen auch Leute, die zwar informierter waren als die da unten, aber gerade deshalb ihr Urteil über die Sache noch nicht gemacht hatten. Sie waren gekommen, um die Stimmen der Politiker zu hören. Auf der Tribüne wurde ab und zu genickt, oder es wurden Köpfe geschüttelt.

Die da unten, die wußten schon alles, und wirklich kein einziger hörte dem andern zu. Das ist auch nicht nötig, denn wo man nur dauernd verhindert, da braucht man nicht zuzuhören, da genügt das abschließende Nein. Daß die Nationalräte miteinander plaudern und sprechen, daß sie auch Zeitungen lesen, das stört mich nicht. Daß sie kichern, ärgert mich mehr. Daß Herr K. zum Beispiel – und nur zum Beispiel – seit vier Jahren nichts anderes tut, als gemessen

Schrittes und bedeutungsvoll, aber verständnislos durch den Saal zu spazieren – ich mache jede Wette, daß er jetzt, wenn Sie das lesen, wiedergewählt ist – das macht mich traurig.

Alle Kollegen kennen ihn, und alle belächeln ihn, weil er so wandert. Ich schreibe hier K., damit ihn kein Leser kennt, weil ich es ihm wirklich nicht persönlich übelnehme.

Ich nehme es den andern 199 übel, daß ihm noch keiner gesagt hat: »Herr K., setzen Sie sich endlich, Sie stören.«

Hier in diesem Parlament stört keiner keinen, und wenn man einen Parlamentarier darauf anspricht, dann sagt er: »Ja, schon, aber daran gewöhnt man sich.«

Das ist so fürchterlich, daß Parlamentarier sich daran gewöhnen, daß sie sich an alles gewöhnen, an ihre Niederlagen, an ihre eigenen Wahlreden, an die Bedeutungslosigkeit ihres Programms, an ihre Wiederwahl.

Die da oben (Tribüne) und die da unten (Parlament) sind nicht dieselbe Schweiz. Das braucht die Parlamentarier auch nicht zu interessieren, denn die Tribüne ist sehr klein, und ihre Wähler sitzen zu Hause und nicht da oben.

Da oben sitzen politisch Interessierte, und die haben sie ja nicht zu vertreten in einem Land, in dem die Mehrheit politisch desinteressiert ist.

Nur, wenn sie (da unten) die politisch Desinteressierten vertreten, dann vertreten sie diejenigen, die sich gar nicht für ihre Arbeit interessieren, und akzeptieren damit ihr Ghetto – in vier Jahren, meinen sie, sollten wir uns dann wieder um sie kümmern, und das werden wir auch – ich wünsche ihnen ein langes Leben, denn – ich will nicht ungerecht sein – im Ghetto leben, das ist eine echte Streßsituation, und mancher kommt dabei frühzeitig um, nicht etwa fürs Vaterland, sondern fürs Ghetto.

Von oben sieht es so aus, als hätten es die da unten schön und bequem. Wir wissen, daß es nicht so ist.

Aber wenn ihr glaubt – ihr da unten –, eure hoffnungslose Langweilerei sei systembedingt, das sei eben so in der direkten Demokratie, und die parlamentarische sei eben telegener, dann täuscht ihr euch. Diese Langweilerei ist eure persönliche Langweilerei. Ich bin kein Systemveränderer (ein eigenartiges Schimpfwort in einer direkten Demokratie), und Hans Tschäni ist das auch nicht.

Wenn unser Parlament ein Ghetto wird, ein Nebenbei im Staat, dann ist das nicht eine Sache des Systems – wäre es so, ihr müßtet das System ändern –, sondern das ist eure Sache, und wenn ich euch sehe von oben, dann habe ich den Eindruck, daß es euch so gefällt.

Rein optisch sieht es so aus, daß ihr in eigener Sache verhandelt, und ihr habt vor diesen Wahlen am Fernsehen selbst bewiesen, was für ein Fernsehen ihr wollt. Ich meine das nicht wertend, wem's gefallen hat, soll euch wählen.

Ich bin kein Systemveränderer, dieses System macht mir Eindruck, aber es ist nicht euer System, sondern unser System, nicht euch hat es zu gefallen, sondern uns.

Ich schreibe dies vor den Wahlen, und ich hätte kaum den Mut dazu, wenn es auch vor den Wahlen gedruckt würde.

Nehmt es mir nicht übel, ich wäre glücklich, wenn zweihundert neue und kein einziger bisheriger gewählt würde – und höchstens einem Dutzend würde ich nachtrauern.

Auch mich wird das in vierzehn Tagen nicht mehr sehr interessieren, aber ich habe heute morgen Flugblätter verteilt und dabei einige getroffen, die gesagt haben, daß sie nie zur Urne gehen (die von Bern und so), und ich finde das schlecht, daß sie nicht gehen, und ich wollte sie von der Notwendigkeit überzeugen, aber ich kam dabei ins Stottern. Weil ich an euch dachte und daran, wie genüßlerisch ihr in euren Ghettoreden das Wort »Volk« aussprecht.

Was bin ich?

Kürzlich bin ich mit Freunden aus einer »großen« Stadt durch das kleine Solothurn gegangen. Sie hatten die Absicht – wie sie es nannten –, aufs Land zu ziehen, und hatten auch bereits so halbwegs ein Haus in der Nähe gefunden.

Sie lobten »mein« Solothurn sehr und wurden nach und nach euphorisch. Hier schien es nichts zu geben, was sie nicht begeisterte, und meine kleinen Einwände überhörten sie. Allerdings, »ihr« Solothurn hatte mit »meinem« Solothurn recht wenig zu tun, weil Solothurn für sie ein optisches Ereignis war, etwas Schönes, etwas zum Anschauen.

Sie prüften natürlich auch die Funktion dieser Stadt, überprüften das Angebot der Stadt für den täglichen Bedarf.

»Aha, die Apotheke«, sagten sie, »aha, das Kino, aha, die Käsehandlung, aha, das Warenhaus, die Metzgerei, die Bäckerei.«

Ich machte sie darauf aufmerksam, daß es mehrere Apotheken gibt und mehrere Metzgereien und fünf Kinos – aber das nützte nichts, sie wollten es nun einmal so haben, wie sie es kannten aus der Literatur – Hermann und Dorothea von Goethe etwa –, sie wollten die Kleinstadt, die Idylle: der Apotheker, der Metzger, der Milchmann, das Kino. Sie wollten das alles in der Einzahl, klein und übersichtlich und festgefügt.

Sie wollten, so nehme ich an, auch einen Bäcker, der nichts anderes ist als der Bäcker, einen Apotheker, der durch und durch der Apotheker ist und keinen Namen braucht, weil er der einzige ist.

Ich hätte meine Freunde gern hier in meiner Nähe gehabt, aber ich war dann doch froh, daß aus dem Haus in Solothurn nichts wurde. Weil nach einem solchen »Bildchen« von Solothurn recht schnell eine Enttäuschung hätte werden können, und ich fürchtete, daß sie mich als Solothurner dafür verantwortlich gemacht hätten. Vielleicht hätten sie sehr bald sehr abschätzig gesagt: »Dein Solothurn!«

Auf jeden Fall ist das, was sie suchten, hier, und ich fürchte auch anderswo, nicht zu finden.

Was ich aber verstehe, ist die Sehnsucht danach – die Sehnsucht nach einer Welt, in der sich alles mit sich selbst identifiziert, eine Welt, in der der Bankier bereit ist, ein Bankier zu sein, der Kapitalist bereit ist, ein Kapitalist zu sein, und der Lehrer eben der Lehrer ist.

Ich möchte dafür keineswegs das Schimpfwort »Heile Welt« verwenden und auch nicht von einer Welt, die in Ordnung ist, sprechen. Im weitern ist es wohl recht sinnlos, eine solche Welt zu suchen oder theoretisch zu entwerfen. Sie wird so oder so nicht mehr herstellbar sein, und es ist nutzlos, darüber zu diskutieren, ob es überhaupt sinnvoll wäre.

Lassen wir das.

Aber mir ist in diesem Zusammenhang etwas anderes aufgefallen. Wenn ich jemanden nach seinem Beruf frage, dann antwortet er zögernd und ziert sich, er braucht für seine Antwort Wörter wie »eigentlich« oder »im Grunde genommen« oder »Sie werden es nicht glauben, aber ...«.

Und nicht selten kommt die Antwort: »Raten Sie mal!« Ich mache ihm eine große Freude, wenn ich absichtlich danebenrate. Der Mann, der sich als Würstchenverkäufer bezeichnet, stellt sich später als kaufmännischer Direktor einer Großmetzgerei heraus, und der Pfarrer, den ich treffe, wünscht von mir, daß ich sehr überrascht bin, weil er doch keineswegs so ist wie ein Pfarrer, und er erzählt mir vorerst auch ausschließlich von Dingen, die mit einem Pfarrer nichts zu tun haben. Er ist kein Pfarrer, wie die Pfarrer sind, und er nimmt an, daß alle andern Pfarrer wirklich richtige Pfarrer sind, und scheint nicht zu wissen, daß sich die meisten anderen Pfarrer genauso verhalten.

Die populäre Fernsehsendung »Was bin ich?« geht davon aus, daß man gewissen Leuten ihren eigenartigen Beruf nicht ansieht. Das ist der Überraschungseffekt dieser Sendung. Mich langweilt sie, weil das keineswegs überraschend ist, sondern in unserer Welt offensichtlich absolut selbstverständlich.

Wenn wir als Kinder etwas werden wollten, dann haben wir uns doch mehr vorgestellt als einen Beruf, den man ausübt. Wir wollten nicht etwa als Lokomotivführer arbeiten, sondern wir wollten durch und durch ein Lokomotivführer werden. Etwa so wie unser Nachbar, Herr Karlen, der für mich immer Lokomotivführer war, auch wenn er in seinem Garten arbeitete, auch wenn er vor seinem Haus stand und mit Leuten plauderte. Wenn er nach Hause kam, kam der Lokomotivführer nach Hause, und wenn er wegging, ging der Lokomotivführer weg.

Ich denke an Kinderbücher – eines der herrlichsten, die es gibt,

»Jim Knopf und Lukas, der Lokomotivführer« zum Beispiel, an Kinderbücher, wo ein Kapitän eben viel mehr ist als einer, der das Schiff
führt, wo ein Schreiner eben einer ist, der sein Leben mit Holz verbringt.

Im Grunde genommen zeichnet uns auch die Erwachsenenlitera-
tur immer wieder exakte Berufsklischees, der Arbeiter, der Lehrer,
der Direktor, der Politiker.

Als ich mit sechzehn ins Seminar eintrat, wollte ich ein Lehrer
werden, als ich es mit zwanzig verließ, hatte ich eine exakte Klischee-
vorstellung von einem Lehrer und wollte alles andere sein als ein solcher. Ich freute mich, wenn man mir in der Beiz meinen Beruf nicht
glaubte.

Der Pfarrer spielt Fußball und stellt sich dabei vor, daß ein Pfarrer
nicht Fußball spielt. Der Lehrer trägt sein Haar lang und stellt sich
vor, daß ein Lehrer das Haar nicht lang trägt, der Altphilologe ist
im Radfahrerverein und stellt sich vor, daß ein Altphilologe nicht
im Radfahrerverein ist.

Dazu kommen weitere und neue Verunsicherungen. Für wen arbeiten Sie? Sie als Journalist, als Grafiker, als Mechaniker, als Lehrer, als
Psychologe – wir arbeiten alle zusammen im und für den Kapitalismus. Das hat man uns allen, und nicht nur den Linken, so nach und
nach beigebracht. Und nun haben wir alle nach und nach ein schlechtes Gewissen. Selbst der Großunternehmer zögert, wenn man ihn
nach seinem Beruf fragt, und er entschuldigt sich auch gleich und
fügt eine sanft kritische Bemerkung über die »Unternehmer« an.

Selbst jene Glücklichen, die wurden, was sie werden wollten, erreichen letztlich nichts als ihr schlechtes Gewissen.

Ich hätte eigentlich Lust, ihn wieder einmal zu sehen, den Pfarrer,
wie er im Buche steht (wie er auch heute noch im modernen literarischen Buche steht).

Ich hätte ab und zu Lust, in einer Welt zu leben, in der Lukas nicht
ein Lokomotivführer, sondern der Lokomotivführer ist.

Aber wenn Sie mich fragen – oder fragen Sie sich selbst – nein, ich
könnte da nicht mitmachen, ich will kein Lehrer sein, wie die Lehrer sind, kein Journalist, wie die Journalisten sind, kein Schriftsteller,
wie die Schriftsteller sind.

Wir alle wollen das nicht.

Also gibt es sie gar nicht, die Lehrer, die Professoren, die Kunstmaler, die Arbeiter.

Aber vor was rennen wir denn dauernd davon? Von was versuchen wir uns denn dauernd zu unterscheiden?

Vielleicht nur von literarischen Fixierungen, und vielleicht ist es notwendig, daß uns diese Literatur immer wieder eine Welt zeichnet, die es nicht gibt, damit wir alle die Möglichkeit haben, uns davon zu unterscheiden – damit wir alle ganz anders sein können als die andern und uns damit quälen und vereinsamen.

Geographie der Schlachtfelder

Ich habe die Geschichte mehrmals gehört und gelesen, bevor sie mir selbst passierte, und Sie werden sie kennen.

Der Taxifahrer in New York fragt nach meiner Nationalität, und als ich ihm sage, daß ich Schweizer sei, sagt er, er habe eine Schwester in Stockholm. Stockholm sei in Schweden, sage ich. Das wisse er, sagt er. Schweden und die Schweiz seien nicht dasselbe und lägen weit auseinander, sage ich. Das wisse er, sagt er, aber er habe eine Schwester in Schweden, und ich käme doch aus der Schweiz, und das sei doch in Schweden. Mein Englisch reicht nicht aus. Höflich formuliert er für mich und liest aus meinem hilflosen Gesicht, daß es sich umgekehrt verhalten müsse, daß also nicht die Schweiz in Schweden, sondern Schweden in der Schweiz liege. Ich erinnere mich an die Erzählungen von sprachbegabteren Schweizern und ihre entsprechenden hoffnungslosen Versuche und beschränke mich darauf zu sagen, daß es nicht ganz so sei oder daß es so ähnlich sei, und habe dabei den Eindruck, daß er an meiner Nationalität zweifelt.

Immerhin, ich habe auch Taxifahrer angetroffen, die trotz geographischer Einordnungsschwierigkeiten etwas mehr über die Schweiz wußten: Fondue, Banken, Uhren, und damit wußten sie schon wesentlich mehr als ich über ein afrikanisches Land: ich weiß nichts über

Gabun, Zaïre, Sambia, Obervolta, ich weiß nicht, was dort produziert wird, ich weiß nicht, wo sie liegen – halt eben in Afrika; ein Land, von dem ich erstmals in der Sonntagsschule hörte, und dann gab es früher auch Kulturfilme, die man schon vor sechzehn besuchen durfte, und die Afrikaner waren schwarz und nackt.

Ich empfinde es als eigenartig, wenn mein Taxifahrer die Schweiz nicht geographisch präzis einordnen kann, und dabei ist es absolut vorstellbar, daß ich einem Menschen aus Obervolta sagen würde, daß ich auch jemanden kenne in Kenya und daß er sagen würde, das sei nicht dasselbe, und ich ihm antworten würde, das wisse ich, aber – usw. usw.

Selbst die Namen der afrikanischen Staaten sind mir nicht geläufig – ich bin ein Geographieidiot und kriege das einfach nie in meinen Kopf. Ich habe die Länder, die ich hier wahllos aufgeschrieben habe, von einer Weltkarte, die ich mir letzte Woche gekauft habe.

Ich habe die Weltkarte gekauft, weil ich wissen wollte, wo denn die Südmolukker leben. Ich suchte auf der Karte Indonesien, stellte dabei fest, daß die Philippinen etwas anderes sind als Indonesien, und war von der Lage von Neuseeland recht eigentlich überrascht, dann auch überrascht, daß ich die Heimat der Molukker fand, und überrascht davon, daß die Heimat der Molukker eben auch Molukken heißt.

Ohne ihren scheußlichen Terrorakt hätte ich wohl nie von ihnen erfahren. Ich weiß zwar noch heute sehr wenig über sie, und ihre ehemalige Heimat auf der Karte zu finden ist nicht viel, aber offensichtlich kann man mich nur mit Gewalt und Gewaltakten dazu bringen, mich für die Geographie zu interessieren: ich kenne die geographische Lage von Korea, von Vietnam, von Israel, Jordanien.

Terrorismus ist zu einem Informationsmittel geworden. Da kann man noch und noch behaupten, daß Terroristen ihrem Anliegen nur schaden und sich die Antipathie der Welt einhandeln – gehaßt werden ist immer noch mehr als unbekannt oder vergessen sein.

Ich frage mich, ob ich durch meine Unkenntnisse in Geographie nicht irgendwie mitschuldig bin am Terrorismus, denn wenn Terrorismus ein Mittel der Information ist, dann dient es ja dazu, die Uninformierten zu informieren, und ich bin ein Uninformierter.

Nun ist es leicht, mir Vorwürfe zu machen. Ich hätte mich wirklich informieren können – es besteht kein Grund, stolz darauf zu sein, keine Ahnung von Geographie zu haben.

Den Südmolukkern – das weiß ich – geht es nicht um Geographie, sondern um Politik – und ich habe inzwischen auch in der Zeitung nachgelesen, um was es geht, und zweifle an der politischen Berechtigung ihrer Forderung, aber ich habe nach wie vor keine Ahnung.

Ich bin auch – und ich hoffe, meine Beteuerung ist unnötig – gegen Terrorismus. Ich finde auch die Bekämpfung des Terrorismus, von der man inzwischen weltweit spricht, nötig, aber ich glaube, wenn man den Terrorismus bekämpft und nicht seine Ursachen, dann ist es wirklich hoffnungslos, und ich glaube, daß Terrorismus dann entsteht, wenn unser Informationssystem versagt.

Über die Sorgen von Israel bin ich vor zwanzig Jahren bereits orientiert worden, und ich nehme die Sorgen von Israel ernst. Über die Terrorakte der Palästinenser hatte und habe ich eine große Wut – aber ohne diese scheußlichen Akte hätte ich von ihren Problemen nie erfahren, weil keine Zeitung und kein Fernsehen bereit gewesen wäre, darüber zu orientieren.

Ich muß es wiederholen, ich bin gegen Terrorismus – kein vernünftiger Mensch kann dafür sein –, aber wie schafft man es, mir auf dem konventionellen Informationsweg etwas beizubringen?

Ich stelle mir vor, ein Komitee für die südmolukkische Befreiung hätte mir vor einem halben Jahr eine ausführliche Dokumentation über ihre Sorgen zugeschickt. Ich hätte sie – nur vielleicht – überflogen, festgestellt, daß das ein Problem ist von Leuten, die bereits in der zweiten Generation in Holland leben, festgestellt, daß da wohl nicht viel drinliegt, und das Ganze sehr schnell weggeschmissen. Eine solche Dokumentation hätte mich wohl nicht veranlaßt, eine Weltkarte zu kaufen.

Ich zweifle nach wie vor an dem Anliegen der Südmolukker, und ich möchte unsern Massenmedien nicht den billigen Vorwurf machen, sie hätten diesen Terrorakt damit verursacht, daß sie sich den Südmolukkern nicht als Informationsmittel zur Verfügung gestellt haben – wie sollten sie auf die Idee kommen?

Aber so kommen halt dann die andern auf die Idee, zu informieren, und sie können wählen zwischen unerwünschter gewaltfreier Information und zwischen unerwünschter gewalttätiger Information. Die zweite, das ist nicht zu bestreiten, ist erfolgreicher.

Es gibt zwar ein Rezept dagegen: Man sollte über Gewaltakte nicht mehr berichten – aber das schaffen wir nicht, und es wäre auch falsch.

Und ebensowenig ist es möglich, einer Minderheit jederzeit weltweit das Fernsehen zur Verfügung zu stellen. Ich beharre darauf, daß es sich beim Terrorismus um ein Informationsproblem handelt, sehe aber ein, daß es nicht leicht ist oder gar unmöglich, diese friedliche und gewaltlose Information zu gewährleisten.

Also ist mein Vorschlag, Terrorismus mit Information zu verhindern, nutzlos.

Also haben wir uns damit abzufinden, daß unsere Geographie eine Geographie der Schlachtfelder bleibt, wie sie etwa unsere Väter aus dem Zweiten Weltkrieg bezogen haben oder wir alle aus der Schweizergeschichte.

PS: Gegen eine kurze Sendung des Schweizer Fernsehens wurde eine Konzessionsbeschwerde eingereicht. Das Schweizer Fernsehen stellte sogenannte Soldatenkomitees vor. Es ist einzusehen, daß diese Soldatenkomitees militärischen Kreisen nicht angenehm sind. Es wäre sogar einzusehen, daß sie einer Schweiz nicht angenehm sind. Und sie sind im weitern mit Sicherheit eine ganz kleine Minderheit.

Es wird nun gesagt, man hätte diesen (»staatsfeindlichen«) Soldatenkomitees einen zu großen Platz eingeräumt am Fernsehen und schade damit unserem Staat, dem Ansehen unserer Armee, der Landesverteidigung überhaupt.

Nur eben, diese Soldatenkomitees gibt es, und ich glaube, es schadet nichts, daß man das weiß – eine Information.

Mir jedenfalls ist es lieber, wenn das Fernsehen über unliebsame Minderheiten orientiert. Vielleicht verhindert es damit, daß sich Minderheiten über den Umweg der Gewalt die »Sympathie« des Fernsehens erobern müssen.

Jedenfalls bin ich überzeugt, daß man mit Information Terrorismus verhindern kann. Ich bin auch überzeugt, daß das schon geschehen ist, und ich hoffe, daß das vermehrt geschieht.

Wer Information verhindert, davon bin ich überzeugt, kann unter Umständen Menschenleben gefährden.

Meine drei braven Polizisten

Kürzlich sind mir bei einer Veranstaltung mit viel Jugendlichen drei Polizisten aufgefallen – es war übrigens keine politische Veranstaltung, aber immerhin eine Veranstaltung Jugendlicher. Das ist weiter nicht bemerkenswert.

Was mich überrascht, ist nur, daß ich die Polizisten als solche erkannt habe, und ich weiß nicht, woran das liegt – irgendwie tun sie halt doch etwas mehr als ihre Pflicht.

Ich habe auch kürzlich irgendwo gelesen, daß ein Gangster gesagt habe, daß er jeden, der eine Pistole trage, gleich erkenne, weil es niemanden gebe, der mit Pistole genauso gehen könne wie ohne – oder anders gesagt, weil Pistolenträger einen ganz bestimmten Gang hätten, denn sie trügen etwas, was sie beim Gehen nicht vergessen könnten. Ich kann das nicht nachvollziehen – Waffen sind mir ein Greuel –, aber ich habe mich auch schon dabei ertappt, daß ich nach einem Westernfilm mit leicht angewinkelten Armen – offene Hände auf Hüfthöhe – gegangen bin. Nur für kurze Zeit selbstverständlich, und geschämt habe ich mich auch.

Ich habe die drei Polizisten beobachtet – ihr Chef oder Ausbilder müßte mit ihnen zufrieden sein, sie machten ihre Sache tadellos, freuten sich über die Musik – ich glaube sogar echt und privat –, waren nicht zu auffällig, nicht zu unauffällig. Wenn sie überhaupt schauspielerten, dann schauspielerten sie gut, und sie trugen, so sah das aus, nicht eigentlich eine Verkleidung, sondern zivile Anzüge. Höchstens eine kleine Kritik wäre anzubringen: Der eine trug zum dunklen Straßenanzug (ohne Krawatte) an der linken Hand einen Leder-

handschuh und hielt den rechten Handschuh in der behandschuh-
ten Hand. Ich frage mich, ob es sich dabei um einen Verkleidungstrick oder um eine private Gewohnheit gehandelt hat. Jedenfalls als
Verkleidungstrick war es daneben.

Ihre Anwesenheit in amtlicher Funktion – das muß ich auch noch
sagen – hatte Gründe, die ich respektiere. Das war keineswegs immer
so, wenn ich verkleidete Polizisten bei Veranstaltungen sah. Im übrigen hätten sie in Uniform hier tatsächlich gestört und wohl auch ihren
Auftrag nicht erfüllen können. Sie machten auch nicht den Eindruck,
daß sie sehr darauf erpicht waren, ihren Auftrag unbedingt erfolgreich zu erfüllen.

Nun, ich habe einen Freund, einen recht tapferen Mann und braven Demokraten, der sieht, wo er geht und steht, Polizisten in Zivil,
spricht dann etwas leiser, macht eine Bewegung mit dem Kopf und
sagt: »Hast du ihn gesehen?« Sein Bruder hat mir gesagt, das sei ein
alter Tick von ihm, er hätte schon als Kind immer Polizisten gesehen.
An ihn mußte ich denken, als ich nun auch Polizisten sah, und ich
fragte mich, ob es nun auch schon so weit sei mit mir.

Es ist mir nicht klar, woran ich sie erkannt habe, aber vielleicht
wirklich an ihrer Rolle, nicht etwa an ihrer gespielten Rolle, sondern
an ihrer echten, eben an ihrem Polizeisein.

Ich habe den Eindruck, daß sie über dieses Polizeisein genausoviel
wissen wie ich und dieselben Vorstellungen davon haben wie ich.
Sie sehen im Fernsehen dieselben Polizeihelden wie ich, und diese
Detektivvorbilder geben ihnen die neue, die zivile Uniform.

Sie tun mir fürchterlich leid, wenn ich sie auf Bahnhöfen stehen
sehe. Sie tun mir wirklich leid, denn sie tun ja – und ich weiß, die
Formulierung kann kaum mehr ohne Ironie gebraucht werden –, sie
tun ja ihre Pflicht.

Und doch habe ich stets eine fast unbezwingbare Lust, sie zu enttarnen, mich hinzustellen und zu rufen: »Das sind Polizisten!« Und
dies, obwohl mir ihre Aufgabe einleuchtet, obwohl mir einleuchtet,
daß es Aufgaben gibt, die sie nur in Zivil erfüllen können. Ich weiß
nicht weshalb, vielleicht weil sie Menschen nachahmen, weil sie nachmittagelang ihre »Tante Berta« abholen, nachmittagelang Züge errei-

chen wollen, die sie dann verpassen, oder auch nur, weil sie sich angeschaut fühlen, wenn ich sie anschaue.

Ich habe Lust, sie zu enttarnen, und wäre ich mutiger, ich würde es tun, weil man damit wieder etwas menschlichere Verhältnisse herstellen könnte. Denn etwas spielen heißt dieses Etwas nicht sein – wer Menschen spielt, ist kein Mensch. (Das ist zu einfach, ich weiß das auch, trotzdem akzeptiere ich in diesem Zusammenhang den Vergleich mit einem Schauspieler nicht; ich weiß zum Beispiel, daß der Mann, der Richard III. spielt, Helmut Lohner heißt. Er ist von allem Anfang an enttarnt und spielt mit offenem Visier.)

Das andere Argument allerdings ist nicht zu entkräften, der Kunde des Polizisten spielt auch. Er tritt auch nicht offensichtlich als Ganove, als Gangster auf und versucht auch, nicht enttarnt zu werden. Also nichts zu machen – es ärgert mich, aber es muß wohl so sein.

Enttarnung – das Wort ist mir im Zusammenhang mit der CIA eingefallen. In Griechenland wurden von einer Zeitung CIA-Agenten enttarnt. Hätte es nicht einen das Leben gekostet – er starb für die Freiheit selbstverständlich –, man hätte es wohl geleugnet. Schon geschah dasselbe in Italien. In der Schweiz gibt es keine CIA-Agenten, weil wir ein neutrales Land sind und uns das gar nicht leisten könnten. Wir könnten uns gar nicht leisten, CIA-Agenten zu enttarnen.

Die CIA ist auch eine Polizei, sie ist die internationale Polizei des freien Westens, von Amerika zur Verfügung gestellt und von den freien Staaten des freien Westens stillschweigend gutgeheißen. Sie ist zivil und geheim wie meine braven drei Polizisten, die nur mir, dem Bürger zuliebe, für Ordnung schauen – so schaut sie, die CIA, nur ihnen, den Staaten zuliebe, für Ordnung, denn auch die Staaten brauchen einen Schutz und müssen überleben –, die CIA also schützt den Staat vor dem Bürger, schützt die Demokratie vor einem eventuellen Volkswillen. Das ist ganz einfach nötig, weil das Volk sich täuschen könnte oder täuschen lassen könnte, denn im Staat gibt es viele Geheimnisse, und das Volk kann gar nicht richtig entscheiden, weil viele Dinge geheim sind, und weil so viele Dinge geheim sind, braucht es eine Geheimpolizei, und weil die Geheimnisse des Westens alle dieselben sind, genügt eine einzige, und die stellt Amerika zur Verfügung.

Es geschieht ihnen unrecht, meinen drei braven Polizisten. Sie haben mit der CIA nichts zu tun und wissen nichts davon, daß sie irgendwie damit zu tun haben könnten. Es ist nicht nett von mir, daß sie mich an amerikanische Helden erinnern, daß ich ihnen das Vertrauen entziehe, weil sie jenen entfernt gleichen.

Vielleicht sollten sie sich wehren, meine Polizisten, aktiv werden und mithelfen, eventuelle CIA-Agenten zu enttarnen, um damit ihre Glaubwürdigkeit zurückzuerobern. Aber das können sie ja gar nicht, weil es bei uns ja gar keine gibt und noch nie einer ausgewiesen werden mußte.

Aber vielleicht beeindrucken westliche Staatsgeheimnisse den Schweizer Bürger mehr, als man glaubt – vielleicht meint er auch eine CIA, wenn er nicht mehr zur Urne geht und behauptet, daß die ja doch tun, was sie wollen – denn wer im geheimen etwas tut, tut, was er will. Zudem weiß der Bürger, daß die Macht geheim ist.

Wenn wir also schon keine CIA-Agenten haben, sollten wir vielleicht gerade als neutrales Land auch einmal laut und deutlich feststellen, daß wir auch keine möchten, vielleicht dadurch, daß wir deren Tätigkeit in andern Ländern verurteilen – aber ich weiß nicht, vielleicht käme das einer doppelten Moral gleich.

Von beiden Seiten – von seiten des Staates und von seiten des Bürgers – wird immer wieder nach Information und Transparenz gerufen. Was soll Transparenz vor Geheimnissen, was sollen demokratische Entscheide über die Spitze des Eisbergs?

Nun gut, ich weiß, militärische Geheimnisse, das ist eine ernste Sache – aber wo ist die Armee, die nicht mit Sicherheit damit rechnen kann, daß sie schon bis auf den hintersten Winkel ausspioniert ist? Geheimnisse als Futter für Geheimdienste, und fremde Geheimdienste als Alibis für Geheimnisse, ein harmloses Spiel also, aber immerhin ein Spiel mit System.

Denn auch nutzlose Geheimnisse machen den Staat mächtig, weil niemand Einsicht bekommt in ihre Nutzlosigkeit. Und vielleicht wären wir wirklich alle enttäuscht, wenn wir Einblick bekämen in die Geheimnisse des Staates. Vielleicht sind sie Selbstzweck und schützen die Politiker und nicht die Nation, schützen vielleicht die Armee vor dem Bürger und nicht etwa das Land vor dem Feind.

Das wissen wir nicht, und ich behaupte es auch gar nicht – wir können es nicht wissen, weil es Geheimnisse sind.

Und vielleicht gibt es gar keine Geheimnisse, sondern nur ein leeres Dossier mit der Aufschrift »Geheim«; schon dieses leere Dossier würde seinen Zweck erfüllen.

Nur eines leuchtet nicht ein: Jedes Land hat Geheimnisse, und jedes Land hat einen Geheimdienst. Und die Geheimdienste kennen die Geheimnisse der andern Länder. So bleiben als einzige, die es nicht wissen, die Bürger der Länder. Das finde ich ungerecht, weil ich doch als Schweizer Bürger mehr Recht hätte auf Information als die Russen oder die Amerikaner. Oft habe ich den Eindruck, daß sämtliche Regierungen untereinander besser auskommen als mit ihren Bürgern, sich gegenseitig mehr vertrauen als ihren Bürgern.

Oft habe ich den Eindruck, daß dies ein Grund für die sogenannte Stimmfaulheit sein könnte. Oft wünschte ich mir, daß mir meine Regierung beweist, daß sie mich mehr liebt als den amerikanischen Präsidenten.

Oft tun mir meine armen zivilen Polizisten leid, denen ich übelnehme, daß sie mich an etwas erinnern, mit dem sie nichts zu tun haben sollten.

Lotte in ...

Vor einiger Zeit in einer kleinen Schweizer Stadt (eigenartig, wieviel Scheu man hat, die Dinge beim Namen zu nennen, jedenfalls fällt das schriftlich schwerer als mündlich) traf ich Lotti wieder. (Eigenartig, wie schwer es fällt, echte Namen durch falsche zu ersetzen wie etwa in Gerichtsberichten. Für den Leser wären ein Heidi, ein Ruthli wohl nichts anderes als ein Lotti. Für mich hat der Name allein – das wußte ich vorher nicht – so viel Gewicht, daß ich ihn nicht ändern kann.)

Ich stand im Vorraum eines kleinen Saals, in dem ich lesen sollte, versuchte, mich etwas hinter den Mänteln zu verstecken, hatte meine

Bücher und Manuskripte unter den Arm geklemmt und hatte auch
heute keine besondere Lust vorzulesen, denn als ich mein Programm
zusammenstellen wollte, am Nachmittag, da wollte mir gar nichts
mehr gefallen von meinen Sachen. So hatte ich denn im Sinn, das alles
wieder einmal tapfer durchzustehen, und gefiel mir bereits in der
Rolle des Profis, der weder inneres Engagement noch Lampenfieber
kennt.

Nun kam eine Frau auf mich zu, hübsch und nett. Vielleicht war sie
am Nachmittag beim Friseur gewesen. Sie lächelte und grüßte und
stellte lachend fest: »Du kennst mich wohl nicht mehr?« Ich wollte
schon sagen, daß mir ihr Gesicht bekannt vorkomme, nur der Name
und mein Gedächtnis und so, aber ich war froh, daß sie mir zuvor-
kam und sagte: »Lotti!« Sie mußte angenommen haben, daß sie mich
in meinen Vorbereitungen gestört hatte, ich brachte kein Wort heraus. Ich glaube, sie entschuldigte sich sogar, und sie ging zur Kasse,
um eine Karte zu kaufen.

Nie habe ich so gewünscht, ein besserer Schriftsteller zu sein. Nicht
etwa ein bekannterer oder erfolgreicherer, so was hätte vor Lotti
nichts genützt, aber ein besserer. Man erzählt, daß einem Sterbenden
in Sekundenbruchteilen sein ganzes Leben nochmals abrolle – ich
dachte in Sekundenbruchteilen an alle Stellen in meinen Geschichten, die mir nicht gefallen, und es waren unglaublich viele dabei, auf
die ich bis dahin recht stolz gewesen war.

Ich weiß nicht mehr, wie ich in den Saal kam, ich weiß auch nicht
mehr, wie es begann, ich hörte mich plötzlich lesen, bereits auf der
zweiten oder dritten Seite, und Lotti hatte auch einen recht guten
Platz gefunden, gerade vor mir in der zweiten Reihe – das machte
die Sache nicht leichter. Ich mag Übertreibungen nicht, aber ich
glaubte, ich las um Leben und Tod – jene berühmte Aufgabe im Märchen, wenn es darum geht, die Prinzessin zum Lachen zu bringen oder
zu sterben.

Lotti war das schönste, das gescheiteste, das netteste, das anstän-
digste Mädchen in unserer Klasse in der Primarschule. Ich erinnere
mich, wie ich mit Hugo – auch ihn habe ich seit über zwanzig Jahren nicht mehr gesehen – zusammen diskutierte, wen man nun »für

den Schatz« haben wollte oder könnte. (Also einen Zettel schreiben
»Willst Du mich für den Schatz haben?« und von da weg rote Ohren
bekommen, wenn man sie sieht, mehr nicht.) Aber Lotti gehörte nicht
mit dazu, Lotti war unerreichbar – auch die Frechsten und Losesten in
unserer Klasse hätten es nicht gewagt. Man war glücklich, wenn Lotti
grüßte, und wenn es mit einem sprechen wollte, dann rannte man
unter irgendeinem Vorwand davon. (Ich habe jahrelang darunter gelitten, daß ich einmal, als es mir etwas sagte, antwortete: »E ha ned
der Zyt, e mues seckle«, weil mir nachträglich der Verdacht kam,
daß »seckle« obszön sein könnte.)

Lotti!

Wer vor Lotti scheitert, ist verloren. Jetzt nur nicht vor Lotti scheitern! Ich suchte die »besten« Sachen aus von meinem Geschriebenen,
und nichts war mir gut genug. Und ich ließ Sätze weg während des
Lesens und veränderte andere, und es muß fürchterlich gewesen sein,
was ich da zusammengestottert habe.

Ich weiß nicht, ob sich Lotti für Literatur interessiert. Wir haben
nicht darüber gesprochen, als ich mit ihr und ihrem Mann und den
Veranstaltern zusammensaß nach der Lesung. Ich weiß auch nicht
mehr, was ich mit Lotti gesprochen habe. Aber plötzlich fiel mir
auf, daß ich zum ersten Mal mit ihr sprach – nicht wie mit einer alten
Bekannten, die man trifft und umarmt –, sondern wie mit jemandem,
den man ganz neu kennenlernt in den Gebräuchen, in denen sich Erwachsene kennenlernen. Und Lotti war auch keine Enttäuschung,
eine hübsche Frau, wenn auch nicht so wunderschön wie unser Lotti
von damals. Die alleinzige Ausnahme war sie nicht mehr.

Ich hoffe, daß das, was ich hier mitteile, nicht privat ist. Ich meine,
ich hoffe, daß Sie das kennen.

Als ich so dastand und verzweifelnd vorlas und um Erfolg rang
und vor Lotti nicht scheitern wollte – da ahnte ich, daß mein ganzes Leben einmal viel mehr wert gewesen sein mußte. Vor Lotti, das
war klar, konnte man sich nicht herausreden.

(Ich habe zu meinen Zeichnungen damals Gedichte geschrieben,
und der Lehrer empfahl mir – weil ich eine schlechte Handschrift
hatte –, die Gedichte von Lotti auf die Zeichnungen schreiben zu lassen. Ich habe es ihr erzählt, aber sie erinnerte sich nicht.)

Eine Welt, in der alles noch so viel wert war.

Nicht nur Lotti gehörte dazu, sondern auch eine Frau, die Verkäuferin war in einem Wolladen, und ich war glücklich, wenn ich Wolle kaufen mußte oder durfte für meine Mutter. Ich habe keine Ahnung, wie alt sie war – 25, 40, 60 –, ich weiß es nicht, aber wenn sie gefragt hätte »Willst du mich heiraten?«, ich hätte ja gesagt.

Und ein anderer gehörte dazu, ein Arbeiter namens Käser mit einem Rucksack, den ich Rucksack-Käser nannte. Ich wüßte nicht mehr, wie er ausgesehen hat, aber kürzlich sah ich einen, von dem ich annahm, er gleiche ihm. Auch er könnte ohne weiteres noch leben – so wie Lotti oder so wie die Frau im Wolladen, deren Namen ich nicht kenne und der nie – auch auf Umwegen – in Erfahrung zu bringen sein wird.

Ich bin aus einer Welt herausgewachsen – es ist eine ganz andere, in der ich jetzt lebe –, und ich stelle zu meiner Überraschung fest, daß die Figuren aus jener anderen Welt jetzt auch in dieser Welt leben.

Mir selbst ist nicht aufgefallen, daß ich die Welt gewechselt habe – es fällt mir nur auf, wenn ich hier – auf dieser Welt – die Figuren aus jener andern Welt treffe.

Sie muß sehr viel mehr wert gewesen sein – jene andere Welt.

Die Erwachsenen machen irgend etwas falsch.

Wege zum Fleiß

Sie kennen die Geschichte. Nehmen Sie es mir nicht übel, wenn ich annehme, daß Sie sie als fast selbst erlebt weitererzählt haben, ich tu' es auch. Mythen und Legenden haben so ihre Kraft, man muß sie weitererzählen.

Also: Der, der mir das erzählt hat, hat es direkt von einem, dem es einer erzählt hat, der den entsprechenden Personalchef kennt.

Also: Ein Stellensuchender kommt zu einem Personalchef. Jener ist bereit, ihn einzustellen, und weist mit Stolz darauf hin, daß in dieser Firma noch voll gearbeitet werde. »Was, sie arbeiten am Freitag?« sagt der Stellensuchende, »das interessiert mich nicht, ich wünsche Kurzarbeit.« Also, Hand aufs Herz, Sie kennen die Geschichte, und also, Hand aufs Herz, Sie haben sie weitererzählt, in der Überzeugung, daß es diesen Personalchef gibt und daß der, der Ihnen das erzählt hat, einen kennt, der ihn kennt, aber – Hand aufs Herz – kennen Sie den Stellensuchenden und kennen Sie den Personalchef?

Gut, ich kann mir vorstellen, daß ein Personalchef zu finden ist, der diese Geschichte bezeugt. Ich kann mir sogar vorstellen, daß sie wahr ist. Aber sie wird mir ein bißchen zu oft erzählt, so als ob sie jeden Tag an jedem Ort und jedem Personalchef passieren würde.

Eine Wanderanekdote mit Methode: Was sich ein Arbeiter gefallen lassen muß, das soll ihm auch gefallen.

Eine andere Geschichte – sie wird nicht so oft erzählt. Sie ist wahr: Ein älterer Arbeiter verstaucht sich bei der Arbeit die Hand. Er geht zu seinem Hausarzt, den er seit Jahren nicht mehr beanspruchen mußte, und dieser stellt fest, daß die Hand zur Heilung einige Tage vollkommene Ruhe brauche. Die Firma ruft den Arzt an und erklärt, daß sie solche Zeugnisse nicht mehr akzeptieren könne, entweder arbeite der Mann oder man müsse ihn entlassen, denn jetzt, wo sie so viele Leute hätten entlassen müssen, seien sie auf den letzten Mann voll und ganz angewiesen, um den Betrieb aufrechterhalten zu können.

Ich weiß nicht, wie oft diese Geschichte wirklich passiert, ich weiß nur, daß sie weniger oft erzählt wird – sehr wahrscheinlich, weil sie weniger lustig ist.

Und ich weiß, daß es Ärzte gibt, die vor ernsten Gewissensfragen stehen, wenn noch nicht ausgeheilte Patienten darum bitten, wieder arbeiten zu dürfen, weil sie Angst haben, sonst ihre Stelle zu verlieren.

Die Unternehmer stellen es mit Begeisterung fest – weniger Absenzen und höhere Arbeitsleistung. Und nicht nur Unternehmer finden das richtig, sondern es gibt auch Arbeiter, die diese Geschichte hören und weitererzählen.

Nun tut man plötzlich so, als ob der Schweizer Arbeiter der faulste, der unzuverlässigste, unbrauchbarste und versoffenste aller Arbeiter gewesen wäre.

Nur weil er heute mit Fieber arbeiten geht, wirft man ihm vor, daß er früher den Rat des Arztes befolgte, denn nun erbringt er ja den Beweis, daß er früher nicht das Letzte eingesetzt hat bei seiner Arbeit – nämlich sein Leben. Nun gehört er seiner Arbeit endlich ganz, nun weiß er endlich wieder, für was er zu leben und für was er zu sterben hat. Es gibt nun wieder einen Arbeitsmarkt, d. h., man kann wieder auf dem freien Menschenmarkt Arbeit einkaufen – und man kann die Situation mit Geschichten bagatellisieren und die Arbeiter mit Geschichten disziplinieren. Es wird endlich wieder gezittert bei der Arbeit, sie kommt endlich wieder aus dem Verdacht, etwas mit Menschenwürde und Selbsterfüllung zu tun zu haben.

Ich kenne Ausländer, denen es vor Jahren schon sehr schwergefallen ist, sich an den hektischen schweizerischen Arbeitsrhythmus zu gewöhnen, und die davon sprachen, daß nirgends auf der Welt so geschuftet werde wie hier. Ich glaube, das hat mitunter mit schweizerischem Temperament zu tun und nicht etwa mit der Bösartigkeit schweizerischer Unternehmer. Es sieht aber so aus, als sei ihnen dieser freiwillig fleißige Arbeiter ein Dorn im Auge gewesen. Nun soll er nachträglich dafür geprügelt werden, daß er früher freiwillig zuverlässig war.

(Nebenbei: Ist Ihnen aufgefallen, daß das Wort »Arbeiter« wieder brauchbar geworden ist? Das Ersatzwort »Arbeitnehmer« will nicht mehr so richtig funktionieren.)

Eine dritte Geschichte – auch eine, von der ich annehme, daß sie nicht häufig ist: Ich treffe in der Wirtschaft Kamerad X. aus dem Militär. Er hat – wie immer, wenn ich ihn hier treffe – etwas viel getrunken. Und er hat – wie immer, wenn er etwas viel getrunken hat – den Eindruck, daß er der einzige ist, der weiß, was die Welt kostet. Typ Provinzplayboy, geckig und nicht unfröhlich. Er sei Millionär, sagt er, und wir Arschlöcher seien das alle nicht. (Er ist es übrigens.) Und er sei Millionär, sagt er, weil er sehr intelligent sei. (Er ist – ich lege die Hand dafür ins Feuer – strohdumm, aber er hat so ein kleines Uhrenbudeli und jetzt dazu noch das Glück, daß er jenen Bestandteil herstellt, den wir noch gut exportieren können.)

Eigentlich hätte ich ihm gewünscht, daß er ganz tüchtig verprügelt worden wäre. In jener Wirtschaft sitzen viele Arbeitslose, aber die haben ihn – nachdem er gegangen war – sehr gelobt. Das sei ein ganz gescheiter Kerl, sagen sie, und der hätte ganz unten angefangen und es zu etwas gebracht.

Da wurde mir etwas klar. Es gibt gar keine Fronten zwischen Unternehmern und Arbeitern, und die Unternehmer laufen in keine Gefahr, wenn sie provozieren, denn diese Arbeiter glauben nach wie vor an die Möglichkeit, auch Unternehmer werden zu können, und sie denken im voraus mit ihnen und erzählen ihre Geschichten weiter.

So also zum Schluß eine Geschichte, die nicht wahr ist:

Als die Gazellen von den Löwen Mitbestimmung forderten, waren die Löwen dagegen. »Es kommt noch so weit, daß die Gazellen bestimmen, wenn wir fressen«, sagten die Löwen. Sie beriefen sich auf eine unverdächtige Studie des WWF und sprachen von Wildpartnerschaft bei klarer Kompetenzentrennung: Fressen auf der einen Seite, Gefressenwerden auf der andern Seite. »Denn«, so sagten sie, »es liegt doch auf der Hand, daß einer nicht zugleich etwas vom Gefressen-Werden und vom Fressen verstehen kann. Und der Entscheid, jemanden zu fressen, muß schnell und unabhängig gefaßt werden können.«

Das leuchtete denn auch den Gazellen ein. »Eigentlich haben sie recht«, sagte eine Gazelle, »denn schließlich fressen wir ja auch.« – »Aber nur Gras«, sagte eine andere Gazelle. »Ja, schon«, sagte die erste, »aber nur weil wir Gazellen sind. Wenn wir Löwen wären, würden wir auch Gazellen fressen.«

– »Richtig«, sagten die Löwen.

Aber als Gleichnis für irgend etwas ist diese Geschichte unbrauchbar. Nicht etwa nur, weil Tiere nicht reden können, sondern vor allem, weil Gazellen und Löwen ganz verschiedene Tiere sind und keine Gazelle je die Chance haben wird, ein Löwe zu werden.

Der Entdecker des Penicillins

Kolumnen schreiben, ein eigenartiges Geschäft, nicht daß es mir nicht Spaß machen würde, aber es fällt mir dabei immer wieder ein Satz ein von einem Autor, zu dem wir in der Mittelschule gezwungen wurden, der eigentlich nie mein Autor wurde, aber eben dieser Satz: Bergengruen, eine Ballade mit dem Titel »Der Hund in der Kirche« – ich gebe den Inhalt aus dem Gedächtnis wieder: Ein Hund schleicht während der Messe in die Kirche, die Leute sind entsetzt, der Hund sucht ein Mädchen in den vorderen Reihen, es errötet und bekennt sich dann doch zu seinem Hund usw.

Das Entsetzen der Leute beschreibt Bergengruen mit dem Satz: »Gern bereit, ein Ärgernis zu nehmen ...«

Der Satz ist mir geblieben, und er ist mir heute wieder eingefallen, als ich mich an diesen Tisch setzte und meine Zettel ausbreitete mit Stichwörtern für eine mögliche Kolumne:

Nichts als Ärgernisse, nichts als Möglichkeiten, dagegen zu sein, dagegen anschreiben zu können oder gar zu müssen.

»Gern bereit, ein Ärgernis zu nehmen« ist bei Bergengruen eine Formel der Spießbürgerlichkeit. Der Spießer, er ärgert sich über Langhaarige, über Jugendliche, über Linke, über Italiener, Spanier usw.

Dann sollte es eigentlich so sein, daß sich der Nichtspießer freut – aber der Nichtspießer ärgert sich auch: über Spießer, über kalte Krieger, über Kapitalisten und Waffenschieber, über Ungerechtigkeit und Ungerechtigkeit und Ungerechtigkeit.

Weiß der Teufel, mit Recht.

Mir liegt das heute nicht, weil – weil – eigentlich ohne Grund – aber ich habe mich heute gefreut. Ich war auf dem Berg (so nennt man hier den Jura), am Morgen früh mit einem guten Freund, ein gutes Gespräch, ein blauer Himmel, ein Frühling, der sich nach und nach durchsetzt – beschreibbar zwar (Mörike und Eichendorff und andere, selbst Heine, haben es getan), beschreibbar zwar, aber kein Thema.

Also dann etwas Lustiges.

Ich schmeiße meine Zettel weg – die Zettel mit den Stichwörtern für Ärgernisse – und gehe auf die Suche nach Lustigem. Im ersten Restaurant wird so angeregt diskutiert, daß ich mich nicht enthalten kann, mich daran zu beteiligen – ohne Ironie –, ich freue mich darüber, daß auch meine Voten gehört werden, akzeptiert werden und gewichtet werden.

Es geht – ich lüge nicht, und ich hätte die Phantasie nicht, es zu erfinden – es geht um die Rolltreppen im Warenhaus. Nicht daß die neu wären, die Rolltreppen, die gibt es seit bald zwanzig Jahren, aber es geht um die Frage, ob man es schafft, sämtliche Stockwerke aufwärts und abwärts mit der Rolltreppe zu erreichen. Aufwärts, da einigt man sich schnell darüber, ist es möglich, wenn man auch von der Lebensmittelabteilung sehr weit gehen muß, nämlich bis zur Do-it-yourself-Abteilung, bis man wieder eine Rolltreppe aufwärts findet. Abwärts ist hingegen die Schwierigkeit ganz oben bei der Sportabteilung, die man zwar mit einer Rolltreppe erreicht, aber – ich habe bezahlt und bin weitergegangen, und es tat mir leid, daß ich gehen mußte. Die Sache hätte mich wirklich interessiert, aber ich war auf der Suche nach einem Thema für eine Kolumne, und dazu sind die Rolltreppen eines Kaufhauses einer Provinzstadt und die Frage – Denkaufgabe –, ob es theoretisch möglich wäre usw., nicht geeignet.

Nächstes Restaurant (es fällt mir schwer, Restaurant zu sagen, aber in der Schweiz heißen die so, und ich finde das freundlich). Ich komme zu spät und kann nur noch wiedergeben, was ich mitbekommen habe. Es geht darum, ob das 1956 oder 1957 war – ich weiß nicht was –, der und der hat jedenfalls noch gelebt. Hast du ihn gekannt? Der mit dem Hut – und dann eine Ausbreitung von Wissen, mit dem die drei jede Prüfung bestanden hätten, wenn dieses Wissen Prüfungsgegenstand gewesen wäre, mit genauen Datierungen: »Am 14. Mai 1956, nachmittags, Regen« usw. Ich bezahle und trenne mich wieder widerwillig, denn mich persönlich hätte auch dies interessiert, aber beschreibenswert ist es nicht.

Nächstes Restaurant – jetzt Kaffee, denn ich habe noch eine Kolumne zu schreiben –, vier Leute, Thema Fischen, und zwar nicht einfach so, sondern höheres Fischen mit Fliegen (Lionel bindet die besten und kennt von allen die lateinischen Namen). Da kann ich auch mitreden, weil Lionel mir kürzlich erklärt hat, was für Material man verwendet zum Binden von Fliegen: die Kragen von Hähnen (männlichen Hühnern), und er hat mir welche gezeigt, und sie sind schön anzuschauen und anzufassen, und es gibt welche, die kosten einige hundert Franken. Aber mehr kann ich zum Gespräch nicht beitragen, also verlege ich mich aufs Fragen. »Hält man die Fliegen eigentlich übers Wasser, oder legt man sie aufs Wasser?« Man legt sie aufs Wasser, und dann muß man sie oft ein bißchen einfetten, damit sie schwimmen.

Sie freuen sich über Fragen, wiederum vier, die jede Prüfung bestehen würden, wenn dies das Prüfungsthema wäre, und sie lassen sich gern prüfen. Ihre Antworten sind nicht vorschnell, sondern differenziert – wissenschaftlich. Das sind Fachleute, nicht einfach Profis, sondern Fachleute: Fischen ein Leben, ich beneide sie.

Nun erinnere ich mich an das Gespräch der Rolltreppenleute, erinnere mich an die Exaktheit, mit der jede einzelne Treppe – von Stockwerk zu Stockwerk – geortet wurde, wieviel Wert sie darauf legten, gemeinsam das Problem der Rolltreppen im Warenhaus theoretisch zu lösen. Betrunkene – ja sicher, wie kämen sie sonst darauf –, aber immerhin ein Thema.

Aber ein Thema für nichts, zum Sprechen zwar und exakt abgehandelt, aber letztlich doch nicht mehr als das Bellen eines Hundes – man kann nicht zusammensitzen, ohne zu sprechen.

Letzte Wirtschaft, kurz vor zwölf: Ich setze mich an einen einzelnen Tisch. Kurz darauf kommt noch ein Gast, ein älterer Mann, er sieht aus wie ein Pfarrer oder wie ein Privatgelehrter (wenn es das gäbe), eine Mischung zwischen Karl Barth und Auguste Piccard vielleicht – in Wirklichkeit ein Trinker. Er sieht in Gesicht und Haltung recht konservativ aus, trägt aber einen Manchesterkittel und ein rotes Halstuch. Er nimmt die Zeitung, setzt sich an den Tisch mir gegenüber. Die Serviertochter bringt ein Bier, offensichtlich kommt er immer zu dieser Zeit, er bestellt nicht, er grüßt nicht. Ich möchte gern wissen, wer er ist, und ich möchte gern seine Geschichte wissen. Er sieht aus, wie wenn er eine Geschichte hätte – bei seiner ganzen Würde fällt auf, daß die Bügel seiner Brille aus Elektrikerdraht sind, und das tut seiner Würde keinen Abbruch –, ich wage nicht, ihn anzusprechen, aber wie ich nach Hause gehe, erfinde ich mir seine Geschichte, ich weiß, daß sie nicht wahr ist, aber lassen Sie mir das: Das war der Entdecker des Penicillins.

Wie hast du's mit Amerika?

Ich höre, daß der ehemalige Nixon-Mann Connally in Amerika so eine Art Bürgeraktion gegen eine mögliche Beteiligung von Kommunisten an der italienischen Regierung gegründet hat.

Das ist Amerika! Das ist – das ist auch Amerika.

Ich komme eben von dort zurück, und meine Bekannten fragen mich, wie es war, und ich sage: »Schön, wunderbar, phantastisch.« Ich sage, daß ich dort – in New York – leben möchte. Ich sage, daß es mir nicht leichtgefallen sei, zurückzukommen.

Ja sicher, ich übertreibe – aber man übertreibt nicht ohne Gründe. Und letztlich liegt es wohl nicht an einem Land, wenn man von ihm begeistert ist, sondern an eigenen Gefühlen und Erlebnissen.

Die mögen unter anderem sehr persönlich sein und nicht mitteilbar, aber dann gibt es auch die Liebe zu einer Stadt – zu New York – einer Stadt, in der alles möglich ist, in der es alles gibt – viele Häuser und viele Menschen und alle Arten von Menschen.

Immer wieder dieselbe Überraschung, wenn man bei der Ankunft den ersten Schwarzen sieht. Das weiß man zwar, jeder weiß es, daß es da Schwarze gibt und daß es ein Rassenproblem gibt, aber dann doch immer wieder die optische Überraschung. Man muß sich beherrschen, daß man ihn nicht anstarrt. Und die Freundlichkeit der Amerikaner. Man hat zwar schon nach der letzten Reise allen Leuten davon erzählt, trotzdem ist man erneut überrascht.

Ich erzähle auch jetzt wieder meinen Bekannten davon, jenen, die noch nie da waren, und sie haben ihre Antwort bereit. Sie wissen: »Freundlich ja, aber doch nur oberflächlich, vordergründig?« Sie kennen auch den Ausdruck dafür: »Keep smiling.«

Und gut, ich muß zugeben, es ist Freundlichkeit, nicht mehr. Aber das ist vielleicht doch viel, jederzeit »bitte« (please) zu sagen, sich den Namen des andern zu merken, wenn er einem beiläufig vorgestellt wird, und den Namen nach Tagen noch zu wissen und über die Straßen »Hello Peter« zu rufen und den Namen auch auszusprechen bei Fragen und Antworten. Gut, das ist einfach antrainiert. Wir können es nicht, weil wir es nicht trainiert haben, wir kokettieren alle mit unserem schlechten Namensgedächtnis. Aber sich einen Namen zu merken, das ist eine Anstrengung, eine Leistung, eine kleine Aufmerksamkeit, die mehr wert ist als Blumen. Und das ist nicht unwichtig als Mittel, in der Anonymität der großen Stadt zu überleben. Man gibt einem andern viel, wenn man ihm seine Identität gibt.

Dann eine Stadt zum Anschauen, zum Dasitzen und Anschauen. Die »New York Times« kaufen am Morgen – Snobismus oder Exotik, aber es tut irgendwie gut, eine »New York Times« unter dem Arm zu tragen. Dann der Barkeeper, der einen schon das zweite Mal wie einen alten Bekannten begrüßt und einen spendiert (one on the house). Und dann auch plötzlich die überraschende Einsicht, wenn ich hier in einem kleinen Ramschladen etwas kaufe, daß ich dann nicht beim reichen Mann kaufe. Daß es hier Arme gibt, die sich mit einem kleinen Lädeli schlecht und recht durchschlagen. Ich merke es ihm an, daß er auf diese meine fünf Dollar angewiesen ist, daß er vielleicht genau mit diesen essen geht. Typisch für Amerika? – Nein, wohl nicht. Aber wer entscheidet über typisch und untypisch – letztlich wohl doch nur die Statistik, und die habe ich nicht zur Hand, wenn ich mich über die Freundlichkeit eines Trödlers an der Canal Street freue.

Und dann in jener »New York Times« nach dem suchen, was wir hier in Europa Weltpolitik nennen. Man findet es nicht, nichts über Frankreich, nichts über Deutschland, über Italien, kaum etwas über die Sowjetunion, es sei denn im Zusammenhang mit Amerika, mit amerikanischen Interessen. Oder es sei denn, ein europäischer Präsident stirbt, wird ersetzt usw. Die Enttäuschung des Europäers, daß in dieser Zeitung all das, was wir »Welt« nennen, zusammenschmilzt auf ein paar politische (mehr oder weniger genaue) Fakten.

Dann ein Flug von New York nach Los Angeles, der fast so lange dauert wie jener von Zürich nach New York – ein großes Land. Ich habe zum ersten Mal beim Fliegen vom Start bis zur Landung nur aus dem Fenster geschaut. Ich habe mir vorgestellt, daß diese Strecke von den Go-West-Leuten zurückgelegt wurde, die Wüste, die Rocky Mountains, der Grand Canyon. Man sieht vom Flugzeug aus, wie sich der Mensch in diese Wüste hineinkratzt.

Ein großes Land.

Und mir fällt ein, wie wenig Assoziationen ich habe, wenn ich zu Hause das Wort Amerika ausspreche – ein Präsident, ein Kissinger, eine CIA – ein Cowboy, wenn es hochkommt.

Sicher, Europa hat mehr Informationen über Amerika als Amerika über uns, und wir beschäftigen uns auch mehr damit – auch Blue Jeans sind eine Information. Und manch einer, der noch nie in Amerika war, mag vielleicht durch Lektüre mehr über Amerika wissen als ich. Ich bin kein Amerikakenner – ein simpler Tourist, dem seine Ferien gefallen haben.

Und danach, so glaube ich, fragen mich meine Bekannten: »Wie hat es dir gefallen?« Und ich komme mir vor wie ein Schüler, der zum voraus weiß, daß seine Antwort falsch ist, wenn ich sage: »Es war richtig schön, New York ist eine wunderbare Stadt – ich fühle mich richtig gut in New York.«

Denn schließlich, das verstehe ich, meinen sie mit ihrer Frage nicht, wie es mir persönlich ergangen sei, sondern so etwas wie »Wie hast du's mit Amerika?«

Von Häuserschluchten in New York möchten sie wohl hören. Sie glauben mir nicht recht, daß man auch nachts auf der Straße gehen kann, sie glauben mir nicht, daß ich meine Sonnenbräune von den Straßen New Yorks habe und vom Washington Square, sie glauben mir nicht, wenn ich sage, daß die Amerikaner ausgesprochen freundlich seien und daß einem das Freude mache.

Denn als »Amerikaner« bezeichnet man hier etwas anderes als einfach die Leute, die in diesem Land leben.

»Die Amerikaner«, so heißt eine Armee. »Die Amerikaner«, so heißt eine kapitalistische Wirtschaftsmacht. »Die Amerikaner«, so heißt die CIA.

Eigenartig, daß man einem, der aus Spanien zurückkehrt, sofort glaubt, daß es in Spanien auch Spanier gibt, die Spanier nette Spanier sind und nicht Faschisten. Für engagierte Linke war es zwar immer etwas suspekt, nach Spanien in die Ferien zu gehen, und wenn sie's schon taten, dann schämten sie sich immerhin ein wenig, daß sie in diesem Land schöne Tage hatten.

Aber das Wort »Spanier« ist nicht zum Signet für Faschismus geworden so wie das Wort »Amerikaner« zum Signet für brutalen Kapitalismus – dies wohl ganz einfach deshalb, weil Spanien keine Weltmacht ist.

So muß ich halt deutlich sagen, daß ich für diesmal mit dem Wort »Amerika« die Bezeichnung für ein Land meine und mit dem Wort »Amerikaner« die Bezeichnung für die Leute, die in diesem Land leben. Sie sind nicht so sehr typisch, wie wir uns das so gern vorstellen – es gibt viele und verschiedene, und New York ist eine kleine (oder große) Welt voller Menschen. Sie leben in einer Stadt, die man seit Jahren untergehen zu sehen glaubt und die immer noch da ist und nicht schlechter aussieht als vor vier oder zehn Jahren. (Wie gesagt, mir fehlt die Statistik, und ich rede nur von dem, was ich gesehen habe.)

Und die Menschen, die hier leben, kamen alle irgendeinmal hier an. Sie legen Wert darauf, eine Herkunft in der Alten Welt zu haben. Sie sind Iren, Juden, Deutsche, Spanier, Puertoricaner – ihre Väter und Großväter sind hier angekommen.

Und Amerika war für sie eine Hoffnung.

Für viele ist es nicht mehr geworden, für viele ist es weiterhin nur eine Hoffnung. Aber für einen satten Europäer kann es wohltuend sein, so viel Hoffnung (wenn auch verzweifelte) versammelt zu sehen.

Amerikanischer Patriotismus wird uns wohl unverständlich bleiben – daß jedes Fest – selbst Ostern – ein Fest der amerikanischen Flaggen ist, das verdauen wir schlecht. Aber vielleicht ist es so, daß diese Flagge auch für die Amerikaner etwas Exotisches hat, nicht Realität ist, sondern Versprechen.

Vielleicht ist es so, daß Blue Jeans auch für einen Amerikaner ein besonderes Kleidungsstück sind.

Jedenfalls ist es eigenartig, daß diese amerikanischen Jeans lange und teilweise bis heute das Signet der Progressiven bei uns waren – daß, wer bei uns eine amerikanische Armeejacke trägt, wohl kaum ein Bürgerlicher ist. Ich glaube nicht, daß sich das nur damit begründen läßt, daß diese Kleidungsstücke praktisch oder billig sind.

Vielleicht hat das irgendwie auch mit Hoffnung zu tun. Vielleicht erwarten wir wirklich – ohne es zu wissen – etwas von diesem Amerika. Und vielleicht ist unser gebrochenes Verhältnis zu diesem Wort »Amerika« der Ausdruck unserer Ungeduld oder unserer Enttäuschung.

Guten Tag Hello

Ich weiß nicht mehr, von wem ich die Geschichte habe, und ich weiß nicht mehr, wo sie sich zugetragen hat, wohl in England oder Amerika.

Jemand hat mir von einem Kind erzählt, das die Leute als Hellos bezeichnete. Er sagte also nicht: »Schau dort, der Mann«, sondern es sagte: »Schau dort, ein Hello.« Und es sagte: »Ein Hello ist gekommen, ein Hello steht vor der Türe.«

Dies ganz einfach, weil es hörte, wie sein Vater zu den Leuten »Hello« sagte. Wenn man zu einem Tisch »Tisch« sagt und zu einem Stuhl »Stuhl«, dann müssen ja jene, zu denen man »Hello« sagt, Hellos sein.

Ich weiß nicht, ob die Geschichte vielleicht nur mir gefällt, aber offensichtlich auch jenem, der sie mir erzählt hat, und vielleicht auch andern.

Mir gefällt die Geschichte, weil ich mir vorstelle, daß Hellos viel freundlicher sind als Menschen oder Leute oder Männer oder Frauen. Jedenfalls wird es einem Hello nicht gelingen, gefährlich zu sein oder aggressiv. Ein Hello ist weder ehrgeizig noch eitel. Er benötigt keinen Psychiater, und es scheint mir, daß er viel mehr gemeinsame Eigenschaften hat als ein Mensch. Ein Hello tönt etwa so, wie wenn man »Leute« in der Einzahl sagen könnte: ein Leut.

Hellos, so scheint mir, sind so etwas wie eine Hoffnung. Das einzige, was du zu tun hast, ist, ein Hello zu werden. So einfach ist das.

Im übrigen ist es eigenartig, wie wohl einem das tut, von einem Kind bemerkt oder gar irgendwie benannt zu werden, wieviel Ehrgeiz und Eitelkeit man dafür investiert. Es ist der Grund dafür, daß sich Tante Emma gegenüber ihren kleinen Neffen so kindisch und dumm aufführt.

Oder dann etwa die Beleidigung, wenn man vor einem Hund scheitert. Vor Jahren hat mir meine Familie einen aufgedrängt – ich mag Hunde nicht, oder ich mochte Hunde nicht, bis mir auffiel, wie sehr ich darauf angewiesen bin, daß mich mein Hund mag. Meiner war ausgesprochen scheu, und wenn Besuch kam, versteckte er sich für den ganzen Abend unterm Tisch oder in einer Ecke.

Ein Hund ist offensichtlich etwas, zu dem man Stellung beziehen muß. Also erklärt der Gast bereits beim Eintreten, daß er Hunde mag oder daß er Hunde fürchtet oder daß er Hunde nicht mag.

Aber auch jene, die Hunde nicht mögen, legen großen Wert darauf, von Hunden gemocht zu werden. Solange wir jenen schüchternen Hund hatten, waren Gespräche mit Gästen bei uns kaum möglich. Selbst eingeschworene Hundehasser versuchten den ganzen Abend lang, den Hund an ihre Seite zu locken. Ich beteuerte, daß dies alles keinen Sinn habe, aber sie ließen nicht ab davon.

Ich weiß nicht, warum sie später nicht mehr zu Besuch kamen. Entweder weil sie den Eindruck bekamen, mit uns könne man kein Gespräch führen, oder weil sie es uns persönlich übelnahmen, daß sie vor unserem Hund scheiterten.

Ich weiß, die beiden Geschichten passen nicht zusammen, und es wundert mich eigentlich auch, weshalb sie mir gleichzeitig einfallen.

Aber vielleicht deshalb, weil man mit Kindern und Hunden gern Geheimabkommen trifft, weil man eben vor ihnen scheitert mit alldem, was man sich für die Menschen zurechtgelegt, erkrampft und zusammengebastelt hat.

Vor einem Hund scheitern ist offensichtlich so etwas wie ein Gottesurteil.

Wer vor ihnen scheitert, ist kein Hello.

Auf dem Markt in Solothurn steht ein Mann, ein sogenannter Sand-
wichmann mit umgehängten Plakaten. »Leben ohne Haß« oder so
etwas steht darauf. Er verteilt den Leuten Zettel, Traktätchen: »Ach-
tung, ansteckende Gesundheit!« – »Auf zum gesunden Frohmut!«
Und dann einige Sprüche aus der Bibel – kein Kommentar, nur diese
Sprüche. Zum Beispiel: »Mach dich selbst nicht traurig, und plag
dich nicht selbst mit deinen eigenen Gedanken; denn Traurigkeit
tötet viele Leute und dient doch zu nichts. Eifer und Zorn verkürzen
das Leben, und Sorge macht alt vor der Zeit« (Sirach 30).

Ich weiß nicht, weshalb mir bei dieser Gelegenheit die Geschichte
vom Hello eingefallen ist. Er glaubt wohl, daß die Menschen nur
etwas besser werden sollten, und dann wär es gut.

Was er wohl von der Fristenlösung hält? Von den Kommunisten?
Von den Langhaarigen? Von der Entwicklungshilfe? Von der Rezession? Vom Militär? Von den Feldpredigern?

Ich verzichte darauf, seinen Zorn zu prüfen.

Der Mann ist freundlich, lächelt den Leuten zu, demonstriert –
etwas tolpatschig vielleicht – Sanftmut.

Aber so viel Überzeugung – vermute ich – muß in Verbitterung
enden. Sein Rezept ist einfach: Leben ohne Haß.

Er muß mich – so vermute ich – dafür hassen, daß ich's nicht
begreife.

Ich nehme an, daß er dem, was ich meine – politisch, gesellschaftlich –, feindlich ist, und ich nehme an, daß er wirklich ein freundlicher
Mann ist. Ein freundlicher Mann also ist mir feindlich.

Wenn er mich gottlos nennt, dann meint er mehr als nur, daß ich
keinen Gott hätte.

Mir ist die Geschichte vom Hello eingefallen. Sie hat mir immer
sehr gefallen. Jetzt weiß ich nicht mehr, ob es eine gute Geschichte
ist, ob es wünschenswert ist, ein Hello zu werden und von Hunden
geliebt zu werden.

Ich könnte mir auch vorstellen, daß jenes Kind seinen sprachlichen
Irrtum sehr schnell eingesehen hat, aber darauf beharrte, um etwas
auszuprobieren.

Und vielleicht ist das nicht mehr als das befreiende Erlebnis, für kurze Zeit in einem Land zu leben, wo die Dinge anders heißen, wo Englisch oder Französisch oder Italienisch eben sehr viel schönere Sprachen sind als Deutsch, weil ihnen das fehlt, was die eigene hat, Bedeutung und Belastung.

Jedenfalls, ich sehe ein – wenn auch ungern –, mit der Geschichte von den Hellos ist nichts anzufangen. Ich lasse sie hier stehen, nur damit ich sie endlich los habe. Denn sie verfolgt mich seit Monaten, und ich habe mehrmals versucht, etwas aus ihr herauszuholen.

Was bleibt und mich weiterhin interessiert, ist die Frage, warum mir, und vielleicht auch andern, diese Geschichte gefällt, diese Geschichte, die nichts hergibt und nichts bedeutet.

Vielleicht weil aus dem kindlichen Hello so etwas wie Zärtlichkeit spricht, vielleicht weil wir genug haben von Begriffen wie »menschlich« oder »allzumenschlich«, und vielleicht weil wir doch ganz genau wissen, daß es nicht die Gesamtheit der einzelnen Menschen ist, die diese Welt so unfreundlich macht. Oder vielleicht ganz einfach, weil durch die Bezeichnung »Hello« die Menschen objektiviert werden.

Hello ist dann eine Bezeichnung wie Auto oder Haus, wie Hund oder Zebra, und es ist wohl schon so, daß wir mit Objekten freundlicher oder zärtlicher umgehen als mit Subjekten.

Der Oberst und sein Otto

Es gibt Leute, die sich mühelos erinnern – ich meine damit nicht etwa Leute mit einem Gedächtnis, sondern ich meine die Leute, denen es offensichtlich nichts ausmacht, eines zu haben.

Der ehemalige deutsche Luftwaffenoberst und spätere NATO-General erinnert sich. Er weiß die Zahl seiner Einsätze, die Zahl seiner Abstürze, die Zahl seiner siegreichen Luftkämpfe. Ich habe ihn in einer Talk-Show gesehen, und er hat den Interviewer auch um zwei Luftkämpfe korrigiert, als dieser eine Zahl nannte.

Er hat im übrigen auch eingesehen – was eingesehen? –, und er ist im übrigen auch nicht das, was man einen alten Nazi nennt, nicht einmal ein alter Haudegen, zu dem er eigentlich von seiner Biographie her prädestiniert wäre.

Aber darum geht es mir gar nicht. Was mich überrascht, ist nur, wie mühelos er sich erinnert. Ich habe schon davon gehört, daß es auch Privatfliegern selbstverständlich ist, Buch zu führen über ihre Starts, über ihre Flugstunden – Bordbuch heißt das, soviel ich weiß –, und es ist wohl sogar obligatorisch. Vielleicht war es nicht einmal der Luftwaffenoberst selbst, der seine Einsätze und Siege zusammengezählt hat, sondern eine Amtsstelle.

Er schneidet auch nicht auf damit, gibt sich bescheiden – Helden, auch sportliche zum Beispiel, wissen, daß ihnen Aufschneiderei schlecht steht.

Schuld oder Unschuld? – Er beteuert jedenfalls nicht seine Unschuld – was er vorzuweisen hat, sind Fakten, da gibt es von rechts und von links nichts zu rütteln daran – soundso viele Einsätze, Abschüsse, Abstürze – fürs erste einmal wertfrei, nackte Zahlen – die Erinnerung durch Buchhaltung entschärft.

Lassen wir das – mache sich jeder seine Gedanken selbst darüber! Mich hat neben diesen Gedanken noch etwas anderes beschäftigt, als ich das sah und hörte. Ich war kurz vorher von einer Reise zurückgekehrt. Zum ersten Mal hatte ich ein Notizbuch mit und versuchte mich zu zwingen, täglich aufzuschreiben, was ich getan habe, kein eigentliches Tagebuch, schon gar nicht ein literarisches, sondern so etwas wie eine tägliche Buchführung: Bars, Kinos, welche Leute getroffen, in welchem Park gesessen.

Nun blättere ich es durch und entdecke Verfälschungen. Gut, ich könnte mir ohne weiteres vorstellen, daß ich im Augenblick der Niederschrift fälsche, weil ich mich aus irgendeinem Grunde – aus einem lächerlichen vielleicht – schäme. Selbstverständlich entdecke ich in meinen Notizen auch eine solche Fälschung, und wahrscheinlich habe ich bei der Niederschrift bereits daran gedacht, daß ich später die Fälschung beim Lesen für mich schon in die Wahrheit übersetzen könnte.

Aber ich entdecke in meinen Notizen auch Fälschungen, von denen ich jetzt – zwei Monate später – nicht mehr weiß, aus was für Gründen sie nötig wurden.

Vielleicht gibt es nicht nur die Angst davor, ein Leben leben zu müssen, vielleicht gibt es auch die Angst davor, ein Leben gelebt zu haben.

Im übrigen halte ich mich für so etwas wie einen ehrlichen Menschen – ich meine, mündlich gebe ich es doch, wenn auch auf Umwegen, irgendeinmal zu.

Die Schwierigkeiten beim Schreiben der Wahrheit – eine bekannte Frage, die sich auf Literatur bezieht.

Mir fallen sie fast täglich auf bei ganz gewöhnlichen Notizen, die nur für mich persönlich gedacht sind und die niemand sonst zu sehen bekommt, weil sie in der Regel in kleinen Fetzen im Papierkorb landen, nachdem sie ihren Zweck erfüllt haben.

Mündlich – so habe ich jedenfalls den Eindruck – bin ich mit mir ehrlicher. Irgend jemand hat mir offensichtlich nicht nur das Schreiben beigebracht, sondern auch die Ehrfurcht vor dem Schriftlichen, die Ehrfurcht vor der eigenen Unterschrift zum Beispiel, die grauenhafte Endgültigkeit von Verträgen. Schriftlich jedenfalls versuche ich mich zu belügen. Ich weiß nicht warum. Ich nehme zwar an, schon ein Psychologiestudent im ersten Semester wüßte es, aber das hilft mir wenig.

Ich habe mir bereits angewöhnt, in meiner Agenda nicht die eigentliche Sache aufzuschreiben, sondern so eine Art Eselsbrücke dazu, und es kommt nicht selten vor, daß es sich herausstellt, daß sich die Brücke schon wenige Tage später als nicht tragfähig erweist.

Ja, mein lieber Psychologiestudent, ich hatte schon ab und zu den Verdacht, daß ich ein Spießer bin – einer, der Angst davor hat, schuldig zu werden, unwillentlich an irgend etwas beteiligt zu sein. Es ist nicht nur das Merkmal des Kriminellen, daß er mit Handschuhen arbeitet und keine Spuren hinterläßt, es ist auch das Merkmal des Spießers.

Oder so

oder ich weiß nicht

und es ist auch nicht so wichtig, und sollte das nur mir persönlich passieren und niemand anderem, dann kann man es sein lassen.

Ich habe noch nie Tagebuch geführt und weiß deshalb nicht, was in wirklich intimen Tagebüchern, die niemand zu sehen bekommt, drinsteht.

Aber ich nehme doch an, daß sie etwas anderes sind als die Buchhaltung des Luftwaffenhelden.

Und ich habe den Verdacht, daß seine Lebensbuchhaltung ihn gerettet hat. Seine Vergangenheit ist geordnet. Er braucht sich nicht zu erinnern – er kann Zahlen und Fakten nennen und sagen: »Urteilt selbst, so war's, und ich habe keinen Grund, es zu bestreiten.«

Ich denke an meinen Freund Otto, der vor Jahren gestorben ist. Ein einfacher, netter Mann, der so eine Art Hochdeutsch oder so eine Art Schweizerdeutsch sprach, und wenn er betrunken war, ein ekelhaftes Hochdeutsch. Er war bei Kriegsende als Auslandschweizer zurückgekommen. In Rußland soll er geboren sein, sagte er jedenfalls. Nichts soll er damit zu tun gehabt haben – mit was?

Und dann war irgend etwas mit einem Oberst, dessen Fahrer er war. Und dann kam ab und zu wieder etwas von den Russen, die ihn geschnappt hatten, an die Wand stellen wollten, nur sein Schweizer Paß soll ihn gerettet haben.

Es gab Leute, die äußerten den Verdacht, daß es nicht sein Schweizer Paß war, sondern daß er den wohl einem echten Schweizer abgenommen hatte. Der Verdacht war unbegründet, denn da gab es noch einen Bruder, der auf andern Wegen in die Schweiz zurückgekommen war.

Gut, ich sollte hier wohl auch noch schreiben, warum er mein Freund war und warum ich ihn nett fand, aber das ist zu schwierig.

Ab und zu forderte er jemanden auf, er sollte sich doch nur auf den Marktplatz stellen und eine Rede halten gegen alle Schweinereien, die in diesem Land passieren, das Volk würde ihm zujubeln, und es würde eine Bewegung entstehen.

Er suchte wieder einen Führer.

Mir tat es richtig weh, daß Otto ein Nazi war.

Wenn er betrunken war, kam es ihm hoch – er erzählte nicht, es waren nur Stichwörter – aber dann einmal der Satz: »Als wir in Odessa lastwagenweise Juden ins Meer schütteten.«

Ich war nicht fähig, etwas dazu zu sagen. Ich hatte von da an sehr Mühe, mit ihm zu sprechen.

Aber eben, irgendwo tat er mir leid, ein einfacher, simpler Mensch.

Aber er muß Dreck am Stecken gehabt haben. Etwas Hohes war er bestimmt nicht, und ich bin überzeugt, es hätte kein Anlaß bestanden, ihn zur Rechenschaft zu ziehen, wenn man über sein Leben genau informiert gewesen wäre – ich meine kein rechtlicher, juristischer Anlaß.

Hier war er ein Hilfsarbeiter, und vorher muß er ein Bauernknecht gewesen sein.

Ich habe die Szene nicht vergessen, als sein besoffenes Hirn den Satz von Odessa ausspuckte.

Er würde Odessa nicht gekannt haben, wenn er nicht da gewesen wäre, und er wäre wohl auch nicht auf die Idee gekommen, von Juden zu sprechen, wenn er nicht früher gewußt hätte, daß sie zu hassen sind.

Der kleine miese Otto war ein ganz überzeugter Nazi.

Ich habe an seinem Odessa-Satz immer ein wenig gezweifelt, aber es fiel mir trotzdem schwer, mit ihm zu sprechen.

Seit ich die Buchhaltung des Luftkämpfers gehört habe, bin ich restlos überzeugt, daß die Sache mit Odessa nicht der Wahrheit entsprach.

Ich weiß jetzt, woher der Satz kam. Der kleine, miese und besoffene Otto wollte auch einmal richtig aktiv dabeigewesen sein, und Zahlen hatte er keine vorzuweisen. Nur schuldig war er geworden.

Und er hatte Angst davor, ein Leben gelebt zu haben. Einmal wollte er auch mir mit seinem verdammten Leben angst machen.

Abraham Lincoln als Henry Fonda

Ich wehre mich dagegen, es war mir schon das letzte Mal nicht so recht wohl dabei – aber also denn, noch einmal Amerika.

Ich habe persönlich zuviel damit zu tun, als daß ich mich dagegen wehren könnte, ich bin in Kleinstädten aufgewachsen, spätestens ab sechzehn lebte ich im Kino. Nun stelle ich fest, daß ich vom blödsinnigen amerikanischen Serienfilm des Fernsehens mehr abhängig bin als meine Kinder. Ich sehe alles noch mal, lache darüber, daß es mich einmal aufgewühlt hat, und weil es das einmal getan hat, tut es das auch von neuem – dieses verdammte Würgen im Hals, am Schluß, wenn alles gut wird.

Zwei Namen – ganz nebenbei und ohne Zusammenhang muß ich hier nennen, Gene Autry und Roy Rogers, nur um zu beweisen, daß ich damals schon im Kino war. Eine Reprise sind sie wohl nicht mehr wert. Ich stelle mir ihre Filme unheimlich blödsinnig vor und langweilig, der singende Cowboy mit weißem Hut und Gitarre zu Pferd – möglich, daß sogar ihre Namen falsch geschrieben sind, das spielt keine Rolle, und ich gebe auch zu, daß ich zum mindesten damals ihre Namen falsch ausgesprochen habe.

Aber ich bin in Kleinstädten aufgewachsen und im Kino, und das Kino kam aus Amerika, und vielleicht habe ich sogar meine »Gut-und-Böse«- und »Edel-sei-der-Mensch«-Vorstellung aus diesen Filmen, und vielleicht bin ich wegen dieser Filme Sozialist geworden, mich würde das ärgern und sie, die Hersteller, wohl auch.

Traummaschine Hollywood hieß das. Ich hab es mir kürzlich angesehen, dieses Los Angeles, nicht eine Goldgräberstadt, sondern eine Gräberstadt – Forest Lawn, der Tod-in-Hollywood-Friedhof, ein riesiges Mausoleum mit klassischer Musik, Johann Strauß wurde gespielt, als ich durch die Marmorhallen ging. Der Amerikaner, der mich hinführte, versicherte mir, daß er noch nie jemanden getroffen habe, der hier begraben sein möchte, aber es werden täglich Leute begraben hier.

Und dann die Häuser von Mary Pickford, von Renoir, von Wilder. Ich beteuerte, daß mich diese Häuser nicht interessieren – es sind auch Särge und Mausoleen (nicht das von Renoir), und dann zum Schluß als Leckerbissen das Haus von Sharon Tate – aber von dem war nur eine Ecke zu sehen, man kam nicht richtig ran. Mein Amerikaner aber versuchte es hartnäckig, eine Stunde lang, trotz meiner sanften Gegenwehr.

Ich hab's gesehen.

Nun gut, ich weiß, dies alles wäre einmal zu beschreiben. Ich mag im Augenblick nicht – ich begnüge mich mit der Aufzählung von Namen. Mir scheint dies für das Thema Amerika auch passender als Beschreibung.

Dann Hollywood Boulevard – auf dem Trottoir sind Metallsterne eingelassen mit all den Namen, die man kennt, keiner fehlt, alle großen Stars, und ich bin mit gesenktem Kopf eine Stunde gelaufen und habe die Namen gelesen, wie man es auf Friedhöfen tut, und ich freute mich, daß ich fast alle kannte. Vom Boulevard im übrigen gar nichts gesehen. Aber ich habe mir sagen lassen, daß es im übrigen auch nichts zu sehen gebe, außer dem China-Theater, ein ehemaliges Premierenkino – Sie haben alle davon gehört –, das ist das Kino, vor dem die Fußabdrücke und Handabdrücke der Stars verewigt sind.

Versuchen Sie das einmal, Ihre Hände und Füße im nassen Sand abzudrücken. Sie werden beleidigt sein, weil Ihre Abdrücke sehr klein erscheinen. Und es ist sehr traurig, die ganz kleinen Handabdrücke der Männer mit den harten Fäusten hier zu sehen – Gräber, Gräber, Gräber.

Ich habe gar nicht gewußt, daß ich meinen Wunsch, der mir nie bekannt war, noch nicht bewältigt hatte, den dummen, kindischen Wunsch, Filmstar zu werden, ich habe ihn dort vor dem China-Theater still begraben.

Ich bin im Kino aufgewachsen, und das Kino kam aus Amerika. Ohne Englisch zu können, bin ich vielleicht – wenn auch sehr, sehr ungern – mehr Amerikaner als Schweizer.

Nun seh ich am Fernsehen – 200-Jahr-Feier – zum x-ten Mal Abraham Lincoln, Sohn eines Pioniers, ein Farmer, vom Pech verfolgt, Viehseuche und Frau gestorben und neu angefangen, zusammen mit seinem Sohn Abraham usw.

Ich sah ihn, diesen Abraham Lincoln als Henry Fonda oder umgekehrt – das spielt keine Rolle, wer wessen Rolle spielt –, nicht nur ein erfolgreicher Mann zum Schluß, sondern auch ein edler und jedenfalls kein Langweiler wie du und ich und wir alle.

Nicht einer, der morgens zur Arbeit geht und mittags zurückkommt und nachmittags zur Arbeit geht und abends zurückkommt und sich Sorgen macht um Dinge, die nicht Geschichte werden, und wenn es hochkommt, abends an der Sitzung der Wasserkommission teilnimmt, ohne Begeisterung, aber weil es sein muß.

Nicht so einer, sondern ein armer Bub, der sich durchgeschlagen hat und der zum Schluß ein richtiges Leben hinterließ – Hut ab.

Alle Hochachtung vor ihm, ich wüßte nichts gegen ihn einzuwenden, der war wohl schon recht – ich weiß nicht, warum ich ihn einfach nicht mag. (Immerhin auch hier dieses Würgen im Hals – für Fonda oder Lincoln? –, das mich so ärgert.)

A. M. getroffen – gegen siebzig, Tessiner, Maler (Anstreicher), Sozialist. Er hat verfolgte Italiener während des Kriegs hier versteckt, nicht vor den Italienern, sondern vor unserer Behörde, einer davon soll später wieder Togliatti geheißen haben, er hat damals unter dem Schutze vom M. hier in der Gegend mit seinem Zentralkomitee getagt. Man erzählt sich das von A. M., und es ist eigentlich kaum zu glauben, denn M. sieht einfach so aus wie einer, der gern lebt. Er kocht gern, ißt gern, sieht so aus, wie man sich einen bocciaspielenden Tessiner vorstellt. Nach dem Krieg wollte ihn eine große italienische Stadt mit kommunistischer Mehrheit zum Bürgermeister machen. Er lehnte ab, vielleicht weil er Schweizer ist, durch und durch, vielleicht, weil es nicht zu ihm paßte – es paßt nicht zu ihm.

Das erzählt man sich von A. M. Er selbst erzählt nichts, und wenn man ihn fragt nach diesen Sachen, dann sagt er nur: »Ja, das war so« oder: »Nein, das war nicht so.«

Ich frage ihn, ob es wahr sei, daß er im spanischen Bürgerkrieg war. Er sagt: »Nur zwei Tage, dann wurde ich verletzt.« Mit den zwei Tagen meint er wohl zwei Tage Einsatz, nur das zählt und nicht Lebensgeschichte, nicht Herkunft und nicht Heldentum.

Ich mache jede Wette, daß auch er einen armen Vater und eine harte Jugend vorzuweisen hätte. Einen Film darüber zu machen wäre lächerlich – Henry Fonda könnte ihn ohnehin nicht spielen, und es fiele mir keiner ein, der es tun könnte.

A. M. ist zwar auch kein Langweiler wie du und ich, aber er macht es uns nicht zum Vorwurf, das heißt, er will sich nicht zum Vorbild machen lassen. Das Vaterland hat ihn nicht nötig, aber wir. Er kocht gut und ist ein froher Mensch, und er lebt nicht ungern.

Ja, natürlich, ich beneide ihn. Auch ich möchte so etwas wie ein Leben hinterlassen (nicht einen Namen oder ein Werk – ein Leben, das ist was anderes).

Eigentlich müßte ich auch was gegen A. M. haben, eigentlich ist auch er einer von denen, die mir Wünsche, romantische Wünsche aufzwingen.

Jedenfalls ist es das, was ich Abraham Lincoln übelnehme, daß er mir die Vorstellung aufzwingt, dieses Leben erfolgreich bestehen zu müssen – wenn nicht Lincoln selbst, dann zumindest macht mir Henry Fonda als Lincoln diesen Eindruck, soll ich ihm, dem Fonda, böse sein? Ich bin es nicht.

Aber wie auch immer, im Grunde genommen sind es die Vorbilder, die jene unglücklich machen, die eben ein Leben leben, wie Menschen das in der Regel zu tun haben – am Morgen aufstehen und am Abend zu Bett gehen –, Leben ist auch als reine Präsenz eine Leistung.

Davon jedenfalls habe ich weder von Abraham Lincoln noch von Henry Fonda gehört, daß sie am Morgen aufstehen und am Abend zu Bett gehen.

A. M. ist zwar auch eine Ausnahme, aber bei ihm bin ich sicher, daß er es tut.

Und wir Langweiler tun das auch, und das – darauf beharre ich – ist auch etwas.

In deinem Kino, Amerika, bin ich zur Schule gegangen. Du hast die Maßstäbe dafür gesetzt, was mich in der Kehle zu würgen hat. Mein Kopf wehrt sich zwar dagegen, aber das Würgen bleibt. Dein Abraham Lincoln und dein Henry Fonda erschüttern mich so sehr wie dich, das nehme ich dir übel.

Und auch, daß du mir aufzwingst, daß ich meinen A. M. mit deinem Abraham L. vergleichen muß, und auch, daß du mir verschwiegen hast, daß die meisten Menschen abends zu Bett gehn und morgens aufstehn.

Besinn dich, mein Sohn

Das ist ein Tag der Besinnung, und man ruft zur Besinnung auf.

Vorstellbar – ich weiß nichts Genaues –, daß ein Indianerhäuptling seine Leute zur Meditation auffordert, vorstellbar unter der Bedingung, daß seine Leute die Kunst der Meditation beherrschen – allerdings nicht vorstellbar, daß es nötig ist, sie aufzufordern, wenn sie diese Kunst wirklich beherrschen.

Nein, es geht mir nicht darum, die Festredner zu kritisieren. Ich weiß, wie schwer das ist, wie unnötig eigentlich auch und wie nötig dann wieder, nötig, um den Leuten im Dorf einen Anlaß zu geben, auf dem Festplatz zusammenzukommen, den Kindern einen Anlaß zu geben, ihre Lampions zu tragen, und auch hoffnungslosen Skeptikern steigt dabei vielleicht doch so etwas wie Erinnerung auf, nicht Erinnerung an Geschichte und Vaterland, sondern Erinnerung an die Kindheit, wo man eben auch so einen Lampion getragen hat und an so einen Lampion geglaubt hat. Es ist wahr, das alles stimmt mich besinnlich. Vielleicht hat er das gemeint, der Redner, wenn er mich zur Besinnung aufgefordert hat – aber mir scheint, Besinnung ist ein falsches Wort für das Gefühl der Besinnlichkeit.

Mein Stilwörter-Duden gibt folgende Anwendungsbeispiele für das Wort Besinnung: die B. verlieren; bei B. sein; (wieder) zur B. kommen; trotz der schweren Verletzungen blieb er bei B.

Das hat er wohl nicht gemeint, der Redner, aber ein weiteres Beispiel für das Wort Besinnung gibt mein Duden nicht her. Ich will mich nicht dumm stellen, natürlich weiß ich, was der Redner damit gemeint hat, daß dies ein Tag der Besinnung sei – er hat mit Besinnung eben Besinnung gemeint, und nur Nörgler kommen auf die dumme Idee, zu fragen, was das denn sei.

Vielleicht habe ich das mit meinem Sohn auch schon gemacht, ihn zur Besinnung aufgerufen, und sehr wahrscheinlich mit derselben Absicht, in der Hoffnung nämlich, daß er durch Besinnung auf dieselbe Vernunft kommt, die auch ich besitze, daß er nach seiner Besinnung dasselbe glaubt wie ich. Daß er meinen genialen Einfall, sich zu besinnen, nicht gleich in die Tat umsetzt, das ärgert mich dann maßlos; denn daß er sich nicht besonnen hat, das wird daraus sichtbar, daß er immer noch nicht dasselbe glaubt wie ich.

Könnte es unter diesen Umständen vielleicht nicht doch recht überheblich sein, seine Mitmenschen zur Besinnung aufzurufen, zu einer Besinnung, von der man zum vornherein weiß, auf was für Resultate sie zu kommen hat?

Zudem, es gibt ja auch noch andere Tage, die für sich beanspruchen, ein Tag der Besinnung zu sein, der Bettag zum Beispiel, aber auch kirchliche Feste, Weihnachten vielleicht. Wie nun soll sich die eine Form der Besinnung von der andern Form unterscheiden? Habe ich mich am Bettag oder an Weihnachten auf etwas spezifisch anderes zu besinnen?

Was ist denn Besinnung überhaupt? Ist das so etwas Ähnliches wie Meditation? Dann müßte ich ganz einfach sagen, ich habe das nicht gelernt. Man verlangt hier etwas von mir, was ich nicht kann. Nicht daß ich annehmen würde, daß derjenige, der das von mir verlangt, es auch könnte, aber ich nehme an, daß derjenige glaubt, er hätte es auch gar nicht nötig, weil er bereits weiß, was bei der Besinnung herauskommen muß.

Wenn ich meinen Sohn zur Besinnung auffordere, dann fordere ich ihn in der Regel zu nichts anderem auf als zum Gehorsam, wenn es hochkommt, zur Vernunft (und leider ist kaum jemand bereit, unter Vernunft etwas anderes zu verstehen als freiwilligen Gehorsam).

Die Aufforderung zur Besinnung jedenfalls ist sehr magistral, und sie tönt so, als hätten die Magistraten von diesem Staat eine Idee und wir, das Volk, würden sie daran hindern.

Das nachlassende Interesse am Staat war das Grundthema der diesjährigen Bundesfeierreden. Es wurde in den Zeitungen so kommentiert, als wäre das Thema neu. Genaugenommen ist es das Thema der letzten zwanzig Jahre und wiederholt sich Jahr für Jahr. Dies in einem Land, in dem täglich Tausende von Freiwilligen an erzlangweiligen Kommissionssitzungen über die Geschicke der Gemeinde beraten, nicht etwa weil sie Bundesräte werden möchten und nicht aus Ehrgeiz, vielleicht nicht einmal mit viel Begeisterung, sondern nur weil es halt sein muß und jemand es tun muß, und wenn die Einladung kommt für die nächste Sitzung, ist kaum einer begeistert, und die fromme Seele ahnt hier jedenfalls nichts außer Arbeit.

Davon hat er nicht gesprochen. Könnte es so sein, daß man sich mehr und mehr vor den politisch Aktiven im Land fürchtet und deshalb den Versuch unternimmt, die Interessierten mit Hilfe der Uninteressierten zu neutralisieren? Denn so unheimlich wenige sind es nicht, die sich am Staat beteiligen, und wenn es vierzig Prozent sind, ist es fast jeder zweite.

Man spricht auch oft von Aufklärung und Information. Tut man das denn wirklich so überzeugt, oder glaubt man nicht da und dort eher, daß Aufklärung eine Gefahr sein könnte?

Wenn das so ist, dann ist allerdings Besinnung der harmlose Ersatz dafür, und man bekommt das Gefühl nicht los, daß einem hier ein kompletter, richtiger und guter Staat verkauft werden soll, an dem es nichts zu rütteln gibt, auf den man sich nur noch zu besinnen hat.

Auch ich erkläre gelegentlich im Ärger meinem Sohn, daß er es besser habe als andere Söhne, und auch ich bilde mir ein, das sei ein Geschenk von mir und er habe als Gegenleistung einsichtig zu sein.

Geschenke haben es leider an sich, daß sie mitunter dem Beschenkten zum Vorwurf gemacht werden. So wie uns ab und zu von Regierenden mit stillem Vorwurf die Demokratie vorgehalten wird, als ob sie uns von der Regierung geschenkt worden wäre.

Wer sich besinnt, wird der Gnade würdig.

Immerhin, da waren noch die Lampions der Kinder, die durch den Wald zum Festplatz gingen; diese schönen, roten Kugeln mit dem weißen Kreuz, und die Kinder, die einen Hauch von Besonderem verspürten – das macht mich schon besinnlich, ich meine, es erinnert mich. Zudem hat dort der Gemeindeamtmann nicht vom Vaterland gesprochen, sondern ganz einfach von der neuen Kanalisation, auf die braucht sich niemand zu besinnen, die muß man haben, und jene, die sie machen in den Kommissionen, die saßen auch da, und ihnen wurde gedankt.

Meinem Kollegen – ohne Ironie zum Fünfzigsten

Noldi ist ein Schriftsteller.

Ein kleines, dickes Männchen mit gerötetem Gesicht, Fabrikarbeiter, gegenwärtig ohne Arbeit, er ist krank, muß nächstens ins Spital zu einer Operation, ein Nabelbruch, und er fürchtet sich sehr, denn nächstens wird er fünfzig, und er sagt, er möchte noch fünfzig werden, noch seinen fünfzigsten Geburtstag feiern.

Noldi ist sehr stolz darauf, daß er fünfzig wird. Er hält fünfzig für eine sehr hohe Zahl und fünfzig Jahre für ein ansehnliches Alter. Schon vor zwei Jahren sagte er, daß er in zwei Jahren fünfzig werde. Es fällt mir schwer, ihm mitzuteilen, daß man ihm sein Alter nicht ansehe – man sieht es ihm schwer an und schätzt ihn älter –, ich klopfe ihm auf die Schulter und sage: »Noldi, prima« oder so etwas.

Sein fünfzigster Geburtstag wird daraus bestehen, daß er auf seinen kurzen Säbelbeinen durch die Stadt geht und jedem sagt, daß er Geburtstag habe, daß der Wirt ihm einen Zweier schenkt und daß er darauf bestehen wird, noch einen Halben bezahlen zu dürfen. Und er wird auch weinerlich werden, und er wird auch sagen, wer hätte das gedacht, daß der Noldi fünfzig wird.

Er spricht sehr undeutlich und nasal, und man muß seinen Satz einmal laut gehört haben, um ihn zu entziffern, wenn er ihn leise vor sich hinspricht: »Und wenn ich gestorben bin, dann werden alle staunen.«

Ich widerspreche ihm: »Die werden nicht staunen – die staunen nie.« Wir sind Kollegen, wir verstehen uns, und uns versteht man nicht. Wir trinken noch ein Bier.

»Wer hätte das gedacht, daß ich noch zum Film komme«, sagt Noldi. Ein Film wurde hier in der Stadt gedreht, und Noldi war Statist, aber er spielte nicht einfach irgend etwas, sondern einen Journalisten und mußte immer aufschreiben. Er weiß auch, wie der hieß, der den Film gemacht hat, Rolf Lyssi. Und in Zürich war er dann auch einmal beim Film, mit Elke Sommer, sagt er, und da war er ein Passant und hat fast hundert Franken bekommen, da mußte er sogar gehen, und das ist sehr schwer. Aber man hat ihm nicht gesagt, wie der Film heißt, und er hat ihn nicht gesehen. Aber eines Tages, wenn es niemand erwartet, auch er nicht, wird man ihn, Noldi, am Fernsehen vorbeigehen sehen.

Es war nämlich sein Wunsch, zur Liebhaberbühne zu gehen. Aber die Mutter wollte das nicht. Er weiß sogar noch den Namen von einem Mann in Bern, der Stunden gab – Marc Dosswald –, und er weiß auch, was man da tun mußte, sehr, sehr deutlich und richtig Hochdeutsch sprechen. Wie ich ihn frage, ob er denn einmal bei ihm gewesen sei, weicht er aus – denn Noldi lügt nicht – und sagt noch einen andern Namen: Ekkehard Kohlund.

So ist er dann Schriftsteller geworden.

»Ich weiß, was du tust«, hat er gesagt, als wir uns zum ersten Mal in einer Beiz trafen, »du beobachtest, das tu ich nämlich auch, und meistens schreibe ich es auch in ein kleines Notizbuch, das habe ich heute nicht mit, aber das macht nichts. Ich habe alles in meinem Kopf.«

»Nein, ich beobachte nicht«, habe ich gesagt, »ich trinke mein Bier.« Das nützte nichts – ertappt vom Kollegen, inzwischen Verschworene, die voneinander wissen, daß sie nicht einfach Bier trinken wie die andern, sondern daß sie beobachten.

Das hat er alles von seinem Lehrer, sagt er. Ich kannte ihn, diesen Lehrer, selbst ein Schriftsteller, ein Mundartautor. Jener scheint es versucht zu haben, seinen Schülern Respekt vor Schriftstellern beizubringen. Einer unter Hunderten scheint es begriffen zu haben, der kleine dicke Noldi, schlechter Turner, schlechter Rechner, der kleine dicke, säbelbeinige Noldi, zweithinterste Reihe – der hat es begriffen.

Schriftsteller sind arm – das hat er begriffen –, arm ist er auch. Schriftsteller sind verkannt – das hat er begriffen –, verkannt ist er auch. Und Schriftsteller leben anders – auch das hat er begriffen –, er lebt auch anders.

Es bleibt ihm, dem Noldi, nichts anderes übrig, als Schriftsteller zu werden, wenn er etwas werden will. Nun ist er es.

Und seine Geschichten unterscheiden sich wenig oder nicht von den Geschichten der Schriftsteller. Da gibt es seine Geschichte vom

verlorenen Manuskript. Er zeigt es an mit der Spanne zwischen Zeigefinger und Daumen – vierhundert Seiten schätze ich, ein fertiges Manuskript. Und dann kamen Ferienkinder, und die haben das Ganze
mit Farbstiften vollgekritzelt, erzählt er. Er war mal verheiratet, aber
davon erzählt er nicht, und es ist auch unvorstellbar.

Und dann die Geschichte: Nach meiner Operation schreibe ich,
nach meinem Geburtstag schreibe ich, und immer wieder die Geschichte von den Ferienkindern, die alles vollgekritzelt haben, und
ein trotziges Aufbäumen dazu: »Ich habe alles, Wort für Wort, in
meinem Kopf und werde es – morgen, übermorgen, nach meinem
Geburtstag, nach meiner Operation – wieder schreiben.«

Ich versuche ihn zu überreden, es bereits heute zu tun, nicht aus
Freundschaft, sondern aus Bösartigkeit, denn ich weiß, daß er das
von sich weisen wird, und er tut es.

Dann, nach einem weiteren Bier, sagt er: »Doch, heute werde ich
beginnen, ich spür's.« Und ich sage: »Noldi, was wollen wir wetten, du tust es nicht.« Wir sind Kollegen.

Und ich habe ihn im Verdacht, daß er noch nie etwas geschrieben
hat.

Er werde es tun, er werde es tun, er werde es tun, sagt er.

Und gestern hat er mir den Titel verraten. Vor einer halben Stunde
war er ihm eingefallen: »Dr verlornig Bode.«

»Das ist gar nicht so leicht, Schriftsteller zu sein«, haben wir festgestellt.

Noldi sagt: »Mundart schreiben, das ist sehr schwer.« »Ich könnte
es nicht«, sage ich.

Und vielleicht werden die Leute staunen.

Und eines hat er mir voraus, er schreibt nicht über mich, und er
bringt mich nicht in den Verdacht der Lächerlichkeit.

Noldi ist ein Schriftsteller – Schriftsteller haben es nicht leicht.
Aber davon hat ihm schon sein Lehrer erzählt, und Noldi hat es ohnehin nicht leicht, also möchte er es zum mindesten sinnvoll nicht
leicht haben. Noldi ist ein Schriftsteller.

Natürlich ist er auch ein armer Hund

Wir hatten uns in einem Restaurant verabredet. Dort sollte das Geld überreicht werden. Dreißig Franken waren diesmal ausgemacht, ein hoher Preis – so hoch war er noch nie gegangen. Ich hatte mir auch vorgenommen, diesmal zu markten, ich dachte an einen Rabatt von zehn Franken. Die Zwanzigernote steckte ich in die Brusttasche meiner Jacke – einmal mehr gefaltet als üblich –, um sie ihm unauffällig in die Hand drücken zu können und dabei zu sagen, daß ich leider nicht mehr hätte.

Schon das ärgert mich, daß ich ihn dauernd anlügen muß. Ich wartete eine Stunde lang in einem Restaurant, in dem ich sonst selten bin, und ich hatte den Eindruck, daß mein Warten unangenehm auffiel. (Warum tut es das eigentlich?)

Er kam nicht.

Ich nahm meine Zwanzigernote aus der Jackentasche, steckte sie zurück in mein Portemonnaie und ging. Ich war echt beleidigt.

Nun, im Grunde genommen war es meine Schuld. Der Handel war schon am Vorabend abgeschlossen worden. Ich hätte das Geld auch schon am Vorabend mitgehabt, aber ich gab ihm nur zehn und sagte, daß er morgen vormittag noch mal dreißig bekomme. Irgendwie machte mir das Geschäft in Raten Spaß. Oder ich wollte ihm beweisen, daß ich auch als Kunde eine gewisse Macht habe.

Was er verkauft? – Ich weiß es nicht. Wäre ich sein einziger Kunde, die Frage würde mich nicht stören. Aber er hat neben vielen Gelegenheitskunden eine eigentliche Stammkundschaft. Es können ja wirklich nicht alle so blöd sein, daß die einfach für nichts ihr Geld weggeben.

Ich fürchte mich auch vor ihm. Eine Begegnung mit ihm kostet etwas – kein angenehmer Mensch.

Aber gut, er hat es schwer gehabt, damit macht er sein Geschäft. Ein seltener Fall, einer, der Lebenserfahrung zu Geld macht – miese Lebenserfahrung zu miesem Geld, auf miese Art zudem.

Ich bin sein bester Freund, ich bin der einzige, der ihn versteht, der einzige, der ihn nicht im Stich läßt, für mich würde er durchs Feuer gehen, würde mir jemand was tun, er würde ihn umbringen, und wenn er dafür ins Zuchthaus müßte, wären alle Leute so gut wie ich, dann wäre auch aus ihm etwas geworden (»Die Menschen haben mich so gemacht«), er sagt, daß er mein Freund sei und ich ein guter Mensch, und das läßt er sich bezahlen.

Alfons ist ein Ausbeuter, es bleibt ihm – wie andern Ausbeutern – nichts anderes übrig, als ein freundlicher Mensch zu sein: »You have a friend by Chase Manhattan«, heißt der Werbeslogan einer Bank in Amerika; seit ich Alfons kenne, hat der Slogan für mich seinen Sinn.

Alfons ist aber auch ein Kleinkrimineller, ein Mischler, mit einer Biographie auch, Verdingbub, verprügelt und Kinderheim und große Liebschaft und kleiner Einbruch und einmal im Gefängnis und dann wieder und Fremdenlegion und eine Schlägerei – ich kaufe mir auch ein wenig Räuberromantik damit ein und ein bißchen Welt oder Halbwelt. Werbetechnisch liegt Alfons richtig, ein Ausbeuter mit Format.

Die Ware, die er verkauft, heißt miese Freundschaft. Mein Freund war Legionär, war im Gefängnis, ist ein Einbrecher, ein Vagant.

Natürlich ist er auch ein armer Hund. Er wird darauf beharren – und das mit Recht –, daß er es nicht leicht hat. Geschunden, geschlagen, von Staatsanwälten gedemütigt, von Pflichtverteidigern mit Formeln verteidigt. Von ihnen hat er auch gehört, daß er nicht so sei, sondern so gemacht worden sei.

Er sagt mir – und was er mir sagt, sagt er allen Kunden –, daß, wenn alle so wären wie ich, die Welt gut wäre, aber sie sei es nicht und er müsse sich auch wehren. Er hält sich selbst für schlecht, schämt sich und beklagt es, und er wird sehr schnell zum Aufschneider, wenn man ihn über Geld oder Frauen befragt.

Er mag Künstler, hat die Schriftsteller D. und F. im Gefängnis gelesen. Ich glaube es ihm nicht recht, aber auch in diesem Stück hält er es wie die etablierten Ausbeuter, er kennt die Namen und die Titel und auch jeweils, was der andere darüber hören möchte.

Er kennt die Sätze dieser Welt, und er ist sensibilisiert auf Ausbeutung. Sogar in den Beträgen differenziert er. In der Regel kostet seine Freundschaft fünf Franken, er macht es aber auch billiger. Er trifft den Betrag jedesmal genau, den der andere gewillt ist zu bezahlen. (Er kennt die Grenzen der Preiselastizität.)

Man kann ihn beschimpfen für Geld. Du warst immer gut zu mir, du darfst mir sagen, was du willst, jeden andern würde ich verprügeln. Selbstverständlich ist er so wenig wie der Herr Verwaltungsratspräsident ein freier Mensch. Er weiß, wie schwer das ist, korrupt sein zu müssen.

Diese Korruptheit rechnet er sich hoch an. Das ist seine Leistung, daß er seinen ganzen Charakter einsetzt in seinen Erwerb, arbeitsscheu wohl schon, aber trotzdem verdient er sein Geld – es ist nach meiner Schätzung gar nicht so wenig – mit sehr viel persönlichem Einsatz. Und er weiß auch, daß er sein Geld nur verdient, weil es eine arbeitende Bevölkerung gibt. Die Krise trifft auch ihn.

Sein Verdienst ist nicht eigentlich gesetzeswidrig. Niemand kann jemandem verbieten, fünf Franken geschenkt zu bekommen, aber die Gesetzeswidrigkeiten sind sein Kapital, daß er »anders ist als alle andern« (auch dies ein Werbeslogan), das bringt ihm sein Geld ein.

Er macht die Sehnsüchte der Menschen zu seinem Geschäft.

Die Frage ist berechtigt: »Wo kämen wir hin, wenn das alle tun würden?«

Aber auch diese Frage trifft für alle Ausbeuter zu. Die Ausbeuter sind immer eine Minderheit.

Und im übrigen, von mir kriegt er sein Geld weiterhin, denn ich möchte, daß Ausbeuter wenigstens so aussehen, wie sie sind. Ich bezahle seine miese Freundschaft.

Im Grunde genommen

Wenn einer sagt: »Er ist im Grunde genommen nicht so«, dann meint er immer, daß er im Grunde genommen besser sei. Wir alle sind im Grunde genommen nicht so, und selbstverständlich auch ich.

Ich nehme an, daß der Satz älter ist als die Theorien Freuds über den Grund der Seele und wohl nicht dazu gedacht, ernst genommen zu werden.

Aber was wären wir, wenn wir das wären, was wir im Grunde genommen sind? Leute, die sich beobachtet fühlen, die gehen so, als würde ihnen dieses Gehen nicht gehören, als wäre es etwas außerhalb von ihnen. Die Schwierigkeit, durch ein Restaurant zu gehen, in dem jemand sitzt, gegenüber dem man ein schlechtes Gewissen hat; der Rekrut, der zum Paßgänger wird, weil ihm Gehen bewußtgemacht werden soll: »Armschwingen – Grüßen – Armschwingen.«

Gut, da fällt auf, daß wir anders gehen, als wir im Grunde genommen sind. Nur, wie sollten wir Gehen und Sein in Übereinstimmung bringen?

Im Westernfilm fällt mir das Gehen auf, ich meine die Übereinstimmung von Gehen und Sein – die Arme leicht angewinkelt auf Hüfthöhe –, es wäre eine Untersuchung wert, wie sehr der Western das Gehen einer Generation beeinflußt hat. Aber auch die, die so gehen, sind im Grunde genommen nicht so.

Eigenartig auch, daß Gehen nur dann selbstverständlich ist, wenn es mühsam wird, auf einer anstrengenden Wanderung etwa beim Aufstieg. Eigenartig, daß selbstverständliches Gehen letztlich nur Gehbehinderten gelingt, da gibt es mit seinem Gang nichts mehr auszudrücken, sondern nur noch etwas zu bewerkstelligen, die Fortbewegung, da geht einer endlich ohne sein Über-Ich.

Es wäre vielleicht einfacher, Gehen zum Beispiel – und nur zum Beispiel – mit Äußerem in Einklang zu bringen als mit Innerem, also einfach die technischen Bedingungen zu akzeptieren, aber wie das bewerkstelligen?

Im Grunde genommen ist er anders, und im Grunde genommen bin ich auch anders. Im Grunde genommen sind wir – wiederum zum Beispiel – schüchtern. (Aber wenn es alle sind, weshalb gibt es dieses Wort überhaupt?)

(Und wie tief ist denn dieser Grund überhaupt anzusetzen? Liegt jede persönliche Schüchternheit in derselben Tiefe?)

Ein Freisinniger sagt mir, daß er im Grunde genommen ein Linker sei.

Ein Spießer sagt mir, daß er im Grunde genommen ein Revoluzzer sei.

Ein Schläger sagt mir, daß er im Grunde genommen ängstlich sei.
Ein Fußballer sagt mir, daß er im Grunde genommen sensibel sei.
(Die Beispiele sind alle wahr. Ich muß das mitteilen, weil das letzte
allzu konstruiert tönt und lächerlich wäre, wäre es erfunden.)
Wer hat uns das eigentlich eingeredet, daß wir nicht nur etwas zu
sein haben – schon das ist schlimm genug –, sondern daß wir auch
»im Grunde genommen« etwas zu sein haben, nämlich etwas Besseres (der Freisinnige ein Linker zum Beispiel).

Etwas ganz anderes: Die Schwierigkeiten bei der Erhaltung der Fassadenästhetik von Altstädten. Da wird bei der Renovation beschlossen, daß jener Erker erst 1881 dazugekommen sei – also wegzufal-
len habe –, daß der Spitzbogen ursprünglich ein Rundbogen gewesen
sei, also zurückgeführt werden müsse. Daß die Fensterbänke, wenn
auch alt, nicht aus dem typischen Stein der Gegend, also untypisch
seien.

Und letztlich sieht eine biedere Schweizer Kleinstadt aus, als ob
sie im Krieg total zerstört worden wäre und nach irgendeinem alten
Stich rekonstruiert. Vorbilder für Altstädte sind nicht jene, die es
noch gibt, sondern jene, die es vor dreißig Jahren nicht mehr gegeben hat, Dresden, Warschau und so weiter.

Auch hier die läppische Vorstellung von Natur; das heißt, welcher Tiefenschicht gestehen wir die Qualität »echt« zu – ist 1906 echt
oder gefälscht?

Auch hier die Vorstellung, daß die Stadt »im Grunde genommen«
anders ist – letztlich einigt man sich in der ganzen Welt auf Mittelalter, nicht etwa auf das echte, so stur ist man nicht, aber auf eine
landläufige Vorstellung von Mittelalter, und zum Schluß steht da eine
Fassadenstadt, die es noch nie wirklich gab; sie ist letztlich so viel
wert wie eine moderne Wohnsiedlung, die Vorstellung von Mittelalter ist ebenso steril wie die Vorstellung von einer Moderne – aus
der Vielfalt wird Einfalt.

Nun gut, es stimmt, diese Stadt gab es einmal im Mittelalter, nur
gab es sie damals schon vorher, und es gab sie auch nachher. Es gab
sie also nie rein. Nun wird sie bereinigt auf das, was sie »im Grunde

genommen« ist. Man hat sich darauf geeinigt, wie tief dieser Grund angesetzt sein soll.

Die Touristen freuen sich, und den Einwohnern bleibt die Freude, sich darüber zu freuen, daß sich die Touristen freuen. Man hat die Stadt endgültig sterilisiert, so wird sie nun bleiben auf ewige Zeiten. Es gibt keinen Grund mehr, etwas zu verändern, wenn man endlich auf den Grund gestoßen ist.

Im Grunde genommen ist er nicht so, im Grunde genommen bin ich es auch.

Was wir im Grunde genommen sind, ist unsere schäbige Hoffnung. Mit Schüchternheit läßt sich auf dieser Welt zwar wenig erreichen, trotzdem legen wir Wert darauf, es im »Grunde genommen« zu sein.

Wir müßten uns nur noch – wie das Denkmalpfleger tun – auf die Tiefe des Grundes einigen, und wir wären alle gleich.

Schreiben ist nicht ohne Grund schwer

Am Abend nach der Friedenspreisrede von Max Frisch traf ich in der Beiz einen Mann, der mich fragte, ob ich am Morgen um elf Fernsehen geschaut hätte. Da sei nämlich einer gewesen und der hätte es ihnen gesagt. »Wer war das«, fragte ich, »und was hat er wem gesagt?« »Der hieß Fritscher oder Frischknecht oder so, und der hat es ihnen mal so richtig gesagt, und dir hätte das gefallen.«

Ich sagte ihm, daß der Mann Max Frisch heiße und ein Schriftsteller sei und ein Schweizer – das wußte er nicht –, und ich fragte ihn noch einmal nach dem Inhalt der Rede.

»Du, ich kann dir das nicht erzählen – etwas vom Frieden und so – aber ich verstehe das ja auch nicht. Ich weiß nicht, was er gesagt hat, aber der hat es ihnen gesagt.«

Ich verzichtete darauf, erneut zu fragen, wem er das denn gesagt habe, die Frage wäre unfair gewesen, denn ich weiß, was man mit dem unbestimmten »ihnen« meint, und ich weiß, daß es nicht bestimmbar ist.

Das einzige, was dem Mann auffiel, war, daß jener (Frisch) etwas anderes gesagt hat. Daß er offensichtlich etwas gesagt hat, was jene nicht nur freut. Er hat geahnt, daß einer hier seine Meinung sagt, eine Meinung, die er zwar nicht versteht, aber die ihm lieber ist als jene der andern, die er auch nicht versteht.

Sein Vertrauen zu diesem »Fritscher« freute mich. Es ist nicht ungefährlich, ich weiß. Er hat auch schon Vertrauen zu Schwarzenbach gehabt, den er auch nicht ganz versteht. Er hat, wo auch immer, Vertrauen zur anderen Meinung. Vielleicht deshalb, weil er schlechte Erfahrungen mit der Meinung, die es gibt, gemacht hat – auch sie kennt er nicht eigentlich; um so mehr empfindet er sich als ihr Opfer.

Was mich überrascht, ist, daß er die Rede von Frisch in ihrer Haltung erkennen konnte, ohne ihren Inhalt zu verstehen. Dies bei einer sehr kühl und ohne Rhetorik vorgetragenen Rede. Ungewohnt, mit Verbalem umzugehen, hat er sich offensichtlich andere Beurteilungskriterien gebildet. Er weiß, daß er – der zu wenige Wörter versteht – diese Welt nicht machen wird. Nun vertraut er auf den Widerstand gegen jene, die die Wörter besitzen. Er ist sensibilisiert auf Widerstand – das ist ab und zu eine Hoffnung und weit öfter eine Gefahr.

Es gibt die Frage an Schriftsteller und Journalisten: »Warum schreibt keiner so, daß es die Arbeiter wirklich verstehen?« Es gibt die Frage nach einer Arbeiterpresse. Die Frage ist berechtigt, ich will sie nicht wegwischen, aber ich habe Bedenken.

Kürzlich hat mir ein Arbeiter gesagt, daß er den Kollegen X, einen Gewerkschaftsfunktionär, sehr schätze. Der rede sehr gut, aber leider rede er zu einfach. Er beherrsche die Sprache der Studierten nicht. Und so nütze es nichts, weil ihn nur die Arbeiter verstünden und nicht jene, denen er seine Sachen beibringen müsse.

Mir fiel das alles ein, nachdem ich kürzlich für einen Mann, ehemaliger Dienstkollege, zwei Briefe geschrieben hatte. Es ging um die Hausordnung einer Wohngenossenschaft, über die er sich ärgerte. Seine Entwürfe für die Briefe waren fast fehlerfrei, und seine Ideen gefielen mir. Aber er fürchtete sich, man könnte ihn nicht ernst nehmen wegen der Orthographiefehler – die Beherrschenden beherrschen eben mehr als nur die Unterdrückten, sie beherrschen auch eine Sprache, sie beherrschen zum Beispiel Grammatik und Orthographie.

Das Wort »Recht« hört der Mensch erstmals im Zusammenhang mit »Rechtschreibung« – der Rotstift des Lehrers relativiert die Gerechtigkeit.

Ich nehme mich nicht aus – auch ich freue mich über Rechtschreibefehler meiner Mitmenschen. Es ist so etwas wie einer, der vom Pferd fällt.

Ich nehme mich nicht aus, auch ich habe gelitten unter der Rechtschreibung und bin dem Lehrer, dem meine Aufsätze trotz der Fehler gefallen haben, heute noch dankbar. Es war nur einer, in der sechsten Klasse, und ihm habe ich geglaubt. Ohne ihn hätte ich den Mut zum Schreiben für immer verloren.

Wir sind zwar stolz darauf – und das mit Recht –, daß bei uns sozusagen jeder lesen und schreiben lernt. Daß es jeder kann, ist bei uns eine Selbstverständlichkeit. Aber in der Schule wird nur Prüfbares gelernt. Also muß man auch die Selbstverständlichkeit des Schreibens prüfbar machen. Zum Schluß werden es wenige sein, die den Mut haben, ihr Können zu benützen. So schafft man sich auf Umwegen die offensichtlich notwendigen Analphabeten.

Am Fremdsprachenunterricht läßt sich dieselbe Sache aufzeigen. Man lernt in der Schule nicht die Sprache, sondern ihre Schwierigkeiten, und dies nicht, weil es vorerst nottut, diese Schwierigkeiten zu kennen, sondern weil sie besser prüfbar sind als die Grundbegriffe. Etwas, das allen gehört – auch ein Wissen, das allen gehört –, gilt in unserer Gesellschaft nichts – also hindert man die einen zum vornherein daran.

Es scheint, daß man das einfacher machen könnte, indem man überhaupt nur den einen Teil schult, aber das würde nicht zum selben Erfolg führen.

Wenn man das so tut, wie wir es tun, erreicht man, daß jene, die es nicht können, die Könner entsprechend bestaunen. Sie, die an den Schwierigkeiten gescheitert sind, können ermessen, wie weit sie von jenen entfernt sind, die diese Schwierigkeiten beherrschen.

Die Rechtschreibung ist nichts anderes als ein Repressionsmittel.

Ich möchte sie keineswegs in Bausch und Bogen verdammen, warum soll es sie nicht geben, aber sie wird überschätzt, und sie wird nicht für, sondern gegen die Lernenden eingesetzt. Man hat den Unterschied zwischen Analphabeten und Alphabeten nur etwas nach oben geschoben, aber keineswegs abgeschafft. Auch wenn das nicht absichtlich geschehen ist, hat das seine Gründe.

Nun gibt es Leute, die ernsthaft glauben, das Problem sei die Großschreibung im Deutschen. Sie müsse abgeschafft werden, und dann sei alles gut. Sie unterschätzen unsere Prüfungsschule, denn wenn man einen Fehler weniger machen kann, dann werden die andern nur um so höher bewertet, der Unterschied wird noch etwas mehr nach oben verschoben. Nicht die Großschreibung muß man abschaffen, sondern die Rechtschreibung. Ich bin dafür, daß wir sie den Typographen übergeben, den Fachleuten, den Liebhabern. Gut, ich weiß, einen Verlust muß man dabei in Kauf nehmen – von mir aus auch eine Verödung der Kulturlandschaft.

Aber unser Staat hat sich einmal entschieden – mit Gründen und zu Recht –, allen Leuten das Lesen und Schreiben beizubringen. Weshalb hindern wir sie dann mit Kleinlichkeit daran, das Gelernte zu benützen?

Im übrigen – Rechtschreibung gibt es erst, seit die Schrift der »Gefahr« der allgemeinen Benützung ausgesetzt ist. Als erst wenige deutsch schrieben, gab es noch keine verbindliche Rechtschreibung. Das Schreibenkönnen an und für sich war damals elitärer Unterschied genug.

Eigenartig, daß man selbst eine Krankheit im Zusammenhang mit Rechtschreibung – einer Erfindung – bemüht: Legasthenie. Sie sei heilbar, sagt man, aber leider würden nicht alle Kranken erfaßt und es seien viele. Weshalb behandelt man nicht alle wie bei den Pocken?

Die Abschaffung der Rechtschreibung als Selektionsmittel wäre ein weiterer wichtiger Schritt auf dem Weg zur Einführung des Alphabets. Für Konservative vielleicht ein Verlust an ein bißchen Kultur, aber ein Zivilisationsgewinn wäre es bestimmt.

Wir neigen dazu, die Schreibstuben in Analphabetengegenden zu belächeln: der Liebende, der hingeht, um einen Brief schreiben zu lassen für die Geliebte, und die Geliebte, die dann hingeht, um sich diesen Brief vorlesen zu lassen.

Machen wir uns nichts vor, es gibt diese Schreibstuben auch bei uns; ich schreibe hier oft Briefe für Leute – und oft für Leute, die es selbst können, aber den Mut nicht haben dazu. Auch bei uns ist Schreiben nach wie vor ein Privileg, und es wird offensichtlich verteidigt wie andere Privilegien auch.

Pestalozzi – so denke ich – hat sich vom Lehren und Lernen jedenfalls mehr versprochen, und die Politiker, die nicht unschuldig sind daran, haben recht, wenn sie sich über unser dummes Volk beklagen. Aber sie haben nicht nur recht. Sie rechnen auch von Fall zu Fall damit. Das eine Mal hoffen sie, daß die Leute die Schrift beherrschen, das andere Mal hofft man auf Analphabetismus. Zwei Dinge auf einen Schlag, das hat man jedenfalls erreicht – und wo käme man hin, wenn jeder auf Schriftliches schriftlich reagieren könnte.

Im übrigen, ich meine nicht Rechtschreibung, ich versuchte es nur daran zu erklären, ich meine Sprache.

1930

1930 war in Thüringen zum erstenmal ein Nationalsozialist Minister geworden. Er hieß Wilhelm Frick, bekam das Ministerium für Inneres und für Volksbildung und verbot gleich nach Amtsantritt drei Zeitungen, von denen er sich persönlich beleidigt fühlte. Dann verbot er auch ein Theaterstück, »Frauen in Not § 218«.

Das überrascht uns nicht – soviel haben wir aus der Geschichte gelernt. So etwas soll weder dort noch hier je wieder geschehen, unverständlich, daß so etwas geschehen konnte.

Nun, es ist nicht geschehen, nämlich weil es damals schon nicht geschehen konnte. Es gab schon damals ein Recht und eine Gerechtigkeit und eine Gewaltentrennung, die solches nicht zuließen.

Die Zeitungsverbote wurden vom Reichsgericht aufgehoben, das

Theaterverbot ebenso vom Thüringischen Oberverwaltungsgericht. Die antifaschistischen Kräfte in Deutschland konnten zufrieden sein. Ihr Rechtsstaat war unbeugsam. Es war also 1930 in Deutschland so gut bestellt mit dem Rechtsstaat wie heute bei uns – und vielleicht noch besser: denn wegen dieser Vorgänge wurde Frick schon nach einjähriger Amtszeit durch einen Mißtrauensantrag des Landtages zum Rücktritt gezwungen. (Ob wir heute und bei uns so weit gehen könnten und würden?)

Das Ereignis blieb damals in Deutschland fast unbeachtet. So fest war das Vertrauen ins Recht und so offensichtlich das Unrecht des Ministers.

Am 18. Februar 1933 wurde das Gesetz über die Presse- und Meinungsfreiheit ganz außer Kraft gesetzt.

Es ekelt mich an, Parallelen zu ziehen, es ekelt mich richtig an. Ich möchte, daß es nicht nötig wäre und daß es jedem selbst auffällt.

Nur eins: Im November 1976 findet es ein Journalist in unserem Land nötig, für eine Woche in den Untergrund zu gehen und Dokumente zu sichten und zu kopieren, bevor er sie dem zuständigen Untersuchungsrichter übergibt. Er befürchtet offensichtlich, daß diese Dokumente in unserem Staatsapparat verschwinden könnten – aus Geheimhaltungsgründen, aus Staatsräson, aus persönlichen Gründen, weshalb auch immer.

Das ist betrüblich, und es wäre schön, wenn man sagen könnte, die Haltung des Journalisten sei betrüblich, sein Mißtrauen in die Justiz sei unberechtigt.

Ich habe in den letzten Tagen die verschiedensten Leute befragt, ob sie es richtig fänden, daß der Journalist mit seinen Dokumenten vorerst in den Untergrund gegangen sei, ich habe bürgerliche und sehr konservative Politiker gefragt – keiner hat die Frage verneint. Alle fanden das Verhalten des Journalisten nicht nur richtig, sondern auch nötig.

So weit sind wir bereits, daß Mißtrauen gegen unsere Justiz berechtigt ist. Dies aus dem einzigen Grunde, weil es so etwas wie Staatsräson gibt und weil Staatsräson immer etwas Geheimes ist.

So geht letztlich nicht nur der Journalist in den Untergrund, sondern auch der Staat. Man beginnt sich zu verschanzen wie Feinde, und selbstverständlich hat niemand mit niemandem etwas zu tun.

Wer amtlichen Stellen dazu Fragen stellt, bekommt Antworten wie aus Geheimdienstzentralen: »Kein Kommentar« – »Keine Kontakte« – »Keine Dokumente« – »Niemand kennt den Herrn, es sei denn privat.«

Offensichtlich wird einzelnen Herren das Recht ungeheuer, weil es ihnen nicht dient – und das Recht soll dienen, meinen sie, und das meinen sie mit Recht, aber es soll der Sache dienen.

Was für einer Sache denn? Was für eine Sache?

Eine Sache jedenfalls, die ihnen mehr wert ist als das Recht. Eine Sache jedenfalls, über die man nicht spricht, eine geheime Sache.

Aber was daraus auch immer wird. Wir werden unschuldig sein. Und wir werden uns Gedanken darüber zu machen haben, wie das alles geworden ist, und es wird wieder werden.

Nicht nur der Journalist hat wenig Vertrauen zum Staat – auch Cincera fand es nötig, in den Untergrund zu gehen – nur dort sind Kontakte zum Staat noch möglich, weil er sich selbst bereits in den Untergrund begeben hat.

Ich fürchte, der Staat schleicht uns auf leisen Sohlen davon und gräbt sich ein.

Er wird – daran ist nicht zu zweifeln – überleben. Das ist schön und wird dann auch wieder einmal eine Hoffnung sein.

Vielleicht braucht man dann einen Sündenbock und findet einen Herrn. Den werde ich verteidigen. Denn, das sei heute schon gesagt, so einfach war das damals nicht.

Vorläufig ist unsere Hoffnung nicht größer als jene von Thüringen und Deutschland im Jahr 1930. Das war eine große Hoffnung. Ob sie diesmal hält?

Zur Gedankenmarktlage

Morgens um sieben im Restaurant beim Kaffee haben die Gewerbler eine Neigung zur Philosophie. Ich weiß nicht weshalb.

Aber sie versuchen wohl, den Tag mit Leben zu beginnen und nicht mit Arbeit, sie leisten sich den Luxus, vorerst einmal eine Stunde zu vertrödeln und Ärger und Arbeit vor sich hinzuschieben.

Was morgens um sieben im Restaurant gesagt wird, ist auf Einverständnis angelegt, nicht auf Diskussion oder gar Konfrontation. Wird das Einverständnis nicht auf Anhieb erreicht, dann wird das Thema gewechselt, und es kommt auch vor, daß man sich für Themen entschuldigt, die nicht konsensgeeignet waren. Man hat dann sozusagen die Gedankenmarktlage falsch eingeschätzt und legt seinen Gedanken ans Lager, bis er marktkonform wird.

Es ist nicht nur häßlich und öd, was hier erzählt wird, es gibt Töne von Menschlichkeit, von sozialem Verständnis, hie und da sogar ein konjunktivisches Bekenntnis zur Fortschrittlichkeit: »Eigentlich müßte man ja vielleicht unter Umständen schon, aber ...«

Fragen werden hier keine gestellt, es sei denn rhetorische. »Ist nicht so?« – und die Frage kommt so sicher wie die Frage des Pfarrers bei der Hochzeit, es ist die Frage nach dem Ja, ein Nein würde gar nicht gehört, und das Ja ist eigentlich nicht nötig.

»Do het doch eine ...« ist hier eine beliebte Einleitung, zum Beispiel: »Da hatte doch einer, den ich anstellen wollte, die Frechheit, soundsoviel Stundenlohn zu fordern.« – »So kommen wir in die Krise«, sagt der andere, »das ist nur, weil die Leute in der Hochkonjunktur verwöhnt wurden, das einzige, was jetzt hilft, ist von vorn anfangen.«

»Da hat doch einer (do het doch eine) herausgefunden – ein Deutscher, und ich habe das gelesen – herausgefunden – ein Astronom, daß die Uhr eine Sekunde vorgeht, das hat der herausgefunden, ein ganz gescheiter Kerl, aber das kann doch nicht so weitergehen – was man alles herausfindet.«

»Da haben doch (do hei doch) zwei Amerikaner herausgefunden – alles berechnet –, daß der Einstein recht hatte, daß die Theorie stimmt – zwei Amerikaner.«

»Und Kalifornien wird wegzentrifugiert, weil die Erde eine ungleichgewichtige Kugel ist, und dann schleudert sie so, und Kalifornien fliegt weg, irgendwohin in den Weltraum mitsamt den Menschen – gelesen, schwarz auf weiß, und die Erdbeben und die Stürme und die Kälteeinbrüche, die kommen auch nicht einfach von nichts, und die ganze Elektronik, das hat mit dem Atom zu tun – und den Leuten geht es zu gut.«

»Ganz von vorn anfangen. Sie werden lernen müssen, ganz von vorn anzufangen. Ich habe auch ganz von unten angefangen, ich kann auch nicht hingehen und am fünfundzwanzigsten meinen Lohn holen – ich sage, ganz von vorn anfangen.«

»Und dann die ganze Elektronik, und das hat ja alles mit Atom zu tun, und unvernünftig sind die Menschen und anspruchsvoll, und den Menschen geschieht es recht, wenn . . .«

Und die Menschen – das fällt mir auf –, das sind die andern, die große Masse, jene, die sich nicht angestrengt haben, nichts geworden sind, jene die Ende Monat den Lohn holen, das sind die Menschen.

Und dann kommt die Formel vom Krieg: »Es wird Krieg geben, selbstverständlich wird es Krieg geben – so kann es ja nicht weitergehen.« Daß es anders weitergeht, das wollen sie ohnehin nicht, entweder so oder Krieg, also wird es Krieg geben.

Ich wende ein, daß es doch richtig wäre, ebendiesen Krieg zu verhindern. Darauf bekomme ich die Antwort: »Dann müssen Sie die Menschen ändern.« Der Begriff »Kriegsverhinderung« ist ihnen offensichtlich neu – und sie wissen vom Krieg nur, daß er kommt, weil die Menschen nicht gut sind: die Sintflut, die Katastrophe, und das wegfliegende Kalifornien, und das Atom und die Elektronik und die Sekunde, die einer berechnet hat, und das verrückte Zeug und alles – und eben Krieg, das ist alles eins, halt eben die Katastrophe, und ein mildes Lächeln für einen, der vorschlägt, Katastrophen zu verhindern.

Es sind friedliche Menschen, die zwei, die hier den Krieg für unvermeidlich halten. Sie wären die letzten, würden sie sagen, die dagegen wären, wenn er nicht kommt. Aber eben, man müßte die Menschen ändern. So, wie sie jetzt sind, wird er selbstverständlich sein. Sie reden nicht von Systemen, sondern von Menschen, und es ist nicht der Ort hier – morgens um sieben –, von Systemen zu sprechen.

Sie sind zwanzig, dreißig Jahre älter als ich. Sie gehören zu jenen, die mir gern vorwerfen, ich hätte den Krieg nicht erlebt, den Aktivdienst nicht. Sie haben ihn erlebt, und sie waren, als er zu Ende war, in meinem Alter. Und sie waren sicher froh, daß er zu Ende war. Und sie mögen sich 1945 gesagt haben, daß so etwas nie mehr geschehen dürfe – unter was für Bedingungen auch immer, nie mehr geschehen dürfe.

Man darf die Worte, die hier fallen, nicht auf die Waagschale legen. Sie sind nicht sehr ernst gemeint, und sie kommen recht hilflos daher. Die beiden sprechen von Dingen, mit denen sie sich tagsüber nicht beschäftigen, von Dingen auch, für die sie abends zu müde sind. Sie versuchen, eine halbe Stunde lang, Menschen zu sein, und geben der Neigung zur Philosophie nach.

Ich weiß auch nicht, wie typisch die fast alltägliche Katastropheneuphorie für sie ist. Ich erschrecke nicht einmal, daß das »Wegfliegen« von Kalifornien und ein Krieg für sie dieselben Werte sind.

Ich erschrecke nur darüber, daß der Krieg, der für sie vor dreißig Jahren nie mehr geschehen durfte, jetzt wieder geschehen darf.

Es ist für sie wieder eine Möglichkeit – weiß Gott, keine Hoffnung, aber eine Möglichkeit –, sie halten ihn wieder für zumutbar. Ich weiß, ich übertreibe und tu ihnen unrecht, sie meinen es keineswegs genau so und würden sich nicht auf diese Äußerung verpflichten lassen.

Der Krieg ist ihnen ganz einfach wieder vorstellbarer geworden, und ewig kann ja nicht alles so weitergehen, und irgendeinmal muß man von vorn anfangen.

Vielleicht auch ist es nur das, daß sie lebensmüde geworden sind. Es war doch eigentlich nicht viel, dieses Leben. Für sie und in ihren Augen ist wohl nicht mehr herausgekommen als ein bißchen Weisheit, und mit dieser Weisheit versuchen sie hier, morgens um sieben beim Kaffee, zurechtzukommen.

Krieg ist eben nicht nur legalisierter Mord, es könnte auch legalisierter Selbstmord sein und insofern die Chance, von vorn anzufangen.

Jedenfalls nehmen bei Gesprächen die Kriegsprognosen mehr und mehr zu. Die, die sie aussprechen, sind nicht jene, die einen Krieg machen könnten und ebensowenig verhindern. Aber die Chance, daß man ihn annehmen, akzeptieren könnte, diesen Krieg, nimmt zu. Ein kleines, unbedeutendes Omen, nicht mehr; ein Omen dafür, daß der Krieg bessere Chancen bekommen hat. Der Schrecken vor ihm ist ein bißchen spröder geworden. Ich meine damit nicht Kriegsfreundlichkeit und schon gar nicht Kriegshetze. Ich meine nur, daß man sich mit dem Gedanken anfreundet – nicht nur aus Oberflächlichkeit, sicher auch aus Angst, aber nicht aus Angst vor dem Krieg, sondern aus Angst vor dem Leben –, von vorn anfangen.

Ich halte das, was hier geschieht, morgens um sieben bei Gipfel und Kaffee, für gefährlicher als militärische Übungen, weil es Einübungen sind.

Man übt sich ein hier in die Katastrophe, man gewöhnt sich ein in das, was vor dreißig Jahren für ewig nicht mehr sein durfte. Ich hoffe nicht, daß ich in einigen Jahren an die zwei und ihre Einübung in die Katastrophe zurückdenken muß, denn im übrigen gehören sie zu jenen, die von allem, was sie gesagt haben, sagen, sie hätten es schon immer gesagt.

Fast ein Gewerkschaftsführer
(ein Nachruf)

Willy war ein Kerl, wollte ein Kerl sein, wollte auch in der Legion gewesen sein, wollte einer sein, der sich nicht auf die Kappe scheißen läßt, wollte . . . er war es nicht.

Willy war sehr laut und grob und auch sentimental selbstverständlich und arrogant und nicht dumm, nicht so dumm wie die andern. »Mit mir nicht, nein, mit mir nicht«, sagte er. Wollte im Gefängnis gesessen haben, wollte einen halbtot geschlagen haben, wollte im

Recht gewesen sein, war es vielleicht, ich weiß es nicht, möglich, daß
er es war.

Wollte Freunde gehabt haben, wollte Freunde haben, schlug den
Freunden mit seinen Riesenpfoten auf die Schultern, fluchte auf alles,
was sich ihm entgegenstellte, und versuchte – gar nicht so erfolglos –
gescheite Sachen zu erzählen; wollte auch einer sein, der Bücher liest,
einer, der nicht glaubt, wie er sagte, daß Goethe etwas für in die Suppe
sei, und ein Buch, das weiß ich genau, das mußte er wirklich gelesen
haben; ich selbst kenne es nur durch ihn, er erzählte immer wieder
davon, und mich dünkt, ich kenne es gut – »Exodus«, Buchclub, Halb-
leder.

Und er fluchte auf seine Frau, bezeichnete sie als Alte und »ließ
sich von der nicht alles gefallen«, wollte weglaufen und sagte dann
einmal: »Aber weißt du, so jeden Morgen, wenn du aufstehst, den
heißen Kaffee auf dem Tisch und die Milch, das ist halt auch schön.«
Das vergesse ich nie. Das ist ein schöner und ein großer und ein guter
Satz und ein böser auch. Im Grunde genommen war das sein Satz,
und auch diesen hat er gebrüllt.

Und wenn er Geld hatte, schmiß er in der Beiz Runden, und wenn
er keines hatte, bettelte er alle an. Und man erzählte sich, daß er ein
sehr guter Mechaniker sei, wenn er nüchtern sei. Und einer sagte,
ein Jahrgänger von ihm, daß er der Gescheiteste gewesen sei im Schulhaus auf dem Dorf und auch der Stärkste und auch der Gefürchtet-
ste und daß er alle tyrannisiert habe.

Immerhin, ich war ein bißchen stolz auf seine Freundschaft, und
ich hatte ihn ein bißchen gern, und es tut mir leid, das er tot ist.

Einmal vor Jahren hat er mir das Versprechen abgenommen, daß
ich an seiner Beerdigung sprechen werde – Handschlag in die schwere
Pfote. »Und nicht den Quatsch, den die alle sagen, wenn einer abhaut,
die Wahrheit, weißt du, die Wahrheit. Sag ihnen, daß ich ein verfluch-
ter Kerl war.« Und er rechnete auch damit, daß ich seine Biographie schreiben werde. Einmal werde er mir das alles erzählen, ganze
Bücher könnte man damit füllen.

Nun lese ich in der Zeitung einer kleinen tapferen Partei, deren
Mitglieder man sich als sehr jung vorstellt: »W. hat jede Gelegenheit

benutzt, die Interessen der Arbeiterklasse wirkungsvoll zu vertreten. Jahrelang hat er im SMUV als aktiver Gewerkschafter gekämpft, sich aber im Gegensatz zur SMUV-Führung nie von der Sozialpartnerschaft verblenden lassen.« Vielleicht ist auch das wahr. W. hat bei mir zwar damals einen andern Nachruf bestellt, aber ich könnte mir vorstellen, daß ihm der in der Parteizeitung letztlich doch auch gefallen hätte.

Und ich könnte mir vorstellen: eine einzige Abzweigung in seinem Leben etwas anders gestellt, und er wäre es vielleicht geworden, ein kräftiger Arbeiterführer mit Pranke, ein Gewerkschaftsführer von einmaligem Format. Nichts hätte gefehlt, Mut, Tapferkeit, Intelligenz, Durchhaltevermögen und heiliges Feuer.

Vor einigen Jahren zog er aus unserer Gegend weg. Ich habe ihn seither nur noch selten gesehen und seit über einem Jahr nicht mehr. Vielleicht ist das, was in seinem Nachruf steht, inzwischen alles wahr geworden. Vielleicht stimmen die Geschichten nicht, die er erzählt hat, die Geschichte von seinem Umzug zum Beispiel, als er in der andern Stadt an einem Tag über zehn Stellen angenommen habe und sich von jedem einzelnen Arbeitgeber habe tausend Franken Vorschuß geben lassen für die Kosten des Umzugs. Er hat's erzählt, er hat behauptet, er müsse jetzt dafür sitzen. Ich weiß nicht, ich will's nicht nachprüfen; ich neige dazu, anzunehmen, daß es nicht stimmt.

Und einmal, ein einziges Mal vor Jahren, habe ich ihn nüchtern angetroffen, auf dem Jahrmarkt, am Sonntagnachmittag, ein imposanter Bürger in Mantel und Hut: der Gewerkschaftsführer, nicht laut, aber mit sicherer Stimme; und er stellte mich seiner Frau vor: eine kleine, zierliche, nette Frau, ein Mütterchen. Sie fürchtete sich sehr vor mir; Freunde ihres Mannes – und als solcher wurde ich ihr vorgestellt – waren ihr nicht geheuer. Ich war sehr verlegen. Und weil sie sich fürchtete vor mir, drängte sie sich ganz nahe an ihren großen Mann, und als sie hörte, daß ich Lehrer sei, da sagte sie irgend etwas. Ich habe vergessen, was es war, oder vielleicht habe ich es schon damals nicht verstanden, aber es war irgend etwas Freundliches über ihren Mann. Und sie hat ihn angeschaut, und ich habe gesehen, daß sie ihn liebt.

Nein, Willy, zu dieser Frau hast Du nie »Alte« gesagt, nein, die hast Du nie verprügelt, der hast Du nur Sorgen gemacht, immer wieder Sorgen gemacht, und es hat Dir immer wieder leid getan, und weil es Dir so leid getan hat, warst Du wohl so laut – und am liebsten hättest Du sie auf Deinen großen Pfoten getragen.

Deine Frau sah nicht verbittert aus und auch nicht vergrämt, nur besorgt, sehr besorgt, und vielleicht ein kleines bißchen traurig.

Du warst, das ist mir damals aufgefallen, ein anderer, als Du erzählt hast – kein Guter, weiß der Teufel kein Guter, aber ein anderer – einer, der von jemandem geliebt wurde.

Das einzige, was ich von Dir wirklich weiß, ist, daß Du gesoffen hast – gottsträflich gesoffen hast. Ich weiß sehr wenig von Dir.

Verzeih mir, daß ich ein wenig gelächelt habe, als ich den Nachruf Deiner jungen und tapferen Parteifreunde gelesen habe. Vielleicht kommt er Dir näher als meiner, und ich bin überzeugt, wenn Du ihn hättest erleben können, Du hättest ihn ausgeschnitten, in Deine Brieftasche gelegt und damit herumplagiert und sehr laut und grob darauf hingewiesen und immer wieder eins darauf getrunken.

Ich habe Deinen Nachruf in meiner Brieftasche und tu es – so gut ich's kann – für Dich.

Zum Wegwerfen

Erinnern Sie sich noch an die Mondlandung? Wann war das eigentlich, und wie hießen die beiden? Gab es zwei solche Landungen oder mehr? Ich hätte ja irgendwo nachschauen können, aber ich habe keine Lust dazu.

Ja, ich war auch die ganze Nacht wach. Auch ich habe mir die Gelegenheit, dabeigewesen zu sein, nicht nehmen wollen. Ich erinnere mich auch, daß es mich wesentlich weniger erschütterte, als ich von mir erwartet hatte. Immerhin, ein Ereignis – aber jetzt weiß ich nicht einmal mehr, wann das war.

Vielleicht werden die Schüler das Datum später einmal lernen. Das

Datum der Schlacht bei Morgarten kenn ich zum Beispiel, weil ich's als Schüler gelernt habe – Geschichte ist mir präsenter als Gegenwart.

Ich schätze, es ist sieben oder acht Jahre her – für mich ist das eine kurze Zeit, für einen erwachsenen Zwanzigjährigen liegt das Ereignis bereits weit zurück in seiner Kindheit.

(Nebenbei bemerkt: etwa so weit wie das Jahr 68, als in Europa die Jugend aufbegehrte – wir vergessen das und halten die heutigen Zwanzigjährigen für dieselben Jugendlichen wie jene von 1968 und sind über ihre Entpolitisierung enttäuscht –, dabei ist das, was für uns Gegenwart ist, für sie Geschichte.)

Ich weiß nicht, ob es nur mir so geht oder allen: ich habe das »historische« Ereignis eigentlich vergessen. Das »Dabeigewesensein« ist nicht viel wert. Und ich fühle mich irgendwie betrogen.

Ich erinnere mich, daß mein Vater mir von Lindbergh erzählte. Er war bei diesem Ereignis – der ersten Überfliegung des Atlantiks – nur durch die Zeitung dabei. Mir scheint, daß er mehr dabeigewesen war – ein Informationsproblem? Übersättigung? Ich weiß nicht, ich glaube eigentlich nicht. Ich habe viel eher den Eindruck, daß uns hier etwas verkauft wurde, was wir nicht brauchen können, was uns weder freut noch interessiert. Und mit verkaufen meine ich wörtlich, daß wir es bezahlt haben oder immer noch in Raten abstottern.

Ich bin einer – und das ärgert mich –, der gerne kauft. Es bereitet mir Lust, Dinge zu kaufen. Mitunter versuche ich Traurigkeit zu überwinden durch den Einkauf unnötiger Dinge. Ich halte das für strohdumm, und ich schäme mich. Ich schäme mich so sehr, daß ich mich oft erst tagelang von der dringlichen Notwendigkeit des Gegenstandes überzeugen muß, es mir dann halbwegs glaube und schließlich eine Digitaluhr besitze mit unzähligen Funktionen, deren eine (Stoppuhr) mir besonders wichtig erscheint, und es bleibt mir jetzt nichts anderes übrig, als öfters weiche Eier zu kochen, denn ein anderer Gebrauch der Stoppuhr fällt mir nicht ein – und ich weiß, sollte ich mich ans Eierkochen gewöhnen, dann werde ich mir doch einen Eierkocher kaufen mit automatischem Timer usw.

Letzte Woche nun endlich bin ich an eine Grenze gestoßen, und ich hoffe, das Erlebnis war heilsam. Ich wollte mir – wiederum einfach so – einen Taschenrechner kaufen. Selbstverständlich einen schönen und etwas imposanten, da ich ihn ja als Spielzeug wollte und nicht zum praktischen Gebrauch.

Ich stellte fest, daß das Modell, das ich noch einigermaßen hätte bedienen können, bei vierzig Franken liegt und daß alles, was teurer und entsprechend imposanter war, meine mathematischen Kenntnisse übersteigt. Ich erinnere mich zwar, von Sinus und Kosinus und Logarithmen in der Schule gehört zu haben, aber ich habe keine Ahnung mehr davon. Ich habe auf den Kauf verzichtet, die Spielvarianten des Vierzigfränkigen waren mir zu gering, und die Möglichkeiten der teureren begriff ich nicht.

Ich konnte mir endlich etwas nicht kaufen, nicht etwa die Technik hat mich überholt – das hat sie schon längst –, sondern der Markt hat mich überholt.

Bis jetzt konnte ich mit dem, was ich mir finanziell leisten konnte, auch irgendwie etwas anfangen. Das scheint nun auszusein.

Ich habe mich zwar bereits daran gewöhnt, daß ich nicht genau weiß, wie mein Auto funktioniert, aber ich kann es bedienen. Einen Jumbojet könnte ich wohl nie bedienen, aber ich kann ihn mir auch nicht kaufen. Hier hat mich nur die Technik überholt und nicht der Markt.

Nun stellte ich mich längere Zeit in einem Kaufhaus an den Stand mit den Taschenrechnern und beobachtete mit Neid und Eifersucht die Käufer. Entweder bin ich wirklich der einzige ohne mathematische Kenntnisse, oder den Käufern ist es wirklich völlig egal, daß der Markt sie überholt hat. Sie konsumieren weiter – lieber zuviel als zuwenig.

Man kann den Leuten Dinge verkaufen, die sie nicht brauchen können. Daß man das kann (muß), wissen Werbeleute seit Jahrzehnten.

Man muß es, weil man ein Wachstum braucht, und ein Wachstum braucht man, um Arbeitsplätze zu schaffen und zu erhalten. Arbeitsplätze braucht man, damit die Leute kaufen können. Unser Lebensstandard hat mitunter mit dem Kauf von unnötigen Dingen zu tun.

Würden nur jene einen guten Taschenrechner kaufen, die ihn bedienen können, dann würden diese viel zu teuer, und dann würden die Produktionskosten auch wieder zu teuer und so – etwa so, ich beharre nicht darauf –, irgendwie so hat man mir das schon erklärt.

Ich muß also die unnötigen Dinge kaufen, damit sie für jene, die damit produzieren, nicht zu teuer werden, sonst werden ihre nötigen Produkte auch wieder zu teuer, und ich müßte dann für die nötigen mehr bezahlen. Eigentlich kann ich mich als Konsument freuen. Ich habe so auf Umwegen für zwei billige Preise zwei Dinge statt für einen teureren Preis nur ein Ding. Leider kann ich das eine nicht brauchen und werfe es weg.

Ich bitte die Volkswirtschafter unter meinen Lesern um Verzeihung. Es würde mich nicht wundern, wenn ich es nicht begriffen hätte. Ich begreife das nicht.

Ich begreife unter diesen Bedingungen die Sache mit dem Wachstum nicht. Ja, ich weiß, ihr schreibt es alle Tage in den Zeitungen: »Qualitatives Wachstum«, aber wie macht man das und wer?

Und ich habe gelesen, daß in den nächsten zehn Jahren Millionen von Arbeitsplätzen in Europa verlorengehen werden durch die Elektronik. Bedeutet das, daß ich besser weniger Elektronik einkaufe?

Nein, ich habe es selbstverständlich begriffen, ich werde mehr Elektronik einzukaufen haben, meine Nachfrage wird sich nach dem Angebot zu richten haben. So weit haben wir es gebracht.

Ich meine, schließlich bin ich – der Konsument – an der Rezession schuldig, weil mein Konsum kein Wachstum mehr verträgt und weil die Dinge, die ihr mir verkauft, keinen Spaß mehr machen. Selbst wenn ich möchte, ich kann mit euren Dingen nicht mehr spielen.

Markt? Angebot und Nachfrage? Nicht nur die Waren sind zum Wegwerfen, auch die Ereignisse; die Mondlandung zum Beispiel ist bereits weggeworfen.

Der Markt hat nicht nur uns überholt. Er hat sein eigenes Wachstum überholt und läuft ins Leere.

Es sieht so aus, als ob Wachstum nachgeliefert werden müßte. Die Leute, so sagt man, sind skeptisch geworden gegenüber Technik und

Fortschritt. Man wirft ihnen vor, sie würden sich so lächerlich machen wie die Gegner der Eisenbahn vor 130 Jahren. Aber vielleicht
fürchten sie sich heute doch vor etwas anderem, und vielleicht mit
Recht.

Die Zeiten haben sich geändert

Was soll sie eigentlich, die nackte Frau auf dem Titel der deutschen
Illustrierten? Dumme Frage, ich weiß; aber gerade deshalb noch
einmal: Was soll sie eigentlich? Glaubt man dem beigefügten Text,
dann soll sie an Jahreszeiten erinnern, an Frühling, an Sommer, aber
auch fröstelnd an Herbst und frierend an Winter – auch an Urlaub,
an klares Wasser, an schmutziges Wasser, an Essen, an Nicht-Essen
usw.

Einige wird es an Sex erinnern, viele an nichts – aber das stimmt
wohl nicht, sonst würde kein Anlaß bestehen, sie auf den Titel zu
setzen.

Die Zeiten jedenfalls, so sagt man, haben sich geändert. Vor dreißig Jahren hatten wir Pfadfinder unser Zelt irgendwo an der Aare
aufgeschlagen, und einer fand zwischen den Steinen ein – wie man
dem sagte – Magazin. Wenn ich mich recht erinnere, trug es sogar
einen stolzen nationalen und patriotischen Titel. Bevor es uns der
Führer (so hieß der trotz allem) aus der Hand riß und rigoros ver-
nichtete, konnten wir noch das Titelblatt retten und einen Nachmittag lang vor dem Führer verteidigen, der es sich dann schließlich doch auch anschaute.

Es muß seine Gründe haben, daß ich mich an das Bild noch ganz
genau erinnere und an dessen Vernichtung am späten Nachmittag,
die wir lachend und gelassen vollzogen, aber ausgesprochen langsam und genüßlich durch Versengen.

Keiner war bereit, sich in den kompromittierenden Besitz dieses
Bildes zu bringen. Es war nicht nur die Angst vor den Eltern, sondern
auch die Angst vor Lehrer, Polizei und Erziehungsanstalt – berech-

tigt oder unberechtigt? Ich könnte mir vorstellen, daß Leute meines Alters ihre Jugend in der Anstalt verbracht haben wegen des Besitzes solcher Bilder. Was sie sich wohl heute denken beim Anblick deutscher Illustrierten? Daß sich die Zeiten geändert haben? Wohl kaum, denn es ist anzunehmen, daß sie trotzdem unter dem Makel des ehemaligen Zöglings zu leiden haben.

Also jenes Bild, an das ich mich noch mit Gründen erinnere: eine große blonde Frau mit aufgestecktem Haar. Sie trug das Oberteil eines Bikinis, saß auf einem Hocker und hielt zwischen ihren abgedrehten Schenkeln einen Spiegel, der einem Betrachter in Wirklichkeit wohl etwas gezeigt hätte. Uns zeigte er nur die Innenseite des anderen Schenkels, und es fehlte verdammt wenig, dann hätte er auch uns mehr gezeigt.

Ein guter Teil jener, die uns für den Besitz dieses Bildes verfolgt hätten, leben noch. Und sie lesen »Quick« und »Stern«, und vielleicht fällt ihnen das Titelbild gar nicht auf; aber haben sie sich geändert?

Die Zeiten haben sich geändert, nur die Zeiten.

Ich bin überzeugt, die Leser jener Illustrierten haben sich nicht geändert. Sie haben die Titelseite akzeptiert, das ist alles – und selbstverständlich haben sie die Titelseite nicht ohne Grund akzeptiert –, so wie auch ich mich nicht ohne Grund erinnere. Selbstverständlich wird sich der Herausgeber erkundigt haben, ob sich eine Zeitung mit diesem Titel auch einem alten Obersten, einem alten Mütterchen oder einem mittleren Sekundarschullehrer verkaufen läßt. (Sie läßt sich.)

Nur, was passiert eigentlich mit den Leuten, die den ernstgemeinten Kampf für die Anständigkeit verloren haben – eine Anständigkeit zwar, die mir kann, wo sie will – aber immerhin eine ernstgemeinte Anständigkeit? Ich weiß nicht, aber ich könnte mir vorstellen, daß sie verbittert sein müßten oder resigniert oder sich verraten vorkommen müßten, ich weiß nicht. Jedenfalls hat sich für diese Titelseite niemand zu schämen, sie ist die neue Biederkeit, die neue Anständigkeit, und inzwischen hatten der Herr ehemalige Oberst und der Herr mittlere Sekundarschullehrer ganz andere Probleme und ganz andere Schlachten verloren: das Problem mit den Langhaarigen, das Problem mit den Dienstunwilligen, das Problem mit den Sozialismusverhetzungsunwilligen. Inzwischen kann man zum Beispiel mit mittellangen Haaren Karriere machen, was soll's – die Zeiten haben sich geändert, wer sich da nicht mitändert ...

Aber wer hat sie denn geändert, die Zeiten, weder der Oberst noch der Sekundarschullehrer, die haben sich einfach so und ganz selbst geändert, die Zeiten.

(Und ich entschuldige mich auch, es hat sich einfach so eingespielt, daß man sie Oberst nennt und nicht General oder Leutnant, und Sekundarschullehrer und nicht Professor – das habe auch nicht ich so gemacht, sondern die Zeiten und die wohl auch nicht ohne Grund.)

In einer dieser Illustrierten finde ich ein Interview mit General Gehlen: »Was ich den Deutschen noch sagen wollte.« Er wollte den Deutschen noch sagen: »Moskau will ganz Europa unter seinen Einfluß bringen.« Warum soll er unrecht haben, vielleicht muß er es ja wissen, aber er sagt nicht, weshalb er es weiß: Er war in der Nazi-Armee Chef der Abteilung Fremde Heere Ost. Das war damals seine Anständigkeit, jetzt hat er eine neue Anständigkeit gefunden. Und er hat auch eine Illustrierte gefunden, die ihr Geschäft mit der Anständigkeit treibt, die ihr Geschäft damit treibt, daß sie weiß, daß, wer einmal anständig war, immer anständig bleiben wird und sich stets neue Anständigkeiten suchen wird.

Anständigkeit an und für sich, Anständigkeit ohne jeden Inhalt.

Jeder kommt einmal in eine Situation, von der er angenommen hatte, daß er sie nicht ertragen würde, und es ist hart, einsehen zu müssen, daß man sie erträgt. Es ist zum Beispiel beleidigend und erniedrigend, erleben zu müssen, daß man den Tod eines geliebten Menschen erträgt, fast zu leicht erträgt. Es ist erniedrigend, einsehen zu müssen, daß man sich einspielt, eingespielt hat. Man müßte sich dagegen wehren können, man müßte dagegen sein.

Ich wäre zwar gegen jene, die gegen jene Titelblätter wären, aber es wäre doch besser, wenn jene dagegen wären. Es wäre doch gut, wenn Gehlen darauf beharren würde, daß Moskau unter deutschen Einfluß hätte kommen sollen. Es wäre doch gut, wenn er stehengeblieben wäre und wir hätten eine Welt ganz für uns und ohne ihn.

Wir könnten dann sagen, daß sich die Welt geändert hätte und nicht einfach die Zeiten; diese verdammten Zeiten, in denen wir drin-schwimmen wie in einer Sauce, diese verdammte braune Sauce der zufälligen Anständigkeit.

Die Zeiten haben sich geändert – das ist eigentlich das, was sich die Leute unter gesundem Menschenverstand vorstellen. Wenn sich niemand ändert, Herr Gehlen, dann sollen es halt die Zeiten tun – so einfach ist das, und es betrifft nicht nur Sie, sondern uns alle.

Wie wacker war Max Meuschke?

Ich habe ein schlechtes Namengedächtnis, und ich muß oft die Namen von Leuten, die ich gut kenne, von weither holen. Um so mehr erstaunt es mich, daß sich mir der Name eines Menschen eingeprägt hat, den ich nie kannte, und es ist anzunehmen, daß Leute, die ihn gekannt haben, inzwischen seinen Namen vergessen haben: Max Meuschke. Ich weiß von ihm nichts anderes als seinen Namen. Ich habe den Namen vor vielen Jahren in einer deutschen Zeitung gelesen, eine Todesanzeige mit schwarzem Rand, drei auf fünf Zentimeter:

»Gestern starb Max Meuschke, er war ein wackrer Mann.« Keine Unterschrift, kein Datum, keine Angabe über die Zeit der Beerdigung, nur dieser eine Satz.

Ich habe mir damals gesagt, daß ich mir auch so eine Todesanzeige wünschen würde. Ich nehme an, daß ich schon damals wußte, daß sie mir nicht zusteht.

Andere Tote waren zum Beispiel »konziliant«, »konziliant« sind sie alle. Max Meuschke war wacker. Ich weiß nicht, woher ich die Überzeugung nehme, daß das nicht gelogen war, denn wacker ist ein sehr deutsches Wort und also auch ein sehr romantisches und also vielleicht auch verlogen.

Ich habe mir jedenfalls gleich vorgestellt, daß Max Meuschke ein Seemann war, jedem Wetter getrotzt, und Holzbein vielleicht und einarmig.

Oder vielleicht ein alter Kommunist, oder ein Entfeßlungskünstler auf dem Jahrmarkt, oder – das würde mir leid tun und nicht in meinen Kram passen – ein alter Nationalsozialist, der geehrt wurde von seinen Waffenbrüdern mit einem gut deutschen Wort: »wacker«.

Es fällt mir jedenfalls schwer, darüber nachzudenken, und ich möchte gern den Satz so stehenlassen, wie er dastand: »Gestern starb Max Meuschke, er war ein wackrer Mann.«

Ich denke an das Lied, das »hochklingt« und das wir auswendig gelernt haben in der Schule. Ich werde unsicher, wenn ich an das Lied denke. Und jener, der die Todesanzeige verfaßte, war jedenfalls ein wenig literarisch verdorben. Ich hoffe es nicht, aber es ist anzunehmen, daß auch dieser Nachruf – das tut mir leid – verlogen war.

Immerhin, eines ist sicher, Max Meuschke muß ein armer Hund gewesen sein. Irgend etwas muß schiefgelaufen sein in seinem Leben, vielleicht das mit dem Holzbein oder mit dem verlorenen Arm, so etwas wie Armut vielleicht, oder kranke Frau oder keine Frau oder was weiß ich. Ich glaube jedenfalls, daß er wirklich wacker war, wenn ich auch annehme, daß ein Wort unterschlagen wurde in der Anzeige, das Wort »irgendwie« oder das Wort »trotzdem« oder das Wort »immerhin«: »Er war immerhin ein wackrer Mann.«

Hätte ich ihn gekannt, ich nehme an, ich könnte es für mich behalten. Weil ich ihn nicht gekannt habe, tu ich ihm wohl unrecht, es kann sein, daß Max Meuschke niemand war, und ich tu ihm nochmal unrecht, wenn ich sage, daß er darauf ein Recht hatte. Größe ist so oder so eine Schweinerei, die Größe der Reichen und die Größe der Armen. Bestimmt, er ist ehrenwert, der wackre Mann, aber die Welt, die wackre Männer nötig hat, ist übel. Vielleicht war Max Meuschke wirklich nichts anderes als ein elender wackrer Soldat oder einer, der seine Ausbeutung wacker verkraftete, einer, der nicht klagte, einer, der nicht weinte, einer, der nicht darauf aus war, glücklich zu sein.

Etwas anderes: ich komme eben aus dem Militärdienst zurück, ich mag Militärdienst nicht, ich mag auch jene Offiziere nicht, die von sich sagen, daß sie Militärdienst auch nicht mögen – die Sache mit dem notwendigen Übel und so. Aber ich mag Dienstkollegen.

Ich freue mich, wenn ich einen sehe auf der Straße, ich freue mich über Dienstkameraden mehr als über Schulkameraden und Berufskollegen. Ich weiß nicht weshalb. Vielleicht, weil man gemeinsam produziert hat und nicht unbedingt Sinnvolles produziert hat. Vielleicht, weil man sich hier fragt: »Wie heißt du, wo wohnst du, was arbeitest du, wie viele Kinder hast du?« – vielleicht, weil man hier die Formen der Unterdrückung kennt und sich nicht über den Nebenmann ärgern muß, der sie nicht einsieht. (Übrigens, und das ist nicht unwichtig in diesem Zusammenhang: Landsturm, ohne Ehrgeiz.)

Ich war die ganze Zeit mit Heinz zusammen. Wir hatten dieselbe Aufgabe, ein lieber Kerl, still, angenehm, und ich mußte mich wehren dafür, daß er nicht die ganze Arbeit selbst machte.

Ich habe ihn gefragt, wie er lebt, was er tut. Er hat es mir erzählt, aber ich kann es mir nicht vorstellen. Er hat fünf Kinder, verdient als Akkordarbeiter zwischen 2000 und 2400 Franken (die Akkorde sind härter geworden seit der Rezession, man muß schon etwas leisten, daß man auf dem Lohn bleibt, aber es sei eine gute Stelle und eine sichere, und schon über zwanzig Jahre sei er da.)

Ich bin überzeugt, daß es seinen Kindern gutgeht. Ich bin überzeugt, daß er gut lebt mit seiner Frau – er erwähnt sie nicht. Und es fällt mir auf, daß er die Dinge anders in die Finger nimmt als ich. Das ist nicht nur eine Frage der Geschicklichkeit, sondern er ist es gewohnt, nicht zu fragen, wenn er etwas tut oder tun muß. Ich leiste hier entfremdetere Arbeit als zu Hause, er leistet hier einsehbarere.

Nachträglich fällt mir auf, daß ich mit ihm nicht über Sinn und Unsinn der Armee diskutiert habe. Ich halte es für einen Zufall, aber es muß mehr sein. Man hätte mit ihm darüber diskutieren können, davon bin ich überzeugt. Er hat mir erzählt, wieviel er verdient, wie viele Kinder er hat, wann er aufsteht und wie lange er arbeitet. Er hat mir erklärt, wie das Akkordsystem funktioniert. Er hat nicht gesagt, daß das System gut sei, und er hat nicht gesagt, daß es schlecht sei, nur eben, daß man inzwischen schon etwas mehr leisten müsse, wenn man auf dem Lohn bleiben wolle.

Seine Kinder jedenfalls haben einen guten Vater, und seine Frau hat einen guten Mann, und sein Direktor hat einen guten Arbeiter, sein Nachbar hat einen guten Nachbarn, und die Armee hat einen guten Soldaten.

Und es ist nicht so, daß er am Leben vorbeilebt. Sonntags macht er Wanderungen, nach Feierabend arbeitet er im Garten. Die SKA und Jeanmaire und Cincera finden in einer anderen Welt statt. Nicht daß er dafür wäre, er wäre eher dagegen, aber mit zweitausend Franken im Monat hat man andere Sorgen als eine eigene Meinung. Sein Nachbar ist auch hier in unserer Kompanie. Sein Nachbar ist Direktor in derselben Firma. Ich weiß nicht, ob er ihm Du sagt. Dem Korporal und Direktor – so nehme ich an – würde das Du selbstverständlich sein, aber Heinz weicht dem Du aus. Er spricht mit dem Direktor Korporal, und er ist nicht unterwürfig dabei, nur etwas still und wortkarg. Heinz wird nie irgendwem, irgendwo und in irgendeiner Situation Schwierigkeiten machen. Heinz wird nicht auffallen. Es ist zwar eine Schweinerei, wie wenig er verdient. Ich sage ihm nichts davon. Ich habe ihn indiskret nach seinem Verdienst gefragt, er fragt mich nicht nach meinem.

In seiner Todesanzeige wird einmal stehen, daß es Gott dem Allmächtigen gefallen habe oder so etwas, und wenn er irgendwo einen Nachruf bekommt, dann könnte ich mir vorstellen, daß auch er »konziliant« war.

Ich weiß nicht, Max Meuschke, ich möchte Dir nicht unrecht tun, aber Deine Wackerkeit ist verdächtig.

Vom Sieg über sich selbst

Der Hochspringer konzentriert sich vor dem Sprung – die Fernsehkamera konzentriert sich indiskret und penetrant auf ihn. Der Hochspringer tänzelt, schließt die Augen, öffnet sie, tut so wie einer, der denkt, wie einer, der meditiert, tut so wie einer, der betet, zittert wie ein hochgezüchtetes Rennpferd. An was denkt er jetzt, auf was konzentriert er sich?

Es ist mir peinlich, ihm zuschauen zu müssen. Gut, ich finde sein

Tun lächerlich, aber das ist meine Sache und nicht seine. Trotzdem, ich finde es gemein, daß man sein lächerliches Gebet der Welt zur Schau stellen muß. Ich komme mir als Voyeur vor, und ich schäme mich, ihm bei Intimem zuschauen zu müssen. Er leidet offensichtlich an etwas, und ich habe den Eindruck – jetzt, wo ich ihn »denken«, »beten« und »zittern« sehe –, er leidet an etwas, was er nicht frei gewählt hat. Nicht er hat diese Latte gelegt, sondern sie wurde gelegt auf Grund einer Übereinkunft, einer Konvention. Man hat sich weltweit darauf geeinigt, daß es sinnvoll sei, diese Latte zu überqueren, und daß dies sehr wichtig sei. Nun steht er da, als gehe es um Leben und Tod – darum geht es nicht, aber er hat sich das einzubilden. Er ist auf die internationale Lattenübereinkunft hereingefallen, ein Opfer, das von sich selbst zudem annimmt, es sei ein freiwilliges.

Auf der andern Seite der Latte die Erlösung, die Entspannung, der Sieg. Wir wissen sogar, was für ein Sieg, denn da gibt es die Konvention auch. Es ist der »Sieg über sich selbst«, eine herrliche und zutreffende Formulierung: Sieger und Opfer in einem – der Hochspringer hat den Menschen besiegt, den Menschen in sich selbst. Der Hochspringer ist der Sieger und der Mensch das Opfer.

Das trifft zwar vielleicht nicht zu, aber es ist mir trotzdem eingefallen. Doch ich habe jenen, der den »Sieg über sich selbst« postuliert hat, im Verdacht, daß er es wirklich so meinte.

100-Kilometer-Marsch von Biel. Tausende sind unterwegs. Hundert Kilometer zu Fuß – die Schnellsten in sieben Stunden, die letzten in 24 Stunden. Leute jeden Alters – viele ältere und alte Leute, ohne Siegerehrgeiz die meisten und viele ohne große sportliche Ambitionen. Dabeisein, ein Erlebnis, eine Leistung, ein Sieg über sich selbst. Ich achte das nicht gering, ich kann es fast ein bißchen nachvollziehen. Ich weiß, daß ich nicht durchkäme. Ich weiß nicht, ob ich es tun würde, wenn ich durchkäme. Aber das ist keine Frage, denn wenn man's nicht tut, kommt man nicht durch.

Man hat mir gesagt, daß man sehen müsse, wie die vorbeikommen, kaputt und geschunden, mit verzerrten Gesichtern, an Stöcken humpelnd, leidend, durstend, schwitzend. Jene, die mir die Schau empfohlen haben, finden sie lächerlich; Kopfschütteln und Achselzucken.

Nun stehe ich da, in der Mittagshitze, etwa beim siebzigsten Kilometer, die Marschierer sind seit 12 Stunden unterwegs. Am Straßenrand ihre Familien und Freunde, die für Verpflegung, für Massage, für Heftpflaster und Verbände, für Trost bei offenen Füßen sorgen. Gestank von Massageöl und Zitronensaft.

Und sie kommen in einer endlosen Reihe. Einzelne darunter recht zufrieden und munter, Spaziergänger, denen man die siebzig Kilometer an nichts als an ihrer Nummer ansieht. Man ist verwundert, daß sie nicht Krawatten und Sonntagshüte tragen und Botanisierbüchsen vielleicht, aber die gibt es ja nicht mehr; die andern kaputt und zerquält, leidend und kämpfend. Zwei liegen im Gras. »Die stehen nicht mehr auf«, meinen die Kenner, »wer einmal liegt und schläft, steht nicht mehr auf.« Selbstverständlich meinen sie mit dieser Bemerkung nicht Tod, nur Niederlage.

Ich schäme mich, hier am Straßenrand eine Zigarette anzuzünden (ich schäme mich auch, hier zu husten). Ich weiß nicht, ob es am Platz ist, hier zu rauchen. Ich zünde mir eine Zigarette an, aber ich schäme mich. Und nun wieder das Gefühl des Voyeurismus wie beim Hochspringer am Fernsehen: dieser Blick in die Gesichter leidender, gequälter, sich selbst überwindender, sich selbst besiegender Menschen. Ich schäme mich und wende mich ab. Ich kann nicht in diese Gesichter schauen. Ich käme mir vor, als würde ich Leidende verspotten, und sie erscheinen mir nicht als Freiwillige, sondern als Unschuldige, ein langer Zug von Flüchtlingen, die einer Ideologie zum Opfer gefallen sind, und mir scheint, daß sie nicht um den Sieg über sich selbst kämpfen, sondern um die Niederlage unter sich selbst. Sie werden sich selbst besiegen. Ich schäme mich, diesem spielerischen Elend, dieser Lust am eigenen Leiden zigarettenrauchend zuzuschauen.

Ich meine nicht die Diskussion darüber, ob Sport gesund oder ungesund sei. Ich meine auch nicht, daß man etwas unternehmen müßte gegen diesen Marsch, Und wenn ich einen sehe, der ihn gemacht hat, dann hat er meine Hochachtung, denn ich meine, daß er nicht selbst schuld ist, wenn er das tut.

Ich glaube auch, daß es Spaß machen kann und auch Freude, und ich glaube, daß es viele ohne viel Ehrgeiz und einfach so tun.

Unser Gemüsehändler rauchte Brissagos und war eher dick, und er hat diesen Marsch zehnmal gemacht, den letzten, als er bald siebzig war. Für zehn Märsche gibt es eine Medaille, auf die hat er sich gefreut. Kurz nach der Medaille ist er gestorben, nicht etwa wegen der Strapazen des Leistungssports, viel eher, weil er's erreicht hatte.

Unser Gemüsehändler war ein sehr freundlicher und sehr gemütlicher Mann. Er hatte nie in seinem Leben das Gesicht des Hochspringers. Eine Sache, die der Gemüsehändler tat, muß irgendwie eine gute Sache sein, ich glaube das.

Irgendwie haben wir das Gefühl, es sei eine gute Sache. Irgendwie haben wir das Gefühl, es sei eine anständige Sache, und irgendwie möchten wir alle doch anständig sein.

Wenn ich sie hier vor mir vorbeileiden sehe und wenn ich mich schäme, in ihre Gesichter zu schauen, dann verspüre ich so etwas wie schlechtes Gewissen. Müßte man das Elend tagelang anschauen, ich weiß nicht, man müßte vielleicht doch plötzlich mittun, man könnte ja nicht der einzige sein, der zufrieden hier in der Sonne steht. Man bekäme vielleicht auch Lust, ein Opfer zu sein, sein eigenes Opfer.

Soweit ist es freiwillig.

Allerdings: der Sieg über sich selbst – das ist Ideologie. Und dieser Ideologie verfällt keiner freiwillig. Gäbe es diese Ideologie nicht, dann gäbe es das Lustempfinden bei der Überwindung des Menschen in sich selbst auch nicht.

Dann könnte man ihn einfach in sich selbst leben lassen.

Aber das ist eben nicht so. Und die Übereinkunft darüber, daß es zum Beispiel Sinn hat, über die Latte zu kommen, hat Methode.

Die Übereinkunft darüber gibt es nicht ohne Grund. So sinnlos, wie sie tut, ist sie gar nicht. Das macht mir angst. Ideologien haben schon Flüchtlingsströme verursacht. Ich weiß, daß es ein Zufall ist, daß mich dieser Marsch an Flüchtlingsströme erinnert.

Ich weiß, daß der Vergleich gemein ist. Er ist gemein, weil damit die Leiden echt Leidender verspottet werden.

An was denkt denn der Hochspringer, wenn er so tut wie einer, der denkt?

Klassenzusammenkunft

Damals waren wir Kinder.

Jetzt sind wir Erwachsene.

Dreißig Jahre ist das her. Jetzt haben wir uns wieder getroffen.

Im ersten Augenblick haben wir uns nicht wiedererkannt. Nach fünf Minuten schon waren wir uns vertraut. Zum Schluß blieb vielleicht noch ein Mädchen, das man nirgends einordnen konnte.

»Was machst du? Wo wohnst du? Verheiratet? Kinder?«

Wir sprechen zum ersten Mal in unserem Leben wie Erwachsene miteinander. Als wir das letzte Mal miteinander sprachen, sprachen wir wie Kinder.

Vielleicht.

Ich weiß nicht, ich erinnere mich an ein Gespräch mit Hugo auf dem Schulweg über Mädchen – wir waren zwölf damals –, ich glaube, das war gar nicht so dumm, nicht weniger dumm, als Erwachsene über Mädchen sprechen.

Ich erinnere mich.

Das Mädchen ist auch da. Es gleicht sich noch. Es ist noch gleich. Es ist mit uns älter geworden.

Damals mußte es kuren gehen – Tuberkulose oder so etwas –, ich hatte damals Angst, es müßte sterben, ich war froh, als es zurückkam.

Wir hatten uns jedenfalls beschäftigt mit den Mädchen. Wir hatten was zu tun mit ihnen. Aber wir sprachen kaum mit ihnen. Jetzt sprechen wir mit ihnen, als wären wir alte Bekannte und hätten es schon immer getan.

Wir waren zwölf damals. Jetzt sind wir älter geworden, dreißig Jahre älter. Aber wir sind uns schnell wieder vertraut, und es fällt uns nicht auf, daß das wohl andere Gespräche sind, die wir heute führen.

Wir gleichen uns noch. Was uns beim Zusammentreffen so überraschte, nämlich daß wir uns nicht wiedererkannten, das begreifen wir schon nach einer halben Stunde nicht mehr. Kaum einer scheint sich richtig verändert zu haben. Wer jetzt einen Bart trägt, den stellt man sich einfach zwölfjährig mit Bart vor.

Und jeder hat seine Überraschung mit: die Überraschung, daß aus ihm etwas geworden ist: Fabrikant, Direktor, Professor, jeder ist etwas geworden. Jeder eigentlich ist überraschend viel geworden, aber die Überraschung ist keine – zurückdenkend an die Zwölfjährigen, ist nun doch alles vorstellbar, keiner überrascht wirklich. Die Weichen scheinen mit zwölf schon gestellt gewesen zu sein. Vielleicht ist es das, was alles so eigenartig macht, daß wir damals schon so etwas wie Erwachsene waren: Jungerwachsene.

Ein Lehrer ist auch hier – unser Lieblingslehrer. Er war es mit Recht, er war ein guter Lehrer.

Auch er scheint uns nicht älter geworden zu sein. Die 18 Jahre Altersunterschied, die damals viel waren, sind weniger geworden, wir sind jetzt so erwachsen wie er.

Einer hat etwas Pech gehabt im Leben. Er hat unsere Solidarität. Wir mögen ihn. Auch er hat sich nicht verändert. Er terrorisiert uns immer noch, aber sanfter, viel sanfter als damals. Auch an seine Stimme, an seine tiefe Stimme erinnert man sich, auch sie ist dieselbe und auch seine Frisur.

Einer ist ein strenger, sicherer Mann geworden. Nach seinem Beruf befragt, erwähnt er gleich noch einige Ämter – Gewerbelehrer auch und Experte –, vielleicht ist er streng und gefürchtet, könnte sein, müßte eigentlich sein, vielleicht sieht er nur so aus. Vielleicht ist er das, was er gerecht nennt.

Einer sieht aus wie einer, der über vierzig ist, ein erwachsener Mann, einer, der das Erwachsensein angenommen hat.

Über das Schulhaus, das wir besichtigen, fliegt ein Helikopter – Polizeihelikopter, Demonstration der Kernkraftgegner in Gösgen – man weiß es, man erwähnt es, man spricht nicht davon. Jetzt nur keine Politik, keine Meinung, kein Streit. Ausstoßen würde man hier wohl keinen wegen seiner politischen Meinung, das nicht; doch Standpunkt zu beziehen hat hier keiner.

Man nimmt seinen Standpunkt von damals und schaut, was er damit oder trotzdem geworden ist.

Denen von der Marktgasse wurde von einem Lehrer – nicht vom anwesenden – oft genug gesagt, aus ihnen werde nichts. Wir haben ihm das alle geglaubt, nicht gezweifelt daran. Wir wußten, weshalb aus ihnen nichts wird. Weil sie Experten für Leben waren. Armut war für sie nicht aus dem Lesebuch, und sie wußten auch, was man mit den Mädchen tun kann, und sie hatten den Mut zum Verbotenen, zum verbotenen Schwimmen, zum verbotenen Rauchen – und dann auch zu so verbotenen Dingen, die nicht einmal jemand zu verbieten wagte.

Wir hätten nichts gelernt in der Schule ohne sie, gar nichts.

Jetzt sind wir alle glücklich, daß aus ihnen doch etwas geworden ist, Angestellte, Bürolisten, Abwarte – Schlaumeier immer noch vielleicht, aber Schlaumeier mit Familie und Kindern und wohl auch mit Vorstellungen von Erziehung – man spricht nicht darüber.

Es gibt keinen Anlaß, an unserer Schule zu zweifeln, wir sind etwas geworden, und hier an der Klassenzusammenkunft darf man es auch geworden sein – kein Ton von persönlichen Schwierigkeiten, von Frustration und Trauma, von Unglück und Enttäuschung. Es gibt keinen Anlaß, an unserer Schule zu zweifeln.

Und es ist ein netter Abend. Alle haben sich darauf gefreut, alle waren gespannt darauf. Einer sagt – der Erwachsene –, was besonders schön sei, sei, daß sich keiner betrunken habe. Warum eigentlich nicht?

Anderntags die Erinnerung daran – jetzt plötzlich –, daß man sich überhaupt nichts gefragt hat, daß man sich nichts erzählt hat. Daß man im Grunde genommen nichts anderes als ehemalige Zwölfjährige getroffen hat – Zwölfjährige, zu denen man eine tiefe Beziehung hatte.

Ist es vielleicht so, daß es schön war, ein Kind zu sein?

Einer – der Italiener – schimpft milde über einen Lehrer, der ihn täglich verprügelte. Ich erinnere mich, und wir fragen uns gegenseitig, ob wir uns noch erinnern.

Er wurde mit dem Stock verprügelt für seine Handschrift und für seine Heftführung, verprügelt von einem begeisterten Pedanten, von einem begeisterten Schönschreiber, von einem Lehrer, der von all jenen geliebt wurde, die er verschonte.

Ein Politiker übrigens, ein Ehrenmann. Man hatte ihn nicht eingeladen, man hatte vergessen, ihn einzuladen. Hätte man es getan, man hätte wohl vergessen, daß er den Italiener täglich verprügelte.

Der Italiener war ein lieber Kerl. Wir mochten ihn, d. h., wir mochten ihn erst ein Jahr später, als wir zu unserem Lieblingslehrer kamen, wir mochten ihn erst, als er einen Lehrer bekam, der ihn mochte.

Er ist immer noch ein lieber Kerl, und es ist etwas geworden aus ihm. Geschadet? Nach offiziellen Maßstäben wohl nicht. Aber er war jener, den wohl alle gleich erkannt haben. Man hatte es sich offensichtlich gemerkt damals, das Gesicht des Opfers.

Es ist wohl nicht nur mir eingefallen, das Bild von damals, als wir in unseren Bänken saßen, still und aufmerksam, mit verschränkten Armen und Blick nach vorn und zuschauten, wie der Italiener verprügelt wurde, eigentlich auch zuschauten, wie wir nicht verprügelt wurden.

Keinem von uns wäre eingefallen, daß hier gemeines Unrecht geschah. Das Gesicht jenes Lehrers löst in mir heute keinen Schrecken aus – ein freundlicher Mann, ein mit mir freundlicher Mann. Ich weiß, daß ich damals nichts, nicht das Geringste gegen ihn hatte. Ich empfand es als Gunst, daß er mich nicht verprügelte, und er ließ sich diese Gunst mit meiner Liebe bezahlen.

Sonst erinnert uns nichts an diesen Lehrer.

Er hatte uns etwas beigebracht; Unrecht zu ertragen und Gunst anzunehmen, er hatte uns die Klassen in der Klasse beigebracht, die Schule der Faschisten.

Ob er einer war? Sicher nicht!

Ob wir welche geworden sind?

Das ist nicht festzustellen bei der Zusammenkunft der Klassen.

Wie war es 1977?

Kürzlich fragte mich ein Maturand, wie das früher gewesen sei, politisch und so. Und er meinte mit früher: vor zehn Jahren. Damals war er neun – ein Kind; damals war ich 32. – ein Erwachsener.

Für mich ist 1967 noch so etwas wie heute – für ihn ist es so sehr Geschichte wie für mich das Jahr 1944.

Die Jugend von 1968 ist keine Jugend mehr, und die heutige Jugend ist nicht mehr von 1968.

Aber ich kann ihm nicht erzählen, was damals so ganz anders war, ich habe – weil ich ihn nachvollzogen habe – den Unterschied nicht mitbekommen. Für ihn, davon bin ich überzeugt, wäre es ein Unterschied.

Zehn vergangene Jahre sind für mich keine Zeit – deshalb bin ich älter als er. Deshalb kann ich die Fragen nicht mehr stellen, die richtigen Fragen, die er stellt.

Ich weiß, daß meine Antwort, es habe sich nichts geändert, falsch wäre – deshalb versuche ich Unterschiede zu konstruieren – ja, es ist alles ein bißchen schlimmer geworden – ich hätte Mühe, die Unterschiede zu belegen.

Sollte er sich wirklich für das Jahr 1967 interessieren – er wird mit Sicherheit mehr darüber erfahren können als ich. Weil er es besser einordnen kann, besser vergleichen kann. Er hätte die Chance, ein Fachmann für die Geschichte der sechziger Jahre zu werden – ich nicht; weil das kleine persönliche bißchen, das ich damals erlebt habe, für mich das Jahr 1967 ist – wär ich verantwortlich dafür, ich käme nicht gut weg. Und mit persönlichem Erlebnis meine ich nicht, daß ich 1967 erlebt hätte.

(Ich denke an jene, die sich mit der Zeit von 1933 bis 1945 auseinandersetzen – an die Fachleute für diese Zeit wie Meienberg zum Beispiel –, und an jene, die glauben, sie hätten sie erlebt, an die lebenden Laien jener Zeit, die nicht einmal den Versuch zur Objektivität akzeptieren können. Sie wehren sich dagegen, daß ihr Leben in geschichtlichen Zusammenhängen stattgefunden hat. Ihr Leben hat nicht in geschichtlichen Zusammenhängen stattgefunden.)

Kürzlich hat mir einer sein Leben erzählt, abends in der Beiz, zuerst von heute an etwas rückwärts, dann von vorn bis heute. Er ist 62, Arbeiter in einer Fabrik. Erst jetzt und in diesem Zusammenhang fällt mir auf, daß in seinem Leben kein Zweiter Weltkrieg stattgefunden hat. Ich nehme an, daß auch er beim Militär war, es ist nicht wichtig im Zusammenhang mit seinem Leben. Er würde wohl böse, wenn man ihm sagen würde, daß es nicht wichtig ist. Auch er hätte kein Verständnis für Meienberg. Den Arbeiter kann man ebensowenig fragen, was vor dreißig Jahren war, wie man mich fragen kann, was vor zehn Jahren war. Aber er ist nicht typisch, weil er ein Niemand ist – eigenartig, das müßte doch umgekehrt sein, er müßte doch gerade deshalb typisch sein.

Er ist kein Vertreter der Aktivdienstgeneration. Die Vertreter der Aktivdienstgeneration sind jene, die für ihn sprechen, jene, die glauben, stellvertretend für ihn zu sprechen. Und er wird – das nehme ich an – auf diese Stellvertretung hereinfallen.

Er wird sich gerne einreden lassen, daß er Historisches tat in seinem Leben und hart an der Geschichte, der unvergänglichen, lebte. Es kann ihm nur recht sein, wenn einer aus seinem Leben nachträglich noch etwas macht. Aber er hat nie, wie sollte er auch, auf diese Geschichte reagiert. Man hat ihm gesagt, was er zu tun habe (Historisches zu tun habe), und er hat es getan.

Er hat zudem ein bißchen Glück gehabt, in einem Land zu leben, wo er annähernd Anständiges tun mußte. Wäre es Unanständiges gewesen, er wäre kein Unanständiger geworden dabei.

Vielleicht ist Geschichte wirklich eine Fiktion und der Streit um Geschichte ein Streit um des Esels Schatten, und die nachträgliche Kontrolle der Macht deckt die Macht nicht auf, sondern nur den Machtmißbrauch, der nichts anderes ist als Machtgebrauch, und es gibt keinen Anlaß, ihn anders zu nennen.

So oder so, der Fabrikarbeiter, der mir erzählt hat, ist ein Opfer.

Letztlich weiß ich von ihm fast nichts oder nur das, was ich gelernt und gelesen habe über Fabrikarbeiter.

Ich weiß nicht, wie man lebt mit seinem kleinen Lohn. Ich habe noch nie irgendwo gearbeitet, wo man morgens gemeinsam reingeht, wo man mittags und abends gemeinsam rauskommt, sich mittags einen guten Appetit wünscht, abends einen schönen Abend und freitags ein schönes Wochenende.

Ich habe keine Ahnung von seiner Arbeit. Ich weiß zwar, was ein Dreher ist und was der in etwa so herstellt.

Aber ich weiß von seinem 1977 sowenig wie von seinem 1940, und würde mich sein 1977 interessieren, dann hätte ich Dokumente zu sammeln und auszuwerten wie über ein historisches Ereignis.

Wenn ich etwas über sein Leben erfahren will, dann muß ich über sein Leben wesentlich mehr wissen als er selbst.

Ich kann mein eigenes Leben zwar erfahren, aber ich weiß (fast) nichts darüber.

Und das ist wohl ein Teil der Arroganz der Mächtigen, daß sie Erfahrung für Wissen halten und den Versuch zur Objektivität für unbrauchbar.

Beweise

Roger ist wieder hier, wo er auch immer war, er ist wieder hier, und er belästigt die Leute wieder mit seinen Kenntnissen von der Welt.

Er hat jetzt wieder ein Geschäft, und er hat wieder gearbeitet für einen Herrn Doktor und für noch einen Herrn Doktor, und er kann alles beweisen, er hat in seiner Jacke die Police einer Versicherung, sein Dienstbüchlein, einen Vertrag über den Kauf eines Occasionsautos – einen neuen Fahrausweis, einen sehr guten – wie er sagt – mit Wasserzeichen, mit Silberfaden wie die Banknoten, mit Blindencode. Wie ich das alles sehen möchte, findet er es nicht, aber irgendwo muß es sein. Nun findet er es auch, das Wasserzeichen, den Blindencode, den Silberfaden. Er zeigt es mir, aber ich sehe es nicht.

Ich nehme meinen Fahrausweis. Er beweist mir, daß meiner schlechter sei, aber er sagt, daß ich auch drankomme – dreißig Franken zu bezahlen habe, und dann bekäme auch ich einen neuen.

Ich frage ihn, warum ein Fahrausweis Punkte brauche für die Blinden, ob das für blinde Polizisten oder blinde Fahrer sei, aber er ist nicht verlegen. Das sei, so sagt er, damit keiner einem Blinden einen Fahrausweis geben und behaupten könne, das sei eine Tausendernote – das leuchtet ein.

Roger hat Vertrauen in den Staat.

Er freut sich, Ausweise zu haben, in denen sein Name steht, und er freut sich, Verträge zu haben, die er unterschreiben darf. Roger hat eine schöne Unterschrift.

Sie wollten ihn fertigmachen, sagt er. Sie wollten ihm die Leber rausnehmen, aber er hat das nicht zugelassen – mit Recht, sage ich.

Wo er auch immer war – im Spital, sagt er – ich weiß, wo er war –, er hat jetzt wieder ein Geschäft. Er hat eine Schrifttafel gemalt und einen Bauernschrank – auch das kann er beweisen, er zeigt seine Aufenthaltsbewilligung von irgendwo. Was das soll, frage ich; er sagt, da habe er den Bauernschrank gemalt, ob ich es denn nicht glaube.

Ich glaube, sage ich, daß er da wohne. Also, sagt er.

Roger ist hingeschmissen an den Staat wie keiner von uns – er hat all seine Taschen voll Beweise.

Er trägt sein Dienstbüchlein mit sich rum. Roger ist dienstuntauglich, aber irgend jemand muß ihm gesagt haben, daß dies ein wichtiges Dokument sei. Und was wichtig ist, so glaubt er, ist auch wertvoll, und wer ihm nicht glaubt, dem zeigt er sein Dienstbüchlein.

Auch dieses Büchlein, wie sein Fahrausweis, ein ganz besonderes – nämlich das einzige auf dieser Welt mit seinem eigenen Namen drin, mit seinem eigenen Geburtsdatum, seinem eigenen Bürgerort, mit seinem Beruf, den er hat, den er gelernt hat, mit ...

Mit all dem, was man ihm streitig machen will, mit sich selbst.

Aber nicht nur auf das fällt er rein, sondern auf alles, was diese Welt verspricht, und er wird es nicht schaffen.

Roger ist ein guter Maler, aber die Welt verspricht mehr. Sie verspricht ein Malergeschäft mit Büro und Stempeln und Briefpapier. Sie verspricht – diese Welt – jedem die Chance, etwas zu werden. Roger glaubt es und ersäuft.

Hand aufs Herz – wann haben Sie Ihr letztes Geschäft gegründet? Warum denn eigentlich haben Sie es nicht getan?

Da gab es doch jene Inserate, die Reichtum versprachen durch die Zucht von Chinchillas. Warum haben Sie das nicht getan? Da gibt es doch jenen Traum vom kleinen Beizlein mit guter Küche, das man eröffnen könnte, warum tun Sie das nicht?

Oder – warum haben Sie letzten Freitag keinen Lottozettel ausge-
füllt, oder weshalb haben Sie es denn getan?

Warum ärgern Sie sich so sehr darüber, daß ihr ehemaliger Kollege
(dümmer als Sie jedenfalls) jetzt ein Geschäft hat?

Wenn schon, dann wären doch Sie derjenige gewesen, der es hätte
tun können oder tun sollen? Warum haben Sie nicht?

Roger hat!

Roger hat schon wieder!

Roger glaubt an eine ganz andere Welt als Sie – er glaubt an die Welt
jener, die haben, und er glaubt, daß er sie erreichen wird. Er glaubt
allen Ernstes daran, daß ihm dieser Staat wohl kein Dienstbüchlein
mit seinem eigenen Namen in Tusch ausgestellt hätte, wenn dieser
Staat nicht an ihn glauben würde – oder weshalb hat ausgerechnet
ihm der Staat einen so ganz neuen Fahrausweis ausgestellt?

Roger ist ein Träger von amtlichen Papieren.

Roger gehört auch zu den Leuten, die von der Polizei auf der Straße
angehalten werden und nach Ausweisen gefragt. Roger hat sich ein
Leben lang ausgewiesen. Er hat die Beweise, die schriftlichen mit
Stempel und Unterschrift, hingelegt. Er kann alles beweisen, er kann
sich selbst beweisen.

Das hat man ihm beigebracht, daß er sich zu beweisen hat, und
letztlich versteht er den Inhalt der Papiere, die er auf sich trägt, nicht.
Er begreift nicht, daß seine Aufenthaltsbewilligung noch lange nicht
beweist, daß er Bauernschränke malt.

Er weiß nicht, wie das alles funktioniert, aber er weiß, daß es mit
Stempeln und Unterschriften funktioniert – daß einen Stempel und
Unterschriften ins Gefängnis bringen – daß Stempel und Unterschriften einen aus dem Gefängnis holen, daß es wichtig ist, einen Stempel und eine Unterschrift zu haben.

Er hat jetzt wieder ein Geschäft mit einem Stempel und mit seiner
Unterschrift.

Ich habe kein Geschäft und Sie wohl auch nicht. Irgendwo hätte
ich zuviel Angst davor und wüßte nicht recht, wie das alles funktioniert mit Buchhaltung und Abrechnungen und Mahnungen und
Offerten, mit AHV und Unfallversicherung.

Aber er weiß, wie das funktioniert. Es funktioniert mit Papier, Stempel und Unterschrift.

Und man muß es nur beweisen können, und es funktioniert – irgendwo.

Sir – you know …

Wenn man hier in Ceylon (Sri Lanka) andere Touristen trifft – Schweizer –, dann spricht man über Preise, wie billig man das und wie billig man jenes bekommen habe und wo was noch billiger sei – und natürlich die Armut – und dann die Sorge darüber, daß dies alles bald teurer werden könnte, weil es Touristen gebe, die nicht zu markten verstünden und zu hohe Preise bezahlten.

Im Hotel, am Nebentisch, sitzt eine Reisegesellschaft beim Nachtessen. Die Bewegungen des einen – ein etwa fünfzigjähriger hagerer Mann – erinnern mich an etwas. Er übt sich offensichtlich in Gemütlichkeit und versucht, langsam zu essen. Aber es gelingt nicht. Er führt sein Brot mit der Hand auf die Höhe seines Mauls, schnellt mit dem Kopf nach vorn wie eine Echse und schnappt die Hälfte des Brotes weg. Es ist die Eßbewegung eines Schweizer Arbeiters bei der zu kurzen Znünipause, der zu kurzen Mittagspause, der zu kurzen Zeit zwischen Feierabend und TV-Programm. Er nimmt an der Konversation fast nicht teil, aber hie und da eine schnelle Kopfbewegung zum Nachbar und ein entsetztes Wort – das ist der Arbeiter, der seinem Kollegen eine Schlagzeile aus dem »Blick« mitteilt, und dann dieser Blick in die Ferne, ich kenne ihn von meinem Vater und habe nie herausgefunden, was er bedeutet, aber es gibt diesen Blick bei Handwerkern. Nach dem Essen schiebt er seinen Stuhl zurück, lehnt sich in seinen Stuhl, legt die Arme auf die Lehne und erwartet etwas – das ist Fernsehzeit. Er hat seine Bewegungen mitgebracht in die Ferien. Er ist einer, dem man seine Ferien gönnt, ein Arbeiter, ein vielleicht armer Arbeiter aus Europa. Mit großem Schnurrbart wäre aus ihm leicht ein englischer Kolonialoberst zu machen. Zu Hause ist er ein Ausgebeuteter. Hier gehört er mit zu den Ausbeutern dieser Welt.

Wäre es nicht vielleicht sinnvoller, die Arbeit hier in der Hitze zu automatisieren und die Handarbeit in den kühleren Regionen zu tun? Soll ich hingehen und diesem Arbeiter sagen, daß die Leute hier leiden, weil die Güter der Welt falsch verteilt seien, und er hätte etwas abzugeben? Warum er, der zu Hause zu den Armen gehört?

Ich trinke meinen Whisky. Dem Kellner ist das recht, er verdient etwas daran, und er mag es sehr, daß ich ein Reicher bin. Er verdient 250 Rupien (50 Fr.) im Monat. Ein Pfund Reis kostet 3,5 Rupien. Ich schäme mich für das große (kleine) Trinkgeld, das ich ihm gebe. Er fragt mich über den Reichtum der Schweiz aus. Er findet es schön und gut, daß wir reich sind.

»Sir, sag es nicht dem Hotel, daß ich mit dir über Sri Lanka gesprochen habe«, sagt mein Roomboy, *mein* Roomboy. Er ist der einzige, den ich getroffen habe, der den Regierungswechsel nicht gut findet. Aber erst nach langem Fragen. Man weiß hier, daß die Touristen keine Sozialisten sind – es scheint so, wie wenn man die Regierung den Touristen zuliebe gewechselt hätte.

»Vielleicht wird die neue Regierung mehr Reis pflanzen«, sagt einer. Das fruchtbare Ceylon vermag seinen eigenen Reisbedarf nur zu zwei Dritteln zu decken. Die Armen unter den Armen essen keinen Reis hier.

»Sir, you know, wir haben Schwierigkeiten.« Er meint nicht etwa ökonomische Schwierigkeiten, sondern er meint die Sache mit den Tamilen, den Ärmsten unter den Armen, eine indische Volksgruppe. Zwei Tage später sagt er, es sei jetzt alles in Ordnung, sie hätten jetzt keine Schwierigkeiten mehr mit den Tamilen. Ich müßte mich nicht fürchten.

Der Aufseher in einer Gummifabrik sagt, daß seine Arbeiter Tamilen seien. Man könne nicht die hohen Löhne für einen Singhalesen (5 Rupien im Tag) bezahlen, man müsse konkurrenzfähig bleiben – das kommt mir bekannt vor, das kommt mir sehr bekannt vor. Auch er erwartet ein Trinkgeld, man hat nicht den Eindruck, daß die Profiteure des Systems hier in diesem Land sitzen.

Die Hütten links und rechts der Straße sind alles Läden. Jeder sitzt vor seinem Haus und hat etwas zu verkaufen. Keiner kauft etwas. »Wie funktioniert das?« frage ich. »Sir, you know, er muß nur einmal am Tag etwas verkaufen, dann kann er leben. Wenn er einmal am Tag etwas verkauft, verdient er so viel, wie wenn er den ganzen Tag auf dem Feld arbeitet.« Ein Volk von Unternehmern – Politik hat hier wenig Chancen –, und wie macht man eine Revolution, wenn die Nutznießer Tausende von Kilometern weit weg sind und wenn sie vorläufig die einzige und letzte Chance sind.

Es wäre ganz schön, hier zu leben. Der Boy ist freundlich, er ist bemüht um Tee und alles. Man ist hier König (eher Colonel) als Gast, und das Meer ist blau. Man genießt es, ein bißchen Kolonial-oberst zu sein – und ein freundlicher und anständiger dazu; man erinnert sich an Literatur, an Kipling zum Beispiel und überhaupt fast an die ganze Literatur des 19. Jahrhunderts, auch Kolonialstil ist etwas sehr Schönes, Kolonialhäuser, ein Hotel in Kandy, Kolonial-möbel, und es erinnert an Filme und an Träume – man könnte einen Kim machen aus meinem Boy und die Welt wieder »in Ordnung« bringen.

Unabhängigkeit ist einen Dreck wert, wenn die Macht auf der Welt nicht politisch, sondern wirtschaftlich ist. Man schämt sich hier, man schämt sich hier – aber man nützt ihnen nichts, wenn man nicht hingeht.

Und keine Politik wird diesem Land helfen können, nicht die eigene und vor allem auch nicht jene, die bei uns betrieben wird. Hier merkt man endlich, daß man dazugehört, daß man ein Kapitalist ist, daß der Kolonialismus nicht zu Ende ist. Er ist nur demokratisiert worden, es gibt auf der Seite der Herrschenden nun mehr Schuldige und keine Verantwortlichen mehr.

Gerechtigkeit wäre so etwas, wie wenn ich ebensowenig nach Ceylon reisen könnte wie die Ceylonesen zu uns und wenn dafür die Ceylonesen ein anständiges Leben in ihrem eigenen Land fristen könnten. Sind sie glücklich? – Wenn schon, warum wollen wir es denn nicht sein?

Wir sind sehr wenig weit gekommen in dieser Welt – und wir be-

handeln nach wie vor alle Probleme so, als würden wir im 19. Jahrhundert leben (z. B. auch die Probleme der Atomkraftwerke). Es
dürfte klar sein, daß die Politik des 19. Jahrhunderts nicht mehr genügt. Wir profitieren kurzfristig davon, daß wir politische Dilet-
tanten sind – wir sind es gern und mit Absicht.

Die Auseinandersetzungen zwischen Linken und Linken bei uns
sind nichts anderes als die Auseinandersetzung zwischen nationalen
und internationalen Linken. Die nationale Linke macht mit, für sie
ist die Umverteilung ein nationales Problem. Nationaler Sozialismus? – Das entsprechende Substantiv ist bekannt!

Ich erinnere mich nicht, solches Elend schon je auf Bildern gesehen zu haben, in Filmen oder im Fernsehen. Man sieht dieses Elend
nicht auf Bildern. Ich erinnere mich aber, daß ich mit Freunden über
die Wahlniederlage der Bandaranaike diskutiert habe, so wie wenn
es Dänemark oder Schweden oder die Schweiz betroffen hätte. Die
Sache schien mir klar, und ich glaubte, Bescheid zu wissen.

Die Ceylonesen fragen mich nach meiner Adresse. Ich muß sie immer wieder aufschreiben. Sie wollen die Adresse eines Freundes in
der reichen, in der richtigen Welt. Sie freuen sich, daß ich – der Colonel, der Sir – ihr Freund bin. Ich bin ihr Freund. Was für ein Freund?

Immer noch liegt die Oper von Sydney
südlich der Alpen

Daß es Känguruhs gibt hier, das weiß man. Känguruhs werden einem
hier angeboten wie zu Hause Jodler und Alphornbläser. Es sind
auch hier nicht nur die Fremden, die auf das touristische Image hereinfallen, es sind auch die Einheimischen: »Haben Sie schon Känguruhs gesehen, wollen Sie Känguruhs sehen?«

Ich habe getrotzt, ich habe keines gesehn. Ich konnte es den Austra-
liern einfach nicht antun, ja zu sagen. Ich hatte den Eindruck, daß
sie glaubten, mir nicht mehr anbieten zu können als Känguruhs –
und dann die Oper von Sydney; die hab ich mir angeschaut, ja, ganz

schön, aber es ärgert mich hinterher, daß auch sie zu dem ganz wenigen gehörte, was ich vorher von Australien wußte, und daß genau diese Oper mit daran schuld ist, daß ich mir ein falsches Bild von Australien gemacht hatte.

Es gefällt mir hier, und ich schäme mich, daß es mich überrascht. Ich schäme mich, daß ich auf die Erzählungen der Leute, die hier waren – Touristen, Geschäftsleute –, hereingefallen bin. Ich hätte wissen müssen, daß Touristen nur Augen für Typisches haben und zum vornherein wissen, was typisch zu sein hat, und daß sie, wenn sie zurückkommen, nur Dinge erzählen, die sie vorher schon wußten. Ich weiß doch, daß es in der Schweiz nicht nur Russis gibt, und hätte mir doch ausrechnen können, daß es hier in Australien nicht nur Tennisspieler gibt.

Es seien rauhe Gesellen, diese Australier, hat man mir gesagt, und sie tränken viel Bier und seien laut. Bier trinken sie übrigens – nicht wenig Bier –, aber wenn mir einer das erzählt und nur das, dann bekomme ich eine falsche Vorstellung.

Ich habe auch wieder einmal versucht, Tagebuch zu führen, und ich habe es nach vier Tagen aufgegeben. Es ist mir aufgefallen, daß ich den Ausdruck »die Australier« immer wieder gebrauchte und daß ein solcher Ausdruck nichts taugt, daß er vielleicht fast noch weniger taugt als »die Schweizer« oder »die Franzosen«.

Ich hätte aus Erfahrung wissen können, daß ich gern in angelsächsischen Ländern lebe, ich hätte mir denken können, daß man hier angelsächsisch lebt, daß eine Bar hier etwas ist, was mir gefällt, und daß man sich hier nicht dauernd beobachtet fühlt. Daß man hier atmen kann, weil es noch Land gibt und nicht nur Autobahnen.

Man hat mir gesagt, daß die Städte hier sehr modern seien – Glas, Stahl und Beton –, nun treffe ich echte, belebbare Städte an, Sydney vor allem, aber auch Melbourne. Städte aus dem späten 19. Jahrhundert, genau jene Stadt, die bei uns so rigoros zerstört wurde, genau das, was es bei uns kaum mehr gibt oder nur als Museum, das gibt es hier noch: die Altstadt, eine Stadt mit alten Häusern.

Und nichts ist untypischer für sie als die Oper von Sydney, der Ausdruck eines Minderwertigkeitskomplexes gegenüber Europa – es sieht so aus, wie wenn Europa Sydney dazu gezwungen hätte.

Man hat den Eindruck, daß der europäische Kolonialismus nicht überwunden ist, daß er nur seine Formen verfeinert hat. Und es ist hie und da fast mühsam, wie man die Leute hier immer wieder aufrichten muß: »Das habt ihr gut gemacht, das ist hier viel besser, euer Wein ist vorzüglich (er ist es), mir gefällt es hier.« Die Leute hier reagieren wie Unterdrückte. Irgend jemand hat ihnen einmal gesagt, sie hätten keine Kultur, und sie haben es geglaubt und haben ihren kulturellen Minderwertigkeitskomplex. Den Europäern ist das nur recht, und sie wollen dann auch nichts anderes sehen, wenn sie herkommen.

Ich habe bis jetzt auch ernsthaft gemeint, die Trennlinie zwischen Süden und Norden seien die Alpen – Afrika liegt südlich der Alpen, Grönland liegt nördlich der Alpen –, das funktioniert von hier aus nicht mehr.

Unser Kampf – der europäische, der schweizerische – für die Beibehaltung der »richtigen« Ordnung mit den Alpen als Mitte der Welt ist vergleichbar mit dem ehemaligen Kampf des Papstes gegen die runde Welt.

Es scheint mir auch, daß die Idee von der total hoffnungslosen Welt eine europäische Idee ist. Das Problem, daß man Wachstum braucht und keinen Boden dafür findet, gibt es hier nicht. Der Untergang Europas wird hier nicht mit Weltuntergang verwechselt. Ich weiß nicht, wie lange Europa noch mit dem sentimentalen Bezug zum Nabel der Welt rechnen kann. Europa scheint nicht nur Fehler gegenüber der dritten und vierten Welt zu machen, sondern gegenüber der Welt überhaupt. Kolonialismus ist kaum mehr eine politische, sondern eine Mentalitätsfrage.

Europa lebt irgendwie vom Minderwertigkeitskomplex der übrigen Welt, lebt immer noch von dem, was man europäische Kultur nennt, Musik, Malerei, Dichtung, und es lebt vom Minderwertigkeitskomplex der andern gegenüber dieser Kultur. Eigenartig, wie wenig unsere Politik bereit ist, etwas zu tun dafür – so sicher sind sie –, und es ist kein Zufall, daß man sich hier sehr anstrengt.

Die Anstrengung geht noch in die Richtung wie früher in Amerika, in die Richtung einer Kopie der europäischen Kultur, über die man dann in Europa gut und gern wohlwollend lächeln kann. Und wer zurückkommt, erzählt von Känguruhs und kaltem Bier und vielleicht vom Opera House in Sydney.

Australien ist ein junges Land, aber es ist nicht ein Land ohne Geschichte. Es fühlt sich nur ohne Geschichte, weil Geschichte immer noch etwas Europäisches ist. Und Australien ist kein stolzes Land, das macht es so angenehm.

Es hat Geschichte – auch eine fürchterliche Geschichte. Es hat Menschen verloren im Burenkrieg, im Ersten und im Zweiten Weltkrieg, in Korea und in Vietnam, aber die Geschichte jener Kriege ist nicht ihre Geschichte, es ist die Geschichte der Welt, und die Welt zu sein, das ist der Anspruch von Europa.

So gesehen liegt die Oper von Sydney wirklich immer noch südlich der Alpen. Wenn man die Oper von Sydney nimmt – und nicht Australien –, dann stimmt das fast noch mit den Alpen als Mitte der Welt.

Aber die Oper von Sydney ist nicht Australien. Es ist sehr schön hier, ein großes und reiches Land mit sehr freundlichen Menschen, und man kann hier wirklich leben.

Vielleicht wird Europa selbst bald einmal so etwas wie eine Oper von Sydney – ein Komplex in Stein –, dann könnten die Australier dann wenigstens ihre Oper als Denkmal und Mahnmal für das ehemalige Europa verwenden: so hat Europa ausgesehen!

Im Winter muß mit Bananenbäumen etwas geschehen

Großväter haben, oder hatten, eine Neigung zur Geographie. Sie hatten alte Atlanten und zeigten ihren Enkeln Grönland, Afrika und Australien. Sie kannten den Pazifik und den Atlantik und den Indischen Ozean, und sie kannten den Unterschied zwischen afrikanischen und indischen Elefanten.

(Ich hatte erst kürzlich am Biertisch wieder einen Streit darüber, welche die größeren seien und welche die längeren Ohren hätten. Ich habe tapfer die Meinung meines Großvaters vertreten und kam damit in die Minderheit, aber ich bin überzeugt, daß mein Großvater recht hatte: Die indischen, das sind die großen mit den kleinen Ohren.)

Von einem andern Großvater habe ich gehört, der schnitzte in einer Fabrik in Kleinlützel ein Leben lang Edelweiße und Alpenrosen auf Tabakpfeifen und Spazierstöcke, mehrere in einer Minute für einen lächerlichen Lohn, und darunter schnitzte er die Namen von Dörfern, schöne Namen. Zermatt, St. Moritz, Andermatt, Adelboden, Mürren. Und er schnitzte diese Namen liebevoll – sehr schnell, aber liebevoll –, und er dachte sich dabei etwas. Es ist ihm nicht aufgefallen, daß er noch nie da war, und er starb, ohne auch nur einen dieser Orte gesehen zu haben. Es ist unwahrscheinlich, daß er den Wunsch hatte, diese Orte zu sehen – es ist wahrscheinlich, daß er den Wunsch hatte, aber es ist unwahrscheinlich, daß er ihm bekannt war. Sicher hatte auch er eine Landkarte, und er hat sich die Orte auf der Landkarte gesucht, und als auf dem Kalender das Matterhorn kam, da brachte er es nicht übers Herz, das Blatt nach einem Monat abzureißen, und seither hing an der Wand der September 1924, und er wurde nach und nach blaß und brüchig und gelb, vielleicht – sehr wahrscheinlich nicht, man stellt sich die Einfachen immer zu sentimental vor. Aber eine Landkarte hatte er.

Mein Großvater hatte in seinem Garten in Zofingen einen Bananenbaum. Ich weiß nicht, ob man Bananenpalme sagt, er sagte jedenfalls Bananenbaum. Ab und zu trug er ganz kleine, embryonale Bananen. Essen konnte man sie nicht. Ich versuche mir inzwischen vorzustellen, was mit diesem Baum im Winter geschah. Eigenartig, jede Möglichkeit wird sofort zum Bild und zur realen Vorstellung: der Bananenbaum im Winter im Garten, in Zeitungen eingehüllt und in einem Torfmullberg – oder das Loch im Garten im Winter, wo der Baum ausgegraben wurde und der »Baum« im Keller mit Stroh eingewickelt oder so – ich weiß es nicht. Ich werde zwar weiterhin am Biertisch von Elefantenunterschieden sprechen – wenn es sein muß oder wenn das Gespräch die Gelegenheit ergibt –, aber ich werde mich nicht auf die Äste hinauslassen und behaupten, mein Großvater in Zofingen habe einen Bananenbaum im Garten gehabt – ich kann es mir nicht leisten, weil ich nicht weiß, was mit ihm denn eigentlich im Winter geschah, und eines ist klar: im Winter muß mit Bananenbäumen etwas geschehen.

Ich hatte das mit Großvaters Bananenbaum völlig vergessen. Kürzlich war ich zum ersten Mal in den Tropen. Und was mich überraschte, war, daß mich alles erinnerte. Ich kannte das bereits alles aus meinen Vorstellungen.

Die Bananenbäume sind wirklich so wie der Bananenbaum meines Großvaters, dasselbe Grün. Und ich hatte eigentlich meinen Großvater vergessen – hier in den Tropen erinnerte ich mich wieder an ihn. Ich wäre gern zurückgekommen und hätte meinem Großvater gern mitgeteilt, daß sie wirklich so sind, die richtigen Bananenbäume, daß sie genauso sind wie seiner. In diesem Sinne habe ich ihn wieder einmal mehr vermißt.

Es ist etwas schwierig, wenn man weit weg ist. Man hat dann Zeitunterschiede und ein anderes Klima, und der Mond hängt etwas anders am Himmel, und man versucht sich mit Wörtern wie Äquator oder Roßbreiten zu beeindrucken. Es ist unvorstellbar, daß mein Großvater diese Gegend je erreicht hätte, aber er legte Wert darauf, mir von diesen Gegenden zu erzählen.

Er hatte ein Buch mit dem Titel »Vögel der Welt« und ein Buch mit dem Titel »Säugetiere der Welt« mit Farbtafeln, auf denen das transparente Metzgerpapier festklebte und so einen schönen Ton von sich gab, wenn man es abzog. Ameisenbären und Beuteltiere, Okapis und Nashörner waren ihm und mir nicht fremd, und er formte aus Ton Elefanten und Giraffen und bemalte sie mit Goldbronze.

Etwas anderes ist mir noch eingefallen in den Tropen, nämlich daß ich einmal Missionar werden wollte. Ich erinnerte mich an die Sonntagsschule und an die Lichtbildervorträge von Missionaren im Keller unserer Kirche und an einen freundlichen Mann, der uns »Weißt du wieviel Sternlein stehen« in irgendeiner Eingeborenensprache vorsang.

Ich habe daran gedacht, als ich mit denen, die man als Eingeborene bezeichnet, sprach, und ich konnte mir nicht vorstellen, was geschehen wäre, wenn man mich hierhergeschickt hätte.

Hierhergeschickt übrigens mit dem Geld meines Großvaters. Er war ein sehr frommer Mann, und er muß sehr viel Geld für die Mission gespendet haben, und seine Frau hat für den Missionsbasar gestrickt und gehäkelt, ein Leben lang. Meine Großmutter war keine lebensfrohe Frau. Sie war sehr prüd. Irgendwie muß sie aber dauernd Lendenschürze vor ihren Augen gesehen haben. Ich kann mir das kaum vorstellen. Der Bananenbaum vor Großvaters Haus muß auch – irgendwie – mit Mission zu tun gehabt haben.

Ich habe mich vorsichtig erkundigt nach christlicher Mission bei Hindus und Buddhisten, und ich habe vorsichtige Antworten bekommen, höfliche Antworten, keine Ablehnung. Einer wußte, daß sie von ihnen die Schrift haben. So alles nur schlecht haben sie nicht gemacht.

Ich hätte ihm lange erzählen müssen, nach meiner Rückkehr. Er hätte – da bin ich sicher – seinen Atlas geholt und die Tierbücher, und ich bin fast sicher, daß er mich nicht gefragt hätte nach der Mission.

Mein Großvater war ein interessierter Mann, und er war bescheiden und fromm. Ich kann mir ihn nicht vorstellen als Tourist, unvorstellbar, daß er gereist wäre – kein Matterhorn, kein Niagarafall, keine Akropolis.

Erdnüßchen und Orangen hatte er nicht nur gern. Er hat sie verehrt. All das mit Afrika und Südsee und so gehörte irgendwie mehr zu seiner Welt als zu meiner. Irgendwie hat er sich von Mission mehr versprochen als von Christentum, und von Geographie und Zoologie mehr als von Politik.

Die Tropen haben mich an meine Kindheit erinnert, nicht etwa an Bubenträume, vielmehr an die Träume meines Großvaters. Sie sind so etwas wie eine alte Welt, wie eine Welt, die man vor vierzig Jahren beschrieben bekam.

Wenn Touristen davon sprechen, daß dies mit Bali bald vorbei sein werde, dann trauern sie eigentlich nichts anderem als der Welt ihrer Großväter nach. Die Entwicklungsländer haben darunter zu leiden, daß mein Großvater in seinem Garten einen Bananenbaum hatte und daß er Erdnüßchen verehrte, und vielleicht, ich weiß nicht –

Nichts gegen meinen Großvater, ich mag ihn.

Die Kenner

Ich hätte keinen Vorschlag, sie zu verbessern, aber Flughäfen gehören zum Mißlungensten, was sich Menschen gebaut haben. Das liegt nicht an der Unfähigkeit der Menschen, sondern das liegt ganz einfach daran, daß wir mit dem Fliegen nicht fertig werden.

Ich habe nicht nur keinen Vorschlag zur Verbesserung, sondern ich habe nicht einmal eine Kritik an Flughäfen, es scheint so, daß sie funktionieren, und ich bin auch jedesmal weggekommen und auch wieder angekommen. Aber nirgends so wie in Flughäfen interessiert mich die Meinung späterer Archäologen so sehr. Ich möchte wissen, ob und weshalb sie staunen, wenn sie unsere Flughäfen in zwei- oder dreitausend Jahren ausgraben.

Es scheint so, daß das Fliegen den Hauch des Außergewöhnlichen behalten wird und nie so selbstverständlich werden wird wie die Eisenbahn oder das Auto.

Es müßte also so sein, daß wir uns nirgends so ungeschickt bewegen wie auf einem Flughafen, weil Flughäfen für uns außergewöhnlich sind.

Kürzlich habe ich im Flughafen zwei Ungeschickte gesehen. Erst sie haben mich darauf aufmerksam gemacht, wie selten die Ungeschickten hier sind. Ein älteres Ehepaar – etwa so wie man sich Leute vom Land vorstellt –, ich glaube nicht, daß sie Angst hatten, Angst vor dem Fliegen mein ich, aber sie waren ängstlich.

Sie wußten ganz einfach zum voraus, daß sie hier alles falsch machen würden, und das taten sie auch. Sie kamen sich vor wie Eindringlinge in die Welt des Gunter Sachs, und entsprechend wurden sie von den vielen Gunters hier auch angeschaut.

Jedes Reisebüro, jeder Reiseleiter, bestimmt auch der Sohn, der ihnen die Flugkarte geschenkt hatte, jeder hätte ihnen mit Recht gesagt, daß Fliegen gewöhnlich ist und ein Flughafen eine Art Bahnhof und daß sehr viele und eigentlich fast alle Menschen fliegen. Das sagen auch die Fluggesellschaften, und sie bemühen sich auch ein wenig um Menschen, denen es ein bißchen schwerer fällt; aber

letztlich ist ihr Geschäft halt dann doch der Duft der großen wei-
ten Welt – und gerade der Geschäftsmann, der wöchentlich und täglich fliegt, möchte zuallerletzt darauf verzichten. Jedenfalls ist der
Ausdruck Jet-Set eine präzise Erfindung, und eigentlich trifft sie den
Jet noch genauer als das Set.

Die beiden Alten vermiesten selbst mir anfänglich mein Jet-Set-
Gefühl, ich meine die kindische Whisky-und-Welt-Vorstellung, und
ich solidarisierte mich mit ihnen erst, als mir auffiel, daß dieselben
Blicke der Gunters auch mich trafen, daß ich also offensichtlich
auch ... Immerhin – und das ärgert mich nachträglich – ich machte
alles richtig: ich erhob mich erst beim zweiten Aufruf von meinem
Sitz, ich ging langsam und gemessen, ich wußte, was mit meiner Bord-
karte geschehen würde, und selbstverständlich kein Fensterplatz.

Die beiden Alten haben Flugzeug und Ziel genauso erreicht wie
ich, insofern haben sie also offensichtlich alles richtig gemacht –
was machten sie denn falsch? Ganz einfach, sie interessierten sich:
sie fragten, fragten noch einmal, erkundigten sich, beachteten die
Hinweistafeln, beachteten sie noch einmal, sie gaben ganz einfach
zu, daß ihnen die Welt und nicht nur diese Welt – nicht selbstverständlich ist. Sie waren keine Kenner, keine Connaisseurs. Der Trick,
die Welt als langweilig zu nehmen, ist ihnen unbekannt, sie haben
ihr Verhalten nicht im Kino gelernt.

Das ist es wohl, was Flughäfen als so mißlungen erscheinen läßt.
Weil es Orte sind für Menschen, die so tun, als wäre ihnen alles
selbstverständlich, die einen Whisky bestellen, wie wenn sie keinen
möchten, für die Abflug und Ankunft dasselbe ist, die jeden für einen
hoffnungslosen Anfänger halten, der beim Abflug zum Fenster hin-
ausschaut, für Leute, die keine Fragen haben, Orte für Connaisseurs,
Orte der blankgeputzten Langeweile.

Ich beneide sie, die beiden Alten. Ich möchte gerne so wie sie.
Aber das ist nicht mehr rückgängig zu machen, daß ich Whisky-
marken kenne und sogar weiß, daß Maltwhisky was ganz Besonderes ist und Bourbon was anderes, daß ich von chinesischer Küche
zwar nichts verstehe und trotzdem nicht allzulang in der Karte rum-
lese und ja keine Fragen stelle. Ich verstehe etwas von Wein, Herkunft

und Jahrgängen, und etwas von Tabakpfeifen und von Tabaken, und ich kenne nicht nur die Gerichte, die meine Mutter gekocht hat. Es erschüttert mich nicht, in der Eisenbahn Erste Klasse zu fahren – und ich habe das alles wirklich nicht gewollt, und es hat mich alles auch anfänglich sehr überrascht.

Dabei ist das alles noch gar nicht so lange her. Es ist mir erst seit kurzem selbstverständlich, der Whisky, die Erste Klasse, die Kenntnisse über Wein und Tabak. Ich war zweiunddreißig, als ich zum ersten Mal dabei war, als ein teurer alter Wein »Zapfen« hatte. Ich hatte zwar vorher schon gehört, daß es das gibt, aber nie geglaubt, daß jemand den Mut hätte – oder die Selbstverständlichkeit –, es festzustellen.

Inzwischen gelingt mir das auch, und ich möchte gern darauf verzichten. Ich würde es vorziehen, wenn man roten Wein Rotwein nennen würde und den weißen Weißwein, sich freuen würde, wenn er gut wäre, und wäre er schlecht, würde man sich nicht an bessern erinnern.

Als ich irgendwo in Amerika mal fragte, wie denn diese großen schwarzen Vögel hießen, da bekam ich zur Antwort: »Es gibt viele davon.« Ich sagte, ja das wisse ich, aber ich möchte wissen, wie sie heißen: »Wir nennen sie ›black birds‹.« So ist das dort, die schwarzen Vögel heißen eben Schwarze Vögel, und alle Pilze heißen Pilze (Mushrooms), und als ich mich mal nach dem Namen einer Nuß erkundigte, die ich bei uns noch nie gesehen hatte, wurden mir Geschichten über diese Nüsse erzählt, aber wie sie heißt, wußten sie nicht, halt eben Nuß.

Ich hielt es für Gelangweiltheit. Nun, hinterher, bin ich nicht mehr so sicher, ob es nicht Absicht ist, die Dinge nicht zu benennen.

Ich möchte zwar gerne wissen, wie die Berge und die Bäume und die Blumen heißen. Aber dann möchte ich auch wissen, wie der Wein heißt, den ich trinke, und woher er kommt. Und dann möchte ich ihn unterscheiden können. Und dann möchte ich wissen, wie das ist auf einem Flughafen, und das ist so einfach, daß man es gleich schafft, weil man es eigentlich schon kennt, und ohne zu wollen, wirst du zum Kenner und erwächst als Connaisseur und bist eingestiegen in die internationale Langeweile.

Wie gesagt, ich habe keine Vorschläge für Flughäfen. Vielleicht werden sie den kommenden Archäologen ein richtiges Bild von unserem Leben vermitteln, leider.

Vielleicht hat das auch Methode, und irgendwer will, daß wir zu gelangweilten Kennern werden, die sich nichts anmerken lassen.

Übrigens, wenn es nur das wäre, ich fahre stets Zweite Klasse, aber ich kenne die Erste, das ärgert mich, und übrigens, es gibt noch ein paar Dinge, die ich noch nie gegessen habe, es gibt eine große Stadt in der Nähe, die ich noch nie gesehen habe – alle wollen, daß ich mal hingehe, und drängen mich; ich wußte bis jetzt nicht, weshalb ich mich grundlos weigerte. Ich möchte eigentlich gern etwas verpaßt haben.

Wahre Geschichten

Zwischen Weihnachten und Neujahr ein Brief: »... nun halt mich bitte nicht für total übergeschnappt, aber ich habe mein Leben ein wenig verändert. Ich bin auf dem besten Wege, Kunstreiterin zu werden. Ich hatte mich längere Zeit von einem Zirkus engagieren lassen und habe dort viel lernen können und will nun an einer eigenen Nummer arbeiten, Hohe Schule, Du kennst das sicher, das Pferd tanzt mit dem Reiter ...«

Sicher, sie ist verrückt, war sie immer, nicht etwa hysterisch, sondern ganz sanft und beängstigend verrückt, und man konnte nicht sehr damit renommieren, ihr Freund zu sein, und sie diskutierte viel und machte Pläne, Pläne, sich umzubringen vor allem, dann auch all die andern Pläne, ein Kabarett, eine Beiz, eine landwirtschaftliche Kommune, einmal auch und immer wieder, sich Tanzbären zu kaufen und zum Zirkus zu gehen. Ich weiß nicht, ob sie reiten konnte damals, sie sprach nie von Pferden. Sie war erfolgreich in ihrem Beruf, ein künstlerischer Beruf, aber sie war schon etwas zu alt, um noch erfolgreicher zu werden, und sie hatte den Ruf – den berechtigten –, verrückt zu sein, und eigentlich wollte niemand mehr mit ihr etwas zu tun haben, denn das ist halt ein Risiko mit Verrückten, und als ich sie kennenlernte, vor Jahren, hatte sie eben mit Hilfe von sehr viel Alkohol beschlossen, sich umzubringen, und hätte sie es getan, niemanden hätte es verwundert.

Jedenfalls war sie schon damals nicht mehr in dem Alter, in dem man vom Zirkus träumt. Inzwischen kamen zwei Briefe, einer aus einer Kommune irgendwo, dann später einer, daß sie jetzt Assistentin eines Filmregisseurs sei – ich kann den Namen nicht erwähnen, er würde die Geschichte unwahrscheinlich machen –, und dann lange wieder nichts mehr, und jetzt – jetzt kenn ich eine Zirkusreiterin und bilde mir ein, ohne jeden Grund, etwas damit zu tun zu haben.

Dabei, Zirkus gibt es gar nicht mehr. Ich hatte Zirkus vergessen. Zirkus gibt es nur, solange man den Wunsch hat, zum Zirkus zu gehen. Nun geht die einfach, die Kuh, und macht die übelsten deutschen Schlager wahr, die spinnt.

Sie trinke auch nicht mehr, schreibt sie, weil sie sonst vom Pferd falle, und im Augenblick, es ist Winter, braucht sie Geld für das Pferd, weiß-grau, Apfelschimmel. Sie schreibt nichts davon, daß Zirkus schön sei, und sie schreibt nichts davon, daß Zirkus hart sei, nichts davon, daß es ihr gutgehe oder schlecht – keine Zeile Literatur, kein deutscher Schlager. »Halt mich bitte nicht für total übergeschnappt«, ich glaube, sie meint das so, wie sie es schreibt – vor Jahren noch legte sie Wert darauf, verrückt zu sein.

Eine Geschichte – Geschichten sind selten geworden, wahre Geschichten sind sehr selten geworden.

Vor Jahren gab es ein Schundheftchen an Kiosken mit dem Titel »Wahre Geschichten«, und im Sommer werden wieder Tausende möglichst weit reisen, um wahre Geschichten zu erleben, und sie werden die Wahrheit mit einem Druck auf den Knopf ihrer Kamera quittieren.

Kürzlich traf ich ein Mädchen, das sämtliche Bücher der Courts-Mahler nicht nur gelesen hatte, sondern durch und durch kannte. Vor Jahren wäre das nichts Besonderes gewesen, heute macht sie den Eindruck eines literarischen Snobs. Sie hat mir erzählt, wie sie dazu kam, Courts-Mahler zu lesen. Der Lehrer in der Gewerbeschule wollte den Schülern erklären, was Kitsch ist, und brachte einen Text von ebendieser schönen Autorin mit. Ihr hat es gefallen. Verdammt noch mal, ich finde das gut. Ich finde gut, daß es ihr gefallen hat. Lesen ist gar nicht so einfach. Wenn sie das ganze Werk der Courts-Mahler gelesen hat – ich mache jede Wette –, dann hat sie mehr gelesen als ihr Gewerbelehrer, und, das kommt noch dazu, sie liest inzwischen auch anderes.

Jedenfalls erinnere ich mich, daß der Kampf gegen Schund und Kitsch das große pädagogische Anliegen war, als ich aus dem Seminar kam. Wir waren überzeugt, daß die Qualität des Lebens ein ästhetisches Problem ist, und ich fürchte, wir hatten damit ein bißchen Erfolg. Nur diese dumme Kuh geht zum Zirkus. Mich freut das. Nicht nur weil sie geht, sondern weil man noch gehen kann. Nur eben, Lehrer werden daraus nichts lernen können, weil schließlich nicht alle gehen können.

Ein anderer wird jetzt Maler, mit fünfzig, ein erfolgreicher Geschäftsmann. Man sagt, er sei bereits pleite. Aber dieser wird eben ein richtiger Kunstmaler und hat begriffen, was sein Lehrer gemeint hat mit dem Unterschied zwischen Kunst und Kitsch. Und es ist sehr traurig, und niemand wagt ihm zu sagen, daß er kein Maler ist, keiner werden kann und daß es nicht dasselbe sei, wenn man van Gogh verkannt hat und wenn man ihn verkennt. Im übrigen, der Mann hätte das Zeug dazu, etwas Saudummes zu tun, aber eben, er hat eine Ahnung von Kultur und wird ihr Opfer werden. Und diese dumme Kuh geht zum Zirkus. Ich finde das schön.

Und darauf gekommen ist sie durch Kinderbücher, durch schlechte Kinderbücher, durch Schlager und Chansons, durch irgendwelche Literatur vielleicht, und in den Kinderbüchern gehn die Kinder zum Zirkus und um die Welt herum und auf Schiffe und haben Laubflekken auf der Nase und sind sehr frech und werden etwas ganz Besonderes – die Welt, die die Menschen erfinden, ist ganz lustig. Eigenartig, daß sie sie zwar erfinden können, aber daß sie ihnen trotzdem nicht gelingt. Es besteht der Verdacht, daß Kultur ein Ordnungsfaktor ist und daß der Kitsch nicht ohne Grund verhetzt wird.

Und noch etwas ist mir nach diesem Brief aufgefallen: daß es nämlich nicht wahr ist, daß ich je einmal zum Zirkus wollte. Ich hätte es sicher nicht getan, weder damals noch heute. Ich fühlte mich einfach verpflichtet – wie alle andern auch –, solche Wünsche zu haben. Man hat mich mit Wünschen betrogen, die nicht eigentlich meine sind.

Aber es ist dann doch ein kleiner Trost, wenn es Leute gibt, die wirklich zum Zirkus gehen, wirklich diesen Wunsch haben.

Und sie ist keine dumme Kuh.

Nur – das fällt mir noch ein – ich mag Pferde nicht sehr.

Entfremdete Freizeit

Als der Riesenslalom übertragen wurde, war ich weg – irgendeine Sitzung –, und jeden, der neu dazukam, hat man gefragt, wer denn gewonnen habe. Endlich kam einer, der es zufällig gehört hatte und der sagte, er glaube, es sei ein Norweger gewesen; »ein Schwede wohl«, korrigierte man, und er sagte: »Ja, vielleicht ein Schwede!« – »Stenmark?« – »Weiß ich nicht!«

Ich habe mich erst geärgert, weil er's nicht wußte. Weil man so etwas einfach weiß und weil es immerhin eine Information ist, und weil es immerhin so lange wichtig ist, bis man es weiß.

Ich jedenfalls weiß sehr viel über ihn, er ist still, zurückhaltend, bescheiden, intelligent, angenehm – und vielleicht ist er das. Er ist fair, anständig, unheimlich talentiert, seriös, sauber – warum soll er das nicht sein? Eine Ausnahmeerscheinung, ein Phänomen, und er trägt schwer an seiner Favoritenrolle.

Also.

Dann hat man aber auch davon gesprochen, daß Skirennen eigentlich langweilig seien, daß man eigentlich genug davon habe, daß man eigentlich froh sei, daß es jetzt dann wieder vorbei sei, und sehr telegen seien sie eigentlich nicht, und man verpasse nicht viel, wenn man sie verpasse. Jedenfalls, wenn man sie verpaßt, verpaßt man sie endgültig. Die Spannung ist kurz, und sie wirkt nur live.

Angenommen, nur angenommen, das Publikum würde wirklich

nach und nach aussteigen, sich nach und nach wirklich nicht mehr für Skirennen interessieren – einfach so, sich für irgendeinen anderen Sport interessieren –, nur angenommen, würden sie dann wohl verschwinden, unbedeutend werden und im Fernsehen nicht übertragen werden?

Kaum – denn interessiert dafür, wirklich interessiert, habe ich mich eigentlich nie. Sie sind mir aufgedrängt worden. Eine Information, die man eben konsumiert, niemand kommt darum herum, die Namen Russi und Morerod und Hemmi und Zurbriggen und Nadig zu kennen – und die neuen werden wir alle bald lernen. Und den Reporter finden wir schlecht, weil er so wenig versteht davon – viel weniger als wir –, und was wir verstehen davon, haben wir von ihm gelernt.

Nicht umgestiegen, auf dem falschen Ski stehengeblieben, in Rücklage geraten, Schwung verloren, zu tief gekommen, Ideallinie verpaßt – ich sehe das oft schneller als der Reporter, dieser Langweiler, und ich verstehe nichts davon, und ich möchte gar nicht, daß es mich interessiert. Ich bin sogar ein Fachmann geworden, ein nichtskifahrender Pseudofachmann. Die Propaganda einer Industrie, die mir ihre Produkte nicht verkaufen kann, hat mich voll und ganz erreicht, und ich weiß sogar, wann das nächste Skirennen sein wird.

Ich mache niemandem einen Vorwurf, weder den Fahrern noch dem Fernsehen, noch dem ganzen Zirkus. Ich weiß, daß ich keine Chance habe mit einer Klage wegen Belästigung. Ich bin, so wird man mir sagen, absolut frei in meinem Entscheid, mich zu interessieren oder mich nicht zu interessieren – aber bin ich das wirklich?

Habe ich die Freiheit wirklich, Informationen frei zu wählen? Habe ich die Freiheit, zu entscheiden, was mich wirklich interessiert und was nicht?

Vielleicht wäre ich ein Mensch, der sich gerne langweilen würde, aber gerade dort, wo meine Fähigkeit zur Langeweile liegt, sind sie eingestiegen, die unerwünschten Informationen.

Ich plädiere nicht für die heroische Tapferkeit, keinen Fernseher zu besitzen. Ich meine nicht das stille Leuchten auf dem Gesicht eines Sekundarlehrerehepaars, das erklärt: »Wir haben keinen!«

Ich meine auch nicht jenen, der nicht einmal weiß, daß der Stenmark heißt und Schwede ist. Ich glaube sogar, daß man das wissen sollte, und ein regelmäßiger Zeitungsleser kommt ohnehin nicht darum herum.

Ich habe überhaupt keinen Vorschlag zur Verbesserung. Ich finde es nur sehr traurig.

Ich komme mir betrogen vor – weil das, was ich mein Interesse nenne, offensichtlich nicht mir gehört.

Ich interessiere mich nicht – ich werde interessiert. Ob auch da böse Mächte mit im Spiel sind? Kaum oder sicher – es kommt auf dasselbe heraus.

Ich stelle nur fest, daß mich nach und nach auch meine Interessen langweilen, sie sind zu strapaziert.

Und daß ich nach und nach Mühe habe, mich wirklich zu interessieren.

Es gibt in der Arbeitswelt den Begriff der entfremdeten Arbeit, man spricht davon, wenn ein Arbeiter die Zusammenhänge, in denen seine Arbeit steht, nicht mehr erkennen kann.

Gibt es nicht mehr und mehr auch so etwas wie eine entfremdete Freizeit?

Gibt es vielleicht auch Skifahrer – ich meine jetzt Hobbyskifahrer –, die gar nicht Ski fahren möchten? Vielleicht, ich weiß es nicht.

Eines scheint mir sicher, Reklame und Propaganda erreichen mich auch in meinem Privatesten, auch dort, wo sie mich vorerst kein Geld kosten – und genau dort sind sie am schwersten zu erkennen.

Ich habe jedenfalls keine Ahnung, ob ich mich für Skirennen interessiere. Ich weiß nur, daß ich mittags nach Hause gehe und das Rennen anschaue.

Eines jedenfalls ist sicher, ob uns das interessiert oder nicht, wir haben mit Skirennen zu leben.

Brot und Spiele? Den Römern hat man eine Absicht unterschoben. Wir aber sind sicher, daß es nur Zufall ist. Man hat uns beigebracht, wie frei wir sind, und wir glauben es – entfremdete Arbeit, entfremdete Freizeit, entfremdete Freiheit.

Der Aktuar

»Wer das Protokoll genehmigen will, möge das durch Handerheben bestätigen. Das Protokoll ist einstimmig angenommen, ich danke dem Aktuar für die gewohnt zuverlässige Abfassung.«

Und der Aktuar schreibt: »1. Protokoll: Protokoll genehmigt.« Eben hat er sein letztes abgeliefert, und das nächste kommt auf ihn zu: »Sitzung des Vorstandes im Säli des Rest. Rössli, am 13. Februar um 20.15 h – anwesend, entschuldigt, Traktanden, die Traktandenliste wird genehmigt, Protokoll genehmigt und verdankt« usw.

Ich möchte wissen, wie viele Protokolle in diesem Land am heutigen Abend verlesen werden, genehmigt werden, notiert werden, wie viele heute ins reine geschrieben werden – und wie viele Aktuare in diesem Land heute leiden, weil sie übermorgen wieder eine Sitzung haben und das Protokoll noch nicht geschrieben ist, wie viele Aktuare heute abend ihre Frau anbrüllen, weil sie die Notizen zum Protokoll nicht mehr finden, wie viele sich wieder einmal endgültig entscheiden, das Amt des Aktuars nun doch niederzulegen, und wie viele heute abend mit Schmeicheleien dazu überredet werden, es doch noch ein Jahr weiterzumachen?

Wieviel Papier wird wohl heute abend mit Protokollen vollgeschrieben, wie hoch würde der Turm, wenn man alle aufeinanderbeigen würde – oder wie viele Tannen, wieviel Wald benötigt man zur Herstellung des entsprechenden Papiers?

Nichts Geschriebenes macht mich so traurig wie Protokolle.

Irgendwo liegt noch ein Stoß von Protokollen, die ich vor Jahren verfaßt habe. Ich habe vergessen, sie abzuliefern, als ich jene Kommission verließ. Niemand vermißt sie, und nie wird sie jemand vermissen. Trotzdem das unnötig schlechte Gewissen, eine klaffende Lücke in der Geschichtsschreibung dieser Welt verschuldet zu haben. Selbst wenn ein Gott sich dafür interessieren sollte, könnte er es nicht mehr rekonstruieren, und die Legalität der Wahl des damaligen Präsidenten ist nicht mehr nachweisbar.

Wer kümmert sich schon darum? Er lebt nicht mehr, und die Sache mit dem Dank der Gemeinde war so viel Routine wie die Abfassung des Protokolls. Auch der Präsident hat keine Spuren hinterlassen. Er hat seine Arbeit recht gemacht, und was er verwaltet hat, das gibt es heute noch, und die Kommission tagt, und die Protokolle werden geschrieben, sauber geschrieben und verlesen und abgelegt und wieder geschrieben.

Und einer muß es halt tun – ungern, aber es muß getan werden. Und es leuchtet ein, daß es getan werden muß. Denn irgendeinmal könnte irgend etwas passieren, was irgendeinmal nachgelesen werden müßte. Und wo käme man hin ohne Protokoll. Erstens: Appell. Zweitens: Protokoll. Drittens: Orientierung. Viertens, Fünftens. Sechstens: Verschiedenes. Schluß der Sitzung: 10.25 h.

Und die Sache mit der Mitgliederwerbung und die Sache mit der verbesserten Information und die Klage darüber, daß die Jungen nicht wollen. Wer nicht will, ist unanständig, und die selbstlose Anständigkeit, ein Protokoll zu verfassen – und der Ärger darüber und die Frau, die zu Hause angebrüllt wird. Und die selbstgefällige Klage über den Terminkalender und über die Grenzen der Belastbarkeit und das Aufwachen nachts um zwei und Erinnern, daß das Protokoll noch nicht geschrieben ist – und das alles nur aus einem Grund, weil es sein muß.

Und es muß sein.

Würde er jetzt sterben – zwischen der 28. und 29. Sitzung des gegenwärtigen Vorstands –, dann wäre das Protokoll nicht geschrieben, dann würde es vielleicht nie geschrieben, weil keiner die Notizen findet oder entziffern kann.

Ich frage mich, ob wohl schon einer dafür gestorben ist. Ich könnte es mir vorstellen. Dann wäre er für nichts gestorben, so wie er vorher für nichts seine Protokolle geschrieben hat.

Übrigens ist es gar nicht so schlimm, und es gibt wesentlich weniger zu tun, als man glaubt. Jeder Aktuar teilt das seinem Nachfolger mit. Daran ist noch keiner zugrunde gegangen, daran nicht. Und werden wollte es wohl auch noch keiner, aber man war jedem dankbar, der es übernommen hat, und es ist anständig, Protokolle zu schreiben, und einer muß es tun.

Mehrere tausend Seiten erknorzte Literatur in diesem Land, Tag für Tag. Und vielleicht wird das Wort »approximativ« fünf- bis sechshundertmal pro Tag in diesem Land im Duden nachgeschlagen und vielleicht auch das Wort »Absenz« (in meinem Duden steht es nicht einmal drin) und vielleicht auch ab und zu das Wort »Bahnhofbuffet«. Und vielleicht wird das Ganze noch auf eine Matrize (nachschlagen!) geschrieben und allen vor der nächsten Sitzung versandt, und vielleicht löst es nur Unlust aus, weil es daran erinnert, daß schon wieder eine Sitzung stattfindet – und wieder ein Protokoll.

Otto – Mitglied des Vorstands – hat sich kürzlich eine Schreibmaschine gekauft. Er verkehrt mit dem Präsidenten nun ab und zu schriftlich: »Wie angekündigt, daß die Generalversammlung ungünstig liegt, komme ich zurück darauf, daß neues Datum vorgeschlagen werde.« Kein einziger Rechtschreibefehler! Wort für Wort kontrolliert! Otto hat jetzt auch ein Büro, und nach und nach einen Hang zum Bedeutenden – und nächstens, das ist ihm sicher, wird er hereinfallen auf das Amt des Aktuars, und es wird ihn freuen vorerst und dann nach und nach verbittern, denn er wird mehr und mehr seine nächtelange Anständigkeit, Protokolle zu schreiben, überschätzen.

Ich frage mich, ob ein Historiker, der in zweihundert Jahren sämtliche Protokolle liest, die heute abend in diesem Land geschrieben wurden, sich ein Bild machen könnte von unserer gegenwärtigen Welt. Und ich bin fast überzeugt, er könnte es nicht. Er würde die Gewichte falsch setzen und wohl kaum etwas darüber erfahren, was uns wirklich beschäftigt hat an diesem 13. Februar. Was für Filme gelaufen sind, ob sich jemand in jemanden verliebt hat, wie das Wetter war und wer den Föhn nicht ertrug. Er wird nichts davon erfahren, daß Tausende an diesem Tag in diesem Land darunter gelitten hatten, daß sie schon wieder eine völlig unnötige Sitzung besuchen mußten, und er wird nicht erfahren, auf was sie dafür zu verzichten hatten.

Aber vielleicht wird ihm auffallen, daß immer derselbe, immer derselbe diese Protokolle geschrieben hatte – eine Unperson mit wenig eigenem Stil; der Aktuar, und vielleicht kommt er zu der absolut irrigen Meinung, daß das ein einzelner Mann war.

Vielleicht sucht er dann diesen einen, der das alles gemacht hat, und findet einen Mann in Bern, der sich Protokollchef nennt, also der Chefprotokollist – und findet dann heraus (selbstverständlich irrt er sich), daß dieser sich mit dem diplomatischen Ritual befaßt. Und wenn er darauf reinfällt, dann wird er unsere Protokolle für Religion halten. Die Frage ist, ob ihm dieser Irrtum ein richtiges Bild unserer Zeit vermitteln wird. Vielleicht?

Wo wohnen wir?

In der Stadt ist Monatsmarkt, immer am zweiten Montag des Monats, seit Jahrhunderten. Die Bauern sind in der Stadt. Sie kaufen keine Kälber mehr hier, und sie führen ihre Prachtskühe nicht mehr vor. Hosenträger gibt es noch zu kaufen, aber sie sind nicht mehr das große Geschäft. Eigentlich sollten die Bauern andere Bauern sein, als es die Bauern vor Jahrzehnten waren. Sie haben zu Hause dasselbe Fernsehen wie wir in der Stadt, sie sehen dasselbe »Laufende Band«, und – weiß der Teufel, es ist traurig – auch sie mögen ihn und es.

Sie haben zu Hause Maschinen, moderne Maschinen, und sie verstehen was von Motoren –

aber, und das überrascht mich, sie sind noch Bauern, und man erkennt sie hier in der Stadt. Sie tragen Hüte, nur noch vereinzelt Rucksäcke. Aber es ist nicht die Äußerlichkeit, an der man sie erkennt. Sie kaufen die Kleider im gleichen Laden wie wir, sie fahren die gleichen Autos – aber man erkennt sie. Vielleicht sind sie etwas breiter als wir. Sie sitzen etwas mehr als wir, wenn sie sitzen; sie schauen sich gegenseitig etwas mehr an, wenn sie sich anschauen; sie legen ihre Hände etwas mehr auf den Tisch, wenn sie die Hände auf den Tisch legen. Sie sind etwas mehr hier, wenn sie hier sind.

In einigen Tagen gehe ich nach New York. Ich weiß nicht recht weshalb. Ich habe mich vor Jahren entschieden, daß mir New York gefällt. Ich habe behauptet, daß ich dort auflebe, daß ich dort lebe, daß – ich weiß nicht, vielleicht ein Betrug. Ich kann die Sprache nicht gut, ich nehme eigentlich gar nicht teil am Leben in New York. Ich kenne New York gar nicht, ich stelle es mir vor und wähle es mir aus.

Vielleicht ist das einzige, was mir Spaß macht, weg zu sein, weit weg zu sein.

In Bangkok erzählt mir ein Nicht-Zuhälter, eher Anreißer oder so etwas, daß ein Deutscher Jahr für Jahr hergekommen sei für mindestens sechs Wochen und jedesmal für die ganze Zeit dasselbe Mädchen gehabt habe. Letztes Jahr sei er wiedergekommen, aber das Mädchen war nicht mehr aufzutreiben. Niemand wußte, wo es geblieben war. Der Deutsche sei am selben Tag zurückgeflogen. Ein Arbeiter vielleicht. Ein ganzes Jahr Arbeit für sechs Wochen Leben. Leben weit weg, Leben ohne Sprache, ohne Politik, ohne Information, ohne Fernsehen auch, ohne Kegelklub und Männerchor – ein kleines, aber ganzes Leben in Bangkok.

Die Bauern sind in der Stadt. Einer spielt die Handorgel in der Wirtschaft. Ich kenne das Stück, das er spielt, wir kennen es alle – den Bauern aber gefällt es, es gefällt ihnen immer wieder. Es gefällt ihnen hier. Sie leben hier in der Gegend, und diese Stadt ist mehr ihre Stadt, als es unsere ist. Sie denken nicht daran, von hier wegzukommen.

Ein armer Bauer sieht nicht so aus wie ein armer Arbeiter. Ein reicher Bauer sieht nicht so aus wie ein reicher Unternehmer. Warum?

Ich lebe gern dort, wo sie Englisch sprechen – einfach so, vielleicht weil ich mich dabei als anderer fühle. Ich halte W. kaum mehr aus, wenn er von Griechenland schwärmt. Er kennt dort alle im Dorf, und alle kennen ihn und klopfen ihm auf die Schulter – ein Dorf abseits selbstverständlich. Einer geht Jahr für Jahr nach Kenia. Das einzige, worauf er sich freue, sagt er. Und einer, ein Politischer, geht nach Italien – Italien ist die Hoffnung, sagt er.

Und in der Wirtschaft in der Stadt spielt der Handorgelspieler, und er spielt für die Bauern.

F. ist ein Trinker. Er vertrinkt sein Geld. Er wird nicht wegkommen. Er hat seine Abenteuer hier und muß für sie – hier – ins Gefängnis. Er hat Tätowierungen, aber er wird nie ein Seemann werden. Was er hat, das wenige, was er hat, hat er hier – und alles, was er nicht erreichen wird, wird er hier nicht erreichen. Aber immerhin, er ist hier und nicht anderswo. Er ist hier wenig, aber er ist etwas. Auch er gehört mehr hierher als wir alle.

Der Männerchor sucht Mitglieder, der Turnverein sucht Mitglieder, die Dorfmusik sucht Mitglieder. Aber wer will hier noch teilnehmen. W. nimmt in Kreta teil, ein anderer liebt Kenia, und einer hätte ohne Italien keine Hoffnung mehr. F. nimmt überhaupt nicht teil, er lebt zwar hier, und er bleibt hier, aber er trinkt.

Die Partei sucht Mitglieder, aber wer will sich schon um Dinge kümmern, in denen er zwar wohnt, aber nicht lebt.

Unsere Hoffnungen sind anderswo, unsere Freude ist anderswo, unsere Sehnsucht ist ausgewandert.

Wir verdienen unser Geld noch hier. Wir schlafen noch hier und essen noch hier, und wenn wir es nicht mehr aushalten im Winter, dann gehn wir und essen chinesisch.

Wenn Kultur eine Sehnsucht ist, die unbestimmte Sehnsucht nach »Mensch-Sein«, dann gibt es diese Kultur in unserer Gegend nur noch für wenige. Freizeit und Freiheit und Selbstverwirklichung wird nicht mehr hier realisiert, sondern anderswo.

Das hat – davon bin ich überzeugt – nicht damit zu tun, daß sich die Leute Reisen leisten können. Das hat damit zu tun, daß im täglichen Streß kein Mensch-Sein mehr Platz hat.

Man hat von den scheußlichen Vorstädten gesprochen, in denen nur noch geschlafen wird. Ist nicht vielleicht unsere ganze Gegend zu einer solchen Schlaf-, Eß- und Arbeitsgegend geworden, oder zu einer Fernsehgegend, zu einer Schallplattenhörgegend – zu einer Gegend ohne Kultur?

Wer wohnt denn eigentlich noch hier; wer hat hier noch seine Sehnsucht? Kultur in Schlafvorstädten?

Jedenfalls ist es eigenartig, daß wir als Reiseziel jene Gegenden aus-

wählen, wo sich die Einheimischen das Reisen nicht leisten können. Weil hier niemand mehr wohnt, gehn wir in Gegenden, wo die
Leute noch wohnen. Das trifft für Griechenland genauso zu wie für
New York. Denn man kann nicht *in* der Zivilisation wohnen, sondern nur *mit* der Zivilisation, und man kann nicht *mit* Kultur wohnen, sondern nur *in* Kultur. Wo wohnen wir?

Wir verdienen hier unser Geld, mit dem wir uns anderswo zu realisieren versuchen. Wir haben hier unsere Probleme und unsere Familien und unsere Bekannten und die Steuern und den Ärger und die
Arbeit und den Streß – und wir flüchten in eine Gegend, deren Probleme uns nichts angehen. Wir flüchten aus dem sogenannten Alltag.
Wo aber Kultur und Alltag nicht beieinander sind, da gibt es keine
Kultur.

Wir finden sie auch anderswo nicht mehr. Wir flüchten, weil wir
hier keine Kultur haben oder keine wollen, und wir flüchten, weil
wir dort nicht eigentlich wohnen, in eine Scheinkultur. Wir haben –
ich übertreibe, ich übertreibe – ich fürchte, wir haben diese Gegend
längst aufgegeben.

Oder anders gesagt, wir haben diese Gegend, wer hat diese Gegend
mißbraucht.

Bemerkung zum Engagement

Die Sache mit dem roten hölzernen Postauto gehört zu meinen frühesten Erinnerungen. Sie scheint unwichtig zu sein, und ich habe
den Verdacht, daß sie nur wichtig ist, weil sie sich mir eingeprägt
hat. Ich habe schon oft versucht, sie zu erzählen. Sie ist nicht erzählenswert, also schreibe ich sie auf.

Ich muß etwa vier gewesen sein, eines Tages stand vor unserer Tür
ein Nachbarsbub – ich habe ihn als richtig groß und erwachsen in
Erinnerung, vielleicht war er drei oder vier Jahre älter als ich –, er
brachte mir sein hölzernes Postauto. Er sagte, daß sie umziehen müssen und daß dieses Auto im Umzugswagen keinen Platz mehr habe.

Er schenkte es mir. Ich war sehr stolz darauf. Stolz darauf, daß ich derjenige war, der es geschenkt bekam, stolz darauf, es zu besitzen – möglich, daß ich daraus so etwas wie einen Kult machte.

Ein Jahr später zogen wir um – weit weg. Die Reihe war an mir. Ich bestand darauf, daß das Postauto im Umzugswagen keinen Platz habe. Meine Mutter gestand mir das zu: »Wenn du willst, daß es keinen Platz hat, dann hat es keinen Platz.« Ich nahm also das Auto unter den Arm – mein sehr geliebtes Auto –, ging zu einem Nachbarsbub und spielte das, was mich vor einem Jahr so beeindruckte, haargenau nach: »Wir ziehen um, und leider hat das Auto keinen Platz – du kannst es haben.« Er hat sich nicht besonders darüber gefreut, aber er hat es genommen. Es hat mich auch wirklich nicht sehr gereut. Die Szene war mir so viel wert, ich war nun ein Erwachsener wie jener, der es mir gebracht hatte.

Ich möchte gern wissen, warum er es getan hat, ich möchte wissen, ob auch er sich daran erinnert, ob es für ihn auch dasselbe war, das Erwachsensein.

Ich habe dem Postauto nie nachgetrauert. Ich hatte nur ein beklemmendes Gefühl, wenn ich daran dachte, und ich mochte Dinge nicht, die mich daran erinnerten. Es gibt auch – das fiel mir kürzlich auf – ein ganz bestimmtes Rot, das ich nicht mag.

Zehn Jahre später ein ähnliches Erlebnis mit einer Briefmarkensammlung. Diesmal hatte ich wirklich ein bißchen genug davon. Ich zeigte sie einem Freund und hatte den Eindruck, daß er sie mehr mochte als ich, also verschenkte ich sie. Ich vermisse sie heute noch nicht. Möglich, daß einzelne Stücke heute etwas kosten würden, das ist mir egal.

Meine Beklemmung hat nichts mit Besitz zu tun – im Gegenteil, ich bin stolz darauf, daß es mir gelungen ist, Besitz loszuwerden, Ballast abzuwerfen. Nur, ich bin nicht mehr überzeugt, daß dies mit Verzicht und Großzügigkeit zu tun hatte. So edel, wie es wirken sollte, war es nicht. Es war keineswegs Einübung in den Verzicht oder Einübung in die Großzügigkeit.

Was war es denn?

Ich habe oft den Eindruck, daß ich einfach eine günstige Gelegenheit suchte, mein geliebtes Postauto im Stich lassen zu können. Einübung in den Verrat? Einübung in die verratene Liebe? Könnte sein – meine Beklemmung jedenfalls ist die Beklemmung des Verräters.

Ist es nicht vielleicht so, daß man bei einer gescheiterten Liebe viel mehr unter der eigenen Liebesunfähigkeit leidet als unter dem Nichtmehr-geliebt-Werden?

Ist das Einüben in den Verzicht nicht auch immer ein Einüben in den Verrat?

Oder ist vielleicht der Verrat die einzige wirkliche Möglichkeit der Veränderung – der Versuch, ein anderer zu werden – ein Erwachsener zum Beispiel?

Ballast abwerfen ist etwas Schönes. Ich stelle mir Ballonfahren schön vor – aber man wirft Ballast immer endgültig ab. Wer aus dem Männerchor austritt – ein Verräter –, wird wohl kaum je wieder eintreten.

Wenn einer kommt und sagt, da war ich auch einmal und das war ich auch einmal und so war ich auch einmal – dann meint er es bitter.

Wenn einer kommt und sagt: Ich war auch einmal ein Linker, dann meint er damit nicht, daß er die Linken möge – und seine Bitterkeit beweist, daß sie ihn an etwas erinnern.

Ich weiß nicht, wie das ist bei Ballonfahrern. Ich nehme an, daß sie mit ihrem Ballast vorsichtig umgehen müssen, weil sie keinen mehr abwerfen können, wenn sie keinen mehr haben.

Vielleicht wäre Einübung in den Besitz doch wichtiger als die Einübung in den Verzicht. Vielleicht ist der Verzicht der größere Betrug unserer Gesellschaft als der Besitz. Wer lernt, zu verzichten, der lernt auch, auf seine Meinung zu verzichten und auf seine Gefühle.

Ballast abwerfen – vielleicht heißt das Leben, vielleicht heißt das Älterwerden, vielleicht ist das einfach so und überhaupt nicht erwähnenswert.

Älterwerden ist etwas Natürliches. Was mich daran stört, ist nur, wie früh es schon beginnt.

Geschichte(n) I

Einer sagt, daß sein Leben ein ganzes Buch füllen würde. Wenn man das alles aufschreiben würde, das würde ein richtiges Buch. Er hat das Gefühl, eine Biographie zu haben. Und dieses Gefühl hat er, weil auch in seinem Leben Dinge passiert sind, von denen niemand weiß, von denen seine Frau zum Beispiel nichts weiß, Dinge passiert sind wie im Film.

Einer sitzt da in der Kneipe mit einem Rucksack, den er am Rücken behält in der Wirtschaft, ein kleiner Dicker mit auffallend rotem Gesicht. Er bestellt ein Bier und schläft ein. Jeden Monat einmal sitzt er hier, bestellt sein Bier und schläft ein. Alle kennen ihn, niemand weiß, wer er ist. Ich habe es einmal zufällig erfahren. »Er hat ein Recht zu schlafen«, hat man mir gesagt, »er ist Italiener, Bauernknecht in der Gegend, ein lieber Mensch, ein Schweigsamer, und er ist einmal von Neapel nach Stalingrad gelaufen und zurück.«

Einer sagt, diese Geschichte müßte man aufschreiben. Ich habe das jetzt getan, sie heißt: »Einer, ein kleiner, dicker und rotgesichtiger Italiener mit Rucksack hat das Recht, müde zu sein – er ist einmal von Neapel nach Stalingrad gelaufen und zurück.«

Einer nimmt an, daß ich Englisch könne, und demonstriert mir sein Englisch. Er kann ein Wort akzentfrei aussprechen: »Prisoner of War«. Und er kennt die Namen der Orte, wo er war.

Einer ist stolz darauf, daß er einundfünfzig Jahre in derselben Fabrik gearbeitet hat. Darauf hat er ein Recht.

Und das wäre alles beschreibbar und würde – wie einer gesagt hat – Bücher füllen, und die Bücher würden aussehen wie Biographie. Sie würden vielleicht auch Umgebung und Landschaft beschreiben. Irgendwie und irgendwo muß er durchgekommen sein auf seinem Fußmarsch von Stalingrad nach Neapel. Und es muß Gründe gehabt haben, daß es Stalingrad war, und die Gründe hätte man zu nennen. Nur etwas wäre nicht beschreibbar, das Schweigen, das hinter seinem Satz steht, hinter seinem Satz, der noch einfacher ist als meiner: »Ich war in Stalingrad.«

Es ist nicht Schweigen vor dem Grauen der Geschichte. Würde sein Satz heißen: »Ich war in Interlaken«, er wäre von demselben Schweigen begleitet.

Als ich hier in der Stadt vor fünfundzwanzig Jahren zur Schule ging, hatte ich ein Zimmer gemietet, bei zwei sehr alten Fräuleins – siebzig oder achtzig –, sie leben noch und sehen noch genau gleich aus. Sie sind seit fünfundzwanzig Jahren zwischen siebzig und achtzig.

Damals auch hatte ich eine große Verehrung für einen Schlagzeuger, für einen, so schien mir, Altmeister des Schlagzeugs: Max Roach. Er müßte längst tot sein – aber auch er hat sich nicht verändert. Ich war damals achtzehn, und er war sehr alt. Heute bin ich dreiundvierzig, und er ist dreiundfünfzig. Ich weiß nicht genau, warum mich sein Noch-Leben schockiert.

Elvis Presley ist tot. Ein Mädchen sagt mir, daß dieser Tod sie beeindruckt habe, weil er – Presley, der erste sei (der erste von denen), von dessen Tod sie am Tage seines Todes gehört habe. Sie hat einen Hauch von Geschichte erlebt, der alte Mann (43) ist tot. Sie hat ihn überlebt und wird ihren Enkeln erzählen können, daß sie schon gelebt hat, als eine Figur der Geschichte noch lebte. (Mein Großvater erinnerte sich, einen Soldaten der Bourbaki-Armee gesehen zu haben, der seine Mütze am Schulterknochen seines mageren Pferdes aufgehängt hatte. Meinem Vater und mir gilt die Bourbaki-Armee seither etwas. Wir haben etwas mit ihr zu tun.)

Als Lehrer fiel mir im Geschichtsunterricht auf, daß es fast unmöglich ist, den Schülern einen Begriff vom Nacheinander der Geschichte zu geben. Es fiel mir zum Beispiel auf, daß Hitler für sie eine Figur der Geschichte ist. Und wer eine Figur der Geschichte ist, ist ein Zeitgenosse von Kleopatra und Napoleon. Und später fiel mir auf, daß nicht nur Kinder so reagieren – wir wissen zum Beispiel, daß das 18. Jahrhundert dem 17. Jahrhundert folgte, gleich nach dem 17. kam das 18. Niemand will das bezweifeln. Aber es ist halt doch nicht wahr. Aber es gibt wohl Gründe, daß wir so denken – vielleicht weil es schließlich nur zwei Welten gibt: die der Lebenden und die der Toten und weil die Grenzen dazwischen fließend sind.

Viel einfacher, und ich meine nicht mehr als das, Max Frisch in seinem Nachruf auf Albin Zollinger: »Das war vor zwanzig Jahren. Zollinger war damals sechzehn Jahre älter als ich: Heute hingegen (...)
bin ich älter, als Zollinger geworden ist. Schreibe ich über den Älteren oder den Jüngern? Es ist eine seltsame Verlegenheit darin, daß
ein Toter jünger ist.«

Diese Zeilen haben mich damals (1961) sozusagen ohne Grund
beeindruckt, und sie sind mir sozusagen ohne Grund haftengeblieben.
Es gibt dazu nichts zu sagen, und es gibt daraus nichts zu folgern.

Ich weiß nicht, aber ...

P. S. Ich habe hier viele Sätze weggestrichen und keine andern dafür
gefunden, zum Beispiel diesen: »Was wären wir ohne unsern Tod.«

Geschichte(n) II

In meiner letzten Geschichte standen folgende völlig belanglose Zeilen als Klammerbemerkung: »Mein Großvater erinnerte sich, einen
Soldaten der Bourbaki-Armee gesehen zu haben, der seine Mütze
am Schulterknochen seines mageren Pferdes aufgehängt hatte. Meinem Vater und mir gilt die Bourbaki-Armee seither etwas. Wir haben
etwas mit ihr zu tun.«

Es war ein Satz ganz nebenbei, der mit der Geschichte eigentlich
fast nichts zu tun hatte. Er hätte auch heißen können: »Mein Vater
erzählte davon, daß sein Vater ein Marconi-Pult besaß – was das
auch immer ist.«

Nun kriege ich einen Leserbrief. Ein freundlicher Mann – ich
nehme an, daß er freundlich ist – schickt mir in einem Briefumschlag
fein säuberlich ausgeschnitten meine Geschichte, und am Rande stehen folgende Zeilen:

»Mein Vater – P. H., Arzt, Meilingen, geb. 1853, gest. 1918 – hatte
ein Pferd von der Bourbaki-Armee. Er erzählte gern von ihm – genannt Titus –, das sehr zahm gewesen sein soll.«

Der Leserbrief, so scheint mir, verdient eine Antwort – aber was soll ich darauf antworten? Ich befasse mich nicht mit der Bourbaki-Armee, und würde ich es tun – als Historiker zum Beispiel –, die Information, daß Titus sehr zahm gewesen sein soll, nützte mir nichts. Aber wenn jemand jemandem etwas mitteilt, dann hat er einen Grund dafür – und er hat ein Recht darauf, daß ich die Mitteilung ernst nehme und ihrem Grund nachgehe.

Ich versuche es:

Hätte ich den Mann in einer Wirtschaft getroffen, und beim Bier wären wir zufällig auf die Bourbaki-Armee zu sprechen gekommen, und ich hätte gesagt, daß sich mein Großvater erinnert hätte, und er hätte gesagt, daß sich sein Vater erinnert hätte, dann wäre daran nichts Besonderes. Das wäre eben ein Gespräch, wie es Gespräche gibt. Und würden wir einige Minuten zusammensitzen, wir würden uns wohl auch in Selbstdarstellung versuchen – zum Beispiel und warum nicht an diesem Thema –, und vielleicht würde ich ihn einen netten alten Mann finden und vielleicht er mich einen netten jungen. Mündlich wäre das selbstverständlich, so selbstverständlich, daß es nicht auffallen würde.

Schriftlich – da kann man nichts dagegen tun – ist es mehr, und ich habe mich über die Mitteilung, eine Mitteilung ohne Unterschrift übrigens, sehr gefreut.

Wem die Bourbaki-Armee nichts gilt, dem mag die Mitteilung lächerlich erscheinen. Mir gilt sie etwas, ohne daß ich viel weiß von ihr. Ich weiß, daß sich mein Großvater erinnerte – er weiß, daß sich sein Vater erinnerte. Er teilt mir das offensichtlich nur mit, weil ich ihn mit der Erinnerung meines Großvaters an die Erinnerung seines Vaters erinnerte. Der Inhalt seiner Mitteilung ist nichts anderes als Erinnerung – Erinnerung, die auch dann wertvoll ist, wenn sie zu nichts nütze ist, Erinnerung an und für sich.

Das »Weißt-du-noch?« der alten Männer nachmittags um vier am Stammtisch leitet selten eine Geschichte ein. »Weißt du noch, wie heiß der Sommer damals war?« »Im August 1934 waren wir doch zusammen mit dem Fritz auf dem Weissenstein.« »Da, wo heute das Photogeschäft ist, war doch früher eine Wirtschaft, weißt du noch?«

Und die Leute, die vom Nebentisch zuhören, erwarten eine Geschichte, aber sie kommt nicht. Die Frage ist rhetorisch – aber das
Nicken und das Schweigen ist so etwas wie eine Geschichte – oder
mehr: es ist die Geschichte. Es ist: an Geschichte teilgenommen zu
haben. Und es kann mitunter schön sein, wenn man beim Älterwerden nach und nach in dieses »Weißt-du-noch« hineinwächst und
damit einen Tisch näher an den Stammtisch heranrückt; denn die
Jungen, die wissen das eben nicht mehr, daß da, wo heute das Photogeschäft ist, früher eine Wirtschaft war. Und sie werden es nie wissen, weil es ihnen nie wichtig werden wird und weil sich sehr wahrscheinlich kein Historiker darum kümmern wird.

Ein alter Bauer hat uns einmal auf dem Berg gesagt, daß da, wo
wir jetzt stünden, früher eine Wirtschaft gestanden habe. Sein Großvater habe noch davon erzählt. Die Mitteilung hat uns nicht besonders interessiert. Aber wenn wir an dieser Stelle vorbeigehen, dann
sehe ich meinem Freund an, daß er daran denkt, und ich sehe auch,
daß er weiß, daß auch ich daran denke.

Wir sprechen nicht davon. Dazu gibt es wirklich überhaupt nichts
zu sagen – aber ich bin sicher, daß, wenn einer von uns beiden einmal nicht mehr sein wird, der andere genau an dieser Stelle an den
andern denken wird.

Der Satz des Bauern war mit keiner Geschichte verbunden. Es
schien sogar, daß diese Erwähnung für ihn nicht die geringste Bedeutung hatte. Offensichtlich – weshalb auch immer – hat die Erwähnung
des Vergänglichen (daß hier einmal Mauern und Tische und Menschen waren) uns beide erreicht.

Aber es hat nicht nur mit Vergänglichkeit zu tun, sondern auch
mit dem Umstand, daß durch Geschichte doch schon einiges besetzt
ist: die Stelle des Tenors durch Caruso, die Stelle des Geigers durch
Paganini und andere Stellen durch die Duse und vielleicht auch durch
die Monroe – und, wenn ich an meinen Vater denke, etwa durch Egli
und Oskar Egg und durch Litschi und Amberg und Diggelmann
und Weilenmann (das sind Radrennfahrer) – nicht daß sie meinem
Vater viel bedeutet hätten, aber ich habe die Namen durch ihn über-
liefert – irgendwie lege ich sie gerne auf den Tisch. Ich meine nicht

ihre Leistung, und ich meine nicht ihre Bedeutung, aber ich fürchte mich vor der Vorstellung, daß ich einmal der einzige sein könnte, der diese Namen – nur die Namen – noch im Kopf hat.

Wenn sie dann einer irgendwo erwähnen würde, wenn dann einer zum Beispiel Oskar Egg erwähnen würde (ich weiß nicht, ob der Name richtig geschrieben ist), wenn dann einer in der Zeitung von Egg schreiben würde – dann würde ich seinen Artikel fein säuberlich ausschneiden und an den Rand schreiben: »Mein Vater – geb. 1907 – hatte ein Fahrrad mit einem Egg-Wechsel, es war ein sehr zuverlässiges und gut gepflegtes Fahrrad – sogenannter Halbrenner –, und durfte ich es benützen, um den Gotthard zu überqueren.« Ich bin sicher, daß ich das tun würde.

Ich bin meinem Leser dankbar dafür, daß er getan hat, was ich an seiner Stelle auch tun würde (»tun werden würde« geht leider grammatikalisch nicht).

Wir sind jetzt drei, die mit der Bourbaki-Armee etwas zu tun haben: er, mein Vater und ich. Das ist zu gar nichts nütze, aber das ändert nichts daran, daß es das gibt.

In einem Gedicht von Ringelnatz, das von zwei »uralten« Eintagsfliegen erzählt, die am Ende des Tages (am Ende ihres Lebens) miteinander sprechen, gibt es den schönen Satz der Eintagsfliegenfrau: »Weißt du noch, wie es halb sechs Uhr war?«

Erinnerung an und für sich, das ist schon viel.

Ein Recht auf Verzweiflung

Es gibt in diesem Land, auf dieser Welt – davon haben wir gehört – Unzufriedene. Wenn sie sich irgendwie sichtbar machen, die Unzufriedenen, wenn sie auffällig werden, dann wirft man ihnen vor, daß sie sich dazu nicht der Mittel der Zufriedenen bedienen, nicht des Mittels der besonnenen Ruhe, nicht des Mittels der demokratischen Rechte, nicht des Mittels der optimistischen und vielleicht aussichtsreichen Verhandlung.

Unser Vorwurf gegenüber dem Hoffnungslosen ist, daß er die Hoffnung aufgegeben hat.

Ich schreibe nicht von den Zürcher Unruhen. Ich meine sie diesmal nicht einmal als Beispiel. Beispiele nämlich gibt es genug.

Wir kennen es alle, das lange und mühsame Gespräch mit der total entmutigten jungen Frau. Sie hat alles versucht, eine indische Sekte, Psychiater und Psychiatrie. Sie ist psychisch krank. Sie schafft es nicht mehr. Und nun setzt man sich hin und spricht mit ihr, sagt, daß doch alles nicht so schlimm sei, fragt, was sie denn wolle. Sie will etwas, sie weiß nicht was. Man macht Vorschläge, man ist stolz, daß nun bei ihr doch ein kleiner Schimmer von Hoffnung durchschimmert. Schon Sekunden später ist er wieder weg. Sie schafft es nicht, sie weiß, daß sie es nicht schafft – ich weiß es auch. Sie sagt, daß sie Menschen brauche. Sie sagt, daß sie sich langweile. Sie langweilt sich auch jetzt.

Ein Gespräch von acht Stunden, es ist morgens vier Uhr. Ich zermartere mein Hirn, durchsuche es nach Hoffnung, durchsuche es nach einer Möglichkeit, jener zu sein, der ihr geholfen hat. Acht Stunden lang zugehört, geantwortet, gesprochen, vorgeschlagen. Sie will nicht. Sie sagt am Schluß dieselben Sätze wie am Anfang. Sie kann nicht. Sie ist nicht mehr bereit, zufrieden zu sein. Hoffnung erscheint ihr als verlogen.

Wir alle haben das schon erlebt.

Auf dem Heimweg fällt mir ein, daß ich nicht auf sie eingegangen bin. Ich habe eine ganze Nacht mit billigen Tricks gearbeitet. Ich versuchte sie zu verführen. Zum Lachen zu verführen, zum Leben, zum Fatalismus zu verführen – nicht mit Argumenten, nur mit Tricks. Und genau den Satz, den sie am Anfang sagte, daß alles kaputt und alles sinnlos sei, habe ich verpaßt. Den wollte sie mir mitteilen, nur den, und den hat sie am Schluß wiederholt.

Sie nimmt nun wohl an, daß ich sie nicht verstanden habe. Sie nimmt es mit Recht an.

Volkswirtschafter und Politiker wissen es: man kann die Krise auch herbeireden. Optimismus ist das beste Mittel gegen die Rezession. Resignation ist der Feind der Gesellschaft. Kommt, laßt uns munter weitermachen, die Unzufriedenen sind eine Minderheit! Uns geht es gut, uns geht es gut, uns geht es besser als anderen. Wir haben wirtschaftlich, wir haben gesellschaftlich, wir haben privat mit Optimismus die besten Erfahrungen gemacht. Es kam immer besser, als wir dachten, und unser Optimismus war berechtigt. Wer nicht stolz darauf ist, treibt Verrat.

Wir haben die Katastrophe immer verleugnet. Ich denke an das kleine Mädchen, das total erschüttert vor seiner zerbrochenen Puppe steht. Sie ist kaputt, sie ist endgültig kaputt. Wieviel Zeit haben wir dem Mädchen gegeben, darüber zu weinen? So wenig als möglich. Zehn Sekunden? Dreißig Sekunden? Eine Minute? Der Onkel hat's geschafft, das Kind lacht, er hat es zum Lachen verführt, mit einem Versprechen, mit einem Witz – es spielt keine Rolle, mit was, wichtig ist nur der Erfolg: es lacht – alles nicht so schlimm.

Erinnern Sie sich? Ich erinnere mich!

Ist billiger Trost – besser als ein Bein gebrochen –, ist voreiliger Trost – jetzt nur die Ruhe wiederherstellen – wirklich das einzige, was wir dem verzweifelten Kind anzubieten haben?

Diese eine und einzige Puppe – wir wissen es – ist ein für allemal kaputt. Das ist sehr, sehr schlimm, da ist kein Kraut gegen gewachsen. Da wird nie und nichts und niemand etwas daran ändern. Die Verzweiflung des Kindes war berechtigt.

Warum waren wir nicht bereit, diese Verzweiflung zu teilen? Warum waren wir nicht bereit, mit dem Mädchen zusammen zu weinen? Warum waren wir nicht bereit, einzusehen, daß nun das Allerschlimmste passiert war?

Ich glaube, nicht einfach deshalb, weil wir möglichst schnell die Ruhe wiederherstellen wollten, sondern vielleicht, weil wir wissen, daß voreiliger Trost billiger ist als Verstehen. Das Mitweinen könnte uns an unsere eigene Verzweiflung erinnern. Die haben wir uns doch immer so schön vom Leib gehalten und sind nicht zuletzt deshalb Präsidenten geworden und Vorarbeiter und Unteroffiziere. Und wo käme die Welt hin, wenn wir uns für einmal hinsetzen würden und mitweinen? Wir sind nämlich krisenfest, wir haben das Weinen verlernt, und wir kennen die Tricks des voreiligen Trosts.

Ich meine als Beispiel nicht die Zürcher Unruhen, denn es gibt ein-
fachere Beispiele genug.

Nur, vielleicht steht jenes Mädchen, dessen Puppe vor zehn Jahren
zerbrochen ist, jetzt in Zürich auf der Straße und schreit verzweifelt
und glaubt keinem mehr, der ihm voreiligen Trost, voreilige Verhandlungen, voreilige Ruhe und Ordnung anbietet. Vielleicht gilt sein verzweifelter Kampf nur seinem Recht auf Verzweiflung. Jetzt endlich,
nach zehn Jahren, etwas länger verzweifelt sein dürfen als damals.

Etwas ganz anderes werden

Ich habe kürzlich einen Autor wiederentdeckt, den ich mal sehr liebte.
Er war um die Jahrhundertwende sehr berühmt, nicht nur in seiner
russischen Heimat, sondern auch bei uns. Sein Name ist Leonid N.
Andrejew, das Buch, das mich vor zwanzig Jahren so beeindruckt
hat, heißt »Die sieben Gehenkten« und schildert den Gang zur Hin-
richtung von sieben zum Tod Verurteilten.

Nun lese ich zufällig in einer Literaturgeschichte, daß jener Leonid
N. Andrejew ein Kitschier gewesen sei, daß er sich ein sehr romantisches und operettenhaftes Rußland erfunden habe und daß er der
Autor für jene war, denen ein Tschechow oder ein Gorki zu schwer
war.

Ich kann und will es nachträglich nicht nachprüfen. Sollte ich auf
Kitsch reingefallen sein – was soll's, ich bin stolz darauf, mich hat's
beeindruckt. Ich erinnere mich auch an ein Nachwort in jenem Buch.
Darin hieß es, daß Andrejew gesagt haben soll, er schreibe nur, um
berühmt zu werden. Er habe es in allen Sparten versucht, als Gewicht-
heber zum Beispiel, als Sänger, als Maler. Und als dann alles aussichts-
los war, habe er sich hingesetzt und ein Buch geschrieben, um endlich berühmt zu werden. Gorki hat ihn entdeckt, und seinen Ruhm
hat er erlebt.

Was an der Geschichte nicht ganz stimmen kann, das ist, daß seine
Themen keine Bestseller-Themen waren, aber die Geschichte gefällt
mir trotzdem.

Ob es wahr ist oder nicht, daß nämlich sein Antrieb nur Ehrgeiz war – bei der Wiederentdeckung (ein Band Erzählungen in der Manesse-Bibliothek) habe ich doch immerhin feststellen können, daß er ein richtiger Autor geworden ist. Halt eben so, wie ein ehrgeiziger Mensch ein richtiger Radrennfahrer oder ein richtiger Gitarrist oder ein richtiger Seiltänzer werden kann.

Was wollten wir eigentlich werden? Vor vierzig Jahren wollten wir Afrikaforscher werden. Einer wollte Schlagersänger werden, einer wollte Zirkusclown werden. Nichts anderes als die Vernunft, die sogenannte Vernunft, hat uns daran gehindert. (In der Regel empfiehlt man solchen Menschen, vorerst mal Primarlehrer zu werden – es hat seine Gründe, daß die Schriftsteller bei uns Primarlehrer sind. Ausgefallenes, Kunst zum Beispiel, könnte man dann doch auch noch in der Freizeit machen.)

Eine sehr nette, einfache Frau fragt mich um Rat. Sie möchte wissen, was sie für ihren Sohn tun könnte, der ein erfolgloser Künstler geworden ist, ein Maler. Ich bin etwas hilflos. Meine Antwort, daß sie ihn lieben soll, daß sie an ihn glauben soll, ist recht billig. Ich bin überrascht, daß ihr die Antwort gefällt. Sie wußte es bereits und hatte es bereits getan. Eigentlich Sorgen um den hoffnungslosen Sohn hat sich nur der Vater gemacht, die Welt würde grauenhaft aussehen, wenn die Väter ihre sogenannte Vernunft immer durchsetzen könnten. Und was noch dazukommt: diese Mutter schien wirklich nicht ganz überzeugt gewesen zu sein vom Talent ihres Sohnes. Sie war nur überzeugt davon, daß er so leben soll, weil er so leben will. Leben in der Hoffnung auf den (fast zufälligen) Erfolg, das ist kein leichtes Leben.

Der Sohn übrigens, ich glaube, der wäre auch bereit gewesen, die »Tour de France« zu gewinnen, wenn sich das irgendwie ergeben hätte. Und ich meine damit nicht nur Ehrgeiz, sondern auch den Willen, ganz allein etwas zu tun – etwas zu tun, was einem dann letztlich ganz allein gehört.

Man spricht mehr und mehr von Aussteigern. Von Leuten, die keine Schreiner, keine Mechaniker, keine Uhrmacher, keine Kindergärtnerinnen mehr sein wollen. Was wollen sie denn sein? Ganz einfach etwas ganz anderes. Und sie blättern die Zeitung durch nach diesem ganz anderen und suchen Schulen, die dieses ganz andere lehren.

Es gibt ein Wort dafür: »Alternative«. Und Alternative reicht vom Sozialarbeiter bis zum biologischen Gemüse, vom Rockmusiker bis zur religiösen Sekte. Unsere bürgerliche Gesellschaft hat aber noch eine andere Alternative anzubieten, eine Allerweltsalternative: sie heißt Kunst. Sie heißt Musik, Malerei, Literatur, Theater. Da kann man etwas werden, wenn man etwas werden will.

Andrejew – ein schwieriger, unglücklicher, unsteter Mensch übrigens – hat es geschafft. Aber nur wenige schaffen es, und sie verlangt zu viele Opfer, diese Kunst. Sie ist, gemessen an den Toten, die sie fordert, viel zu teuer.

Man bezeichnet diese sogenannte Kunst auch als Kultur. Das ist ein Irrtum – Kunst hat mit Kultur fast nichts zu tun. Sie ist nichts anderes als der Ersatz für verlorene Kultur. Ein Ersatz dafür, daß man nicht mehr ein Schreiner, ein Bauer, ein Lokomotivführer werden kann, ohne ein Stück Leben aufzugeben.

Die Arbeit, die wir leisten, ist entfremdete Arbeit, sie gehört uns nicht und erfüllt uns nicht. Unsere einzige Hoffnung heißt Erfolg. Die Kunst verspricht ihn.

Kultur wäre etwas anderes. Aber mir scheint, diese Kultur haben wir längst verloren. Und wenn junge Menschen aussteigen wollen, dann vielleicht, weil sie so etwas wie Kultur erahnen. Und wenn es ihre Mütter begreifen, dann wohl deshalb, weil sie Mütter sind. Das hat vielleicht noch mit Kultur zu tun.

Meine weiße Fahne der Unschuld

Ich fahre mit meinem Rad auf einem kleinen Umweg den Fluß ent-
lang in die Stadt. Der Weg ist selten befahren, man trifft hier fast
nie jemanden. Nun kommt mir eine Frau entgegen. Ich sehe von weitem, daß sie sich fürchtet. Es ist für sie immerhin ein Risiko, hier
einem Mann zu begegnen. Sie tut mir leid. Ich schäme mich, daß
ich ihr angst mache. Was soll ich tun? Soll ich vom Rad steigen und
zu ihr sagen: »Gute Frau, ich bin zwar ein Mann, aber ich bin kein
übler Kerl, sie brauchen sich vor mir nicht zu fürchten. Ich bin nicht
so einer, vor dem man sich fürchten muß.«

Das nützte nichts, ich würde sie damit noch mehr erschrecken. Ich
entscheide mich, an ihr vorbeizufahren und freundlich zu grüßen. Ich
sehe, daß sie aufatmet, weil sie feststellt, daß ich im Sinn habe, an
ihr vorbeizufahren.

Eine andere Frau erzählt, sie habe an einer Bushaltestelle gewartet, da habe ein Auto angehalten, ein Mann habe die Tür geöffnet
und vor ihr onaniert. Sie habe die Tür zugeschlagen und sei wegge-
laufen. Sie erzählt es nicht entsetzt, nur angeekelt.

Ich erzählte die Geschichte mehrmals weiter. Nun beginnen andere Frauen zu erzählen, und sie finden diese Geschichte nicht spek-
takulär. Sie kennen das. Sie fürchten sich (fast) nicht mehr.

Die Angst der Frau auf dem Feldweg war also berechtigt. Ich gehöre als Mann unfreiwillig einer Gruppe von Menschen an, die einer
anderen Gruppe von Menschen – den Frauen – angst macht. Es nützt
mir nichts, wenn ich mich entsolidarisiere und sage, daß ich mit denen
nichts zu tun hätte. Ich kann keine weiße Fahne hissen, wenn ich
über den Feldweg fahre. Es bleibt mir nichts anderes übrig, als zu akzeptieren, daß ich zu einer gefährlichen Gruppe gehöre, vor der man
mit Recht Angst hat.

Die Angst der Frauen ist berechtigt. Ich kenne die Geschichten,
die die Männer darüber erzählen, wie man eine Frau rumkriegt. Ich
kenne die biederen Männer, die das Wort »brauchen« verwenden
für den Kontakt zu einer Frau. »Er braucht sie.«

Ich kenne die Geschichten der Männer. Die bekannte Szene aus biederen Hollywood-Filmen hat auch mich vor dreißig Jahren beeindruckt. Da will ein Mann eine Frau küssen, die das unbedingt nicht will und sich mit Händen und Füßen dagegen wehrt. Der Mann ist kräftig, und es gelingt ihm schließlich, seine Lippen auf die ihren zu pressen. Beim ersten Kontakt der Lippen schmilzt die Frau völlig zusammen. Der Widerstand ist gebrochen, sie liebt ihn – Happy-End. In jenen Hollywood-Filmen wurde Liebe als Vergewaltigung dargestellt. So haben wir Männer das gelernt, und so sind wir.

Nicht ich bin so und Sie auch nicht, lieber Leser, aber wir alle zusammen sind so, das ist beschämend und ekelhaft. Ich gehöre zu einer Gruppe von Gewalttätern, und ich verstehe, daß mir niemand meine weiße Fahne glauben will.

Glaubt mir denn der Schwarze in New York meine weiße Fahne? Glaubt mir der Jude zu Hause meine weiße Fahne? Glaubt mir der Italiener, der Türke meine weiße Fahne? Und wie weiß ist sie denn eigentlich überhaupt, meine Fahne?

Reto, zwölfjährig, ist ein aufgeweckter Bursche. Er ist es unter anderem auch deshalb, weil er etwas mehr Fernsehen schaut als andere, und vor allem auch, weil er die anderen Sendungen schaut – jene Sendungen, die für Erwachsene sind, aber von Erwachsenen nicht geschaut werden.

Reto beginnt seine Gespräche mit dem schönen Satz: »Ich habe eine Frage.« Er hat eine Sendung über Rassismus gesehen, findet Rassismus scheußlich und hat nun eben noch einige Fragen. Ich rede gern mit ihm, er stellt jene Fragen, die ich längst vergessen habe, seine Fragen beginnen mit dem Wort »Warum«.

»Warum gibt es Rassismus?«

Ich spreche mit ihm nicht über die Neger, sondern über seine italienischen Mitschüler. Er sagt: »Es ist schon so, daß auf dem Pausenplatz nicht etwa die Italiener die Bösen sind, sondern die Oberschüler« – also jene, die keine Prüfung geschafft haben – »aber«, so sagt er, »die meisten Italiener sind Oberschüler – warum?«

Darauf gibt es zwei Antworten, eine rassistische oder eine soziale. Ich gebe ihm eine Antwort, aber er sagt, sie nütze ihm nichts, die Oberschüler würden ihn trotzdem quälen, auch die italienischen Oberschüler.

»Dann sind es also die Oberschüler, nicht die Italiener.«

»Aber Italiener ist doch etwas Besonderes. Ich kann ja nicht sagen ›irgendeiner‹, wenn es ein Italiener ist.«

Wir sehen ein, daß er allein gar nichts machen kann. Nicht er ist ein Rassist, sondern wir.

»Dann habe ich noch eine Frage«, sagt er. »Ich habe einen Film über Homosexuelle gesehen, das ist doch auch eine Minderheit, und die anderen sind doch auch gegen sie. Was macht man denn da?«

Wir versuchen, darüber zu sprechen, es ist nicht leicht, es fällt mir schwer.

Reto sagt: »Und jetzt die Frage, wie würde ich denn das merken, daß ich auch zu den Homosexuellen gehöre?«

Warum überrascht mich die Frage so sehr, daß mir keine Antwort einfällt?

Wie merkt man, daß man dazugehört?

Mir fiel die Geschichte mit der Frau auf dem Feldweg ein. Ich habe damals gemerkt, daß ich unfreiwillig zu einer Gruppe gehöre, die einer anderen Gruppe angst macht. Es macht mich sehr traurig, daß ich keine Möglichkeit habe, mich mit der Verängstigten zu verständigen. Ich bin unschuldig, aber ich schäme mich dafür. Rassismus ist eine Geschichte der Unschuldigen, das macht ihn so grauenhaft.

Und so etwas im 20. Jahrhundert

1947 – wir waren in der sechsten Klasse – brachte Sepp von Felten einige Exemplare der »Jugendwoche« in die Schule. Seine Eltern hatten ein Lädeli, und dort gab es auch diese Zeitung, und wer sehr nett war mit Sepp, der bekam so eine Zeitung.

Ich erinnere mich gut an diese Zeitung. Sie hat mich sehr beeindruckt, und ich habe sie gehütet. Auf dem tiefgrünen Umschlag war

eine Rakete abgebildet, die eher an Jules Verne erinnerte als an die
spätere NASA, und die Schlagzeile hieß: »Im Jahre 2000 – Flug zum
Mond?«

Ich erinnere mich an die hitzigen Debatten darüber, ob so etwas
überhaupt möglich sein werde, so ein Flug zum Mond. Einige konnten sich das vorstellen, aber die Mehrheit nicht. In einem Punkt waren
wir uns alle einig: wir waren überzeugt, daß so etwas bestimmt nicht
schon im Jahre 2000 möglich sein werde, sondern wenn schon, dann
viel später.

Nun haben wir erst 1981, und den ersten Mondflug haben wir bereits weit hinter uns. Er ist schon fast ein alter Hut. Das 20. Jahrhundert war furchtbar schnell. Es war sozusagen schneller als wir. So
gesehen, könnte man sagen, wir haben es verpaßt. Es hat uns überholt.

1947 hatten wir die Mitte dieses Jahrhunderts noch nicht erreicht.
Wenn wir damals vom »20. Jahrhundert« sprachen, dann sprachen
wir noch von einer Hoffnung. Sogar noch 1947, nach Erfahrungen
mit Krieg und Nationalsozialismus. Wenn wir von den Greueln in
Konzentrationslagern hörten, dann sagten wir entsetzt: »Und so
etwas im 20. Jahrhundert!« In jedem anderen Jahrhundert hätte es
uns nicht überrascht, aber das 20. Jahrhundert hatte ein gutes zu
sein, ein aufgeklärtes und anständiges. Wir waren bereit – trotz gegenteiliger Erfahrungen – in einem besseren Jahrhundert zu leben als all
die anderen vor uns.

Wir waren auch bereit, den Mondflug einem nächsten Jahrhundert
zuzuordnen – einem nächsten Jahrhundert, das nicht mehr uns gehören wird. »Nein, bis im Jahre 2000 wird sicher kein erster Mondflug stattfinden!«

Immerhin, auf das Jahr 2000 waren wir gespannt. Wir erwarteten
etwas davon, auch technischen Nervenkitzel, und wenn uns der Lehrer im Zeichnen das Thema stellte »Im Jahre 2000«, dann schwelg-
ten wir in technischen Phantasien, und wir fürchteten uns nicht davor, sondern wir stellten uns das vor wie eine große Kilbi, an der alles
gratis sein soll und spannend und sensationell.

Wir hatten auch technisch Begabte in der Klasse, Radiobastler. Der eine baut jetzt Atomkraftwerke. Auch sie haben die technische Phantasie des damals Zwölfjährigen wohl weit überholt. Auch er wurde von einem Jahrhundert überholt.

Wir hielten 1947 das Jahrhundert noch für jung, noch nicht einmal die erste Hälfte war erreicht. Was schiefgelaufen war, das sollte noch wettgemacht werden können. Noch mehr als 50 Jahre blieben uns damals dafür. Ein besseres Jahrhundert als das 19. Jahrhundert sollte es jedenfalls werden. Wir wußten damals, daß wir im 20. Jahrhundert leben, wir waren stolz darauf, und wenn etwas schiefging, sagten wir: »Und so etwas im 20. Jahrhundert!«

Diesen Satz habe ich schon lange nicht mehr gehört. Nicht gehört im Zusammenhang mit üblen Diktaturen, mit Folterungen und Geiselnahmen, mit Verfolgungen von Andersdenkenden, mit Hungersnöten und mangelnder Entwicklungshilfe. Wir erschrecken nicht mehr darüber, daß unser Jahrhundert übel ist. Es scheint fast so, daß wir im stillen eingestehen, daß uns das Jahrhundert mißlungen ist. Die Hoffnung auf das Jahr 2000 ist dahin, und die Zeichnungen von Zwölfjährigen zu diesem Thema sehen wohl anders aus als unsere damaligen.

Das Jahrhundert ist müde geworden, unsere Hoffnungen haben wir verbraucht. Dabei wird einer, der heute geboren wird, noch in diesem Jahrhundert 19 werden. Es dauert noch 20 Jahre, bis wir es hinter uns haben. Ist es vielleicht vorzeitig gealtert? Ist es so müde, weil es so schnell war?

Ich kenne den Einwand: Es gibt gar kein Jahrhundert. Das ist nicht mehr als ein arithmetischer Zufall. Und zudem: Ein solcher arithmetischer Zufall kann gar nicht müde werden. Dann sind aber vielleicht wir müde gegenüber diesem Jahrhundert. Und es ist nicht abzustreiten, unsere Zeit wurde uns von unseren Lehrern als Jahrhundert verkauft. Wir haben es immer wieder gehört: »Die Menschen des 20. Jahrhunderts«, »Die Technik des 20. Jahrhunderts«, »Die Politik des 20. Jahrhunderts.«

Diese eigenartige Formel war offensichtlich dafür gedacht, daß wir alle gemeinsam etwas schaffen sollten, daß wir eine gemeinsame Hoffnung haben sollten, daß wir gemeinsam eine Ära bestreiten

sollten. Sicher war das immer fürchterliches Pathos und mußte als
solches scheitern. Aber geglaubt haben wir es schon.

Ein Jahrhundert ist müde – die Formel dafür könnte heißen »Fin
de siècle«. Das hatten wir schon einmal am Ende des 19. Jahrhunderts. Jener Tanz auf dem Vulkan, übermütige Dekadenz, Nostalgie,
Entpolitisierung und der Glaube daran, daß nicht nur das Ende eines
Jahrhunderts in Sicht ist, sondern das Ende überhaupt.

Wenn das stimmt, die Formel »Fin de siècle«, dann ist nur erschrek-
kend, wie früh wir diesmal das Jahrhundert schon aufgegeben haben.
Es sollte doch das Jahrhundert des Fortschritts werden, des technischen und des humanen Fortschritts. Wir hatten eine so schlechte
Meinung vom 19. Jahrhundert, das mit den Problemen des Industrie-
proletariats nicht fertig wurde, daß wir dachten, das 20. werde ohne
viel Anstrengungen ein besseres. Und wir hätten eigentlich noch sehr
viel Zeit – noch 19 Jahre, in dieser Zeit kann ein Mensch erwachsen
werden – aber ich fürchte, wir sind zu müde, die Zeit zu nutzen.

Wieviel ist die Freiheit noch wert?

Ich kann mir vorstellen, daß es irgendeinmal eine Gesellschaft geben
wird, die Gesetzesbrecher nicht mehr einsperren wird. Ich kann mir
vorstellen, daß dann die Kinder in der Schule mit Entsetzen davon
hören, daß früher Menschen in kleinen Zellen mit Gittern und Türen
ohne Türfallen eingesperrt wurden – etwa so, wie sie heute hören, daß
auch in unserer Gegend Menschen gefoltert, an den Pranger gestellt,
verbrannt wurden. Ich kann mir vorstellen, daß irgendeinmal eine
Zeit kommen könnte, wo man Menschen nicht mehr einsperrt – eine
friedliche Zeit.

Fragen Sie mich nicht, wie man das machen sollte. Ich weiß es
nicht, ich kann es mir nur vorstellen.

Nach Feierabend ärgern sich ein paar Männer über Sprayereien,
die es in der Stadt gab. Sie sprechen nur ganz kurz davon und wechseln augenblicklich auf ein anderes Thema. Sie sprechen nun davon,

daß die Gefängnisse zu schön seien, zu human und daß man im Gefängnis bald besser lebe als draußen. Die haben dort Fernsehen und Stereo (sie sagen weder Radio noch Musik, sie sagen Stereo: ein magisches Wort der Konsumwelt), die dürfen sogar turnen und hätten eigentlich keine Sorgen. Die sind über den Skiweltcup genausogut orientiert wie wir – besser noch, wirft einer ein –, und in Genf, da soll es ein Gefängnis geben, da dürfen sogar die Frauen zu ihnen rein – sie sprechen nicht von Liebe oder Zärtlichkeit, sie sprechen ganz einfach vom V..., da braucht man nur einen umzubringen, und dann hat man das schönste Leben.

»Und die Freiheit, der Freiheitsentzug, ist das nichts?« werfe ich schüchtern ein.

Nun geht es erst recht los. »Die haben mehr Freiheit als wir. Die kriegen zu essen, bezahlen keine Steuern, haben keine Sorge mit der Arbeit, keinen Ärger mit Formularen und Familie.« (Die Wortpaarung »Formulare und Familie« ist nicht von mir – so hat es einer wirklich gesagt.)

Ist persönliche Freiheit denn wirklich nicht mehr als das Abfahrtsrennen am Fernsehen schauen dürfen, als sich einen Farbfernseher kaufen dürfen, als essen dürfen und v... dürfen? Was haben wir denn für Freiheiten? Wir haben die Gewissensfreiheit, die Redefreiheit, die Pressefreiheit, die Freiheit der freien Wohnsitznahme, der Berufs- und Stellenwahl usw. usw. Wir haben viele Freiheiten. Aber wer kann sie benutzen? Oder ist das etwa Freiheit, daß wir Woche für Woche unseren Lottozettel abgeben dürfen und auf die Million hoffen dürfen, die dann die Freiheit wäre? Wieviel ist sie noch wert, diese Freiheit – die Freiheit des Nicht-eingesperrt-Seins? Oder meinen die Männer am Stammtisch etwa, daß wir alle im Selben eingesperrt sind, zum Beispiel im Zwang, das Abfahrtsrennen am Fernsehen schauen zu müssen?

Wenn das so ist, dann haben sie recht, dann gibt es Gefangene hinter Mauern, die dasselbe Leben haben wie wir. Dann gibt es entweder keinen Grund, sie noch einzusperren, oder – das ist die Lösung am Stammtisch – man müßte sie noch zusätzlich quälen.

Die Eingesperrten aber machen sich tagtäglich Vorstellungen von der Freiheit (ein kühles Bier an einem heißen Sommertag in einem gemütlichen Gartenrestaurant), und wenn sie später aus ihrer Unfreiheit entlassen werden, dann finden sie sich in unserer Unfreiheit nicht mehr zurecht, weil sie sich diese Unfreiheit jahrelang als Freiheit vorgestellt haben. Das Leben – unser Leben an und für sich – sperrt ein, macht unfrei. Aber wer dann noch zusätzlich eingesperrt wird, der meint dann, das andere draußen, das sei die Freiheit. Er wird in diesem Draußen zwangsläufig scheitern müssen. Die Männer am Stammtisch sagen das im Ernst, daß sie (da kann man sogar v...) im Gefängnis besser leben würden.

Sie würden dort besser leben, weil sie hier »draußen« ihre Freiheit bereits aufgegeben haben, haben aufgeben müssen.

Wieviel ist unsere Freiheit noch wert? Sind wir frei darin, zu sorgen, daß uns das Leben gelingt – oder mißlingt es uns allen, und das ist einfach so?

Oder ist es vielleicht so, daß einem Griechen, einem Afrikaner, einem Südamerikaner die Freiheit (nicht hinter Mauern leben zu müssen) doch noch etwas mehr wert ist als uns? Gibt es Freiheit nur als Hoffnung jener, die sie nicht haben können? Durch Armut nicht haben können, durch politische Umstände nicht haben können? Haben wir unseren freiheitlichen Staat gar nicht der Freiheit zuliebe errichtet, sondern nur dem Geld zuliebe und dem wirtschaftlichen Erfolg? Dann wäre all das mit der persönlichen Freiheit nichts anderes als eine Zwecklüge. Dann ist Freiheitsentzug keine Strafe mehr.

Die Humanisierung des Strafvollzugs ist ein Gradmesser für die erreichte Freiheit einer Gesellschaft. Es sind die Unfreien, die nach Strafverschärfungen rufen. Nur eine freie Gesellschaft kann Freiheit wirklich entziehen. Wie frei sind wir, wieviel Freiheit können wir entziehen? Wenn es nur die Freiheit ist, einen Farbfernseher zu besitzen und zu essen und zu konsumieren und Bedürfnisse schaffen und Bedürfnisse decken – dann haben wir allerdings sehr wenig Freiheit, die wir entziehen könnten.

Inzwischen diskutieren Intellektuelle mit gutem Recht über Pressefreiheit. Wer kann sie eigentlich benutzen, diese Pressefreiheit? Kann ein Bürger, der glaubt, seine Freiheit sei nicht mehr wert als die des Gefangenen, kann dieser Bürger die Pressefreiheit benutzen? Ist sie ihm etwas wert? Ist Freiheit für ihn der höchste Wert in diesem Leben? Oder ist es doch nur die Hoffnung auf den Lottogewinn? Haben wir die Freiheit dem Zwangskonsum geopfert? Wieviel ist sie noch wert, die Freiheit? Der Zuschlag erfolgt an den Meistbietenden.

Vom Geiz, der Ehrgeiz heißt

Ab und zu werden mir Manuskripte von jungen Autoren zugeschickt. Ich erschrecke jedesmal, weil diese Zusendungen nichts anders sind als ein neuer Anlaß für schlechtes Gewissen. Ich komme nicht dazu, sie zu lesen, ich schäme mich dafür und vergesse aus Scham, sie zurückzuschicken.

Etwas Eigenartiges haben fast alle diese Zusendungen gemeinsam. Der Absender verlangt in seinem Begleitbrief ein hartes und unerbittliches Urteil von mir. Ich soll ihm ruhig mitteilen, wie schlecht das alles sei.

Entschuldigung, ich halte diese Aufforderung für Verlogenheit. Ich glaube, ich weiß, was sie bedeutet – der junge Autor fürchtet sich vor Höflichkeit. Er möchte mein Lob – nichts anderes als das erwartet er – von Höflichkeit unterscheiden können. Gut, das kann man begreifen; aber eigentlich finde ich es doch sehr unschön, dem andern die Chance der Höflichkeit zu nehmen.

Die Wahrheit und nichts als die Wahrheit! Was für eine gräßliche Forderung! Sie verhindert von Anfang an ein menschliches Gespräch. Ist es denn eine Lüge, wenn man einer Frau sagt, sie hätte die schönsten Augen der Welt? Und wie schwer wir es alle haben, Komplimente anzunehmen. »Nein, nein, meine Haare sind scheußlich – nein, nein, meine Nase ist schrecklich – nein, nein, ich finde meinen Artikel gar nicht gut« usw.

Die Englisch-Sprechenden sind gewohnt, ein Kompliment mit

»Thank you« zu quittieren, damit ist es als Kompliment erkannt und akzeptiert. Ich mußte mich als Komplimentemacher sehr an diesen Brauch gewöhnen. Ich versuchte dann anfangs auch, nach dem »Thank you« noch nachzudoppeln und zu sagen, das sei gar kein Kompliment gewesen, es sei wirklich wahr. Das »Dankeschön« war mir zu kurz. Inzwischen mag ich es. Daß Komplimente in angelsächsischen Gegenden ohne Diskussion entgegengenommen werden, das mag auch einer der Gründe sein, daß sie dort häufiger sind.

Die folgende Geschichte wäre nicht erzählenswert, wenn sie mir nicht mehrere Male in ähnlicher Form passiert wäre.

Ich sitze in New York (verzeihen Sie, schon wieder New York) an einer Bar. Ich komme ins Gespräch mit meinem Nachbarn. Er fragt mich nach meinem Beruf. Ich sage, ich sei Schriftsteller. Fünf Minuten später sagt er, daß er mir genau ansehe, daß ich ein sehr guter Schriftsteller sei. Ich sage »Thank you«, und – ich gebe es zu – ich freue mich richtig darüber, und mein Tag wird sonniger. Dabei weiß ich, daß er das wohl jedem sagen würde. Wir bezeichnen das als oberflächlich – aber ist es denn tiefsinnig, nicht zu loben?

Eine erfundene Geschichte dazu: An der Generalversammlung des Kaninchenzüchtervereins steht der Fritz auf und reklamiert wegen irgendeines Reglements und macht Vorschläge. Die meisten sind seiner Meinung, aber noch keiner hat gewagt, es auszusprechen. Nach gut schweizerischem Brauch werden die anderen hinterher zu Fritz sagen: »Schade, du hast vergessen, noch das und das zu sagen, du hast leider etwas zu leise gesprochen, auch warst du zu aufgeregt und hast ein wenig gestottert – aber im großen und ganzen hast du ja schon recht gehabt.«

Dieselbe Szene stelle ich mir auf amerikanisch so vor: Hinterher rennen alle zu John und sagen: »Großartig, just great, das war die beste Rede, die hier je gehalten wurde – du wirst noch einmal Präsident der Vereinigten Staaten.«

Was die Schweizer zu Fritz sagten, das war wohl die Wahrheit. Was die Amerikaner zu John sagten, ist ein Kompliment. Wieviel ist die Wahrheit wert und was ist menschlicher?

Was nichts kostet, weder Zeit noch Mühe, noch Geld, das kriegt

man vom Amerikaner in jeder Menge. Oft habe ich das Gefühl, bei
uns verhält es sich gerade umgekehrt. Der Geiz des Schweizers nimmt
mit abnehmendem Betrag zu. Es scheint hier oft leichter, einen Betrag von hunderttausend aufzutreiben als einen von tausend. Fünfzig
Franken für etwas Bestimmtes sind leichter zu kriegen als zwei Franken für nichts – und am allergeizigsten wird der Schweizer, wenn es
nichts kostet.

Ich war kürzlich dabei, als ein Filmer einigen Kollegen seinen Film
zeigte. Für ihn war es immerhin ein Ereignis, nach langer Arbeit trat
er zum erstenmal damit an eine kleine Öffentlichkeit. Hinterher saß
man zusammen, und ich hatte den Eindruck, daß jeder Anwesende
viel mehr daran interessiert war, seine unbestechliche Kritikfähig-
keit unter Beweis zu stellen, als dem Autor des Films eine Freude zu
machen. Mich machte das traurig. Man könnte bei einem solchen
Anlaß doch auch sprechen miteinander oder feiern.

Ich habe in einem anderen Zusammenhang von der Notwendigkeit der Bestechlichkeit in der Politik geschrieben – weil ohne Bestechlichkeit (geistige Bestechlichkeit) auch kein Kompromiß möglich sei. Das hat man mir inzwischen sehr übelgenommen.

Vielleicht versteht man mich etwas besser, wenn ich die harte und
gnadenlose Unbestechlichkeit beschreibe.

Eine letzte Geschichte: Kürzlich saß ich irgendwo in einem Lokal.
Ich bemerkte, daß ein junger Bursche schon lange zu mir rüber-
schaute. Offensichtlich suchte er das Gespräch. Nun kam er an meinen Tisch und sagte: »Du bist doch der Peter Bichsel, ich finde alles
Scheiße, was du schreibst.«

Hat er sich vielleicht vorgestellt, daß ich harte Kritik schätze?
Wollte er besser sein als die unaufrichtigen Lober? Ich weiß nicht –
mir hat es nicht gefallen, ich lasse mich gern loben – Thank you.

Die Erinnerung an sich selbst

Ich war ein schlechter Turner in der Schule, das ist ein hartes Schicksal für einen Bub. Zwei Meter achtzig war gefordert im Weitsprung – das ist nicht viel, aber zwei Meter siebzig war meine persönliche Bestleistung. Ich habe im Gebet und im Ernst dem Herrgott einen Tausch vorgeschlagen: eine halbe Note schlechter im Aufsatz und dafür zehn Zentimeter mehr Weitsprung. Er ging auf das Angebot nicht ein, auch nicht, als ich es erhöhte auf eine ganze Note.

Ich weiß heute noch nicht, ob ich ihm dankbar sein soll dafür. Ich wäre sehr gerne ein guter Turner gewesen, es hätte auch mir Spaß gemacht, am Reck etwas mutiger sein zu dürfen, etwas besser mit meinem Körper umgehen zu können.

Das Leiden dauerte an – Bezirksschule, Lehrerseminar, Sprung übers lange Pferd und Angstträume davor. Ich wurde Primarlehrer und hatte Turnen zu unterrichten. Ich habe vor meinen Schülern zugegeben, daß ich selbst die Übungen nicht kann. Zum mindesten hatten schlechte Turner bei mir nicht zu leiden – zum mindesten kannte ich das Leiden.

Stimmt das? Haben Leidende Verständnis für Leidende?

Ich hoffe, daß ich das hatte, aber ich erinnere mich, daß ich meine ganze Vernunft dafür einsetzen mußte und daß meine Gefühle und meine Erfahrungen dafür nicht ausreichten. Im Gegenteil: ich erinnere mich, wie langsam eine große Wut in mir aufkam, wenn ich einen so plump am Reck hängen sah, wenn es einer im Weitsprung überhaupt nicht schaffte. Ich habe ihn zwar nicht angebrüllt, aber vielleicht den nächsten oder übernächsten aus irgendeinem zufälligen Grund. Ich wollte nicht an mein eigenes Elend erinnert werden. Denn ich hatte es ja inzwischen geschafft. Ich hatte es geschafft, das Schülerelend hinter mich zu bringen. Ich hätte ja nun doch auch ein Recht darauf gehabt, es vergessen zu dürfen – nun wurde ich wöchentlich daran erinnert. Ich weiß nicht, ob nicht vielleicht ein besserer Turner mehr Verständnis gehabt hätte für die schlechten Turner.

Ich bin ein ungeschickter Mensch, Linkshänder und im Hand-

werklichen linkisch – aber ich mag linkische Menschen nicht. Irgend
etwas zieht sich in mir zusammen, wenn ich ihnen zuschauen muß.
Ich werde nicht gern an mich erinnert.

Schwierigkeiten mit einem Sohn, mit einer Tochter? Ist es nicht
auch die Angst davor, daß sie uns ähnlich sein könnten? Sicher, es
gibt den Stolz darauf, daß uns die Kinder gleichen – aber ärgern sie
uns nicht ab und zu mit Eigenschaften, mit denen wir selbst schlechte
Erfahrungen gemacht haben? Und wenn ich mich über meinen Sohn
ärgere, ärgere ich mich dann nicht ab und zu über mich selbst? Oder
anders gefragt: Kommt nicht ein Teil der Schwierigkeiten, die wir
zusammen haben, daher, daß wir uns gleichen? Ich ärgere mich mitunter über ihn, weil er mich an mich erinnert.

Nun gut, ich weiß, was man mir vorschlagen wird: ich soll mir ein
bißchen mehr Mühe geben. Ich versuche das, aber Mühe geben, das
heißt dann auch, nicht zu sehr auf die eigenen Erfahrungen zu vertrauen und die eigenen Gefühle nicht immer mit Erfahrungen zu verwechseln. Vielleicht müßte man lernen, im anderen den anderen zu
sehen und nicht einfach sich selbst.

Menschen wie du und ich – das ist ein schönes Wort. Ich habe
nichts dagegen, aber oft scheint es mir auch zu einfach und zu gefährlich. Es ist eine grausame Vereinfachung, wenn ich (im geheimen)
annehme, daß mein Sohn gleich sei wie ich. Es ist eine Anmaßung,
wenn ich glaube, daß ich Kinder verstehe, weil ich auch mal ein Kind
war. Wenn ich selbst eine starke Neigung zur Faulheit habe, dann
heißt das noch lange nicht, daß ich Verständnis für einen Fau-
len aufbringe. (Der Schweizer Ferienreisende in einem Entwicklungs-
land, der dann feststellt, daß Entwicklungshilfe unnötig sei, weil die
Leute dort nur faul seien – der geht vielleicht allzusehr davon aus,
daß jene Leute genauso seien wie er selbst. Er selbst hat seine Faulheit
unterdrückt – jene aber nicht. Sie erinnern ihn an seine eigene Faulheit, und das ärgert ihn.)

Ich weiß, daß ich Behauptungen aufstelle, und ich weiß, daß sie
gewagt sind, und ich beharre auch nicht darauf. Ich meine nur, man
könnte ja vielleicht einmal darüber nachdenken.

Fremdenhaß zum Beispiel, Fremdarbeiterhaß (Gastarbeiterhaß

geht leider nicht) – es gibt ihn. Ich weiß auch, daß es bessere Theorien darüber gibt als meine, zum Beispiel die, daß die Untersten in unserer Gesellschaft Leute brauchen, die noch ein bißchen unter ihnen stehen. Keiner möchte der Unterste sein – kein Einheimischer der Letzte sein.

Aber wenn ich ihnen lange zuhöre in der Wirtschaft, den Schweizer Bauarbeitern und den Schweizer Fabrikarbeitern, wie sie schimpfen über ihre italienischen Kollegen, dann kriege ich den Verdacht nicht los, daß sie irgendwo im tiefsten die Furcht haben, ihnen zu gleichen – die Furcht haben, von ihnen an sich selbst erinnert zu werden. Die Erfahrung, daß sie ihnen gleichen, löst die Angst aus, sie könnten gleich sein. Wer erträgt die Erinnerung an sich selbst?

Das einfache Leben

Mein Urgroßvater wird das bereits meinem Großvater erzählt haben, mein Großvater hat es meinem Vater erzählt, mein Vater mir, und ich erzähle es meinem Sohn: »Die Zeiten waren schlechter, als wir jung waren, wir hatten es härter, waren bescheidener, hatten es auch irgendwie besser – und Jugend hatte noch etwas zu tun mit Auf-Bäume-Klettern und Äpfel-Klauen.«

Kürzlich habe ich einen Dreißigjährigen – fünfzehn Jahre jünger als ich – erzählen hören. Er hat dieselbe Geschichte erzählt, die Geschichte meines Urgroßvaters: die Geschichte vom einfachen und bescheidenen Leben, ohne Taschengeld, ohne Ansprüche und mit Äpfel-Klauen und alldem. Und mit dem alten Schluß, daß die Jugend heute im Wohlstand lebe und daß dies der Grund sei für alles Elend.

Als jener Dreißigjährige 18 war, da war das Jahr 1968 mit den Globuskrawallen zum Beispiel, und damals hatte ich es schon gehört, die Sache mit den Wohlstandsproblemen. Und – ich gebe das zu – auch ich hatte damals den Eindruck, daß ich in einer anderen Zeit aufgewachsen sei.

Es gibt Armut, und ich kenne Leute, die in Armut aufgewachsen sind. Als ich ein Kind war, da gab es einige reichere und auch einige ärmere Mitschüler. Ich bin überzeugt, daß auch meine reichen Schulkollegen von damals heute ihren Kindern die Geschichte vom »einfachen Leben« erzählen. Plötzlich wollen alle, wenn nicht gerade in Armut, dann mindestens in Bescheidenheit aufgewachsen sein.

Wir alle fallen dauernd auf eine Legende rein. Die Legende stammt aus dem Schulbuch, sie hieß dort »Die Turnachkinder«, »Die Kummerbuben«, »Die rote Zora«, »Herz« usw. Die Geschichte vom einfachen Leben ist überhaupt nicht unsere eigene Geschichte. Es ist nur die Geschichte, die wir hätten erlebt haben wollen, weil sie uns in Legenden vorerzählt wurde.

Nun werde ich Briefe bekommen, von Siebzigjährigen, die wirklich noch in Armut aufgewachsen sind, und Vater gestorben, und drei in einem Bett, und Hunger und und ... Ich glaube das – nur, warum sind sie so verflucht stolz darauf, eine schlechtere Jugend gehabt zu haben? Vielleicht, weil die Armut so schöne und richtige Geschichten abgibt. So Geschichten, wie sie der Dreißigjährige immer noch erzählt.

Wir waren Jugendliche im Jahre 1950, und wir wurden schon damals als Wohlstandsjugend beschimpft. Wir erhielten unser Taschengeld mit dem Hinweis, daß es früher kein Taschengeld gab, und die fünfzig Rappen in unserem Sack hielten unsere Lehrer für sündhaft.

In einer zufälligen Runde wird wieder einmal über die heutige Jugend geschimpft. Ich versuche mich – erfolglos – auf ihre Seite zu schlagen, und dann das Stichwort »Wohlstand«. Vorerst einmal also tüchtig geschimpft auf die Wohlstandsjugend – dann die Geschichte vom »einfachen Leben« – und dann der schüchterne Einwand, daß wir es vielleicht doch zu weit getrieben hätten mit unserem Gelddenken und Erfolgsdenken, mit unserer Wohlstandsgesellschaft. Dann auch die Feststellung, daß man heute wirklich nicht jung sein möchte. Daß man früher – der Dreißigjährige sagt: Vor zehn Jahren – doch besser jung gewesen sei.

Ich schöpfe schon Hoffnung, hier ein bißchen verstanden zu werden.

Aber nein – jetzt kommt die Umkehrung: »Die haben es besser, die können werden, was sie wollen, die leben in einer besseren Zeit.«

Dann kommt die Feststellung, daß sie es schlechter haben sollten, daß die Leute im Krieg glücklicher waren usw. Und schließlich dann doch die Feststellung, das »einfache Leben« sei besser, dies aber in einem Tonfall, als müßte man das einfache Leben staatlich verordnen.

Ich kann mir nur eine Art von staatlich verordneter Einfachheit vorstellen: nämlich staatlich verordneten Krieg. Vielleicht wollen meine Mitdiskutierer das?

Ich wende ein, daß es viele Jugendliche gebe, die genauso einfach, fast ohne Geld leben und leben wollen. Das glaubt mir hier aber niemand. Das ist nur Faulheit usw. Der Wohlstand ist doch etwas Gutes. Die Alten haben ihn schließlich für die Jungen gemacht. Die Jungen haben ihn zu akzeptieren und sich zu freuen daran. Und sie haben zudem unsere dummen Geschichten über unsere eigene einfache Jugend anzuhören.

In Alternativzeitungen der Jugend kann man Kleininserate lesen. Einer hat einen gebrauchten Schlafsack für 20 Franken zu verkaufen. Ein Mädchen möchte Russischstunden (billig) erteilen und sucht gleichzeitig einen gebrauchten (billigen) Kühlschrank. Gebrauchte Schlittschuhe werden angeboten. Ein billiger Plattenspieler, eine gebrauchte Gitarre werden gesucht.

Mich erinnert das an etwas. Als meine jüngere Schwester dem Kinderwagen entwachsen war, da haben meine Eltern – sie waren nicht arm – ein Kleininserat aufgegeben: »Gut erhaltener Kinderwagen billig abzugeben.« Ich erinnere mich an die Leute, die zu uns nach Hause gekommen sind, um den Wagen zu besichtigen.

Die Kleininserate erzählten damals ganze Geschichten. Sie waren der Spiegel einer Welt.

Die Kleininserate in den alternativen Zeitungen heute sind der Spiegel einer sehr freundlichen und friedlichen Welt. Sie sind jedenfalls nicht der Ausdruck einer Wohlstandsgesellschaft.

Für mich sind sie eine Hoffnung: vielleicht gelingt es den Jungen, jene »einfache« Welt herzustellen, von der wir immer erzählten, auf die wir so stolz sind und die es nie gab.

Motivation

Nach Möglichkeit verpasse ich die Sportsendungen am Fernsehen nicht. Ich mag eigentlich das Reden über Sport, und ich freue mich auch ein wenig auf die Fußballweltmeisterschaften. Hie und da gehe ich auch zu einem Spiel. Ich könnte zwar auch darauf verzichten und würde es nicht sehr vermissen, aber wenn ich gehe, dann habe ich es ernst zu nehmen, dann habe ich mich zu ärgern über ein Foul an meiner Mannschaft, da habe ich zu diskutieren mit meinem Nachbar, ob das nun Abseits war oder nicht, da habe ich mich zu freuen über die Entscheide des Schiedsrichters oder zu ärgern – ich habe ein Fachmann zu sein, und die Sache muß mir wenigstens für die zwei Stunden wichtig sein.

Wenn ich dort stehe und behaupte, das alles ist ganz unwichtig, dann wird es mich auch nicht begeistern können.

Nun, es gibt jene berühmte und uralte Cabaret-Nummer: zwei Männer stehen am Fußballfeld, der eine versteht etwas davon, und der andere ist zum ersten Male hier und stellt dumme Fragen.

»Was wollen die mit dem Ball?«

»Sie wollen ihn zwischen die beiden Pfosten schieben.«

»Dann sollen die anderen doch weg, die stehen nur im Weg.«

»Nein, die anderen wollen ihn zwischen die anderen Pfosten auf der anderen Seite schieben.«

»Dann muß man ihnen einfach zwei Bälle geben, dann können beide auf beiden Seiten schieben, soviel sie wollen.«

Und so weiter – wir lachen über den Frager, obwohl er eigentlich recht hat. Wenn man alles hinterfragt, dann wird es sinnlos. Ich habe es ernst zu nehmen, nur dann bekommt es seinen Sinn.

Kürzlich war ich in einer Familie, da hat ein Maturand verzweifelt in einem Berufsberatungsbuch herumgeblättert: vielleicht Forstingenieur, vielleicht Völkerkunde, vielleicht Psychologie, vielleicht Mathematik – und dann hat er das Buch in eine Ecke geschmissen und gesagt: »Das hat alles keinen Sinn.«

Es ist offensichtlich so, wenn man die Dinge bis aufs letzte hinterfragen will, dann werden sie sinnlos. Irgendwo kommt immer der Punkt, den man halt fraglos zu akzeptieren hat.

Die Sporttrainer nennen das »Motivation«. Sie reden in ihren Interviews davon, daß der Spieler nicht richtig motiviert war oder zuwenig motiviert war.

Motivation heißt hier, daß es nicht einfach um ein Spiel und körperliche Ertüchtigung, sondern daß es im Ernst um alles gehe. Wer nicht bereit ist zu glauben, daß es nichts Wichtigeres gebe als dieses Spiel – der ist nicht motiviert.

Motivation ist zu einem schrecklichen Modebegriff geworden und zu einem schrecklich ernsten. Schüler sollen motiviert werden und Lehrlinge, die Junioren der Briefmarkensammler, die Wähler und die Parteimitglieder. Die Soldaten sollen motiviert werden, die Tierfreunde und die Atomkraftbefürworter. Der Soldat und der Briefmarkensammler: beide sollen lernen, daß es um alles geht – und um nichts anderes.

Ich weiß nicht: ich halte Motivation für etwas Unmenschliches.

Bei den Skiweltmeisterschaften sah ich einen Fahrer, den ich schon kannte, als er noch ein Kind war. Er fuhr für ein Land ohne Chancen, und er fuhr recht gut. Ich freute mich, seinen Namen zu hören. Ich versuchte, im Ziel sein Gesicht zu erkennen, aber er schob die Brille nicht weg und riß die Ski nicht hoch – es waren nämlich seine Ski, und er hatte, sie selbst bezahlt.

Nun traf ich kürzlich seinen Vater. Ich kenne ihn aus einem anderen Geschäft, er ist Germanist und hat mit Literatur zu tun. Aber er war selbst auch einmal Skirennfahrer, und er hatte seinen Sohn zu den Weltmeisterschaften als »Trainer« begleitet. Er erzählte mir von den Schwierigkeiten mit seinem Sohn, der nichts anderes mehr im Kopf hatte als Skifahren. Er erzählte auch, daß er es begreife, weil es früher für ihn ja auch so war.

Ich erzählte, daß ich seinen Sohn gesehen habe am Fernseher und daß ich mich gefreut habe. »Ja«, sagt er, »er hätte eigentlich noch besser fahren können, aber er war ungenügend motiviert. Er ist gegenwärtig sehr verliebt, und da bringt er am Start nicht alle Schwierigkeiten aus dem Kopf, und da kann er sich nicht voll konzentrieren.«

Es stimmt also doch nicht, daß er nur Skifahren im Kopf hat, er ist offensichtlich noch nicht ganz verloren – verloren an eine Sache, die nur einen Sinn hat, wenn man sie todernst nimmt.

Ich finde es erfreulich, daß es noch Sportler gibt, die zu wenig motiviert sind. Den inneren Amateurstatus – so scheint mir – verliert man wohl dann, wenn man die totale Motivation erreicht hat.

Mag sein, daß man sie von Profis erwarten darf, und man nennt diese Profisportler dann ab und zu auch Gladiatoren. Ein Gladiator ist einer, der weiß, daß es um Tod und Leben geht, er ist absolut motiviert.

Sport ist die schönste Nebensache der Welt, sagt man. Was ist das für eine Nebensache, die nicht erlaubt, daß man beim Start an eine unglückliche Liebe denken darf?

Ich erschrecke, wenn ich den Begriff »Motivation« höre. Kann »Motivation« nicht auch der Anfang der Entmenschlichung sein? Ich denke jedenfalls daran, wenn ich Sportler vor dem Start bei ihren Konzentrationsübungen sehe. Ich weiß nicht, ob ich dann mit ihnen leide oder mich vor ihnen fürchte.

Ist Australien schön?

»Wie gefällt es Ihnen denn hier?«

Die Frage höre ich hier täglich, und nachdem mein Deutschlandaufenthalt nach und nach zu Ende geht, heißt die tägliche Frage nun: »Wie hat es Ihnen hier gefallen?«

Ich weiß, daß es nur eine Antwort darauf gibt, nämlich »gut«; aber die einfache und richtige Antwort gelingt mir nicht, und die Frage bringt mich zum Verzweifeln. Ich stottere und zögere, denn wenn das »gut« nicht augenblicklich gelingt, dann ist es für immer verpaßt. Nach einer Pause von ein paar Sekunden ist es nicht mehr überzeugend anzubringen.

Warum weigere ich mich denn, das bequeme »gut« als Antwort zu benützen? Nicht etwa, weil es mir hier nicht gefallen hätte; viel eher, weil mich die Frage nicht beschäftigt. Ich habe sie mir selbst noch nicht gestellt oder höchstens im Ärger, also höchstens dann, wenn es mir wirklich nicht gut gefallen hat.

Ich verstehe die Frage ganz einfach nicht. Ist die Frage geographisch gemeint, etwa bezogen auf die Schönheit der Landschaft? Oder ist sie politisch gemeint, also Bundesrepublik? Oder ist es die Frage nach dem Geschmack des Weins oder der Qualität des Essens oder nach der Freundlichkeit der Leute?

Ich erinnere mich an die Frage der Erwachsenen: »Wie gefällt es dir in der Schule?« Ich erinnere mich, daß die Frage den stolzen Erstkläßler beleidigte. Schließlich war ich jetzt ein richtiger Schüler und durfte wie die großen Schüler über Hausaufgaben schimpfen und mit Leistungen prahlen, den Schulhausabwart blöd finden und mich vor dem Lehrer fürchten, der die Pausenaufsicht hatte.

Das war immerhin etwas, und ich war jemand – ein richtiger Schüler nämlich –, und da kommt ein Erwachsener und fragt mich, wie es mir in der Schule gefalle – er fragt so, als ob es ein Nichts wäre, als ob das alles einfach nur mit »gefallen« oder »nicht gefallen« zu tun habe.

Ich neige dazu, die Frage mit dem Satz zu beantworten: »Ja, ich bin hier – schon fast seit einem Jahr.« Ich bin einfach hier, das hat doch nichts damit zu tun, ob es mir gefällt oder nicht.

Ich würde wohl auch dann in Solothurn wohnen, wenn es weniger schön wäre oder schöner, und ich lebe doch nicht seit dreißig Jahren in Solothurn, weil es der schönste Ort der Welt ist. Ich lebe doch nur dort, weil Umziehen so kompliziert ist – ich wüßte nicht, wohin –, und würde ich mich trotzdem entscheiden, dann müßte ich meinen Entscheid begründen und den Ort, den ich mir auswähle, loben und sagen: »Ich lebe dort, weil es dort so schön ist.«

In Deutschland ist die Urlaubshysterie ausgebrochen. Um fünf ist Arbeitsschluß, und um zehn nach fünf braust man los. »Wohin fahren Sie in den Urlaub?« ist hier eine selbstverständliche Frage. »Ich fahre nicht«, ist keine Antwort. »Ich fahre nie«, ist eine Frechheit.

»Also wir fahren in die Toscana«, und die Antwort darauf heißt: »Ja, die Toscana ist schön.«

»Wir fahren nach Skandinavien.« – »Skandinavien ist sehr schön.«
»Wir fahren nie mehr nach Spanien, Spanien ist nicht mehr schön.«
»Sie kommen aus der Schweiz – die Schweiz ist schön.«
Offensichtlich ist das dann doch die Landschaft, die schön ist oder
zumindest brauchbar: Berge, Wasser, Sand.

Ich werde ganz klein und schweigsam, wenn ich diese Gespräche
höre. Mir fehlt offensichtlich ein Sensorium, das die anderen alle
haben. Ich kann mich nicht hinstellen und sagen: »Hier ist es schön«
oder »Hier ist es nicht schön«.

»Mir geht es gut«, das kann ich schon sagen, wenn's nötig ist und
wenn's gefordert wird.

»Sie waren also in Australien, ist Australien schön?«

Dazu kann ich nur sagen, daß ich gern in Australien war. Nachdem
ich das »schön« der anderen nicht verstehe, fällt es mir schwer, ganz
Australien einfach mit dem Wort »schön« zu quittieren.

Immerhin – Australien: als ich einmal stundenlang durch eine immer gleichbleibende Landschaft fuhr, so gleich, daß man glaubte,
immer im Kreise herumzufahren, die gleiche rote Erde, der gleiche
Busch, der gleiche Baum, und dann anhielt, um ein bißchen zu ver-
schnaufen und die Landschaft, die fast keine war, nun doch anschaute – und es gab weder einen Sonnenaufgang noch einen Sonnenuntergang, und es war bewölkt –, und ich schaute müde in die
immer noch gleiche Landschaft, und plötzlich überkam es mich,
und ich sagte laut vor mich hin: »Eigentlich bist du schön.«

Und ich fuhr weiter, und die Landschaft, die immer gleiche, begann
mich zu begeistern, und ich schaute sie an.

Ist Australien deswegen schön?

Ist Australien deswegen schöner oder weniger schön als Österreich?

Als ich einem New Yorker Taxifahrer einmal sagte, wie sehr ich
seine Stadt liebe und wie schön sie sei, bekam ich die barsche Antwort: »Dann bleib doch!« Er meinte damit: »Schwatz nicht so blöd!«
Er meinte damit: »Ich wohne hier, und es ist mir selbstverständlich.
Ich wohne nicht hier, weil es mir gefällt oder weil es mir nicht gefällt.«

Und dann sagte er noch: »Ich möchte nicht anderswo leben, auch
wenn ich noch nie anderswo war.«

Eigenarten

Als ich vor Jahren für längere Zeit in Amerika war, versuchte ich wieder einmal – und wieder einmal erfolglos – Tagebuch zu führen. Ich wollte meine Beobachtungen, meine Erfahrungen und Erlebnisse aufzeichnen. Schon nach wenigen Tagen gab ich es wieder auf. Ich stellte fest, daß es mir im fremden Amerika nicht gelang, von Menschen zu schreiben – ich schrieb dauernd von »der Amerikaner« oder »die Amerikaner«. Sobald mir etwas auffiel, was ich nicht als gewöhnlich empfand, was bemerkenswert und außergewöhnlich war, dann bezeichnete ich es gleich als »amerikanisch«. Wenn ich einen Menschen sah, der so oder so über die Straße ging, dann stand in meinem Tagebuch: »Die Amerikaner gehn so und so über die Straße.«

Weil ich in einem fremden Land das Außergewöhnliche nicht vom Gewöhnlichen unterscheiden kann, behauptete ich einfach, daß alles, was ich hier sehe, typisch amerikanisch sei. Weil wir wissen, daß die anderen anders sind, deshalb haben sie es auch zu sein. Schließlich macht man auch keine Reise, um festzustellen, daß die Leute dort gleich sind wie wir, gleich freundlich, gleich sauber, gleich fleißig. Die Reise lohnt sich schließlich nur, wenn die anderen anders sind.

Daraus entstehen auch die Vorurteile. Ich stelle mir etwas vor, wenn ich höre: Ein Italiener, ein Jugoslawe, ein Holländer. Ich stelle mir halt dann doch nicht einen Menschen vor, sondern den Angehörigen einer Nation, und eine Nation, das ist etwas mit gemeinsamen Eigenschaften. Wenn ich mich ein wenig darüber freue, daß ein Schweizer einen Sportwettkampf gewinnt, dann freue ich mich eigentlich darüber, daß ein gleicher wie ich gewonnen hat. (Vielleicht – ich weiß es nicht – ist meine Freude sogar ein wenig gedämpft, wenn er französischer Zunge ist. Es ist mir schon etwas wert, daß die Morerod und die De Agostini recht gut Deutsch sprechen.)

Hier, wo ich jetzt lebe, in Bergen-Enkheim, da bin ich »Der Schweizer«. Die Vorstellungen über dieses Land Schweiz sind hier gefestigter und exakter als meine eigenen Vorstellungen. Wenn sie mir hier meine eigene Schweiz erklären, und das tun sie oft, dann beziehen sie mich ein und sagen: »Ihr Schweizer.« Sie erzählen mir Berner Witze, immer dieselben, und sie glauben, daß dies mich freue. Sie haben eine recht eigenartige Vorstellung von Schweizerdeutsch, wenn sie sagen, sie versuchen es, auf Schweizerdeutsch zu erzählen – ihr nachgeahmtes Schweizerdeutsch erscheint mir als reines Hochdeutsch, ich kann nicht einmal unseren Akzent darin erkennen. Die umstehenden Deutschen allerdings empfinden es als sehr lustig und loben den Erzähler für seine Kunst der Nachahmung. Ich kann weder im Inhalt des Witzes noch in der Erzählweise typisch Schweizerisches erkennen. Meine Schwierigkeit, Schweiz zu definieren, und ihre Leichtigkeit, Schweiz zu definieren – das sind zwei Welten.

Immerhin, und das sei zugegeben, ich bin von unserer Eigenart überzeugt. Auch ich bin halt dann letztlich doch überzeugt, daß wir Schweizer anders sind als die anderen. Es ist mir nicht unangenehm, wenn sie sagen: »Aha, der Schweizer.« Man ist hier wenigstens etwas, wenn man etwas anderes ist.

Nun, das ist die eine Sache: wir halten die anderen für eigenartig. Was aber viel überraschender ist: die Nationen selbst halten sich auch für eigenartig. Und hier in Hessen bieten sie mir dauernd ihre Eigenart an. »Kennst du unseren Eppelwei?« – »Den findest du aber sicher nicht gut.« Man beobachtet mich, wenn ich ihn trinke. Man findet es fast exotisch, daß er ihn trinkt – etwa in der Art, wie wir Ausländer »Chuchichäschtli« sagen lassen.

»Gefällt es dir hier?«

»Ja, sehr.«

»Wir Hessen sind sehr gemütliche Leute.«

Davon habe ich nun allerdings nichts gesagt. Wenn es mir hier gefällt, dann sicher nicht wegen der hessischen Gemütlichkeit – wenn es mir in München gefällt, dann sicher nicht wegen der bayrischen Gemütlichkeit, und am Rhein bestimmt nicht wegen der rheinischen Gemütlichkeit.

Ich meine, ich stelle hier keineswegs etwa Ungemütlichkeit fest, aber es überrascht mich doch, daß jeder Hesse weiß, daß die Hessen gemütlich sind. Woher wissen sie das? Gemütlich im Vergleich zu wem oder was? Einzelne versuchen, etwas typischere Hessen zu sein, und demonstrieren Gemütlichkeit – die sind nun allerdings echt un-gemütlich – wie jene Schweizer, die schweizerischer sein wollen als die Schweizer.

Und dann kommt immer wieder die Frage: »Verstehst du etwas, wenn wir untereinander sprechen? Verstehst du unseren Dialekt?«

Ich weiß nicht, was ich darauf antworten soll. Die Antwort kann nur beleidigend ausfallen. Sie sind nämlich von ihrer Eigenart so über-zeugt, daß ich ihnen eine Freude machen würde, wenn ich sagen würde: »Ja, ab und zu ein Wort, aber es ist schon recht schwierig.« Nur ist das nicht wahr. Ich verstehe sie sehr gut. Sie sprechen fast reines Hochdeutsch, vielleicht ab und zu mit verkürzten Endungen, und das Ganze leicht hessisch eingefärbt. Sie aber glauben an ihre Eigenart und sind überzeugt, daß sie einen eigenen Dialekt sprechen. Von Hamburgern kann man sie zwar unterscheiden.

Ich sage, daß ich vielleicht sogar altes, echtes Hessisch verstehen könnte. Sie glauben es nicht und rezitieren einen besonders schwe-ren, auswendig gelernten Satz. Ich verstehe ihn, weil ich als Schweizer Erfahrung habe im Umgang mit verschiedenen Dialekten.

Das enttäuscht sie schon. Was soll ich tun? Das nächste Mal werde ich mich dumm stellen. Sie haben schließlich ein Recht auf ihre Eigen-art – wie wir auch.

Kaffeeklatsch

Die ältere deutsche Dame, die – offensichtlich aus ihren Ferien in Ita-lien zurückkehrend – kurz nach Basel den deutschen Speisewagen be-tritt und glücklich feststellt: »Endlich wieder einen guten deutschen Kaffee!« – diese deutsche Dame bringt mich zum Lachen, zum zyni-schen Lachen. Für mich ist das ganz klar: Deutscher Kaffee ist nicht gut und hat nach unserer Meinung mit Kaffee nichts zu tun. Ich mag ihn nicht, ich trinke dann hier zum Frühstück doch lieber Tee.

So weit, so gut und eigentlich kein Problem – kaum erwähnens-wert. Nur etwas fällt mir dabei auf: ich halte mein Urteil über deut-

schen Kaffee nicht für ein persönliches Urteil, sondern für ein objektives, das heißt, ich bin überzeugt, daß die Deutschen falschen Kaffee
trinken (wohl weil sie keine Ahnung davon haben) und wir Schweizer
den einzig richtigen.

Mir fällt auch auf, daß die Franzosen – bekannt für guten kulinarischen Geschmack – auch keinen richtigen Kaffee trinken.

Irgendwie macht es mich doch skeptisch, wenn wir schließlich die
einzigen sind, die das richtig machen. Zwar wird mich niemand dazu
bringen, deutschen Kaffee gut zu finden. Das ist meine Sache und
mein Geschmack. Ich frage mich nur, woher ich eigentlich die Arroganz beziehe, mein Urteil als objektiv zu empfinden.

Woher beziehe ich die Arroganz, zu behaupten: Wir Schweizer machen den Kaffee richtig, ihr Deutschen macht ihn falsch? Schließlich ist die Kaffeebohne weder schweizerischen noch deutschen Ur-
sprungs. Wäre es nicht richtiger, zu sagen: »So wie ihr ihn macht,
so schmeckt er uns nicht. Er ist uns so zu schwach und zuwenig
schwarz.«

Schließlich ist es vorstellbar, daß den Deutschen unser Kaffee nicht
schmeckt. Es ist vorstellbar, daß schwach oder stark geröstete Kaffeebohnen in beide Richtungen geschmuggelt werden, in der einen
Richtung nicht des Preises, sondern des Geschmackes wegen. Es ist
vorstellbar, daß ein Deutscher seinen Lieblingskaffee mitbringt zu
seinem Urlaub in der Schweiz.

Ein weltbewegendes Thema ist das nicht. Die unbedeutende Sache
mit dem Kaffee zeigt mir nur, wie sehr ich zu einer Nation gehöre,
wie sehr auch ich ein Schweizer bin (und fast kein Europäer) und
wie schwer es auch mir fällt, als Angehöriger einer Nation den Geschmack, die Sitten, die Eigenarten einer anderen Nation zu akzeptieren. Ich neige auch dazu, vor allem bei Kleinigkeiten, unsere Art als
richtig und die andere Art als falsch zu bezeichnen.

Dabei ist mein Kaffeegeschmack nicht mein ursprünglich persönlicher Geschmack. Er ist der Geschmack einer Gruppe, einer Nation –
und ich nehme nicht an, daß sich mein Kaffeegeschmack mit dem
eines Brasilianers deckt.

Wie auch immer, ich kann's nicht ändern, ich gehöre einer Nation an, das ist die eine Sache. Die andere Sache ist, daß ich dann nationalistisch werde, wenn ich glaube, unser Geschmack und unsere Art sei nicht nur für uns, sondern objektiv die bessere. Da beginnt die Arroganz. Ich bin zwar kein Hurrapatriot, ich bin auch kein Nationalist, trotzdem, ich bin nicht gefeit davor, nationalistisch zu reagieren. (Übrigens auch mein Aufsatz »Wie deutsch sind die Deutschen« ist ein Beweis dafür.)

Ob wir das wollen oder nicht, ob es uns interessiert oder nicht, ob wir es hassen oder lieben: keiner kann sich dagegen wehren, daß er einer Nation angehört – nicht nur auf dem Papier und mit dem Paß, sondern letztlich mit allem, was seine Person ausmacht. Es ist nie leicht, die andere Nation zu verstehen, und selbst wenn man sie liebt, versteht man sie oft falsch.

Ich will nun nicht schon wieder einmal mehr behaupten, daß wir Schweizer in diesem Stück besonders schlimm und besonders arrogant seien – es gibt Beweise genug, daß es andere Nationen auch sind. Ich bin auch ganz und gar gegen die Abschaffung der Unterschiede – ich will deutschen Kaffee nicht mögen lernen.

Was ich aber gern lernen möchte, das ist, daß ich meinen nationalen Geschmack nicht für objektiv besser halte. Ob das erlernbar ist? Ich fürchte fast: nein. Mein zynisches Lachen im Speisewagen allerdings muß ich hinterher zurücknehmen. Ich schäme mich nachträglich dafür.

Ich habe jemanden ausgelacht, der sich auf etwas freute, was er für einige Zeit vermißte. Dafür hätte ich doch Verständnis haben müssen. Das kenne ich doch selbst.

Die Dame, die kurz nach Basel den Speisewagen betrat, hatte sich richtig gefreut. Sie lobte strahlend ihren geliebten deutschen Kaffee. Es bleibt dabei, ich mag ihren Kaffee nicht. Aber zum mindesten müßte ich mir doch vorstellen können, daß sie ihn mag, daß sie ihn lieber mag als meinen.

Objektivität und Heimat

Es ist eigenartig, wie schnell man heimatlos wird. Ich lebe keineswegs als Emigrant in Frankfurt, ich hatte keinen Anlaß, aus der Schweiz zu flüchten. Ich lebe durch Zufall hier und nur für ein Jahr.

Gut, man könnte dem auch sagen, ein wenig Distanz gewinnen von der Schweiz, um die Dinge aus der Ferne etwas kühler und sachlicher betrachten zu können. Mehr Objektivität gewinnen, würde das etwa heißen bei Leuten, die unsere Medien überwachen.

Nun, ich habe den Kontakt zur Schweiz nicht aufgegeben. Meldungen aus der Heimat erreichen mich täglich, Briefe und Telefone. Ich erkundige mich auch nach Politik: »Wie steht es mit der Sache?« »Was ist daraus geworden?« »Parteiprogramm?« »Kaiseraugst?« Und ich erschrecke fast darüber, daß mich die Antworten doch nicht so sehr interessieren. Die Aktualität ist weg. Ich weiß zwar, daß mich dies alles schon bald wieder – wenn ich zurück bin – direkt interessieren wird.

Ich versuche, mich auf dem laufenden zu halten, um bei meiner Rückkehr nicht allzu große Informationslücken zu haben, und ich habe auch eine Schweizer Tageszeitung abonniert und zwei Wochenzeitungen. Ich erschrecke darüber, daß einzelne Exemplare ungelesen, ungeöffnet bleiben. Ich erschrecke darüber, wie schnell Probleme – politische Probleme –, die ich in der Schweiz als hautnah empfand, wie schnell diese Probleme abstrakt werden. Und sie verlieren an Gewicht, wenn sie abstrakt werden.

Meine Meinung zu Kaiseraugst zum Beispiel ist dieselbe, mein Standpunkt hat sich nicht verändert, aber die Wut ist geringer geworden, der Ärger darüber ist kleiner.

Es ist eigenartig, daß man Heimat dann verliert, wenn man den Ärger über sie verliert. Abkühlung der Gefühle findet nicht nur in der Freude, sondern sie findet auch im Ärger statt. Vielleicht ist Ärger halt doch ein intensiveres Gefühl, und die Abkühlung, die Abstraktivierung, die Objektivierung wird im Ärger wohl heftiger empfunden.

Objektivität – wie oft schon wurde uns das zu Hause in der Schweiz als höchster Wert verkauft. Gefordert von Fernsehen, Radio und Zeitung, gefordert von jedem einzelnen, gefordert vom Diskussionsteilnehmer. »Wir wollen uns jetzt ganz ruhig zusammensetzen und ganz ruhig argumentieren. Wir wollen die Vorteile und die Nachteile ganz sachlich gegeneinander abwägen«: wer hat das nicht schon in irgendeinem Zusammenhang gehört, und wer würde sich in so einem Fall hinstellen und sagen: »Da bin ich dagegen, das paßt mir nicht.«

Wer würde, wenn irgendwo dauernd die Objektivität gefordert wird, trotzig die Unobjektivität fordern? Niemand – und wohl auch mit Recht niemand.

Nur, es gibt Gruppen von Leuten, die ein gewisses Unbehagen gegen jene Gruppen von Leuten haben, die dauernd das Wort Objektivität auf den Lippen tragen. Verstehen Sie mich recht, nicht etwa ein Unbehagen gegen das Wort, nur gegen dessen tendenziösen Gebrauch. Man sagt mitunter »Objektivität«, wenn man die harte Wahrheit – oder besser: die Auseinandersetzung über sie nicht will.

Eine Seite der Objektivität erlebe ich jetzt hier aus der Distanz. Die Probleme machen mich nicht gleich rasend – mein Ärger ist gedämpft. Meine politischen Gegner in der Schweiz würden staunen, wie friedlich man mit mir hier sprechen könnte. Sie würden meine friedliche Reaktion wohl als Vernunft, als vernünftige Distanz, als objektiv bezeichnen. Ich erlebe sie anders. Ich erlebe sie mit Schrecken als aufkommendes Desinteresse.

Ich habe von meinem Aufenthalt in Frankfurt unter anderem auch ein gewisses Abstandnehmen von der Schweiz erwartet – einmal weggehen und sich das alles aus der Distanz noch einmal überlegen. Nun beginnt das schon: mit der Distanz werden die Dinge abstrakt, durch die Abstraktion wird mein Denken objektiver, durch die Objektivität verlieren die Probleme an Brisanz – und die Folge davon: der Ärger ist weg, ich bin besänftigt.

Ich nehme an, daß viele Emigranten aus aller Welt das besser kennen als ich. Die Heimat verblaßt dann, wenn der Ärger über sie verblaßt – wenn dieser Ärger nicht mehr hautnah ist.

Könnte es vielleicht sogar sein, daß jene, die dauernd voreilig nach

Objektivität rufen, nichts anderes möchten als die Kritischen heimatlos machen?

Heimat ist wohl nicht einfach nur das, wo ich meine Liebe und meine Freude habe. Heimat ist auch das, wo ich meine Gefühle habe. Auch Ärger und Engagement gehören zu meinen Gefühlen. Objektivität ist ein Begriff, den ich mit vielem verbinden kann, nur mit Heimat nicht. Ich habe die Objektivitätsfanatiker im Verdacht, daß sie dies wissen.

Nostradamus

In der Buchhandlung steht ein etwa zwölfjähriger Junge und erkundigt sich nach den Werken von Nostradamus. Die Buchhändlerin weiß, wo sie stehen, er ist offensichtlich nicht der erste, der danach fragt.

Eine erschreckende Szene: ein Zwölfjähriger erkundigt sich nach der von der Bildzeitung genüßlerisch angepriesenen Katastrophe, erkundigt sich nach dem dritten Weltkrieg und dem Weltuntergang.

Der 15. März 1982 wird da und dort genannt, es ist nicht das erste Weltuntergangsdatum. Schon der Apostel Paulus soll überzeugt gewesen sein, daß er ihn erleben werde, Luther soll sich damit beschäftigt haben. Was wohl neu ist, ist, daß wir inzwischen wissen, wie er stattfinden würde. Nicht die Sonne würde erkalten, nicht der Mond auf die Erde abstürzen, nicht das Innere der Erde explodieren, nicht ein Gott würde sie zerstören, sondern ein Mensch. Wir kennen die entsprechende Technik, zum mindesten ihren Namen und ihre Wirkung. Wir kennen die Bösen und wir kennen die Guten. Und wir hoffen, daß sich die Bösen vor den Guten fürchten werden und daß die Guten noch schrecklichere Waffen entwickeln, damit sich die Bösen noch mehr fürchten müssen.

Inzwischen können wir uns unterhalten über Sinn und Unsinn der Astrologie, über Killerkonstellationen und eben über diesen Nostradamus, der schon immer recht gehabt haben soll, wie man hinterher rekonstruieren konnte. Immerhin stammen seine Prophezeiungen aus dem 16. Jahrhundert, und nachdem wir für das Glätteisen der Großmutter schon Unsummen auf den Tisch des Antiquars blättern, muß doch 16. Jahrhundert noch teurer und entsprechend wertvoller und wahrer sein. Ein Schreiber aus dem 16. Jahrhundert kann schließlich nicht irren, so viel Ehrfurcht vor Geschichte und Antiquitäten haben wir doch alle.

Ich weiß, daß ich mit diesen Zeilen ein paar Leute ärgern werde, aber ich tu das gern, sie ärgern mich auch. Ich nehme an, daß das, was ich hier tu, für sie ein Sakrileg, eine Gotteslästerung ist. Aber ich finde diese Partygespräche über Nostradamus zum Kotzen. Ich finde jene, die da rumgehen und nachweisen, daß jener Nostradamus immer recht hatte, grauenhafte Blödiane.

Warum freuen sie sich eigentlich so darüber, daß er recht hatte? Warum freuen sie sich so darauf, daß er wieder recht haben wird?

Wir könnten doch einfach zusammensitzen und, in einem sozusagen letzten demokratischen Akt, darüber entscheiden, ob er recht bekommen soll, und wenn wir dafür eine Mehrheit finden, dann wird alles Weitere ein leichtes sein. Denn die Chance, daß er in nächster Zeit recht bekommt, ist groß. Seine Anhänger können sich freuen. Sie werden wohl auch befriedigter sterben als wir anderen, die nicht an ihn glauben.

Es wird auch darüber philosophiert, warum wir ausgerechnet jetzt wieder auf Nostradamus kommen: unsere Ohnmacht gegenüber dem Schicksal der Welt? Die Unsicherheit der Zeit? Die kommende Jahrhundertwende?

Was mich allerdings viel mehr erschreckt, ist die Beobachtung, daß das Thema Redaktoren von Zeitungen verschiedenster Qualität und Schattierungen offensichtlich gelegen kommt: als Füller zum Beispiel, wenn man sonst nichts Sensationelles oder Unterhaltendes findet.

Leben wir denn in einer so zufriedenen Zeit, daß wir die Sensations- und Horrormeldungen zusammenkratzen müssen? Wohl kaum – aber wir langweilen uns sehr schnell, die Schreckensmeldungen haben einen kurzen Reizwert. Wenn ein erschreckendes Ereignis nicht Tag für Tag eskaliert, dann langweilt es uns. Der Vater ruft schon längst nicht mehr »Ruhe!«, wenn das Wort Polen am Radio fällt. Der Vater sucht das südamerikanische Land auf dem Globus nicht mehr; daß die Zahl der Gefangenen stabil bleibt, das läßt die Gefangenen vergessen. Wir langweilen uns und werfen der Tagesschau vor, daß sie langweilig sei. Wir sind am Fernsehen anwesend bei den Rekorden dieser Welt, und wir wundern uns nicht mehr.

Ich kenne die Prophezeiungen des Nostradamus nicht, sie interessieren mich nicht. Ich möchte nur wissen, ob er vorausgesagt hat, daß wir uns alle bitter langweilen werden in den achtziger Jahren und angeödet den Ablauf unserer Geschichte anschauen werden. Aber wenn sie schon langweilig ist, diese Geschichte, dann soll sie doch wenigstens sinnvoll sein, und sinnvoll wäre sie wohl dann, wenn einer mit seinen Voraussagen recht hätte.

Ich bin jedenfalls überzeugt, daß breitgetretene Langeweile und Angeödetheit zu einem Kriegsgrund werden könnten.

Ich erinnere mich, wie ich als kleiner Bub mit der Großmutter am Radio saß und Kriegsnachrichten hörte und wie meine Großmutter sagte: »Ich weiß gar nicht mehr, was vor dem Krieg in den Nachrichten kam – was werden die wohl nach dem Krieg erzählen?«

Sie hat damit nicht gemeint, daß sich die Leute nach dem Krieg langweilen werden. Aber man könnte ja ihren Ausspruch nachträglich so interpretieren, und dann wäre meine Großmutter auch eine Prophetin wie Nostradamus, der sicher recht bekommt, wenn uns nichts anderes mehr als Nostradamus einfällt.

Von der notwendigen Unvernunft beim Autofahren

In Mannheim wechselt der Zug die Richtung. Wer bis jetzt vorwärts gefahren ist, fährt nun rückwärts. Man fährt gefühlsmäßig wieder zurück nach Basel, in Wirklichkeit aber weiter nach Frankfurt. Ich bin es inzwischen gewohnt. Ich weiß, daß es so ist. Ich habe nicht mehr den Eindruck, ich sitze im falschen Zug. Ich erschrecke nicht mehr.

Aber da sitzen immer einzelne im Abteil, die erschrecken: ein Türke, der einen Zettel bei sich trägt, auf dem Hannover in so großen Buchstaben steht, wie man sie für Kinder schreibt, geschrieben offensichtlich in der Meinung, daß Kinderschrift dem Analphabeten doch noch verständlicher sei, dann einen zweiten Zettel mit den Fahrzeiten, auch nicht lesbar für ihn. Die Namen der Städte, an denen wir vorbeifahren, sagen ihm nichts, aber er weiß wohl, daß er lange fahren muß und daß er in nördlicher Richtung fährt. Nun fährt der Zug zurück. Hätte er wohl umsteigen sollen?

Ich sehe auf seinem Gesicht den Ausdruck von Verzweiflung, von Ohnmacht und Hilflosigkeit. Ich verstehe seine Schwierigkeit und beginne zu erklären, vorerst auf deutsch, dann in schlechtem Deutsch, was lächerlich ist und den Kinderbuchstaben entspricht. Er versteht kein Deutsch. Also in Zeichensprache: das Zeichen für Ich, das Zeichen für Wir, das Zeichen für Fahren und das Zeichen für Reiseziel – immer dasselbe Zeichen, ausgestreckter Finger, irgendwohin zeigend. Dann Papier und Bleistift und eine Zeichnung, und jetzt begreift er.

Nach einiger Zeit verläßt er das Abteil. Offensichtlich glaubt er mir doch nicht ganz und sucht Bestätigung. In Wirklichkeit sucht er nur andere Türken, die vielleicht auch erschrocken sind. Nach einiger Zeit kommt er zurück und bittet mich mit Gesten, ihm zu folgen. Er hat nun andere Verzweifelte gefunden, und ich soll es denen auch erzählen. Es scheint so, daß er meine Zeichnung begriffen hat, aber er kann sie nicht übersetzen.

Ich erlebe in Mannheim oft das kleine Entsetzen in den Gesichtern der Leute nach dem Richtungswechsel. Ich selbst gebe mich entspannt – ich bin ein Habitué und kenne das. Es ist aber eine dumme Gewohnheit, auf Gewohnheit stolz zu sein, denn ganz tief im Bauch bleibt mein Unbehagen. Es ist nicht etwa die Angst, daß ich Frankfurt nicht erreiche. Es ist nur das unangenehme Gefühl, um den Orientierungssinn betrogen zu sein, sich auf nichts anderes mehr verlassen zu können als auf die Tafel am Wagen »Basel – Frankfurt – Hamburg«. Zu Fuß würde ich meinen Orientierungssinn einsetzen, um nordwärts weiterzukommen.

Das ist kein Vorschlag, etwa auf das Eisenbahnfahren zu verzichten. Es ist nur ein Hinweis darauf, daß uns die Technik wesentlich mehr entfremdet, als wir selbst vermuten, und daß es nicht einfach nur die Computer und die Elektronik sind, die uns ohnmächtig machen, sondern daß dies auch die konventionelle Technik tut und wir uns keineswegs an sie gewöhnen werden.

Das Gräßlichste an Autobahnen ist für mich der Umstand, daß ich sie nur unter Ausschluß meines Orientierungssinnes benützen kann und darf. Schon die Auffahrt, die endlos rund ist, verwirrt mich und macht mich darauf aufmerksam, daß ich hier einen wesentlichen Bestandteil meiner menschlichen Vernunft zurückzulassen habe: meinen Orientierungssinn, der mitunter auch verantwortlich ist dafür, daß ich wie ein Mensch auf zwei Beinen gehen kann. Das Auto nimmt uns also noch mehr weg als die Beine, nämlich auch die Sinne, die diesen Beinen zugeordnet sind und die mehr sind als nur ein technisches Relais. Wer die Orientierung verliert, der verliert auch seinen Standpunkt.

Sollte ich aber auf der Autobahn auf meiner – zugegeben beschränkten – Vernunft beharren, ich würde sehr bald zum Geisterfahrer.

So fahre ich denn vernünftigerweise, aber ohne Vernunft, nach den Schildern, lasse mich einordnen, lasse mich einspuren von Schildern, auf denen mein Reiseziel steht neben andern Reisezielen, die mit meinem nichts zu tun haben, fahre die zwei großen Schleifen und noch eine kleine, geduldig und mit Vertrauen – und mit Erfolg. Der Verzicht auf den eigenen Orientierungssinn wird belohnt durch schnelleres Fortkommen.

Und jedesmal, wenn ich nach einer längeren Autofahrt Solothurn erreiche, Bellach erreiche, mein Haus erreiche, erkenne ich mit Schrecken, daß ich es sozusagen automatisch, durch Geisterhand geführt, erreicht habe. Ich habe fast den Eindruck, ich hätte kein anderes Haus erreichen können.

Nach meinen sonntäglichen Wanderungen fühle ich mich gut – sicher nicht nur, weil mein Körper wieder einmal ausgelüftet wird. Sondern – davon bin ich überzeugt – vor allem auch, weil ich meinen Orientierungssinn wieder einmal ungestraft brauchen konnte. Daher

wohl kommt das Gefühl nach einer Wanderung: »Ich bin wer, ich
spür mich wieder.« Nach einer Fußwanderung habe ich wieder einen
Standpunkt, weil ich meine Orientierung wiederhabe.

Emigration?

Emigration, das fällt mir auf, ist in Deutschland bei abendlichen Runden ein Thema. Es wird hier mehr und öfter davon gesprochen als bei
uns in der Schweiz. Eines der Zauberwörter heißt Neuseeland, was
immer damit auch gemeint ist, und wenn dahinter überhaupt eine
Vorstellung von diesem Land steht. Eines ist allen Träumern gemeinsam: möglichst weit weg, abhauen, ein neues Leben beginnen.

Ich spreche nicht von den Arbeitslosen und von den hoffnungslosen Jugendlichen, sondern von den 35jährigen und von den 50jäh-
rigen, nicht von Leuten, die hier für ihre Existenz fürchten, sondern
von Leuten, die sich vor Europa fürchten. Es dauert bei solchen Träu-
mereien über Emigration nicht lange, und die Neutronenbombe wird
erwähnt. Es scheint so, daß die Angst vor dem Krieg den Leuten hier
tiefer in den Knochen sitzt als bei uns in der Schweiz, und auf Falk-
land schaut man von hier aus mit mehr als nur mit Entsetzen. Das
»Rüstungsgleichgewicht«, das Gleichgewicht der Angst, des Schrek-
kens – das heißt hier auch: in der Angst und mit der Angst leben.
Die Vorstellung, daß man ab jetzt für ewige Zeiten mit dieser Angst
zu leben hat, diese Vorstellung zerstört die Leute. Der Schrecken ist
nicht nur der Partner des Krieges geworden, er ist jetzt auch ein Partner des Friedens. Eine gefährliche Partnerschaft – denn in Frieden
leben, das hieße doch ohne Angst leben.

Ob Neuseeland, ob Australien die Lösung ist? Wohl kaum, es ist
das Weit-weg, das inzwischen einzige geographische Weit-weg. Übertrieben formuliert: Es gibt offensichtlich Leute, die sich darauf vor-
bereiten, diese Welt zu verlassen.

Dabei kennt dieses Land die Emigration. Kaum einer hier mit meinem Jahrgang kann die Frage »Woher kommst du?« eindeutig beant-

worten, denn irgendwo in Pommern ist er geboren, und irgendwo war er nur ein Jahr, und würde er zurückkehren, er wäre auch da nicht zu Hause, wo er herkommt.

Die Deutschen kennen die Emigration, sie sehen die Türken und die Spanier, die Marokkaner, und wenn man hier über Ausländerprobleme spricht, dann wird es hoffnungslos. Ein Lehrer zum Beispiel, der sich bemüht, mit dem Türkenproblem in seiner Klasse fertig zu werden, resigniert nach ein paar Jahren und sieht nur noch die Lösung, daß die Türken nicht hier sein sollten oder nicht hätten geholt werden sollen – und dann entschuldigt er sich, denn er möchte nicht falsch verstanden werden.

Wer weiß, vielleicht wird das, was wir heute noch Emigration nennen, von späteren Historikern bereits Völkerwanderung genannt. Und diese Völkerwanderung unterscheidet sich von der letzten dadurch, daß es nicht mehr die Suche nach einem guten Land ist, sondern verzweifeltes Umherirren. Man weiß zum voraus, wo man ankommt und daß auch die Sehnsucht nach einem Land keine Hoffnung mehr ist.

Und die Schweiz? Ein Land ohne Emigration, die Formel »Australien« ist bei uns seltener – die Angst, daß alle in die schöne Schweiz kommen wollen, entsprechend groß.

Nun stelle ich fest, daß man mich hier immer auf Emigration festlegen will. Man fragt mich: »Werden Sie zurückkommen in die Schweiz? Warum haben Sie die Schweiz verlassen? Wie sehen Sie die Schweiz jetzt?« Und es sind Schweizer, die mich das fragen.

Ich habe die Schweiz nicht verlassen. Ich bin mehr oder weniger zufällig hier in Bergen – genau für ein festgelegtes Jahr. Es ist mir selbstverständlich, wohin ich nachher gehe, nämlich dahin, wo ich wohne, in die Schweiz. Warum zweifeln meine Mitschweizer daran?

Es ist eigenartig, wie sehr dieses Land Schweiz ohne wesentliche Emigration auf Emigration sensibilisiert ist. Liegt es daran, daß auch die Schweiz vor noch nicht so langer Zeit – Jahrhundertwende – ein Auswanderungsland war? Oder ist es so etwas wie schlechtes Gewissen? Jedenfalls werden jene Schweizer, die ihr Land verlassen, äußerst kritisch beobachtet, und was sie dazu auch immer sagen, man will sie unbedingt in der Rolle des Emigranten sehen.

Der Schweizer Schriftsteller Urs Widmer lebt seit 15 Jahren in Frankfurt. Er ist da hängengeblieben, hat hier seine Freunde, seine Frau (Schweizerin) hat hier ihre Arbeit. Er wird wohl nicht zurück-kehren. Aber er lebt als Schweizer hier – er behält seinen Schwei-zer Akzent, freut sich spitzbübisch darüber. Auch aus ihm möchten die lieben Mitschweizer einen Emigranten machen, er ist keiner. Er wohnt hier, und er wohnt hier gern, das ist alles. Sein Weggehen war keine Kritik an der Schweiz (die gibt es bei ihm), und sein Zu-rückkehren wäre keine Liebeserklärung an die Schweiz.

Ich erinnere mich, vor vielen Jahren: Max Frisch in Rom, was war das doch für ein vieldiskutiertes Problem. Ich stelle mir vor, daß Rom eine schöne Stadt ist und daß man Lust hat, dort zu leben.

Warum muß es immer gleich Emigration heißen, wenn einer reist? Vielleicht nur deshalb, weil wir uns schämen, daß wir sie nicht nötig haben? Ist es angesichts der erschreckenden Völkerwanderung auf der ganzen Welt nicht eine Frechheit, unsere kleinen Reisen auf Emi-gration zu hinterfragen?

Zurück zum Anfang: Die Deutschen, die von Neuseeland träumen, die möchten nicht etwa Deutschland verlassen, die möchten nicht etwa in die Schweiz – die möchten ganz weg, weg von Europa, das sich für die Welt hält, weg von der Welt.

Wo ist das Land, das nicht verlassenswert wäre? Haben wir viel-leicht bereits die ganze Welt unbewohnbar gemacht?

Und Solothurn beschreiben?

Die Leute hier in Bergen sind überzeugt, daß ich sie beschreiben werde. Ich war offensichtlich der erste Stadtschreiber, der sich regel-mäßig in der Kneipe zeigte, und sie können sich nicht vorstellen, daß ein Schriftsteller genau gleich wie sie und mit denselben Gründen in die Kneipe geht. Sie haben dafür einen Ausdruck, den sie lobend mei-nen. Sie sagen, daß ich eben einer sei, der sich unters Volk mische – eine schreckliche Formulierung. Sie muß irgendwo aus dem Feudalismus stammen, als sich Fürsten verkleideten und sich eben »unter das Volk mischten«.

Sicher freue ich mich darüber, daß mich die Leute mögen. Ich bemühe mich darum, zu ihnen zu gehören, und sie versuchen auch, mich respektlos zu behandeln. Ich meine jetzt jene Trinker am Kiosk. Man nennt diese Kioske offiziell »Trinkhallen« und im Volksmund »Wasserhäuschen«. Es erfüllt mich mit romantischem Stolz, ab und zu hier zu sein. Ich bilde mir ein, dazuzugehören – sie nennen mich ihren Freund, schmeicheln mir und sagen, daß ich eben einer sei, der sich unters Volk mische. Es scheint so, daß dem Menschen demokratisches Denken fremd ist. Ich kann tun, was ich will, ich bin ein anderer als sie, und ich habe mich nur unter sie gemischt.

Ich bin ein anderer: ein Schweizer, ein Schriftsteller, einer, der mehr weiß, weiter gereist ist – einer, der nicht dazugehört, sondern es sich nur anschaut. Sie können sich nicht einmal vorstellen, daß ich meinen Apfelwein auch für mich trinke. Sie glauben, ich trinke ihn für sie.

»Sicher wirst du über Bergen schreiben«, sagen sie, und sie kichern, denn offensichtlich glauben sie, daß nun endlich einer gekommen ist, der das alles, was hier ist, beschreiben wird. Sie bieten mir Geschichten an – und bemerken selbst, daß das, was sie für erzählenswert hielten (die Untreue eines Ehemannes zum Beispiel), nicht einmal erzählbar ist. »Aber du weißt ja, was ich meine«, sagen sie. Sie sind auch überzeugt, daß ich mit meinem Buch über Bergen sehr viel Geld verdienen würde, denn dieses Buch – so meinen sie – würden doch alle kaufen.

Es gibt keine Bücher, die sie lesen. Nun soll ich ihnen das Buch, das sie lesen würden, schreiben. Sie würden es nicht lesen, sie würden vielleicht nur davon hören. Es geht ihnen nicht um das Lesen, sie möchten Bergen nur beschrieben haben.

Nun sicher, Bergen ist beschreibbar, es ist gerade deshalb beschreibbar, weil es nicht außergewöhnlich ist. Meine »Freunde« aber meinen etwas anderes. Sie meinen das Außergewöhnliche, sie meinen wohl so etwas wie eine Fasnachtszeitung, wo alles Lustige und Peinliche so beschrieben ist, daß sich alle freuen, in einem Ort zu leben, wo etwas los ist.

Ich würde vielleicht Helmut beschreiben: einen von ihnen, dünn
und auf hohen Stelzbeinen, ich würde ihn beschreiben auf seinem
Gang zum Wasserhäuschen. Er ist ausgesprochen sauber gekleidet,
und er geht ausgesprochen gerade. Wenn er mich sieht, dann geht er
noch gerader, setzt einen Fuß vor den anderen wie ein Seiltänzer
und stellt einen Nüchternen dar. Er weiß von den Nüchternen, daß
sie geradeaus gehen. Und dann, auf meiner Höhe, zieht er sein kleines Hütchen tief bis zu seinen Knien und sagt: »Einen schönen guten
Tag wünsch ich Ihnen!« Und eines Tages sage ich ihm, daß mich sein
Gruß freue, und er sagt, eine Dame habe ihm das beigebracht. Und im
übrigen ist er einfach ein Trinker. Ich habe gehört, daß er seine Frau
verprügle. Würde ich die freundliche Seite von Helmut beschreiben,
die Leute hier würden sich wohl ärgern – denn das, dieser Helmut,
das ist ja nun nicht Bergen. Würde ich seine traurige Seite beschreiben, dann wären sie mir böse, weil das doch nicht typisch ist für
Bergen.

Denn über eine Sache werden sie sich mit dem »Fremden« nie
verständigen können. Für sie ist Bergen sehr wichtig – für mich ist
Bergen ein Zufall.

Und es werden mir andere Geschichten erzählt: die Geschichte
vom Schelm von Bergen zum Beispiel, beschrieben von vielen Dichtern (Zuckmayer, Mark Twain). Der Schelm war ein Henker, der
einer Wette wegen mit der Kaiserin tanzte und geadelt wurde – ein
bedeutendes Geschlecht: die Schelme von Bergen. Und eine Schlacht
von Bergen soll es gegeben haben – Goethe soll sie beobachtet haben
von den Toren Frankfurts aus. Und Napoleon ist nahe an der Stadt
vorbeigezogen, und Weinbau soll es gegeben haben am Hang hier –
und ein Heimatmuseum gibt es und sehr viele Leute, die sich mit
Lokalgeschichte befassen und das alles aufschreiben und weitertra-
gen.

In meiner Stadt – wo ich herkomme – hat Napoleon einmal ein
Glas Wasser getrunken. Er hat in vielen Städten Europas Wasser getrunken. Nun sind alle diese Orte – immerhin – von Napoleon besucht, und sie sind immerhin nicht unbedeutend.

Denn wer möchte in einem Ort leben, der nur das ist, was er heute –

an einem Montag im August 1982 – ist? Das kann doch nicht alles sein. Es gibt keine Gründe, in Bergen zu leben, und es gibt keine Gründe, nicht hier zu leben. Ich meine: hier leben und Solothurn erkennen, das ist schon etwas – und Solothurn beschreiben ist schwer genug.

Liebst du mich?

Was antwortet man eigentlich, wenn man gefragt wird: »Liebst du mich?« Kann man da zum Beispiel antworten: »Nein!« Ist die Frage nach Liebe nicht doch bereits ein Angebot von Liebe, das nicht so leicht abgelehnt werden kann?

Gut – am besten, man wird nicht gefragt, denn Antworten wie zum Beispiel »Ja, schon« oder »Ich mag dich ganz gut« oder »Du weißt es doch« entsprechen jedenfalls nicht dem Angebot der Frage. Sie ist ja auch eine totale Frage, und sie meint eigentlich »mehr als alles andere lieben«. Sie verführt zur Lüge, diese Frage, sie kompromittiert.

Anläßlich meiner Rückkehr aus Deutschland habe ich einer Zeitung in Solothurn ein Interview gegeben, und verschiedene Leute waren entsetzt, daß ich meiner Liebe zu Solothurn nicht Ausdruck gegeben habe. Es heißt inzwischen auch, ich hätte Solothurn beschimpft. Ich habe das mit keinem Wort getan, aber so ist das nun: wer etwas nicht liebt, nicht allein und ausschließlich liebt, der hat es bereits angegriffen. »Love it or leave it«, heißt das auf englisch – »Liebe es oder (ver)laß es.«

Ich war auch schon verliebt, und seit ich es war, fällt es mir schwer, zu sagen: »Ich liebe das Matterhorn, ich liebe Pellkartoffeln mit Käse.«

Ich habe folgendes gesagt zu Solothurn: »Ich werde jetzt nach Solothurn zurückgehen. Ich werde glauben, daß ich als anderer nach Solothurn zurückkomme, als ich weggegangen bin. Ich möchte ein anderer sein. Und Solothurn – nicht die Leute, nicht einzelne Leute –

sondern Solothurn als Stadt wird mir beweisen, daß ich der gleiche geblieben bin. Das hat im übrigen nichts mit Solothurn zu tun, das ist die Art von Kleinstädten, und das ist das Schreckliche an Kleinstädten, daß sie dem Zurückkehrenden beweisen, daß er sich nicht verändert hat. Daß ich in Solothurn lebe, ist keine Liebeserklärung an Solothurn. Damit habe ich mich abzufinden, daß ich da lebe. Und damit hat sich auch Solothurn abzufinden.«

Das genügte bereits wieder für den freundlichen Vorschlag: »Nach Moskau, wenn es dir hier nicht paßt!«

Weiß Gott, es paßt mir hier besser. Und verdammt noch mal, was verpflichtet mich, all das lieben zu müssen, was ich habe?

Ich liebe nicht alles, was ich besitze. Ich habe ein paar sehr unpraktische und unangenehme Eigenschaften, die ich nicht liebe, und ich geb es auch zu. Und ich esse nicht jeden Tag »Gschwellti«, auch wenn ich sie »liebe«.

Ich erinnere mich an einen Freund, der sich ein sehr schönes, sehr modernes Haus baute – nicht nur mit großem persönlichem Einsatz und Opfern, sondern auch in der Überzeugung, eine Pioniertat für die moderne Architektur zu tun. Nun saß er in seinem Haus, und das Haus mußte gelobt werden. Am Morgen, wenn er aufstand, sagte das Haus: »Liebst du mich, bin ich nicht schön?« Und er saß in seinem Haus und machte ihm Liebeserklärungen. Und er war froh, wenn er Gäste hatte. Denen konnte er das Haus zeigen, und sie konnten einstimmen in den Lobgesang, und die Eitelkeit des Hauses war vorläufig befriedigt, aber – usw. usw.

Er hat das Haus dann verlassen, es wurde unbewohnbar, weil es nie zu einer Selbstverständlichkeit wurde. Weil es nicht einfach da war, mit einem Dach und mit Fenstern.

Heimat ist doch etwas anderes als nur das Beste. Heimat ist Gewohnheit, nichts anderes, und Gewohnheit hat wohl etwas mit Wohnen zu tun. Da, wo ich's gewohnt bin und wohnen kann, da ist Heimat.

Ich möchte nicht für immer in Deutschland leben, nicht etwa, weil Deutschland nicht schön oder nicht gut wäre. Aber ich bin nicht nach Deutschland gegangen, um hinterher endlich Solothurn für das Beste zu halten. So haben wir's doch gelernt, daß man fremdgehen muß, das harte Brot der Fremde essen muß, um endlich die Heimat schätzen zu lernen.

Ein Dichter allerdings hat Solothurn gelobt, Wilhelm Lehmann, und ein sehr schönes Gedicht über Solothurn geschrieben. Ein Freund von Lehmann, der Schriftsteller Hans Bender, hat in der Frankfurter Allgemeinen Zeitung über dieses Gedicht geschrieben, sein Lieblingsgedicht, und er schreibt, wie er Lehmann darauf angesprochen habe, und er habe gesagt: »Ja, eine schöne Stadt, aber da leben möchte ich nicht.«

Nun gut, es ist ja auch nicht gleich seine Pflicht, in Solothurn zu leben, nur weil er Solothurn lobt. Ist es denn meine Pflicht, Solothurn zu loben, nur weil ich da lebe?

Die Frage »Liebst du mich?« verführt zur Lüge, sie kompromittiert. Ist sie vielleicht nur so gemeint, die Frage? Wird vielleicht nichts anderes erwartet als die Lüge? Und wenn es so ist, ist dann vielleicht diese Lüge ein gesellschaftliches Ordnungsprinzip?

Was bleibt einem Politiker, einem Fremden, der nach Solothurn kommt, anderes übrig, als Solothurn zu loben? Ihn kostet es nichts, und die Solothurner freut es. Man weiß, daß es nicht so ernst zu nehmen ist, aber es ist die Ordnung.

Übrigens, wenn ich Sie fragen würde – ich frage Sie nicht –, ob Sie Ihre Frau lieben, was antworten Sie da? Wohl am besten: »Das geht Sie nichts an!«

Ich jedenfalls würde heimatlos, wenn zum Begriff der Heimat auch das Lob der Heimat gehören würde. Gewohnheit ist mir lieb genug.

Trauerarbeit

Der Schuhmacher Häfliger, bei dem ich als Kind oft saß, hat nicht gearbeitet. Er hat Schuhe gemacht und Schuhe gesohlt. Ich habe ihn nie anderswo gesehen als in seiner Werkstatt, da gehörte er hin, da schien er zu wohnen. Er machte mir nicht den Eindruck, daß er vom Schuhflicken lebt, viel eher lebte er schuheflickend. Ich hielt ihn – sicher zu Unrecht – für einen sehr reichen Mann. Er besaß zum Beispiel etwas, das ich nur aus dem Märchen kannte, nämlich Pech. Dieses Pech hatte in »Frau Holle« zwar eine negative Funktion – aber immerhin, Pech war aus dem Märchen und also teuer.

Auch aus einem anderen Grund hielt ich den Schuhmacher Häfliger für einen reichen Mann: er ging nicht arbeiten wie mein Vater, sondern blieb zu Hause. Ich kann mir nicht vorstellen, daß er je mal zu seiner Frau gesagt hat: »Ich gehe arbeiten«, sondern er wird gesagt haben: »Ich geh in die Werkstatt.« Er arbeitete nicht als Schuhmacher, sondern er war ein Schuhmacher. Mein Vater aber arbeitete. Er war für mich kein Maler, sondern einer, der als Maler arbeitete. Er sagte nie: »Ich gehe malen« oder »Ich gehe Eisenbahnwagen anstreichen«. Mein Vater machte seine Arbeit fürs Geld.

Ich bewunderte den Schuhmacher Häfliger dafür, daß er nicht arbeitete – so wenig arbeitete, wie die Bauern arbeiten gehen. Ein Bauer sagt: »Ich gehe in den Stall, ich gehe aufs Feld, ich gehe melken, ich gehe pflügen.« Nicht, daß der Bauer etwa hartes Arbeiten nicht kennen würde – aber er nennt sein Tun nicht Arbeit. (Ganz nebenbei: ich gehöre auch zu den Privilegierten, die ihr Tun nicht als Arbeit bezeichnen. Ich arbeite nicht an meiner Maschine – einer Schreibmaschine – sondern ich schreibe.)

Im Herkunftswörterbuch lese ich nach, woher das Wort »Arbeit« kommt. Früher hatte es die Bedeutung von »verwaist sein, ein zu schwerer körperlicher Arbeit verdingtes Kind sein«; erst Luther soll dem Wort seine heutige Bedeutung gegeben haben. Erst bei ihm bekam die Arbeit, das Wort »Arbeit« einen sittlichen Wert.

Warum wohl sprach mein Vater von arbeiten? Warum sprachen der Schuhmacher und der Bauer nicht davon? Wohl deshalb, weil der Bauer sein Tun nicht als entfremdet empfand. Arbeit ist ein Wort, das wir dann brauchen, wenn Leben und Erwerb, wenn Sein und Tun nicht mehr zusammenfallen, wenn man sich – was als selbstverständlich gilt – mit dem Erwerb ein anderes Leben kaufen will als jenes, in dem man arbeitend lebt.

Ich weiß, daß ich gerade heute davon nicht schreiben sollte. Ich weiß, daß heute viele Leute Arbeit suchen, daß viele sich fürchten, ihre Arbeit zu verlieren. Ich weiß, daß wir Arbeit brauchen und auf Arbeit, eben auch auf entfremdete Industriearbeit, angewiesen sind. Ich weiß, daß jene Welt nicht mehr herzustellen ist, in der keiner sein Tun als Arbeit bezeichnen würde. Und im übrigen wäre es sehr fraglich, jene arme und dunkle Zeit wiederherstellen zu wollen. Aber wenn man junge Leute nach ihren Berufswünschen fragt, dann fällt schon auf, daß es eine Sehnsucht nach sogenannten freien Berufen gibt: Grafiker, Maler, Goldschmied, Musiker, Schauspieler, Sozialarbeiter usw. Die meisten werden ihre Wünsche begraben und etwas werden müssen, um für Arbeit Geld zu bekommen.

Nun, nicht das ganze Leben ist Arbeit. Der Vater, der von der Arbeit nach Hause kommt und der ein leidenschaftlicher Flugmodellbauer ist, wird nach dem Nachtessen nicht sagen: »Ich gehe noch arbeiten«, sondern er wird sagen: »Ich gehe noch ein bißchen in den Keller.« Er wird auch nicht von Arbeit sprechen, wenn er mit den Kindern spielt, wenn er mit ihnen Hausaufgaben macht oder wenn er sie – was immer das auch heißt – erzieht.

In letzter Zeit ist aber ein Wort in Mode gekommen, das mich entsetzt: »Trauerarbeit«. Ich höre das Wort in Radiointerviews mit Leuten, die Schweres hinter sich haben. Ich höre das Wort von der Frau, die von ihrem Mann verlassen wurde. Plötzlich muß Trauerarbeit geleistet werden, und weil das eben eine richtige Arbeit ist, muß sie auch gelernt, muß der »Trauerarbeitsvorbereitungskurs« besucht werden, und wer das Trauerarbeiten nicht lernt, der ist so verloren wie jener, der das Arbeiten nicht gelernt hat.

Mir scheint, das Wort ist von Psychologen recht unüberlegt in die Welt gesetzt worden. Denn Arbeit hat trotz der Bemühungen Martin Luthers den Ruch von Entfremdung behalten: Arbeit ist etwas, das außerhalb von mir ist. Trauer aber ist in mir. Ich weiß, daß ich mit meiner Trauer bewußt umgehen muß, um sie zu überwinden. Ich weiß, daß ich dafür etwas zu leisten habe – aber ich weigere mich, den Umgang mit meiner Trauer in das allgemeine Leistungsdenken einzufügen. Ich weigere mich, meine Traurigkeit professionell zu behandeln. Ich beharre darauf, mit meinen Gefühlen dilettantisch umgehen zu dürfen.

Der Sinn für Interesse

Ich bin immer wieder überrascht, mit was für einer Sicherheit die Leute von sich behaupten, sie seien von Werbung nicht abhängig. Es sind eigenartigerweise dieselben, die sagen, sie fühlten sich von der Werbung belästigt. Sie machen ihrer Zeitung den Vorwurf, sie bestehe fast nur noch aus Reklame – ich bin aber sicher, ohne Inserate wäre ihnen die Zeitung bald verleidet.

Ich weiß nicht, vielleicht bin ich ein ausgesprochen schwacher Mensch. Ich bin abhängig von Werbung. Ich mag die Prospekte in meinem Briefkasten. Nur aus der Werbung kenne ich die Namen von Whiskys, die ich nicht trinke, und von Zigarren, die ich nicht rauche. Ich fotografiere nicht, und es reizt mich eigentlich nicht, zu fotografieren, aber ich kenne die Namen von Kameras, weiß, welches die teuren und besonders guten sind. Ich verstehe nichts davon, trotzdem bewundere ich die Kameras im Schaufenster des Händlers, und es könnte mir eines Tages passieren, daß ich mir doch eine solche Kamera, die ich nicht brauchen will, kaufe. Ich werde mich dann wohl einigermaßen fachmännisch geben, und dieses Fachwissen werde ich aus der Werbung bezogen haben.

Werbung kann bei mir das dringende Bedürfnis auslösen, zu kaufen. Und die Abwesenheit von Werbung – in einer DDR-Zeitung zum Beispiel – nimmt mir ein Stück von meinem Orientierungssinn. Ich erschrecke in Amerika über die Unterbrechung der Filme mit Werbung, gewöhne mich sehr schnell daran und vermisse nach meiner Rückkehr in den ersten Tagen die Unterbrechungen.

Nein, ich bin keineswegs stolz darauf, daß ich von Werbung abhängig bin. Es ist einfach so, und ich kann es nicht ändern – eine Gewohnheit, und eben auch schlechte Gewohnheiten vermißt man, wenn man sie verliert.

Aber darum geht es mir gar nicht. Ich frage mich nur, ob ich denn der einzige sei, der so reagiert. Ich kann mir nicht vorstellen, daß es Werbung gäbe, wenn ich der einzige wäre. Nur, wenn man die anderen fragt, dann erklären sie alle, sie seien immun gegen Werbung.

Sie würden ein Waschmittel nach eigenem Geschmack und Qualitäts-
urteil kaufen und Zigarren nach persönlichem Gutdünken.

Kürzlich habe ich am Radio gehört, wie neunjährige Kinder über
ihr Verhalten gegenüber der Werbung befragt wurden. Diese Kinder
hatten offensichtlich bereits gelernt, daß man von sich zu behaupten
habe, man sei frei davon. Sie wußten, was man von ihnen wissen
wollte.

In derselben Sendung wurde behauptet, es sei der Werbung unmöglich, neue Bedürfnisse zu schaffen, man könne nur bereits vorhan-
dene wecken. (Ich habe dann also doch ein unterbewußtes Bedürfnis
nach einer Kamera – sie wird mir also, verdammt, nicht erspart bleiben.)

Ich interessiere mich zum Beispiel nicht für Skifahren, überhaupt
nicht. Ich habe das mal getan – schlecht und recht – aber ich habe
dann festgestellt, daß es mir nicht gefällt. Ich fahre nicht mehr. Immerhin habe ich Verständnis für die, die es mit Spaß tun, und für
jene, die mit Begeisterung die Übertragungen von Skirennen im Fernsehen verfolgen. Aber mich langweilen sie. Ich finde sie sehr langweilig, trotzdem schaue ich sie mir bei jeder Gelegenheit an. Ich bin
orientiert über den Stand des Weltcups, über Talski, Bergski, Umsteigen, Rücklage, Ideallinie. Ich weiß, daß Müller aus Adliswil kommt,
und die Gebrüder Mahre (Phil und Steve – frei aus dem Gedächtnis
zitiert) kommen aus den USA. Ich weiß fast annähernd alles. Aber
es interessiert mich nicht, es interessiert mich wirklich nicht.

Ich interessiere mich also für etwas, das mich nicht interessiert.
Ich halte das für fast erschreckend und für eine gefährliche Beläsți-
gung meiner wirklichen Interessen. Es würde mich nicht überraschen, wenn ich mich im Skirennsport besser auskennen würde als
in der deutschen Literatur, besser auskennen würde als in der Schweizer Politik.

Bin ich denn der einzige, der sich dauernd für Dinge interessieren
muß, die ihn nicht interessieren?

Meine Mutter zum Beispiel hat sich am Fernsehen Boxkämpfe
angeschaut. Ich traute meinen Augen nicht und sie wohl ihren auch
nicht. Sie hätte das in Wirklichkeit nie getan, aber sie hat nicht Boxkämpfe angeschaut, sondern eben Fernsehen.

Ich weiß für mich selbst nicht, ob ich mich ohne Fernsehen für Fußball interessieren würde. Ich interessiere mich dafür, und er gefällt mir. Aber bin ich das ganz allein? Habe ich mich ganz frei dafür entschieden?

Es gibt den schönen Nonsens-Satz von Jürgen von Manger: »Sie, Sie haben überhaupt keinen Sinn für Interesse.«

Hie und da stört mich mein Sinn für Interesse. Ich möchte wirklich keine Kamera. Eigentlich möchte ich keine Skirennen anschauen. (Der Ausfall der Lauberhorn-Abfahrt am vergangenen Sonntag war trotzdem ärgerlich.) Eigentlich möchte ich mich für Dinge interessieren, die mich interessieren. Aber mein verdammter Sinn für Interesse macht es der Welt leicht, mich von meinen eigenen Interessen abzulenken.

Mich überrascht nur, daß alle anderen davon überzeugt sind, ihnen passiere das nie.

Nur noch Antiquitäten

In der Mittagspause kommen zwei Arbeiter ins Restaurant, Maler im Überkleid. Noch bevor sie ihren Sandwich und den Kaffee bestellen, rennen sie zu den Zeitungen und holen sich den Gratisanzeiger: »Die einzige Zeitung, die etwas taugt«, sagen sie später.

Sie blättern die Inserate hastig durch; mein Verdacht, daß sie eine Wohnung suchen – der Anzeiger ist heute, Donnerstag, erschienen –, erweist sich als falsch. Sie suchen Tische, Stühle, Schränke, Kupferkessel.

»Man darf nicht als Händler auftreten«, sagt der eine, »man muß eine alte Jacke anziehen, und man muß auch gleich sagen, daß man eben große Familie – dringend einen Schrank brauche und daß man deshalb nicht viel bezahlen könne dafür. Das haut meistens hin«, erklärt er seinem Kollegen, und dann sehr unschön: »Es sind ja doch meistens Frauen, die das Zeug loshaben wollen.«

Er meint Frauen mit einem weichen Herzen.

Die Geschichte ist uralt, die Geschichte vom Antiquitätenhändler, der ganze Bauernhäuser ausplündert und für »alten Plunder« ein nigelnagelneues Schlafzimmer hinstellt. Nun, meine beiden Handwerker sind keine Betrüger, auch keine Hochstapler. Daß die Einkaufsmethode etwas schäbig ist, vielleicht wissen sie das sogar. Sie sind Handwerker – Maler von Beruf –, und ihren Nebenverdienst mit sogenannten Antiquitäten würden sie eher als Hobby empfinden.

»Kürzlich hab ich einen Schrank abgeholt, man konnte ihn kaum tragen, so hoch poliert hatte sie ihn«, sagt er verächtlich.

Wer ein gutes Geschäft macht, verachtet seinen Geschäftspartner, so ist der Brauch. Der eine verkauft einen alten Schrank, und der andere kauft eine Antiquität ein – ohne Interesse an Stil und Besonderheiten, einfach alt soll er sein, und alt ist teuer.

Den alten Gebrauchtwarenhändler gibt es nicht mehr. Wir hatten als Kinder bei ihm rumgestöbert und gebettelt und gemarktet. Auf alte Radios hatten wir es abgesehen, um daraus Empfänger zu bauen. Sie wären inzwischen unheimlich viel wert für Sammler – jene Radios, die wir auseinandernahmen.

Ich sehe beim Antiquitätenhändler die Gebrauchsgegenstände meiner Großeltern und meiner Eltern. Die genau gleiche, umständliche und große Bleistiftspitzmaschine, die wir in der Schule hatten, hätt ich mir gern gekauft. Ich hätte auch etwas dafür bezahlt, aber sie ist eine Rarität. Sie ist jetzt nicht mehr alt – das war sie schon damals –, sie ist jetzt unheimlich wertvoll, und zweimal an ihr drehen, das wäre schon so etwas wie ein Sakrileg. Sie wird wohl nächstens irgendwo eine Biedermeierkommode mit Gobelindecke zieren – Geschmack hin oder her. Sie wird zum mindesten eine steuer-(hinterziehungs-) günstige Investition sein.

Ich bin gegenwärtig am Umziehen, und ich schmeiße viel weg. Der Gedanke, daß ich die Millionenwerte des nächsten Jahrhunderts wegschmeiße, macht mir ausgesprochen Spaß. Nur, ich weiß, gerade mit dem Wegschmeißen schaffe ich erst die Raritätswerte.

Es sind nicht mehr die Liebhaber, die heute Antiquitäten kaufen, und es sind nicht mehr die Kenner, die sie verkaufen. Seit das hinterste Bügeleisen und die hinterste Schreibmaschine Sammelwert haben, sind Antiquitäten so viel wert wie Lotto und Toto, wie Schwarzarbeit und Waffenhandel, und meinen alten Gebrauchtwarenhändler gibt es nicht mehr. Wenn ich was Billiges will, dann habe ich etwas Neues zu kaufen.

Das Stichwort heißt Ausbeutung: nicht etwa nur Ausbeutung der dummen Käufer und der dummen Verkäufer, sondern Ausbeutung der Ressourcen. Wir beuten die Erde aus, Erz und Öl, wir beuten das Meer aus, die Flora und die Fauna – und wir erfinden ein Geschäft nach dem anderen und beuten unser Leben aus. Das Wort »alt« löst weder Interesse noch Bewunderung aus, sondern nur noch Geldgier. Es macht aus dem hintersten einen raffinierten Geschäftsmann. Und der Blumenstrauß des netten freundlichen, fremden und jungen schnauzbärtigen Mannes gilt nicht der alten Frau im Altersheim, sondern ihrer Kommode.

Es ist lächerlich und abgeschmackt, was heute eine Gute Stube heißt. Was soll der Mehlsack an der Wand und das Kohlebügeleisen auf der Kommode und das Spinnrad in der Ecke und das sichtbar teure Karussellpferd, das sich, als wir Kinder waren, noch drehte?

Wir leben offenbar gar nicht mehr in einer Welt, wir leben nur noch in ihren billigen Resten und sind stolz darauf, daß der Rest teurer ist als das Original, die alte Schreibmaschine teurer als die neue. Und dann ganz am Schluß werden wir nostalgisch und schwärmen von den Zeiten, als es das noch gab und jenes noch gab, und wir tun so, als sei es uns verlorengegangen. Dabei haben wir es selbst plastifiziert und gekauft und leben in einer barocken Scheinwelt. Und diese Scheinwelt lassen wir uns von netten, schnauzbärtigen jungen Leuten verkaufen – so, wie es vorkommt, daß sich Männer von Zuhältern Liebe verkaufen lassen. Ein Zuhälter übrigens ist nicht einer, der die Frauen liebt, und ein Altbleistiftspitzmaschinenverkäufer ist auch nicht einer der – und sein Käufer schon gar nicht.

Vorwärts in die Steinzeit

Ich sitze in der Beiz und habe zufällig ein Buch mit mir: Joseph Conrad, »Der Freibeuter« – ein phantastisches Buch, das ich sehr liebe. Ein junger Mann, etwa 25, fragt mich nach dem Buch. Ob das ein Abenteuerroman sei, ob es spannend sei – vorerst einmal nur Fragen aus Höflichkeit. Er liest offensichtlich nie oder selten, aber plötzlich fragt er, ob er das mal lesen dürfe.

Ich warne ihn, es sei recht schwer zu lesen und nicht eigentlich spannend, es handle zwar von Seefahrt, von einem alten ausgedienten Kapitän usw. usw. Der junge Mann beharrt auf seinem Wunsch und will es versuchen. Vor allem die ersten dreißig Seiten, die müsse man halt durchstehen, rate ich ihm noch. Zwei Wochen später bringt er das Buch zurück. Er hat es gelesen, und das erschüttert mich. Mir scheint, er hat es mir zuliebe gelesen, nicht einfach nur, um mich zu beeindrucken, sondern um mir eine Freude zu machen. Er weiß, daß ich Bücher mag, und vielleicht ahnt er auch, daß Lesen eine Form von Solidarität ist.

Dann erzählt er von dem Buch. Er erzählt so, als würde ich es nicht kennen – denn Erzählen ist nicht einfach Mitteilung, sondern Begeisterung. Es hat ihm gefallen, und er freut sich mit mir zusammen darüber.

Und dann fällt ein Satz, der mir als Leser bekannt ist. Der junge Mann sagt über den Autor: »Und wie gescheit die Leute damals schon waren!«

Ich selbst habe den Satz wohl noch nie ausgesprochen, aber es ist ein Satz, der auch mir immer wieder einfällt beim Lesen von Goethe und von Heine und von Brentano, von Jean Paul und allen anderen. Und jedesmal, wenn mir dieser Satz einfällt, macht er mich ein wenig traurig. Jener Joseph Conrad zum Beispiel hat den »Freibeuter« 1922 geschrieben. Damals habe ich zwar noch nicht gelebt, trotzdem scheint es mir nicht allzulange her zu sein. Für den Jüngeren dagegen liegt 1922 schon im Dunkel der Geschichte.

Woher kommt sie eigentlich, unsere Überraschung darüber, daß die Leute früher auch schon gescheit waren?

Wohl doch vor allem aus einer grauenhaften Überschätzung unseres Jahrhunderts. Wir tun so, als ob das Humane eine Sache des 20. Jahrhunderts sei und alles andere nur Vorstufen der Menschwerdung. Wir hätten aus der Geschichte zu lernen, sagt man. Was lernen wir daraus eigentlich? In der Regel doch nur, daß es mal eine Steinzeit gab und wie sie da mit Stäben Feuer gebohrt und Pfeilspitzen aus Feuerstein gemacht haben, und dann noch ein bißchen die Römer und dann das Mittelalter, in dem es immer noch keine Autos und Flugzeuge gab. Meine Tochter zum Beispiel hatte durch verschiedene Schulwechsel das Vergnügen, Steinzeit und Römer mehrmals durchzunehmen, dazu ein wenig sogenannte neuere Geschichte bis zum 18. Jahrhundert (für die Schule ist die Geschichte ein großer Topf, in den alles reinkommt).

Kein Wunder, daß später die Leute die ganze Geschichte mit der Steinzeit verwechseln, kein Wunder, daß junge Leute nicht mehr sehr erschauern, wenn sie von den Greueltaten der Nazis hören, denn das ist für sie Geschichte, ist »Steinzeit«, und daß es in der Steinzeit halt so Greuel gab, das wundert niemanden.

Der Feuerbohrstab, so scheint mir, ist jedenfalls ein schlechter Einstieg in die Geschichte, weil er von Anfang an den Irrtum bestärkt, daß Fortschritt nur etwas Technisches sei. Ich habe es noch und noch gehört bei Diskussionen zwischen Atomkraftbefürwortern und ihren Gegnern. Da sagen die Befürworter schnell: »Wollt ihr zurück in die Steinzeit?«

Das ist überzeugend, denn wir haben ja in der Schule gelernt, daß alle Geschichte so etwas wie Steinzeit ist. Trotzdem kommt das Energiezeitalter nicht gleich nach der Steinzeit. 1880 haben die Arbeiter nicht gut gelebt, weiß Gott, aber sie waren weder Neandertaler noch Römer, und ihr Menschsein nur daran zu prüfen, ob es damals schon Autos und Flugzeuge und Abwaschmaschinen gegeben habe, das ist die technische Arroganz des 20. Jahrhunderts.

Allerdings, auch ein sehr intelligenter Mann hat einmal in einer Prognose von der Steinzeit gesprochen, nämlich Albert Einstein. Er wisse nicht, hat er gesagt, mit welchen Waffen der nächste Krieg geführt werde, aber der übernächste bestimmt mit Steinbeilen.

Die Frage heißt nicht: »Wollt ihr zurück in die Steinzeit«, die Drohung heißt: »Vorwärts in die Steinzeit!« Es ist die Drohung der Technik.

Irgendwo anderswo

Auf dem Weg zum Bahnhof in Frankfurt treffe ich einen alten Bekannten, einen Buchhändler.

»Aha, Sie sind auch wieder einmal hier«, sagt er.

»Ja, ich war für eine Woche hier, aber ich bin eben auf dem Weg zum Bahnhof und fahre zurück.«

»In die Schweiz?« fragt er und fügt hinzu: »Sie Glücklicher, da möchte ich jetzt auch hin. Aber ich habe meinen Urlaub erst im August.«

Ich muß ihn sehr entsetzt angeschaut haben, und zu seinem Satz fiel mir auch nichts ein.

»Ach ja, Sie fahren ja gar nicht in Urlaub.«

»Nein, ich fahre nur nach Hause.«

Er wird im August wieder einmal im Engadin sein. Darauf freut er sich, es ist sehr schön in der Schweiz. Er wird Bündnerfleisch essen und Veltliner trinken. Er wird mit fremdem Geld, mit Franken, bezahlen – mit jenen Franken übrigens, von denen er annimmt, daß wir Schweizer sie als »Fränkli« bezeichnen. Er wird die Banknoten genau betrachten, er wird sie schön finden, er wird die Serviertochter fragen, wer denn dieser Mann sei auf der Note. Sie wird es nicht wissen. Vielleicht sieht auch sie diesen Mann jetzt zum ersten Mal. »Der ist mir noch gar nie aufgefallen, dieser Mann«, wird sie vielleicht sagen.

Hier im Engadin wird alles fremd sein für meinen Buchhändler. Deshalb betrachtet er es, deshalb auch schmeckt der Veltliner. Er gibt auch sein Geld leichter aus als zu Hause, weil es ja nicht so richtiges Geld ist, sondern fremdes Geld, das ihn nur entfernt an jenes erinnert, das er in Frankfurt verdienen muß. Der Bäckermeister, bei dem er diese besonders guten Schweizer Gipfeli (hier stimmt die Verkleine-

rungsform, nur sollte er das I nicht so spitz aussprechen) kauft, lebt
im selben Engadin. Er sieht dieselben Bäume, dasselbe Blau des Sees,
trinkt denselben Veltliner, und er mag das Engadin auch und ist wohl
gern hier. Aber er ist hier nicht fremd, und wer nicht fremd ist, der
ist nicht im Urlaub.

Der Begriff Schweiz bedeutet meinem Bekannten etwas ganz anderes als mir. Und fremd sein, das kann sehr schön sein und erholsam.
Fremdsein ist nicht immer nur bitter.

Ich war wieder einmal in Bergen-Enkheim – dort, wo ich als Fremder für ein ganzes Jahr lebte. Ich habe Leute besucht und Kneipen und
den Mann im Lädeli. Es ist alles gleichgeblieben: Wiedersehensfreude
und Hallo rufen und sich zuwinken und die Freude darüber, dazuzugehören, irgendwo anderswo auch dazuzugehören.

Nur etwas hat sich verändert, ist für immer verloren. Bergen-Enkheim ist mir nicht mehr fremd, auch das Geld dort nicht und der
Apfelwein, auch die hochdeutsche Umgangssprache nicht mehr. Ich
bin dort ein bißchen zu Hause. Das ist sehr schön, und ich genieße
es und bin ein wenig stolz darauf. Aber für Fremdsein ist Bergen-Enkheim unbrauchbar geworden. Solothurn und Bergen sind für mich in
dieser Beziehung dasselbe: keine Ferienorte. Der Verlust des Fremden ist auch ein Verlust. Und der eigenartige, gequälte und oft gekün-
stelte Ärger über die Heimat kommt vielleicht daher, daß man in ihr
nicht fremd sein kann, nicht fremd sein darf.

Könnte das vielleicht ein Teil der Schwierigkeiten sein, die viele
Schriftsteller immer wieder mit diesem Land Schweiz haben, dem
der Begriff Heimat so penetrant wichtig ist? Ich denke an Ludwig
Hohl, die große Legende der Schweizer Literatur, unbekannt und
gefeiert zugleich, hochverehrt von vielen und trotzdem das Leben
eines Ausgestoßenen lebend. Bitter gegen seine Umgebung, gegen sein
Land und seine Herkunft. Er hatte eine Marotte: er sprach als echter
Glarner nur Hochdeutsch, kein geschliffenes übrigens, mit deutlicher
schweizerischer Färbung. Er behauptete, ein Schriftsteller hätte in
jener Sprache zu denken und zu leben, in der er schreibt. Keiner seiner
Kollegen hat ihn darin nachgeahmt. Man nahm seine Marotte als
selbstverständlich. Zudem lebte er in Genf, und da fiel der hochdeutsch sprechende Deutschschweizer nicht auf.

Inzwischen bin ich überzeugt, daß sein Hochdeutschsprechen nichts mit der Sprache des Schriftstellers zu tun hatte, sondern nur mit dem trotzigen und hartnäckigen Versuch, im eigenen Lande ein Fremder bleiben zu dürfen, sich nicht aufnehmen zu lassen in die wohlige Wärme der Heimat.

Der Hüttenwart des Alpenclubs im Wallis, den ich als Kind kannte, hätte dafür kein Verständnis gehabt. Er sprach mehrere Sprachen und war noch nie Eisenbahn gefahren. Er sagte: »Die Engländer und die Amerikaner und die Franzosen und alle kommen immer wieder hierher – hier muß es also am schönsten sein. Ich wäre ja dumm, wenn ich reisen würde.«

Der Satz leuchtet ein. Erwähnenswert ist er aber nur, weil er nicht ganz stimmt. Der Berg des Hüttenwarts und der Berg des Amerikaners ist in Realität derselbe, in Wirklichkeit ein ganz anderer.

Ein Stumpen, der keinen Krebs erzeugt

Ein Mann in einem Märchen hat drei Wünsche frei. Leider hat er eine dumme Frau, die sich eine Wurst wünscht, und leider ist er ein Grobian und läßt diese Wurst an der Nase der Frau anwachsen, und es bleibt den beiden leider nichts anderes übrig, als den dritten Wunsch dazu zu verwenden, die Wurst von der Nase zu kriegen.

Das ist ein Märchen, und wir alle wären viel geschickter und würden uns Besseres wünschen. Was würden wir uns wünschen? Ich glaube, ich weiß es. Wir würden uns nichts anderes wünschen als die Wurst.

Wenn ich Geburtstag habe, dann wünscht man mir eine gute Gesundheit. Es geht nichts über eine gute Gesundheit. Man ärgert sich auch, wenn Onkel Ferdinand raucht, aber man ärgert sich nicht, wenn er sich zu Tode schindet für ein bißchen Geld, wenn er ein Leben lang zu früh aufsteht, in jeder Kälte und mit jedem Schnupfen arbeiten geht, am Samstag noch ein bißchen zusätzlich Geld verdient, sich anstrengt, daß er noch ein bißchen mehr verdient. Für was soll

Onkel Ferdinand eigentlich gesund sein? Zum Geldverdienen selbstverständlich oder zum Schweizer-Meister-Werden oder irgend etwas. Wehe, wenn er seine Gesundheit für gar nichts braucht, sich auf den Rücken legt, in den blauen Himmel schaut und heimlich den Lottozettel der Tante Emma nicht abgibt, mit den fünf Franken ins »Rössli« schleicht, sich damit einen Stumpen und einen Zweier Twanner kauft.

Nicht vorzustellen, was geschehen würde, wenn die Tante Emma nun einen Sechser gehabt hätte: Onkel Ferdinand könnte sich umbringen und Tante Emma Krebs bekommen und dahinsiechen. Sie hätten beide ihr Glück verpaßt. Das Glück käme nie wieder. Sie hätten für nichts gelebt.

Solange Tante Emma keinen Sechser und keinen Fünfer macht, so lange lebt wenigstens Onkel Ferdinand, und der lebt ein bißchen gut. Wir wollen hoffen, daß das Schicksal hier für einmal gnädig ist und nicht mit einem Sechser zwei Menschen unglücklich macht, sondern wenigstens den einen ohne Sechser leben läßt. So verdammt ungerecht ist das Schicksal nämlich nicht. Es wird Onkel Ferdinand in Ruhe lassen.

Haben Sie Ihren Lottozettel schon abgegeben? Werden Sie am Samstag vielleicht schon ein Millionär sein? Ist es nicht so, daß dieser Lottozettel Ihre einzige Hoffnung ist? Wenn Sie jetzt dreißig sind, dann wird das vierzig Jahre lang Ihre Hoffnung sein. Sie werden vierzig Jahre lang fast ein Reicher gewesen sein. Onkel Ferdinand wird in dieser Zeit über zweitausend Stumpen geraucht und über 400 Liter Twanner getrunken haben. Onkel Ferdinand wird ein sehr gesunder Mensch sein und Tante Emma ein bißchen vergrämt.

Ich glaube keinem, der für sich selbst nichts anderes wünscht als eine gute Gesundheit. An die glaubt ohnehin kein Knochen mehr. Der Lärm, der Gestank, der Streß, der Ärger, die Umweltverschmutzung, die Kriege, die Radioaktivität werden uns doch alle krank machen. Die Gesundheit fehlt uns schon jetzt. Das einzige, was erstrebenswert ist in diesem Leben, ist die Million. Das einzige, was wir alle wollen, ist, scheißreich zu werden.

Lotto ist ein Betrugsgeschäft. Nicht die Lottogesellschaft betrügt, da ist alles sauber und legal. Aber wir selber betrügen uns, und nicht wenige betrügen sich mit dieser schalen Hoffnung um ihr ganzes Leben. Eine Scheißhoffnung! Geben Sie es doch zu, Sie brauchen diese Million gar nicht. Ich bin bereit zu wetten, daß Sie diese Million nie kriegen. Wenn Sie aber glauben, daß Sie diese Million brauchen könnten, dann haben Sie Ihr Leben bereits verpaßt, und Sie sind dann ein Mensch, mit dem man nur noch Bedauern haben kann. Wie viele solche Menschen gibt es in der Schweiz? Nach den Erfahrungen der Lottogesellschaft sind es sogar mehr als hundert, die Lotto spielen. Und weil wir ja alle reich werden wollen, stimmen wir Jahr für Jahr mit den Reichen und sind Samstag für Samstag fast Millionäre.

Prost Onkel Ferdinand! Ich wünsche dir ein langes Leben! Dein Stumpen wird weniger Krebs erzeugen als all die abgegebenen Lottozettel.

Wieviel verdienst du?

Vor einiger Zeit kam einer zu mir und wollte von mir einen Brief geschrieben haben an seinen Arbeitgeber. Er wollte mehr Lohn. Er hatte etwas aufgesetzt, und ich sollte es ihm auf der Schreibmaschine schreiben. In seinem Entwurf war sein bisheriger Lohn nicht erwähnt. Mein Bekannter ist Hilfsarbeiter und verdient sicher nicht viel. Ich fragte ihn danach. Er wies meine Frage entsetzt zurück, er hielt meine Frage für sehr, sehr unanständig und war nicht bereit, mir zu sagen, wieviel er verdient.

Darüber spricht man offensichtlich nicht, darüber spricht man jedenfalls bei uns in der Schweiz nicht.

Wissen Sie, wieviel ein Briefträger verdient? Wissen Sie, wieviel ein Rangierarbeiter verdient? Wenn Sie nicht von der Branche sind, dann werden Sie wohl zu hoch raten. Beide verdienen viel weniger, als Sie denken. Daß die hohen Beamten zuviel verdienen, das will man wissen und davon spricht man. Wissen Sie, wieviel der Bahnhofinspektor von Zürich verdient? Er verdient – immerhin ein hoher Managerposten – sehr viel weniger, als Sie denken.

Wissen Sie denn überhaupt, was Ihr Kollege an der Drehbank ne-
benan verdient? Weiß er, wieviel Sie verdienen?

Die Löhne der öffentlichen Angestellten sind öffentlich, die kann
man nachschlagen. Aber offensichtlich will es niemand wissen.
Man mutmaßt etwa, wieviel ein Bundesrat verdiene, aber niemand
fragt. Alle schätzen nur zu hoch und zu tief, nach Lust und Laune.

Nicht in allen Ländern ist das so. Die Fragen: »Wieviel verdienst
du, und wieviel kostet deine Wohnung, und wieviel hat dein Auto
gekostet« sind in Amerika zum Beispiel nicht unanständig, sondern
fast selbstverständlich. Wenn ich einen Amerikaner frage, was er arbeite, dann sagt er mir meist gleich ungefragt auch, wieviel er verdient. Ich kann in Amerika an einer Bar meinen zufälligen Nachbarn
fragen, wieviel etwa ein Lehrer, ein Bauarbeiter, ein Bankangestellter
verdiene. Er wird in der Regel einigermaßen Auskunft geben können.
Man spricht über Geld. Wir in der Schweiz halten unseren Briefträger
und unseren Stationsbeamten für steinreiche Leute, ohne sie danach
zu fragen. Es macht uns mehr Spaß, sie um einen Lohn zu beneiden,
den sie nicht haben.

Über Geld wird in unserem Land nur getuschelt. Wer hier offen
über Geld spricht, ist ein unanständiger Mensch. Oft wagen wir nicht
einmal, nach dem Preis zu fragen, wenn wir etwas kaufen. Der Reiche schämt sich für sein hohes Einkommen, der Arme schämt sich
für sein kleines Einkommen. Man spricht nicht davon.

Für wen verhalten wir uns eigentlich so diskret? Nützt das wohl
den Reichen, wenn niemand über Geld spricht, oder nützt das etwa
den Armen? Wer hat das wohl erfunden, daß über Löhne reden etwas
Unanständiges sei?

Ich schlage vor, daß wir das ändern. Daß wir uns daran gewöhnen, nach dem Lohn des Briefträgers, des Rangierarbeiters zu fragen,
daß wir uns daran gewöhnen, unseren eigenen Lohn offen zu nennen.
Wir können nicht weiter so tun, als hätten wir Lohn gar nicht nötig.
Fangen wir morgen an. Fragen Sie Ihren Briefträger! Fragen Sie den
Chauffeur, der das Heizöl bringt! Fragen Sie die Verkäuferin im Warenhaus! Alle werden vielleicht etwas erschrecken, aber vielleicht gewöhnen sie sich daran und fragen weiter. Nicht über Geld sprechen

dürfen, das ist auch ein Mittel der Unterdrückung – und erschrecken
Sie nicht: es gibt Leute, die sehr wenig verdienen.

Eine alte Geschichte

Ich stelle mir vor, daß irgendwo in Zürich im Jahre 2500 eine Haus-
fassade renoviert wird und dabei uralte Inschriften gefunden werden
wie »Freiheit für Grönland«, »Nieder mit dem Packeis« oder »Wir
fordern die sofortige Schließung der Stadt Zürich« oder »Samstags
frei für die Polizei«. Ich stelle mir vor, daß die Renovationsarbeiten
unterbrochen werden, der kantonale Denkmalpfleger und die Alt-
stadtkommission beigezogen werden. Man wird einen Restaurateur
rufen, der sorgfältig prüft, ob die alten Inschriften gerettet werden
können, man wird abklären, wie sich Bund, Kanton und Gemeinde
die Restaurationskosten teilen wollen. Man wird vielleicht den Haus-
besitzer später mit einer Plakette ehren, weil er keine Kosten scheute
für das alte echte Stadtbild.

Vielleicht wird man Festreden halten. Ein Historiker wird über den
tiefen Gehalt echter und anonymer Volkskunst im späten 20. Jahrhundert sprechen. Der Stadtpräsident wird sich in seiner Rede über das
Desinteresse der heutigen Jugend des 26. Jahrhunderts beklagen
und nostalgisch von den Zeiten reden, in denen es noch eine öffent-
liche Auseinandersetzung gab. Vielleicht werden die Politiker Max
Frisch zitieren, und vielleicht werden sich die Jugendlichen ärgern,
daß man ihnen wieder diesen Max Frisch als Vorbild hinstellen will.

Aber sicher wird sie enorm teuer, diese Renovation. Denn die
Spraydosen waren damals im 20. Jahrhundert noch aus Aluminium –
ein Material, das es heute im 26. Jahrhundert nicht mehr gibt oder nur
in ganz kleinen Mengen im Tresor der Nationalbank. Das Treibgas
des Sprays ist längst als so gefährlich erkannt worden, daß der Umgang mit ihm unzumutbar ist.

Die würdigen Herren Politiker werden das gelungene Werk loben
und als eine echte Bereicherung des Stadtbildes anpreisen. Und die

älteren Herren werden sich sehr ärgern, weil es in der Stadt viele Jugendliche gibt, die diesen ganzen Denkmalschutz nicht als Kultur empfinden und nicht begreifen wollen, daß man für historische Zufälligkeiten Millionen von Steuergeldern ausgibt.

Die Fassadeneinweihungsfeier wird jedenfalls von der Polizei geschützt werden müssen. Man wird mit Gewalt gegen jene Gruppe von Jugendlichen vorgehen, die am Rande der Veranstaltung mit einem Transparent stehen und Geld fordern für echte und gegenwärtige Kultur – die zum Beispiel ein autonomes Jugendzentrum fordern. Das viele Geld, das Bund, Kantone und Gemeinde ausgegeben haben für die Restaurierung der schönen alten Inschriften, das hätte nämlich für das seit Jahrhunderten geforderte Jugendzentrum wieder einmal gereicht.

Aber den Herren wird Kultur halt lieber sein, und man wird den Jugendlichen auch vorhalten, daß es auch Jugendliche waren, die vor über fünfhundert Jahren diese schönen Verzierungen angebracht haben.

Ein Land ohne Politik

Ich lebe seit sechs Wochen in einem kleinen Vorort von Frankfurt. Ich bin hier der Schweizer. Man beobachtet mich, meine Aussprache – fast ist sie ihnen zu wenig schweizerisch – und fragt mich dauernd, ob es mir hier gefalle. Man fragt mich nach den hohen Bergen und ob ich sie nicht vermisse, man teilt den Umstehenden mit, daß ich ein Schweizer sei, alle haben irgendwelche Freunde in der Schweiz, irgendwelche guten Erlebnisse in der Schweiz. Alle erzählen Berner Witze, alle dieselben.

Wenn sie aber politisieren in der Kneipe, dann sind sie überzeugt, daß ich als Schweizer das alles nicht verstehen kann, daß ich die Namen ihrer Politiker nicht kenne und keine Ahnung habe von den Problemen deutscher Politik. Halb freundlich und halb abschätzig heißt es: »Ihr Schweizer habt es besser, das gibt es bei euch alles nicht, ihr seid neutral!« Man spricht von Inflation und hoher Staatsverschuldung und stellt fest: »Das alles gibt es bei euch nicht, ihr seid neutral.« Meine Erklärung, daß es dasselbe bei uns auch gibt, die hohe Staatsverschuldung zum Beispiel, wird mit Besserwissen quittiert.

Ich bin eigentlich doch überrascht, wie wenig man hier von dieser Schweiz weiß und wie viele Behauptungen über die Schweiz aufgestellt werden.

Was man hier überhaupt nicht wissen will, ist, daß es eine schweizerische Politik gibt. Das Wort »neutral« versteht man hier – ich meine bei den einfachen Leuten in der Kneipe – als die Abwesenheit von jeder Politik.

Man stellt mir zwar Fragen über die Schweiz, aber man glaubt mir meine Antworten nicht. Wenn ich versuche, die direkte Demokratie zu erklären, ein schwieriges Unterfangen, zu erklären, was ein Referendum und was eine Initiative ist, da bekomme ich zur Antwort: »Aber ihr habt ja in den letzten zehn Jahren nur einmal abgestimmt, über die Ausländer.« Ich wehre mich und erzähle von anderen Abstimmungen. Sie sind aus Freundlichkeit zwar bereit, mir ein bißchen zu glauben, aber sie lassen sich nicht davon abbringen, daß die Schweiz ein Land sei, das die Politik eigentlich nicht nötig habe.

Sie formulieren das nicht so – ich übertreibe –, aber sie sind sehr davon überzeugt, daß die Schweiz ein weit besseres Land sei als ihr eigenes. Ihr eigenes erscheint ihnen als schlechtes Land, weil es eine Politik hat. Also stellen sie sich vor, daß das andere, »gute« Land eben keine Politik habe.

Ein wenig bin ich beleidigt darüber. Ich habe das Gefühl, wir werden nicht ernst genommen. Aber ich weiß nicht, ob man das nun ändern soll, und ich weiß auch nicht, was ich davon halten soll. Dieses »Wunderland« Schweiz war und bleibt wohl so etwas wie eine Sehnsucht für Europa. Und wenn man hier nun plötzlich die Sehnsucht wieder hat nach einem Land ohne Politik, dann projiziert man das halt in den Begriff »Neutrale Schweiz« hinein. Diese Sehnsucht nach einem unpolitischen Land macht mir hier in Deutschland und hier in der Schweiz angst. Vielleicht wäre es aus diesem Grund doch nötig, daß wir im Ausland darstellen, daß wir ein Land mit Pro-

blemen und ein Land mit Politik sind. Das Mißverständnis »Schweiz«
wird sonst zu einem schlechten Beispiel.

Ein Betriebsrat

Ich habe ihn hier in Frankfurt schon oft getroffen, und wir hatten ein
paar gute Gespräche miteinander. Er ist Werkzeugmacher und ein
engagierter Gewerkschafter. Das heißt hier wie anderswo, er hat
seine großen Bedenken gegenüber der Gewerkschaft, ist mißtrauisch
gegenüber ihrer Leitung, kritisiert sie und ärgert sich über sie – aber
er ist von ihrer Notwendigkeit überzeugt, und er ist überzeugt, daß
sie nicht besser wird, wenn er ihr fernbleibt. Er setzt sich für sie ein,
nicht nur am Arbeitsplatz und in freiwilliger Arbeit, sondern auch
abends beim Bier. Er weiß, was die Gewerkschaft erreicht hat, ist
stolz darauf, und er weiß, was man ohne sie verlieren wird.

In letzter Zeit geht es ihm grauenhaft schlecht. Er ist nervös, klagt
über Schlaflosigkeit, stottert oft beim Sprechen. Er ist im Betriebsrat
seiner Firma, und im Betriebsrat ist über Kündigungen gesprochen
worden, vorläufig ohne Namen, nur die Zahl, und in ein paar Wochen
wird es soweit sein. Er steht unter Schweigepflicht, er darf es niemandem sagen. Diese Schweigepflicht bringt ihn fast um. Sie hat ihre
Gründe: die Konkurrenz, Aufträge und neue Aufträge, das Verhüten
von Panik. Aber er weiß zum voraus, daß man ihm hinterher sein
Schweigen vorwerfen wird. Hinterher wird man sagen, daß er die
Pflicht gehabt hätte, zu reden.

Wenn er es tut, dann ist seine Firma an nichts mehr gebunden und
kann ihm dafür die Schuld geben. Er ist so oder so ein Schuldiger
geworden. Trotzdem, er ist bereit, die Mitbestimmung für sinnvoll
zu halten. Einige Beschlüsse kann man zum mindesten mildern, aber
Erfolg haben – das weiß er auch – kann man hier nicht.

Er ist letztlich auch nicht so einsam wie ein Gewerkschafter in der
Schweiz. Die Gewerkschaft ist hier in der Bundesrepublik ein Thema,
und den Leuten ist bewußt, daß sie Gewerkschafter sind, und sie spre-

chen darüber. Einige sind ihm sogar dankbar für seine Arbeit – sie werden es in einigen Wochen nicht mehr sein.

Nun platzt in diese Situation eine Geschichte, mit der er nichts, nicht das geringste zu tun hat: der Skandal »Neue Heimat«. Leiter des größten europäischen Genossenschaftsbauunternehmens haben sich auf Kosten des Unternehmens, auf Kosten der Gewerkschaft, auf Kosten der Steuerzahler bereichert. Nicht nur von ihrer Schuld wird gesprochen, sondern auch von ihren hohen Einkommen (das Einkommen eines Schweizer Bundesrates ist lächerlich dagegen). Die Vorstellung war wohl einmal, daß man Leute mit einem hohen Einkommen korruptionsfrei macht. Warum glaubt man das? Geld muß doch angelegt werden, und von Immobilien verstehen die etwas – also?

Wie auch immer – die Opfer des Skandals sind nicht die üblen Täter. Sie haben ihr Geld wohl im »Schärmen«, und es ist auch fraglich, ob sie sich strafrechtlich schuldig gemacht haben oder nur moralisch. Mein Mann aber, der tapfere und uneigennützige Betriebsrat, wird unter ihnen zu leiden haben. Man wird ihn nach den Entlassungen in der Betriebsversammlung beschimpfen, und man wird auch die »Neue Heimat« erwähnen. Man wird behaupten, er sitze im selben Boot.

Was mir vorläufig aufgefallen ist: abends beim Bier wird nicht mehr von der Gewerkschaft gesprochen. Das ist nicht Resignation, das ist Enttäuschung, und sie ist so groß, weil man sie eigentlich erwartet hat und weil man die Gewerkschaft doch immer verteidigen mußte und weil doch immer der Verdacht der Korruption da war. Der Schaden, den die noblen Herren und Bosse der »Neuen Heimat« angerichtet haben, ist unermeßlich.

Mein Freund, der Betriebsrat, tut seine Arbeit noch. Er weiß ganz genau, daß ihm für diese Arbeit niemand wird danken können. Es geht ihm verdammt schlecht, und er ist in ärztlicher Behandlung, und seine Augen sind gerötet. Er tut es für eine gute Sache und weil es getan werden muß.

Früher aber tat er es aus Überzeugung.

Geheimhaltung

Eine Firma hat giftige Stoffe zu lagern, Stoffe, die giftig bleiben werden, solange es eine Welt gibt. Niemand möchte in der Nähe dieser Gifte leben. Man will eigentlich gar nicht wissen, ob sie hier sind oder dort sind. Man will nur wissen, ob sie nicht hier sind. Irgendwo sind sie, das ist sicher, und irgend jemand weiß es – und wenn es die Firma nicht weiß, dann deshalb, weil sie es zu irgendeinem Zeitpunkt nicht wissen wollte. Sie kann uns auch nicht schlüssig davon überzeugen, daß sie es jetzt plötzlich wissen möchte.

Die eine Seite des Problems ist bekannt und genügend diskutiert: Umweltverschmutzung, Umweltgefährdung, das heißt Gefährdung von Menschenleben und menschlichem Leben. Aber das Gift existiert – aus was für Gründen auch immer – und es muß gelagert werden, weil es ab jetzt für immer existieren wird. Niemand will es. Die einfachste Lösung heißt Geheimhaltung, das ist die einfachste, nicht die beste. Sie hat den Nachteil, daß die Information über das gelagerte Gift verlorengehen könnte, daß die kommenden Generationen nichts erfahren davon und in die Katastrophe laufen. Das ist die eine Seite.

Die andere Seite ist politischer Alltag: Geheimhaltung als Mittel der Macht. Auch die kleinen Kinder, die Geheimnisse haben, fühlen sich mächtig gegenüber jenen, die diese Geheimnisse nicht besitzen. Jeder Staat hat Geheimnisse – meistens nur deshalb, weil er den Eindruck erwecken will, er sei mächtiger als sein sichtbares Erscheinungsbild.

Geheimhaltung aber – ob nötig oder nicht – ist immer undemokratisch. Es gibt keine demokratische Geheimhaltung, denn wenn in der Demokratie das Volk die Macht haben soll, dann soll es als Mächtiger auch alle Informationen besitzen, dann soll es zum Beispiel über die eigene Armee zum mindesten soviel wissen dürfen wie die fremden Geheimdienste.

Wie auch immer: die Macht soll beim Staat sein und nicht bei der Wirtschaft; Geheimhaltung ist demokratiegefährdend und staatsgefährdend, also subversiv. Die Industrie weiß das. Sie weiß auch, daß ihre Produktion Menschen nicht gefährden darf.

Aber weiß sie, daß ihre Produktion auch den Staat, die Gesellschaft nicht gefährden darf? Weiß sie davon, daß Geheimhaltung staatsgefährdend ist?

Ich verstehe die vertrackte Situation jener Firma: niemand will das Gift, und irgendwo muß es hin. Der Fehler ist nicht jetzt passiert, sondern Jahrzehnte vorher, als die Wirtschaft entdeckte, daß sie durch Geheimhaltungssysteme die ganze Macht an sich reißen kann und daß der Staat dabei immer den kürzeren ziehen wird, weil er demokratisch zu sein hat.

Man wird Lehren ziehen aus dem Dioxin-Skandal. Das versprechen alle, und vielleicht werden sie es tun. Eines aber scheint mir sicher: die Lehre, daß Geheimhaltung staatsgefährdend ist, diese eine Lehre wird man nicht ziehen. Der Staat hat sich ja auch schon ganz schön an seine Geheimnisse gewöhnt und hält fröhlich mit geheim, wenn es um Atomkraftwerke, um Atommüll, um Straßenbau und andere Großobjekte geht – hält mit, nicht dem Staate, sondern der Wirtschaft zuliebe. Das Wort »honorig« jedenfalls wird nicht lange einen positiven Klang haben. Sprachforscher werden uns erklären müssen, weshalb aus dem romanischen Wort für Ehre ein Wort für Unehre entstanden ist.

Brutale Gerechtigkeit?

Die Geschichte ist bekannt. Ein Richter soll zu einem Kläger oder Angeklagten gesagt haben: »Was, Gerechtigkeit wollen Sie? Hier kriegen Sie keine Gerechtigkeit, hier kriegen Sie nur Ihr Recht. Für Gerechtigkeit ist der da oben (Gott) zuständig.«

Einem Juristen leuchtet das ein. Das Recht, das juristische Recht, hat nur für Ordnung zu sorgen, und die Ordnung ist hergestellt, wenn dem Recht genüge getan wird.

Weil der Jurist ein Jurist ist, leuchtet ihm das ein. Er kann, wenn er menschlich ist, seinem Urteil ab und zu ein »Leider« hinzufügen und damit erklären, daß er das Gesetz nicht selbst gemacht habe.

So hatte zum Beispiel ein Staatsanwalt im Tessin – ein guter und mutiger Staatsanwalt – als erster einen Mann für die Vorbereitung einer kriminellen Tat anzuklagen nach dem revidierten Strafgesetz. Jener Staatsanwalt hatte sich vorher vehement gegen die neuen Strafgesetzbestimmungen gewehrt. Das Gesetz aber ist für den Juristen verpflichtend. Das ist recht so, und gäbe es kein Gesetz und nur der sogenannte gesunde Menschenverstand wäre entscheidend: ich bin überzeugt, dieser sogenannte Verstand würde sich auf die Seite der Großen und nicht der Kleinen schlagen.

Es gibt viele Leute, die daran glauben, daß den Bösen schließlich doch Gerechtigkeit widerfahren wird, daß sie eben von jenem Gott doch für ihre Taten bestraft werden. Nur frage ich mich, wie das geschieht.

Kürzlich starb sehr jung ein lieber Mensch. Vielleicht hat ihn Gott heimgeholt, weil er ihn liebte. Aber hätte man ihn oder mich gefragt, wir hätten lieber gehabt, er hätte länger gelebt. Oder bestraft Gott die Bösen vielleicht damit, daß er sie sehr lange leben läßt? Ich kenne liebe alte Leute, Alter allein ist also noch keine Strafe. Wenn es aber so wäre, ich bin ganz sicher, alle Menschen würden sich bemühen, richtig bös zu sein. Und angenommen, jemand würde herausfinden, daß Brutalität und Rücksichtslosigkeit das beste Krebsverhütungsmittel sei, ich fürchte, unsere Brutalität würde sich so sehr verstärken, daß die Erde unbewohnbar würde.

Oder ganz anders: Es ist bestimmt ungerecht, daß die einen Arbeit haben und die anderen nicht, daß die einen Arbeit zu verteilen haben und die anderen darum betteln müssen und daß jene, die darum betteln, auch bereit sein müssen, sich beleidigen zu lassen usw. usw. Gerecht ist das nicht, aber offensichtlich rechtens.

Angenommen, man könnte nur noch mit Erhöhung der Rüstungsproduktion Arbeit beschaffen und damit mehr Gerechtigkeit auf dem Arbeitsmarkt erreichen, und angenommen, unsere Ausfuhrbestimmungen für Rüstung wären angesichts der Arbeitslosigkeit nicht mehr haltbar – ja, was dann? Und angenommen, jemand hätte bereits herausgefunden, daß brutale Rücksichtslosigkeit zu mehr Macht, zu mehr Geld, zu mehr Swimmingpool und mehr Ferien in der Karibik führt: wäre das nicht ein Grund, rücksichtslos zu sein?

Ich stelle die Frage zynisch – und ich stelle sie für einmal nicht den Arbeitgebern, sondern den Gewerkschaften. Denn die totale Rücksichtslosigkeit hat bereits einen Namen: Krieg.

Der entsetzlich gute Schlaf

Entsetzen, Erschütterung über die Massaker im Libanon?

Ich weiß nicht, ich gebe beschämt zu, daß ich in den letzten Tagen nicht besonders schlecht geschlafen habe, nicht besonders schlecht gegessen habe, daß sich in den letzten Tagen mein Tagesablauf nicht verändert hat, daß ich nicht allzu besonders traurig war.

Nun, wir können uns ja gar nicht leisten, schlecht zu schlafen, weil es ja weitergehen muß, weil man am Morgen ja wieder arbeiten muß und weil sich in dieser Zeit der Arbeitgeber nichts mehr bieten läßt und rücksichtslos kündigt, wenn man nicht voll da ist.

Immerhin, diskutieren kann man ja darüber, abends am Biertisch. Da wird dann darüber diskutiert, wer schuld ist oder wer selbst schuld ist. Die einen heißen Israelis, die anderen heißen Palästinenser. Man spricht weder von Menschen noch von Leuten: »Israelis« und »Palästinenser« ist abstrakter. Und es ist einfacher, wenn Palästinenser umgebracht worden sind und nicht etwa Frauen, Kinder und Greise. Von den Dreißigjährigen spricht ohnehin niemand, denn ein Dreißigjähriger ist schließlich kein Zivilist.

Ich habe es häufig gehört am Biertisch: man spricht mit sogenanntem »Entsetzen« von den Massakern im Libanon und erwähnt gleichzeitig das Eisenbahnunglück von Pfäffikon – als sei ein gräßlicher und bedauernswerter Unfall dasselbe wie eine gewollte Greueltat. Alles zusammen ist eben eine Katastrophe und halt eben ein Beweis, daß die Zeiten schwierig sind, und halt eben ein Grund, sein Bier schon um zehn nach sieben zu bezahlen, weil man noch nach Hause muß und die Tagesschau sehen will.

Immerhin, die Leute, die beim Eisenbahnunglück umgekommen sind, das waren Menschen mit Angehörigen, mit Hinterbliebenen, mit Trauernden, die man vielleicht sogar kennt. Ich habe auch nirgends gelesen, daß zum Beispiel vierzig »Deutsche« umgekommen seien, sondern vierzig Menschen.

Ich bin dafür, daß wenigstens ein Toter keine Nationalität mehr hat.

Es ist aber schlimm, daß man vielen Lebenden nichts anderes als Merkmal zugesteht als eine Nationalität und daß die Mächtigen ihre Macht auch mit der Behauptung ausüben, der Mensch habe eben eine Nationalität. Es ist leichter, Palästinenser umzubringen als Menschen, und es ist leichter, Israelis oder Libanesen oder Araber zu Tätern zu machen als Menschen.

Ich bin mir nicht sicher, ob mein Entsetzen darüber echt ist oder ob mir meine »gescheiten« Bemerkungen dazu nicht lieber sind und meine tiefe Antipathie gegen Begin. Wie gesagt, geschlafen habe ich gut. Ich glaube also meinem Entsetzen nicht recht. Tatsächlich müssen wir am anderen Tag wieder arbeiten, und dazu brauchen wir wirklich einen guten Schlaf.

Die Gewerkschaften in Italien haben für eine Stunde gestreikt. Das nützt nichts, bestimmt nicht, das schadet nur der italienischen Wirtschaft. Aber vielleicht wollten sie damit zeigen, daß man unter solchen Umständen eigentlich nicht gut schlafen können müßte – daß man unter solchen Umständen eigentlich nicht wie vorher weiter arbeiten und weiter leben können müßte.

Warten auf Wachstum

Wer sind die Grünen? Niemand weiß es so recht, aber alle sprechen davon. Schon sind sie bei uns in der Schweiz zum Thema geworden; dabei spielen sie politisch hier kaum eine Rolle. Immerhin wird gewarnt und noch einmal gewarnt, noch bevor es sie gibt. Wer sind sie? Man weiß es nicht, aber man weiß, daß sie in Deutschland Wähler haben, und diese Wähler kennt man nun doch ein bißchen besser als die Grünen selbst. Es sind, aus was für Gründen auch immer, die

Unzufriedenen, jene, die irgend etwas anderes wollen, vielleicht ohne konkrete Vorstellungen – jene, die irgendwie das Gefühl haben, so könne es nicht weitergehen.

Deutsche Politik unterscheidet sich von unserer; bei uns stören kleine Parteien kaum, im Gegenteil, sie beleben die Politik. Deshalb bin ich schockiert darüber, was im Deutschen Bundestag nun geschieht. Jeder CDU-Mann, jeder SPD-Mann distanziert sich erst mal von den Grünen, sagt, daß sich jene zunächst zum Parlamentarismus zu bekennen hätten, daß ihr Bekenntnis zur Demokratie ungenügend sei, ihre Ablehnung der Gewalt zu wenig glaubhaft. Sie gefährden, das wird behauptet, die deutsche Politik. Dabei sind sie gewählt, in Hamburg, in Hessen und anderswo, und Hamburg gibt es noch. Jetzt will man dort neu wählen, damit sie nicht mehr gewählt werden. Und wenn sie wieder gewählt würden, wäre man wieder nicht regierungsfähig.

Die Grünen gefährden also nicht etwa die deutsche Demokratie, sie gefährden nur das, was man sich mit der Zeit so angewöhnt hat. In einer Sache sind sich nämlich CDU und SPD (auch die FDP) einig: daß sie drei zusammen die Demokratie sind und alles andere eine Gefahr sei. Sie sagen: Wollt ihr die Demokratie? Wenn ihr sie wollt, dann müßt ihr uns wollen, denn wer uns nicht will, der will die Demokratie nicht.

Das meinen die Wähler der Grünen nicht, davon bin ich überzeugt.

Wir kennen auch in der Schweiz und in einzelnen Kantonen Parteien, die glauben, nur sie allein seien die Demokratie und jede andere Partei eine Gefahr. Aber man hat sich bei uns doch eher daran gewöhnt, daß es nicht so ganz anders wird, wenn man die anderen auch läßt. In den Sachthemen allerdings verhält man sich bei uns gleich wie in Deutschland. Man kann sich schließlich doch keine andere Politik vorstellen als die, die man hat.

Mir scheint zum Beispiel, daß auch unsere Fachleute und Politiker zur Lösung der gegenwärtigen Krise keinen anderen Vorschlag haben, als auf den Wiederaufschwung zu warten, auf die neue Konjunktur: auf neues Wachstum, auf neuen Anstieg des Energieverbrauchs, auf neue Umweltbelastungen, auf neue Wohlstandsprobleme. Leute,

die vor ein paar Jahren davon gesprochen haben, daß man ein Nullwachstum erreichen sollte, wurden als Utopisten abgetan. Nun haben
wir das Nullwachstum, aber wir können nicht damit umgehen. Wir
können nur mit einer Politik umgehen, die wir kennen, also nur mit
Wachstumspolitik. Dabei wissen Ökologen, Soziologen, Psychologen, wissen Wissenschaftler in aller Welt, daß dieses Wachstum nicht
mehr wünschenswert ist und zur Zerstörung der Welt führt.

Es scheint also so, daß wir nur deshalb Wachstum brauchen, weil
die Politik mit etwas anderem nicht umgehen kann. Das aber heißt:
die Welt hat sich zugunsten der Politik zu verhalten und nicht die
Politik zugunsten der Welt. Jene Politiker, die jetzt die Sozialversicherung von neuem Wachstum abhängig machen, die werden sehr
bald auch die Demokratie und die Bürgerrechte und die Freiheit von
neuem Wachstum abhängig machen wollen. Sie werden sehr bald
sagen: Wer die Demokratie will, der muß uns wollen, und wer uns
will, muß unsere Politik wollen, und wer unsere Politik will, der
muß mit uns auf neues Wachstum warten.

Wie man die Angst verkleinert

Meinungsforscher in aller Welt haben ein modisches Thema. Sie befragen die Leute nach ihrer Angst. »Haben Sie Angst vor der Zukunft?« Das ist die erste Frage, und soundso viele Prozent haben
Angst. Dann kommt aber gleich die zweite Frage, die das Resultat ver-
fälscht: »Vor was haben Sie am meisten Angst, vor dem Krieg, vor
dem Waldsterben, vor der Wirtschaftskrise?« Und nun teilt sich die
Menge der Ängstlichen schön auf. Es sind jetzt nicht mehr so viele,
die Angst haben vor dem Krieg, und nicht mehr so viele, die Angst
haben vor dem Waldsterben, und nicht mehr so viele, die Angst haben
vor Arbeitslosigkeit.

Die Meinungsforscher machen mit der Angst genau dasselbe, was
etwa der Bundesrat mit Gegenvorschlägen macht; er teilt die Besorgten in Gruppen auf, und der Prozentsatz der Besorgten wird kleiner.

In einer politischen Diskussion kürzlich wieder einmal sprach ein bürgerlicher Politiker davon, daß all die Bürgerinitiativen – die Grünen zum Beispiel – nicht echte politische Arbeit leisten könnten, weil ihr politisches Spektrum zu klein sei, weil man nicht nur mit einem einzigen Thema Politik treiben könne. Das leuchtet fast ein, und alle Politiker sind gern bereit, sich mit diesem Argument gegen Gruppen zu wehren, die sich einem Thema verschrieben haben.

Nur, sie haben unrecht! Ich sehe dieselben Leute, die besorgt sind wegen Atomkraftwerken, dieselben Leute, die sich einsetzen für die Erhaltung einer alten Bahnhofshalle, dieselben Leute, die für eine bessere Sozialversicherung kämpfen, dieselben Leute, die sich um die Integration der Ausländer kümmern, die sich für moderne Schulfragen einsetzen, die gegen den Wahnsinn des Nationalstraßenbaus kämpfen und sich Überlegungen machen zur Arbeitslosigkeit – dieselben Leute sehe ich immer wieder, bei den verschiedensten Aktionen, Diskussionen, Veranstaltungen, kleinen Sitzungen usw.

Und ich habe sie alle gesehen an der Friedensdemonstration in Bern.

Nun kann man hingehen und sie fragen: »Was ist euch wichtiger, der Friede oder der gesunde Wald?« Und wenn sie sich für den Frieden entscheiden, dann widersprechen sie sich.

Angst ist mehr als nur die Angst vor etwas Bestimmtem, und Besorgtheit ist mehr.

Und zudem wäre noch zu erwähnen, daß es noch Hunderte von Themen der Angst gibt. Mir fällt zum Beispiel auf, daß kaum mehr jemand von Datenschutz und Telefonabhören spricht. Georges Eggenberger von der PTT-Union hat kürzlich in einem Interview gesagt: »Wir vertreten aber ganz klar die Meinung, daß die Telefonüberwachung heute zu eifrig angewandt wird.« Das war vor kurzer Zeit noch ein Thema. Angesichts der Bedrohung durch Krieg und Krise ist es fast keines mehr.

Und unsere Politiker belächeln immer noch jene, die sich angeblich eines einzelnen Themas annehmen. Es sind aber immer wieder und überall dieselben anderen, es sind Leute mit einem sehr großen politischen Spektrum, die – wenn es um Angst geht – nicht das eine Thema gegen das andere ausspielen.

Oder ist vielleicht Politik für die Politiker etwas anderes als die Beschäftigung mit Themen? Vielleicht haben sie den Eindruck, wenn man alles schön verteilt auf alle Themen, den Einsatz und die Besorgtheit, dann bleiben ganz kleine Prozentsätze, und die Gefahr ist bagatellisiert.

Einen neuen Kopf bekommen

Fritz ist ein ehemaliger Dienstkollege von mir. Das ist nur erwähnenswert, weil wir uns ohne diese Tatsache kaum kennen würden, das heißt: kennen wohl schon, denn wir sehen uns ab und zu in denselben Beizen, aber wir wären kaum Freunde, und er gehört zu jenen Freunden, mit denen man vorsichtig umgehen muß, wenn man sie nicht verlieren will.

Er ist der Stärkere und bestimmt mein Verhalten, und wenn ich keine Fehler mache, dann wird er mir nicht gefährlich. Vor Fritz fürchtet man sich. Er ist stark, er ist rechthaberisch, und er ist bis zu einem gewissen Grad nicht ansprechbar. Er ist auch (oder war es) ein Analphabet – nicht etwa, daß er nicht zur Schule gegangen wäre, aber er hat dort das Alphabet nur als Disziplinniermittel kennengelernt, und er hat es dann auch annähernd strikte abgelehnt, als er den Zwang der Schule hinter sich hatte.

So liest er denn keine Briefe – es sind in seinem Falle ohnehin nur Rechnungen und Mahnungen und vielleicht Pfändungen. Das Nichtlesen von Briefen bringt ihn in Schwierigkeiten, die zu neuen Briefen führen und zu neuen Schwierigkeiten. Alles, was ihn an Buchstaben erinnert, ärgert ihn, fordert ihn heraus, bringt ihn in Rage.

Und wenn zwei Kollegen über etwas anderes als Sport, Fischen, Pilze oder ähnliches reden wollen, vielleicht über die Schwierigkeiten auf dem Arbeitsmarkt oder über eine Abstimmung oder gar über einen Film, dann wird er echt böse. Er weist sie zurecht und sagt, er wolle hier in der Beiz seine Ruhe haben und sie sollten mit diesem unverständlichen Quatsch aufhören. Er kann dabei auch einen am Kittel packen, und so harmlos ist das nicht, wenn er das tut.

Ich erinnere ihn natürlich schon durch meine Anwesenheit an Buchstaben und bin dadurch in einer besonderen Gefahr. Aber es gelingt mir doch immer wieder, ihn zu beruhigen, und eigentlich bin ich recht stolz auf seine Freundschaft. Vielleicht ist es der Stolz des Schwachen, mit dem Starken und Gewaltigen umgehen zu können. Der Stolz eines Dompteurs, der seinen Löwen zur Sanftmut verführt.

Kurz vor Weihnachten traf ich ihn und fragte, wie es gehe in der Fabrik. Auch das eine Frage, die man bei ihm vorsichtig zu stellen hat. Aber zu meiner Überraschung begann er zu erzählen und war kaum mehr zu bremsen. Sein Kollege in der Fabrik, mit dem er immer zusammengearbeitet hatte, ging in Pension. Nun sollte Fritz vom Januar an halt dann wohl auch das machen, was immer der Kollege gemacht hatte – die Formulare ausfüllen. Davor fürchtete er sich, und ich hätte fast gewettet, daß er die Stelle verlassen oder einfach an einem Montag nicht mehr hingehen wird. Wir redeten lange zusammen. Er sagte auch, daß er alle Formulare nach Hause nehmen werde, um sie genau zu studieren. Als ich weiter auf sein Problem eingehen wollte, kam aber wieder jene harte Ablehnung von all dem »gescheiten Zeug«.

Kürzlich sah ich ihn dann wieder, zufällig auf der Straße, und er wollte unbedingt ein Bier trinken gehen mit mir. Mir schien, er sei sanfter geworden, und er sprach ohne Provokationsversuche mit mir. Also wagte ich es und fragte, wie es denn in der Fabrik gehe. Offensichtlich hatte er auf die Frage gewartet, und er wußte auch noch, auf was sich meine Frage bezog. Nun erzählte er, wie das alles prima geht und wie das gut funktioniert mit den Formularen und daß ihm das richtig Spaß macht. Und dann kam jener Satz, den er wohl ganz allein gefunden und erlebt hat: »Ich habe einen ganz neuen Kopf, und ich erlebe das nicht nur bei der Arbeit. Ich bin jetzt auch nach der Arbeit ein ganz anderer. Irgend etwas anderes ist drin in meinem Kopf.«

Und nun sprechen wir begeistert miteinander, und ich kann ihm zum ersten Mal von meiner Arbeit erzählen und daß sie auch dauernd den Kopf verändert. Daß man eben nicht nur etwas denkt und aufschreibt, sondern daß man im eigenen Kopf auch etwas bewegt. Und daß man diese Bewegung gar nicht beschreiben kann.

Viel wird es wohl nicht sein, was Fritz in seine Formulare einträgt, aber seit er es tut, hat er einen neuen Kopf. Er hat erlebt, daß Wissen und Denken nicht nur Wettbewerb ist, daß man nicht nur denkt, um den anderen zu schlagen und besser zu sein, sondern daß Denken eine Befreiung ist, einen »neuen Kopf bekommen«.

Warum mußte er in dieser verdammten Fabrik sechzig Jahre alt werden, bis er endlich zu diesem Erlebnis kam? Warum mußte er vorher Dutzende verprügeln? Warum hatte er in der Schule nur die Furcht vor Zahlen und Buchstaben gelernt, nur gelernt, daß das alles nichts für ihn sei? Vielleicht, weil sein Lehrer glaubte, seinen Kopf zu kennen, und ihm keinen anderen zutraute – oder vielleicht, weil sein Lehrer gar nicht wußte, daß es andere Köpfe gibt.

Wissen ist zum Verzweifeln

Gino ist Italiener. Er lebt schon seit vielen Jahren hier, ist ein bißchen verrückt und sehr einsam, in seinem Verhalten immer noch sehr italienisch, aber er hat hier kaum italienische Freunde. So sitzt er halt in der Beiz mit Schweizern, die auch in der Beiz sitzen. Er hat aber dauernd das Gefühl, jemand wolle ihn ärgern oder übers Ohr hauen oder beleidigen. Hie und da sticheln die andern und hänseln ihn, und hie und da sind sie auch sehr nett mit ihm. Jedenfalls gehört er dazu und ist – wenn auch als Unikum – akzeptiert.

Was auch passiert, Gino verteidigt sich. Was auch passiert, Gino weiß es besser, und er weiß auch Dinge besser, von denen er gar nichts weiß.

In einer Sparte aber kennt er sich aus. Er ist Radsportfan und hat die Daten und die Sieger und die Mannschaften und die Glanzereignisse im Kopf. Wird in der Beiz von der Tour de France gesprochen, kann er endlich mitsprechen, ohne sich gleich verteidigen zu müssen. Man spricht von großen Radrennfahrern, von Gino Bartali und Fausto Coppi – ihm zuliebe eigentlich –, und er revanchiert sich freundlich und sagt, Hugo Koblet sei der Größte gewesen. Dann sagt jemand, daß Hugo Koblet gestorben sei, und ein anderer spricht von den Umständen des Todes.

Aber Gino sagt, Hugo Koblet lebe noch. Er sei ganz sicher, daß der noch lebe. Alle Anwesenden wissen, daß er tot ist. Man macht ihn auch auf einen möglichen Irrtum aufmerksam, vielleicht meine er Ferdinand Kübler.

Nun geht es ans Wetten, wie das hier so üblich ist. Und wie das überall üblich ist, ist es immer der sichere Verlierer, der die Wette anbietet, als könne die Wette seiner Behauptung mehr Gewicht geben. Eine Flasche Wein, zwei Flaschen Wein werde er bezahlen.

Aber wie soll man ihm nun beweisen, daß er im Unrecht ist? Die, die im Recht sind, beginnen zu verzweifeln. Sie sind im Recht, sie wissen es. Er aber wird keinen Beweis akzeptieren. Jemand schlägt vor, den »Blick« anzurufen, der »Blick« gibt Auskunft: Koblet ist im November 1964 gestorben. Das ist Gino kein Beweis. Jeder Neueintretende wird befragt. Ein älterer Mann erinnert sich sogar an den Jahrgang von Koblet und zieht daraus den falschen Schluß, daß er noch leben müsse. Er wird gleich Ginos Kronzeuge.

Andere kommen rein, die den Namen – und das überrascht uns Ältere und schockiert uns fast – überhaupt nicht kennen und gleichzeitig recht aggressiv feststellen, daß sie das nicht interessiere. Auch diese bucht er immerhin zu seinen Gunsten.

So oder so, Gino wird seine Wette nie bezahlen. Denn niemand und nichts wird ihm beweisen können, daß Koblet nicht mehr lebt.

Die anderen verzweifeln. Es wird jetzt furchtbar laut. Es geht nur noch um die beleidigende Tatsache, daß objektives Wissen plötzlich nichts mehr wert sein soll, daß weiß plötzlich schwarz ist und kalt plötzlich heiß ist.

Es sitzen hier einige, die in der Schule dauernd durch Nichtwissen gescheitert sind. Nun wissen sie etwas plötzlich ganz genau, sie sind sich ganz sicher – und nun bringen sie ihr Wissen einfach nicht durch. Kein Beweis wird akzeptiert. Gino versucht immer noch, durch weitere Befragungen eine demokratische Mehrheit für seinen Irrtum zu bekommen.

Ich bin dann gegangen. Ich habe es auch nicht mehr ausgehalten, daß ich mein Wissen dem Gino nicht vermitteln konnte. Es ist zum Verzweifeln, wenn man im Recht ist und die Beweise dafür nicht akzeptiert werden.

Mich hat das sehr an Politik erinnert und an unsere dauernde Resignation gegenüber Politik, in der es eben kein Recht gibt, sondern Recht hergestellt wird. Immerhin, sollten sie im »Rössli« doch noch beschließen, daß Hugo Koblet lebt – leben wird er trotzdem nicht. Auch das erinnert mich an Politik.

Bis zum nächsten Mal

1968 – das ist schon sehr lange her. Inzwischen bin ich bald fünfzig, aber ich war schon damals – mit dreiunddreißig – irgendwie ein alter Mann, denn die Parole der 68er hieß: »Trau keinem über dreißig.« Das hatte mich nicht besonders geschmerzt, und ich hatte Verständnis dafür, und ich sah auch, daß die Jungen von damals einer anderen Generation angehörten. Sie waren, so schien mir, stärker als ich. Und wenn ich mich auch mitunter vor ihrer Stärke fürchtete, ich hoffte doch sehr, daß sie durchhalten und ihre Überzeugungen mittragen werden in ihr Alter. Heute sind sie etwa vierzig – aber wo sind sie? Zudem, ihre Anstrengungen waren für nichts, die Gesellschaft – kurz aufgeschreckt – ist zurückgefallen in ihren gewohnten Trott. Schon bald werden sich nur noch ältere Leute an die 68er erinnern.

1980 – das ist weniger lange her und brannte uns Schweizern etwas mehr auf der Haut. Ich bin in den Reden von Willi Ritschard wieder darauf gestoßen. Er gab damals dem »Blick« ein Interview mit dem Titel: »Wir müssen uns fragen, warum dies geschah, gopfriedstutz!«

Das Interview erregte die Gemüter. Willi kriegte erzürnte Briefe von Politikern und auch begeisterte Briefe von jungen Leuten. Er hatte sich wie noch nie exponiert mit seiner Meinung, daß man ernst zu nehmen habe, was geschah, und daß man sich damit zu befassen habe.

Heute klingen seine Sätze wie die abstrakten Bemerkungen eines Politikers. Das Ereignis quält uns nicht mehr, es ist weg. Die Zürcher Jugend von 1980 gibt es nicht mehr. Heißt das, daß es auch die Probleme nicht mehr gibt, die jene Zürcher Jugend hatte?

Ein paar Zitate aus jenem Interview von Willi Ritschard: »In diesem Kampf aller gegen alle haben die Schwachen keine Chance. Und zu diesen Schwachen gehört auch die Jugend. Sie hat weder Geld noch Macht, ihre Wünsche durchzusetzen in einer kalten, vom Geld beherrschten Umwelt. Die Jugend hat so nur die Wahl, entweder zu resignieren, sich zu ducken und anzupassen oder eben aufzuschreien gegen Zustände, von denen sie glaubt, daß sie kaputtmachen.«

»Liegt die menschenleere Stadt im Interesse der Allgemeinheit? Oder nur im Interesse einer kleinen Minderheit von Grund- und Hausbesitzern? Hat hier der Staat, hat die Gemeinschaft nicht gründlich versagt?«

»Die Behörden sollten, nein, müssen berechtigte Anliegen auch dann berücksichtigen und zügig behandeln, wenn keine politisch oder wirtschaftlich starke Interessengruppe dahintersteht. Wir sollten also auch spüren, was zum Beispiel Jugendbedürfnisse sind. Und wir sollten handeln.«

»Müssen wir in diesem Falle nicht erst recht nach den Gründen fragen? Und zwar gründlich. Und nicht unversöhnlich.«

Das ist erst vier Jahre her: Aussagen eines Mannes, der ruhig bleiben konnte, als andere bereits vom Weltuntergang sprachen – jene vielen anderen, die nichts anderes wollten als die Symptome einer verfehlten Politik bekämpfen und glaubten, daß damit auch die Probleme gelöst wären.

Nun gibt es diese Symptome nicht mehr. Also denkt auch kaum jemand mehr an die entsprechenden Probleme. Also kann es weitergehen wie vorher. Also bis zum nächsten Mal!

Die Schmähung der Arbeitslosen

In einem Leserbrief an eine Zeitung beklagt sich eine Frau darüber, daß sie seit Wochen eine Haushaltshilfe für drei halbe Tage in der Woche suche und keine finde: Bei guter Entlöhnung, schreibt sie – was immer sie darunter auch verstehen mag. Und dann – und das war wohl der Zweck des Briefs – folgt die Beschimpfung der Arbeitslosen, die seien nur faul und wollten nicht arbeiten.

Ich bin geneigt, mir diese gehässige Dame vorzustellen.

Nach und nach werden sie offensichtlich zu Ärgernissen, die Arbeitslosen. Denn – so denken nicht nur solche Damen – wenn die Arbeitslosen arbeiten würden, dann würde es ja keine Arbeitslosigkeit geben. Es gibt sie nur, weil die Arbeitslosen nicht arbeiten.

So einfach ist das, wenn man die Opfer zu Schuldigen machen will. Zudem hört man die Klage von jenen, die noch arbeiten in der Fabrik, daß sie noch nie so hart gearbeitet hätten, noch nie so gehetzt und gedrückt worden seien. Und es entsteht ein breiter Graben zwischen Arbeitenden und nicht Arbeitenden, wenn sie sich am Abend in der Beiz treffen.

Mein Vater hat mir mal erzählt, wie er mit seinen Kollegen in den dreißiger Jahren auf Umwegen seine Arbeit aufgesucht hat, um nicht den vielen Arbeitslosen auf der Straße begegnen zu müssen. Anfänglich ist er ihnen ausgewichen, weil er Erbarmen hatte mit jenen und ihnen sein »Glück« nicht vorführen wollte, schon bald aber auch, weil er von ihnen beschimpft wurde und weil es immer wieder handgreifliche Auseinandersetzungen gab zwischen Arbeitenden und Arbeitslosen. Die einen wurden für die anderen zu Schuldigen.

Wenn es keine Arbeitslosen gäbe, dann gäbe es keine Arbeitslosigkeit, also müßten sie nur arbeiten: selbstverschuldete Arbeitslosigkeit.

Ich kenne so einen, der durch »Selbstverschulden« arbeitslos geworden ist. Er wurde mehrmals verwarnt, weil er ab und zu verspätet zur Arbeit kam. Er wurde auch schriftlich verwarnt und dann fristlos gekündigt. Der Rechtsberater der Gewerkschaft mußte ihm mitteilen, daß man in seinem Fall nichts machen könne. Und er selbst sah das sofort ein.

Nun steht er rum und sitzt rum und schämt sich und geht stempeln und geht ohne jede Hoffnung Arbeit suchen – auch mit viel Zynismus, weil er ja dem Arbeitsamt nachweisen muß, daß er Arbeit gesucht hat. Seit Januar lebt er von seinem Ersparten. Er hat Erspartes, ein so schlechter Arbeiter kann er nicht gewesen sein. Aber das reicht nur noch etwa bis zum März.

Hugo war nie ein leidenschaftlicher Arbeiter. Er hätte immer gern eine Frau gehabt, eine Familie und Kinder. Er wäre – davon bin ich überzeugt – ein sehr guter Vater geworden. Aber er hat keine Frau gefunden – ein paar große Enttäuschungen mit Liebesgeschichten, das war alles. Nun ist er bald sechzig, einsam, allein, Junggeselle. Er lebt in der Beiz, weil er ja auch Menschen um sich braucht. Er ist stolz darauf, daß er immer gearbeitet hat als Facharbeiter ohne Lehrabschluß, als Hilfsarbeiter also. Er war immer etwas kränklich, und ich habe ihn bestaunt, wenn er sich krank zur Arbeit schleppte. Er tat das – wenn auch nicht so regelmäßig. Er hatte trotzdem in unserer Gesellschaft einen Platz, keinen großen und keinen schönen, aber einen Platz. Seine große Klage war, daß er in seiner Einsamkeit – ohne Freunde und Familie – gar nicht wisse, für was er eigentlich schufte.

Immerhin, er hat es getan. Und ich höre auch, daß er ein sehr guter Arbeiter war, wenn er in der Fabrik war. Inzwischen hat er wenigstens die Genugtuung, daß er sein Leben anständig und arbeitend verbracht hat.

Nun ist er zum Schluß ein Schuldiger geworden, ein »selbstverschuldeter« Arbeitsloser. Aber es sind doch die Umstände, die sein »Selbstverschulden« möglich machten. Trotzdem, niemand kann ihm helfen, kein Gesetz.

Hugo könnte der Kronzeuge jener arroganten Dame sein, die eine »gutbezahlte« Haushaltshilfe sucht. Und wenn Hugo das Wort »Arbeitslosigkeit« hört, dann schämt er sich sehr, und er ist auch mehr und mehr der Verachtung ausgesetzt. Es ist eine Verachtung, die er nicht verdient. Die Arbeitslosen werden zu einer verschmähten Minderheit. Auch gegen diese Schmähung – nicht nur gegen die

Arbeitslosigkeit selbst – sollte man, sollten die Gewerkschaften dringend etwas unternehmen – nämlich bevor wir eine neue Minderheit
von Schuldigen haben.

Von der Überbewertung der Berufsschulen

Auch hervorragende Schüler können ein Opfer der Schule werden,
nämlich dann, wenn die Schule zum Selbstzweck wird und nur noch
scheinbar der Sache dient, der sie dienen sollte. Mehr und mehr
machen mir unsere ausgesprochen guten Gewerbeschulen einen solchen Eindruck. Sie mögen gut sein an und für sich, aber sie sind es
mitunter nicht für die Sache.

Der Lehrmeister in einem Handwerkerbetrieb, der unter mehreren Bewerbern für eine Lehrstelle zu wählen hat, wird wegen dieser
Schule nicht jenen einstellen, der die handwerkliche Eignung hat, sondern er wird jenen nehmen müssen mit den besten Schulnoten. Der
Lehrmeister möchte keine Schwierigkeiten mit der Schule, möchte
keine Mahnungen und Drohungen, also wählt er den Lehrling nicht
für seinen Betrieb aus, sondern für die Ansprüche der Schule. So ist
dann der Lehrling für die Gewerbeschule da und nicht die Gewerbeschule für ihn.

Ich kenne einen sehr guten Schüler, der genau an dieser Schule gescheitert ist aus dem einfachen Grunde, weil er der Beste in der Klasse
war. Weil er einen Beruf lernte, den damals eher die weniger Gescheiten wählten, war es ihm ein leichtes, in der Schule zu brillieren. Deshalb galt er schon bald als der beste Lehrling auf dem Platz, und er
machte seine Prüfung mit einem Spitzenresultat. Er begann seine berufliche Laufbahn mit dem perfiden Ruf, der Beste zu sein.

Diesem Ruf hätte er nun gerecht werden sollen, und unter diesem
Druck ist er gescheitert. Handwerkliche Geschicklichkeit ist nach
wie vor nicht seine Stärke. Er ist auch langsamer als die anderen. Sein
Berufsschulwissen taugt in nichts dazu, sich von den anderen positiv
zu unterscheiden. Er ist durch die Berufsschule betrogen worden.

Nun sucht er Ausreden. Nun ist der Vorarbeiter ungerecht. Nun sind seine Kollegen Bösewichter, die ihm zuleide werken. Nun sind die Italiener und die Türken und die Spanier an allem schuld.

Das tut mir am meisten weh an Erwin, daß er nach und nach zum Faschisten wird. Er, der Gescheite, Belesene, Gebildete, muß sich nun gegen sein besseres Wissen verteidigen und behauptet, daß die Schweizer am Arbeitsplatz überhaupt nichts mehr gelten. Denn plötzlich unterscheidet er sich nur noch durch eine Qualität von den besseren Handwerkern, nämlich dadurch, daß er Schweizer ist.

Als Lehrling hatte er sich noch durch besondere Intelligenz ausgezeichnet. Die Lehrstelle hat er sicher bekommen auf Grund seiner guten Schulzeugnisse. Sein Lehrmeister hatte genug von den Schwierigkeiten mit der Schule.

Wäre das nicht so, dann hätte ihm damals sein Lehrmeister gesagt, daß dies kein Beruf sei für einen so hervorragenden Schüler, und er hätte den weniger guten Schüler mit mehr handwerklichem Geschick angestellt, und der hätte eine mittelmäßige bis schlechte Abschlußprüfung gemacht und wäre ein recht guter Handwerker geworden. Aber die Schule hätte beide mit Briefen und Drohungen belästigt, und seine Lehre wäre dauernd in Gefahr gewesen.

Wir sind so stolz auf unsere Berufsausbildungen. Wir sind so stolz auf unsere Schulen, obwohl wir wissen, daß unsere Schulen nur prüfen und selektionieren. Besonders schlimm wird es dann, wenn die Schule nur noch für sich selbst selektioniert. Dann wird keiner so sehr an ihr scheitern wie ausgerechnet der Gescheite.

Erwin jedenfalls ist am Ende.

Relativierungen

Es ist eine eigenartige Sache mit der Sprache. Sie erbringt nicht immer das, was die Schulmeister so gern von ihr möchten. So haben wohl die meisten von uns in der Schule gelernt, daß zu jedem Dingwort ein schönes Eigenschaftswort gehört und daß dieses Eigenschaftswort dem Dingwort erst seine Qualität gebe. Das stimmt leider nicht ganz.

Wenn ich zum Beispiel schreibe: »Vor dem Haus steht ein Baum«, dann stellt sich der Leser diesen Baum wohl eher groß vor, denn in ihm sind irgendwie alle Bäume eingeschlossen. Er ist dann einer der Bäume, und Bäume sind etwas Großes.

Wenn ich aber schreibe: »Vor dem Haus steht ein großer Baum«, dann wird der Baum plötzlich etwas kleiner. Er ist nun nicht mehr der Baum der Bäume, sondern er ist nun schon ein etwas spezieller Baum. Zudem kann sich mein Leser mit Recht fragen: »Was heißt denn schon groß?« – oder er kann auch annehmen, daß ich, der Schreiber, nichts davon verstehe und keine Ahnung hätte, wie groß ein großer Baum ist.

Was das Eigenschaftswort macht, das nennt man Relativierung. Es handelt sich nun nicht mehr um *den* Baum, sondern eben um *einen* Baum, um einen speziellen. So eigenartig kann Sprache sein. Um es noch einmal zu demonstrieren: Stellen Sie sich vor, es würde in dem bekannten Lied heißen: »Am Brunnen vor dem Tore, da steht ein *großer* Lindenbaum.« Es wäre nicht mehr *der* Lindenbaum.

Selbstverständlich schreibe ich dies mit Gründen.

In einem Interview mit dem »Tagesanzeiger« sagte Oberstkorpskommandant Mabillard, daß er bereit sei, die »klassische Demokratie« zu verteidigen. Ich hätte als selbstverständlich erwartet, daß die Armee die Demokratie verteidigt. Nun spricht aber der Ausbildungschef plötzlich von einer speziellen Demokratie, von der klassischen. Er kann damit wohl nicht die elitäre griechische Demokratie gemeint haben. Was für eine denn? Jedenfalls nicht die Demokratie als Idee, sondern die Demokratie als spezielle Idee.

Eigenschaftswörter relativieren. Mabillard relativiert die Demokratie. Damit gibt er zu erkennen, wes Geistes Kind er ist: Demokratie als Elitendemokratie – das hatten wir doch schon mal in Europa?

Die vage und undefinierte Formulierung »klassische Demokratie« kann nichts anderes meinen als »nicht einfach diese Demokratie«. Diese Formulierung hat für mich etwas Putschistisches. Ich fürchte mich vor einer Armee, die nicht bereit ist, einfach *die* Demokratie zu verteidigen.

Echte und unechte Menschen

Bei Diskussionen über die Asylantenfrage fällt mir auf, daß eigentlich nie über das Prinzip des politischen Asyls, über das Elend dieser Menschen gesprochen wird, sondern immer nur von Anfang an über die Qualität der Asylsuchenden. Die Fernsehsendung »Heute abend in Bern« war ein Beispiel dafür.

Ich möchte hier für einmal nicht von »echten« und »unechten« Flüchtlingen – fraglich sind diese Begriffe sowieso – sprechen, sondern darüber, was diese Begriffe bei uns und in unserem Denken auslösen.

Die Wut, mit der Schweizer von »unechten« Flüchtlingen reden, bedeutet jedenfalls mehr als nur die Unterscheidung. Der »unechte« Flüchtling, der Tamile, ist plötzlich nicht nur »unecht«, sondern ein Unmensch. Man beginnt, ihn persönlich dafür zu hassen, daß er der Qualität »echt« nicht entsprechen soll. Man hält seinen Versuch, Asyl zu bekommen, für ein Verbrechen. Er ist schlechter als wir, weil er nicht »echt« ist.

Wer schweizerischen Vorstellungen nicht entspricht, der ist gleich ein Unmensch und ein Verbrecher. Das ist unsere schweizerische Arroganz, unsere Selbstüberschätzung, der Rassismus von schweizerischen Übermenschen. Neben und an der politischen Frage Asyl – das ist eine Sache für sich und sicher nicht nur eine einfache Frage – entwickelt sich nach und nach ein Schweizer Rassismus, der mit jedem anderen Rassismus vergleichbar ist. Sollten wir irgendwie das Pro-

blem der Asylanten einigermaßen schaffen können, es wird uns ein
Rassismus zurückbleiben, von dem wir nie geglaubt hätten, daß wir
dazu fähig sind.

Noch nie geglaubt: obwohl wir wissen, daß wir schon immer so reagiert haben. Auch die deutschen Juden galten als »unechte« Flüchtlinge, weil sie nicht politisch, sondern rassisch verfolgt waren. Sie
waren eben nur Wirtschaftsflüchtlinge, weil ihnen in Deutschland
vorläufig nur die Existenzgrundlage entzogen wurde.

Es gab damals genügend Schweizer, die dies als richtig empfanden. Und die Tamilenwitze heute sind nichts anderes als jene Witze,
die die Nazis über die Juden in Umlauf setzten.

Tamilenfeinde oder Tamilenfreunde: darum kann es doch nicht
gehen, wenn wir über Asylfragen diskutieren. Denn sollten einige
Tamilen irgendwelche »Fehler« haben, auch Menschen mit Fehlern
sind Menschen. Und sollten sie ihr Asyl bei uns erschleichen wollen,
sie sind trotzdem Menschen – auch »unechte« Flüchtlinge sind Menschen.

Das scheint mir bei Diskussionen doch mehr und mehr vergessen
zu werden. Auch unsere Behörden – so scheint mir – sprechen die
Qualifikationen »echt« und »unecht« vorschnell aus und ohne jeden
menschlichen Kommentar. Das führt schnell zur Vorstellung von
wertvollem und wertlosem Leben, zur Diskussion, ob wir sie umbringen wollen oder nicht. Die Angst der Tamilen jedenfalls ist ernst zu
nehmen.

Ein ehemaliger Fremdenlegionär, der in Indochina war, erzählte
mir mal, daß sie auf alles geschossen hätten, auf Frauen und Kinder,
auf Rinder, Hühner und Schweine – nur nicht auf Affen. Als ich ihn
fragte »Warum?«, sagte er: »Sie erinnerten uns an Menschen, und
wir hatten Erbarmen mit ihnen.«

So weit kommt es, wenn uns nicht mehr die Menschen selbst an
Menschen erinnern.

Genf liegt in der Schweiz

In einer Kneipe in Frankfurt fragt mich einer: »Was geschieht in Genf?« Ich sage, daß ich nicht in Genf wohne, sondern in Solothurn. »Aber Sie sind doch Schweizer«, sagt er. Erst nach längerer Zeit verstehe ich, daß seine Frage die Abrüstungsverhandlungen meint. Seine Meinung, daß ich als Schweizer näher dransein könnte, ist naiv, aber sie erschreckt mich.

In der Kneipe in Frankfurt wird von der möglichen Stationierung von Raketen gesprochen, und auch jene Leute, die glauben, es sei nötig, glauben es in Angst. Genf ist für sie die kleine Hoffnung, und der hoffnungsvolle Blick nach Genf ist auch ein Blick in die Schweiz. Sie glauben, wir könnten damit etwas zu tun haben.

Nun, politisch ist die Sache klar: die Schweiz stellt Genf als Verhandlungsort zur Verfügung, stellt wenn nötig ihre guten Dienste zur Verfügung. Mehr können wir nicht und wollen wir nicht.

Was ich erschreckend finde, das ist die private Haltung der Schweizer dazu. Ich höre hier in der Schweiz kein Wort davon. Die Angst ist Sache der anderen: Europa ist bedroht, die Welt ist bedroht, aber nicht die Schweiz.

Ist vielleicht zu einem Teil gerade dieses Genf daran schuld, daß wir uns so sicher fühlen? Die Russen kommen nach Genf, die Amerikaner kommen nach Genf, die Palästinenser kommen. In Genf scheint alles in Ordnung zu sein. Ist das vielleicht ein Grund dafür, daß wir uns nach wie vor sicher fühlen? Zwar teilen wir ab und zu die Sorgen der Welt, aber es sind letztlich doch nicht unsere Sorgen.

Ich höre das Wort »Europa« in keinem Land so selten wie in unserem – als wäre Europa nur all das, was um uns herum ist, und nicht auch wir selbst. In anderen Ländern signalisiert das Wort »Europa« Besorgnis und hie und da, aber seltener, auch ein bißchen Hoffnung.

Es gibt ein eigenartiges schweizerisches Wort, das zwar im Duden aufgeführt, aber in Deutschland nicht in Gebrauch ist. Es heißt »Inland« und meint nichts anderes als das Gegenteil zum Ausland: der Inlandteil der Zeitung und der Auslandteil der Zeitung. Auch ich mag dieses idyllische Wort ein wenig und plädiere nicht etwa für seine Abschaffung. Aber es hat bestimmt seine Gründe, daß uns dieses Wort »Inland« so wichtig ist. Es macht offensichtlich die beiden Welten – Ausland und Inland – gleichwertig und gleich groß: eine einfache Zweiteilung der Welt. In dem einen Teil gibt es die Angst vor Raketen, der andere Teil ist neutral und hat damit nichts zu tun. Weil wir uns als Neutrale nicht einmischen können und nicht einmischen wollen, kommen wir zu dem fatalen Selbstverständnis, daß es auch nicht unser Problem ist: Europa findet außerhalb der Schweiz statt.

In Genf, so erscheint es uns, wird die Welt besänftigt. Da hat das Problem der Flüchtlinge, da hat das Problem des Welthungers, da hat das Problem der Bürgerkriege seine stille Insel. Es ist bestimmt nur richtig, daß wir diese »Insel« zur Verfügung stellen – aber das hat dann wohl auch dazu geführt, daß wir allzusehr an unsere Insel glauben.

Mir scheint, daß das politische Gespräch an unseren Stammtischen am Einschlafen ist. Vielleicht liegt das auch daran, daß die großen politischen Probleme weltpolitische Probleme geworden und wir nicht daran gewöhnt sind, solche Probleme persönlich zu nehmen. Und was mein deutscher Freund nicht wissen konnte, ist, wie weit weg Genf für uns Deutschschweizer liegt.

Beim Gießen meiner Palme

Ich erinnere mich an einen Satz meiner Mutter, er fällt mir immer wieder ein. 1944, während des Kriegs, wir saßen beim Mittagessen und hörten die Radionachrichten, sagte meine Mutter: »Was werden die dann eigentlich erzählen in den Nachrichten, wenn kein Krieg mehr ist, wenn Frieden ist? Im Frieden gibt es dann wohl gar keine Nachrichten mehr.«

Entweder hat sie sich den Frieden falsch vorgestellt, oder wir leben gar nicht im Frieden, oder vielleicht ist sogar beides richtig.

Ich erinnere mich noch an die sehr langen Radionachrichten wäh-

rend des Kriegs, nicht eigentlich an ihren Inhalt, aber daran, daß die
Kinder still sein mußten und die Eltern besorgt zuhörten. Ein bißchen habe ich schon verstanden davon, und es wurde mir auch erklärt. Und der Satz meiner Mutter löste bei mir die Vorstellung aus,
daß eines Tages der Nachrichtensprecher am Radio sagen wird:
»Heute ist auf der ganzen Welt nichts Besonderes geschehen« – und
vor diesem Satz der Wetterbericht und hinter diesem Satz der Wetterbericht. Ich habe mir auch vorgestellt, daß nach dem Krieg in
den Zeitungen anstelle der Kriegsberichte weiße Flecken sein werden
oder ein großer Balken quer über die weiße Seite mit den Buchstaben
»Nichts passiert«.

Vorgestern und gestern habe ich mich sehr gelangweilt. Ich habe
die Zeit totgeschlagen und den Abend und die Nacht herbeigewünscht. Es war sehr langweilig, und ich habe wieder einmal die
Kleinstadt verwünscht und daß hier nichts los sei.

Hie und da gefällt mir zwar die Langeweile, und ich kann sie genießen, aber gestern war sie schrecklich.

Darf ich das? Darf ich mich langweilen? Ist es nicht unmoralisch,
wenn ich mich hier langweile, während in der Welt Menschen gefoltert, Städte bombardiert, Jumbos abgeschossen werden, während in
der Welt gehungert wird, während Tausende flüchten und Millionen
arbeitslos sind? Und ich sitze da und leide unter Langeweile und beklage mich, oder ich strecke mich aus und genieße meine Langeweile.

Ich habe kürzlich günstig eine Palme gekauft. Nun steht sie in meinem Büro, und ich habe sehr viel mit ihr zu tun. Ich darf sie nur alle
drei Wochen gießen. Das braucht sehr viel Beherrschung. Ich muß
mich drei Wochen lang beherrschen, mit ihr sprechen, ihr zuschauen,
wie sie wächst – und sie wächst fast nicht. Und dann mess' ich mit
dem Doppelmeter nach, ob sie nicht vielleicht doch ein bißchen gewachsen ist. Ich denke an meine Palme, und ich verschwende viel Zeit
für sie. Ich habe eigentlich noch gar nie erfahren, daß Pflanzen leben
und so etwas wie Kreaturen sind. Ich habe mir jetzt noch andere Pflanzen gekauft und lebe nach und nach in einem kleinen Wald und zähle
wirklich die Blätter.

Ich mußte diese Zeilen zehn Tage zum voraus schreiben, weil ich für einige Tage verreise. Würde in der Zeit bis zu ihrem Erscheinen etwas wirklich Schreckliches geschehen, etwas, das uns alle wirklich tief erschüttert – mein Geschreibe über meine Palme würde dann aussehen wie Zynismus, und die Erwähnung meiner persönlichen Langeweile würde zum Sarkasmus. Ich meine, wenn etwas geschehen würde, das uns wirklich trifft und betrifft. Denn eines ist leider zum voraus sicher: es wird in dieser Zeit irgendwo und überall Schreckliches geschehen, und meine Frage, ob meine persönliche Langeweile unter diesen Bedingungen unmoralisch sei, ist jederzeit berechtigt. Ist es unmoralisch, daß ich Zeit darauf verschwende, die Blätter meiner Palme zu zählen?

Willi, sie lügen wieder

Lieber Willi,

wir konnten uns am letzten Samstag nicht sehen, weil ich eine Kolumne zu schreiben hatte für diese Zeitung. Du, ich habe eine sehr böse politische Kolumne geschrieben, Du hättest Deine Freude daran gehabt, und dann standen auch ein paar Sätze über Dich drin, die gehen jetzt nicht mehr, weil Du nicht mehr bist.

Die Buchstaben auf diesem Papier ärgern mich. Sie stehen schön gerade, in orthographischer und grammatikalischer Richtigkeit, und ich weine.

Ich weiß, Willi, es ist lächerlich, daß ich hier Zeilen fülle mit Dir – mein Schmerz ist nicht mehr echt, wenn ich schreibe. Wir haben uns oft darüber unterhalten auf dem Berg, daß man dauernd Dinge tun muß, die man nicht will, Dinge sagen muß, die zwar wahr sind, aber nicht der eigenen Wahrheit entsprechen. Ich habe gewußt, daß es Dich eines Tages umbringen wird, eines Tages bringt es uns alle um.

Lieber Willi, sie lügen wieder. Ich kenne nur einen, mit dem ich über Deinen Tod hätte sprechen können, das bist Du. Du hättest mir erklärt, daß all die Menschen, die jetzt lügen – auch ich –, nicht anders können, Du hättest mit Deiner großen Pranke jene abschätzige

Handbewegung gemacht, vor der ich mich immer so fürchtete und für die ich Dich liebte.

Weißt Du, Willi, wie wir geschwärmt haben auf dem Berg, Utopien zusammengebastelt haben, ganz kindische Utopien über eine ganz andere Schweiz, eine viel bessere, viel gerechtere Schweiz als diese. Das war an den Sonntagen, und am Montag mußtest Du wieder nach Bern und die richtige Schweiz mitmachen.

Wir haben uns gequält, Willi, gegenseitig gequält, wir haben uns gequält mit unseren kindischen Utopien – wir haben uns erst kürzlich nach einer sehr langen Pause wieder getroffen. Ich bin froh darüber, daß das noch sein durfte. Ich glaube, wir haben uns nicht mehr ertragen, weil uns unsere eigenen Schwärmereien zuviel wurden.

Sie rufen jetzt alle an, die Zeitungen, das Radio, das Fernsehen. Sie wissen davon, daß wir Freunde waren – soll ich ihnen jetzt sagen, daß das gar nicht wahr ist? Die Wahrheit ist, daß wir Freunde werden wollten und daß es uns nie gelungen ist. Auch Freundschaft war für Dich eine Utopie, eine Sehnsucht wie Deine politische Sehnsucht. Willi, wir haben es nicht geschafft, wir haben unsere Freundschaft nicht geschafft, und wir haben unsere Schweiz nicht geschafft. Davon weiß niemand etwas, und sie sprechen jetzt alle davon, wie erfolgreich Du warst und wie wichtig für dieses Land.

Nicht die Arbeit hat Dich umgebracht, Willi, dafür warst Du noch lange stark genug. Deine Einsamkeit im Niemandsland zwischen Hoffnung und Wirklichkeit, das wurde Dir zuviel. Willi, sie lügen wieder. Ich tu das auch, und Du, Willi, hast es auch getan, tun müssen. Das ist Dir immer sehr schwergefallen, und das hat Dich oft für lange Zeit sehr still gemacht und schweigsam.

Jetzt hast Du die Lüge hinter Dir, und uns hast Du zurückgelassen in der Lüge.

Willi, gern würde ich Dir jetzt versprechen, daß wir Deinen Weg »zur Sonne, zur Freiheit« tapfer fortsetzen wollen. Wir werden es nicht tun, Du weißt es.

Wer die Resignation nicht kennt, der ist unmenschlich, das hast Du gewußt. Ich werde Dich nicht als populären und wortreichen Politiker im Gedächtnis behalten, sondern als einen großen Schweiger.

Weißt Du, wie oft wir zusammen geschwiegen haben auf dem Berg?
Mit wem soll ich jetzt schweigen?

Goethe und der Ziegenhirt

Kürzlich hatte ich im Goethe-Institut in Athen eine Lesung. Ich war
zum ersten Mal in Griechenland, und ich hatte mich auf die Reise gefreut. Aber als ich angekommen war und das Bild von jenem Goethe
an der Wand hängen sah, bekam ich so etwas wie ein schlechtes Gewissen. Wieviel hätte er dafür gegeben, einmal in seinem Leben hier
sein zu dürfen, er, der das Land der Griechen mit der Seele suchte.
Ich habe die Akropolis gesehen, die Goethe besser kannte als ich,
und auch die Stelle, wo Iphigenie begraben sein soll, von der er mehr
wußte als ich. Ich kam mir vor ihm schäbig vor mit meinem kleinen
Schulwissen über die alten Griechen, mit meinem Polyglott-Reisefüh-
rer und mit meinem bequemen Flug von Zürich nach Athen. Ich hatte
das Gefühl, als sei ich an seiner Stelle gereist und hätte so seine Reise
verhindert. Ich weiß, daß ihm die Propyläen mehr bedeutet hätten als
mir. Sie waren seine Sehnsucht, meine Sehnsucht waren sie eigentlich nie.
    Und dann fiel mir jene Geschichte wieder ein, die ich vor Jahren in
New York erlebte. Ich saß an einer Bar und begann mit einem alten
Mann zu sprechen. Er erzählte begeistert von Manhattan. Er sei mit
15 aus Griechenland hier angekommen mit gefälschten Papieren,
die ihn älter machten, und er habe seither – seit über 60 Jahren – Manhattan nie mehr verlassen. Er war also nie in Brooklyn, nie in Coney
Island, sah nie mehr das offene Meer, über das er als Kind gekommen
war. Er hat als Pelznäher gearbeitet, und er arbeitet heute noch ein
wenig – nur etwa sechs Stunden am Tag, sagte er. Ich fragte ihn, ob
er sich noch erinnere an Griechenland, und er antwortete nein, er
wisse nicht mehr, wie es dort ausgesehen habe. Er wisse, daß es Berge
gehabt habe, aber er könne sich Berge kaum mehr vorstellen.
    Dann überlegte er sehr lange, und plötzlich versuchte er, zu mek-

kern wie eine Ziege, im Zusammenhang war es als Meckern erkenn-
bar. Eine Ziege aber hat er seither auch nicht mehr gesehen.

Ich fragte ihn, ob er denn irgendeinmal noch was gehört habe von
zu Hause. Das war aber unmöglich, weil er nicht schreiben konnte,
und seine Brüder in Griechenland konnten nicht lesen. Er hat zwar
das Schreiben inzwischen gelernt, ganz allein, über zehn Jahre hat er
dafür gebraucht. Aber er kann nur englisch lesen und schreiben. Sprechen kann er griechisch immer noch viel besser, und er lebt hier fast
nur unter Griechen, aber ohne Griechenland.

Ich fragte ihn, ob er denn noch nie Lust gehabt hätte, hinzufahren
und sein Dorf und seine Verwandten zu sehen, und ich bereute die
Frage im gleichen Augenblick. Er schwieg, würgte, schaute mich
lange an – offensichtlich war er zum ersten Mal in seinem Leben
mit dieser Frage konfrontiert. Er selbst hat sich diese Frage nie gestellt. Sie existierte in seinem Leben nicht: Er war nach Manhattan
gekommen für immer, und ein Zurück war unvorstellbar und unmöglich für ihn.

Es wurde ein sehr langes Gespräch. Ich versuchte, ihn wieder auf
andere Gedanken zu bringen; ich hatte den Mann sehr traurig gemacht. Er wird nie nach Griechenland reisen, aber der Wunsch ist
ihm jetzt bekannt. Das Land der Griechen mit der Seele suchen: ihm
wird es nicht so leicht gelingen wie Goethe.

Ich habe in der Gegend von Saloniki einen alten Ziegenhirten mit
seiner Herde gesehen. Er hat mich an den Mann aus Manhattan erinnert. Als ich meinen griechischen Begleitern seine Geschichte erzählte, sagte einer, daß er erst kürzlich von einem alten Ziegenhirten
gehört habe, sein Bruder sei als Kind nach Amerika gegangen, und
niemand wisse, was aus ihm geworden sei.

Ich weiß, warum ich mich immer ein wenig schäme, wenn ich reise.
Ich schäme mich vor jenen, die das Land, in das ich reise, in ihrem
Herzen tragen: vor meinem Griechen und vor Goethe.

Altersgeiz

Ich kenne einen sehr alten Mann, der ist in seinem Leben reich geworden – durch Zufälle wohl, aber doch vor allem durch Selbstverschulden. Nachdem er nicht reich geboren war, war er sehr stolz auf seinen Reichtum, und nachdem er kein Schweizer war, zeigte er seinen Reichtum auch offen, etwas prahlerisch zwar, aber nicht ohne Großzügigkeit, wenn man sich auch erzählt, daß er ganz kleine Äuglein bekomme, wenn von Geld die Rede sei. Man hatte ihm gegenüber Bedenken – er glich nicht wenig Brechts Puntila –, aber er war dann skurril und unberechenbar genug, daß man ihn doch mochte.

Wer fürchtet sich nicht vor dem Alter? Wer weiß schon, was für eine Krankheit ihn treffen könnte? Senilität ist wohl fast das Schlimmste, und davor hatte er sich – ein gebildeter Mann – wohl auch gefürchtet. Es hat ihn jedoch eine andere Krankheit getroffen: Geiz, Altersgeiz – ausgerechnet ihn, der es immer so geliebt hat, andere mit Reichtümern zu überschütten, dem Sultan aus Tausend-und-einer-Nacht näher als dem neuwestlichen Unternehmer. Und unter seinem Geiz haben einige zu leiden, nicht zuletzt auch jene, die seinen Betrieb jetzt führen und fürchten, daß dieser Betrieb ganz ausgetrocknet werden könnte und absterben.

Er tut mir recht eigentlich leid, der sehr alte Mann. Er ist kein Geiziger, er ist nur einer geworden. Warum?

Er hat Angst, Angst macht geizig, und er versucht, mit letzter Kraft, seinen Tod zu überlisten.

Oft genug hat er erlebt, wie ihm sein Geld das Leben rettete: damals zum Beispiel in London, als sein Zimmer im Hilton schon vergeben und nur noch eine immens teure Suite zu haben war. Da hätte er auf der Straße erfrieren können, hätte er nicht seinen Reichtum gehabt. Er war es ja nicht gewohnt – wie andere –, ohne Geld nach London zu reisen. Seine Ängste hat er immer mit Geld bekämpft: die Angst vor Kälte, die Angst vor Liebesverlust (Ursprung seiner Großzügigkeit), die Angst vor Hunger und vor Durst.

Nun versucht er halt, seine Angst vor dem Tod mit Geld zu bekämpfen. Er hat zwar vieles erfolgreich mit Geld überlistet, aber er weiß, daß sein letzter Angstgegner sehr teuer sein wird. Und er hat keine Freunde mehr, jetzt hat er nur noch Angst.

Auch wenn man ihm das schadenfreudig gönnt, traurig ist es trotzdem.

Ich meine das – ausnahmsweise – nicht politisch. Mir fällt aber in diesem Zusammenhang das immense Sicherheitsbedürfnis der Reichen ein: mehrmals gesicherte Tore und Türen, Gärten voller Scheinwerfer und Bodyguards, überwacht, bewacht und gefangen.

Sie tun mir auch leid, ich möchte kein Reicher sein. Aber könnte es nicht vielleicht sein, daß sie es bitter nötig haben, zu den Bedrohten zu gehören? Denn andere Bedrohte – die Arbeitslosen, die Hungernden, die Ausgebeuteten in der Dritten Welt –, die bedauert man wenigstens, mit denen hat man Erbarmen. Wer bedroht ist, mit dem hat man Erbarmen. Also gibt die Bedrohung dem einsamen Reichen ein Stück Menschlichkeit zurück, und niemand hat ihn zu beneiden, weil er in Gefahr ist.

Hie und da kommt mir unsere Schweiz wie dieser erbarmungswürdige Reiche vor. Gibt es vielleicht deshalb so viele Gefahren, die auf uns lauern, sind wir vielleicht deshalb bis auf die Zähne gerüstet? Sind die Tamilen deshalb eine Gefahr und alle Asylsuchenden eine Bedrohung, weil wir fürchten, jemand könnte uns beneiden und nicht mehr lieben?

Oft scheint mir, die Bedrohung ist des Schweizers liebstes Kind, und ich denke, wir brauchen sie dringend, um trotz unseres Reichtums noch klagen zu dürfen, trotzdem noch bedauernswert und menschlich zu sein.

Oder ist auch das Verhalten der Schweiz nur ein Fall von Altersgeiz?

Dummheit ist Macht

Die zwei, die vor mir über die Brücke gehn, sind offensichtlich Brüder, der eine etwa zehnjährig, der andere zwanzig. Der kleine redet sehr aufgeregt auf den anderen ein, und der ältere antwortet väterlich bedächtig und erklärt die Dinge. Sie sprechen spanisch, ich verstehe kein Wort, aber der Tonfall macht sie zu Brüdern, und der Tonfall läßt Fragen und Antworten erkennen. Und plötzlich sprechen sie Schweizerdeutsch, völlig akzentfrei. Sie wechseln die Sprache, wohl ohne es selbst zu bemerken, und sie sehen jetzt, während sie Schweizerdeutsch sprechen, plötzlich auch nicht mehr wie Spanier aus. Es ist ein schönes Gespräch zwischen dem wissenden älteren Bruder und dem fragenden kleinen. Ich hätte gern weiter zugehört, aber dann sprechen sie wieder spanisch.

Erst gestern mußte ich wieder einmal in der Beiz bei angetrunkenen Bauarbeitern die Italiener und die Spanier verteidigen. Man sagte, sie seien Tiere und strohdumm und hätten keine Ahnung.

Die Theorie ist alt, daß der unterste Schweizer in der Rangordnung einen braucht, der noch weiter unter ihm ist und den er unterdrücken kann. Vielleicht aber sind die Italiener und Spanier doch etwas ungeeignet dazu. Sie sind Wissende, sie können zwei Sprachen, kennen zwei Kulturen – sie haben einen weiteren und größeren Horizont. Vielleicht sind sie weniger als der Schweizer in die Schule gegangen, aber vielleicht waren sie bessere Schüler. Ich stelle mir vor, daß nur jene den Weg ins Ausland schaffen. Oder ganz einfach: sie wissen zuviel, also haßt man sie.

Am Stammtisch demonstriert der kleine Sohn des dummen Wirts den Gästen, daß er schon lesen kann. Er holt sein Schulbuch und beginnt, mühsam zu buchstabieren. Ich war zwar mal Lehrer und auch mal Vater, aber ich habe das schon lange nicht mehr gehört, und ich höre fasziniert zu: dieses Gehacke, jede Silbe wird wie ein eigenes Wort betont und überbetont. Man muß es als Zuhörer selbst zusammensetzen und hat den Eindruck, daß der Buchstabierende den Sinn nicht mitbekommen kann. Aber es fasziniert auch, daß sich hier einer

Sprache erobert, sich Buchstabe für Buchstabe vorkämpft, Silbe für Silbe erobert und mit Überbetonung quittiert und in Besitz nimmt.

Ein Betrunkener am Tisch, ein sehr stumpfer Mensch, hört auch zu. Ich wundere mich, daß er zuhört, aber es geht ihm wohl ähnlich wie mir. Er erinnert sich, erinnert sich vielleicht daran, daß er auch einmal einer war, der Lesen lernte und etwas Gescheites werden wollte.

Der Kleine liest die Josef-Geschichte, jene mit den sieben mageren und sieben fetten Jahren aus dem Buch Moses. Plötzlich brüllt der Wirt aus der Küche: »Hör doch auf mit dem Quatsch, wir haben doch nicht Weihnachten!« Der Kleine versteht, was der Vater meint, und sagt: »Aber, das ist doch ein ganz anderer Josef.« Und nun geht es los, und die Gäste beteiligen sich lachend: »Etwa der Vater von Josef oder der Bruder – ein Zwilling vielleicht.« Der Kleine versucht es noch einmal zu erklären, sanft und wissend. Es ist hoffnungslos, er ist der Kleine, er kann doch nicht der Wissende sein. Er packt seine Sachen zusammen und zieht sich zurück.

Die Wissenden haben es schwer. »Und wer viel lernt, der muß viel leiden«, hat schon der Prediger Salomon gesagt. Er hat es genauso gemeint, wie das der Kleine erfahren hat: wie das oft fremde Gäste bei uns erfahren.

Wir sind die Minderheit

Als ich noch zur Schule ging, gab es bei uns ein Grundthema, über das wir entsetzlich streiten konnten. Wir waren überzeugt, daß es zwei Sorten von Menschen gibt, die fast nichts Gemeinsames haben. Wir waren sogar überzeugt, daß sie verschieden aussehen: die Reformierten und die Katholiken. Zwar ging das in der Regel ab mit Neckereien, mit bösen Reimen und Behauptungen über Papst und Beichte. Aber im Grunde genommen war es ernst. Die Reformierten hielten die Katholiken für Heuchler und die Katholiken die Reformierten für Heiden, die im Fegefeuer schmoren werden.

Kein einziger Lehrer hat sich da je einmal eingemischt und mit uns darüber gesprochen. Von Juden und Konzentrationslagern hatten wir gehört (1945), aber daß dies, was wir hier trieben, mit jenem anderen zu tun haben könnte, davon wußten wir nichts. Unser Pfarrer war ein glühender Antikatholik, und der katholische Pfarrer wohl ein ebenso überzeugter Heidenverachter.

Kurze zehn Jahre später war ich selbst Lehrer, und ich erinnerte mich daran, daß uns damals kein Lehrer in unserer Not geholfen hatte. Also begann ich mit meinen Schülern darüber zu sprechen. Zu meiner Überraschung wußten sie nichts mehr von diesem Problem und konnten mir auch keine Beispiele nennen von entsprechenden Neckereien.

Das hat mich damals sehr glücklich gemacht. Ich glaubte, daß sich die Welt doch bessert. Aber nach und nach mußte ich feststellen, daß meine Freude voreilig war: nicht Toleranz und gegenseitige Anerkennung hatte meine Schüler zu dieser Haltung gebracht, sondern nichts anderes als Desinteresse. Religion war kein Thema mehr, und Vorurteile hatte man inzwischen über viele andere Dinge.

Wer hätte je gedacht, daß Bankprokuristen lange Haare haben können? Es war doch – vor zwanzig Jahren – zum Verzweifeln für den Vater, wenn sich der Sohn die Haare etwas länger wachsen ließ. Was waren das für harte, böse Auseinandersetzungen, und wie manche Mutter hat deswegen nächtelang geweint. Die Frage ist nur, ob inzwischen die Väter ihre Söhne weniger anschreien. Wohl kaum – denn mit Toleranz und Tolerieren von langen Haaren hat das ja nichts zu tun. Die Schreiereien waren sinnlos, also schreit man inzwischen über anderes. Und wenn noch vor Jahren Soldaten zu leiden hatten, weil sie für ihren Haarschnitt kämpften: inzwischen ist er den meisten nicht mehr so wichtig. Weniger zu leiden haben deshalb Soldaten wohl nicht. Der Feldweibel schreit genauso ohne Gründe wie der Vater, er sucht nur Gründe zum Schreien.

Bundesfeieransprachen – sie haben nach Jahren der Verunsicherung wieder zurückgefunden ins Blabla, in die Unverbindlichkeit abstrakter Begriffe. Einiges aus der kritischen Zeit – das fällt mir auf – ist aber hängengeblieben. Es wurde wohl im ganzen Land keine Rede gehalten, in der nicht das schöne Wort »Minderheiten« vorkam, etwa in der Formulierung: ».. . ganz besonders in einem Land, das letztlich aus lauter Minderheiten besteht.« Also aus Appenzellern und Neuenburgern, aus Hornussern und Kunstturnern, aus Reichen und aus Bienenzüchtern?

Ich weiß es nicht, denn auffällig ist, daß die Minderheiten nicht mehr benannt werden. Heißt das vielleicht, daß jetzt einfach alle Minderheit sind und deshalb die eigentlichen Minderheiten gar keine sein können? So viel Minderheit wie die Tamilen sind wir selbst noch längst. Es gibt auch andere Minderheiten als die Arbeitslosen, als die Verzweifelten, als die Flüchtlinge, als die Homosexuellen.

Ich fürchte mich jedenfalls davor, wenn man von Minderheiten spricht, ohne sie zu benennen, wenn man einfach die Vielfältigkeit als Minderheiten bezeichnet und so letztlich die echten Minderheiten ausschließt. Wir sind dann die Minderheit und nicht die anderen.

Sprachlose Informationen

Vor vielen Jahren hielt ich vor Angestellten einer großen Firma einen Vortrag über Sprache. Der Erfolg war mäßig. Offensichtlich hat man von mir eher ein paar Grammatik- und Stilregeln erwartet als sprachphilosophische Betrachtungen. Ganz nebenbei erwähnte ich auch, daß die Sprache vor allem einen kommunikativen Wert hat, daß man also vor allem spricht, um zu sprechen, und daß nur ein kleiner Prozentsatz unseres Sprechens wirkliche Informationen enthält. Miteinander sprechen ist oft wichtiger als der Austausch von Informationen. Der Veranstalter, der den Vortrag etwas enttäuscht verdankte, sagte dann, daß man für die Firma immerhin etwas gelernt habe. Man könnte doch innerhalb des Betriebs darauf achten, daß man nur noch spreche, wenn wirkliche Informationen ausgetauscht werden müssen, und daß hier noch große Rationalisierungen möglich seien.

Die Firma existiert immer noch. Für mich ein Beweis dafür, daß dort immer noch gesprochen wird: über das Wetter, über den Sonntag oder eben auch über gar nichts. Wir leben in Sprache miteinander, und die Sprache ist nicht nur ein Mittel, um etwas auszudrücken, sie ist auch Leben selbst. Ich spreche mit meinem Nachbarn, um mit ihm in Kontakt zu sein. Solange wir sprechen miteinander – und nicht miteinander verhandeln –, mögen wir uns.

Mehr und mehr fällt mir aber auf, daß die Leute das Plaudern verlernen, daß bei privaten Zusammenkünften, auf Vernissagen und Parties nicht mehr geplaudert wird, sondern diskutiert. Da kommen Leute auf einen zu und sagen: »Eine Frage«, und dann sagen sie: »Ich habe den Eindruck, daß«, und dann legen sie die Stirn in Falten und möchten diskutieren. Sie wissen nichts davon, daß Gespräche entstehen, daß man spricht, um sich kennenzulernen, daß man einfach spricht, weil Menschen sprechen.

Da gibt es Gesprächsleiterkurse und Selbsterfahrungsgruppen und Diskussionsrunden und Volkshochschulkurse und Informationen und Informationen. Und plötzlich bleibt die menschliche Sprache auf der Strecke. Wer nur noch diskutiert, wer nur noch Information will, der hat seine Sprache verloren.

Ich gehöre nicht zu jenen, die alles dem Fernsehen in die Schuhe schieben. Aber hier habe ich hie und da das Gefühl, die Leute beginnen die Sprache so zu verwenden wie in der Diskussionsrunde des Fernsehens: jeder Satz muß von Bedeutung sein und muß verantwortet werden können. Wir sprechen nicht mehr jene Sprache, die wir als Kinder gelernt haben, nicht mehr jene Sprache, mit der wir die Mutter auf uns aufmerksam gemacht haben, wir sprechen nicht mehr unsere Muttersprache. Wir sprechen nicht mehr miteinander, wir informieren uns. Das fällt mir ab und zu auch auf, wenn gutwillige Mütter mit ihren Kindern nicht mehr sprechen wollen, sondern glauben, informieren zu müssen.

»Schau da, eine Ente«, ruft das kleine Mädchen, und die Mutter beginnt zu erklären, daß vorn der Schnabel sei, daß die Federn Gefieder heißen oder Federkleid, erklärt den Unterschied zwischen Männchen und Weibchen, benützt das Gelege und das Brüten für eine Aufklärungslektion und vergißt dabei, daß das Kind nur mit ihr reden wollte, über irgend etwas reden, und daß es sich freut über die Ente und darüber, daß sie schwimmen kann, und über die kleinen Wellen, die sie macht. Das Kind möchte das selbst entdecken und nicht gelehrt bekommen wie aus einem Lexikon.

Informationen, Informationsschwemme – wir haben schon gehört davon im Zusammenhang etwa mit Computern. Man kann darin untergehen. Man kann darin die eigene, die menschliche Sprache verlieren.

Lernen für den Computer

Ich habe kürzlich auf einer sehr langen Bahnfahrt zwei Computerfachleuten zuhören müssen. Das war anfänglich fast quälend, da sprachen zwei Leute in deutscher Sprache sehr engagiert und mit Ernst Sätze, die ich nicht verstehen konnte. Weil es aber deutsche Sätze waren, war ich gezwungen, zuzuhören. Weil es schweizerdeutsche Sätze waren und weil ich im Wagen keinen anderen Platz fand, konnte ich mir auch ausrechnen, daß ich ihnen volle vier Stunden zuhören mußte und daß auch sie den Zug erst in der Schweiz verlassen werden.

Nach einer Stunde empfand ich ihr Gespräch nicht mehr als quälend. Ich hatte mich an den Rhythmus ihrer Sätze gewöhnt. Ich verstand ihre Fachsprache zwar immer noch nicht, aber ich wußte bald, wann in einem Satz eines ihrer mir fremden Fachwörter auftauchen würde. Irgendwie verlor für mich das, wovon sie sprachen, seinen Schrecken. Sprache, menschliche Sprache hat offensichtlich auch dann etwas Besänftigendes, wenn man sie nicht versteht.

Ich bin den beiden dankbar. Trotzdem habe ich mich entschlossen, ihre Sprache nie zu verstehen und ein EDV-Analphabet zu bleiben. Ich hoffe auch, daß ich den Entschluß durchstehen kann, denn so leicht wird das nicht sein.

Ich gehöre zu jenen, die vor jedem Elektronikgeschäft, vor jedem Computerladen fasziniert stehenbleiben. Ich würde das Zeug wohl auch kaufen, wenn ich es bedienen könnte. Und ich fürchte mich davor, daß ich schon bald etwas nicht können werde, was alle anderen können.

Wenn ich das Wort Computer höre, dann beschleicht mich schlechtes Gewissen – jenem Gefühl ähnlich, das ein Schüler hat, der sich nicht auf die Prüfung vorbereitet, und weiß, daß es längst zu spät ist, damit anzufangen. Computer, Datenverarbeitung, Textverarbeitung sind Wörter geworden, die mir meine Laune gründlich verderben können. Und wenn ich das Strahlen in den Augen der Fachleute sehe, die begeistert von den Möglichkeiten der Zukunft sprechen, dann beschleicht mich die Beklemmung, daß mich diese Zukunft auf der Strecke lassen wird.

Das lange Gespräch, das unverständliche der beiden Fachleute aber hat mich in seinem plätschernden Rhythmus getröstet. Ich habe fast den Eindruck, ich werde ohne Computerverständnis durchkommen.

Warum ich das hier schreibe? Ganz einfach: weil mir nach dreitägigem Nachdenken nichts anderes eingefallen ist. Wären mir die beiden Fachleute schneller eingefallen, dann hätte ich hier wesentlich billiger produziert. Ich sehe den Leserbrief eines Computerfans bereits vor mir, der mir entsprechende Rationalisierungsmöglichkeiten in meinem Beruf vorschlagen wird. Nur eben, ich mag meine persönliche Faulheit, und genau diese Faulheit möchte ich mir nicht wegrationalisieren lassen. Denn ich gebe zu, daß ich ohne weiteres hätte schneller denken können. Ich gebe auch zu, daß mir etwas Gescheiteres hätte einfallen können. Und ich gebe zu, daß ich mit diesen Zeilen nichts anderes versuche, als mein schlechtes Gewissen wortreich zu beruhigen.

Die Technik behauptet zwar, der Menschheit dienen zu wollen. Sie hat es auch lange Zeit einigermaßen getan. Nun fordert sie plötzlich von mir, ein guter und williger Schüler zu sein und mich ganz brav auf sie vorzubereiten. Die Lokomotive und das Flugzeug und der Bulldozer verlangten das von mir noch nicht. Aber diese Dinge wollte mir ja auch niemand verkaufen.

Resignation ist menschlich

Als 1918 der letzte Sachsenkönig zurücktrat, soll er gesagt haben:
»Macht euren Dreck allene!« Er resignierte, was auf deutsch heißt,
er verzichtete.

Resignation gilt in der Politik als negativ, und Politiker aller Schattierungen kämpfen bei jeder Gelegenheit gegen die Resignation. Dabei, so scheint mir, ist Resignation eine notwendige und mitunter
nützliche menschliche Eigenschaft. Es gibt Situationen, wo ich mich
in mein Schicksal fügen muß. Ich reagiere zwar vielleicht trotzig
und bitter auf den Tod eines lieben Freundes; was mir mein Weiterleben dann vielleicht doch ermöglicht, das ist wohl auch meine Fähigkeit zur Resignation – die Fähigkeit, auf meinen Trotz zu verzichten.

Mir scheint, wir haben in unserem politischen Denken diese Fähigkeit inzwischen restlos verloren. Wir haben gelernt, politisch hart
zu sein, vor den Problemen nicht gleich zu scheitern. Wir sind überzeugt, daß es immer und überall ein Mittel gibt und daß sich das Mittel einstellen wird, wenn wir hart bleiben und durchhalten.

Unsere Zivilschutzideologie scheint mir ein Beispiel dafür zu sein:
die Vorstellung etwa, daß ein Atomkrieg zu überstehen sei – oder besser, zu überstehen sein muß. Daß man hinterher mit einer Bürste den
radioaktiven Staub abwischt und sauber weiterlebt. Daß man sich einfach in den Schutzräumen vergräbt und nach dem Krieg wieder munter hervorkriecht. Sich darauf nicht vorzubereiten, das wäre dann
eben Resignation, und resignieren wollen wir nicht.

Ich kann sogar ein bißchen Verständnis für diese Haltung aufbringen. Trotzdem hoffe ich, daß uns unsere mangelnde Resignationsfähigkeit eines Tages nicht doch schadet. Ich weiß auch, es liegen
historische Beweise vor, daß in bestimmten Situationen Resignation
falsch gewesen wäre, aber mir scheint, daß heute Probleme auf uns
zukommen, die mit Tapferkeit, Unbeugsamkeit und Durchhaltewillen nicht mehr zu bewältigen sind.

Ich meine zum Beispiel all die Regierungserklärungen zum Waldsterben. Sie unterscheiden sich in fast nichts von allen anderen Regie-

rungserklärungen, die davon sprechen, daß man das jeweilige Problem ernst nehme. Denn die Leute haben Angst und stehen Regierungen gegenüber, die sich als mutig und tapfer geben, nicht gerade viel tun, aber doch recht viel reden und auch gleich sagen, daß Resignation nicht am Platze sei.

Resignation heißt Verzicht. So ist also Verzicht nicht am Platze.

Ich denke an Regierungsräte, die in Schwierigkeiten und vor Gericht gekommen sind. Sie sind überzeugt, daß sie unschuldig sind, das ist ihr gutes Recht, und sie sind überzeugt, daß man sie quält und plagt und daß man so kaum mehr regieren könne. Aber sie sind auch überzeugt, daß sie regieren müssen, und sie stellen sich wieder zur Wahl. Mir ist es ein Rätsel, warum keiner von ihnen den Satz des Sachsenkönigs oder meinetwegen den vom Götz zitiert und sich polternd zurückzieht. Nein, sie stellen sich polternd zur Wiederwahl, und ich nehme an, ihre Rechnung geht auf. Sie werden wohl gewählt werden, weil sie als Bisherige die besseren Chancen haben und weil die Wähler nicht so recht wissen, wie man sie nicht wählen könnte. Hinterher haben die Wähler wieder eine Regierung, die sie eigentlich nicht so recht wollten. Das ist dann alles legal, und die Wähler haben sich entschieden. Und der trotzige Durchhaltewille der Regierungsräte hat sich gelohnt.

Nur, und das fürchte ich, sie treiben mit ihrer mangelnden Resignationsfähigkeit nach und nach die Bürger in die Resignation und werden halt nur noch von den wenigen gewählt, die überhaupt noch wählen gehen. Und das Ganze wird zu einem Durchhalteautomatismus, der letztlich Politik und Demokratie lächerlich macht.

Vielleicht müßte man bei neuen Kandidaten vorerst mal prüfen, ob sie die menschliche Fähigkeit zur Resignation besitzen.

Ich will nicht, daß du stirbst

Eine meiner frühesten Kindheitserinnerungen: ein Familienfest bei meinen Großeltern, die Erwachsenen saßen noch am Tisch, die Kinder tobten in der Stube herum, ein Ball wurde geworfen, eine Scheibe ging in Brüche. Ein kleiner Splitter traf meinen Vater an der Wange. Die Verletzung muß gering gewesen sein, auf der Wange erschien nur ein kleiner Blutstropfen.

Ich glaube, jener Blutstropfen war der erste große Schrecken in meinem Leben. Ich dachte, mein Vater müsse nun sterben. Ich ging den ganzen Tag immer wieder zu ihm hin und schaute ihn an.

Ich selbst war damals Verletzungen schon gewohnt, aufgeschürfte Knie waren mir selbstverständlich, und ich wußte auch, daß ich nicht sterben muß wegen einer kleinen Schürfung. Meinen Vater aber hielt ich für unverletzlich. Ich verließ mich darauf, daß er unverletzlich ist. Er war der, der mit meinen Verletzungen umgehen konnte, also durfte er selbst nicht verletzbar sein.

Ich wußte bestimmt nichts oder nur ganz wenig davon, daß man einen Vater braucht als Ernährer. Ich wußte nichts davon, daß der Verlust des Vaters bittere materielle Not bedeuten kann. Ich brauchte ihn als kleines Kind nur, um ihn lieben und um ihm restlos vertrauen zu können. Ich war der Schwache, er war der Starke. Ich wußte fast nichts, er wußte alles. Ich hätte nicht Eisenbahn fahren können, hätte ich nicht einen so großen und allwissenden Vater gehabt, der wußte, wie man das anstellt. Ich durfte verletzbar sein, denn meine eigenen Verletzungen waren nicht tödlich; seine Verletzbarkeit aber war für mich eine tödliche Gefahr. Ich konnte ohne seine Liebe nicht leben, und ich konnte nicht leben, ohne ihn zu lieben.

Der Blutstropfen an der Wange meines Vaters machte dem kleinen Kind bewußt, daß er verletzlich und daß er also sterblich ist. Ich wußte ab jetzt, daß er, daß auch er sterben wird.

Gabriel Marcel, ein französischer Philosoph, hat einmal die Liebe so definiert: »Liebe ist – ich will nicht, daß du stirbst.« Als ich das später einmal las, da erinnerte ich mich gleich an das Erlebnis mit dem Blutstropfen. Inzwischen hatte ich außer Vater und Mutter viele andere Menschen, von denen ich nicht wollte, daß sie sterben; inzwischen konnte ich Eisenbahnfahren ohne meinen Vater, und ich hatte gelernt, Geld zu verdienen, und gelernt, mit Umständen umzugehen und mich vor Umständen zu fürchten, so zum Beispiel vor den Umständen eines Todesfalles. Meine Angst war zwar immer noch Liebe, aber sie war getrübt durch kleinliche Vorstellungen, daß es Umstände geben wird.

In Gesprächen mit meinem Vater über den Tod war er nun wieder der Starke und ich der Schwache. Er war älter als ich und verstand mehr davon. Auch war er kerngesund und trieb im hohen Alter noch Leistungssport. Er machte mir immer noch ein wenig den Eindruck der Unverletzbarkeit. Wäre ich vor ihm gestorben, er wäre für mich unverletzbar geblieben.

Nun ist er gestorben. Die erschreckende Ahnung des Kindes hat sich erfüllt, und sie wirft mich zurück in meine Kindheit, sie wirft mich zurück in meine Hilflosigkeit.

Ich wollte diese Zeitung anrufen und ihr mitteilen, daß ich unfähig sei, diesmal eine Kolumne zu liefern. Nun habe ich es doch gekonnt, das beschämt mich fast. Aber mein Vater hat seine Pflicht auch immer getan. Und das war wirklich etwas, das er immer besser konnte als ich. Jetzt muß ich das wohl endgültig ganz selbst können.

Siegen ist immer einfach

Müßte ich über Aktualitäten schreiben, die vergangenen Tage hätten wohl nur zwei angeboten, und an keiner von beiden bin ich vorbeigekommen: das Waldsterben und Pirmin Zurbriggen.

Nun ist einzusehen, daß man Weltmeisterschaften nicht absagen kann, nur weil das Waldsterben eine viel ernstere Sache ist, und daß man die Fernsehsendungen von den Skirennen nicht durch naturkundliche Sendungen ersetzen kann. Gemein wäre deshalb die Frage: »Was ist Ihnen wichtiger, der Wald oder eine weitere Medaille für die Schweiz?«

Die Antwort wäre selbstverständlich klar, etwa so klar – nicht mehr und nicht weniger –, wie sie letzte Woche jedem Schweizer Parlamentarier war: »Der Wald!«

Müßte ich über Aktualität schreiben, ich würde wohl das Thema »Waldsterben« wählen – aus lauter Bequemlichkeit, denn längst haben sich alle ganz schön und brav an die entsprechenden kritischen Stimmen gewöhnt, und ausnahmslos alle Parteien wissen, was ihre Wähler wünschen. Die Parteien nehmen Partei für den Wald, jetzt kann es ihm ja nur noch gutgehen. Die Parteien demonstrieren, daß sie sich einsetzen.

Also glauben wir ihnen das vorläufig einmal. Allerdings bleibt die Vermutung, daß es den Politikern ähnlich geht wie den Kolumnisten: sie finden halt doch eher ein Thema als ein Problem.

Immerhin, die Sache mit dem Wald ist ernst. Die Sache mit Pirmin Zurbriggen ist nebensächlich. So könnte man annehmen, daß man sich mit diesem Thema weniger in die Nesseln setzt.

Ich habe denn auch von einer großen Zeitung ein Angebot bekommen, über Pirmin Zurbriggen zu schreiben. Ich nehme nicht an, daß sie von mir eine Sportreportage wollte, und ich habe abgelehnt, weil ich mich fürchte. Ich weiß ja, was geschieht, wenn man auch nur ein bißchen an der Reinheit, Vollkommenheit, Tapferkeit, Anständigkeit eines nationalen Sportidols kratzt. Ich weiß, daß schon diese Zeilen genügen können, und ich fürchtete mich davor, es wegen einer kleinen Nebensache mit der ganzen Nation zu verderben.

Trotzdem: Zurbriggen mag ein Vorbild sein – aber ein Vorbild für was eigentlich? Läßt sich zum Beispiel seine Präzision und sein Fleiß mit der Präzision und dem Fleiß eines Industriearbeiters vergleichen? Oder ist er vielleicht doch nicht nur das Symbol einer fleißigen, sauberen, anständigen, erfolgreichen Nation? Das Symbol einer Nation, die ihre Aufgaben problemlos, exakt und auf der Ideallinie löst? Ich entnehme das der Terminologie unserer Sportreporter. Sie können in ihr Geschrei noch so oft einstreuen, daß es sich nicht um Chauvinismus, sondern um reine Freude handle; auch höre ich von vielen Leuten, daß die Deutschen und Österreicher viel nationalistischer reportieren als wir. Ich stelle immer wieder das Gegenteil fest. Denn was sich unsere Fernsehreporter leisten, das geht in Richtung von Volksverhetzung, von nationalistischer Demagogie und Verblendung. Das war – darauf lege ich Wert – nicht immer so. Das ist wieder so und hat seine politischen Gründe und Hintergründe.

Ich freue mich auch über Pirmin Zurbriggen, aber er tut mir leid. Also wäre es bequemer, über den Wald zu schreiben. Allerdings fürchte ich, daß eine Nation, die von sich glaubt, die Aufgaben problemlos, exakt und auf der Ideallinie lösen zu können, mit dem Wald mehr Mühe haben wird als mit dem Siegen.

Der Einzug in die Paläste

Ein Achtzigjähriger erzählt von seiner Jugend. Er nimmt an, daß ich noch jung sei und von alldem nichts wisse. Ich kenne seine Erzählungen, ich habe sie schon oft von vielen anderen gehört, dieselben Erzählungen. Und es kann vorkommen, daß ich auch so erzähle.

Seit Jahrhunderten hat die Jugend der Alten immer wieder in einer ganz anderen Zeit stattgefunden, in der Regel in einer viel einfacheren, bescheideneren und kargeren Zeit. Wenn es aber wahr wäre, daß die Jahre so schnell von der Kargheit in den Überfluß führen, und wenn der neue Überfluß immer wieder zur alten Kargheit würde, dann müßten wir längst in Zeiten leben, die keiner mehr erkennt und mit denen keiner mehr umgehen kann.

Daß damals, vor Zeiten, alles ganz anders war: darauf, so scheint mir, sind wir angewiesen. Was hätte unser Altwerden für einen Sinn, wenn wir nicht wenigstens ganz andere Erfahrungen gemacht hätten als die Jungen, zum Beispiel andere Löhne und andere Lehrmeister und überhaupt ganz andere Verhältnisse gehabt hätten – anderes Wetter sogar und noch und noch gefrorene Flüsse und Seen.

Wenn ich Statistiken lese, dann erschrecke ich. Der Energiekonsum hat um ein Mehrfaches zugenommen in der Zeit meines Lebens, der Verkehr hat zugenommen, das Bruttosozialprodukt hat zugenommen, alles hat zugenommen.

Aber ich müßte lügen, wenn ich behaupten würde, ich hätte das alles – die Veränderung der Welt – miterlebt.

Schon als ich noch ganz klein war, hatte ein Nachbarskind eine elektrische Eisenbahn. Ich hätte auch gern eine gehabt, aber ich hatte nur eine zum Aufziehen. Das war zwar ein Anlaß für Neid, aber die Welt der elektrischen Spieleisenbahnen gab es jedenfalls schon und die Welt der Glühbirne, des Elektroherds. Es gab auch Kühlschränke. Wir hatten zwar keinen, aber es gab Kühlschränke.

Ich habe die Veränderung der Welt nicht miterlebt. Zwar stehen da, wo uns damals der Bauer quer übers Feld mit dem Stecken nachgerannt ist, jetzt große Wohnblöcke, aber es sind Wohnblöcke, wie es sie schon damals gab. Zwar hat nun jeder ein Auto, aber es sind Autos, wie es sie schon damals für einige wenige gab. Mein Onkel, der reiche Bäckermeister, hatte eines. Er holte es nur sonntags aus der Garage und war beruflich nicht davon abhängig.

Die Welt, so scheint mir, hat sich nur wenig, fast nicht verändert. Nur beteiligen sich nun mehr daran. Alle fahren jetzt Auto, nicht nur die Reichen, alle haben einen Kühlschrank, nicht nur die Reichen.

Ich habe es einmal in den Ferien bei meiner bösen Tante nur ausgehalten, weil sie so schön kühle Butter hatte. Dieser Grund zum Bleiben würde für mich heute wegfallen. Ich müßte es bei ihr nicht mehr aushalten, inzwischen habe auch ich kühle Butter, und ich bin zwar nicht reich geworden wie mein Onkel, aber ich habe ein Auto. Es gefällt mir trotzdem weniger als das meines Onkels.

Ich meine, ich verstehe jene ein bißchen, die nicht glauben wollen, daß wir dabei sind, unser Leben zu zerstören. Die Veränderung der Welt wird nur für jene sichtbar, die sie sehen wollen. Alle anderen leben nach wie vor in der Welt ihrer Jugend. Und daß diese Welt anders gewesen sein soll, das gilt nur dann, wenn es von den Abenteuern der Armut zu erzählen gibt. Und diese Abenteuer sind nur dann etwas wert, wenn man inzwischen all das besitzt, was die Reichen damals hatten. Aus Büchners »Krieg den Palästen« ist ein Einzug in die Paläste geworden. Aber so schön, wie man sie sich vorstellte, sind sie nicht.

Karriere und Biographie

Ich lese Robert Walser. Seit dreißig Jahren – das fällt mir dabei plötzlich ein – habe ich das immer und immer wieder getan. Er ist sozusagen ein Teil meiner Biographie geworden. Ich habe mit ihm gelebt, vielleicht oft mehr und intensiver als mit Menschen, die ich in Wirklichkeit getroffen habe.

Ich lese Robert Walser und denke dabei an einen Menschen zurück, mit dem ich über Walser gesprochen habe, den ersten, den ich kannte, der auch Walser las. Vielleicht – ich weiß das nicht mehr genau – war er es sogar, der mich auf Walser aufmerksam machte. Aber ich denke in Beklemmung an ihn zurück. Ich habe ihn verloren. Er lebt noch in dieser Stadt, er hat Karriere gemacht, und man kennt ihn. Ich bin keineswegs unschuldig daran, daß wir inzwischen aneinander vorbeileben, aber letztlich ist es schon seine Karriere, die uns trennt. Es könnte sein, daß er mich haßt, es könnte sein, daß ich ihn nicht mehr mag. Mir scheint, mit Gründen, und das ist wohl kaum mehr zu ändern. Er spricht heute von anderem und wohl auch anders, als er damals sprach. Ich mag ihn wohl nicht mehr, und das schmerzt sehr. Wenn ich inzwischen den Freund verloren habe, der mich damals auf Robert Walser aufmerksam machte, dann habe ich mit ihm einen Teil meiner Biographie verloren.

Ich nehme an, daß auch ich nicht mehr in seiner Biographie bin.

Einen anderen sehe ich hier ab und zu auf der Straße vorbeigehen, und wir grüßen uns wie zwei, die sich kaum kennen. Wir sind in derselben Stadt zusammen aufgewachsen und leben nun hier in einer anderen Stadt, wohl seit dreißig Jahren. Wir grüßen uns, aber es kam nie zu einem Gespräch. Er hat inzwischen Karriere gemacht in der Wirtschaft, in der Gesellschaft wohl auch. Es ist nicht anzunehmen, daß wir in vielen oder nur in einigen Fragen gleicher Meinung wären.

Aber vor vierzig Jahren hatte er eine Lungenentzündung. Damals gab es bei dieser Krankheit noch die sogenannte Krise, in der sich entschied, ob einer leben wird oder sterben. Wir Kinder waren etwas stiller in der Straße, und ich habe um ihn gezittert. Ich habe seine Mutter täglich gefragt, wie es stehe, und ich war glücklich, als ich ihn wieder besuchen durfte und er übern Berg war.

Auch das ist mir erst kürzlich wieder eingefallen, auch er war ein Bestandteil meiner Biographie, auch diesen Bestandteil habe ich wohl verloren. Und bei beiden Bekannten habe ich den Verdacht, daß ich längst nicht mehr zu ihrer Biographie gehöre, bei beiden habe ich den vielleicht ungerechten Verdacht, daß sie biographiefrei sind.

Könnte es sein, daß Karriere immer ohne Biographie ist? Wenn ich die Daten von politischen Kandidaten lese, dann bekomme ich jedenfalls den Eindruck, Karriere bestehe nur aus Karriere und finde ohne viel Leben statt. Ich bin sicher, daß ich nicht recht habe, aber mein Eindruck bleibt.

Wenn sich ein Offizier bei Soldaten anbiedern wollte, dann kam ab und zu der Satz: »Ich war auch mal ein Gewöhnlicher.« Ich hatte bei diesem Satz immer das Gefühl, er sei nur angelernt und habe mit der eigenen Erinnerung gar nichts zu tun.

Karriere kommt aus dem Französischen und hieß dort Rennbahn oder Pferdelaufbahn. Könnte es sein, daß jener, der zu schnell läuft, zuviel hinter sich läßt und ich zurückgeblieben bin, weil ich nicht geradeaus laufen kann?

Erzähl mir doch was

Wir sind so stolz auf unsere sogenannte Kommunikationstechnik. Ich bestaune sie auch und genieße sie mitunter. Da wird aus aller Welt live über Satellit übertragen, und wenn ich jetzt im Augenblick mein Radio einstelle und es wird mir keine Sensation mitgeteilt, dann kann ich sicher sein, daß in der letzten halben Stunde keine Sensation geschah, keine mitteilenswerte zum mindesten, zum mindesten keine, die man mir – dem Kommunikationstechnikkonsumenten – als solche verkaufen könnte.

Ich stelle mir vor, wie die Leute in unserer Gegend von der Franzö-

sischen Revolution erfahren haben oder wie sie später von den amerikanischen Befreiungskriegen und von George Washington oder wie
sie noch später – und dies schon zur Zeit einer relativ schnellen
Presse – vom Untergang der Titanic erfahren haben. Wie auch immer:
sie haben etwas später davon erfahren, und wer noch mehr wissen
wollte, der hatte sich um Informationen zu kümmern.

Wer später informiert wird und nicht gleich im Augenblick, der
wird erzählend informiert. Die Leute kriegten wohl die Französische
Revolution, die Gründung der amerikanischen Demokratie erzählt –
vielleicht von einem, der dabei war, oder von einem, der davon gehört
hatte und es nun weitererzählte. Die Lust auf Sensationen wird nicht
viel anders gewesen sein als heute, aber die Technik der Kommuni-
kation war eine andere. Das Erdbeben von San Francisco und der
Untergang der Titanic und Caruso und Anastasia, die Zarentochter,
und Mittelholzer und Lindbergh wurden zu Legenden, nämlich zum
Inhalt von Erzählungen.

Meine Mutter und mein Vater erzählten mir von ihnen, als hätten
sie sie gekannt, und ich übernahm diese Ereignisse und Personen,
als hätten sie etwas mit mir zu tun. Kein ähnliches Katastrophenereig-
nis wird je diese Nähe erlangen, wie sie der Untergang der Titanic
(1912) für uns immer noch hat, und kein Tenor wird je so sehr Tenor
sein, wie es Caruso war. Unsere Zeit ist unfähig zu Legendenbildun-
gen, weil uns durch die Informationstechnik das Erzählen abhanden
gekommen ist. Der kurze Fakt, der kurze Eintrag im Guinnessbook
haben das Erzählen verdrängt.

Nicht etwa die Technik ist daran schuld, nur unser Gebrauch von
der Technik. Am Radio wurde noch erzählt bis vor kurzem, und als
das Fernsehen noch nicht perfekt – also menschlich – war, da wußte
es noch mit der Langeweile umzugehen. Inzwischen erleben wir eine
Welt voller Ereignisse, die alle letztlich nicht erzählenswert sind. Wir
haben uns von dieser Welt nichts mehr zu erzählen – so erscheint sie
uns dann beängstigend apokalyptisch und langweilend belanglos
zugleich. Denn was keine Geschichten hergibt, das interessiert auch
nicht mehr.

Ich halte das keineswegs für eine Entwicklung, die nicht rückgängig zu machen wäre. Ich könnte mir vorstellen, daß das Erzählen seinen Platz wieder einnimmt, wenn wir mit der Technik genug gespielt haben. Ich könnte mir auch vorstellen, daß unsere Informationen für spätere Generationen völlig unverständlich sind, weil sie nicht erzählt sind. Die Nachfahren werden uns – wenn es die Welt dann noch gibt – belächeln, denn Leben ohne Erzählen, so fürchte ich, wird sinnlos und geht unter.

Hätte es damals ein Waldsterben gegeben, die Großväter und die Mütter hätten davon erzählt, immer wieder und lange. Inzwischen ist auch es nur eine Sensation: geschehen, beschrieben und vorbei – schon bald vergessen. Den nächsten Weltrekord bitte!

Der Untergang der Titanic liegt uns immer noch näher, wohl nur deshalb, weil er erzählt wurde.

Aus Geschichte lernen

»Es ist schlimm genug, daß man jetzt nicht mehr für sein ganzes Leben lernen kann. Unsere Vorfahren hielten sich an den Unterricht, den sie in ihrer Jugend empfangen; wir aber müssen jetzt alle fünf Jahre umlernen, wenn wir nicht ganz aus der Mode kommen wollen.«

Dieser Satz ist uns bekannt, und man hört ihn mehr und mehr. Wer nicht dauernd lernt, wer nicht dauernd umlernt, der wird den Anschluß verpassen. Und schon denken dabei alle wieder an den Computer und ans Programmieren und an Software. Früher jedenfalls war das nicht so, unsere Väter lernten einen Beruf mit »goldenem Boden«, und dann hatten sie ihn fürs ganze Leben. Heute kann es recht schwer sein, einen Jugendlichen vom Sinn einer Berufslehre zu überzeugen. Erstens wollte er zum vornherein etwas anderes lernen, fand keine Lehrstelle und muß jetzt etwas lernen, was er nie werden und sein möchte, und zweitens gibt es seinen Lehrberuf schon bald ohnehin nicht mehr.

Das ist also die Sache mit den modernen Zeiten, die es offensichtlich erst seit zehn Jahren gibt. So wird uns das erklärt, und wir glauben es.

Aber der anfangs zitierte Satz stammt nicht aus unserer Zeit. Er stammt aus den »Wahlverwandtschaften« von Johann Wolfgang Goethe und wurde im Jahre 1808 geschrieben.

Die Klage ist also alt, die Klage darüber, daß in der guten alten Zeit alles lange gleichgeblieben und daß jetzt alles dauernd in einem totalen Umbruch sei. Jeder hat Angst davor, bald nicht mehr mittun zu können – eine Angst, die mehr und mehr an Hysterie grenzt. Wir werden dauernd von Wahnsinnsbildern einer Zukunft gehetzt. Und dies wohl nur, weil wir uns selbst – die Menschen des 20. Jahrhunderts – maßlos überschätzen. Wir leben in täglichen Rekorden, die Rekorde der Zukunft werden noch größer sein, und wir halten uns – in jedem Sinne des Wortes – zu allem fähig. Und wir halten das alles immer wieder für verdammt neu.

Man könnte und man sollte aus der Geschichte lernen, sagt man. Und wenn ich Sätze wie den von Goethe lese, dann denke ich auch an unseren Geschichtsunterricht. Dort hört man kaum etwas davon, daß die Leute früher schon denken konnten. Und ihre Umwelt gleicht im Geschichtsunterricht höchstens einem schäbigen Antiquitätengeschäft: selbstverständlich ist noch alles aus Holz, und selbstverständlich gab es noch keine Technik. Erst wenn ich Literatur lese – zum Beispiel auch römische Literatur –, erkenne ich, wie ich von den Historikern dauernd betrogen werde. Sie feiern, seit es sie gibt, ihre Zeit als Endzeit und ihr eigenes Denken als den Höhepunkt des Denkens schlechthin.

Ich blättere in Diderots Encyclopédie, die 1762 erschienen ist, und staune über das immense Wissen, das hier versammelt ist. Ich sehe komplizierte Konstruktionspläne von Maschinen und anderen technischen Wunderwerken – und mein Geschichtslehrer wußte nichts anderes, als mich davon zu überzeugen, daß damals noch gar nichts war, kein Fahrrad, kein Auto und kein Stabmixer. Unsere Vorstellung von Geschichte geht über die Vorstellung eines Antiquitätenhändlers nicht hinaus.

Ich glaube, wir leben in einer sehr arroganten Zeit. Und vielleicht fürchten wir uns im geheimen viel mehr vor unserer eigenen Arroganz als vor irgendeiner Zukunft. Zu unseren Vorfahren aber haben wir ein rassistisches Verhältnis. Wir sind die Übermenschen des 20. Jahrhunderts. Wir hätten aus der Geschichte besser nichts gelernt als nur das.

Vorgeplante Scham

Geschäftsfreunde, das ist ein eigenartiges Wort. Ich stelle mir also vor, daß einer Handel treibt und entsprechend Geschäftsfreunde hat in jenem anderen Land, in dem er Handel treibt. Und ich stelle mir vor, daß jener Geschäftsfreund ein freundlicher, umgänglicher und gebildeter Mann ist, jedenfalls kein Übeltäter und Bösewicht. Denn niemand treibt gern Handel mit Übeltätern.

Nun gibt es aber in jenem Land Leute, die wirklich unter Übeltätern zu leiden haben, und einige der Opfer sind in unser Land geflüchtet. Das freut den Geschäftsfreund im anderen Land gar nicht, und der Geschäftsmann in unserem Land würde mit dem Geschäftsfreund im anderen Land keinen Handel treiben, wenn es in jenem anderen Land den Leuten schlechtgehen würde. Also beschließen beide, daß niemand in dem anderen Land unter niemandem zu leiden habe, und man bringt dem anderen Land die Leute freundlicherweise zurück.

Man nannte solches Verhalten einmal Anpassung. Und es gab auch mal eine Zeit, in der sich doch eine Mehrheit der Schweizer dafür geschämt hat, daß wir uns angepaßt und damit Tausende von Juden in den Tod zurückgeschickt haben. Der Beweis liegt inzwischen vor, daß wir das genauso wieder tun würden, daß wir wieder »nicht anders konnten«.

Anpassung, das ist das eine Wort. Es gibt aber ein noch viel gepflegteres dafür, das heißt »Rücksichtnahme«. Wer also Asylanten (genannt Asylbewerber) nicht zurückgibt, der beleidigt auch eine Regierung, die gepflegt und human sein möchte, und ein Land, das ein schönes Land ist, und einen Handel, der ein anständiger Handel ist. Wer die Asylanten nicht zurückgibt, der nimmt Stellung gegen eine Regierung, gegen eine Politik, gegen einen Handel.

Das wollen wir offensichtlich nicht und nicht mehr und schon wieder nicht mehr. Wir haben es weit gebracht mit unserer Vorstellung von Neutralität. Wir sind diplomatisch und rücksichtsvoll.

Es ist anzunehmen – wenn auch sicher nicht wahr –, daß wir die Juden an der Grenze abwiesen in der Überzeugung, daß ihnen zu Hause nichts geschehen werde. Hätten wir sie damals aufgenommen, dann hätten doch die Nazis beleidigt sein müssen, weil es dann so ausgesehen hätte, als könnte ihnen zu Hause vielleicht doch etwas geschehen. Niemand – auch bei uns niemand – wollte davon etwas gewußt haben. Man kann doch nicht hingehen und einem Staatspräsidenten etwas sagen, was er nicht hören möchte. Zudem handelte es sich bei jenem Staatspräsidenten um einen legal gewählten Adolf Hitler und zudem um eine Diktatur, die nichts tat, ohne erst mal die entsprechenden Gesetze zu erlassen.

So gesehen war alles, was jener Staat tat, in jenem Staat legal.

Ich bin in der Regel auch dafür, daß man nach dem Gesetz handelt. Ich bin dafür, daß man humane Gesetze schafft. Aber ich fürchte mich vor der strahlenden Gewißheit, daß jemand, der nur nach dem Gesetz handelt, auch immer gut handelt.

Ich gehöre zu jener Generation, die ihre Väter befragen mußte, was damals war. Ich ahnte sehr bald, daß ein Land die Fähigkeit hat, alle zu Mitschuldigen zu machen, und daß zum Beispiel auch dieser Artikel mich nicht von der Mitschuld befreien kann.

Nur etwas habe ich nicht geglaubt, nämlich daß wir schon in einer Zeit ohne jede Gefährdung die Beweise dafür liefern würden, daß wir uns ein weiteres Mal genau gleich verhalten werden.

Diese Schuld trifft uns zum voraus alle. Das ist das Schreckliche daran, daß unser Verhalten offensichtlich zum voraus festgelegt ist. Denn nach dem letzten Mal konnten wir uns das Schämen in der Meinung leisten, daß wir nie mehr in diese Situation kommen werden.

Der Buck in meiner Gamelle

Ich gebe ab. Man weiß in der Schweiz, was dieser Satz bedeutet. Es wird mich niemand fragen, was ich abgebe. Der Satz bedeutet auch, daß ich fünfzig bin, daß ich meine Dienstpflicht beendet habe, daß ich nicht vorzeitig abgegeben habe, was mich verwundert.

Ich gebe also meine militärische Ausrüstung ab, Gasmaske, Stahlhelm, Uniform und all die anderen Dinge. Ich werde ein letztes Mal mit meiner Frau auf dem Stubenboden knien und meinen Kaputt (Mantel) zu einer Rolle kneten, die zu nichts anderem diente, als – wie schon in den letzten Jahrhunderten – Soldaten zu quälen und Kaisern und Königen Freude zu machen.

Ich träume jetzt wieder vom Militär, Angstträume. Ich erinnere mich an die Scharen von vaterländischen Sadisten, denen es Spaß machte, mit Verängstigten, Beleidigten, Rechtlosen umzugehen. Ich träume jetzt wirklich wieder davon. Mit einem Kaputt, wie ich ihn nun rollen werde, wäre ich damals ins Gefängnis gekommen. Ich fürchte mich seither vor Offizieren. Auch wenn dieser oder jener Offizier ein guter Freund von mir ist: wenn er die Uniform trägt, kann ich nicht mit ihm sprechen. Dabei habe ich in meiner ganzen Militärzeit keinen unfreundlichen Offizier getroffen, also sozusagen mit keinem schlechte Erfahrungen gemacht. Der Sadismus war kein persönlicher, sondern ein institutionalisierter, ein Spiel, das andere wohl durchschauten und das ich ernst nahm – meine Schuld.

Ich werde meine Gamelle (meinen Blechnapf) abgeben. Sie hat einen kleinen Buck, der wohl sehr mit meiner tiefen Angst vor Offizieren zu tun hat. Die Gamelle fiel mir in der Rekrutenschule aus dem Fenster, als ich verbotenerweise die letzten Wassertropfen ausklopfen wollte. Sie fiel in den Garten eines Instruktionsoffiziers, der gefürchtet war, und es blieb mir nichts anderes übrig, als hinunterzugehen und an der Wohnungstür des Offiziers zu läuten. Ich glaubte zu wissen, daß ich das, was folgen würde, nicht überstehen könnte. Aber es war nicht schlimm.

Ein Mädchen öffnete die Tür, grüßte freundlich. Ich hatte schon die Hoffnung, daß mir vielleicht das Mädchen die Gamelle bringen würde, aber es rief gleich seinen Vater. Und da kam er, der gefürchtete Offizier: hemdsärmlig und in Hosenträgern, in Pantoffeln, hörte sich meine Sorge an, sprach privat und beruhigend auf mich ein, fragte mich auch, woher ich komme, durchsuchte dann seinen Garten und brachte mir meine Gamelle. Ich war sozusagen glücklich.

Ein bißchen forscher hatte ich ihn mir privat schon vorgestellt. Aber er hätte ja auch in Uniform ein bißchen weniger forsch sein können, ohne gleich seine Würde zu verlieren.

Es fielen mir Geschichten von politischen Übeltätern in einem anderen Land ein, die im übrigen sanfte Familienväter waren und die sogar Geige spielten.

Froh war ich freilich darüber, daß er privat ein netter Mensch ist. Aber die Erinnerung an die vielen anderen netten Menschen in jenem anderen Land, die durch Uniform und Staatsmacht zu gefürchteten Menschen wurden, diese Erinnerung machte das erfreuliche Erlebnis nachträglich zum noch größeren Schrecken.

Es liegt also keine Hoffnung darin, wenn der Feldwebel, wenn der Hauptmann, wenn der Oberst ein bißchen netter würden. Sie sind es privat schon alle – gute, anständige Bürger, die ihre Pflicht tun. Ihre Darstellung der Macht ist keine persönliche, sondern eben eine notwendige militärische Darstellung.

Meine Angst aber – und die Macht lebt nur von der Angst –, meine Angst, mit der ich immer noch träume, ist eine ganz persönliche. Das ist ein Unterschied, mein lieber Herr Offizier.

Furcht vor den eigenen Geschichten

Der Wunsch nach guten Nachrichten ist ein alter Wunsch, und der Vorwurf an Radio und Fernsehen, daß sie immer nur das Negative melden, ist nicht nur alt, sondern auch unrichtig. Nur, die gute Nachricht ist in der Regel ebenso »ungut« wie die schlechte. Es gibt ja auch Zeitschriften, die das versuchen, das Positive, allerdings geht es dann in der Regel nicht über die Fürstenhochzeit hinaus.

Der Wunsch nach der guten Nachricht gleicht dem Wunsch nach der schlechten zu sehr, es ist der Wunsch nach Ausgefallenem, und die Erfüllung wird so oder so plötzlich schal und öd. Die Sensationen, die wir hören, auf die wir süchtig sind, haben mit Leben wenig oder nichts zu tun. Sportereignisse sind hergestellte Ereignisse, also eigentlich gar keine oder eben künstliche Ereignisse. Sie ergeben weder gute noch schlechte Nachrichten, sondern nur Ersatznachrichten. Wir organisieren im Sport so etwas wie Scheinleben, als hätten wir sonst nicht Leben genug. Immerhin, ich habe auch fast nichts dagegen, liefern Sportereignisse wenigstens Gesprächsstoff für jene in der Beiz, die sonst sprachlos wären, und Sprechen ist vielleicht besser als Schweigen.

Unser Mangel an Geschichten fördert das Herstellen von künstlichen Ereignissen. Die Massenmedien zum Beispiel sind ein geschichtenhungriger Moloch; nach und nach hat er die ganze Welt ausgelaugt. Es gibt keine Geschichten mehr, es sind alle erzählt, also erfindet man Geschichten, die man gar nicht mehr erzählen muß, die immer dieselben sind, mit immer derselben Pointe: Skirennen zum Beispiel.

Dabei bleiben dann die Geschichten, die dem Leben gleichen könnten, auf der Strecke. Was man nicht erzählen kann, das ist langweilig, wird als langweilig empfunden – halt ebenso langweilig wie unser Leben. Wir können – so scheint mir – mehr und mehr das eigene Leben nicht mehr erzählen, und kaum mehr einer erzählt deshalb von sich. Wer es trotzdem tut, der ist ein Schwätzer: man meidet seinen Tisch, man mag nicht dauernd hören, was er vor einer Stunde, vor zwei Stunden oder gestern an Alltäglichkeiten erlebt hat. Wer nicht vom Skirennen, vom Flugzeugabsturz, von der Fürstenhochzeit redet, sondern von sich selbst, der ist dann ein Langweiler.

Wir können nicht mehr erzählen, weil unser Leben nicht mehr erzählenswert ist, wir erleben unser Leben nicht mehr als Ereignis. Und gleichzeitig erleben wir Ereignisse, die überhaupt keine sind, und es wird viele Menschen geben, die das Leben eines Skirennfahrers als lebenswerter empfinden als ihr eigenes, nämlich als erzählenswerter.

Wenn der Skirennfahrer nach dem Rennen »erzählt«, dann erzählt
er eigentlich fast nichts. Sein Sieg oder seine Niederlage: das ist die
ganze Geschichte. Sie hat einen Inhalt, der fast keiner ist, und eine
Pointe, die fast keine ist. Letztlich ist nur noch seine Prominenz –
daß man ihn kennt oder daß er viel verdient – so etwas Ähnliches
wie eine Geschichte.

Um mich nicht auszunehmen: ich höre mir die Interviews der Skirennfahrer auch an. Ich schaue mir die Rennen gelegentlich auch an,
ich lese die Resultate in der Zeitung. Das heißt dann wohl, daß ich
mich auch langweile und daß auch mir die Geschichten abhanden
gekommen sind.

Es muß seine Gründe haben, daß wir für Ersatzgeschichten Millionen ausgeben und mitunter auch richtige Bettelaktionen dafür veranstalten, als handle es sich um Wohltätigkeit. Oder ist es vielleicht
nur so, daß wir uns fürchten vor unseren eigenen Geschichten?

Der Lehrling, der zu spät kam

Ein Lehrling verschläft sich am Morgen. Er kommt also zwei Stunden zu spät zur Arbeit. Sein Lehrmeister begrüßt ihn freundlich,
klopft ihm auf die Schulter und gratuliert ihm zu seinem Mut, doch
noch zu kommen und es nicht so zu machen wie all die anderen, die
anrufen und sagen, sie seien krank.

Eine offensichtlich unwahre Geschichte, denn selbstverständlich
ruft auch dieser Lehrling an und behauptet, er sei krank. Er weiß ja,
daß zu spät kommen wesentlich mehr Schwierigkeiten macht als
gar nicht kommen. Es wäre zwar mutig und tapfer, wenn er trotzdem
noch ginge, und dem Lehrmeister wäre damit mehr geholfen als mit
einer mehrtägigen Absenz, denn selbstverständlich kommt der Lehrling am anderen Tag auch nicht, denn er möchte ja nicht den Eindruck erwecken, daß er nicht richtig krank gewesen war. Es kann
sein, daß sich der Lehrling ein zweites Mal verschläft und dann ein
drittes Mal und daß er nach und nach annehmen muß, daß man ihm
jetzt nicht mehr glaubt.

Nun ist ihm sein Lehrmeister ohnehin nicht besonders lieb, und seine Lehrzeit liegt ihm auch nicht so sehr, und schließlich ist er selber jemand und hat keine Lust mehr, sich mit den anderen rumzuschlagen, und nachdem er fürchtet, daß diesmal an seinem Willen oder sogar an seinem guten Willen gezweifelt werden könnte, beschließt er, überhaupt nicht mehr zu gehen. Er gibt seine Lehre auf. Das ist zwar die untapferste Lösung, aber auch die einfachste.

Nun kommt er in andere Schwierigkeiten. Sein Vater und sein Bruder verstehen ihn nicht, reden auf ihn ein, versuchen ihn zu überreden. Der Lehrling hat nach Argumenten zu suchen: wer zu spät oder nicht mehr kommt, der braucht Argumente.

Also zweifelt er erst einmal an der Qualität der Lehrstelle. Auch was er vor Wochen noch gelobt hat, ist jetzt nichts mehr wert. Dann zweifelt er daran, ob diese Ausbildung ihm etwas bringe. Dann spricht er von sich selbst und daß er auch jemand sei und sich nicht zerstören lasse, und wenn es zum Streit darüber kommt, dann fällt bestimmt der Satz: »Habe ich das nötig?«

Ein Satz, der sich – was zwar selten ist – darauf beziehen könnte, daß der Lehrling reich und bereits erfolgreich ist und in der Gesellschaft sehr angesehen, und schon sind wir in einer anderen Geschichte – in der Geschichte von einem Land, das zu spät kam. Und weil es in einem Land verschiedene Leute gibt, gibt es auch verschiedene Meinungen. Die einen plädieren dafür, doch noch rechtzeitig zu gehen, und die anderen plädieren dafür, sich sozusagen »krank« zu melden und abzuwarten, und die dritten beginnen an der UNO zu zweifeln und tun so, als wäre es besser gewesen, wir hätten sie nie gehabt. Man braucht jetzt Argumente hinterher. Es muß doch jetzt Gründe geben, daß man bis jetzt nicht dabei war. Und einfach hinzugehen und zu sagen: »Entschuldigung, wir haben uns ein bißchen verschlafen, wir sind ein bißchen spät, aber wir haben uns gedacht, daß ihr uns doch noch brauchen könnt« – einfach hinzugehen und das zu sagen, dazu braucht es vielleicht doch etwas Mut. Mehr Mut als zum Satz: »Haben wir das nötig?«

Der Vater aber sagt zu seinem Sohn einen Satz, der dem Sohn überhaupt nicht einleuchten will. Der Vater sagt: »Die anderen gehn auch in die Lehre.«

Und da sagt der Sohn: »Das ist mir Wurst, ich bin anders als die anderen.«

Und da hätte er auch noch sagen können, ich bin reicher als die anderen, neutraler als die anderen, anständiger als die anderen, hilfsbereiter als die anderen.

Das glauben wir zwar nicht, aber wenn man gar nicht mehr kommt, dann braucht man Argumente.

Die Geschichte des Bruders

Ich treffe einen Mann, und eigentlich nur, um ein Gesprächsthema zu finden, erkundige ich mich nach seinem Bruder. Ich weiß, daß es diesem Bruder nicht gutgeht – oder besser: daß er nicht guttut, er ist ein völlig verkommener Landstreicher.

Nun beginnt der Mann von seinem Bruder zu erzählen: daß er immer sehr intelligent gewesen sei und ein liebenswerter Mensch. Er erzählt, wie er ihn kürzlich getroffen habe, irgendwo in einer Stadt auf einer Parkbank, und alles, was er erzählt, klingt freundlich. Er mag seinen Bruder und erzählt mir das Leben seines Bruders: sie wohnten über einer Wirtschaft, und ab und zu wurde die Mutter in die Wirtschaft gerufen, weil ihr ein Gast »etwas bezahlen« wolle. Die Kinder hätten gewußt, was das bedeutet hätte. Der Vater wollte das nicht, begann zu trinken, und eines Tages wurden die Kinder von der Schule weg abgeholt und ins Waisenhaus gebracht. Sie durften nicht einmal mehr zu Hause ihre Sachen holen. Ja, das sei schwer gewesen.

Aber er erzählt diese Geschichte als die Geschichte seines Bruders. Er weiß, warum sein Bruder jetzt so ist. Er versteht seinen Bruder. Dabei ist dessen Jugend auch seine Jugend. Auch er hatte es nicht nur leicht im Leben, aber er hat immer gearbeitet, hatte eine Familie und ist ein seriöser Mann, obwohl er Grund genug hätte, über sein eigenes Leben zu klagen. Er ist gebrechlich seit einem Unfall. Er hat seine Frau früh verloren, die Kinder selbst aufgezogen. Er hütet heute noch eine erwachsene Tochter, die seine Hilfe nötig hat. Er muß knapp durch, und er arbeitet immer noch mehr, als seine Gebrechlichkeit zulassen würde.

Ich höre seine Geschichte und sage ab und zu »grauenhaft«, »schrecklich«, »fürchterlich«. Er bestätigt diese Wörter nicht, und wie ich sage, das muß ja hart gewesen sein im Waisenhaus, da sagt er: »Nein, wir hatten es sehr schön dort.« Ich höre keine einzige Klage von ihm, vor allem nicht die Klage darüber, daß es anderen besser gehe, daß es mir besser gehe. Und ich höre keinen Stolz darüber, daß er sein Leben besser bestanden hätte als sein Bruder.

Journalisten sind gewohnt, Schuldige zu finden und Schuld zu verteilen. Nur Schuldige und Schuld machen Geschichten in der Zeitung erzählenswert. Aber in diesem Fall gibt es keine Klage, also auch keine Schuld, und deshalb geht mir die Geschichte seit Wochen nicht mehr aus dem Kopf. Ich bin es gewohnt, Schuldige und Schuld zu suchen. Ich merke erst an dieser Geschichte, wie sehr ich das gewohnt bin.

Wenn zum Beispiel der Leiter des Waisenhauses ein brutaler Mann gewesen wäre, dann wäre da wenigstens ein Schuldiger. Oder wenn der Bruder mit dem Bruder prozessiert hätte, dann wäre da wenigstens ein Recht.

Ich kann mit einer Geschichte von Unschuldigen offensichtlich nicht umgehen – vielleicht deshalb, weil ich mich davor fürchte, daß wir die Schuldigen wären, wenn es keine namentlichen Schuldigen gibt, daß zum Beispiel ich dann der Schuldige wäre. Aber solche Gedankengänge kennt mein Mann nicht. Er bezieht sein Leben nicht nur auf sich selbst, sondern auch auf seinen Bruder.

Fußballweltmeisterschaft

Ich habe es geschafft – zum mindesten vorläufig –, auf die Fußball-weltmeisterschaften zu verzichten. Dabei gefällt mir Fußball, aber ich habe noch kein einziges Weltmeisterschaftsspiel gesehen, fast ein Zufall, ich vergesse ganz einfach, den Fernseher einzuschalten. Würde ich es tun, ich würde wohl beim langweiligsten Spiel hängen-bleiben und am nächsten Tag das nächste sehen müssen. Verzicht ist etwas Gutes. Auf was man auch immer verzichtet, man gewinnt dabei ein paar Stunden zum Leben, außer man investiert sie in etwas anderes. Dann sind sie auch wieder verloren.

Ich habe mir vorgenommen, Zeit zu gewinnen durch Verzicht auf Interesse. Ich bin sozusagen ausgestiegen aus einer Welt, die gegen-wärtig durch Fußball besetzt ist, durch Fußball, der mich ansonsten interessiert. Ich bin unserer Nationalmannschaft von Herzen dank-bar, daß sie mir die Freiheit gewährt, nicht dabeisein zu müssen.

So weit, so gut – nur befinde ich mich jetzt in einer Ecke, in die ich nicht gern gehöre: in der Ecke jener, die mit strahlenden Augen verkünden »Wir haben kein Fernsehen«. Ich erschrecke immer, wenn ich das höre. Es klingt nach Moral, und es riecht wie Sauberkeit und Kernseife, es duftet nach Atmen in der freien Natur.

Ich komme mir immer ein bißchen schäbig vor, wenn der andere verkündet, kein Fernsehen zu haben. Mir bleibt dann in meiner Schä-bigkeit nur Trotz: Ich habe Fernsehen, und ich will Fernsehen haben. Ich will wissen, von was im Bus gesprochen wird am Morgen, ich will mich an den Gesprächen in der Beiz beteiligen können. Der Blödsinn, mit dem sich die Leute beschäftigen, soll auch mein Blöd-sinn sein. Ich kann nicht immer nur nicht dazugehören, und würden sie in der Beiz von Goethes »Wahlverwandtschaften« sprechen, mir wäre das unangenehm.

Ich muß wissen, mit was sich die Welt beschäftigt, wenn ich mich mit der Welt beschäftigen will.

Trotzdem, ich empfinde meinen Verzicht auf Fußball als beglük-kende Freiheit. Ich nehme an, daß andere den ganzen Tag das letzte und das nächste Spiel im Kopf haben – mein Kopf ist entsprechend leer, endlich mal kein Gedränge.

Nun fällt mir aber etwas auf, was mich wiederum fast erschreckt: Ich sehe nicht nur nicht Fußball, sondern ich höre auch plötzlich nirgends davon sprechen. Würde ich von meiner eigenen Beobachtung ausgehen, ich bekäme den Eindruck, daß es gar kein Interesse für die Weltmeisterschaften gibt. Ja, ich stelle subjektiv fest, was objektiv gar nicht stimmt, nämlich daß auch in den Zeitungen fast nichts darüber geschrieben wird. Und das kann ja nun wirklich nicht wahr sein.

Mein Mangel an Interesse läßt mich auch das Interesse der anderen nicht mehr erkennen. Ich bin nicht mehr beteiligt, ich gehöre nicht mehr dazu, und ich bekomme auch kaum mehr was zu hören. Mein Radio läuft zwar, und da kommen auch Berichte über die Weltmeisterschaft, aber sie sind nicht mehr für mich bestimmt, sie erreichen mich nicht mehr. Ich gebe zu, ich weiß heute, daß das Spiel Italien – Argentinien unentschieden 1:1 ausgegangen ist. Ich stelle mir vor, daß die Italiener in Blau spielten, auf grünem Rasen, ich stelle mir sogar vor, wie einer in einem wunderbaren Bogenschuß den Ball von links hereingibt, mehr nicht.

Kürzlich sagte ein Ignorant in der Beiz: »Tschernobyl – hört doch auf damit! Das interessiert doch niemanden, und radioaktive Strahlung ist Blödsinn.«

Sein Desinteresse läßt ihn nicht mehr erkennen, daß es andere interessiert, daß es überhaupt existiert.

War das jetzt alles

Ein Betrunkener dreht durch. Er flucht auf alles und auf alle. Er findet alles nutzlos, blödsinnig. Er stellt Fragen und überschreit die Antworten. Er fragt nach dem Positiven und will negative Antworten. Wenn man ihm nicht antwortet, dann sagt er triumphierend: »Jetzt wißt ihr aber nichts mehr«, und wenn man ihm antwortet, dann hört er nicht zu.

Das Leben gelingt ihm nicht so ganz, nun macht er den anderen Vorwürfe, daß ihnen das Leben nicht gelinge. Er schreit über Reagan, er schreit über Atombomben. Er findet uns alle das Allerletzte.

Dann fällt ihm ein Stichwort ein: »Radioaktivität«, und er findet Radioaktivität auch Blödsinn. »Da könnt ihr mir alle, da glaube ich auch nicht dran. Gibt mir doch keiner an, daß die bis hierher kommt. Und diesen Wein trink ich, was auch immer drin ist. Das ist mir doch völlig Wurst, ob da ›Atom‹ drin ist, und wenn es sämtliche Atomkraftwerke in die Luft jagt, dann ist mir das auch Wurst.«

Am Tisch sitzen einige, die in Gösgen demonstriert haben. Die werden jetzt auch beschimpft.

Eigentlich ist es ein Zufall, daß die Rede – seine Schreirede – darauf kam. Krebs interessiere ihn auch nicht, sagt er.

Die Versuche der Runde, beruhigend zu erklären, werden langsam aufgegeben. Er selbst weiß, daß er nicht im Recht sein kann – auch das ist ihm Wurst, es gibt jetzt jedenfalls vorläufig kein Zurück mehr.

Er wird stiller und noch etwas betrunkener, und dann kommt aus seiner Stille der Satz: »War das jetzt alles?«

Der Satz steht nicht im Zusammenhang mit unserem Gesprächsversuch. Der Satz steht in keinem Zusammenhang. Er steht nur an einem Ende.

Nein, nicht Tschernobyl hat ihn kaputtgemacht, nicht die Angst, nicht die Verhältnisse, nur das Leben. Er ist noch sehr jung, aber doch schon so alt, er weiß, das Leben, wie er es jetzt hat, wird wohl für immer sein Leben sein. »Das ist jetzt alles«, hätte er auch sagen können.

Er haßt jene, die Atombombentests machen. Er haßt jene, die Atomwerke bauen. Er haßt jene, die gegen Atomwerke demonstrieren. Er will nichts werden. Er hat nur beschlossen, ein wenig zu arbeiten und ein wenig zu leben. Nun funktioniert das nicht. Das hätten ihm alle schon vor seinem Beschluß sagen können. Sein Verhalten ist ärgerlich. Da sitzen ein paar Leute und möchten gemütlich zusammen etwas trinken und plaudern, und da schreit einer ohne Wörter. Ich habe die Runde sehr schnell verlassen.

Auf dem Weg nach Hause ist mir ein anderer eingefallen. Der wurde am Radio eine Stunde lang über Atomtechnik befragt. Er war und ist der einzige, dessen Namen man kennt in unserem Land und in diesem Zusammenhang. Daß er von Tschernobyl zu sprechen hat, ist kein Zufall. Bei meinem Betrunkenen war das zufällig.

Aber der Mann am Radio, der hatte Wörter, und kein einziges Wort war laut. Den provokativen Fragen des Interviewers begegnete er mit ruhiger Höflichkeit. Für ihn hat sich nichts geändert. Seine Sicherheit, daß sich auch nichts ändern wird, ist so etwas wie Zynismus. Er kennt die Welt, kennt sein Fach, er hat Stil und Kultur und stellt seine Intelligenz durch Emotionslosigkeit dar. Wer schreit, der ist im Unrecht. Von Gefahren spricht man sanft. Das hat alles Stil.

Dann fällt das Wort »Akzeptanz«. Nur darum geht es jetzt. Und mir fällt auf, daß der Mann absolut von seinem verbalen Talent überzeugt ist. Er ist durch und durch furchtlos, weil er reden kann. Sein verbales Talent war wohl auch seine Karriere. Eines Tages wird die Frage »War das jetzt alles?« auch auf seinem Gesicht stehen.

Mein Betrunkener ist kein verbales Talent.

Die fromme Seele ahnt

Ein deutscher Journalist will eine Reportage über ein schweizerisches Thema machen. Er besucht mich Ende Juli und hat einige Fragen, nicht etwa Interviewfragen, sondern er möchte wissen, wo und wie er überhaupt mit seinen Recherchen beginnen solle. Er fragt nach Staat und Kantonen, nach Parlament und Referenden, nach unserer Armee selbstverständlich, und dann fragt er, was das eigentlich sei, diese Bundesfeier am 1. August, ob es sich lohne, da hinzugehen, ob das zu seinem Thema etwas beitragen könne.

Bis zu dieser Frage konnte ich ihm wohl ein bißchen helfen, mit mehrspurigen Antworten allerdings: Was ich dazu sagen würde, was andere dazu sagen würden. Die Frage aber nach der Bundesfeier weiß ich nicht zu beantworten.

Er fragt: »Ist sie den Schweizern wichtig?« Er will wissen, was denn da so geschehe an einer Bundesfeier, und ich spüre plötzlich eine Art Verweigerung in mir. Ich kann ihm das und ich will ihm das nicht erklären. Ich müßte, so scheint mir, in mehrere Rollen schlüpfen und ihm die Feier aus mehreren Perspektiven schildern – auch aus der Perspektive eines hohen Offiziers zum Beispiel. Wenn ich das nicht täte, dann würde ich etwas unterschlagen.

Ich müßte versuchen, ihm das alles zu erklären ohne jeden Zynismus, ohne die Erwähnung – vorerst –, daß die Bundesfeier längst ein beliebtes Thema fürs Kabarett ist, ohne zu erwähnen, daß so ganz ernst diese Bundesfeier doch eigentlich niemand nimmt. Ich kann ihm nur sagen, er müsse unbedingt hingehen – wenn möglich in eine kleine Gemeinde mit einem einfachen, konservativen Sprecher.

Und ich schicke ihn eigentlich auch da nicht gern hin. Ich weiß, zu was ich ihn schicken will, zu einer fast lächerlichen pathetischen Vaterlandsfeier – ein bißchen Verrat ist das schon.

Denn eines kann ich ihm nicht erklären: daß auch der härteste Antipatriot wohl doch in sich etwas spürt, wenn er ein Lampion mit Schweizerkreuz sieht, wenn er das Feuer sieht, wenn er den Männerchor hört. Letztlich ist es doch eine Feier, die trotz Raketen und dröhnenden Ansprachen fast keine ist, kein Quatorze Juillet, ein Fest, das immer ein bißchen mißlingt.

Ich weiß nicht, ob der Journalist irgendwo war am 1. August. Ich habe ihn seither nicht mehr gesehen. Ich aber habe die Nationalhymne mitgesungen, etwas laut, nicht ganz im Ernst und etwas verschämt und ohne mich dem Text zu verpflichten, wenn auch die fromme Seele halt dann doch ein bißchen was ahnt. Ich habe einen Freund besucht, der seit vierzig Jahren die Bundesfeieransprache in der kleinen Gemeinde hält, wo er wohnt und wo man ihn kennt und schätzt. Er ist ein weltberühmter Mann, und große Städte würden sich geehrt fühlen, ihn als Sprecher zu haben.

Aber die Rede, die er hier hält, die könnte er wohl nirgends so halten.

Der Gemeindepräsident begrüßt die Leute – keine Menschenmenge. Er tut das ohne Scham vor dem berühmten Mitbürger. Und der Mitbürger spricht nicht anders als der Gemeindepräsident. Er hält keine Rede, sondern er spricht mit den Anwesenden in einem privaten Ton, ohne Pathos, ohne gesuchte Formulierungen. Er ist einer, der noch über dieses Land sprechen kann, so wie man über das Wetter spricht, über Hunde, über irgend etwas. Die Schweiz ist für ihn noch ein Thema, also kann man darüber plaudern. Zum Schluß seiner stillen Rede sagt er: »Versuchen wir doch, dieses Land ein bißchen zu lieben und unseren Nachbarn ein bißchen zu lieben!«

Der Mann, der hier spricht, heißt J. R. von Salis. Er hatte mit diesem Land in einer Zeit voller Pathos zu tun, und er hat mit diesem Land heute noch zu tun, und er hat immer gesagt, was er denkt, und ist dabei leise geblieben.

Ich konnte diesmal die Landeshymne fast mit Überzeugung singen und fast etwas zu laut.

Erzählen fotografieren

Die Frage des Fotografen, ob ich etwas gegen das Fotografieren habe, überrascht mich.

»Sie mögen wohl Fotos überhaupt nicht?«

Das habe ich mir nun wirklich noch nie überlegt, ob man die mögen muß, ob es nicht genügt, sie anzuschauen.

»Nein«, sage ich, »ich habe nichts gegen Fotografie – im Gegenteil, ich interessiere mich sogar dafür, besitze auch Fotobände bekannter Fotografen und weiß ihre Qualitäten zu schätzen.«

Er umkreist mich mit seiner Kamera. Er bittet mich, irgend etwas zu tun ohne Rücksicht auf ihn. Ich versuche, zu lesen in dem Buch, in dem ich eben gelesen habe, bevor er kam, und ich stelle beim Lesen fest, daß ich gar nicht lese, sondern nur einen Lesenden darstelle, daß ich schon zum dritten Mal denselben Satz lese, ohne ihn aufzunehmen.

»Sie mögen also Fotografie nicht«, behauptet er, geht dabei in die Knie, steht wieder auf, kümmert sich nicht um meine Antwort, die ihm zudem noch zu knapp ist.

»Doch, doch«, sage ich.

»Erklären Sie mal, warum«, sagt er.

Ich mag nicht, ich mag jetzt endgültig nicht mehr.

»Oder machen wir es so«, sagt er, »Sie erzählen mir etwas, irgend etwas, Sie sind ja Schriftsteller, Sie wissen bestimmt eine Geschichte.«

Ich weigere mich. Ich kann nicht jemandem etwas erzählen, nur damit erzählt ist. Ich kann nicht jemandem etwas erzählen, der nicht zuhören wird, sondern nur zuschauen, wie ich erzähle.

Ich spüre Unmut in mir aufsteigen. Er beleidigt mich mit seiner verdammten Kunst. Er will etwas fotografieren, das man nicht fotografieren kann: er will Erzählen fotografieren – was für eine Gemeinheit. Ich presse meine Lippen zusammen. Meinen Kopf kann er haben, meinen schweigenden Kopf. Ich werde mich da hinstellen und da hinstellen, wie er es will, ich werde auch den Kopf etwas drehen. Aber meine Natur kriegt er nicht, kein natürliches Lächeln, nichts.

Denn inzwischen ist es soweit: ich mag Fotografie nicht, ich mag sie wirklich und endgültig nicht. Ich habe mich entschlossen, nur noch das zu mögen, was drauf ist, oder es nicht zu mögen oder erschreckt zu sein. Aber von dieser Kunst, die Natur herstellen will, natürliches Erzählen zum Beispiel und natürliches Lächeln und natürliches Denken: von dieser Kunst will ich nichts mehr wissen.

Im übrigen, sein Verdacht, daß ich Fotografie nicht mag, ist offensichtlich berechtigt. Ich hatte nie die geringste Lust zu fotografieren, und als ich es mal versuchte – und zwar versuchte, sehr schöne Fotos zu machen –, da war ein ganzer Tag in New York kaputt. Ich begann Bilder zu suchen und Ausschnitte, und ich sah plötzlich Dinge, die ich vorher nie sah, und ich lebte plötzlich nicht mehr, sondern ich schaute nur noch. Der eine Sinn machte mir alle anderen Sinne kaputt. Ich hatte nur einmal auf einer langen Reise eine Kamera mit. Das sind sehr schöne Fotos geworden. Sie erinnern mich an fast nichts, weil es nur Bilder sind – nur die Bilder von einer Reise. Ich erinnere mich nicht einmal mehr daran, die Szenen gesehn zu haben, die ich fotografierte. Meine Kamera sah etwas anderes als ich.

Zudem überlistet sie mein Gedächtnis, das mir sehr gehört und das mich sehr ausmacht und das mitunter ganz andere Dinge speichert als andere Gedächtnisse. Die Kamera füllt die Löcher meines Gedächtnisses – und genau diese speziellen Löcher machen mein spezielles Gedächtnis aus. Durch sie fällt, was ihm nicht als wichtig erscheint.

Es muß seine Gründe haben, daß es bilderfeindliche Kulturen gab. Ich verstehe das dann, wenn einer Erzählen fotografieren will, Erzählen anschauen will, ohne zuzuhören.

Einberufung zur Armee

Ein junger Mann bekommt eines Tages völlig unerwartet die Einberufung zum Militär. Am Nachmittag kriegt er den Marschbefehl, und am anderen Tag um zehn hat er dort zu sein, von einem Tag auf den anderen. Er sitzt eben an einer wichtigen Arbeit, die für sein weiteres Leben bestimmend sein kann, er wird mitten aus dieser Arbeit herausgerissen. Zudem wird in den nächsten Wochen seine Freundin, mit der er lange zusammengelebt hat, wegreisen, eine schmerzliche Trennung, die jetzt nicht mehr stattfinden wird, denn als Soldat lebt man von der ganzen Umwelt abgeschlossen für Wochen und Monate und länger. Kein Telefon, keine Briefe, kein Urlaub.

So etwas gibt es doch nicht in der Schweiz, so etwas darf es doch in der Schweiz nicht geben.

Nein, wirklich nicht, so etwas gibt es in der Schweiz nicht. Aber das ändert nichts am Schicksal des jungen Mannes in Südkorea.

Die Schweiz hat damit auch nichts zu tun, gar nichts, und auch Amnesty hat damit nichts zu tun, und es handelt sich auch nicht um Gefangenschaft, und die Leiden des jungen Mannes sind legale, selbstverständliche Leiden, die Tausende von anderen auch treffen. Seine Leiden werden nirgends in der Geschichte der Welt vermerkt sein. Niemand wird sich darum kümmern, und wohl auch niemand hat das Recht, sich darum zu kümmern.

Und das ist eigentlich schon alles. Ich wollte es nur aufschreiben, weil es mich trifft und beschäftigt und weil wir in dieser Welt der großen Leiden nie mehr Zeit haben werden für kleinere. Wer nicht gleich verstümmelt wird, der hat keine Chance, daß uns seine Leiden kümmern.

Südkorea ist ein freundliches Land, hat freundliche Menschen, ich hatte dort eine schöne Zeit, und wenn man nur schaut und nicht dauernd fragt und fragt, dann nimmt man kaum etwas anderes wahr als ein schönes, sauberes Land. Die Schweiz gilt dort viel. Man weiß vom Wilhelm Tell und von unseren Bergen und von unserer Demokratie, und man nennt es Paradies. Es gibt eine Art Schwingen (ein Schweizer Volkssport) in Südkorea, und die Koreaner wissen, daß es bei uns auch so etwas gibt. Es gibt einige tausend Jodler in Südkorea – nicht etwa Auslandschweizer, sondern richtige Koreaner, die so jodeln wollen wie die Schweizer. Die Landschaft gleicht unserer, und es gibt auch Edelweiße in Korea. Die Schweiz ist eine Idealvorstellung für die Koreaner und für viele auch eine Hoffnung – die Hoffnung zum Beispiel, daß es so etwas wie Demokratie auf der Welt gibt.

Also hat man nichts anderes zu tun, als den Koreanern zu sagen, daß in der Schweiz die Dinge gleich seien. Im südkoreanischen Fernsehen sieht man Filme über den Schweizer Zivilschutz. Vom Kommentar habe ich nur so viel verstanden, daß er pathetisch war, sehr pathetisch. Und man wird dort, was selbst in Europa selten ist, nach der Schweizer Armee gefragt. Und die Schweizer Armee kriegt ab und zu Besuch von koreanischen Generalen, von sehr freundlichen, nehme ich an. Das macht sich doch gut, wenn man die Demokratie besucht und die Jodler und die Edelweiße. Das sieht so aus, wie wenn wir gleich wären.

Das wollen wir aber nicht. Niemand will das in der Schweiz. Aber das Feindbild ist halt wohl doch dasselbe, und die Vorstellung vom kleinen bedrohten Land führt halt auch zu einer ähnlichen Verteidigungsvorstellung. Es gibt so Freundschaften, die ausschließlich durch gemeinsame Feinde, gemeinsame Feindbilder entstehen. Das sind immer schlechte Freundschaften, aber hie und da sind sie nicht zu verhindern. Da hat niemand Schuld daran. Aber der Schweizer Zivilschutzfilm in Südkorea hat mich schon eigenartig berührt. Und auch die Vorstellung, daß mein junger Koreaner in seiner militärischen Klausur wohl auch von der Schweizer Armee erzählt bekommt.

Von Korea erzählen

Ich sitze im Flugzeug zwischen Seoul und Zürich: ein langer Flug, ich war weit weg. Ich freue mich darauf, anzukommen. In meinem Gepäck sind Geschenke, ich werde damit Freude machen. Ein kleines bißchen aber fürchte ich mich schon – jedesmal – zurückzukommen. Trotzdem freue ich mich darauf, erzählen zu können. Ich habe Geschichten in meinem Kopf. Ich habe auch viel erzählt in Südkorea. Ich bin tagsüber rumgegangen und habe abends erzählt, was ich gesehen habe. Ich habe es den Koreanern erzählt und jenen Europäern, die schon lange in Südkorea leben. Ich habe ihnen Dinge erzählt, die sie bereits wußten und auch besser wußten als ich. Ich habe Hangul gelernt, die Schrift der Koreaner – nicht etwa ihre Sprache, nur die Schrift. Ich konnte lesen, ohne zu verstehen. Ich ging in Seoul herum und habe alles gelesen wie ein Erstkläßler, und ich habe die Koreaner mit meinem Lesen überrascht.

Davon, so glaubte ich im Flugzeug, werde ich erzählen können.

Als ich in Zürich ankam, waren die Geschichten weg. »Wie war es in Korea?« – »Es war schön.« – »Und die Politik?« – »Ja, schwierig – schrecklich.« Ich stand da und schaute zu, wie mir die Geschichten entfielen. Auch meine Geschenke verloren an Glanz. In Korea waren es noch Geschenke mit Geschichten. Da hätte es zu jedem einzelnen noch viel zu erzählen gegeben. Und jetzt stand ich da ohne Geschichten – und nur mit der Freude des Wiedersehens. Letztlich bleibt man halt Schweizer, und dann ist man halt bloß zurück. Das ist auch etwas.

Zu Hause finde ich einen Brief eines Freundes. Er hat zufällig in einer Buchhandlung meinen Aufsatz »Des Schweizers Schweiz« gefunden und zum erstenmal gelesen. In Südkorea mußte ich Fragen dazu beantworten, es gibt dieses Buch auf koreanisch. Ich fand das mutig vom koreanischen Verlag, diesen Aufsatz in einer Diktatur erscheinen zu lassen. Immerhin könnten Leute dort feststellen, daß man anderswo gegenüber dem Staat kritisch sein darf.

Ich habe das Buch wieder gelesen und festgestellt, daß niemand in Südkorea irgendwas feststellen wird. Es ist nutzlos, das Buch auf koreanisch zu drucken. Es ist nur ein Buch für die Schweiz – und nutzlos wohl auch.

Mein Freund machte mich auf einen Satz aufmerksam: »Diese Selbstgerechtigkeit macht die Schweiz unveränderbar, und ich erschrecke beim Gedanken, in zwanzig Jahren in einer Schweiz leben zu müssen, die aussieht wie diese.«

Ich erschrecke noch einmal: mein Schrecken, daß alles unveränderbar bleibt, ist derselbe geblieben. Ich erschrecke immer noch davor, daß die Schweiz in zwanzig Jahren aussehen wird wie heute. Aber ich habe diesen Satz vor fast zwanzig Jahren geschrieben. Und jetzt bin ich wieder einmal zurückgekehrt.

Durch den Brief meines Freundes ist es so etwas geworden wie die Rückkehr nach zwanzig Jahren. Das ist es wohl, was einem die Geschichten nimmt.

Eine Journalistin in Südkorea hat mich gefragt, ob ich glaube, daß das Abendland untergehen werde. Ich weiß nicht mehr, was ich ihr geantwortet habe. Die Frage hat mich getroffen. Das Wort Abendland auch.

Wenn niemandem nichts mehr einfällt – dann wird es wohl schon untergehen. Aber Südkorea ist ein Land, das nur eine Sehnsucht kennt: Abendland sein, Amerika sein, Europa sein. Und es hat mich – wie alles, was ich auf der Welt gesehen habe – immer wieder an die Schweiz erinnert. Es wäre zu belegen, die Begeisterung für die Schweiz dort ist oft fast peinlich. Aber eben: ich kann nur Koreanern von Korea erzählen, und ich kann nur Schweizern von der Schweiz erzählen.

Noch einmal zwanzig Jahre – vielleicht.

Die Welt beschreiben

Einige Leute kommen von einer Kunstausstellung. Ich wäre auch gern dort gewesen, hatte aber etwas anderes zu tun. Auf meine Frage nach der Ausstellung beginnt einer – ein guter Erzähler – zu beschreiben: »Also, da lag so Eisen am Boden, und dann war da so eine Pyramide aus Glas, und –«. Seine Begleiter beginnen zu lachen. Warum? Sie haben das Kunstwerk selbst gesehen und wissen, daß es nicht beschreibbar ist. Das Wort »so« – »so Eisen« – bringt sie zum Lachen. Das Wort signalisiert die Unbeschreibbarkeit. Kunsthistoriker signalisieren die Unbeschreibbarkeit anders, etwa so: »Stets bedeuten die leuchtenden Farben mit ihrem Rhythmus und ihrem graphischen Ausdruck der Ankündigung einer künstlerischen Botschaft, motivisch zwar verschieden, doch identisch in ihrer tiefen und subjektiv bildlichen Wahrheit.«

Mir scheint »so Eisen« und »so Glas« kommt der Sache näher.

Warum schreibe ich das? Mir ist wieder einmal drei Tage lang nichts eingefallen für diese Kolumne. Das ist sehr hart und blockiert einem das Hirn, plötzlich geht nichts mehr, plötzlich ist nichts mehr beschreibbar.

Die Leute stellen sich vor, daß ein Autor sich ein bißchen umsieht, alles genau anschaut und dann beschreibt. Wer selber schreibt, der weiß, daß das nicht so ist. Aber wenn mir nichts einfällt, dann bleibt mir wohl nichts anderes übrig, als herumzugehen und zu schauen.

Ich sehe eine Eisenbahn, die über eine Brücke fährt. Soll ich jetzt beschreiben, daß sie Räder hat und wie viele? Das ist nämlich gar nicht so leicht, eine Eisenbahn zu bauen und fahren zu lassen. Da sind Schicksale und Ärger und menschliche Nöte damit verbunden. Sie muß beschrieben werden, bevor sie fährt. Aber nicht von einem Autor, sondern von Technikern und Politikern.

Also vielleicht Menschen beschreiben, Menschen mit ihren Nöten und Sorgen. Beim Bier treffe ich Menschen, sie reden die ganze Zeit davon, daß einer mit einem BMW zwei Pferde über den Haufen gefahren habe und daß eine Reiterin verletzt sei. Sie diskutieren darüber, sehr heftig. Das heißt, sie glauben, daß sie diskutieren. Im Grunde genommen wiederholen sie nur dauernd entsetzt die Geschichte, sie erzählen sich dauernd dieselbe Geschichte. Sie haben sie nicht erlebt, sondern gelesen – in einer Zeitung, die Geschichten anbietet, Geschichten, die erzählt werden müssen.

Die Heftigkeit, mit der sie die Geschichte erzählen, läßt darauf schließen, daß sie viel persönlichere Sorgen mit dieser Welt und diesem Leben haben. Ihre Heftigkeit meint etwas ganz anderes und viel mehr als nur den Ärger über einen BMW-Fahrer. Die Zeitung, die sie täglich lesen, liefert ihnen die Geschichten, in die sie die Heftigkeit ihres persönlichen Elends verpacken können – denn beschreibbar ist es nicht. Erzählen ist auch hier ein Ersatz für das Sprechen. Sie erzählen vom Fußball und glauben, daß sie beschreiben – selbst beschreiben, so wie sie es gesehen haben am Fernsehen. Aber was sie erzählen, das wurde ihnen bereits vorerzählt. Deshalb ist Fußball so wichtig, weil er Geschichten liefert, in die man seine eigene Sprachlosigkeit verpacken kann.

Deshalb fanden die Ausstellungsbesucher den Beschreiber so lustig – weil er versuchte zu beschreiben, was nicht beschreibbar ist. Deshalb ist die Sprache der Juristen so unverständlich, weil sie beschreibt und nicht erzählt.

Deshalb war mein Hirn drei Tage lang blockiert, weil ich Welt beschreiben wollte.

Die Welt läßt sich nicht durch Herumgehen und Anschauen einfach beschreiben. Wäre sie so beschreibbar, sie wäre längst vollständig beschrieben, und es gäbe keine Schreiber mehr. Weil sie so einfach nicht beschreibbar ist, schreiben die Schreiber weiter.

Wäre mir das vor drei Tagen schon eingefallen, ich hätte hier erzählt.

Der Rucksackbauer und die Inder

Wer Unabhängigkeit sagt, der meint immer auch Freiheit. Die Hoffnung, das Versprechen, heißt Freiheit, und wer in Abhängigkeit lebt, der stellt sich schnell vor, daß Unabhängigkeit dasselbe sein könnte wie Freiheit. Unabhängigkeit ist die Voraussetzung, Freiheit die Erfüllung. Aber die beiden Begriffe bedingen sich nicht gegenseitig. Es gibt viele unabhängige Staaten, die unfrei sind, und es gibt viel Unfreiheit auf der Welt im Namen der Unabhängigkeit.

Die Militärs in aller Welt sprechen gern davon, daß sie die Freiheit verteidigen. Das klingt gut und leuchtet leider immer wieder schnell ein, aber mit Freiheit kann Militär nichts zu tun haben, und was es verteidigen kann oder erkämpfen, ist höchstens die staatliche Unabhängigkeit. Diese Unabhängigkeit kann zwar eine Voraussetzung für Freiheit sein, aber sie schafft keine Freiheit.

Die beiden Begriffe haben fast nur zufällig etwas miteinander zu tun, und ihre Verwechslung ist die Ursache von viel Elend in dieser Welt.

Ein Lokalhistoriker aus dem Baselland hat mir mal vor vielen Jahren erzählt, daß er sich mit der Verschuldung von Bauerngütlein in seiner Gegend befaßt habe – also mit jenen Bauern, die man als Rucksackbauern bezeichnet und die noch in der Fabrik arbeiten müssen, um einigermaßen durchzukommen und ihr verschuldetes »Heimetli« durchzubringen. Jener Historiker hat diese Verschuldung bei einem »Heimetli« bis ins Mittelalter nachweisen können. Die effektive Schuld blieb über die ganze Zeit dieselbe und war nichts anderes als jene Summe, mit der sich ein Vorfahre des Bauern aus der Leibeigenschaft losgekauft hatte. Aus der Leibeigenschaft ist eine Bankschuld geworden.

Ich stelle mir vor, wie sich jener Vorfahre gefreut hatte, als er endlich seine Menschenwürde bekam, selbständig war, kein Sklave mehr, kein Untertan, sondern ein Verantwortlicher. Sollte er das Wort damals schon gekannt haben, er hätte von seiner Freiheit gesprochen. Und er war jetzt auch frei. Seine Abhängigkeit war nicht mehr selbstverständlich, sondern nur noch zufällig. Die Zufälligkeit seiner Armut machte ihn jetzt abhängig. Wenn wir bei den Begriffen »Freiheit« und »Unabhängigkeit« bleiben wollen: er hatte jetzt seine Freiheit, aber seine Abhängigkeit machte ihn zum unfreien Menschen. Seine Nachkommen achteten seine Würde und lebten Jahrhunderte in bitterster Armut, nur um das Symbol seiner »Freiheit«, sein Haus und Heim, nicht aufgeben zu müssen.

Als ich vor 25 Jahren mein erstes Auto kaufte, sagte ein Freund, der schon so etwas hatte: »Du wirst jetzt dann auch die süße Illusion der Unabhängigkeit verspüren, und wenn du dann merkst, daß es nur eine Illusion war, dann wirst du auch wissen, daß du die Freiheit, kein Auto zu besitzen, nie mehr zurückbekommst.«

Er hatte recht. Diese Freiheit bekomme ich nicht einmal mehr zurück mit dem Verzicht auf mein Auto. Ich war mit meinem Kauf damals daran beteiligt, daß alle eins haben. Ob mit Auto oder ohne – ich lebe in einer Welt von Autos.

Zwei andere Freunde damals – beide Romantiker, beide in ihrer tiefsten Seele sehr anarchische Menschen, beide auch Architekten – machten sich dauernd Pläne für die totale Unabhängigkeit. Sie wollten so etwas wie einen Staat gründen für eine oder zwei Personen. Sie wollten zum Beispiel keine staatlichen Formulare mehr ausfüllen müssen. Das Wort ihrer Hoffnung hieß Selbstversorgung: Windräder und Sodbrunnen. Ihre Fantasien waren wunderbar und meine Einwände ärgerlich. Das Wort »Aussteiger« gab es damals noch nicht, und von Alternativen sprach niemand. Sie wollten weder nach Südamerika noch nach Indien. Sie stellten sich das alles irgendwo hier im Schweizer Wald vor.

Inzwischen aber schwärmen andere von Welten der Freiheit: Irland, Südamerika, Zentralamerika. Für viele junge Menschen heißt die große Hoffnung und Sehnsucht Indien. Ich habe zwar Verständnis für ihre persönliche, innere Sehnsucht, sie sprechen wiederum von Unabhängigkeit und Freiheit. Aber die Länder ihrer Sehnsucht sind Länder von bitterster Armut, von Hunger und Krankheiten, von Leiden und Tod. Es liegt ein bitterer Zynismus darin, daß sich Länder der totalen Armut so schön eignen zur Erholung von satten Europäern.

Von Unabhängigkeit sprechen sie, die jungen Indienfahrer. Sie kommen zwar meist sehr bald wieder zurück. Sie sagen, daß sie es hier kaum mehr aushalten – aber sie sind nicht dort geblieben – trotzdem, sie sprechen von Unabhängigkeit. Was zwingt sie denn, die ersehnte und angeblich gefundene Unabhängigkeit wieder zu verlassen? Sind es vielleicht nicht doch Abhängigkeiten, die man einfach nicht sehen, sich nicht eingestehen will? Hunger ist eine Abhängigkeit, Armut ist Abhängigkeit.

Indien ist ein abhängiger Staat. Aber er ist stolz darauf, mit Recht stolz darauf, seit vierzig Jahren unabhängig zu sein, unabhängig von England, unabhängig von Europa: ein souveräner, stolzer Staat. Keiner unserer Indienreisenden meint dieses, wenn er »Unabhängigkeit« sagt. Das ist beleidigend für jene Inder, die vor vierzig und mehr Jahren ihre Hoffnung in der staatlichen Unabhängigkeit hatten.

Sie hatten ein Recht auf diese Hoffnung, es war richtig, daß sie in ihre Unabhängigkeit – wie das so eigenartig heißt – entlassen wurden.

Als der Vorfahre des kleinen Basler Bauern aus der Würdelosigkeit, aus der Leibeigenschaft entlassen wurde, da hatte man ihn einfach in andere Abhängigkeiten verkauft, und dann haben sich die Herren wohl auch schadenfreudig gefragt, ob er es jetzt wohl besser habe.

Er hatte es nicht besser. Er war nicht unabhängig. Aber er hatte nun eine Hoffnung auf Freiheit, durfte in der Hoffnung auf Freiheit leben.

Noch vor fünfzig Jahren war sie klein, diese Freiheit, für seine armen Nachkommen. Vielleicht geht es ihnen besser jetzt, den heutigen Nachkommen, vielleicht. Vielleicht wissen sie jetzt, daß nur die Freiheit aller anderen ihre eigene Freiheit bedeuten kann.

Damals, als ich noch hörte

»Spielst du noch ein bißchen Schreibmaschine, damit wir dich hören vor dem Einschlafen«, sagten meine Kinder einmal, nachdem ich sie zu Bett gebracht und nachdem sie alle Tricks versucht hatten – Geschichten erzählen, Fragen stellen –, um noch nicht schlafen zu müssen.

Ich habe die fürchterliche Angewohnheit, das Radio laufen zu lassen vor dem Einschlafen – unabhängig davon, was da läuft. Am liebsten aber höre ich Gesprochenes, und da wiederum unabhängig davon, ob ich die Sprache verstehe oder nicht. Es darf auch Japanisch sein, einfach menschliche Stimmen. Offensichtlich gibt es so etwas wie eine Hörsucht, und offensichtlich kann eine Sucht nicht brutal genug befriedigt werden; Radio ist jedenfalls eine brutale Form der Hörbefriedigung.

Aber ich gehe erst schlafen, nachdem die Welt der Töne verstummt ist. Nur in ganz seltenen Fällen wird es so spät oder so früh, daß schon einige Vögel zwitschern. Dann brauche ich kein Radio. Und dann erinnere ich mich an eine Zeit, als ich immer zu früh – noch bei Tageslicht – ins Bett mußte, ungern und unter Protest.

Ich erinnere mich auch an die Stimme meiner Mutter, an die Stimme meines Vaters im Garten, an ihre Schritte auf dem Kiesweg. Ich erinnere mich an das Geräusch der Handsäge, mit der ein Nachbar sein Holz zersägte. Er spielte Säge, hätten meine Kinder gesagt – so wie ich für sie Schreibmaschine spielte. Und die Holzstücke fielen in immer gleichen Abständen zu Boden und klangen. Buchenholz klang besser als Tanne, und dann das Geräusch der Hagschere, mit der ein Thujahag gestutzt wurde. Und am Donnerstag übte vorn in der Kirche der Posaunenchor des Blauen Kreuzes: immer nur ein paar Töne und dann immer wieder dieselben und dann eine lange Pause mit Erklärungen des Dirigenten wohl, die ich nicht hörte. Hätten sie wirklich gespielt, im Sommer bei offenem Fenster, die Musik hätte mir mein Hören verdorben. Aber immer nur ein paar Töne zwischen dem Fallen der Holzstücke und dem Klappen der Hagschere und den Schritten der Mutter im Gartenkies: das war schön.

Einschlafen und das Leben im Ohr haben. Es ist ein Zufall, daß es mir überhaupt noch eingefallen ist, daß ich mich überhaupt noch erinnere. Mir scheint, ich habe jenes feine Gehör, das alles als Musik hören konnte, längst verloren – ein Tauber, der sich daran erinnert, einmal gehört zu haben. Ich habe wohl als Kind viel mehr an dieser Welt teilgenommen als heute, ich habe die Welt erfahren.

Ich meine nicht Nostalgie. Ich meine nicht, daß die Welt zu laut geworden ist und Holz nicht mehr von Hand gesägt und der Hag nicht mehr mit der Handschere geschnitten wird. Ich meine nur Hören und bin überzeugt, daß es ein Kind heute so gut kann wie wir damals. Erst später wird man so schwerhörig, daß man die Geräusche nicht mehr verträgt, und Bauern werden wegen Kuhglocken auf Nachtruhestörung verklagt. Wer nicht hören kann, der erträgt das Hören auch nicht.

Im Hotel wird mir immer wieder ein ruhiges Zimmer angeboten. Alle Menschen wollen selbstverständlich ein ruhiges Zimmer. Ich will ein lautes mit Fenster auf die Straße, mit Autos und mit Menschen und mit dem scheußlichen Lied eines Betrunkenen. Und wenn ich das sage, dann nimmt das der Portier als Scherz und sagt, daß ich zufrieden sein werde – ein absolut ruhiges Zimmer. Es ist sehr schwer, ein lautes zu bekommen, eines mit Tönen, eines, wo man ein bißchen Leben in den Ohren hat beim Einschlafen und nicht gleich stirbt.

Das Kind der Schülerin

Es ist so etwas wie eine Binsenwahrheit: Ein Kind macht wunderschöne Zeichnungen mit Elefanten und Drachen und Palmen, und die Erwachsenen staunen und stellen fest: »In der Schule wird dann das alles kaputtgemacht.«

Der Vorwurf mag berechtigt sein, Beispiele dafür gibt es genug. Aber gerecht ist der Vorwurf wohl doch nicht, denn sicher will man, daß das Kind lesen lernt und schreiben lernt, und hie und da hat halt auch Bildung ihren Preis.

Vor einiger Zeit habe ich eine ehemalige Schülerin getroffen, mit ihrem Mann und mit ihrem kleinen Kind. Es war ein wunderbares Kind, lebendig und wach, seine großen Augen nahmen alles wahr, es fragte und kommentierte und erklärte, und wenn es etwas nicht wollte, dann war sein Nein noch viel sanfter als das Ja eines Erwachsenen. Mir ging durch den Kopf, daß aus diesem Kind etwas wird. Es muß sehr gute Eltern haben, die sich mit ihrem Kind abgeben, mit ihm sprechen, mit ihm leben. Und es hat stolze Eltern, die sich darüber freuen, daß alle sich freuen über ihr wunderbares Kind.

Seine Mutter war eine ausgesprochen stille Schülerin gewesen, sehr schüchtern und zurückhaltend und auch keine gute Schülerin. Ich habe jetzt den Eindruck, ich hätte sie als Kind nie so strahlen sehen, wie sie jetzt strahlt als Mutter.

In ihrer Mutterrolle ist sie annähernd so alt wie ihre Mutter, als die junge Frau noch Schülerin war. Ihre Mutter machte damals einen sehr verängstigten Eindruck, wenn sie zur Elternsprechstunde kam. Sie fürchtete sich vor einem schlechten Bericht über ihr Kind. Sie fürchtete sich davor, der Lehrer könnte Schlüsse ziehen über sie selbst, über ihren Mann, über Familie und Erziehung. Ich mußte sie jedesmal trösten und aufmuntern, wenn ihr Kind in einem Wettbewerb keine Siegerin war.

Nun hat es diese verfluchte Schule offensichtlich hinter sich, ist eine glückliche Mutter geworden, hat ein wunderbares, richtig gescheites Kind, und ihre Hoffnungen sind berechtigt. Aber sie erinnert mich an ihre eigene Mutter, und ich stelle mir vor, wie sie in zwei, drei Jahren selbst zur Elternsprechstunde muß, in jenes Schulhaus, in dem sie selbst nicht sehr erfolgreich war. Sie wird ihr Kind dort abgeben müssen, einreihen lassen müssen. Ob die beiden das so zufrieden überstehen werden, wie sie jetzt ihr Leben zusammen leben?

Ich habe den Eindruck, daß es wirklich das eigene Kind ist, das die Mutter ans Leben herangeführt hat. Sie lacht jetzt und spricht mit den Leuten, sie hat jetzt auch eine Meinung, sie freut sich über die sanft trotzigen Neins ihres Kindes. Und mir fällt ein, daß sie es in drei Jahren abgeben muß in einen Wettbewerb, der wiederum der ihre sein wird. Sie wird dafür sorgen müssen, daß sie sich nicht wieder schämen muß, sie wird dafür sorgen müssen, daß das Kind den Nachbarn gefällt. Und sie wird auf das Kind einreden müssen, wenn sie zurückkommt von der Elternsprechstunde. Sie wird es jedesmal sehr schwer haben, wenn sie zur Elternsprechstunde muß. Sie wird dem Kind Vorwürfe machen müssen, weil es ihr schwerfällt zu gehen.

Noch hat sie das beste Kind der Welt, noch ist sie die beste Mutter der Welt. Ich bin bereit, das zu bestätigen, und es freut mich. Warum darf das nur so kurze Zeit so sein?

Warten in Amerika

In Amerika fahren die Autos anders als in amerikanischen Filmen, und mancher Europäer mag durch amerikanische Filme zur Raserei und zu Wahnsinnsfahrten angeregt worden sein. Der amerikanische Film, das weiß man zwar, bildet selten Wirklichkeit ab, trotzdem, die Europäer nehmen es doch immer wieder als die Wirklichkeit und eifern dem Trugbild nach.

Autofahren hier in Amerika ist fast gemütlich. Wer das Grünlicht verpaßt, ist kein Vollidiot, die anderen warten halt und haben Zeit. Keiner tippt an die Stirn, keiner schreit, und wer falsch abbiegt, der biegt halt falsch ab. Es gibt zwar gräßliche Autorennen mit provozierten Unfällen im Fernsehen, es gibt viel Aggression im Fernsehen. Auf der Straße gibt es das kaum. Nur im amerikanischen Film kann man sehen, wie sich zwei Autofahrer beschimpfen und aufeinander losgehen.

Wir halten die Amerikaner für naiv – aber in dieser Sache sind wir die Naiven, sind wir diejenigen, die den Film glauben.

Ich habe keine Ahnung, weshalb Auto fahren in Amerika so unaggressiv und fast gemütlich ist. Vielleicht ist es nur ein Zufall, vielleicht ist es ganz gewöhnliche Anständigkeit oder Freundlichkeit, vielleicht sind die Amerikaner gar nicht die Kindsköpfe, für die wir sie halten. Eines aber fällt mir auf, nicht nur beim Autofahren, sondern überall im Alltag. Wenn sich hier einer anders verhält als die anderen –

bei Grün nicht fährt, sich anders kleidet, lauter ist als andere oder leiser –, dann nehmen die anderen von vornherein an, daß er dafür wohl Gründe hat, irgendwelche persönlichen oder zufälligen Gründe. Man weiß hier offensichtlich, daß der Mensch sein Verhalten nicht ganz allein bestimmt. Wer anders ist, der ist noch lange kein Vollidiot.

Das ist mir vor 15 Jahren hier noch nicht aufgefallen. Könnte es etwa sein, daß wir Schweizer in dieser Zeit unfreundlicher und aggressiver geworden sind?

Amerikanische Mannschaftsspiele sind alle aggressiv: das glauben wir zu wissen, und das ist ein Vorurteil. Ich habe mir endlich einmal Baseball erklären lassen, eine Art Schlagball, und ich stelle inzwischen fest, daß ich mit dem Spiel auch dann nichts anfangen kann, wenn ich die Regeln kenne. Es ist ein sehr langsames Spiel mit vielen Pausen, es wird selten gerannt, meist nur spaziert, und der interessante Mann ist jener, der den Ball wirft. Man muß ein Experte sein, um seine Finessen zu erkennen.

Trotzdem habe ich den Eindruck, nicht etwa nur das ist der Grund, daß ich es nicht genießen kann, weil ich nicht damit aufgewachsen bin, sondern vielmehr, daß ich eben kein Amerikaner bin. Mir fehlt ganz einfach die Geduld. Ich kann nicht warten. Ich habe die Schlangen im Einkaufszentrum beobachtet: ich bin der einzige, der nervös wird, wenn mir die Kassiererin zu langsam zu sein scheint, ich bin der einzige, der durch das Warten gestreßt wird. Ich bin der einzige, der gestreßt wird, wenn er Warteschlangen verursacht. Die anderen nehmen an, daß das Gründe hat, daß ich langsam bin.

Von einem, der im Krieg war

Es gibt Geschichten, die kaum erzählenswert sind, weil ihnen jede Besonderheit fehlt und weil es eigentlich nichts dazu zu sagen gibt.

Nun sitzt an der Bar in New York einer neben mir, der merkt, daß ich Ausländer bin, und der sich Mühe gibt, mit mir zu sprechen.

»Woher kommst du? Was machst du? Wie gefällt es dir hier?«

Er ist Drucker und erzählt mit viel Stolz von seinen Berufskennt-
nissen, irgendeine spezielle Art von Reliefdruck, wenn ich es richtig
verstanden habe.

Er hat eine Zeitung mit, zeigt mit dem Finger auf einen Artikel und
sagt: »Alles Quatsch, die Amerikaner machen wieder Scheiße, Krieg
ist Scheiße.«

Es ist ein Artikel über den Zwischenfall im Persischen Golf. Mein
Nachbar ist gegen die amerikanische Politik.

»Ich kenne den Krieg«, sagt er. »Ich bin mit 18 zum Militär. Weißt
du, was wir dort gelernt haben? Töten, nur töten haben wir dort
gelernt.«

Seine Geschichte klingt jetzt wie auswendig gelernt, als kenne er
sie so wie ich nur aus dem Kino. Er kann seine Geschichte nicht glaubhaft erzählen, das Kino hat sie ihm hinterher gestohlen. Sie ist jetzt
die Geschichte von allen, und sie ist die Geschichte von hervorragenden Regisseuren und Schauspielern.

Er war Pilot in einem Kampfboot in Vietnam. Sein bester Freund,
sein Schütze, ist in seinen Armen gestorben. Ich sehe die Szene in
Farbe und mit Musik – er vielleicht auch.

»Nein, Krieg nie mehr«, sagt er, aber er erzählt weiter, erzählt, daß
er der beste Bootspilot der Einheit gewesen sei, erzählt, wie schlecht
sein zweiter Schütze gewesen sei, der eine kleine Tötungshemmung
gehabt habe und den sie immer wieder verprügeln mußten, weil er
schließlich Menschenleben aufs Spiel setzte.

»Laß es jetzt endlich sein, Jim«, sagt der Barmann.

Jim muß es hier schon oft erzählt haben. Vielleicht hat er hier schon
durchgedreht – diesmal nicht, ich sehe keine Spuren von Verrücktheit in seinen Augen.

»Und Nicaragua?« frage ich. »Was hältst du von den Amerikanern in Nicaragua?«

Er hält gar nichts davon. »Krieg ist Quatsch«, sagt er noch einmal, »nichts als Dummheit, was die da machen. Die soll man in Ruhe
lassen, und Rüstung ist Quatsch, und alles.«

Mein Nachbar erzählt nichts, was ich nicht schon weiß. Ich
weiß zum Beispiel, daß der Vietnamkrieg stattgefunden hat, daß er

schlimm war. Das einzige, was neu ist für mich: da sitzt wirklich einer neben mir, der da war, der getötet hat, der gelernt hat zu töten. Er trägt keinen Tarnanzug und keinen Helm. Er trinkt nicht zuviel, ist nicht drogenabhängig, ist ein sehr freundlicher Mensch, kein Fanatiker. Er spricht mit mir aus Freundlichkeit, bemüht sich um ein einfaches Englisch. Ich sitze neben einem, der da war, das ist alles. Und er ist gegen den Krieg, das habe ich erwartet. Und wenn ich diese Geschichte ganz ehrlich erzählen würde, dann würde sie nur aus dem Satz bestehen: Ich saß einmal neben einem, der im Vietnamkrieg war. Und dann würde mir noch einfallen: Wie lange ist das schon her?

In der Bar frage ich noch: »Du würdest sicher nie mehr in den Krieg gehen?«

»Doch«, sagt er, »für mein Land immer, ich bin ein hervorragender Bootspilot.«

»Nach Nicaragua auch?« frage ich.

»Nein, nie«, sagt er, »nur wenn sie mein Land gefährden.« So einfach ist das und so hoffnungslos.

Behauptungen

Einer sagt: »Also man hat ja über diesen Hitler auch schon Schlechtes gesagt, aber eines ist sicher, das mit den Drogen wäre unter ihm nicht passiert.« Das sagt er zu mir am Biertisch, und zwar leise, weil er annimmt, ich sei intelligent und würde ihm zustimmen.

Wie er mein Entsetzen bemerkt, ist er selbst entsetzt, und er beginnt, sich zu verteidigen.

»Nein«, sagt er, »du hast mich falsch verstanden, ich habe ja nur gesagt, daß dies nicht passiert wäre, und das wäre doch nicht passiert.«

Ich mache ihn darauf aufmerksam, was damals alles passiert ist.

»Ja sicher«, sagt er, »aber ich habe ja nur gesagt, daß das mit den Drogen nicht passiert wäre, und das stimmt doch, da habe ich doch recht.«

Er weiß, daß er mir einen schlechten Eindruck gemacht hat. Er hat
mich im Verdacht, ich würde nun annehmen, er sei ein Neonazi. Ich
nehme das nicht an, ich bin überzeugt, daß er das nicht ist. Ich bin
so sehr davon überzeugt wie er selbst. Nur hat er – er geht gegen die
Sechzig – überhaupt nicht begriffen, was damals eigentlich war. Er
hält die Konzentrationslager und die Massenvernichtungen für nichts
anderes als eine Entgleisung, wenn ihm auch z. B. zu dem Wort Jude
heute noch nichts Freundliches einfällt.

Er redet nun fast verzweifelt auf mich ein. Den Eindruck, daß er
Hitler mag, den will er nun wirklich nicht auf sich sitzenlassen, aber
ich weigere mich, ihn verstehen zu wollen. Er soll ruhig leiden an
seinem Ausrutscher. Er hat Pech gehabt. Er mag mich sehr und war
überzeugt, daß ich als Intelligenter seine Äußerung bestätigen würde.

Selbstverständlich ist er aber für die Todesstrafe, fürs »An-die-
Wand-Stellen«. Das hat nun, so meint er, doch gar nichts zu tun mit
Adolf Hitler. Und nun erzählt er seine Geschichte, die Geschichte
eines Verdingbuben, der es schwer hatte und verprügelt wurde und
der es dann doch noch zu etwas gebracht hatte. Sogar Präsident einer
Gewerkschaftsgruppe war er mal, und er hat heute einen guten Job
mit viel Verantwortung. Die Geschichte des verprügelten Verdingbuben, der es zu etwas gebracht hat, könnte nun allerdings auch die
Geschichte eines SS-Mannes sein.

Aber nein, er ist es wirklich ganz und gar nicht. Er wird nie ein Neonazi sein. Er ist etwas ganz anderes. Er ist, ohne es zu wissen, ein überzeugter Faschist. Es ist ihm nie gelungen, hinter dem Namen Hitler
und hinter der Bezeichnung Nazi auch das Wesen des Faschismus
zu erkennen. Nur deshalb kommt er auf die Idee, daß jener einiges
schlecht und einiges gut gemacht habe – im großen ganzen dann doch
eher schlecht, das gibt er zu. Er ist ein Faschist, weil er erstens nicht
weiß, was das ist, und weil es zweitens deshalb für ihn keine Gründe
gibt, es nicht zu sein.

Ich verachte ihn nicht einmal, hier in der Beiz wird vieles gesagt,
aber ich bezahle und gehe.

Etwas später treffe ich in einer anderen Beiz einen an, den ich
am letzten Dienstag beim Fußballspiel gesehen habe. Wir schwärmen

über das Spiel, eigentlich nur, damit etwas gesagt ist. Nun sitzt ein dritter da, der zwar nicht beim Fußball war, aber der ganz genau weiß, daß das Spiel am Mittwoch stattgefunden hat und nicht am Dienstag.

»Wir müssen es doch wissen«, sagen wir, »wir waren doch da am Dienstag.«

Das nützt nichts. Er weiß es ganz genau, er wird laut, er beginnt, uns Idioten zu schimpfen. Wir sagen, daß es uns eigentlich Wurst sei, ob das Spiel am Dienstag oder am Mittwoch stattgefunden habe, aber das genügt ihm nicht. Er will, daß er im Recht ist. Er erhebt sein Unrecht zur Behauptung. Er wird lauter und böse, und ich stelle mir vor, daß auch er Karriere machen könnte und in einer Uniform von mir verlangen könnte, daß ich zugeben würde, daß das Spiel am Mittwoch stattfand.

Staatsamateure

Am Radio höre ich eine Diskussion zwischen Sportlern, Trainern, Sportmanagern über die Bedingungen der Sportler in unserem Land. Es geht um Geld, um die Bedingungen nämlich, die nötig sind, um Rekorde, Weltrekorde zu erreichen.

Nun gut, das gibt es, und warum soll es das nicht geben. Ich habe mich eben entschlossen, heute wieder einmal zum Fußball zu gehen. Warum? Einfach so, einfach, um mich ein bißchen zu unterhalten.

Was mich an der Diskussion am Radio entsetzt, das ist die absolute Selbstverständlichkeit, mit der sie geführt wird. Das Geld muß her, die Rekorde müssen her, Sport ist zu einer ernsthaften Angelegenheit geworden, zu einem Beruf. Für den Sport zu spenden, das hat bereits den Hauch von Wohltätigkeit, von politischem Bürgersinn. Wer spendet, der ist ein edler Mensch. Man muß den Leuten ermöglichen, nichts anderes mehr zu tun, als etwa eine Kugel zu stoßen, an nichts anderes mehr denken zu müssen, für nichts anderes mehr leben zu wollen. Man nennt das Professionalismus, und das heißt nichts anderes als Beruf.

Nun habe ich selbst – ich gebe das zu – einen recht fragwürdigen Beruf. Ich bin zwar überzeugtes Mitglied der Gewerkschaft Bau und Holz, aber ich weiß, meine Beruflichkeit läßt sich nicht messen mit der Beruflichkeit eines Maurers, eines Schreiners, eines Gipsers. Sie sind, so scheint mir, professioneller als ich.

Aber zurück zum Sport: ich erinnere mich an eine Zeit, als man die Sportler aus den Ostblockländern verächtlich Staatsamateure genannt hat. Das ist noch gar nicht so lange her. Man meinte damit, daß diese Staatsamateure eigentlich gar keine richtigen Sportler seien, vielleicht nicht einmal richtige Menschen, sondern gemachte Sportler, künstlich erzeugte Sportler, mit Zwang und Gewalt und Disziplin hochgezogen, für nichts anderes gemacht als für Weltrekorde, für Medaillen, für Siege.

Ob das wirklich so war, das ist eine andere Sache – aber was waren das doch noch für herrliche Zeiten, als man es den Russen und den DDR-Deutschen noch vorwerfen konnte und durfte. Das machte doch immerhin den Eindruck, daß hier bei uns Sport etwas ganz anderes sei, etwas Idealeres, etwas Bescheideneres.

Nun sitzt mein Maurer in der Beiz und bewundert den Kugelstoßer und die Läuferin und schimpft auf den Läufer, der alles ganz falsch gemacht habe und ein Vollidiot sei. Er wird böse, weil ich nicht wie er glaube, daß die Läuferin Weltrekord laufen werde. Er ist sich da ganz sicher, denn er versteht etwas davon. Selbstverständlich spendet er für die Sporthilfe, für eine gute Sache, für einen Rekord. Professionell muß das alles gemacht sein. Wer das nicht professionell tun will, der hat auch bei den Amateuren nichts zu suchen.

Der Kugelstoßer übrigens macht mir in Interviews einen sympathischen Eindruck. Er scheint sich auch zu freuen über seine Sache. Nur muß ich sagen, der Unterhaltungswert seines Sports scheint mir recht klein zu sein. Ich sehe fast nichts und immer dasselbe. Ich sehe nur die Länge und den Abstand zum Rekord.

Nun mag sein, daß er seinen Beruf – Sportler – ernst nimmt, für den Sport, für diese Kugel lebt. Und dafür arbeitet er wohl hart, immer am selben, immer dieselbe Arbeit. Und warum soll er nicht etwas verdienen dabei, wenn das anderen soviel wert ist.

Ich begreife nur den Maurer nicht, der auch ein Profi ist, auch einen Beruf hat, auch hart arbeitet. Ich begreife nicht, warum der stolze Berufsmann nicht ab und zu beleidigt ist, daß man jenes andere auch Beruf nennt.

Vor einigen Jahren nannte man sie noch verächtlich Staatsamateure.

Ordnung für die Ordnung

Ich mag die Stammtische nicht mehr. Die Gespräche an ihnen werden mir zur Qual. Nicht etwa, daß dies vor Jahren noch Gespräche von hoher Qualität gewesen wären, nein, ganz und gar nicht. Am Stammtisch wurde laut gesprochen, am Stammtisch saßen jene, die sprechen wollten, also sprachen alle, und niemand hörte zu. Am Stammtisch wußten alle alles besser und jeder etwas anderes. Lange hielt ich es da selten aus, aber ein bißchen schon. Das Erzählen war wichtiger als der Inhalt, und man erzählte halt irgend etwas und alles durcheinander.

Mir scheint, das beginnt sich zu ändern. Ich erschrecke, wieviel Übereinstimmung man plötzlich an diesem Stammtisch wieder erzielt. Ich erschrecke darüber, wie schnell die Leute wieder derselben Meinung sind.

»Die gescheiten Herren, die haben einfach ein Büchlein, und nur, was in diesem Büchlein steht, ist dann wahr.«

Der Satz bezieht sich wieder einmal auf die Fachleute, die keine Ahnung haben. Nein, nicht auf die Atomfachleute, auf die würde man hier nicht schimpfen, sondern auf die Fachleute, die sich um den Wald kümmern. Man spricht hier vom Waldsterben und ist überzeugt, daß es überhaupt kein Waldsterben gibt.

»Früher waren die Wälder noch sauber«, sagt man, »früher haben wir die Wälder noch geputzt und das dürre Holz geholt, und da gab es kein Waldsterben.«

Ich sage: »Entweder gibt es eins, oder es gibt keines. Sollte es so sein, daß man die Wälder nur putzen muß, dann wäre es doch auch ein Versagen unserer Gesellschaft, weil wir das Holz nicht mehr brauchen« usw.

Sie werden richtig böse: »Nein, es gibt kein Waldsterben – es gibt nur eines, weil die Wälder nicht geputzt sind, das mit den Abgasen ist Blödsinn.«

Ordnung muß sein, haben die Väter immer wieder gesagt. Das hieß: Zuerst mal Ordnung, und dann wollen wir weiterschauen. Einfach Ordnung an und für sich. Es gibt so eine Vorstellung, daß alles Gute eine Folge von Ordnung ist und alles Schlechte eine Folge von Unordnung. Mit diesem Satz haben wir alles zubetoniert und die Bäche zugeschüttet und die Autobahnen gebaut – alles Ordnung, und jetzt, wo die Ordnung ihre Schäden fordert, jetzt sollen diese Schäden wieder mit Ordnung bekämpft werden.

Das Waldsterben ist nur eine Folge von Unordnung: Ordnung bitte, zuerst mal Ordnung. Für Atomkraftwerke sind sie mit denselben Gründen: Da herrscht doch Ordnung. Ordnung genügt und Ordnung überzeugt. Meine Stammtischbrüder wissen nichts davon, daß der Faschismus genauso argumentierte: Vorerst mal Ordnung. Aber wenn das Thema Asylanten besprochen wird, dann argumentieren sie gleich wie beim Waldsterben. Zuerst mal Ordnung, und wenn Asylanten da sind, dann ist das keine Ordnung.

Die heilige Zeit der Gewalt

Diese Zeit heißt »Die heilige Zeit«, aber wer sie so nennt, der meint etwas ganz anderes. Wenn der Wirt sagt »Die heilige Zeit«, dann verwirft er seine Arme verzweifelt, und er spricht das Wort aus in einem Tonfall von Resignation. »Die heilige Zeit«, sagt er, wenn sich seine Gäste anbrüllen, wenn sie sich am Kittel packen, wenn sich der Wirt schlichtend dazwischenstellen muß – Zeit der Verzweiflung.

Man spricht davon, am Stammtisch, daß die Versicherungen verlorene Schirme nicht mehr bezahlen. Wir Ehrlichen sind die Dummen, wird festgestellt. Dann wird auch festgestellt, daß »wir« nicht dumm sind und daß es keinen Sinn hat, ehrlich zu sein. Sonst kommt man zu nichts. Und dann wird festgestellt, daß »wir« nur nicht ehrlich sind, weil es Unehrliche gibt, »wir« aber sind die Gerechten.

Einer sitzt da, der braucht von Zeit zu Zeit sein Taschentuch, um seine Tränen zu trocknen. Ich hätte ihm nicht zugetraut, daß er weinen kann. Dazwischen tobt er und haut auf den Tisch – »Die heilige Zeit«, sagt der Wirt –, und der Weinende spricht von Umbringen, nur von Umbringen, wobei ihm selbst nicht klar ist, ob er davon spricht, daß man ihn umbringen wolle, oder ob er sich selbst umbringen oder ob er jemanden umbringen wolle.

Gewalt ist etwas Totales. Es spielt keine Rolle, wer wen oder was – einfach umbringen. Die Sache ist die, daß ihm seine Freundin davongelaufen ist. Es ist fast eigenartig, daß ihm das weh tut. Es tut ihm so weh wie jedem anderen. Aber seine Wut bezieht sich auf etwas ganz anderes. Sie hatte nämlich kein Recht, ihm davonzulaufen. Sie war sein Besitz.

Es wird am Stammtisch darüber diskutiert, ob man die Freundinnen schlagen soll oder nicht. Einer sagt, er hätte mal eine Freundin gehabt, die hätte er nicht geschlagen, die sei ihm dann davongelaufen.

Ein anderer erzählt, daß ein Türke auf dem Bau ihm die Hand auf die Schulter gelegt hätte, als er zu ihm etwas sagte. Dem hätte er aber eine Kelle Mörtel ins Gesicht geworfen. Man muß sie in die Schranken weisen, sonst werden sie frech.

Und da sitzt einer, den habe ich noch nie so gesehen. Er hat so was Sanftes. Nun fragt ihn einer nach seiner Freundin, und er sagt, er habe seit vorgestern eine neue. Also ist er verliebt. Er sieht so aus, wie Verliebte aussehen – ganz sanft.

Dann sagt er: »Eine Wunderkatze!« Das ist also alles. Ich frage mich, woher er überhaupt die Fähigkeit hat, verliebt zu sein. Und die alte Freundin habe noch die Frechheit gehabt zu meckern, als er mit der neuen geschmust habe. Da habe er ihr aber eine gelangt.

Der Weinende erklärt, daß es Frauen viel leichter hätten, einen Freund zu finden. Die müßten ja nur fragen, für Männer sei das viel schwieriger. Er glaubt das wirklich, er glaubt das wirklich!

Einer sagt, daß jeder ein Idiot sei, der die leeren Flaschen nicht in den Kehricht werfe, schließlich bezahle er Kehrichtsteuer. (Würde er bezahlen, wenn er bezahlen würde.)

Warum fällt ihm im selben Augenblick das alternative Zaffaraya in Bern ein. Diese verfluchten Schwächlinge, sagt er, alles Mitläufer. Umbringen, sagt er.

Immer schlagen, immer umbringen. Sich durchsetzen, sich nicht auf die Kappe scheißen lassen, immer der Stärkere sein. Der Wirt verwirft die Arme und sagt »Die heilige Zeit«.

Die Zeit der Gerechten. Hier sitzen die Gerechten. Ihre Feindbilder sind intakt, das halten sie für Gerechtigkeit.

Astrid Lindgren – die wunderbare Autorin von »Pippi Langstrumpf« – hat kürzlich in einem Vortrag am Radio folgende Geschichte erzählt: Ein Kind hat irgend etwas angestellt, und seine Mutter sagt zu ihm: »Dafür mußt du deine Prügel kriegen, geh vors Haus und suche einen Stecken, mit dem ich dich verprügeln kann.«

Der Bub geht und kommt lange nicht zurück. Endlich kommt er und sagt: »Ich habe nirgends einen Stecken gefunden, aber ich habe hier einen großen, schweren Stein, den kannst du ja nach mir werfen.«

Da nahm die Mutter ihren Bub in die Arme und weinte.

»Wenn du mir Schmerzen zufügen willst, dann kannst du das doch auch so tun, daß du den Stein nach mir wirfst«, sagte der Bub.

Die Mutter nahm den Stein und legte ihn aufs Küchenbrett. Und sie wußte ab jetzt, daß schlagen immer töten heißt.

Das ist eine wunderschöne Geschichte. Aber jene, die sie glauben, nennt man Pazifisten oder Feiglinge oder Drückeberger oder Schwächlinge.

Wir aber sind die Gerechten, und die Gerechten haben die Ungerechten zu schlagen. So einfach ist das.

Ich wünsche ein siegreiches Weihnachtsfest.

Buddhas Küchenuhr

An der alten Spitalkirche in Solothurn war seit Jahrzehnten eine Uhr, eine richtige Bahnhofsuhr. Sie war so etwas wie ein Fremdkörper, deshalb fiel sie auf. Aber sie war auch eine alte Gewohnheit, deshalb war sie selbstverständlich. Und irgendwie war sie mir immer ein wenig Trost in der Kleinstadt – mitten in der Stadt ein bißchen Bahnhof, das war auch so etwas wie eine Hoffnung darauf, daß es in dieser Welt noch anderes gibt als Solothurn.

Nun ist aber dieses Solothurn auch eine Stadt, die gelobt wird für ihr Stadtbild, für ihren Denkmalschutz, für die Pflege ihrer Fassaden. Und wer gelobt wird, der erwartet noch mehr Lob. Wenn man die Haare einer Frau lobt, dann geht sie gleich und läßt sie färben, damit sie noch schöner sind.

Die alte Spitalkirche ist aus irgendeinem Jahrhundert, die alte Bahnhofsuhr ist leider aus keinem Jahrhundert, also passen sie nicht zusammen, also muß sie weg – das 20. Jahrhundert ist kein Jahrhundert, darauf haben sich Denkmalpfleger weltweit geeinigt. Die Stadt hat schön zu sein, und schön ist, was aus einem Jahrhundert ist.

Noch lange werden Solothurner über die Brücke ins Leere schauen und wohl auch sehr bald gar nicht mehr feststellen können, was sie dort vermissen. Sicher wird kein Tourist kommen und sagen: »Hier fehlt eine Bahnhofsuhr!« Also ist der Entscheid, die Uhr verschwinden zu lassen, doch richtig. Zudem hat man die ganze Fassade ganz schön neu gemacht, und jetzt soll sie auch ganz schön historisch sein.

»Fassadenästhetik« nennt man das, ein kleines Stück Verlogenheit – wie wenn es in Solothurn keine Uhren gäbe, wie wenn die Solothurner Arbeiter zu spät kommen dürften, wie wenn es in dieser Stadt kein 20. Jahrhundert gäbe, wie wenn diese Stadt nur gebaut wäre als Kulisse für Gotthelf-Filme und die Uhr würde stören, wenn Annebäbi Jowäger in Technicolor auf den Solothurner Markt fahren würde.

Aber lassen wir das, es ist eine Kleinigkeit und kaum ein Ärger. Es ist unser verstaubtes Antiquitätenverhältnis zur Kultur, vielleicht baut man jetzt eine Kitschuhr in der Form einer Gaslaterne. Nein, das ist wirklich nicht wert, erwähnt zu werden, und ich erwähne es nur, weil es mich erinnert hat an andere Uhren. An die alte Bahnhofsuhr, die ich kürzlich wieder in Oslo sah. Sie hängt immer noch dort hinter einem Fenster der Universität, nach außen gerichtet, über ihr die Sprossen des Fensters – völlig ohne jeden Grund hängt sie dort. Man hat mir erzählt, Ibsen hätte jeden Morgen auf seinem Spaziergang seine Taschenuhr nach dieser Uhr gerichtet. Seither beeindruckt mich diese Uhr. Aber er hat seine Uhr noch im letzten Jahrhundert danach gerichtet, das war ihre Chance.

Und an andere Uhren erinnert mich diese verlorene Uhr in Solothurn. Als ich in Korea einen wunderschönen buddhistischen Tempel besuchte, auch einen aus einem ehrwürdigen Jahrhundert, da fiel mir neben dem Buddhabildnis eine schrecklich billige Küchenuhr auf mit einem dicken weißen elektrischen Kabel, das zu irgendeinem Stecker führte, und der rote Sekundenzeiger sprang von Sekunde zu Sekunde. Ein bißchen fiel die Küchenuhr schon auf, und hätten Touristen dort etwas zu sagen, sie würden sie auch entfernen lassen. Sie hatte ganz eindeutig hier in den heiligen Hallen etwas Lächerliches – das machte sie so sympathisch.

Und erst als ich in einem zweiten und in einem dritten Tempel wieder die Küchenuhr sah neben dem Altar, begann ich meine Begleiter zu fragen, ob diese Uhr etwa eine Bedeutung hätte. Sie schauten mich entsetzt an und sagten: »Selbstverständlich hat sie eine Bedeutung, sie hängt hier, damit man weiß, wie spät es ist.«

Mir fällt dazu nur das Wort Pragmatismus ein: man muß wissen, wie spät es ist, also braucht man eine Uhr. Offensichtlich wird kein Buddhist durch diese Küchenuhr in seinen religiösen Empfindungen gestört. Buddhismus ist für ihn nicht nur ein baugeschichtliches Ereignis, ihn bewegt nicht die antiquarische Schönheit des Tempels – auch die ist selbstverständlich und pragmatisch –, sondern die Größe Buddhas, der größer ist als jede Küchenuhr.

Der buddhistische Mönch fragte mich, ob die Europäer fromm seien, ob die Christen fromm seien, glauben würden. Es beleidigte mich fast, daß ich ihm antworten mußte: »Nein!« Und hinter ihm

tickte die Küchenuhr, und ich glaubte ihm, dem Besitzer der Küchenuhr, daß er fromm ist, denn wer so viel Pragmatismus aufbringen
kann, wer so viel Widerspruch erträgt, der muß auch glauben können.

Ich sagte zu ihm: »Ich mag diese Uhr sehr«, und er nickte und
lächelte und freute sich, und er machte mich nicht auf die wunderschönen Jahrhunderte aufmerksam, und er sagte nicht, daß die Bud-
dhafigur daneben viel schöner sei.

Aber wir in Solothurn haben nun noch eine makellose Fassade
mehr, und die Uhr, auf die täglich Tausende geschaut haben, seit Jahrzehnten, die gehört jetzt nicht mehr zu Solothurn. Ein bißchen mehr
Enge und ein bißchen weniger Bahnhof.

Aktualität und Langeweile

Heute, an einem 30. Januar, wissen wir noch nicht, was wir in einem
Jahr nicht mehr wissen werden. Aber wir werden viel wissen in einem
Monat, und einige von uns oder gar manche zittern schon heute und
möchten wissen, was sie in einem Monat wissen werden. Einige glauben es bereits zu wissen und schließen Wetten ab. Ob uns das interessiert oder nicht, wir werden nicht darum herumkommen.

Ja, ich spreche von den Olympischen Winterspielen, aber ich meine
für einmal nicht die Fraglichkeit oder Wünschbarkeit des Sports. Ich
meine nicht jene, die sich dafür interessieren, und auch nicht jene,
die sich dafür nicht interessieren.

Von mir selbst weiß ich gar nicht, ob es mich interessiert oder nicht.
Ich werde auch nie herausfinden können, ob es mich interessiert. Ich
habe nicht die geringste Möglichkeit, das zu testen. Aber ich weiß,
daß ich am Fernsehen einige Rennen sehen werde und später wohl
auch einige Siegesfahrten ein Dutzend Mal. Ich kann das nicht verhindern, abstinentes Verhalten liegt mir leider nicht. Sosehr ich auch
ganz tief in mir den Eindruck habe, daß mich das alles nichts angeht
und daß ich nicht den geringsten Spaß daran habe: ich werde auch
dabeisein.

Warum eigentlich? Warum kümmere ich mich um Dinge, die mich nicht kümmern? Warum bringe ich es sogar soweit, mit »meinen Schweizern« zu zittern?

Die Antwort heißt Aktualität. Ich kann mich persönlich verhalten, wie ich will, die Olympischen Spiele werden aktuell sein, und niemand kann sich der Aktualität entziehen. Ich werde in einem Monat etwas wissen, das mir nicht wichtig ist – ich werde wissen, wie die Sieger heißen.

Aktualität ist kein demokratischer Entscheid. Weder ich noch Tausende von anderen haben jemals darüber entschieden, ob ihnen Skirennen wichtig sind. Sie sind es einfach geworden – ohne unser Zutun –, nun sind sie es.

Ich habe gar nichts dagegen, und es stört mich nicht, aber es überrascht mich, daß ich der Aktualität verfalle ohne meinen eigenen Willen. Mir fällt dabei die Geschichte mit Eddy Merkx ein (ich weiß nicht einmal mehr, ob ich den Namen richtig schreibe, und bitte den Setzer, ihn nicht zu korrigieren. Das gehört dazu, daß ich das nicht mehr weiß. Ich schwöre, ich wußte es einmal und besaß sogar einen Halbrenner, auf dem dieser Name stand). Vor Jahren traf ich eine junge Frau, die wußte nicht, wer Eddy Merckx ist. Da verstieg ich mich zu Beschimpfungen: jemand, der das nicht wisse, sei ein Ignorant, denn wer sich orientiere und die Zeitung lese, der komme an diesem Namen nicht vorbei. Die junge Frau rächte sich. Sie ging nach Hause, lernte die halbe Biographie von Merkx auswendig und schrie sie jedesmal durchs ganze Lokal, wenn ich hereinkam. Ich bin überzeugt, sie wüßte – im Unterschied zu mir – heute noch, wie man den Namen schreibt.

Aber ich interessierte mich damals für Radrennfahren, sie ganz und gar nicht. Wer von uns beiden ist jetzt blöd?

Aktualität hat jedenfalls wenig mit der Wichtigkeit eines Ereignisses zu tun. Und viele Aktualitäten sind zum vornherein abzusehen, sind geplant auf Jahre hinaus: Die Tour de France zum Beispiel bis ins nächste Jahrtausend. Aktuell heißt wörtlich »wirklich«, »gegenwärtig« – aber oft ist sie vorbereitete Gegenwart. Wir wissen zum voraus, daß die Olympischen Winterspiele eine Aktualität sein werden, eine Aktualität also ohne jede Überraschung.

Wer macht sie, diese Aktualitäten? Etwa die Presse, die Medien? Ist
es einfach so, daß die Chefredaktoren Aktualität erfinden?

Das wird zum Beispiel, wenn die Presse einen Störfall erwähnt, eine
echte Aktualität, von der Atomlobby behauptet, daß die Presse den
Fall nur hochgespielt habe – als hätte er ohne Presse nicht stattgefunden.

Also, wer erfindet die gemachten Aktualitäten? Niemand – sie entstehen einfach. Und alle haben zu reagieren, der Chefredaktor, der
Sportler, die Wirtschaft und ich. Und ich staune darüber, daß man
mit mir etwas machen, daß man mir also nicht nur Zahnpasta und
Zigaretten, Radios und Taschenrechner aufschwatzen kann, sondern auch Aktualität. Das muß an mir und an uns liegen. Unsere Gelangweiltheit ist der Ort, wo all diese Scheinaktualitäten ihren Platz
finden.

Aktuell ist das, was unsere dauernde Langeweile unterbricht. Oder
anders: seit wir uns nicht mehr gemütlich langweilen können, sind
wir empfänglich geworden für Scheinaktualitäten.

Die Frage ist nur, ob die wirkliche Aktualität – ein bißchen Tschernobyl zum Beispiel – unsere Langeweile noch zu unterbrechen vermag.

Das ganze Leben

»Mir geht es gut, ich bin zufrieden, ich bin glücklich« – das ist nun
wirklich keine Antwort auf die Frage: »Wie geht es dir?« Die Frage
ist der Versuch, ein Gespräch zu beginnen, und die positive Antwort bricht das Gespräch augenblicklich ab. Mit einem Glücklichen
kann man nicht sprechen, ein Glücklicher ist ein Asozialer, einer,
der nicht mehr dazugehört zu der Gesellschaft der Unglücklichen.

Ob wir das nur geworden sind, eine Gesellschaft von Unglücklichen, oder ob Unglück ein ewiges menschliches Schicksal ist, ich
weiß es nicht. Aber sicher ist Unglücklichsein in der Gesellschaft
der Wohlhabenden zu einem Muß geworden. Wer es nicht ist, der

ist nicht salonfähig, mit dem kann man über nichts reden. Glück hat in unserer Gesellschaft immer den Hauch von Dummheit, und daß der Dumme glücklich sein soll, das ist wohl eine der dümmsten Selbstverständlichkeiten.

Aber was fällt dem Wohlhabenden ein in seinem Unglück? Wohl nichts anderes, als noch wohlhabender, nämlich reich zu werden. Reich sein heißt nichts anderes, als noch mehr von dem zu besitzen, was man braucht und brauchen kann. Wer mehr besitzt, besitzt zum mindesten alles. (Ich staune immer darüber, wie leicht es dem Lottospieler fällt, die Frage zu beantworten »Was machst du mit dem Millionengewinn?« Die Antwort geht immer in dieselbe Richtung: Die Millionen würden es dann schon von selbst schaffen.)

Unser Irrtum ist wohl der, daß wir Glück für etwas Totales halten und nicht für etwas Relatives. Also müßte der totale Reichtum auch das totale Glück schaffen, oder die totale Gesundheit müßte das totale Glück schaffen oder die totale Marktwirtschaft oder der totale Sozialismus oder die totale freie Fahrt für Automobilisten oder die totale Energieproduktion oder die totale Umweltbelastung oder der totale Sport und der totale Olympiasieg oder der totale Rausch oder die totale Abstinenz. Wir denken totalitär, wir haben alle eine Neigung zum Totalitarismus.

Die Frau, die mir auf meine Kolumne über die Bahnhofsuhr geschrieben hat, ich hätte wohl auch gemeckert, wenn man die Uhr wieder angebracht hätte, die hat wohl recht. Ich bin weder ein Uhrenbefürworter noch ein Uhrengegner; ich bin nicht bereit, eine Gesellschaft oder Partei zum Schutze der Bahnhofsuhren zu gründen. Ich habe damals nur festgestellt, daß mir Veränderungen zu denken geben, und ich habe versucht, darüber nachzudenken. Wer total für Uhren ist oder total dagegen, wer für totalen Denkmalschutz ist oder total dagegen – den wird wohl unentschiedenes Denken darüber stören.

Totalitäre sind solche, die bereits gedacht haben, oder besser: bereits gedacht bekommen haben – und die deshalb Denken für unnötig halten.

Eine andere Geschichte: Vor vielen Jahren sagte mir ein junger

Freund, der etwas Mühe hatte mit seinem Studium, er habe sich nun
für den humansten Beruf entschieden, und er war sehr entsetzt, als
ich nicht wußte, welches der humanste Beruf sei. Er wollte Arzt werden. Das ist ein guter Beruf und ein nötiger und sicher auch ein
menschlicher Beruf. Aber warum es ausgerechnet der menschlich-
ste aller Berufe sein soll, das leuchtet mir auch heute noch nicht ein.
Mir fällt aber ein möglicher Slogan ein: »Medizin ist das ganze Leben.«

Wenn dieser Slogan stimmt, dann gibt es wirklich nur einen humanen Beruf, den des Arztes. Und es mag auch Ärzte geben, die solches
von ihrem Beruf halten. Es sind dann wohl auch jene, die ihre Patienten als eine Art Besitz betrachten. Wer sich als ganzes Leben empfindet, ist auch Herr über das ganze Leben.

Also wäre Reichtum auch das ganze Leben oder Sexualität oder
Psychologie oder Ökonomie oder Ökologie oder gesunde Ernährung
oder, um es für einmal sprachlich unpathetisch zu formulieren: »Das
ganze Leben ist Autofahren.« (Da fällt mir noch ein: Landesverteidigung ist auch das ganze Leben.)

Zurück zum Reichtum: es gibt diese schöne Geschichte in der Bibel
von der Witwe, die mit ihrem letzten Öl und letzten Mehl dem Flüchtling Elias ein Brötchen bäckt, und Gott machte, daß immer noch
ein bißchen Öl im Krug blieb und ein bißchen Mehl im Topf. Immer,
wenn sie es rausnahm, war wieder ein kleines bißchen drin. Das ist
nicht Reichtum, das ist Bescheidenheit. Aber ein solches Portemonnaie, in dem nie genug drin ist, um Großes zu kaufen, aber immer
ein bißchen für Kleines – das wäre Glück.

Die Totalitären dagegen drohen uns immer mit »gar nichts«. Wer
nicht den Reichtum will, der will offensichtlich nichts. Wer nicht
Wachstum will, der will den wirtschaftlichen Zusammenbruch. Wer
nicht die totale Medizin will, der will wohl die totale Krankheit.
Wer nicht die totale Sexualität will, der will wohl die totale Frustration.

Endlich etwas können

Ich stehe auf der Brücke und schaue auf den hochgehenden Fluß. Ein Fischerboot nähert sich der Brücke. Ich habe schon davon gehört, daß die Fahrt unter der Brücke nicht unproblematisch ist, und ich bin deshalb überrascht, daß der Fischer kurz vor der Brücke in seinem Boot aufsteht, das Steuer seines Außenbordmotors nur noch mit dem Knie führt und erhobenen Hauptes unter der Brücke verschwindet.

Ich verstehe nichts vom Bootfahren. Aber es ist mir schon aufgefallen in Gesprächen, daß jene, die fahren, unheimlich viel davon verstehen, jeder eigentlich am meisten, und daß sie stundenlang darüber diskutieren können. Ich kann mir nicht vorstellen, daß Fahren besonders schwer sein soll. Ich weiß auch nicht, ob das Aufstehen im Boot vor der besonderen Schwierigkeit eine entsprechende Technik ist. Immerhin, jener Fischer kann das, und er kann das stehend, und das können dann wohl nicht alle. Er ist eben doch ein Könner, und er ist stolz darauf. Er ist jemand. Er ist jener, der es kann.

Am Radio die Meldungen über Staus auf der Autobahn, es ist Sonntag und scheußliches Wetter mit Schneestürmen. In der Beiz sagt eine Frau: »Ich verstehe nicht, weshalb all diese Leute bei diesem Sauwetter Auto fahren müssen, es kann doch nicht sein, daß Tausende unbedingt irgendwohin müssen.«

Und da fällt mir wieder der Fischer in seinem Boot ein. Die Fahrer fahren wohl aus dem einzigen Grund, weil sie es können. Sie können zum Beispiel Auto fahren, sie können das so gut wie die anderen und meist auch besser als alle anderen. Sie können etwas, und sie sind stolz darauf.

Ein Amerikaner, der mir erzählte, daß er in der Schweiz studiert habe, sagte mir: »Ich besitze auch die schweizerische Volksmatur«, und er lachte. Er lachte auch darüber, daß ich als Schweizer nicht wußte, was das ist.

»Die Volksmatur, das ist doch die Fahrprüfung«, sagte er.

Ich denke jedesmal wieder daran, wenn ich Kandidaten über ihre

Fahrprüfung reden höre. Das ist doch wirklich ein Ereignis, so ein Fahrausweis. Der bestätigt, daß man etwas kann, zu etwas berechtigt, geprüft und durchgekommen ist. Der bestätigt, daß man endlich, endlich etwas kann.

Der Autofahrer, der überholend frontal auf mich zufährt, erst ganz knapp vor mir wieder einbiegt und weiterrast: das ist eben einer, der Auto fahren kann, der sein Können genießt. Der hat wohl auch einen Schleuderkurs besucht und hat keinen Schrecken vor Glatteis. Er wird auch jener sein, der auf mich schimpft, weil ich nicht fahren kann. Und da hat er sogar recht: ich konnte nicht fahren, ich mußte bremsen.

Aber ich verstehe ihn. Die Fahrprüfung ist vielleicht die einzige Prüfung in seinem Leben, die er bestanden hat. Und Autofahren ist für ihn ein dauerndes Erfolgserlebnis. Er hält Fahren für eine Kunst und sein Tun für Können. Er ist dann wohl wirklich nichts anderes als ein Autofahrer. Er muß denn auch nirgends hin, denn bei der Ankunft ist er niemand mehr. Er ist nur fahrend jemand, nämlich ein Autofahrer. Und wenn jemand das Fahren einschränken will, durch Tempolimite, durch Benzinpreise – der schränkt ihm auch sein Können ein. Wer ihm das Auto nehmen will, der nimmt ihm auch das Leben. Die einzige bestandene Prüfung in seinem Leben soll dann für nichts gewesen sein, das einzige, was er besser kann als alle anderen, soll er dann nicht mehr können dürfen. Denn es geht ihm nicht um Transport, sondern es geht um seine intellektuelle Würde. Wenn er sein Auto nicht mehr hat, dann ist er so dumm wie zuvor.

Ich weiß, daß ich unrecht habe. Aber hie und da habe ich den Eindruck, daß diese »Schweizer Volksmatur«, die Fahrprüfung, Menschenleben gefährden kann. Durch sie wird das Autofahren zum Erfolg.

Eine Abschaffung der Fahrprüfungen wäre wohl nicht die Lösung. Vielleicht gibt es nur eine Lösung: den Leuten andere Erfolgserlebnisse zu vermitteln, sie andere Prüfungen bestehen zu lassen oder vielleicht ein Schulsystem zu finden, in dem man nicht dauernd durchfällt und durchfällt und durchfällt. Denn solange es Tausende gibt, die nichts anderes können als Auto fahren, kann man ihnen wirklich

dieses Auto nicht wegnehmen. Irgend etwas muß der Mensch doch
können. Und irgend etwas muß er besser können als die anderen. Also
machen wir alle eine Volksmatur und können dann alle besser Auto
fahren als alle anderen.

Ich gebe es zu, selbst ich bin ein bißchen stolz, daß ich es kann.
Auch mich hat meine erste Alleinfahrt nach der Fahrprüfung mehr
beeindruckt als die bestandene Primarlehrerprüfung. Das ist traurig.

Mein Freund Rambo

Kürzlich erinnerte ich mich wieder an Cornel. Er ist vor über zwan-
zig Jahren gestorben, ein Unfall auf einer Brückenbaustelle – er wird
es besser gekonnt haben oder mutiger gewesen sein als die anderen.
Ich erinnere mich eigentlich fast nur noch daran, daß ich ihn mochte.
An seine Kleidung erinnere ich mich noch und an seine Art, an sein
Gesicht kaum mehr.

Ein paar Leute sprachen in der Beiz mitleidig über einen Mann,
dem es verdammt schlechtgeht, ein ehemals erfolgreicher Mann,
der nicht ohne Selbstverschulden ins körperliche Elend kam. Ich
mag zwar Mitleid, aber in diesem Falle brachte ich es nicht auf, und
ich war selbst überrascht, als ich mich in dieser Runde des Mitleids
gezwungen fühlte zu sagen: »Ich mag ihn nicht, ich mochte ihn
nie!« Und dann erinnerte ich mich an Cornel.

Cornel war das, was man damals – vor dreißig Jahren – als Stenz
bezeichnete: hohe Rohgummisohlen, Pomadehaare, modische Kleidung, und er war stark, unheimlich stark. Er beherrschte die Beiz,
schlug die Ungerechten und verteidigte die Gerechten, und der Maßstab für Gerechtigkeit war er selbst – Rambo hätte ihm gefallen.
Und ich war stolz darauf, daß ich zu den Gerechten gehörte. Ich
mochte ihn – oder eigentlich, ich mochte es, daß er mich mochte.

Er hatte eine Neigung zur Intelligenz, und er war auch stolz darauf, daß er ein ganz dickes Buch besaß – »Exodus« – und es auch gelesen hatte. Das war denn wohl auch der Grund, daß er für mich,

den Lehrer, eine Zuneigung hatte. Er war mächtig, und ich war der Freund des Mächtigen. Aber es kam auch vor, daß er in großer Trunkenheit weinte, abends nach der Polizeistunde. Dann sagte er, wie sehr er seine Frau liebe, und jetzt werde er wohl nach Hause gehn, und dann werde irgend etwas gesagt, und dann werde er wohl wieder die Frau verprügeln. Und er bat mich, mit ihm nach Hause zu kommen und noch ein Bier zu trinken mit ihm, dann passiere es nicht. Ich war stolz, daß er mit mir darüber sprach.

Eines späten Abends dann kamen noch drei gutgekleidete Herren mit Silberkrawatten in die übelbeleumdete Beiz. Offensichtlich glaubten sie, daß sie hier noch etwas sehen und erleben könnten. Der eine – der Erfolgreiche, der inzwischen Mitleid verdient und den ich gut kannte von früher – hatte etwas gegen meine langen Haare und forderte mich über die Tische hinweg lauthals auf, zum Friseur zu gehen. Das war das Stichwort für Cornel. Er ging zum Tisch der Herren, baute sich vor dem Tisch auf und sagte: »Wohin muß mein Freund gehen – würden Sie das bitte wiederholen.« Die drei Herren wurden etwas kleiner und sagten nichts mehr. Cornel forderte mich auf, den Herrn in die Fresse zu hauen. Ich sagte: »Cornel, hör auf damit – ich will nicht schlagen, und ich kann nicht schlagen.«

»Ich bin ja hier«, sagte Cornel, »heute kannst du, es passiert dir nichts.«

Und dann stellte er sich hin und sagte: »Dann tu ich's, ein Wort von dir, und ich tu's.«

Die Herren wurden noch kleiner und hatten ihre Nasen schon fast auf der Tischplatte, und ich hielt Cornel zurück, und ich fand es ein bißchen lustig, daß es die Herren so schwer hatten hier, und Cornel war ein richtiger Freund, ein Freund wie im Westernfilm, ein Gerechter.

Die Herren haben dann schnell bezahlt und sind gegangen.

Als jetzt von jenem gesprochen wurde, der Mitleid verdient, ist mir mein großer Freund Cornel wieder eingefallen. Und auf dem Heimweg habe ich darüber nachgedacht, weshalb ich wohl jenen Krawattenträger hasse. Sicher nicht, weil er damals etwas gegen meine langen Haare hatte – aber vielleicht, weil er ein Großmaul war, ein

Aufschneider, und weil ich ihn endlich einmal ganz klein gesehen hatte und weil er so servil war in seiner Angst.

Aber am selben Tag hatte ich noch einen Satz gehört in der Beiz (in dieser Schweiz, 1988). Eine Frau sagte zu ihrer Freundin: »Ich lebe mit meinem Freund jetzt schon ein Jahr und einen Monat zusammen, und er hat mich noch nie verprügelt.«

Heißt dieser Satz etwa, daß es Frauen gibt, die daran gewohnt sind? Heißt das etwa, daß es eine besondere Leistung des Freundes ist, auf das Schlagen zu verzichten?

Cornel fand es vor dreißig Jahren großartig, daß er darüber weinen konnte. Er tat es, und er weinte, und er tat es wieder.

Auch dieser Satz der Frau erinnerte mich an ihn. Plötzlich wußte ich, warum ich diesen ehemaligen Krawattenherrn hasse. Nicht weil er ein Großmaul war, nicht weil er mich beleidigen wollte, sondern weil er mich immer wieder an meinen miesen Stolz auf die Freundschaft eines Gewaltigen erinnert. Mir gefiel es, ein Freund Rambos zu sein. Ich war an seiner Gewalttätigkeit nicht unschuldig. Daß er ein angenehmer Gesprächspartner war und nicht ungebildet, das hört man ab und zu auch von politischen Gewalttätern.

Ein Traum von Europa

Ich komme aus der Schweiz, einem Land, das seine Bürger als »Der Souverän« bezeichnet, als den Herrscher. Ich komme aus einem Land, in dem die Bürger über vieles und fast alles abstimmen dürfen; nächstens zum Beispiel wird in der Schweiz über die Abschaffung der Armee abgestimmt. Nicht viele mögen sie, viele schimpfen über sie, fast alle sind restlos überzeugt von ihr. Sie wird nicht abgeschafft werden, das steht im voraus fest – und würde sie durch einen Zufall doch abgeschafft, man würde sie gleich ersetzen durch eine andere Armee und eine andere Abstimmung.

Immerhin, man hat im Ausland schon davon gehört, in der Schweiz gäbe es die Möglichkeit, daß das Volk die Armee abschaffen könnte –

und der Kampf um demokratische Rechte in aller Welt ist ein ernsthafter Kampf, denn die Demokratie wird Gerechtigkeit bringen. Davon bin ich persönlich überzeugt. Das ist meine Utopie, daß ich davon überzeugt bin; wenn ich als Schweizer auch das zynisch beleidigende Beispiel einer nicht funktionierenden Demokratie vor Augen habe – ein »immerhin« sei hier zum mindesten angebracht –, immerhin Demokratie.

Das Scheitern der Demokratie ist für mich nicht der geringste Beweis dafür, daß Demokratie nicht funktionieren kann – so wie das Scheitern des Sozialismus für mich nicht der geringste Beweis dafür ist, daß Sozialismus nicht funktionieren kann.

Das Scheitern der Demokratie?

Ich höre den Einwand meiner Schweizer Mitbürger: »Wir sind doch reich, stinkreich, und unsere Demokratie ist doch ein Erfolg, wir gehören zu den Mächtigen der Welt.« Ich weiß nicht, was ich ihnen antworten soll, meinen Mitbürgern, ich weiß es nicht. Es ist zum Verzweifeln in diesem Land Schweiz, aus dem ich komme, weil ich nicht weiß, was ich ihnen antworten soll.

Wäre die Schweiz ein gerechteres Land, es müßte ein ärmeres sein, und wäre die Schweiz ein solidarisches Land, es müßte von seinem Reichtum abgeben: soll ich das meinen Mitschweizern sagen, werden sie das verstehen, meine Mitbürger? Nein, sie werden es nicht verstehen. Denn sie sind alle überzeugt davon, daß unser Reichtum eine nationale Leistung sei, die mit nichts anderem zu tun habe, als daß wir besser seien als alle anderen und raffinierter als alle anderen, daß unser Reichtum nur damit zu tun habe, daß es die Ausländer eben nicht so gut können.

»Ausland«: mir scheint, das ist ein schweizerisches Wort. Wenn ein Schweizer reist, dann geht er weder nach Deutschland noch nach Frankreich, noch nach Italien, sondern er geht vorerst einmal ins Ausland. Für die Schweizer gibt es auf dieser Welt nur zwei Länder, das Inland und das Ausland. Nur in der Schweiz haben die Zeitungen diese zwei eigenartigen Sparten: »Inland« und »Ausland«.

Wer so denkt, der kann kein Europäer sein. Europa ist für die Schweiz höchstens ein geographischer Begriff, ein politischer nicht, und die Welt ist für diese Schweiz höchstens ein geographischer Begriff, vielleicht ein wirtschaftlicher, aber kein politischer. Denn die Welt, die findet ja nur im Ausland statt.

Das hat dieser fatale und verlogene Begriff der »Neutralität« in unserem Land bewirkt.

Ich habe als Kind nie begriffen, warum nicht alle Länder der Welt neutral sind. Ich habe nicht begriffen, warum damals nicht auch die junge Bundesrepublik und die junge DDR neutral waren, denn alle Länder haben nur noch Verteidigungsministerien, alle Länder sprechen nur noch davon, daß sie nicht angreifen werden, daß ihre Armee eine reine Verteidigungsarmee sei (Verteidigung von was? – dies nur nebenbei). Warum sind nicht alle Länder neutral? Und warum ist Neutralität in Schweden, in Österreich, in der Schweiz jeweils so etwas ganz anderes?

Weil Neutralität – eine Erfindung des Wiener Kongresses von 1815 – nichts anderes ist als ein Betrug mit Selbstverständlichkeit. Ich kann das nur mit dem Beispiel Schweiz erklären: Wir sind nicht Mitglied der UNO, weil wir neutral sind. Wir können nicht Mitglied der EG sein, weil wir neutral sind. Wir brauchen eine starke Waffenindustrie und sind zu einer Drehscheibe des internationalen Waffenhandels geworden, weil wir neutral sind. Wir sind neutral, damit wir nicht dabeisein müssen. Die Neutralität ist unser Alibi – und Alibi heißt wörtlich »Abwesenheitsbeweis«. Die Neutralität ist unser Abwesenheitsbeweis. Wir haben und wir hatten mit nichts zu tun: mit Hitler nichts, dem wir Waffen geliefert haben, mit der Judenvernichtung nichts, die wir – zum mindesten passiv – unterstützt haben. Niemand kann uns beweisen, daß wir etwas zu tun hatten damit, denn wir haben ein Alibi – unsere Neutralität.

Wir sind ein friedliches Land, glaubt man, weil wir in zwei Weltkriegen keinen Krieg in unserem Land hatten. Wir waren abwesend vom Krieg – oder besser: der Krieg war bei uns nicht anwesend. Denn beteiligt an ihm, als Profiteure, waren wir wohl. Ich erinnere mich auch, daß man mir als Kind gesagt hat »Jetzt im Krieg«. Wir hatten auch einen Krieg, er war nur nicht anwesend. Und ich erinnere mich, daß wir Fußball spielten auf der Hauptstraße während des Krieges: es gab so wenige Autos. Und dann kam ein Polizist auf dem Fahrrad – ich kenne noch seinen Namen, er hieß Camille Husi – und beschimpfte uns und sagte, daß es verboten sei, Fußball zu spielen auf der Straße, und dann drohte er uns: »Wartet nur, Buben, bis Frieden ist.«

Man hat uns damals mit Frieden gedroht. Ich werde das nie mehr vergessen, daß mir als Kind in der Schweiz mit Frieden gedroht wurde.

Und das ist unsere Situation heute: mir scheint, das Schweizer Vorbild hat weltweit Schule gemacht. »Krieg ja – aber nicht hier!« Krieg in Nicaragua, im Libanon, in Afghanistan, aber nicht hier. Ich spreche jetzt nicht von den Russen und den Amerikanern, ich spreche immer noch nur von den Schweizern. Ich habe in den letzten Monaten auf der ganzen Welt nur noch Schweizer Politiker und Schweizer Generäle gehört, die dringend vor Abrüstung warnten, denn ohne Krieg bräuchten wir Schweizer keine Armee, die wir im übrigen nicht brauchen, weil wir ja ein Alibi haben – aber mit Waffen und Rüstung möchten wir ja doch auch zu tun haben. Also brauchen wir eine Armee als Alibi.

Alibi heißt »Abwesenheitsbeweis«. Wer abwesend ist, der ist auch unschuldig. Die Schweiz hält sich für unschuldig an Europa, wer unschuldig ist, der hat auch nichts damit zu tun. Ich weiß nicht, ob die Franzosen Europäer sind, ob die Italiener Europäer sind, die Polen, die Ungarn. Wir Schweizer sind es jedenfalls nicht. Europa ist für uns nur ausländische Geographie.

Wir Schweizer sind Spezialisten in Unschuld geworden. Das ist mitunter eine Folge einer hundertvierzig Jahre alten direkten Demokratie. Kein Politiker trägt Verantwortung: schließlich hat das Volk abgestimmt. Keine Opposition ist möglich: schließlich kann man eine Abstimmung verlangen. Die Verteilung der Schuld auf viele Schultern – auf viele total desinteressierte Schultern auch – macht alle unschuldig, macht alle neutral, macht schließlich alle abwesend.

Ich sage das hier nicht etwa, um mein Land zu beschimpfen. Man kann da leben, in dieser Schweiz, und man kann da auch politisieren – ich tu beides. Ich sage es nur, um vor dem Vorbild Schweiz zu warnen. Es gibt zu viele Menschen in der Welt, die diese Schweiz für *die* Utopie halten, für einen Traum; sie ist es nicht. Volksrechte sind wunderbar und erstrebenswert. Aber die Macht des Volkes ist nichts wert ohne Aufklärung. Und politische Propaganda und Wahlkämpfe und Abstimmungskämpfe ersetzen die Aufklärung nicht. Aufklärung kann nie eine Folge von Demokratie sein, sondern die Demokratie muß eine Folge der Aufklärung sein. So weit sind wir auch in der Schweiz noch sehr lange nicht.

Und kein Schweizer glaubt daran, daß politische Flüchtlinge in unser Land kommen, weil sie vom Lande der Freiheit und des Friedens gehört haben. Sondern die Schweizer sind überzeugt davon, daß alle nur wegen unseres Reichtums kommen. Das ist doch Beweis genug dafür, was Schweizer von Schweizer Politik halten. Bürgerrechte und liberales Denken wurden durch Prosperität ersetzt.

Ich warne vor der Utopie Schweiz.

Ich glaube nur an die Utopie der Aufklärung, nur an den Widerstand.

Das Leben erzählen

Wenn er anfängt zu erzählen, dann verlassen die Leute nach und nach den Tisch oder wenden sich ab und sprechen über etwas anderes, und meistens bin ich es dann, der das Pech hat, ihm zuhören zu müssen. Jemand muß ihm schließlich zuhören, und er ist ein freundlicher Mann und ein ruhiger und ein bedächtiger, und er schimpft über nichts und über niemanden. Er erzählt ganz langsam und gemütlich, als hätte er es von seinem Großvater auf der Ofenbank gelernt. Er erzählt, wie sie Äpfel geklaut haben beim Nachbarn und wo dessen Haus gestanden und wie er geheißen habe – »Nein, so hat er nicht geheißen, der Baumann war der auf der anderen Seite« –, und am Schluß der Erzählung war es dann doch nichts anderes, als daß sie Äpfel geklaut haben. Nicht einmal erwischt wurden sie, nicht einmal bestraft wurden sie.

Er ist ein fürchterlich ehrlicher Erzähler und ein grauenhafter Langweiler. Ich halte es kaum aus, ihm zuzuhören. Und wenn er endlich zum Schluß kommt, dann geht es gleich weiter: »Zwei Jahre später – also nicht genau zwei Jahre, sondern im April – wollten wir dann mit den Velos über den Gotthard – also der eine war nicht ganz ein Jahr älter als ich – nein, der, der im November Geburtstag hatte, war sein Bruder, der Paul – und wer hatte schon Geld damals und…«

Ich bezahle mein Bier, verabschiede mich – eine ganz dringende Verabredung.

Er ist nicht auszuhalten, ein fürchterlich schlechter Erzähler. Aber ein lieber Mensch, ein ehemaliger Beamter, seit Jahren pensioniert. Er lebt schon lange in dieser Stadt und paßt immer noch nicht in sie, und seine bäuerische Herkunft ist zum Schluß das einzige, was ihm geblieben ist.

Passiert ist in seinem Leben fast nichts als eben dasselbe, was den anderen passiert ist: Äpfelklauen und Radfahren und Fußballspielen und ein bißchen Armut und ein bißchen Glück mit dem Lehrmeister und ein bißchen Pech mit den Kindern – und immer von allem nur ein bißchen. Er war als Beamter auch nur ein bißchen autoritär, und er war auch sogar ein bißchen beliebt.

Ich schäme mich jedesmal, wenn es mir nicht gelingt, dem Langweiler zuzuhören. Es gelingt mir nie. Er hat doch auch – jetzt, da er bald achtzig ist – ein Recht darauf, eine Biographie zu haben, ein Recht darauf, ein Leben gelebt zu haben, auch wenn fast gar nichts Spektakuläres in ihm passiert ist. Er hat doch gelebt, als wir alle noch nicht lebten – und das ist doch auch etwas. Und wenn es auch heute noch Äpfel gibt, es waren eben doch ganz andere Äpfel damals. Sie erinnern an den kleinen Bub von 1920, kurz nach dem Ersten Weltkrieg, damals, als wir alle noch nicht lebten.

Ja, er hat wirklich fast nichts zu erzählen. Aber ein Recht auf ein Leben, auf ein ganzes gelebtes Leben hat er doch. Das wäre doch eigentlich schön, wenn wir fähig wären, uns gegenseitig erzählte Langeweile abzuhören.

Ich zum Beispiel würde dann folgende Geschichte erzählen: »Das muß etwa 1937 gewesen sein, ich war zwei-, dreijährig, da bin ich mit meiner Mutter in Luzern in die Stadt gegangen, und an der Ecke eines großen Hauses – ich weiß heute noch, wo – hat meine Mutter eine Frau getroffen und hat lange mit ihr gesprochen. Sie trug ein weißes Kleid und hatte einen weißen Pudel, und ich habe mich über sie geärgert, weil ich nicht wollte, daß die Mutter mit ihr spricht, und ich zog sie die ganze Zeit am Rock und habe getobt. Und da stand auch ein Buchsbaum, und ich habe Blättchen vom Baum gerissen und sie über meine Finger gestülpt.«

Das ist die Geschichte, eine langweilige Geschichte ohne jede Pointe, ohne Spannung. Sie ist überhaupt nicht erzählenswert. Aber ich hätte sie schon lange einmal erzählen wollen. Nun habe ich es getan. Nun habe ich Sie, liebe Leserin, betrogen, gelangweilt und ausgenützt.

Aber es mußte einmal sein, denn es ist die erste Geschichte meines Lebens, die erste, an die ich mich erinnere. Ich bin damals – so scheint mir – bei diesem Buchsbaum zu meinem Leben erwacht. Seit jener Geschichte bin ich eine Person, und wenn ich geschrieben hätte »die Blättchen über meine Fingerchen gestülpt«, dann hätte ich gelogen. Nein, es waren richtige Finger, dieselben, die ich heute noch habe, und es war ein richtiger Ärger, derselbe, den ich heute noch habe, und ich war ein richtiger Begleiter meiner Mutter. Und ich habe das Gefühl, daß ich damals genau derselbe war, der ich heute noch bin, und daß sich die Ärgergefühle in meinem Bauch überhaupt nicht verändert haben. Dies ist meine wichtigste Geschichte, weil es die erste meines Lebens ist.

Aber man kann sie nicht erzählen, denn sie ist langweilig. Sie ist mir eingefallen, weil ich eine Enkelin aufwachsen sehe und aufwachen sehe und sehe, wie sie ihre Finger entdeckt und Welt entdeckt. Und das ist sehr spannend, vor allem für sie. Leben entdecken – das eigentlich ist Leben.

Eigenartig, daß man genau das nicht erzählen kann und daß sich jener, der es versucht, lächerlich macht.

Luftputschi und Staatsanwalt

Es gibt keine Originale mehr, sagen die älteren Leute, und sie erzählen von Originalen, die es – damals – noch gab. Der eine wußte den ganzen Fahrplan auswendig, der andere ließ sich durch seinen Übernamen so rührend provozieren usw. usw.

Jetzt gibt es sie also nicht mehr. Warum eigentlich nicht? Jene, die davon sprechen, daß es keine mehr gibt, die tun so, als läge das an fehlenden Originalen. Ich behaupte, sie sind heute häufiger als damals. Nur ist niemand mehr bereit, sie als solche zu erkennen, ihnen den Ehrentitel Original zu geben.

Vor einiger Zeit ist in unserer Stadt ein Mann umgekommen, den jene, die ihn kannten, als Original empfanden. Ich hätte den, der ihm seinen Übernamen gab – »Der Staatsanwalt« –, gern kennengelernt. Es war ein wunderbarer Übername für den kleinen, dicken Mann auf Säbelbeinen, der stets eine dicke Mappe mit sich schleppte. Und in den paar Beizen, in denen er verkehrte, kannte man ihn unter diesem Namen.

Er ertrug es, wenn man ihn ein bißchen hänselte, und er ertrug es gleichzeitig ein kleines bißchen nicht. Er wollte ein bedeutender Mann werden, ein Schriftsteller zum Beispiel, und er sprach ab und zu davon, daß nach seinem Tode die Leute staunen werden. Er betrachtete damals die alten Zehnernoten und flüsterte mir zu: »Die werden staunen, wenn ich mal da drauf bin.« Aber das Schreiben hat er verschoben von Tag zu Tag – wer kennt das nicht? –, und eines Tages staunten die Leute wirklich: er stand am Tage nach seiner Ermordung wirklich in der Zeitung – und nicht nur im Lokalblatt, sondern in den Zeitungen des ganzen Landes.

Sein Tod machte mich traurig, und ich vermisse ihn. Und ich gebe zu, ich vermisse ihn nicht als persönlichen Freund, was er irgendwo auch war, sondern ich vermisse ihn als Umgebung, als Nachbarschaft. Er war jener, den wir kannten in der Beiz. Die Schläger und die Trinker, die Lauten und die Leisen, die Groben und die Sanften – er hat uns irgendwie verbunden.

Am Tag nach seinem Tod haben in der Stadt auch andere über diesen »Fall« gesprochen. Alle hatten es gelesen im »Blick«, und alle wollten nun wissen, wer das war, der Arnold Riesen, und ich sagte: »Der Staatsanwalt«, und niemand hatte je von ihm gehört. »Er war ein Original«, sagte ich, aber das glaubte man mir nicht – denn die Originale sind nur dann Originale, wenn alle sie kennen.

Das ist doch eigenartig, daß Originale immer durch Mehrheitsbeschluß sozusagen gewählt wurden. »Original« war früher einmal so etwas wie ein Amt. Man hatte mit dieser Bezeichnung einem Schwierigen, einem Arbeitsunfähigen, einem Andersseienden einen Platz zugewiesen in unserer Gesellschaft, und es gab damals auch noch Wirtschaften, wo alle zusammensaßen: die Kleinen und die Großen und die ganz Großen. Die ganz Großen zwar hinten an den weiß gedeckten Tischen, aber immerhin unter demselben Dach.

Inzwischen sind wir wieder eine Klassengesellschaft geworden, und die verschiedenen Kasten treffen sich unter verschiedenen Dächern, und nachdem die Großen in feinen Gesellschaften leben, fehlen ihnen die Originale. Sie könnten sie heute auch für nichts mehr brauchen, auch wenn sie sich beklagen darüber, daß es keine mehr gibt. Denn jene, von denen sie noch erzählen, die wurden von ihren Vätern und Großvätern »gewählt«, sie selbst sind für eine solche »Wahl« unfähig geworden. Wir leben nicht mehr zusammen, also haben nicht mehr alle unter einem Dach Platz.

Wenn mich meine Mutter als »Luftputschi« bezeichnete, dann war das negativ gemeint. »Du mit deinen Luftputschihänden«, das hieß: »Du mit deinen schmutzigen Händen«. Der Luftputschi war ein Original aus ihrem Dorf, und zwar offensichtlich eher ein negatives Original. Ich fand schon als Kind den Übernamen wundervoll: einer, der so verträumt und verwirrt ist, daß er an die Luft anputscht, anstößt – das hat mir sehr gefallen, und ich war gern ein Luftputschi.

Jenen hätte ich auch gern kennengelernt, der den Namen »Luftputschi« erfunden hat. Das muß ein sanfter Mensch gewesen sein, er hat dem Schmutzigen und Zornigen mit einem Namen einen Platz in der Gemeinde gegeben. Und auch jenen oder jene hätte ich gern kennengelernt, der oder die vor vielen, vielen Jahren die Bezeichnung

»Original« für solche Leute gefunden haben, eine zärtliche Bezeichnung für Leute, die ganz anders sind, eine Bezeichnung für Debile, für Wahnsinnige, für Arbeitsunfähige, für Asoziale. Es muß eine ganz andere Zeit gewesen sein als unsere. Sie war fähig, solche Leute als »Einzelstücke«, als »Originale«, als »Außergewöhnliche« zu bezeichnen und zu lieben. Es muß eine Gesellschaft gewesen sein, die noch zusammenlebte und die noch Platz hatte für alle.

Nur die sogenannten »Normalen« haben sich inzwischen geändert. Sie nämlich leben nicht mehr zusammen. Und weil sie nicht mehr zusammenleben, haben sie auch keinen Platz mehr für Originale. Aus den »Außergewöhnlichen« sind Ausgestoßene geworden.

Übrigens kenne ich jenen, der den Namen »Staatsanwalt« erfunden hat. Er ist ein Eigenartiger, und er gehört zu uns, und ich bin stolz darauf, sein Freund zu sein.

Hildas Geburtstagsfeier

Bald ist wieder der 1. August, das ist ein Datum, auf das ich mich freue. Nicht etwa, weil ich ein besonderer Patriot wäre, aber der erste August ist für mich eine schöne Kindheitserinnerung: man durfte aufbleiben, bis es dunkel wurde, ich bin mit meinem roten Lampion mit dem Schweizerkreuz zum Feuer gegangen, und man durfte richtige Zündhölzchen – die sonst verboten waren – anzünden, und es waren bengalische Zündhölzchen. Eigenartig, daß das Wort »bengalisch« etwas mit unserem Nationalfeiertag zu tun hat. »Bengalisch« ist für mich ein sehr, sehr schweizerisches Wort. (Inzwischen haben wir wohl auch Flüchtlinge aus Bengalen – wir müßten sie eigentlich sehr mögen.)

Der erste August ist der Geburtstag der Schweiz. Ich mag Geburtstage sehr – nicht meine eigenen, aber die der anderen. Es ist etwas Eigenartiges, so ein Datum wie zum Beispiel der 8. Mai 1938: die Frau, die damals geboren war, die hat wohl gar nichts mit dem Jahr 1938 zu tun. Sie wird sich nicht an 1938 erinnern, aber 8. 5. 1938 wird ein Leben lang ihre magische Zahl bleiben. Und das Fest zu ihrem 50. Geburtstag war wunderschön. Sie stand im Mittelpunkt, niemand wollte ihr das Fest versauen, es gab zu essen und zu trinken, Onkel Otto spielte endlich wieder einmal auf dem Schwyzerörgeli, alle brachten Kuchen mit, niemand suchte Streit.

Ich mag diese schönen runden Geburtstage.

In drei Jahren, am 1. August 1991, wird die Schweiz so einen schönen runden Geburtstag haben. 700 Jahre Eidgenossenschaft, das passiert nun wirklich nicht alle Jahre, das müßte nun wirklich gefeiert werden, einmalig und eindrücklich gefeiert werden – aber das Fest ist uns schon Jahre im voraus mißlungen. Seit Jahren gibt es Gruppen und Kommissionen mit Präsidenten und Aktuaren, mit Fachleuten und Professoren, die dieses Fest machen sollen. Nun hat man auch einen guten Mann gefunden – ich kenne ihn, er ist ein guter Mann –, der das ganze Fest organisieren soll. Ich selbst möchte dieser gute Mann nicht sein, mir würde zu diesem Fest nichts einfallen. Ich würde vor allem vor dem Geld erschrecken, das bis jetzt schon ausgegeben wurde. Es ist schon so viel Geld, daß das Fest nun wirklich ganz immense Dimensionen annehmen müßte, sollte das Ergebnis den Aufwand rechtfertigen.

Nein, mir würde nichts einfallen – oder doch?

Doch, ich habe einen Vorschlag: Man könnte doch all das Geld, das man in gescheiterte Projekte und aufwendige Pläne investiert – man könnte doch all das Geld, diese Millionen, in Feuerwerksraketen investieren, sie auf alle Gemeinden der Schweiz verteilen und dann alle am 1. August 1991 genau um 22 Uhr 30 zünden. Wir würden die Umrisse der Schweiz am Himmel sehen, ein immenses Feuerwerk!

Aber bevor jemand auf die Idee kommt, meine Idee ernst zu nehmen: ich muß sagen, daß ich selbst entschieden gegen diese Idee bin. Wir können doch nicht in einer Zeit des Hungers, der Flüchtlinge, der Kriege, der Drittweltländer, des Waldsterbens einfach für Millionen Raketen in die Luft schießen.

Also dann ein Tag der Besinnung. Wir besinnen uns an diesem Tag an die Werte unseres Landes, an die Pflichten der Bürgerinnen und

Bürger, an die Leistungen unserer Ahnen. (Nicht auszudenken, was
geschehen wäre, hätten wir aus dem 50. Geburtstag von Hilda – am
8. Mai 1988 – einen Tag der Besinnung gemacht. Das wäre doch keine
Geburtstagsfeier gewesen – selbst der Kuchen hätte nicht in die Besinnung reingepaßt.) Oder wir könnten eine große Parade machen
oder ein großes Theater oder Seminare über den Sinn der Schweiz,
wir könnten die Kunst fördern, wir könnten eine große Amnestie erlassen und die Gefängnisse öffnen, wir könnten für ein Jahr unsere
Grenzen öffnen oder wir könnten am 1. Januar 1991 die größte Mili-
tärparade der Welt machen, so etwas wie eine Generalmobilmachung
für einen Tag, und dann die Armee für ein Jahr sistieren, für ein Jahr,
nur für ein Jahr abschaffen.

Mir fällt dazu nur Blödsinn ein. Wie einfach war doch das Fest
unserer Hilda, aber wir mögen sie halt, unsere Hilda. Und sie hat richtig gestrahlt: uns ist ihr Fest gelungen, das machte ihr Fest so schön.

Aber ist es denn wirklich so unverzeihlich schlimm, wenn uns die
700-Jahrfeier mißlingt? Sie kann doch nur mißlingen. So gut wie die
Rede des Bundespräsidenten zum Beispiel sein müßte, so gut kann
eine Rede nämlich gar nicht sein. So eine gute Rede gab es in der Weltgeschichte noch nie. Der erste August 1991 wird nie so schön sein
können wie all die ersten Auguste meiner Kindheit. Ich mag den ersten August als Erinnerung an meine Kindheit, ich mag Geburtstage
wirklich. Es ist eigentlich sehr sympathisch, daß uns die Feier mißlingen wird. (Wir könnten zum Beispiel keine machen.)

Ich weiß übrigens, was passiert wäre, wenn uns die Geburtstagsfeier von Hilda mißlungen wäre. Wir hätten uns hinterher so geschämt, daß wir nie mehr mit Hilda gesprochen hätten, wir hätten
sie nicht mehr gemocht.

Die Seele des Kalifen

Es gibt die Geschichte vom Kalifen, der mit seinen Leuten durch die Wüste reitet und plötzlich vom Kamel steigt, sich auf den Boden setzt und sagt: »Wir müssen hier lange warten, wir sind zu schnell geritten, unsere Seelen sind nicht so schnell, und wir müssen hierbleiben, bis sie uns wieder eingeholt haben.«

Ich muß jedesmal daran denken, wenn ich fliege. Es gibt dann etwa die Schwierigkeiten mit dem Zeitunterschied. Ich bin gegenwärtig in Amerika, das ist weit weg von der Schweiz, einige tausend Kilometer, aber das sind auch nur acht Stunden. Zürich wäre von Solothurn aus in dieser Zeit leicht mit dem Fahrrad zu erreichen, sogar gemütlich und mit Pausen.

Ich fürchte mich nicht vor dem Fliegen, aber ich habe immer ein wenig das Gefühl von Unanständigkeit, wenn ich es tue. Ich bin in acht Stunden der Sonne um sechs Stunden vorausgeeilt. Der Kalif würde unter solchen Bedingungen wohl nicht mehr daran glauben, daß ihn die Seele je wieder einholen könnte.

Bin ich nun sechs Stunden von Solothurn entfernt? Oder acht Stunden? Oder Tausende von Kilometern? Ich weiß es nicht. Aber der Kalif hat recht, die Seele wird in den zwei Monaten wohl nie recht ankommen. Ich meine nicht die Schwierigkeiten mit dem Zeitunterschied. Ich meine auch nicht Heimweh – zwei Monate von all dem weg sein, was man gewohnt ist, das ist auch befreiend, und es gefällt mir hier. Es ist zwar ein eigenartiges Amerika oder eigentlich ein nicht eigenartiges Amerika, in dem ich hier lebe: in Vermont. Die grünen Berge von Vermont sehen aus wie unser Jura, ich erkenne die Hasenmatt, den Weißenstein. Hier hat offensichtlich derselbe Bergbauer gewirkt wie bei uns – ich meine mit Bergbauer jenen, der die Berge gebaut hat.

Und ich lebe hier in einer eigenartigen Situation: ich unterrichte an einer Sommerschule für Fremdsprachen. Man hört hier am College Chinesisch, Japanisch, Russisch, Spanisch, Italienisch und Deutsch, alles mit ein wenig amerikanischem Akzent – aber kein Wort Amerikanisch. Die Studentinnen und Studenten unterschreiben ein Versprechen, sieben Wochen nur die Fremdsprache zu sprechen, keine englischen Zeitungen zu lesen, kein Radio zu hören, kein Fernsehen zu schauen. Man sieht zwei amerikanische Studentinnen, die privat zusammen deutsch reden mit Hilfe von zwei Wörterbüchern. Die eine sucht ein deutsches Wort, sagt es, und die andere sucht in ihrem Wörterbuch, was es heißen könnte auf englisch. Alle halten sich an dieses Versprechen. Sie leben ohne Nachrichten, ohne Weltgeschehen, ohne Sportresultate. Das ist fast unmenschlich, und ich habe nun damit begonnen, früh am Morgen die New York Times zu lesen und die Studenten über das Wichtigste auf deutsch zu orientieren.

Und genau da beginnt die Schwierigkeit mit der Seele des Kalifen. Ich kann plötzlich die Wichtigkeit der Meldungen nicht mehr richtig einschätzen. Ich lese von China, und ich lese von Gorbatschow, ich lese von Tennis und kann es auch sehen am Fernsehen, ich höre von der Tour de France und von Südafrika, und alles ist weit weg – alles ist genausoweit weg wie die Schweiz. Die Nachrichten sind genau dieselben wie die, die man in der Schweiz hat, aber mir fehlt die Stimmung, sie einschätzen zu können, mir fehlen die Stimmen – die Stimmen und Meinungen meiner Freunde zum Beispiel. Es ist nicht etwa die Distanz zwischen China und hier, die die Aktualität relativiert – es ist nur die Distanz zwischen hier und der Schweiz.

Ich höre hier auch den Schweizer Kurzwellensender. Ich staune, daß mein kleines Taschenradio den Empfang schafft, ein technisches Wunder. Alina Kunz spricht in Bern in ein Mikrophon, und ich höre das hier. Ich verpasse fast keine Sendung, aber die technische Faszination überschattet die wirklichen Nachrichten. Ich höre nur Radio – Radio Schweiz International – und nicht eigentlich die Nachrichten. Ich glaubte zuerst, daß die Nachrichten schlecht gemacht sind. Inzwischen weiß ich, daß sie von hier aus nicht richtig einzuschätzen sind.

Fremd sein, ein Fremder sein, das heißt auch außerhalb der Aktualität leben. Es würde mich nicht wundern, wenn sich das nur auf schweizerische Aktualität beziehen würde – aber eigenartigerweise bezieht es sich auf alle Aktualität, auf das ganze Weltgeschehen.

Daß die Schweizer Aktualität ein bißchen kleiner wird, das ist fast befreiend. Ich freue mich darüber, daß ich hier erklären muß, wo Solothurn liegt – es wird so schön klein und unbedeutend dabei, jenes Solothurn, das mir sonst dauernd so nah auf der Haut ist. Aber wenn mir Solothurn nicht auf der Haut ist, dann ist es die Weltaktualität auch nicht mehr.

Die Heimatlosen leben außerhalb der Aktualität.

Ich habe meine Heimat dort, wo ich die Aktualität einschätzen kann. Nur zu Hause ist die Aktualität hautnah. Das hat mit Patriotismus nichts zu tun. Aber wer Heimat verliert, verliert auch sein Verhältnis zur Welt.

Der Glücklichste

Radio-Nachrichten vom 30. Juli 1988: von morgens früh bis abends spät jede Stunde derselbe Satz, der eigentlich nicht so recht zu den übrigen Nachrichten passen wollte: »Der Glücklichste dürfte der sein, der im vergangenen Jahr 4,5 Millionen gewann.«

Es ging dabei um den Jahresbericht der Lotto-Gesellschaft. Das Wort »dürfte« hat mir so gefallen, es ist so sanft und zögernd, und daß der Gewinner wirklich der Glücklichste ist, das bleibt eine Vermutung – und daß es nur eine Vermutung war, das ließ den Satz so aus dem ganzen Nachrichtentext herausfallen. Ich bin im Verlaufe des Tages richtig süchtig geworden auf den Satz, verpaßte die Nachrichten Stunde um Stunde nicht und hörte den Satz von verschiedenen Stimmen gesprochen und betont immer wieder: »Der Glücklichste ...«

Und ich stellte mir vor, wie er – der Glücklichste – selbst am Radio saß und sich seinen Satz anhörte und vielleicht Ärger hatte mit einem Aktienpaket, auf dem er hunderttausend verlor, mit einem Mieter, der nicht bezahlt, mit einem Sohn, der die Lehre aufgibt, mit einer Frau, die ihn nicht sehr liebt und lieber eine Jacht möchte. Aber er ist jetzt der Glücklichste, und sein Unglück fällt nicht mehr ins Gewicht. Man beneidet ihn, also darf er nicht mehr klagen.

»Geld macht nicht glücklich, aber es beruhigt«, sagt man. Ob das bei soviel Geld auch noch so ist? So viel Matratzen, die man damit kaufen könnte, bringen wohl doch nicht einen gesunden Schlaf.

Da hat der Nachrichten-Redaktor vielleicht etwas verwechselt. Er wollte wohl schreiben: »Am meisten Glück gehabt hat jener, der 4,5 Millionen gewann.«

Die Formulierung »Glück gehabt« ist eigenartig, denn das ist immer Vergangenheit. Man hat es, und es ist vorbei, im gleichen Augenblick sozusagen.

Kürzlich hatte ich Glück: ein fürchterlicher Sturz mit dem Velo, und ich hatte nicht die geringste Verletzung. Das Velo sah ziemlich bös aus und mußte repariert werden. Ich hatte Glück, und ich hätte jetzt Grund genug, glücklich zu sein. Aber es ist alles wie vorher – dieselben Sorgen wie vorher. Hätte ich Unglück gehabt und mich schwer verletzt, es wäre jetzt nichts mehr wie vorher. Ich könnte immer noch im Spital liegen, bemitleidet werden und mich selbst bemitleiden. Es wäre alles ganz anders, wenn ich Unglück gehabt hätte. Aber weil ich Glück gehabt habe, ist immer noch alles gleich. Sogar die Brille habe ich eine Stunde später am Sturzort gesucht und wiedergefunden, und sie war noch ganz – ich hatte Glück.

Es ist doch sehr eigenartig, daß »Glück haben« nicht glücklich macht, aber »Unglück haben«, das macht unglücklich.

Hans im Glück hat in einem Märchen sein Gold gegen eine Kuh, seine Kuh gegen einen Esel, seinen Esel gegen – usw. eingetauscht, und er war am Schluß glücklich. Glück gehabt aber haben all jene, die mit ihm getauscht haben. Die haben ein gutes Geschäft gemacht und waren jetzt reicher.

»Glück haben« und »glücklich sein« ist nicht dasselbe. Aber die Lottospieler spielen nicht etwa, um Glück zu haben, sondern um glücklich zu sein – da sind sie offensichtlich im falschen Spiel. Glück haben ist immer sehr kurz: das waren nur etwa zwei Sekunden, als ich Glück hatte bei meinem Sturz mit dem Fahrrad.

Ich könnte jetzt eigentlich ein Leben lang nichts tun und nur noch glücklich sein darüber, daß ich noch lebe und mir nicht das Genick gebrochen habe. Ich könnte herumgehen und allen sagen, ich lebe noch, das macht mich glücklich. Und wenn mich einer fragen würde, wie es mir gehe, dann würde ich sagen: »Ich bin glücklich!«

Dann würde der andere sagen: »Aber das Waldsterben und die Arbeitslosen und das Ozonloch und die Flüchtlinge und Nicaragua und die Neonazis und die Zukunft und die Zukunft und die Zukunft« – und ich würde mich schämen, glücklich zu sein und nichts zu tun.

Einem König, wieder im Märchen, der sehr unglücklich war, wurde empfohlen, das Hemd eines Glücklichen zu tragen. Er schickte seine Knechte aus, den Glücklichsten im Lande zu suchen (»Der Glücklichste dürfte der sein, der im vergangenen Jahr 4,5 Millionen gewann«), aber als die Knechte ihn fanden, da besaß er kein Hemd: eine schöne Geschichte, mir hat sie sehr gefallen als Kind.

Aber wir leben nicht so. Wir haben uns alle darauf eingelassen, nur noch darauf eingelassen, Glück zu haben. »Glücklich sein«, das haben wir hier und heute längst aufgegeben. Der Glücklichste ist nur noch der, der »Glück gehabt hat«, das ist zuwenig. Und jener, der 4,5 Millionen gewonnen hat, wird längst gemerkt haben, daß 4,5 Millionen zuwenig sind.

Wohnen im Gewohnten

Der Veranstalter einer Lesung in Deutschland sagte mir am Telefon: »Sie wohnen im Schwarzwälderhof.«

So sagt man halt das auf deutsch. Aber in mir bäumt sich etwas auf, wenn ich das höre. Ich kenne die Hotels und hatte noch nie die Absicht, in einem Hotel zu wohnen. Nein – ich weigere mich, ich werde im Schwarzwälderhof nicht wohnen, ich werde nur im Schwarzwälderhof sein, ich werde dort nur übernachten.

Wohnen ist etwas ganz anderes, wohnen ist das Gewohntsein. Wo ich meine Gewohnheiten habe, da wohne ich – da, wo ich die Gewohnheit habe, mich in der Küche nach rechts zu bücken, wenn ich was zu essen suche, nach links auszustrecken, wenn ich einen Tel-

ler brauche. Sehr wahrscheinlich ist meine Küche auch falsch organisiert, aber genau das macht sie zu meiner Küche, ich bin es so gewohnt.

Als vor dreißig Jahren die alte Mostwirtschaft in der Stadt abgerissen wurde – eine Wirtschaft, in der nur noch ein paar Trinker
saßen, die ihr rotes Taschentuch um den Hals legten, in die rechte
Hand den einen Zipfel und das Schnapsglas, in die linke Hand den
anderen Zipfel nahmen und so das Glas langsam hochzogen, um
das Zittern der Hand zu überlisten: als ihre Wirtschaft abgerissen
und durch ein neues Restaurant ersetzt wurde, da kamen in den ersten Tagen noch zwei, drei jener Trinker und suchten im ganz anderen
Restaurant den Ort, wo sie vorher saßen – den exakten geographischen Punkt sozusagen, dort, wo vorher der Ofen stand, und sie versuchten, am selben Ort zu sitzen.

In Biel gibt es ein Haus aus Glas und Stahl mit einem ganz kleinen Messingschild hoch oben. Darauf steht, daß Robert Walser hier
gelebt habe – genau an diesem Ort und genau auf dieser Höhe.

Ich kannte eine alte gebückte Frau, die sich an jedem schönen Tag
unter einen uralten Birnbaum setzte, der keine Früchte mehr trug.
Sie setzte sich unter ihren Birnbaum, der einmal vor einem Bauern-
haus stand. Inzwischen stand er auf einem Parkplatz, mitten zwischen
den Autos, am selben Ort wie vor fünfzig Jahren – am selben Ort?

Kürzlich sagte mir ein Auswärtiger, daß Solothurn sehr »heimelig«
sei. Er gehe gern durch diese Stadt mit den schönen Häusern, den Fensterläden und den Geranien vor den Fenstern. Ich hatte Mühe, ihm
die Wahrheit zu sagen. Denn mit »heimelig« meinte er ja nichts anderes als wohnlich. Wo es Fensterläden gibt und Geranien, da wohnt
jemand.

Ich sehe das auch so, wenn ich durch andere Städte gehe. Aber
»wohnen« wird in unseren Städten nur noch an den Fassaden nachgeahmt. Man wohnt in diesen Städten nicht mehr. Der Boden ist zu
teuer zum Wohnen, auf diesem teuren Boden kann man nur noch
Geld verdienen, wohnen kann man da nicht mehr.

Es ist noch nicht lange her, da war die Altstadt jener Teil der Städte,
wo die alten Häuser standen, die unbequemen und engen Häuser,

und in den Altstädten wohnten die Armen. Das Wort »Altstadt« meint heute etwas ganz anderes. Es meint nur noch Fassadenmuseum, und da und dort bezeichnet man dieses verlogene Museum als den »historischen Kern« und vergißt dabei, daß der historische Kern einer Stadt einmal etwas ganz anderes war. Es war die Idee, zusammen zu wohnen, sich mit einer Mauer zu schützen. Unsere Städte sind gar keine mehr. Sie tun nur noch so. Und die Mauern haben die Städte nicht geschützt. Wir haben unsere Städte verkauft.

Aber immer noch gibt es Leute, die entsetzt sind, wenn ein Metzger seinen Laden schließt und eine Boutique einzieht oder ein Schuhladen, denn Boutiquen und Schuhläden haben wir inzwischen genug. Ein Ladenbesitzer hat mir kürzlich erzählt, es sei eigenartig, immer wenn wieder einer mehr eröffne, steige sein Umsatz.

In einer Stadt früher wäre das wohl nicht so gewesen. Aber heute sind das keine Städte mehr, das sind nur noch Einkaufszentren, und der neue Laden lockt neue Kunden ins Zentrum. Davon profitieren die alten Läden auch.

Städte sind mehr und mehr nichts anderes als Einkaufszentren geworden wie jene schrecklichen Hallen, die irgendwo auf dem Land stehen. Aber es sind Einkaufszentren in einem historischen Rahmen, sie tun so heimelig und wohnlich.

Ich glaube, nichts ist dem modernen Menschen in unserer Gegend so sehr mißlungen wie das Wohnen. Wir sind es nicht mehr gewohnt. Und nicht nur unsere Städte ahmen Wohnen nur noch nach, wir alle wohnen nicht mehr so recht und sind dauernd darum bemüht, Wohnen nachzuahmen – schönes, gemütliches altes Wohnen. Möbelhauskataloge bieten diese Nachahmung an. Daß uns das Wohnen nicht mehr gelingt, das scheint mir allerdings ein Schaden zu sein, der nie mehr wiedergutzumachen ist. Wir haben uns in den letzten dreißig Jahren endgültig entwohnt.

Und nur noch in der Beiz, in der kleinen Beiz, erlebe ich nostalgisch noch ein bißchen städtisches Wohnen, ein bißchen Zusammenrücken. Die Beiz aber steht auf demselben teuren Boden und wird morgen, übermorgen schließen.

Die eigene Meinung

Er habe seine eigene Meinung über Korea, sagt jemand, er gebe nichts
auf Zeitungen, Radio und Fernsehen. Er könne sich seine Meinung
schon selbst bilden.

Ich stehe ihm etwas hilflos gegenüber, ich kann ihm kaum antworten. Ich war vor zwei Jahren in Korea, fast zwei Monate lang, und
ich habe dort gearbeitet, in Schulen und Universitäten, und ich habe
mit Leuten gesprochen, mit Studenten, mit Lehrern, mit Europäern,
die schon lange dort leben. Hätte ich aber Korea nur gesehen, hätte
ich nur zugehört und Fragen gestellt, ich wüßte wenig.

Ich könnte sagen, Korea ist schön, Seoul ist sauber, die Leute sind
freundlich, die koreanische Küche ist gut: das könnte ich sagen. Korea hat mich aber beeindruckt. Das meine ich nicht nur positiv: hinter der strahlenden Fassade gibt es viel Schreckliches. Es blieb mir
nichts anderes übrig, als mit Lesen zu beginnen. Und was ich heute
ein bißchen weiß über Korea, das habe ich alles gelesen und gelernt.

Nein, ich will hier nicht über Korea schreiben. Ich habe im Vor-
feld der Olympischen Spiele verschiedene Anfragen von Zeitungen
bekommen, ob ich nicht etwas darüber schreiben möchte. Ich habe
das nicht getan, denn ich habe zuviel darüber gelesen, und ich weiß
zuwenig. (Ich halte es, nebenbei, immer noch für ein Verbrechen, in
diesem Land Olympische Spiele durchzuführen – aber nur nebenbei.)
Richtig gelernt, das ist mein Stolz, habe ich nur, koreanische Buchstaben zu lesen und zu schreiben. Ich kann zwar kein Wort Koreanisch, immerhin, die Buchstaben kann ich. Und von der grauenhaften
Politik Koreas habe ich auch gehört und von der grauenhaften Unterdrückung der koreanischen Frau.

Aber ich bin kein Fachmann. Alles, was ich weiß über Korea, das
habe ich gehört und gelesen. Ich war zwar zwei Monate da, aber ein
Land, eine Politik, ein Leben sehen – das kann man gar nicht.

Ich weiß zuwenig.

Und nun sitzt mir einer gegenüber, der seine Meinung hat über
Korea und der von sich sagt, daß er dem Radio, dem Fernsehen, den

Zeitungen nicht glaubt. Er lese die Zeitungen kaum, sagt er, aber er habe schon seine Meinung.

Die Zeitungen sollte man alle verbieten, sagt ein anderer am Tisch (er sagt das in der Schweiz, in einem demokratischen Land). Die Zeitungen manipulieren nur. Diese zwei Begriffe kennen die beiden: »Eigene Meinungsbildung« und »Manipulation«. Sie sind überzeugt, daß sie alles, was sie wissen, von innen heraus wissen. Sie sagen, zum Beispiel, daß sie über den Trainer der Eishockey-Nationalmannschaft ihre absolut eigene Meinung hätten und daß sämtliche Sportjournalisten nur Blödsinn darüber schrieben.

Woher wissen sie überhaupt, wie er heißt, was er für Marotten hat und was für Stärken?

Ich wußte zwar schon vor zwei Jahren, wie man Seoul ausspricht. Ich wußte auch, daß das in zwei Jahren, mit den Olympischen Spielen, alle wissen werden. Aber inzwischen behaupten alle, man hätte das schon immer so ausgesprochen, nur am Radio sei es früher falsch gesagt worden.

»Wir haben uns unsere eigene Meinung gemacht – wir brauchen keine Journalisten.«

Im Augenblick lebt die ganze Schweiz in Südkorea. Und wie das ist mit Südkorea, das ist allen klar. Deshalb ist es für mich, weil ich mal da war, ziemlich schwer, unter all den Sachverständigen zu sitzen. Ich selbst könnte diese Zeilen nicht schreiben, wenn ich es nicht gelernt hätte. Ich habe auch nur gelernt, daß eine Diktatur etwas Schlimmes ist. Nicht mein Herz weiß das, sondern mein Kopf, und mein Kopf hat alles nur gelernt. Jedes Wort, das hier steht, hat er gelernt.

Korea hat jedenfalls vor zwei Wochen noch nicht zur eigenen Meinung der beiden in der Beiz gehört. Inzwischen tun sie so, als hätten sie eine eigene Meinung. Ich staune darüber und erschrecke. Nicht einmal meine »eigene« Meinung über die Schweiz, über Solothurn, über Bellach, ist meine eigene. Ich habe nicht nur hier gelebt und geschaut, sondern ich habe auch gehört und gelesen darüber.

Aber nun gut. Soll man wirklich den beiden die Schuld dafür geben, daß sie so sehr von ihrer eigenen Meinung überzeugt sind? Oder ist es nicht viel eher das Versagen von Fernsehen und Presse und Boulevardpresse, die so lange nur »Bildchen« liefern – auch geschriebene Bildchen –, daß jeder glaubt, er sei selbst in Korea und hätte seine Meinung schon. Und wenn man ihn dann endlich orientieren möchte, dann weiß er bereits mehr, weiß zum Beispiel seit Jahren, daß der Nationaltrainer nichts taugt, und ist überzeugt, daß er das nicht von den Medien weiß.

Der bewaffnete Kindergärtler

Er hatte seinen Übernamen aus dem Kindergarten, und später erkannte wohl niemand mehr seine ursprüngliche Bedeutung. Wir nannten ihn »Chnüppu«, was zwei Bedeutungen haben kann, nämlich »Knoten« oder »Knüttel«. Als er größer und lauter wurde und uns oft terrorisierte, da dachte man wohl eher an »Knüttel«, wenn man ihn so nannte, und er begann, seinen Übernamen zu lieben, weil er ihm den Schein von Größe und Macht gab.

Im Kindergarten aber noch verprügelte er uns, wenn wir ihn so nannten, denn ursprünglich hatte sein Übername die Bedeutung von »Knoten«. Denn oft saß er vor oder nach dem Kindergarten auf dem kleinen Bänkli, versuchte verzweifelt, seine Schuhe an- oder auszuziehen, und schrie: »Frölein, Chnüppu!« Die Kindergärtnerin wollte ein »Bitteschön«, ein »Würden Sie vielleicht« oder so etwas, aber das konnte er nicht, das hatte er nicht gelernt. So saß er dann eine halbe Stunde da, weinend und tobend, und schrie sein »Frölein, Chnüppu!«

Auf dem Heimweg aber war er unser Anführer, groß, stark und gefürchtet. Und weil er so groß und stark war, waren wir es auch.

Er war auch jener, der uns erklärte: »Wenn ein böser Mann kommt, dann muß man nur mit der rechten Hand an die Gesäßtasche greifen, dann glaubt der, man hätte eine Pistole, und dann fürchtet er sich und tut einem nichts.«

Und das taten wir, und es nützte immer wieder, und wir zweifelten nicht daran – kleine Kindergärtler, die glaubten, daß jemand daran glauben könnte, daß sie schwer bewaffnet sind. Ich erinnere mich, wie einmal – als wir alle so die Hand auf der Gesäßtasche hatten – ein Erwachsener zufällig auf die andere Straßenseite wechselte: das war uns Beweis genug.

Seit uns Chnüppu diesen Trick beigebracht hatte, von da an ist uns wirklich nie mehr etwas passiert. Keiner von uns hätte daran gedacht, daß uns auch vorher nie etwas passiert war – ganz einfach deshalb, weil uns auf der Straße nur gewöhnliche und meist freundliche Menschen begegneten. Seit wir aber »bewaffnet« waren, begegneten wir nur noch Gangstern und Verbrechern und Räubern und Agenten – und wir kamen wirklich durch, wir bestanden ein ganzes Jahr lang den Schulweg siegreich.

Wollen wir jetzt über Landesverteidigung sprechen? Nein, das wollen wir nicht, das wäre zu einfach, und wer es tun will, kann es selbst tun. Auch darüber, daß »Chnüppu« eine Memme war, einer, der nicht einmal die Schuhe binden konnte – auch darüber gibt es nicht viel zu sagen, höchstens, daß es wohl selbstverständlich ist, daß sich die Feiglinge gut als Führer eignen. Was mich erschreckt, ist nur, daß ich als Sechsjähriger eine »Waffe« trug.

Ein ehemaliger und reuiger Terrorist, der jahrelang im Untergrund lebte und auf der Flucht, hat einmal in einem Interview gesagt, daß er gelernt habe, auf der Straße jedem Menschen anzusehen, ob er eine Waffe trage. Er könne zwar nicht beschreiben, wie die gehen, aber die gingen ganz anders als Unbewaffnete, weil sich kein Mensch je daran gewöhnen könne, eine Waffe zu tragen, und weil keiner, der eine trägt, nicht dauernd daran denken müsse.

Liegt es vielleicht daran, daß einer, der eine Waffe trägt, auch Feinde haben muß? Wir kleinen Kindergärtler jedenfalls hatten Feinde, nur noch Feinde, und wenn wir auch wußten, daß Chnüppu ein mieser Schwächling war, wir waren trotzdem stolz, so stark zu sein wie er. Die Straße gehörte uns.

Und selbstverständlich griffen wir nicht an unsere Gesäßtaschen, wenn Herr Benz oder Herr Zwahlen oder Herr Moor vorbeigingen. Die kannten wir ja, und die grüßten wir freundlich, das waren unsere Nachbarn.

Und in Wirklichkeit hat Chnüppu nicht gesagt »Wenn ein böser Mann kommt«, sondern er hat gesagt »Wenn ein fremder Mann kommt«, und diese Formel – ein Fremder – war uns bereits als Warnung bekannt. Die Mutter hatte immer vor Fremden gewarnt. Was hätte sie sich wohl gedacht, hätte sie gewußt, daß ihre kleinen, netten Kinder bereits »schwer bewaffnet« sind, daß sie bereits so gehen, wie das der ehemalige Terrorist beschrieb, daß ihre Kinder Unschuld und Sanftmut bereits aufgegeben haben.

Chnüppu ist wohl wie ich inzwischen über fünfzig. Ich weiß nicht, wo er wohnt, ich weiß nicht einmal mehr, wie er in Wirklichkeit hieß, aber ich frage mich ab und zu, ob er wohl seine »Pistole« immer noch in seiner Gesäßtasche trägt. Und während ich das geschrieben habe, habe ich oft an meine Gesäßtasche gegriffen; mir scheint, da ist immer noch was drin.

Könnte es sein, daß ich nach dem Kindergarten vergessen habe, die »Waffe« aus der Tasche zu nehmen? Könnte es sein, daß uns nur diese »Waffe« so vorschnell fremdenfeindlich sein läßt? Wer eine Waffe hat, braucht Feinde, und ich möchte gern wissen, was Chnüppu heute von Fremden denkt – von Asylanten zum Beispiel.

Was halten Sie von der Welt?

In der Eisenbahn sagt mein Nachbar plötzlich: »Sagen Sie mal, kommt das oft vor, daß man Sie erkennt und daß Sie angesprochen werden?«

Ich weiß nicht, was ich antworten soll. Soll ich sagen »Oft«, oder soll ich sagen »Selten« oder »Nie«; ich bin etwas verlegen, aber ich möchte freundlich sein.

Das fällt mir bei seiner nächsten Frage noch schwerer. Er sagt: »Sagen Sie mal – wenn Sie schon da sind – was halten Sie von der Welt?«

Auf diese Frage gibt es allerdings wenig zu antworten. Ich bleibe bei einem »Ja, schon – schwierig, schwierig« stecken, und das ist sein Stichwort. Er beginnt nun loszuschimpfen auf diese Welt: die

Langhaarigen, die Drogensüchtigen, die Hascher, die Asylanten. Ich versuche, beim Stichwort »Drogen« von den Schweizer Banken zu sprechen, die Geld waschen für die Drogenhändler, aber davon will er nichts wissen. Gegen Geld hat er gar nichts, und gegen Geld, das mit Drogen verdient wurde, hat er wohl auch nichts – vielleicht nicht einmal etwas gegen die Drogen, nur gegen die Drögeler und die Dealer.

Wenn mich jemand fragt »Was halten Sie von der Welt«, dann verstehe ich das als politische Frage oder als wirtschaftliche oder als gesellschaftliche. Davon will er nichts wissen. Sein Problem ist nur die sogenannte »heutige Jugend«, und den Namen Kopp erwähnt er auch – da sei er nun allerdings dafür, daß das aufgeklärt werde. Ich sage ihm, daß ich jetzt nicht Kopp gemeint hätte, sondern die Schweizer Banken und die Schweizer Gesetze und das Schweizer Verständnis von Moral, von Legalität. Ich möchte mit ihm über Politik sprechen, aber er sagt nur, in seiner Familie käme das nie vor – das mit den Drogen, da werde er persönlich dafür sorgen.

Ich frage ihn nicht, wie er das persönlich machen würde. Aber ich finde seine Sicherheit, daß er das könnte, brutal – ebenso brutal wie die Sicherheit der Banken, die das auch können, die nur mit der Ware »Geld« umgehen und nicht wissen müssen, mit was für Waren dieses Geld verdient wurde. Das heißt nichts anderes als unmoralisch handeln. Und der Einwand der Banken ist berechtigt, sie handeln legal, und sie glauben, daß legal handeln und moralisch handeln dasselbe seien.

Was denkt eigentlich ein höherer Bankangestellter, der Drogenprobleme in seiner eigenen Familie hat? Ich möchte ihm hier nicht auf der Seele rumtreten, er hat es schwer genug, und ich meine nicht, daß er seinen Job verlassen müßte. Aber was sein Sohn oder sein Enkel tut, das ist illegal: was der Bankbeamte tun muß, das ist legal. Die reichen Kunden auf seiner Bank sehen nicht so aus wie sein drogenabhängiger Enkel, das sind gepflegte Geschäftsherren mit Umgangsformen. Der Bankbeamte wird nie einsehen dürfen, daß das Geld, das er in Empfang nimmt, jenes ist, das sein Enkel bitter zusammengedealt hat.

Lassen wir mögliche Steuerhinterziehungen für einmal beiseite. Ich traue Herrn Kopp zu, daß er sich in und an den Rändern der Legalität bewegt; schließlich kann er nichts dafür, wenn mitunter auch Unmoralisches legal ist. Dafür sind ganz andere verantwortlich, die Politiker und auch die Justizministerien – ein Interessenkonflikt also? Ja, ein Interessenkonflikt zwischen Moral und Legalität.

Schade, daß man nur deshalb immer so viele Gesetze erlassen muß, weil Legalität und Moral verwechselt werden. Schade, daß die Justizministerin Kopp das ihren Freunden nicht auf anderen Wegen beibringen kann. Sie wird also das Gesetz erlassen, und ihr Mann wird sich bestimmt daran halten – viel staatlicher Aufwand für eine private Sache.

Denn viel schlimmer an der Sache ist, daß unsere Banken wieder einmal schön sauber dastehen. Niemand spricht von ihrem Verständnis von Moral und Legalität. Wir haben einen Namen gefunden, und die Schweiz ist in Ordnung. Das politische Problem ist weg, es ist nur noch ein persönliches.

In der Schulkommission in Lommiswil vor dreißig Jahren saß ein Mann namens Noth, er war ein politischer Hitzkopf und Aktivdienstpatriot und noch viel mehr. In jeder Sitzung hat er sich wortreich darüber aufgeregt, daß die Schüler rauchen. Nun hatte er aber ein Lädeli, in dem man einzelne Zigaretten kaufen konnte.

Ich sagte also: »Sie müssen nur aufhören, einzelne Zigaretten zu verkaufen«, und er sagte: »Genau deshalb weiß ich doch, daß die Schüler rauchen.«

»Also lassen Sie es«, sagte ich.

Und er sagte: »Geschäft und Schulkommission sind zwei Dinge.«

Ich fand das damals unmöglich. Inzwischen weiß ich, daß ich im Unrecht war.

Drogen und Geld, das sind auch zwei Dinge. Der Bankbeamte und sein sterbender Enkel, das sind auch zwei Dinge, und sie sind schon äußerlich recht gut voneinander zu unterscheiden. Denn immerhin sind jene, die Geld haben, gepflegt, und sie haben Kultur. Was für eine Kultur?

Die Männer der Frauen

Einer sagt: »Die werden keine Frau mehr wählen«, und ich frage zurück, ob er meine, daß sie jetzt keine Frau wählen werden oder überhaupt nie mehr.

Nein, es werde gar nie mehr eine Frau gewählt werden, meint er, man habe ja jetzt gesehen, was da passiere.

Dann sagt er noch zögernd: »Ja, vielleicht in vielen Jahren wieder einmal, aber die muß dann ledig sein.«

Er verlangt also das Zölibat für Bundesrätinnen. Es macht den Männern offensichtlich Schwierigkeiten, daß die Frauen verheiratet sind, nämlich mit Männern verheiratet sind. Männer sind jedenfalls nicht mit Männern verheiratet, das unterscheidet sie von Frauen.

Er sagt: »Das würde jedesmal dasselbe sein mit einer verheirateten Frau im Bundesrat. Die würde das immer ihrem Mann sagen, und der würde dann immer Geschäfte machen.«

Das glaubt er wirklich, und ich streite mit ihm. Aber es ist nutzlos. Er kann sich Frauen in der Politik nicht vorstellen, weil diese Frauen Männer haben oder Männer haben wollen oder keine Männer haben wollen: das ist für ihn alles dasselbe. Nein, ich kann und ich will ihn nicht verstehen.

Ein paar Stunden später – immer noch am Tage des Rücktritts der Bundesrätin – treffe ich einige ältere Herren an einem Stammtisch, und die behandeln das Thema bereits etwas fröhlicher, nämlich frivol. Es ist unnötig, hier wiederzugeben, was sie erzählten, halt etwa so das, was Männer erzählen: jedenfalls keineswegs unglücklich darüber, daß man die Frau wieder weghat.

Aber dann schimpfen sie doch noch laut und hart über den Ehemann der Zurückgetretenen, erwähnen seine möglichen Steuerhinterziehungen, und der, der am lautesten schimpft, ist nicht nur ein Mann, der Geschäfte macht, sondern auch ein Geschäftemacher. Es ist anzunehmen, daß er das mit den Steuern auch kennt. Ich sage, daß er wohl jedenfalls nicht geeignet wäre als Ehemann einer Bundesrätin, und er nimmt das fröhlich entgegen und sagt: »Das wird mir auch nicht passieren.« Dann schneidet er noch ein bißchen auf mit seinem Reichtum und sagt noch, daß einer, der so wenig verdiene wie ein Bundesrat, ohnehin nichts tauge.

Dann wird das Thema gewechselt.

Ich denke jetzt wieder an jenen, der gesagt hat, man könne keine Frauen wählen, weil sie mit Männern verheiratet seien. Nach dem Gespräch mit den Herren Männern bin ich gar nicht mehr so sicher, ob er nicht zufällig fast recht hatte. Und ich überlege nun bei jedem, den ich sehe, bei jedem Aufschneider, bei jedem Aufsteiger, bei jedem Kraftprotzen, bei jedem Trinker, bei jedem Geschäftsmann überlege ich, ob er geeignet wäre zum Ehemann einer Bundesrätin. Ich habe bis jetzt noch keinen gefunden, mich eingeschlossen, der geeignet wäre.

Eigenartig ist nur, daß einige unter ihnen trotz fraglicher Geschäfte und fraglicher Moral geeignet wären zum Bundesrat – nur zum Bundesratsgatten nicht. Denn es ist wohl ein Unterschied, ob ein Bundesrat einen befreundeten Geschäftsmann warnt oder eine Bundesrätin ihren Mann. Es ist ein Unterschied, ob ein Bundesrat unter seinen Freunden Steuerhinterzieher hat oder ob das den Mann einer Bundesrätin betrifft.

Die Frauen brechen das Spiel der Männer auf, das ist alles. Ohne sie hat es nämlich blendend funktioniert, das Spiel mit Korruption und Indiskretion, mit freundschaftlichem Hinweis, mit Steuertricks und mit augenzwinkernden Geschäften, mit Anwälten und Verwaltungsräten – nur eben, verwandt dürfen sie nicht sein, nur befreundet. Die Bundesräte haben zwar auch Frauen, aber diese gehören nicht in die Männerwelt – in jene Männerwelt, zu der die Bundesräte und ihre Freunde gehören. Der Mann der Bundesrätin aber gehört in diese Welt der geschäftemachenden Männer. Sein Stil unterscheidet sich nicht so sehr von anderen Stilen. Nur tun jetzt alle so, als wäre er der einzige. Er hat das Spiel verraten dadurch, daß er ungeeignet war als Ehemann einer Bundesrätin.

Ob wohl jene, die vor vier Jahren seine Frau für ungeeignet hielten, im Unterbewußten auch daran gedacht haben? Daran nämlich, daß in keinem Staat Beziehungskorruption auszuschließen ist; schließlich gibt es Freundschaften, und auch die Politiker haben Freunde.

Die Bundesrätin ist mit Recht zurückgetreten. Sie hat eine Beziehung zu ihrem Mann, auch zu seinen Geschäften. Diese Beziehung zu einem Mann ist amtlich durch Heirat verbrieft. Und Korruption ist in unserer korrupten männlichen Welt immer Beziehung zu Männern. Nur ist die Beziehung der Männer zu Männern nicht amtlich verbrieft und jederzeit vertuschbar.

Also gibt es nur eine wirkliche Lehre aus diesem Fall: Wählt mehr Frauen, nur sie sind fähig, die Korruption der Männer sichtbar zu machen.

Die Rolle der Verantwortung

Jeder in Amerika geborene Amerikaner kann Präsident der Vereinigten Staaten werden, und es soll so sein, daß das jeder amerikanische Junge weiß und ab und zu davon träumt und daran denkt. Nach der Verfassung könnte zwar auch eine Frau Präsidentin werden, aber der entsprechende Traum ist wohl seltener.

Jeder Schweizer und jede Schweizerin können Bundesrat oder Bundesrätin werden, nach unserer Verfassung. Ich weiß nicht, ob dies auch ein schweizerischer Buben- und Mädchentraum ist – einmal Bundesrat zu werden. Ich glaube, der Traum ist bei uns seltener, vielleicht, weil das Amt bei uns etwas viel Pragmatischeres ist und viel weniger eine Legende.

Vor Jahren einmal hat ein Schweizer Schafhirte jedem National- und Ständerat einen persönlichen Brief geschrieben und sich als Bundesratskandidat empfohlen. Er hat also so wie ein junger Amerikaner den entsprechenden Verfassungsartikel als Versprechen verstanden und somit gedacht, daß seine eigene Chance dieselbe sein müßte wie die jedes anderen Schweizers.

Hie und da fällt er mir wieder ein, jener Schafhirte, und hie und da stelle ich mir vor, was eigentlich passieren würde, wenn man irgendeine oder irgendeinen zum Bundesrat machen würde.

Ich glaube zum Beispiel, daß unser Staat deshalb nicht zusammenbrechen würde, und irgendwie spricht das doch für diesen Staat. Die Maschine läuft, sie hat ihre Eigendynamik und läßt sich wohl nicht so schnell anhalten. Daneben gibt es aber die eigenartige Hoffnung – jedesmal wieder –, daß ein neuer Bundesrat alles ganz neu machen würde und alles anders und alles besser. Und einzelne Bundesräte kamen in diesen Verdacht durch ihre sympathische Ausstrahlung.

Eine Frau beschimpft mich am Telefon, weil ich etwas Unfreundliches über den Bundespräsidenten gesagt habe. Sie ist sehr aufgebracht und schreit, und dann wird sie plötzlich leise und sagt den wunderschönen Satz: »Er hat so viel Gutes für uns getan.« Ich wage sie nicht zu fragen, was denn dieses Gute sei. Meine Frage wäre zynisch, denn sie meint etwas anderes, sie meint Vertrauen: er ist ein guter, anständiger und freundlicher Mensch. Das ist er wohl auch, und die Frau hat ein Recht darauf, in ihn Vertrauen zu haben.

Eine langjährige Bundeshausjournalistin hat mir einmal gesagt, sie hätte jetzt schon viele gesehen, die gewählt wurden und die ihren Eid abgelegt hätten, und jedesmal sei es ihr so vorgekommen, als würden jene eine Linie, eine Grenze überschreiten und seien gleich ganz anders als vorher – nicht etwa schlechter oder besser, nur ganz anders.

Mein Freund hat viel später diese Linie überschritten und wurde Bundesrat. Ich habe dabei nicht die geringste Veränderung an ihm entdeckt, und er selbst bestimmt auch nicht. Und ich bin versucht, hier zu sagen, »im Gegenteil«, er wurde noch politischer, noch profilierter – also doch Veränderung?

Und später erkannte man nach und nach die Spuren des Amtes. Jeder Bürger weiß es, das ist harte Arbeit und viel Ärger und zuviel Verantwortung, und bei der Wahlannahme erklären die Gewählten auch ihre Bereitschaft, harte Arbeit und Verantwortung auf sich zu nehmen und zu wissen, daß Schweres auf sie zukomme.

Meine erfahrene Bundeshausjournalistin würde jetzt sagen: »Auch er hat die Linie überschritten.« Ich mache mir heute Vorwürfe, daß ich damals nicht erkennen konnte, wie diese Linie – das Überschreiten der Linie – verändert. Mein Freund begann daran zu leiden, ohne zu wissen, an was er leidet. Man übernimmt als Gewählter nicht nur ein Amt, eine Arbeit, eine Pflicht und die Verantwortung, sondern man übernimmt vor allem eine Rolle. Man ist nicht nur ein Bundesrat, sondern man hat auch einen zu spielen. Der ganze Körper, Scheitel und Krawatte, Stimme und Gang, Lächeln und Nachdenken gehören ab jetzt dem Staat. Die Sätze des neuen Bundesrates sind ab jetzt Sätze des Staates, und wenn er ab jetzt Velo fährt, dann fährt ein Bundesrat Velo, und wenn er einen Halben trinkt in der Beiz, dann trinkt ein Bundesrat einen Halben. Und wenn man Vertrauen hat in ihn, dann hat man auch Vertrauen in seine Stimme, in seine Brille, in seine Art, sich zu bewegen.

Diese Rolle ist hart und fast übermenschlich. Und es würde mich schon interessieren, wie ein einfacher Schafhirte diese harte Rolle erträgt. Wohl so schlecht wie alle anderen auch.

Denn es gibt nur eine Möglichkeit, sich gegen das Sterben in der Rolle zu wehren: wenn man das Stück, in dem man spielt, nicht voll glaubt, wenn man darauf verzichtet, dem Stück seinen Lauf zu lassen, darauf verzichtet, den Staat zu spielen. Nur Trotzige könnten das.

Ich weiß es

Es ist sehr laut in der Beiz, die Männer am runden Tisch schreien sich an. Ein Fremder oder Fremdsprachiger müßte annehmen, daß sie sich streiten, daß sie etwa politisch anderer Meinung wären, daß sie etwa für die Armee oder gegen die Armee wären, für das Geldwaschen oder gegen das Geldwaschen, für eine Partei oder gegen eine Partei.

Aber der Fremde würde sich täuschen. Sie streiten nicht, sie diskutieren auch nicht, sie interessieren sich eigentlich auch für nichts, und was für einen Fremdsprachigen als äußerst engagiert klingen müßte, das ist nichts anderes als das alltägliche Spiel hier am Tisch.

Es beginnt mit der Frage »Weißt du überhaupt?« oder mit der Beschimpfung »Du weißt ja nicht einmal«. Der eine sagt also: »Du weißt ja nicht einmal, wie die Serviertochter damals im ›Rössli‹ hieß«, und der andere sagt: »Doch, das weiß ich.«

»Also sag es doch, wenn du es weißt.«

Nein, Anita hat sie nicht geheißen, Trudi auch nicht, das war die andere. Und nun wird das Gespräch plötzlich zum harten Wettbewerb: wer es weiß, der ist gescheit, und wer es nicht weiß, der ist dumm. Man erzählt sich nicht etwa Geschichten von der Serviertochter, man spricht nicht davon, wie sie war, was für Eigenschaften sie hatte, wie lustig sie sein konnte. Es geht weder um eine Geschichte noch um eine Erinnerung, es geht nur darum, ob man weiß, wie sie hieß.

»Ich weiß genau, wann der Emil gestorben ist«, sagt der eine und nennt ein Datum.

»Nein, das muß länger her sein«, sagte der andere, und schon wird es laut am Tisch, und es geht nicht um den armen Emil, der wohl gerne älter geworden wäre und den alle hier gern hatten – es geht nur um das Datum. Schon werden die ersten Wetten angeboten, sozusagen in jeder Höhe, denn jeder hat die Pflicht, etwas nicht nur zu wissen, sondern auch an sein Wissen zu glauben. Der Streit um das Wissen des Todestages wird augenblicklich zum Glaubensstreit. Wer jetzt ein anderes Datum im Kopf hat, der gehört bereits einer anderen Kirche an, einer anderen Sekte, einer anderen Partei.

Mein Vorschlag, man könnte ja nachfragen, wie die Serviertochter geheißen habe, wann Emil gestorben sei, gilt hier als lächerlich und wird überhört. Es geht nicht um das Wissen, es geht nur um das Besserwissen, darum, daß es nur einer weiß, daß nur ein einziger gewinnen kann. Es geht nur um den Sieg, nur darum, der Gescheite zu sein. Und ein Gescheiter ist hier einer, der alles weiß.

Mich macht das furchtbar traurig, und weniges macht mich so hilflos wie dieser unsinnige Streit um irgendein unnötiges Wissen. Aber die Szene erinnert mich an etwas, an die Schule. Auch da fragte der Lehrer: »Wer weiß es«, und einer wußte es und war der Sieger.

Es kommt auch vor, daß das Spiel in der Beiz mit Schulwissen ausgetragen wird: »Du weißt nicht einmal, wann die Schlacht bei Morgarten war«, sagt jemand, aber der Fremde würde sich täuschen, wenn er glaubte, der Frager interessiere sich für Schweizer Geschichte. Er kennt nur dieses Datum (1315), und das kennt er nur, um einmal auch gewinnen zu können. Und wenn ich versuchen würde, ihm von Morgarten zu erzählen, dann würde er mich wohl entgeistert anstarren. Denn davon, daß man sich dafür interessieren könnte, hat er noch nie gehört.

Mit der Schule hat er wohl keine besonders guten Erfahrungen gemacht wie einige seiner Kollegen auch. Er war nicht jener, der etwas wußte. Das wäre nicht schlimm, aber er hat in der Schule nichts anderes gelernt, als daß es nur ums Besserwissen geht. Nicht jener, der sich für Morgarten interessiert, war der gute Schüler – nur jener, der Morgarten wußte. Vielleicht hat das der Lehrer gar nicht so gemeint, aber jener, der nie etwas wußte, hatte nichts anderes gelernt.

Nun ist er erwachsen, und auch er möchte ab und zu ein Sieger sein. Nun weiß er Dinge, die niemand sonst weiß – zum Beispiel, wie die Serviertochter hieß oder wer 1962 Schweizermeister war. Und wenn jemand fragt, wer war es denn 1963, dann sagt er so wie sein ehemaliger Lehrer: »Darum geht es jetzt nicht.«

Sie nennen das eine Diskussion, dieses klägliche alltägliche Quiz. Vielleicht kommt mal einer auf die Idee, hier über eine Initiative zu diskutieren, über das Problem der Drogen, über Flüchtlingsfragen. Aber er wird auch mit solchen Fragen nur auf diesen »Ich-weiß-es«-Wettbewerb stoßen.

Denn Diskussion heißt hier ausschließlich und nur: »Ich weiß es.« Deshalb werden große politische Fragen zu Glaubenskriegen – aus dem einzigen Grund, weil schon die Frage nach dem Namen der Serviertochter zum Glaubenskrieg wird. Wer es weiß, der hat gewonnen. Und für die kommenden Sieger gibt es keinen Anlaß, die Verlierer anzuhören. Das war schon in der Schule so, die richtige Antwort bedeutete Sieg.

Ob Demokratie unter diesen (schulischen) Bedingungen machbar ist? Jedenfalls ist die Diktatur des Volkes noch lange keine echte Demokratie.

Wortklaubereien

Ein Beamter muß aus Gründen, an denen er eigentlich keine Schuld hat, versetzt werden. Nun ist anzunehmen, daß seine Vorgesetzten eine Stelle suchen, die seinen Neigungen, seinen Fähigkeiten, seinem Interesse entspricht, und es ist wohl auch anzunehmen, daß die vorgesetzte Behörde das tut.

Nun steht aber in der Verlautbarung dieser Behörde etwas ganz anderes, was sie in Wirklichkeit nicht gemeint haben kann: »Der Bundesrat hat X eine Stelle angeboten, die ihm ähnliche Karrierechancen offenläßt wie die jetzige.«

Der Beamte X – den ich nicht kenne – müßte sich eigentlich gegen eine solche Formulierung verwehren. Schließlich ist er ein seriöser Fachmann und einer, der seine Arbeit mit Interesse tut. Nun bietet man ihm nicht eine Arbeit an, sondern nur eine Karriere. In einer Arbeit könnte er sich – und würde er sich wohl auch – bewähren. Und er wäre weiter brauchbar und würde vielleicht aufsteigen in eine noch wichtigere, noch verantwortlichere Arbeit.

»Karriere« ist etwas anderes. Das Wort kommt aus dem Französischen und meinte »Pferderennbahn« oder eben »Laufbahn«; im 18. Jahrhundert wurde es auch verwendet für die schnellste Gangart des Pferdes. Das ist doch beleidigend für einen seriösen Fachmann, der mit Überzeugung für diesen Staat arbeiten möchte.

Ja, das ist Wortklauberei. Es ist auch sicher, daß der Bundesrat das nicht so meint. Warum sagt er es dann trotzdem so? Vielleicht, weil er und viele im Bundeshaus ein bißchen zu militärisch denken, zuwenig an das Sein denken und zuviel an das Werden: Korporal kann man werden und dann Leutnant und dann Hauptmann und dann Major.

Offensichtlich gibt es im Staat Stellen (mit derselben Arbeit), die größere und kleinere Karrierechancen haben. Da sind offensichtlich so Röhren über diesen Stellen, durch die man kriechen kann oder eben nicht kriechen kann. Und selbst wenn es so wäre, fände ich es geschmacklos, wenn man es so formulieren würde: »Der Bundesrat

hat X eine Stelle angeboten, die ihm ähnliche Karrierechancen offenläßt wie die jetzige.«

Das bestätigt doch nur den alten Verdacht der Leute, daß Beamte
nichts sind, sondern nur etwas werden wollen. Ich halte diesen Verdacht für unberechtigt. Warum hält ihn der Bundesrat für berechtigt?

Kürzlich habe ich in einem Gespräch mit einem Freund einen gemeinsamen Bekannten des Ehrgeizes bezichtigt. Mein Freund antwortete zu Recht: »Ehrgeiz ist wichtig, ohne Ehrgeiz geschieht nichts.«

Trotzdem, das deutsche Wort »Ehrgeiz« ist ein eigenartiges Wort.
Mit was geizt man denn, wenn man »ehrgeizig« ist? Sollte es nicht
besser »ehrsüchtig« heißen?

Ich habe in meinem Leben einige Karrieristen kennengelernt, und
fast alle von ihnen waren abgrundtief geizig, großzügig zwar ab und
zu mit Spesen, aber sehr kleinlich mit ihren eigenen Batzen. Könnte
es vielleicht so sein, daß die deutsche Sprache entdeckt hat, daß Ehr-
sucht nur eine Form von Geiz ist und daß es eben die Geizigen sind,
die ehrgeizig sind?

Man hat also dem Beamten X eine neue Karriere zugewiesen. In der
Röhre aber, in die er jetzt gestoßen wird, ist es eng und dunkel, er
wird bleich und eng und eben auch geizig durch diese Röhre kriechen,
und sein enger Geiz heißt dann Ehrgeiz.

Wortklauberei, ich gebe es zu. Nur ist der Mißgriff des Bundesrates
nicht zufällig. Es gibt zu viele Leute, die glauben, der Staat sei nur
dazu da, in ihm etwas zu werden. Die militärischen Karrierebilder
sind die unbrauchbaren Vorbilder dafür.

Meine bald zweijährige Enkelin hat seit einiger Zeit ein neues
Wort. Alle Kinder haben dieses Wort. Es heißt »leini« – »allein«,
und wenn ich meine Enkelin führen möchte, wenn sie auf einer Mauer
balanciert, dann wehrt sie sich, entzieht mir ihre Hand und sagt
trotzig »leini«. Sie will nicht über die Mauer geführt werden, sie will
über die Mauer laufen – weil sie selbst jemand ist und selbst etwas
sein will und weil sie etwas sein will und nicht nur etwas werden will.

Das hätte der Beamte X in seiner Beschwerde gegen die bundesrät-
liche Formulierung zu schreiben – das Wort »leini«. Er hätte zu erklären, daß er selbst jemand ist und nicht nur jemand zu werden hat.

Selbstverständlich muß er diese Beschwerde nicht führen, und er wird es auch nicht tun.

Sachzwänge

Angenommen, das Treibgas der Spraydosen wäre tödlich, angenommen, es würde die Ozonschicht zerstören: Wie lange wohl würde es dauern, bis wir es nicht mehr benützen, nicht mehr herstellen würden?

Angenommen, unsere Umwelt würde zerstört, der Wald würde sterben an unserem Abfall, an unseren Abgasen, an unserem Reichtum, angenommen, das wäre tödlich: Wie lange würde es wohl dauern, bis wir zugunsten unseres eigenen Lebens verzichten würden?

Angenommen, es würde irgendwo in der Welt – in Amerika, in Europa oder in Rußland – ein schwerwiegender Zwischenfall in einem Atomkraftwerk passieren, nur angenommen: Wie würde man sich dann wohl hinterher verhalten?

Diese Frage habe ich 1975 einem amerikanischen Professor für experimentelle Kernphysik gestellt. Er hatte selbst gar nichts mit Atomenergie zu tun, er hielt sie auch für fraglich, aber für vertretbar. Und seine Antwort hieß damals: »Also, es ist eigentlich nicht anzunehmen, daß irgendwo etwas Ernsthaftes passiert bei der Produktion. Aber wenn so etwas passieren sollte, irgendwo in der Welt, dann bin ich ganz sicher, daß man augenblicklich überall die Produktion von Atomstrom einstellen würde und daß es dann einige Zeit dauern müßte, bis man wieder darauf zurückkäme.«

Ich erinnere mich nicht mehr daran, ob ich ihm damals geglaubt habe. Die seitherigen Ereignisse verwischen die Erinnerung. Ich nehme also an, daß auch er sich inzwischen nicht mehr an seine damalige Antwort erinnern würde.

Man kann unter der Voraussetzung, daß nichts geschieht, ohne Schwierigkeiten davon überzeugt sein, daß man es augenblicklich lassen würde, wenn etwas geschähe – weil man vorerst einmal davon überzeugt ist, daß nichts geschieht.

Wenn es dann doch geschieht, dann ist die Situation ganz anders. Denn an etwas hatte mein amerikanischer Professor 1975 nicht gedacht, nämlich daran, daß wir es gar nicht lassen können, unter allen (fast allen?) Umständen nicht lassen können.

Was nicht lassen können?

Ganz einfach alles. Wir können alles nicht mehr lassen, wohl weil inzwischen alles, was wir haben, irgendwo produziert ist, sein Geld kostet, seine Arbeitsplätze schafft – eben seinen Zusammenhang hat. Und die Arbeiterin, die Spraydosen herstellt, und der Arbeiter, der Autos herstellt, und jener, der eine kleine Schraube dreht für eine Kanone, die bald einmal losgeht im Libanon: sie alle sind keine Bösewichte, und sie haben alle ein Recht auf Arbeit und ein Recht auf Leben.

So verflucht einfach ist das. Deshalb gibt es für uns weiterhin nur die Hoffnung, daß Atomwerke vielleicht doch nicht tödlich sind, die Ozonschicht vielleicht doch noch ein bißchen Treibgas erträgt und der Wald vielleicht – wenn ich ihn so anschaue – tapfer durchhält.

So hat denn auch der englische Fußballverband nach der Tragödie von Sheffield beschlossen, den Cupwettbewerb weiterzuführen. Ich nehme eigentlich nicht an, daß in der entsprechenden Sitzung jemand saß, der eine andere Meinung hätte haben können. Denn man kann ja nicht Unschuldige bestrafen für etwas, an dem sie wirklich keine Schuld haben – zum Beispiel englische Fußballclubs, die ein Budget, die Angestellte haben, die ihre Fußballer bezahlen müssen, die ihre Zulieferer haben und ihre Sponsoren.

Man nennt das in der Politik »Sachzwänge«. Das Wort sieht so aus, als würde man nach sachlichen Kriterien entscheiden, aber es wird nur gebraucht, wenn man unter keinen Umständen anders kann – auch unter dem Umstand des Todes nicht. Aber ist es vielleicht nicht doch so, daß an der Tragödie von Sheffield der Fußball selbst – und nicht nur der Fußball – schuld ist oder eben diese Art Fußball oder seine lächerlich hochgesteigerte Bedeutung in der Gesellschaft oder seine Züchtung zum Superspektakel, zu überwirtschaftlicher Bedeutung?

Ich glaube, es wäre doch Zeit, damit aufzuhören. Aber möglich ist das eben nicht.

Jener, der in der Beiz gesagt hat: »Bei uns kann etwas wie Sheffield nicht passieren, unsere spielen zu schlecht«, jener hatte wohl mehr recht, als er selbst wußte.

Die Spieler unseres Klubs in Solothurn sind Amateure. Sie machen Fehler, und ihre Anhänger haben Verständnis dafür, daß sie ab und zu und hie und da zu oft verlieren. Und die Unterstützung der Fans ist nicht überschäumend, und das Bier und die Schweinswurst hinterher sind gut. Unser Klub hat zuwenig Geld, er hat zuwenig Anhänger, zuwenig Publikum, zuwenig Topfußballer, aber das Spiel ist ganz schön, und der Sonntagnachmittag auch. Und es ist genau dasselbe und genauso spannend. Und weil es nicht perfekt in Marketing und Training, weil es nicht mit Erfolg hochgezüchtet ist, deshalb ist es noch möglich.

Es gibt Gründe, sich vor dem Aufstieg zu fürchten.

Wir haben Sie gehört

Kürzlich wieder einmal war ich in der Beiz ein schlechter Zuhörer. Ich habe einen ganzen Abend lang das Gespräch an mich gerissen, ich fühlte diese Ungeduld in mir, wenn die anderen sprachen. Ich habe die anderen mitunter auch nicht ausreden lassen.

Am anderen Morgen schämte ich mich wie immer und machte mir Vorwürfe und nahm mir wieder einmal vor, ein nächstes Mal einfach nichts zu sagen, zu schweigen und zuzuhören. Es wird mir – so fürchte ich – auch ein nächstes Mal kaum gelingen.

So verbrachte ich halt einen Schweigetag, ging nicht unter die Leute und sprach auch mit mir selbst nur das Allernötigste.

Dann verspürte ich plötzlich wieder den Wunsch, irgendwo zu sein, wo ich die Leute nicht verstehe, im Tessin, in Italien, irgendwo in Finnland, irgendwo in Portugal. Ich würde mich im Café hinsetzen am Nebentisch und einen ganzen Abend nur zuhören, und was ich hören würde, das wären Stimmen. Ich würde die Augen schließen und wissen, diese Stimmen gehören zu Menschen: die eine würde freundlich klingen, eine andere so rechthaberisch wie meine an jenem Abend und eine dritte lustig. Ich würde zum Zuhörer, nicht zum Versteher, nur zum Zuhörer.

Ich versuche das ab und zu mit dem Radio. Ich drehe, bis ich Sprachen höre, die ich nicht verstehe. Ich kann wirklich nur diesen Stimmen zuhören: einem Interview auf russisch zum Beispiel – aber vielleicht ist es gar nicht Russisch, und ich weiß nicht, um was es geht.

Als Kind habe ich mal am Radio, nachts und verbotenerweise, englische Gedichte gehört, die jemand sehr pathetisch vortrug. Ich war ganz fasziniert, hörte auf jedes Wort, auf jeden Tonfall und begann nach der Sendung, dieselben Gedichte zu schreiben – auf deutsch. Ich war überzeugt, die Radiogedichte verstanden zu haben, wenn ich auch noch kein einziges Wort Englisch wußte.

Heute weiß ich, wer jener pathetische englische Dichter gewesen sein muß: Dylan Thomas. Er ist mir heute noch lieb, ich verstehe ihn jetzt genauer, aber oft denke ich, ich hätte ihn damals vielleicht viel besser verstanden.

Am Nebentisch in der Beiz sitzen Spanier. Sie sprechen laut und schnell und viel und durcheinander. Hie und da kommt mir ein Wort bekannt vor; ich beginne mir auszumalen, um was das Gespräch gehe. Ich erfinde das Gespräch, nehme im stillen bereits Partei, bin eher der Meinung des einen und nicht des anderen. Und ich bin ganz sicher, daß das Gespräch, das ich nach und nach erfinde, gar nichts zu tun hat mit dem Inhalt des wirklichen Gesprächs. Trotzdem bin ich ehrlich bemüht herauszufinden, worum es geht und wer welcher Meinung ist. Also achte ich auf ihre Gesten, auf ihr Lächeln und auf ihre Wut, wie sie sich vorbeugen und wie sie sich zurücklehnen. Ich muß mich mit ihren Körpern abgeben, nicht mit ihren Wörtern, wenn ich versuchen will, sie zu verstehen. Ich muß mich in sie hineindenken. Einem Menschen zuhören, das heißt wohl immer, sich in ihn hineinzudenken.

Genau das habe ich an jenem Abend, als ich ein schlechter Zuhörer war, nicht getan. Ich habe an jenem Abend nur Sätze gehört, keine Stimmen. Ich habe nur Sätze verstanden, nicht die Menschen. Sprache ist vielleicht doch mehr als nur die Wörter und Sätze. Wer nur die Sätze hört, der hört nicht zu.

Zwei junge Frauen sitzen im Zug. Sie kommen von der Arbeit. Sie fahren diese Strecke wohl jeden Tag. Da gibt es eigentlich nicht viel zu erzählen. Aber sie sprechen doch miteinander, Schweizerdeutsch; sie sehen auch nicht so aus, als seien sie nicht Schweizerinnen. Dann spricht die eine plötzlich italienisch, und die andere gibt auf schweizerdeutsch Antwort. Und wenn die andere italienisch spricht, dann gibt die erste Antwort auf deutsch. Ich bin ganz sicher, daß ich unrecht habe, aber es klingt so, als hätten sie in ihrer absoluten Doppelsprachigkeit zwei Sprachen: eine Sprechsprache und eine Zuhörsprache. Das Italienische wäre dann die Frage, das Deutsche wäre die Antwort.

Schön wäre das.

Aber es ist wohl nicht so. Immerhin, das Sprachmischgespräch hat mir gefallen. Ich verstand die Hälfte wörtlich und konnte der anderen Hälfte zuhören. Man kann das Hören lernen.

Oder ganz einfach: in einer Festschrift vom Schweizer Radio zu irgendeinem Jubiläum habe ich mal gelesen, daß die ersten Hörerbriefe, die der Sender am Anfang bekam, weder Lobesbriefe noch kritische Briefe waren, sondern daß es darin nur hieß: »Wir haben Sie gehört«, »Wir haben Sie im Entlebuch gehört«, »Wir haben Sie in Lausanne gehört«.

Das technische Wunder, daß man Menschen durch die Luft hören kann, das war damals genug. Es ist uns leider – auch mir – nicht mehr Wunder genug.

Mehr Staat für weniger Menschen?

In einem kleinen Dorf weiß man, wie die Leute wählen und stimmen, und beim Auszählen kann man mitunter die Herkunft der Stimme erraten oder gar wissen.

In einem solchen Dorf, vor vielen Jahren, gab es nach jeder Wahl und jeder Abstimmung eine ungültige Stimme. Man kannte den eigenbrötlerischen alten Mann, der seit Jahrzehnten ungültig stimmte, und die Geschichte wäre weiter nicht erwähnenswert, wenn der Mann nicht so weit vom Dorf gewohnt hätte. Er ging jedesmal gut zwei Stunden zu Fuß, um seinen ungültigen Zettel in die Urne zu werfen. Weder Unwetter noch Schnee hielt ihn von diesem langen Weg ab, er hat in all diesen Jahren keine einzige Abstimmung versäumt.

Außerdem war er ein Experte in Fragen der Ungültigkeit von Wahlzetteln. Er kannte alle Varianten und spielte sie listig und fantasiereich durch. Es ist auch anzunehmen, daß er das Wahlbüro eingeklagt hätte, wenn er beim amtlichen Resultat seine ungültige Stimme nicht gefunden hätte. Aber das geschah nie, denn wenn nach der Auszählung die ungültige Stimme fehlte, dann kontrollierte man alles noch einmal durch und fand dann auch die raffinierte Ungültigkeit der Stimme.

Der Mann betätigte sich nicht politisch. Er war in keiner Partei, ging nicht zur Gemeindeversammlung und sprach nie mit jemandem über Politik. Der Grund seiner Zurückhaltung blieb für alle im dunkeln. Er war weder ein Querulant noch ein Rechthaber; selbst meine kleine Vermutung, er sei vielleicht ein stiller Anarchist gewesen, ist wohl zu romantisch. Es ärgerte sich im Dorf auch niemand über den Mann. Das »Ungültig: 1 Stimme« gehörte sozusagen zum Dorfbild.

Ich fragte mich immer, ob er nun ein politischer oder ein apolitischer Mensch war. Immerhin kannte wohl keiner die Wahlgesetze so gut wie er, und ich bin ganz sicher, daß er alle Vorlagen genau studierte. Er hatte etwas gegen den Staat, aber er wußte immerhin, wie er funktioniert.

Es gibt viele andere – und ich habe den Eindruck, sie nehmen erschreckend zu –, die den Staat nur noch als Naturereignis verstehen. Da gibt es halt eine Armee, und da muß man halt hin. Die wollen halt Steuern, und die muß man halt zahlen. Da gibt es eine Polizei, und die verhaftet halt, und dann gibt es ein Gericht, und dann gibt es ein Gefängnis. Der Staat ist für viele nichts anderes als eine Macht, gegen die man nichts machen kann. Sie leben in der Demokratie wie in einer Diktatur.

Einige diskutieren über Pflanzenspritzmittel. Plötzlich sagt einer, daß man jenes Mittel nicht mehr brauchen dürfe, das Fernsehen habe es verboten. Ich mische mich ein und versuche zu erklären, daß das Fernsehen keine Gesetze machen kann. Ich versuche schulmeisterlich zu erklären, wie die Gesetze entstehen – mit dem erbärmlichen Erfolg, daß der andere sagt: »Ja schon, aber dieses Spritzmittel hat das Fernsehen verboten.«

Also irgendeine Macht hat es verboten, und alles, was Macht ist, ist Staat: ein trauriges Fazit nach 150 Jahren Demokratie.

Selbstverständlich ist auch einer, der die Funktionen des Staates nicht kennt, kein Rechtloser. Auch er wird, wenn es nötig ist, sein Recht bekommen. Aber er empfindet sich gegenüber dem Recht, gegenüber der Macht als Ohnmächtiger. Er weiß nichts davon, wie man das Recht benutzt. Und ich habe oft den Eindruck, daß unsere Verwaltung damit rechnet, daß das Recht nicht benutzt wird. Was würde aus unserem Staat, wenn alle seine Nützlichkeit einsehen würden und ihn entsprechend benutzen würden? Wäre ein demokratischer Staat, in dem nur aufgeklärte Bürger leben, überhaupt regierbar? Oder rechnet der demokratische Staat vielleicht sogar damit, daß nicht alle Leute in einer Demokratie auch demokratisch denken können und wollen?

Ich selbst verzichte immer wieder gern auf mein Recht. Ich klage jenen, der mir 100 Franken schuldet, nicht ein. Das wäre mir zu umständlich. Aber einer richtigen Firma mit einem richtigen Büro ist das selbstverständlich nicht zu umständlich.

Das hat mit Ungerechtigkeit nichts zu tun, das hat nur mit der Benutzbarkeit des Rechts zu tun. Die Ohnmächtigen wissen von dieser Benutzbarkeit gar nichts und erleben das ganze Recht als Unrecht.

Der Slogan »Weniger Staat« wird ihnen immer gefallen, auch der Slogan »Weniger Gesetze« – auch auf die Gefahr hin, daß es zum Schluß nur noch ein Gesetz gäbe, nämlich das der Diktatur.

Nicht selten wird der Wunsch nach »Weniger Staat« genau von jenen in die Welt gesetzt, denen es nicht die geringste Mühe macht, aus den Gesetzen des Staates ihren Nutzen zu schlagen. Und oft meinen sie vielleicht doch etwas ganz anderes, nämlich »Mehr Staat für weniger Menschen«.

Ich zweifle in diesem Zusammenhang nicht an unserer Rechtsstaatlichkeit. Wir sind wirklich eine Demokratie. Nur habe ich oft das Gefühl, daß in dieser Demokratie zu wenige Demokraten leben und zu viele Ohnmächtige.

Ob das vielleicht der Ungültigstimmer gewußt hat?

Typisch amerikanisch

Ich lebe seit zwei Monaten wieder unter Amerikanern. Sie sind wie alle Menschen verschieden, vielleicht noch etwas verschiedener, als Schweizer es sind. Trotzdem, ich beobachte die Amerikaner und versuche herauszufinden, wie amerikanisch sie nun sind – als ob es nicht genügen würde, daß sie Amerikaner sind.

Es gibt eine einzige Frau hier, von der ich schon gesagt habe: »Sie ist eine typische Amerikanerin.« Ich muß wohl nicht erwähnen, daß ich diese Frau nicht mag. »Eine typische Amerikanerin«: das ist ein negatives Urteil, wie »typischer Belgier«, »typischer Deutscher«, »typischer Schweizer« negative Urteile sind. Woher weiß ich denn überhaupt, was »typisch amerikanisch« ist? Und woher kommt es, daß unter hundert Amerikanerinnen nur eine einzige typisch ist? Da kann doch etwas nicht stimmen, wenn ein Prozent typisch ist und neunundneunzig Prozent untypisch sind.

Ich bezeichne eine Amerikanerin dann als typisch, wenn sie meinem Vorurteil entspricht. Ich weiß im voraus, wie die Amerikanerinnen sind, ich komme hier an und stelle fest, daß die meisten nicht so sind. Trotzdem beharre ich auf meiner Vorstellung und bezeichne nur jene als typisch, die meinem Vorurteil entsprechen. Mit eigener Beobachtung hat das gar nichts zu tun. Ich verlange von einem Deutschen zum Beispiel, daß er sich unangenehm verhält; wenn er es nicht tut, was meistens der Fall ist, bezeichne ich ihn als untypisch.

Ich erschrecke immer wieder, wie schwer ich mich dagegen wehren kann. Ich kriege meine Vorurteile nicht los, sosehr ich mich auch darum bemühe. Ich war schon oft in Amerika, ich bin gern hier, aber nirgends so wie in Amerika fällt mir auf, daß ich alles an meinen Vorurteilen messe. Vor über 20 Jahren war ich zum erstenmal hier. Seit damals hat sich sehr viel verändert, aber ich kann die Veränderungen kaum feststellen, weil ich es mir einfach mache und die Veränderungen als untypisch bezeichne.

Vor zwanzig Jahren glaubte ich zum Beispiel, ein Land anzutreffen mit wenigen Gesetzen, mit wenigen Verboten, mit auffallend weniger Verbotstafeln als bei uns. Optisch scheint sich daran nicht viel geändert zu haben. Aber wenn ich die Zeitungen lese oder Radio höre, dann fällt mir plötzlich auf, wie dauernd vom »Supreme Court« – vom Bundesgericht – die Rede ist, wie nach und nach jeder Schritt gesetzlich geregelt wird, wie sich Parlament und Regierung mehr und mehr nicht mehr um Politik kümmern, sondern nur noch um gesetzliche Regelungen.

Ich habe immer wieder gestaunt, wie an einer amerikanischen Universität mit Invaliden umgegangen wird. Einrichtungen für Gelähmte, für Blinde, für Taube sind hier selbstverständlich, und der Umgang der Mitstudenten mit Behinderten ist absolut selbstverständlich. Wenn ich aber heute die Amerikaner darauf anspreche, dann ist die Antwort: »Es ist Gesetz« – eine Antwort, die mir meine positiven Vorurteile zerstört, eine Antwort, die mir richtig weh tut. Dazu zählt, daß hier am College bei Festen kein Alkohol mehr ausgeschenkt wird: nicht etwa aus Prüderie, sondern weil der Direktor und die Professoren voll haftbar wären für alles, was hinterher passieren könnte, auch Stunden nach dem Fest. Haftpflichtfälle sind hier immer Millionenforderungen. Haftpflichtforderungen sind zu einem amerikanischen Geldspiel geworden, und Advokaten bieten ihre Dienste in Zeitungen und am Fernsehen auch jenen an, die noch gar nicht wissen, daß sie mit irgend etwas ins »Spiel« eintreten könnten.

Gut also, ich plädiere in diesem Fall für »Mehr Freiheit und weniger Staat«, aber meine politischen Gegner in der Schweiz sollten nicht zu früh frohlocken. Die Unfreiheit, die in den USA geschaffen wird, kommt aus einem privaten Sicherheitsbedürfnis, das letztlich nur mit Reichtum zu befriedigen ist. Krankheit und Unfall können hier in die totale Armut führen, Sozialversicherungen sind selten und schlecht. So bleibt die Schadenersatzklage die einzige »ausreichende« Versicherung, und Haftpflicht wird zum Faustrecht. Auch schweizerische Verhältnisse und Wünsche erscheinen mir ab und zu als »typisch amerikanisch«, nämlich dann, wenn der Slogan »Mehr Freiheit und weniger Staat« als Angriff auf unsere Sozialversicherungen gemeint ist.

Daß alles beim alten bleibt

Ich bin seit zwei Wochen wieder zurück aus Amerika, und ich habe den Eindruck, daß es schon fast eine Ewigkeit her ist, daß ich dort war, und erst zwei, drei Tage her, daß ich hier bin. Ich habe, so scheint mir, durch drei Monate Abwesenheit ein Stück Geschichte verpaßt. Die brutale Niederschlagung der aufkeimenden Demokratie in China, das zittrige Wunder der polnischen Wahlen: das habe ich durch die amerikanische Presse erfahren, und wenn ich auch Kurzwellen gehört habe, vor allem deutsche und Schweizer Sender, dann habe ich eben auch die in amerikanischer Umgebung gehört. Ich habe auch mal Nachrichten in englischer Sprache gehört, und ich hielt sie für Nachrichten aus Bern, aber es stellte sich heraus, daß sie aus Moskau kamen. Objektivität ist eine eigenartige Sache, sie verwischt Unterschiede. Wer am Kurzwellenempfänger herumdreht, der hört dauernd dasselbe: den deutschen Korrespondenten aus China, den Schweizer Korrespondenten aus China, den französischen, den holländischen.

Selbstverständlich wollte ich Nachrichten aus der Schweiz hören. Sie waren spärlich, dieselben internationalen Nachrichten wie die der anderen Sender auch. Sie waren genauso »objektiv« wie die anderen – kein Hauch von schweizerischer Interpretation. Das ist der Preis für die gewünschte Objektivität.

Hat das alles mit meiner Abwesenheit zu tun? Ich weiß es nicht. Trotzdem, ich vermisse plötzlich die tägliche »New York Times«. Ich möchte jetzt wissen, was dort drinsteht. Vielleicht doch ähnliches wie hier in den Zeitungen: nichts mehr über China, über Polen noch am Rande, Afghanistan existiert gegenwärtig nicht, Nicaragua ist nicht dringend. Im Augenblick geht es um den Exodus aus der DDR – auch ein erschütterndes Ereignis bestimmt. Der bitterböse Satz von Bertolt Brecht wird zur Wahrheit: die Regierung wird wohl ein neues, ein anderes Volk wählen müssen.

Eine utopische Frage: Wie wäre das eigentlich für uns, wenn aus der chinesischen Demokratie etwas geworden, wenn China eine liberale Wirtschaftsmacht geworden wäre? Denn der Westen ist ja überzeugt, daß sein wirtschaftlicher Erfolg im besseren politischen System begründet ist. Und immerhin sprechen inzwischen alle westlichen Politiker davon, daß es die Aufgabe der Entwicklungshilfe sei, die Wirtschaft der Drittweltländer zu stärken, auf eigene Beine zu stellen. Warum sprechen sie so ohne Zittern davon? Glauben sie wirklich daran, daß die Segnungen des Kapitalismus, daß die Erfolge der Marktwirtschaft ohne Schwierigkeiten auf die ganze Welt zu übertragen wären? Oder glauben sie eher daran, daß es schließlich doch nicht so weit kommt, daß man sich nicht zum Beispiel auf den Eintritt Polens in die kapitalistische Weltwirtschaft vorzubereiten habe?

Oder anders gefragt: Wie ernst ist unsere Begeisterung über die neue polnische Demokratie? Wie ernst ist unsere Begeisterung über Gorbatschow und Glasnost? Wäre uns ein Erfolg von russischen Reformen lieb, wäre uns ein Erfolg von Wałesa nicht gefährlich? Oder rechnen wir einfach damit, daß sie sich gegenseitig aufheben?

Wir hoffen doch alle, daß alles beim alten bleibt; die Hoffnung der Polen auf uns ist wohl eine leere Hoffnung. So wußte denn auch Präsident Bush in Warschau nichts anderes zu sagen als etwa: Ihr wollt also auch so demokratisch werden wie wir – wunderbar, seid willkommen. Kein Wort zu den Schwierigkeiten dieser Welt, zu den Schwierigkeiten der Demokratie.

Wir sind auf dem besten Weg, aus dem Osten so etwas zu machen wie einen wirtschaftlichen Hinterhof des Westens. Wir stellen uns das spätere Verhältnis Westeuropa – Osteuropa so vor wie das alte Verhältnis Nordamerika – Südamerika.

Oder wir verlassen uns darauf, daß die Aktualität schon bald keine mehr sein wird. Wir verlassen uns darauf, daß wir uns damit nicht zu befassen haben. Und nur weil wir politisch auf jede Veränderung unvorbereitet sind, bereiten wir uns halt militärisch darauf vor. Das ist Garantie genug, daß alles beim alten bleibt.

Das Außergewöhnliche und das Erzählen

Einer erzählt, er habe eben gesehen, wie ein Auto in das Podest reingefahren sei, wo der Verkehrspolizist darauf gestanden habe. Der Polizist sei auf die Motorhaube gefallen und dann schräg auf die Straße.

Offensichtlich ist alles glimpflich verlaufen, und so ist es eine lustige Geschichte, und alle lachen. Jetzt ist doch endlich wieder einmal etwas passiert, und der Erzähler hat es sogar selbst gesehen. Er war wirklich dabei, und er glaubt, er habe nun etwas zu erzählen, weil er doch dabei war, und er erzählt es deshalb noch einmal – noch einmal die genau gleiche Geschichte. Dann erzählt er sie noch einmal, und so geht das weiter, eine halbe Stunde, eine Stunde. Er wird lauter und lauter, und es mischt sich fast ein wenig Verzweiflung in seine Sätze. Er hat etwas Außergewöhnliches erlebt, eine wahre Geschichte, und jetzt, erzählend, merkt er selbst, daß das keine Geschichte ist, keine Geschichte ergibt.

Das hat nichts zu tun mit seiner Unfähigkeit zu erzählen, Leute, die vom Erzählen leben, Schriftsteller, sind daran gewöhnt, daß Ereignisse noch keine Geschichten sind.

Es gibt die Vorstellung, daß sich früher die Männer in der Wirtschaft richtige Geschichten erzählt, daß sie sich zum Beispiel Märchen erzählt haben. Ich glaube, das ist eine Legende – wie etwa auch die Legende vom Großvater, der auf der Ofenbank saß und Geschichten erzählte. Aber vorstellbar ist, daß es früher noch Zuhörer gab, geduldige Zuhörer. Geduld heißt auch mit Langeweile umgehen können, und Erzählen ist auch umgehen mit Langeweile.

An einem anderen Tisch haben drei Männer einen lauten Streit.

Jeder von ihnen weiß ganz genau, wie lange der Flug von Zürich nach Jeddah dauert. Und jeder glaubt auch zu wissen, wie viele Kilometer das sind. Der Vorschlag, man könnte es auf einer Karte nachmessen, hat hier keinen großen Sinn, das exakte Faktum ist eigentlich gar nicht erwünscht. Das ist doch eigenartig, daß man zwei Stunden über ein Faktum »diskutieren« kann, das man ohne Schwierigkeiten irgendwo nachschlagen könnte.

Aber in Wirklichkeit geht es nicht um die Flugdauer, sondern um etwas »Außergewöhnliches«, nämlich darum, daß jeder von den dreien schon mal in Saudi-Arabien war als Arbeiter. Darüber möchten sie jetzt sprechen, nur sprechen, eigentlich nur sagen: »Ich war in Saudi-Arabien.«

Auch das ist – wie der Polizist, der vom Podest fällt – etwas Außergewöhnliches, etwas Beeindruckendes wohl auch, etwas, das die anderen nicht kennen. Aber weil die drei es nicht erzählen können, bleiben ihnen nur noch ein paar Fakten, eine Anzahl Kilometer, eine Anzahl Flugstunden. Das Wissen um die Fakten soll beweisen, daß sie da waren, und sie beweisen gar nichts. Das ist zum Verzweifeln, und deshalb müssen sie laut werden. Ihre Monate in Arabien sind eingebettet in die ganze übrige Langweiligkeit ihres Lebens. Nur wenn sie es erzählen könnten, könnten sie es auch erleben. Sprechen und Reden ist kein Ersatz fürs Erzählen.

Aber wir leben wohl mehr und mehr nur noch in Außergewöhnlichkeiten, in der Außergewöhnlichkeit zum Beispiel, daß heute das neue Einkaufszentrum eröffnet wird, daß heute die Herbstmesse eröffnet wird, und die Leute strömen, um ihrer Langeweile zu entfliehen. Das größte Geschäft, das man mit Konsumenten machen kann, ist das Geschäft mit ihrer Gelangweiltheit.

Vielleicht würde eine erzählende Gesellschaft wirklich das Bruttosozialprodukt gefährden. Ich könnte mir auch vorstellen, daß in armen Gegenden mehr erzählt wird als in reichen. Eine absurde Frage: Sind sie nicht reich, weil sie zuviel erzählen, oder erzählen sie, weil sie nicht reich sind?

Wenn das so wäre – es ist wohl nicht so –, dann wäre es wohl richtig, nicht mehr erzählend, sondern eben konsumierend zu leben. Mit dem Geld kann man sich ja dann das Leben kaufen, die Reise nach Jeddah vielleicht. Und man wird die Beweise zurückbringen müssen, daß man dort war. Man wird zum Beispiel wissen müssen, wie lange der Flug gedauert hat, wie das Essen war und wie die Preise waren – und alles wird außergewöhnlich sein und alles nicht erzählbar. Ich meine damit gar nicht, daß man es anderen erzählen können müßte, sondern vor allem sich selbst.

Ich denke an jenen alten Bauernknecht, der überhaupt nicht erzählen konnte. Er war durch Zufälle und komplizierte Umstände in der ganzen Welt herumgekommen, und wenn man ihn aufforderte zu erzählen, dann setzte er sich, schaute in die Luft, überlegte lange und sagte: »Zum Beispiel San Francisco – üü dehr, zum Beispiel Hongkong – üü dehr.«

Natürlich lächelten wir darüber. Aber wir hörten ihm doch gespannt zu, denn wir hatten den Eindruck, daß tief in ihm drin Geschichten steckten, die er sich, nur sich selbst, erzählte.

Eingesperrt in einem Land

Ein Freund fragt mich nach einem langen Gespräch über Politik, ob meine politische Resignation nicht vielleicht doch nur meine persönliche Resignation sein könnte.

»Nein«, antwortete ich, »ich lebe gern, ich genieße mein Leben ab und zu, ich kann mich freuen.«

Inzwischen verbrachte ich wieder einmal einige Tage mit großer Langeweile. Nichts wollte gelingen, nichts wollte mir einfallen. Die Zeit wollte nicht vergehen, ich saß herum, ich ging ein wenig durch die Stadt, und die Stadt fand ich auch langweilig und die Leute auch und das schöne Wetter auch. Dabei wußte ich ganz genau, daß es nur meine eigene Gelangweiltheit war, aber ich empfand nicht mich als langweilig, sondern meine ganze Umgebung.

Da fiel mir die Frage meines Freundes wieder ein, und meine Antwort überzeugte mich nicht mehr sehr. Denn wenn ich zum Beispiel sage, das ist eine langweilige Stadt, eine langweilige Gegend: dann ist das letztlich nur meine eigene, ganz persönliche Langeweile. Das weiß ich schon, aber es fällt mir schwer, es auch einzugestehen.

Vielleicht war also die Frage meines Freundes berechtigt. Es wird ja auch so sein, daß ich mit keinem anderen Temperament über etwas nachdenken kann als mit meinem eigenen. Es wäre eigenartig, wenn mein politisches Denken nicht immer wieder auch mit mir selbst, mit meinen eigenen Schwierigkeiten zu tun hätte. Und Berufspolitiker können mitunter nur deshalb unglaubhaft wirken, weil es ihnen so sehr gelingt, Politik von sich fernzuhalten und zu behandeln wie lebloses Material.

Die Frage, ob die Tausende von jungen DDR-Bürgern, die ihr Land verlassen, es aus persönlichen oder aus politischen Gründen tun: die ist wohl nicht zu beantworten. Aber mir fällt, wenn ich davon höre, doch nur Politik, eine verfehlte Politik ein. Wer aus einem Gefängnis ausbricht, der wird seine Tat nicht zu begründen haben. Er will nichts anderes als – was das auch immer ist – die Freiheit. Und Einsperren, wie auch immer einsperren, ist Folter. Freiheitsberaubung liegt dann vor, wenn ich nicht gehen kann.

In den letzten Wochen habe ich wieder ein paar anonyme Aufforderungen bekommen zu gehen, »wenn es mir hier nicht passe«. Die vorgeschlagene Stadt ist immer noch dieselbe wie vor zwanzig Jahren: Moskau. »Geh doch nach Moskau, wenn es dir hier nicht paßt.« Ich war noch nie dort und hatte auch nie die Absicht, dort zu sein. Eine schweizerische Einrichtung, die mir so sehr gefällt, soll es dort kaum geben, nämlich die Beiz.

Auch gestern war ich in der Beiz. Am Nebentisch saßen einige, die fluchten auf alles in diesem Land, auf die Baugesetze, die mit freier Wirtschaft nichts mehr zu tun hätten, auf die Raumplanung und den Umweltschutz, auf die Tempolimite und auf die Parkbußen – alles Themen, wo ich gegenteiliger Meinung gewesen wäre, nämlich der Meinung unserer Politik und unseres Parlamentes. Und jene, die dort laut aufeinander einredeten, die ärgern sich sonst immer wieder sehr darüber, daß ich dieses Land nicht immer loben will.

Sollen jetzt sie gehen, weil »es ihnen nicht paßt«, oder soll ich gehen, weil »es mir nicht paßt«?

Unsere Grenzen sind offen, das ist ein Grund zu bleiben. Das Angebot der Freiheit macht frei. Jedes Angebot der Freiheit auch zu benützen, das würde grauenhaft unfrei machen. Die Schweiz legt mir
zwar nichts in den Weg, wenn ich nach Australien möchte, aber das
ist doch noch lange kein Grund, nach Australien zu gehen.

Es gibt inzwischen in meiner Stadt sehr wenige Kinos. Das ärgert
mich, das schränkt mich auch ein, aber ich gehe – auch andernorts –
ganz selten ins Kino. Trotzdem, die Vorstellung, daß es die Möglichkeit, ins Kino zu gehen, überhaupt nicht mehr gäbe, das ist für mich
eine Vorstellung von »Gefangenschaft«. Ich brauche das Angebot
der Freiheit, ins Kino zu gehen, das Kino selbst brauche ich fast nicht.

Wenn man mich aber einsperren sollte, irgendwie und irgendwo,
dann hätte ich nichts mehr anderes im Sinn als die totale Freiheit.
Dann möchte ich nur noch ins Kino gehen, nur noch nach Australien
fahren, nur noch Wein trinken, nur noch meine Meinung sagen dürfen, nur noch –

Das ist das Elend. Die Hoffnung auf die Freiheit ist immer Hoffnung auf totale Freiheit – nur Freiheit, nichts anderes als Freiheit.

Es ist mir viel wert, freiwillig in diesem Land zu leben. Unfreiwillig würde ich es hier nicht aushalten, unfreiwillig würde ich es auch
in keinem anderen Land aushalten. Dabei reise ich gar nicht gern
und bin eher seßhaft veranlagt. Ich sitze gerne und gern lange am selben Ort. Trotzdem habe ich immer wieder das Gefühl, eingesperrt zu
sein im eigenen Land, in der eigenen Person, in der eigenen Langeweile.

Und da fällt mir ein: es gibt eine sanfte Form von Einsperren auch
in unserer Schweiz. Unser Fernbleiben von der EG hat zum Beispiel
auch die Folge, daß junge Schweizer Mühe haben, eine Aufenthaltsbewilligung in anderen europäischen Ländern zu bekommen. Das
kann recht bitter sein für einen jungen Menschen in einem kleinen
Land.

Vom Nichtkönnen

Ich bin so stolz auf die beiden Knöpfe an meinem Mantel, die ich selbst angenäht habe, schön mit Hälschen, ein Streichholz dazwischengeschoben, auf der anderen Seite ein Gegenknopf. Einfädeln ist eine Tortur. Das hat nichts mit Zittern zu tun oder mit schlechter werdenden Augen – einfädeln konnte ich nie, ich weiß auch nicht, wie man das tut. Der Erfolg ist immer ein Zufall, oft ein Zufall, der mich so überrascht, daß ich den Faden gleich wieder rauszittere.

Eine gute Stunde Arbeit ist das für mich schon – zwei Knöpfe anzunähen. Aber ich nähe leidenschaftlich gern Knöpfe an, und ich genieße es, daß ich es nicht oder eben nur sehr mühsam kann. Meine Frau würde das gern tun und viel schneller. Ich nehme ihr keine Arbeit ab, wenn ich es selbst tu. Aber wenn ich Knöpfe annähe, dann habe ich endlich Zeit, Zeit zum Verschwenden. Und würde man die Zeit nach einem anständigen Handwerkerlohn berechnen, die Knöpfe wären fast ein kleines Vermögen wert. Ich trage an meinem Mantel die teuersten Knöpfe.

Nur darf ich es nicht allzuoft tun, sonst laufe ich in Gefahr, es doch noch zu lernen. Knöpfe annähen macht nur so lange Spaß, wie man es nicht kann.

Als Kind konnte ich sehr viel nicht und tat es trotzdem. Ich versuchte Geschichten zu schreiben, mühsam und mit großen Buchstaben. Ich versuchte sogar mitzuspielen beim Fußball, ohne es zu können. Gelobt wurde ich zwar von meinen Kameraden dafür nicht, aber ein bißchen nicht können durfte ich es trotzdem. Hätte ich heute noch, als Erwachsener, die Lust, Fußball zu spielen, ohne es zu können, ich würde nirgends eine Gelegenheit finden. Eine Liga der Nichtkönner gibt es nicht, und selbst Grümpelturnier-Mannschaften trainieren zweimal wöchentlich. Als Erwachsener habe ich etwas entweder zu können oder zu lassen.

Was ich doch alles gelernt habe. Ich weiß zum Beispiel, wie es auf einem Flughafen zugeht, ich weiß, wie das ist in einem Schlafwagen, ich kann mit Kreditkarten umgehen, ich kann im Restaurant bestellen – wie spannend war doch das alles noch, als ich es noch nicht konnte. Das hat alles beim ersten Mal genauso gut funktioniert wie heute, es gab gar keinen Grund, es zu lernen. Das Können verdirbt nur den Spaß.

Und oft tun wir Dinge nur deshalb, weil wir sie können. Ich war zum Beispiel früher einmal durch Zufall, weil mein Vater es mir früh beibrachte, ein guter Skifahrer. Aber ebenso zufälligerweise hat mir das Skifahren keinen Spaß gemacht. Ich tat es trotzdem Winter für Winter und war zum mindesten stolz darauf, daß ich es konnte. Es brauchte fast so etwas wie Zivilcourage, es endlich aufzugeben; es ist gar nicht so leicht, auf etwas zu verzichten, was man kann. Auch dann nicht, wenn es keinen Spaß macht. Noch heute macht mir deshalb Schnee so etwas wie ein schlechtes Gewissen.

So werden wir die Gefangenen von dem, was wir können. Und deshalb nähe ich gern Knöpfe an. Beim Knöpfeannähen bin ich ein freier Mensch, weil ich es nicht kann. Ich vertrödle dabei meine Zeit, eine Stunde, zwei Stunden, und dann schreibe ich es hier noch unnötigerweise auf und beanspruche auch die Zeit der Leser – für nichts oder eben für zwei Knöpfe, die jede Könnerin in kürzester Zeit angenäht hätte.

Und während ich nähe, höre ich am Radio von Gorbatschow und von der DDR und von Prag und den Verhandlungen unseres Parlaments in Sachen Frau Kopp und Bundespolizei. Und die ganze Welt ist im Aufbruch, und ich lebe mitten in der rasenden Geschichte, und für Tausende ist jetzt jede Minute spannend und entscheidend, und ich nähe Knöpfe an und freue mich darüber, daß ich es nicht kann.

Im Fernsehen sehe ich einen Könner, Egon Krenz. Er kann plötzlich Dinge, die er vor ein paar Tagen noch nicht konnte. Er kann die Mauer öffnen, er kann Menschen diskutieren lassen, und er kann selbst mit ihnen diskutieren, er spricht von der Freiheit der Bürger, von einem neuen Staat, er läßt seine eigenen Leute verhaften und zurücktreten. Und wir Pragmatiker würden wohl sagen: »Laßt den doch jetzt erst mal ein bißchen machen.« Aber das Volk der DDR will ihn nicht und erkämpft seinen Rücktritt.

Das finde ich erstaunlich, daß man den Könner endlich nicht mehr will, daß man endlich einem nicht glaubt, der es schon immer konnte, sich schon immer elegant in der jeweiligen Macht bewegen konnte. Es ist sogar anzunehmen, daß er auch den jetzigen Trend – und auch jeden anderen – gekonnt hätte. Vielleicht will man endlich einen, der es nicht einfach kann, der nicht einfach jederzeit die richtigen Wörter findet.

So habe ich denn auch zwei Tage lang die Reden unserer Parlamentarierinnen und Parlamentarier zur Sache Kopp und Bundesanwalt gehört: Gute Reden auch und gute Formulierungen. Die können das eben, und sie können es geschickt und allgemein und abstrakt. So gut jedenfalls konnte Frau Kopp selbst das auch. Wie schön, wenn sie es nicht gekonnt hätte!

Und noch einmal vom Nichtkönnen

Einer sagt: »Ich könnte das nicht.« Er sagt es in Hilflosigkeit, denn in dieser Runde fallen niemandem Sätze ein zu der Sache, über die man sprechen möchte: die Massaker in Rumänien. Man sagt hier einfach Wörter wie »unglaublich«, »grauenhaft«, »schrecklich«, und es sind alles Wörter, die man eigentlich täglich braucht, in der Regel auch für viel weniger schlimme Dinge. Irgend etwas muß man ja jetzt vielleicht doch sagen. Aber man spricht in der Runde auch vom Essen, vom Weihnachtsbraten und vom zuviel Essen und vom ausbleibenden Schnee, vom Streit bei der Weihnachtsfeier – und dann halt wieder von Rumänien.

Ich erinnere mich daran, ganz im stillen, daß ich gegen die Todesstrafe bin, daß ich mich entschieden habe, gegen die Todesstrafe zu sein, für immer und in jedem Fall, auch in diesem. Aber es ist hier nicht der Ort und die Zeit, es auch zu sagen, es auch auszusprechen. Was hätte ich als Rumäne getan? Hätte ich als rumänischer Soldat, der das Todesurteil an Ceauşescu zu vollstrecken hatte, den Befehl verweigern müssen, weil ich ganz konsequent gegen die Todesstrafe bin? Ich hätte das wohl – zu Recht? – mit meinem Leben bezahlt.

Aber davon rede ich in der Beiz nicht. Ich bin froh, daß zwischendurch über den fehlenden Schnee gesprochen wird, und dann blättert wieder einer in der Zeitung, hebt seinen Kopf und sagt: »Grauenhaft, schrecklich.« Aber das Thema ist schon weit weg. Vielleicht sind wir im stillen alle entsetzt darüber, daß uns das Thema nicht richtig berühren will, und jetzt sagt einer plötzlich: »Ich könnte das nicht.«

Alle am Tisch wissen, was er damit meint. Er meint, er könnte das nicht, was die Securitate-Leute in Rumänien getan haben. Und sein Satz erschreckt mich, denn die Feststellung, daß er es nicht könnte, beinhaltet ja auch die Möglichkeit, daß man es können könnte.

»Ich könnte keinem Tier etwas zuleide tun«, »Ich könnte keinen Menschen schlagen«, »Ich könnte niemanden betrügen«: wie schnell ist das gesagt. Ich esse mein Steak und könnte kein Tier schlachten? Hat er nicht vielleicht eher gemeint: »Ich möchte das nicht tun können – ich möchte das nicht tun können müssen«?

Denn ob wir etwas könnten oder nicht könnten, das ist leider nicht die Frage. Es geht hier nicht um das Nicht-Können, es geht um das Können. Die Frage heißt: »Könnte ich den Befehl verweigern?« Die Frage ist: »Könnte ich nein sagen?« Die Vorstellung vom Nichtkönnen genügt nicht. Es hat jedenfalls noch keiner Kuh etwas genützt, daß ich unfähig wäre, sie zu töten. Ich wäre auch unfähig, den Wald mutwillig zu vernichten. Ich tu das auch nicht, aber er stirbt. Irgendwie bin ich auch als Konsument unfähig zur Befehlsverweigerung.

Einer sagt: »Ich könnte das nicht«, und er meint damit das, was die Securitate-Leute getan haben. Ich könnte das auch nicht. Niemand, kein einziger Mensch könnte das, auch kein Securitate-Mensch. Trotzdem gibt es auf der ganzen Welt zu wenige Menschen, die Befehle verweigern können. Ich weiß nicht einmal, ob ich selbst ein Mensch wäre, der Befehle verweigern könnte. Gegenteilige Beweise gibt es in meinem Leben genug, ich habe genug unsinnige Befehle ausgeführt, auch Befehle der Konsumwerbung zum Beispiel. Aber ich habe noch nie einen Menschen geschlagen – das könnte ich wirklich nicht.

Und einer erzählt plötzlich aus heiterem Himmel, daß eine Ohrfeige zur rechten Zeit noch nie geschadet hätte. Er erzählt, daß er einmal seinem Sohn auf der Straße eine runtergehauen habe, und da habe sich ein Fremder eingemischt, dem habe er aber gesagt, das sei sein Sohn und er könne mit ihm machen, was er wolle.

Ich weiß, wie er darauf kommt, dies plötzlich zu erzählen. Im »Blick« stand vor ein paar Tagen eine Meldung, daß ein Mann irgendwo in Amerika zu Gefängnis verurteilt wurde, weil er seinem Sohn zwei Ohrfeigen gegeben hat.

Darüber müßte man reden, aber darüber redet man nicht. Denn wer nicht schlägt, den beschimpft man schon gleich als antiautoritär, und viele meinen, antiautoritäre Erziehung heiße den Meister nicht zeigen. Das heißt es zum Teil wohl auch, aber antiautoritäre Erziehung meint als Ziel etwas anderes. Sie meint Leute fähig machen zur Befehlsverweigerung. Nur wer das kann, muß das andere nicht können.

Und ich atme tief ein und will meinem Gegenüber erklären, wie das ist und daß es einen Strafbestand der einfachen Körperverletzung gebe, der auch für Väter und Söhne gilt und auch für Lehrer und Schüler. Dann halte ich meinen Atem an. Mir fällt ein, daß ich vor vielen Jahren meinen Sohn auch geschlagen habe, und ich schäme mich und frage mich, warum ich das getan habe. Wohl eben auch, weil es so der Brauch war und von den Nachbarn so erwartet wurde – also auch ein Fall von mangelnder Zivilcourage, von mangelnder Befehlsverweigerung.

Filmtage in Solothurn

Solothurner Filmtage zum 25. Mal: eine Institution des Schweizer Films, und das Wort Solothurn ist dabei so etwas geworden wie ein Begriff der Cineastik. »Ich zeige meinen Film in Solothurn«: das heißt nicht etwa, daß man ihn irgendwo den Solothurnern zeigen will, sondern eben an diesen eigenartigen Solothurner Filmtagen.

Aber Solothurn ist auch eine Stadt, eine Kleinstadt. Sie mag in diesen 25 Jahren in Europa bekannt geworden sein wegen dieser Filmtage, und wenn ich irgendwo in Skandinavien sage, daß ich in Solothurn wohne, dann sagt einer »Solothurner Filmtage«, und ich bin echt beleidigt. Denn diese Filmtage dauern nur sechs Tage, Solothurn selbst dauert 365 Tage. Aber immer wieder ist Weihnachten, immer wieder ist Ostern, und immer wieder sind die Filmtage, schon wieder.

Ein Wirt sagt, daß sie sich anständig aufführen, nette, angenehme Gäste. Was meint er damit? Ich frage ihn, und er sagt, die hätten doch mal die Fassaden mit Sprüchen verschmiert – 1980. Wer, die Filmer? Ja, die Filmer – aber jetzt sind sie sehr anständig.

Mein Mittrinker in der Beiz hat mit den Filmtagen nichts zu tun, auch mit Kino nichts. Er sagt freundlich zu mir: »Du hast jetzt sicher viel mit den Filmtagen zu tun«, und dann sagt er noch: »Wie ist die Qualität dieses Jahr?« Ich sage ihm, daß ich kaum etwas damit zu tun habe, und ich staune darüber, daß er irgendwo das Wort Qualität gehört hat. (Es gibt in der Schweiz Qualitätsprämien für Filme – wenn schon Schweiz, wenn es unbedingt sein muß, dann immerhin Qualität.)

Immerhin, alle sprechen – inzwischen – einigermaßen freundlich darüber. Die Solothurner Filmtage sind auch für die Solothurner ein bißchen ein Ereignis. Und das Ereignis heißt: die Fremden kommen, endlich kommen die Fremden. Endlich sind wir nicht mehr allein, endlich sind wir entdeckt.

Aber sie tragen eigenartige Hüte, die Fremden, und lange Schals, und sie schauen anders aus ihren Augen, und sie bewegen sich anders, und sie sitzen ganz anders in den Restaurants. Sie sind richtige Fremde, sie sind ganz anders. Und nicht etwa ihr Geschäft macht sie ganz anders, sondern ihre Herkunft. Sie kommen – so glauben die Leute hier – alle aus Zürich. Und der Wirt sagt, sie führen sich anständig auf: irgendwie ist das für ihn ein mutiges Bekenntnis. Er hat so seine Bedenken gegen Fremde, gegen Asylanten, gegen Tamilen – aber diese Zürcher, die sind zwar ganz anders als wir, aber anständig.

Vor 25 Jahren gab es in Solothurn eine Filmgilde. Die Mitglieder schauten sich montags im Kino Elite sogenannte »Studiofilme« an, die kamen aus Frankreich und aus England und waren sehr schön und hatten kein großes Publikum. Ich bin der Filmgilde Solothurn sehr dankbar für einen wichtigen Teil meiner Bildung. Wer am Montag im Kino Elite war, der gehörte zu einer Minderheit, und in einer Kleinstadt sind Minderheiten noch wichtiger als in der richtigen Welt. Wir waren eine ästhetische Minderheit, wir dachten nicht daran, daß wir damit auch eine politische Minderheit sein könnten.

Der damalige Präsident der Filmgilde, Paul Schmid, kam dann auf die Idee, Schweizer Filmer nach Solothurn einzuladen. Wir wußten eigentlich gar nicht, ob es so etwas gibt, und wir suchten sie zusammen; wir wußten auch, damals, daß der Schweizer Film eben nur ein Schweizer Film ist, und vieles war dilettantisch. Aber es kamen Leute, Leute aus Zürich zum Beispiel, und die sahen damals noch viel mehr ganz anders aus als wir in Solothurn, und die Leute in der Stadt hatten ihre Mühe damals mit diesen ganz anderen. Denn die Stadt hätte anderes anzubieten gehabt, schöne Fassaden, Denkmalpflege, eine bedeutende Fasnacht, eine schöne Umgebung, und die jungen Filmtage wurden so etwas wie eine Konkurrenz zur Fremdenwerbung der Stadt.

Das ist heute nicht mehr so. Aber damals wurden wir nicht gelobt für unsere Filmtage, und Stephan Portmann mit den langen ungewaschenen Haaren, wie die Leute sagten, war ihnen ein Ärgernis. Und wer mit den Filmtagen zu tun hatte, war kein richtiger Solothurner, und die ersten Politiker, die sich an die Filmtage wagten, verstanden sich als mutige Progressive. Unterstützt wurden die Filmtage finanziell von der Politik schon ein bißchen. Gerade verhindert wird hier nichts.

Inzwischen sind sie 25 Jahre alt, diese Filmtage. Sie gehören zum Jahresablauf der Stadt wie Weihnachten und Fasnacht. Sie existieren im Budget der Restaurants und in den Reden der Politiker. Das ist recht so, und das wollten wir damals auch, daß die Stadt die Leistung der Filmtage anerkennt – das wollten wir wirklich. Nur – hinterher sei es zugegeben – die jungen Solothurner Filmtage waren von uns als Ärgernis für diese Stadt gedacht. Und wir waren auch glücklich darüber, daß wir für unsere Überzeugung beschimpft wurden. Und wir wollten wirklich dieser Stadt ein bißchen Schwierig-

keiten machen mit dem Hereinholen der ganz fremden Welt – Zürich
zum Beispiel.

Inzwischen haben wir uns alle daran gewöhnt, wir und die anderen. Davon waren wir zwar überzeugt, daß sich die Stadt daran gewöhnen wird, das wollten wir ja auch – aber ein bißchen schade ist
es trotzdem.

Vom Fliegen und vom Davonlaufen

Am Nebentisch schimpfen sie über den Staat – wieder einmal oder
immer wieder. Es fängt an mit den Spenden für Rumänien, wo wir
doch selbst Arme hätten in unserem Land. Es ist eigenartig, wenn
von Armen in unserem Land gesprochen wird, dann nie von Invaliden, von chronisch Kranken, von Drogensüchtigen, von Angehörigen
von Alkoholikern, von Ausgeraubten und Betrogenen, von Ausgebeuteten und Unterbezahlten, von Alten und von jugendlichen Arbeitslosen – nein, es gibt für Armut im eigenen Land nur eine einzige Formel: die Bergbauern.

Niemand zweifelt daran, daß sie es schwer haben, und sie haben
es schwer, wenn auch alle davon wissen. Sie sind zum dauernden
nationalen Alibi geworden. Sie haben so etwas schön Schweizerisches. Sie sind viel schweizerischer als die Drogensüchtigen, als die
Aidskranken, als die Alten. Sie werden auch – so nehme ich an –
arm bleiben, denn wir Schweizer benötigen ihre Armut als Alibi.
Ein reicher Bergbauer würde jedenfalls nicht in unser Konzept passen. Ein armer Bergbauer schützt uns davor, andere Armut erkennen zu müssen – ausländische Armut zum Beispiel oder eben auch
weniger fotogene inländische Armut.

Ich habe durchaus Verständnis für die Probleme der Bergbauern,
und ich möchte sie hier keineswegs lächerlich machen. Aber was
ihnen wohl am meisten schadet, das ist, daß sie zu einer politischen
Leerformel geworden sind.

Was mich von den Männern am Nebentisch unterscheidet, das

ist, daß ich bereit wäre, die Situation der Bergbauern von heute auf morgen grundlegend zu verbessern – auch wenn es den Staat etwas kosten würde, auch wenn es ihn viel kosten würde. Ich habe einfach genug von diesem jahrzehntealten Alibithema.

Alibi heißt übrigens »Abwesenheitsbeweis«. Alibi kommt aus dem Lateinischen und heißt »anderswo«. Und einer sagt nun am Nebentisch, er sei nie mehr zu einer Abstimmung gegangen nach der Abstimmung über die Sommerzeit, die abgelehnt und trotzdem eingeführt wurde. Auch das ist ein Alibi, ein Abwesenheitsbeweis. Ich selbst finde das mit der Sommerzeit zwar lächerlich, ich war für die Sommerzeit ohne jedes Engagement und ohne jede Dringlichkeit, aber ich verstehe seine Zweifel gegenüber der Demokratie. Daß der damalige Bundesrat erst hinterher herausgefunden hat, daß die Abstimmung unnötig gewesen wäre, weil der Bundesrat die Kompetenz über Maß, Gewicht und Zeit hat: das war eine immense Stümperei und staatsgefährdender Dilettantismus.

Aber die Sommerzeit ist eine Bagatelle. Und mit Bagatellen kann man dilettantisch umgehen.

Jetzt sprechen sie am Nebentisch auch von den teuren Flugzeugen. Eben haben sie noch vom möglichen Lottogewinn von 8 Millionen gesprochen, und schon reden sie über 3500 Millionen. Sie stellen fest, daß die Regierung Flugzeuge kaufen wird, daß sie schon gekauft seien. Sie sind auch selbstverständlich davon überzeugt daß sich Beamte und Gewählte am Kauf bereichern werden – in einem Land jedenfalls, wo der Bürger zu 3500 Millionen nichts zu sagen hat, weil das Land – wer ist das Land? – weiß, daß die Bürger so viel Geld nicht hirnen können. Das Parlament wird es schwer haben und es sich leichtmachen.

Nein, die Bürger am Nebentisch sind nicht etwa nicht nur anderer Meinung als die Regierung. Sie wären auch anderer Meinung als die Opposition, sie wären auch anderer Meinung als die Grünen, sie sagen auch Dinge, die mir weh tun, sie sind auch gegen Asylanten, sie sind auch gegen Entwicklungshilfe. Aber plötzlich sagt einer, wenn wir alle nicht mehr in den WK, in den militärischen Wiederholungskurs, einrücken, dann könnte niemand etwas machen – weißt du, alle, alle Schweizer.

»Wir sind doch die Armee«, sagt er, »wir Soldaten, die Offiziere sind doch gar keine Armee, und das Eidgenössische Militärdepartement, das ist auch keine Armee.«

Aber es ist ihnen allen klar, daß das nicht funktionieren wird, weil dann zum Schluß eben nur zwei, drei nicht gehen, und die werden dann drangenommen.

Dann sagt einer: »Aber ist das, was die in der DDR gemacht haben, nicht genau das? Die haben alle eines Tages, alle zusammen, nicht mehr mitgemacht.«

»Eben«, sagt der andere. »Die haben nicht mehr mitgemacht, weil sie es so haben wollen wie wir. Oder hättest du etwa in der DDR leben wollen – damals oder heute?«

Ich mußte mich sehr beherrschen, nicht ins Gespräch einzugreifen. Es hätte mich interessiert, aber ich fürchtete mich davor, Schiedsrichter spielen zu müssen in einer Sache, die kein Spiel ist.

Ich gebe zu, die Sache mit der Idee »Keiner rückt mehr ein, und die können gar nichts machen«, die gefällt mir schon ein bißchen. Aber ich fürchte mich davor. Denn wenn unser Volk mal davonläuft, dann läuft es sicher nicht in eine Richtung, die ich möchte. Immerhin, wenn es davonläuft, dann läuft auch unser Volk wegen unserer Politiker davon. Das müßten sich die Bundesräte Koller und Villiger mal überlegen. Aus dieser Verantwortung werden sie sich nicht wegstehlen können. Ob ein paar Flugzeuge mehr wert sind als unsere Demokratie?

Was kost' die Welt?

Hätte Vreni gesagt: »Ich weiß eine Geschichte, die mußt du aufschreiben«, ich hätte ihr vielleicht nicht einmal richtig zugehört. In der Regel sind die Geschichten, die man angeboten kriegt, keine, und immer wieder treffe ich Leute, die davon überzeugt sind, daß ihr Leben Bücher füllen würde. Vreni aber erzählte Geschichten, den ganzen Abend, und gegen Morgen sagte sie: »Jetzt noch eine letzte

Geschichte«, und als sie die Geschichte erzählt hatte, sagte sie: »Ich möchte wissen, ob man eine solche Geschichte aufschreiben kann, versuch das doch mal.«

Vreni Wäger – sie hat ein Recht darauf, daß ich den Namen nenne, denn es ist ihre Geschichte und nicht meine, und ich habe es ihr so versprochen – ist Barmaid in St. Gallen. Das hat sie mir eingebleut, daß ich »Barmaid« zu schreiben hätte, und sie hat ein großes erzählerisches Talent und auch die Kraft, stundenlang zu erzählen.

Eine Bar ist sonst nicht der Ort, wo erzählt wird. Da wird eher ein wenig geblufft und Weltmann gespielt, da stehen die selbstdarstellenden Cowboys und die Möchtegerns, und Gewöhnliches erzählen gilt hier nicht viel. »Was kost' die Welt« ist die Parole, aber Vreni setzt sich durch, und man hört ihr zu.

Ihre Geschichte ist die Geschichte von einem Mann, der nie zum Connaisseur geworden ist und sein Leben wohl still und in Bescheidenheit gelebt hat, in Anständigkeit auch und in Umständlichkeit. Vreni und ich konnten uns jedenfalls nicht entscheiden, ob das nun eine lustige oder eine traurige Geschichte ist. In der Bar, um dort Zuhörer zu finden, muß sie lustig sein. Das wollte dann Vreni auch von mir wissen, ob ich fähig sei, daraus eine lustige Geschichte zu machen. Ich weiß, ich bin es nicht. Ich schreibe die Geschichte nur auf, weil ich es ihr versprochen habe.

Vreni also fährt Tag für Tag dieselbe Strecke mit dem Bus. An der Haltestelle, wo sie einsteigt, steht oft ein alter Mann, den sie jedesmal freundlich begrüßt, vielleicht eine Bemerkung übers Wetter macht und vielleicht ab und zu auch ein Späßchen. Sonst kennt sie ihn überhaupt nicht.

Eines Tages nun, bei besonders guter Laune, begrüßt sie ihn fast überschwenglich und mit viel Hallo, und der überrumpelte Mann, der sich nun verpflichtet sah, auch etwas zu sagen, sagte: »Fröllein, ich lade Sie zu einer Busfahrt ein«, und er nahm seine Busstempelkarte und stempelte sie zweimal.

Nun saßen sie also nebeneinander im Bus und fuhren Richtung Zentrum, und der Mann fragte: »Wo müssen Sie denn aussteigen?« Es stellte sich zu seinem großen Schrecken heraus, daß Vreni zwei Stationen nach ihm aussteigen mußte.

»Aber Sie sind auf meiner Stempelkarte«, sagte der Mann, »und ich muß vor Ihnen aussteigen.«

Der Mann steht auf, geht im Bus nach vorn zu einer Frau und fragt sie, ob sie wohl bei einer möglichen Kontrolle bezeugen könnte, daß das Fröllein dort hinten auf seiner Karte gewesen sei. Aber die Frau muß auch früher aussteigen, und andere Fahrgäste wollen nicht belästigt werden, und dem Vreni wird die Umständlichkeit des Alten fast peinlich. Sie beginnt sich ein bißchen zu schämen, und der Mann sucht weiter nach umständlichen Lösungen für diesen schrecklichen Umstand.

Vreni versucht ihn zu beschwichtigen: Das mache überhaupt nichts, sie kaufe sich einfach eine Karte, und die Sache sei in Ordnung. Vielleicht hätte sie auch keine Karte gekauft, und die Sache wäre trotzdem in Ordnung gewesen.

Aber der Mann sagte: »Ich habe Sie doch eingeladen zu einer Busfahrt, und jetzt bringe ich Sie in Schwierigkeiten.« Auch der Hinweis, daß eine Fahrkarte nur 90 Rappen koste, war ihm kein Trost.

Dann erreichte der Bus die Station, wo er aussteigen mußte. Er stand auf, drehte sich zu Vreni um, lächelte und sagte: »Es ist ganz einfach, Fröllein, behalten Sie doch die ganze Karte.« Und er ging. Auf der Karte waren noch acht ungestempelte Felder. Was kost' die Welt?

In der Bar war es schon morgens um halb vier, und Vreni komplimentierte uns endgültig hinaus – laut und rabiat, als wollte sie die sentimentale Geschichte wegwischen und mit etwas Lärm eine lustige daraus machen. Denn Vreni, das wissen ihre Stammgäste, ist eine lustige Frau. Und weil das die Stammgäste wissen, deshalb hat sie auch lustig zu sein.

Ob es eine lustige Geschichte ist? Sicher eine sentimentale, und es braucht Sentimentalität, sie als Geschichte zu erkennen. Und es braucht Kraft, sie den Connaisseurs in der Bar zu erzählen.

Erzählen ist ein gutes Mittel, wenn man etwas nicht erträgt, vielleicht die Connaisseurs nicht erträgt, aber halt mit ihnen lebt.

Siehst du, Vreni, ich glaube, ich habe die Geschichte zu umständlich erzählt. Du mußt sie mir später noch einmal erzählen.

Wie ist die Stimmung in der Schweiz?

Ein amerikanischer Freund fragt mich in einem Brief, wie denn die Stimmung sei in der Schweiz wegen der Sache mit der DDR und Deutschland. Er selbst macht in seinem Brief auch lange Überlegungen zu diesem Thema. Er hat seine Hoffnungen und seine Befürchtungen und spricht von langen Diskussionen mit Freunden, Nachbarn und Arbeitskollegen.

Was soll ich ihm nun antworten?

Ich kann ihm, recht unsicher und kompliziert, meine eigenen Meinungen, Hoffnungen und Befürchtungen mitteilen. Aber seine Frage »Wie ist die Stimmung in der Schweiz?« werde ich ihm nicht beantworten können.

Ich müßte ihm sagen: »Es gibt keine Stimmung in der Schweiz zu dieser Sache, es gibt kaum Meinungen dazu, es interessiert die Schweizer offensichtlich nicht.«

Meine Antwort ist nicht ganz korrekt. Ich habe Kommentare und Meinungen gelesen, auch gute und fundierte, in unseren Zeitungen; ich habe nichts oder fast nichts gehört in dieser Sache aus unserem Parlament, das immerhin tagte während dieses weltgeschichtlichen Umbruchs, aber ich habe als Bürger nicht den Eindruck bekommen, daß sich unsere Regierung damit befaßt. Aber lassen wir das mal weg. Ich möchte hier nicht von unserer Politik sprechen, sondern nur von dem, was mein amerikanischer Freund wissen möchte: »Wie ist die Stimmung in der Schweiz?«

Wenn mich jemand fragt hier in der Schweiz: »Was halten Sie eigentlich von dieser Sache mit Deutschland?« – dann versuche ich zu antworten, kompliziert und zögernd, und dann stelle ich fest, daß meine Antwort nicht interessiert. Ich hasse die Frage inzwischen, weil sie gar keine ist. Es ist nur eine Verlegenheitsfrage, weil mein Gegenüber weiß, daß ich oft in Deutschland bin. Er möchte von mir nur wissen, ob ich für oder gegen die Wiedervereinigung bin. Er selbst ist gegen alles: erstens gegen die DDR, zweitens gegen Deutschland, drittens gegen ein vereinigtes Deutschland und viertens – denn das hatte er bis jetzt nie wahrgenommen – auch gegen zwei Deutschland. Er ist ganz einfach für die Schweiz und sonst für gar nichts anderes.

Ich habe in der Schule gelernt, daß unsere Neutralität keine Gesinnungsneutralität sei. Das ist inzwischen eine Lüge. Wir haben – und ich meine nicht einfach die Regierung, ich meine wirklich »wir« – keine Meinung mehr zur Welt. Unsere Neutralität ist zum Alibi geworden, zum Abwesenheitsbeweis. Bedrohung heißt in unserem Land inzwischen nichts anderes, als sich mit der Welt beschäftigen zu müssen. Das wollen wir nicht, weil wir die Schweiz sind und nicht die Welt und schon gar nicht Europa. Die Schweiz ist inzwischen das einzige Land – Rußland inbegriffen –, das den Begriff »Europa« lediglich für einen geographischen Begriff hält und keineswegs für einen politischen.

Sollen wir das nun unserer Regierung zum Vorwurf machen? Sie glaubt ja, unschuldig daran zu sein, daß sich niemand im Land dafür interessiert. Ob sie es wirklich ist, das ist eine andere Frage, und Sondersitzungen des Parlaments über das Waldsterben sind einfacher.

Immerhin, unsere Wirtschaft wird sich mit den neuen Verhältnissen in Europa beschäftigen müssen, und sie tut das auch. Das heißt, daß sie im Augenblick unsere ganze Politik macht und sie in Zukunft auch machen wird. Das Desinteresse der Schweizer an der Weltpolitik führt letztlich zu einer Entdemokratisierung der Schweiz. Vielleicht will das gar niemand – vielleicht nicht mal die Wirtschaft –, aber es geschieht einfach. Die Abwesenden sind im Unrecht, sagt man, und Neutralität ist unser dauerndes Alibi, unser Abwesenheitsbeweis.

Weil es zu erwarten war

Eine kaum beachtete Meldung: Das DDR-Fernsehen wird jetzt auch Werbung senden, und zwar – im Unterschied zur ARD – auch am Sonntag.

Das erschreckt mich nur, weil es zu erwarten war. Alles, was jetzt noch geschieht in der DDR, wird zu erwarten gewesen sein. Wir kennen ja unseren kapitalistischen Westen oder, wie das in Amerika fast offiziell heißt: den demokratischen Kapitalismus, und wir wissen alle zum voraus, wie sich die ehemalige DDR (inzwischen wieder Ostdeutschland) entwickeln wird. Sie wird alles haben, was wir haben, und auch alles nicht haben, was wir nicht haben. Darauf haben die Bürger der ehemaligen DDR auch ein Recht: ein Recht auf freies Reisen, ein Recht auf einen freien Markt, auf Pluralismus – ein Recht auf das, was bei uns Freiheit heißt und wohl auch ein Stück von Freiheit ist.

Nur eben, der Eintritt wird teuer sein, weil sich die Bürger an uns zu verkaufen haben: die DDR-Fernsehspots sollen in der BRD produziert und von einer französischen Firma vermarktet werden. Irgend jemand in der DDR hat also diese Möglichkeit an den Westen verkauft, daran wohl verdient und damit auch mögliche Arbeitsplätze in Ostdeutschland an den Westen verschenkt. Die DDR wird so zu nichts anderem als zu einem neuen Markt für den demokratischen und kapitalistischen Westen. Das einzige, was sie einbringen durften aus ihrer sozialistischen Tradition, das ist, daß sie auch am Sonntag Reklame zeigen werden. (Ganz nebenbei: ich sehe nicht ein, weshalb der Westen nicht schon lange am Sonntag Reklame zeigt – denn besonders christlich sind wir ja auch nicht.)

Aber ich meine etwas anderes. Es ist eigenartig, daß mich solche Meldungen erschrecken. Ich weiß doch, wie wir hier leben, und jene in Ostdeutschland möchten jetzt auch so leben wie wir. Aber ich weiß offensichtlich noch nicht, was unsere Art von Leben für Konsequenzen hat. Die West-Werdung der DDR hält mir einen Spiegel vor. Ich werde auch die Meldung erwarten müssen, daß die staatliche Krankenversorgung, die staatliche Altersversorgung, das Recht auf Arbeit, das Recht auf Wohnung abgeschafft werden.

Sie werden so sein wie wir – und sie werden zur Entwicklung der Welt kein bißchen beigetragen haben. Das Versagen der DDR wird ein totales Versagen sein: vierzig Jahre für gar nichts. Das dürfte eigentlich nicht wahr sein. Vierzig Jahre lang haben in der DDR Menschen gelebt: Sozialisten, die daran glaubten, Liberale, die daran litten, Christen, die tapfer waren – und all das soll jetzt für gar nichts gewesen sein. Das einzige, was sie jetzt dürfen, das ist: als Konsumenten in unser System eintreten. Die Spots werden in der BRD produziert, das Geschäft macht eine französische Firma. Die Bürger der DDR werden dort anfangen müssen, wo auch die westlichen Arbeiter vor Jahrzehnten angefangen haben. Das Geschäft werden einzelne machen – auch einzelne DDR-Bürger.

Das ist so. Und ich meine es nicht zynisch, wenn ich sage, das ist wohl richtig so.

Aber traurig ist es trotzdem.

Selbstverwirklichung

Ich weiß nicht mehr, wie sie eigentlich darauf gekommen ist, aber anfangs sprach man in der Runde von Lottogewinnen, vom Reichwerden und vom Reichsein: eine Männerrunde mit immer denselben Themen, und plötzlich sagt die einzige Frau am Tisch, was sie möchte, das wäre eine Hochzeit in Weiß.

Das hätte man von ihr nicht erwartet, denn sie ist eine junge Frau, die keinen Wert auf Kleidung legt, die eher etwas verschlampt wirkt, und sie verhält sich stets so unkonventionell wie möglich. So nehmen denn die umsitzenden Männer ihre Äußerung als Ironie und versuchen, in den Spott einzustimmen.

Aber diesmal meint sie es ernst. Sie beginnt zu schwärmen von ihrem Brautkleid und beschreibt, wie es aussehen müßte. Auf die Frage, ob sie denn bald heiraten wolle, sagt sie entsetzt »Nein«. Es geht ihr wirklich nur um den Traum vom weißen Brautkleid.

Ich habe die Männer ringsum noch nie so hilflos gesehen. Sie können nicht verstehen, daß dies ein Wunsch fürs Leben ist, für einen Tag weiße Seide zu tragen. Aber nichts zu machen, sie beharrt darauf. Irgendwie bewunderte ich sie dafür.

Ein anderer, bei einer anderen Gelegenheit, wollte offensichtlich von mir bewundert werden. Er ließ mich vom Wirt an seinen Tisch bitten, gab seiner Freude Ausdruck, daß er mit mir ein Glas Wein trinken dürfe, und stellte sich vor, streckte seine Hand über den Tisch und sagte: »Hauptmann Rölli!« Ich muß den Eindruck gemacht haben, ihn nicht verstanden zu haben. Er wiederholte: »Hauptmann Rölli!«

Gekleidet war er wie ein schäbiger Handelsreisender, und reden konnte er wie ein schmieriger Marktschreier. Er war überzeugt davon, daß er mich schwer beeindrucke.

Ja, er habe noch Willi Ritschard gekannt, und er habe sogar mal mit ihm am selben Tisch sitzen dürfen. »Der hat wirklich mit mir gesprochen, und damals war ich erst Oberleutnant«, sagte er, und er brachte es auch fertig, den Titel »Hauptmann Rölli« in jeden zweiten Satz einzuflechten.

Als ich ihn fragte, was er denn von Beruf sei, sagte er: »Geschäftsführer bei einem Großverteiler.« Er nannte die Firma, aber ich möchte sie von der Dummheit dieses Menschen verschonen. Dann sagte er noch: »Nächstens werde ich Major und übernehme ein Regiment.« Seine militärische Firma kann ich vor seiner Dummheit nicht verschonen. Es gibt nur eine solche Firma in der Schweiz, und es ist anzunehmen, daß er ihr schaden wird.

Es ist auch anzunehmen, daß er ein fürchterlich unglücklicher Mensch ist und gar nichts vom Leben hat als seine Dummheit und seine militärischen Titel, die er mit Adelsprädikaten verwechselt. Arme Soldaten!

Seinen Namen habe ich selbstverständlich geändert. Vielleicht ist das gar nicht in seinem Sinn.

Und dann fiel mir ein anderer ein, der hatte auch nicht viel von seinem erfolgreichen Leben. Er war ein sehr freundlicher Mensch, zurückhaltend und bescheiden, ein großer Zauderer, etwas linkisch, und er hat in seinem ganzen Leben wohl nie etwas Unrechtes oder gar Verbotenes getan. Und seine Bescheidenheit ließ ihn das Leben kaum genießen. Sein Lächeln war nicht Freude, sondern nur Höflichkeit.

Ob er seinen Erfolg genießen konnte? Ich weiß es nicht, aber er war in die höchsten öffentlichen Ämter aufgestiegen und war ein in der Gegend durchaus bekannter Mann.

Im Alter wurde er nach und nach senil und bewegte sich nun unter den Leuten, die ihn verehrten und wählten, und er kannte die Leute nicht mehr, und er versuchte immer noch, sie freundlich zu grüßen.

Einmal habe ich ihn gesehen, wie er mit einer Einkaufstasche in der Hand mitten auf einer verkehrsreichen Straße ging, die Autos hupten, die Fahrer tippten an die Stirn, sie schrien ihn an, es gab einen kleinen Stau, und er ging durch den Stau. Ich sah sein Gesicht, und es strahlte. Ich habe selten so ein glückliches Gesicht gesehen, ich werde dieses Gesicht nie mehr vergessen.

Die böse Krankheit, die sich sicher niemand wünscht, hatte ihn für einmal und endlich von allen Zwängen und Konventionen befreit. Hie und da braucht es das Scheitern, um sich selbst leben zu können, und die Krankheit hat offensichtlich nicht nur die Funktion, tödlich zu sein.

Ich erinnere mich auch daran, wie schön es war, als Kind ein wenig krank zu sein, Fieber zu haben und nicht zur Schule zu müssen. Dann gab es Kartoffelstock, und man durfte im Bett essen und durfte die Mutter rufen, und sie kam.

Kranksein war damals immer ein Stück Freiheit. Kranksein war Sich-selbst-Sein. Inzwischen ist auch für mich Krankheit nur noch Belästigung und eine Bedrohung des Terminkalenders. Und auch mir gelingt es nicht mehr, das Scheitern zu genießen und ganz mit mir selbst zu sein.

Johann Wolfgang Goethe, DDR-Schriftsteller aus Weimar

Goethe hat im Alter von 27 Jahren seine Geburtsstadt Frankfurt für immer verlassen und hat sich in der Deutschen Demokratischen Republik, nämlich in Weimar, niedergelassen: selbstverständlich ist das Geschichtsfälschung. Immerhin, Weimar liegt in der DDR, und Goethe ist – oder war – ein DDR-Autor. Davon konnte er so wenig

etwas wissen, wie der Mann auf unseren Hunderternoten, Francesco
Borromini, je etwas wissen konnte davon, daß er später ein Schweizer
sein würde.

In meinem Lexikon steht, daß der italienische Architekt aus der
Lombardei stamme und in der Nähe von Mailand geboren sei. Sein
Geburtsort liegt inzwischen in der Schweiz, nämlich in Bissone.
Und inzwischen sind wir Schweizer auf ihn so stolz, daß wir ihn ab-
bilden auf unseren Hunderternoten.

Ist Goethe ein DDR-Autor, ist Borromini ein Schweizer Architekt?

Günter Gaus, der erste Leiter der ständigen Vertretung der BRD
in der DDR, erzählte eine Geschichte, die mir für immer unter die
Haut gegangen ist. Goethes Lieblingsbaum war der Ginkgo Biloba,
ein Baum aus dem fernen Osten, den er in Weimar pflanzte, eigentlich ein Nadelbaum, dessen »Nadeln« aber wie Blätter aussehen,
und diese Blätter sind zweigeteilt und zusammengewachsen zugleich wie siamesische Zwillinge. Goethe hat ein Gedicht über den
Ginkgo geschrieben mit der letzten Zeile: »Daß ich eins und doppelt bin«.

Günter Gaus nun erzählte, daß er 1974 Weimar besucht, daß ihn
dort ein DDR-Bürger als BRD-Vertreter erkannt, ein Ginkgoblatt
vom Baum gepflückt und zu ihm gesagt habe: »Daß ich eins und
doppelt bin?«

Es ist nicht anzunehmen, daß der »DDR-Autor Goethe« damals an
zwei Deutschland gedacht hat, aber der Vorschlag des DDR-Bür-
gers von 1974, »eins und doppelt sein«, der hat inzwischen keine
Chance mehr.

Wilhelm von Humboldt hat den alten Goethe mal auf die deutschen
Befreiungskriege angesprochen, und der konservative Goethe sagte
versöhnlich, die Weltgeschichte habe auch diesen Spaß haben müssen. Das erinnert mich an Fernsehen, daß die Weltgeschichte ein Un-
terhaltungsspaß zu sein hat, und wir sind auch gern bereit, politische
Fehlentwicklungen dem Fernsehen in die Schuhe zu schieben – aber
1813, als Goethe das sagte, da gab es noch kein Fernsehen. In den
Gesprächen mit Eckermann beklagt sich Goethe dauernd darüber,

daß man ihn für einen Konservativen halte, für einen Fürstenknecht, wie er selbst sagt, und dies nur, weil er sich fürchtete vor Nationen und Nationalismus: »Die Nationen sind sich wohl einig über- und untereinander, aber uneins in ihren eigenen Körpern«, hat er einmal gesagt. Ein eigenartiger Satz, und Goethe fügt auch an: »Andere mögen das anders ausdrücken; ich habe mir den Spaß gemacht, es so zu geben.«

Er meint also, übersetzt für heute, die USA und die UdSSR haben keine Schwierigkeiten miteinander, die BRD und die DDR auch nicht, und die Schweiz und Südafrika auch nicht. Solange es eine UdSSR gibt, wird es eine amerikanische Aufrüstung geben, und solange es eine USA gibt, wird es eine russische Aufrüstung geben, und solange es beide gibt, wird es freundschaftliche Abrüstungsverhandlungen geben. Schwierig sind nur amerikanische Bürger, die das anders sehen möchten, und russische Bürger, die das anders haben möchten.

Der Zusammenbruch der Mauer ist ein erfreuliches Ereignis, daran gibt es nichts zu rütteln. Nur ist es eben nicht der Zusammenbruch einer Grenze. Sie wird jetzt rundherum gezogen und vielleicht auch etwas stärker. Daß der Zusammenschluß Deutschlands nur im gesamteuropäischen Konzept stattfinden kann, das ist ein schönes Wort und schnell gesagt. Letztlich geht es doch um Nation und »Einig Vaterland«, das alte 19. Jahrhundert.

Ich gehöre nicht zu jenen, die im Gesamtdeutschland eine neue Kriegsgefahr sehen, ich halte solches Denken für reaktionär. Aber Grenzen niedergerissen werden mit diesem Zusammenschluß keine. Und vielleicht ist das ein letzter »Hoffnungsschimmer« für eine europa-unwillige Schweiz, die ihre Grenzen so sehr mag und sich ohne Grenzen nicht vorstellen kann und nicht vorstellen will.

Darüber sind sich offensichtlich die Nationen immer noch »einig über- und untereinander«. Ein Staat ohne Grenzen – zum Beispiel ein Europa ohne Grenzen – hätte sich wohl doch mehr um seine Bürger zu kümmern und ihnen nicht nur dauernd zu sagen: »Ihr seid in unseren Grenzen, und in unseren Grenzen seid ihr sicher.«

Der Schweizer Architekt Borromini hat jedenfalls so wenig in unseren Grenzen gelebt wie Goethe in den Grenzen der DDR. Das finde

ich fast tröstlich – wie auch den Satz zum heutigen Zeitgeschehen
von Goethe. Er erklärte seinem polnischen Übersetzer: »Der Frei-
handel der Begriffe und Gefühle steigert ebenso wie der Verkehr mit
Produkten und Bodenerzeugnissen den Reichtum und das allgemeine
Wohlsein der Menschheit.«

Organisation ist alles

Ich habe nicht die Absicht, umzuziehen. Ich werde wohl, wenn alles
gutgeht, da bleiben, wo ich bin.

Trotzdem quält mich der Gedanke, umziehen zu müssen. Und ich
mache – ohne umziehen zu wollen – dauernd in meinem Kopf Plan-
spiele, wie das vor sich zu gehen hätte, und ich stelle fest, es wäre einfach unmöglich – all dieses Gerümpel, all diese Umstände, all diese
Schwierigkeiten.

In Wirklichkeit – das weiß ich – wäre es einfach: Andere konnten und können das auch, und es gibt für alle organisatorischen
Schwierigkeiten Organisationen, die es gegen Bezahlung tun. Hinterher würde es einfach gewesen sein.

So einfach – so beleidigend einfach –, wie es war, die Eltern zu beerdigen. Ich wünschte mir immer, vor ihnen zu sterben, damit mir
diese riesigen Umstände des Organisierens erspart blieben. Und dann
waren es beleidigend kleine Umstände, weil alles so organisiert ist,
daß alle es können – und wenn es bis jetzt alle gekonnt hatten, dann
konnte ich es wohl auch.

Ich erinnere mich an die erste Schulreise vor 35 Jahren, die ich als
Lehrer zu organisieren hatte: Umsteigen und Essen und Schiff und
Bahn, und schließlich ging ich am Tag zuvor zum Bahnhof, bestellte
das Kollektivbillett, und am anderen Tag fanden wir in Zürich, in
Zug, in Arth-Goldau einen Wagen mit einer Tafel »Primarschule
Lommiswil« – das hat mich fast erschüttert, und ich fragte mich,
wer das tut, so schnell, so exakt und so selbstverständlich. Und getan
hat es wohl eben die SBB – einzelne Menschen zwar, aber doch eher
eine Organisation.

Ich kann mir nicht helfen, beim Gedanken »Umzug« stelle ich mir immer noch vor, daß ich meine Möbel und mein Gerümpel auf einen Handkarren zu laden und durch die ganze Schweiz zu ziehen hätte, und wenn ich an Beerdigung denke, dann denke ich daran, daß ich ein Grab schaufeln müßte.

Ich fürchte mich vor Organisation, und ich meine damit nicht nur, daß ich selbst nicht organisieren kann, sondern ich stehe staunend vor jenem modernen Koloß, der alles organisiert: Umzüge und Beerdigungen, Ferienreisen in die Südsee, meine Steuern und meine Zivilschutzpflicht, meine Versorgung mit Lebensmitteln – ich habe die Kartoffeln nicht beim Bauern zu holen, ich könnte heute noch zum Reisebüro gehen und käme morgen, übermorgen auf einer Südseeinsel an, und mein Name wäre dort im Computer.

Das ist bequem und gut so, und ich möchte es auch nicht anders haben (und als ich dann doch mal in Prag nicht im Computer war, habe ich fast geweint) – aber eben, das alles läßt mich so sehr staunen, daß es mich auch erschreckt.

Plötzlich stelle ich fest, daß ich eigentlich mit nichts etwas zu tun habe, weder mit meinen Reisen noch mit »meinen« Beerdigungen, noch mit »meinen« Geburten, mit »meinen« Lottogewinnen, mit meinen Steuern, mit meiner Sehnsucht – alles Organisation.

Nun könnte ich zwar gut – ich tu es nicht – zu Fuß und ohne Organisation von Solothurn nach Olten gehen, sogar ohne Grund – aber Amerika zum Beispiel war schon zu Zeiten von Kolumbus nur mit Organisation und Organisationen zu erreichen, und ich gehe nächstens nach Amerika, und ich verlasse mich auf die Organisation und werde wohl bei der kleinsten Unregelmäßigkeit schon fast zusammenbrechen.

Nein, ich habe gar nichts gegen Organisation. Ich fürchte mich nur vor der Selbstverständlichkeit, mit der wir sie benützen, vor der Selbstverständlichkeit, mit der sie angeboten wird.

Organisation ist keineswegs eine Erfindung unserer Zeit, aber unsere Zeit hat die Mittel, sie total zu perfektionieren, und plötzlich besteht unser Leben nur noch aus Bestellen und Kaufen und Abrufen.

Und ich meine damit nicht die Angst vor dem Computer, nicht die

Angst vor Machtmißbrauch. Ich meine nicht einmal die Ohnmacht der Menschen. Ich meine Entfremdung – entfremdete Arbeit, daran hat sich die Mehrheit der Arbeitenden bereits gewöhnt: tun zu müssen, was man nicht einsehen kann. Schon längst aber hat die Entfremdung unser ganzes Leben ergriffen, und plötzlich erscheint uns alles Organisierte als so etwas wie Natur. Und dann ist halt auch der Staat etwas, das einfach geschieht, und die Ferien geschehen und die Kriege. Und Panzer loszuschicken und Panzer bauen zu lassen wird so einfach wie die Buchung auf dem Reisebüro, und weil es so einfach ist, ist auch keiner so recht daran beteiligt – die Aktiven nicht und die Passiven nicht. Und wir stehen da und staunen wie Kinder, daß es funktioniert. Aber leben wie Kinder, das mißlingt uns.

Der geliebte Rucksack-Käser

Über ihn gibt es eigentlich fast nichts zu erzählen. Ich erinnere mich nicht daran, daß er je etwas zu mir gesagt hätte, ich erinnere mich nicht daran, daß ich je etwas zu ihm gesagt hätte. Ich erinnere mich nicht an seine Stimme, und es kann sein, daß auch das Gesicht, das ich in Erinnerung habe, nicht seinem Gesicht gleicht. Aber er hatte einen Namen, und den Namen hatte ich wohl für ihn erfunden: er hieß Rucksack-Käser. Dies, weil mein Vater zwei Arbeitskollegen hatte mit dem Namen Käser. Der eine offensichtlich ein zuverlässiger und guter Kollege und auch ein Freund meines Vaters – das war der Käser – und der andere ein eigenartiger, er hatte die Eigenart, stets einen Rucksack zu tragen, und deshalb nannte ich ihn den Rucksack-Käser.

Und das einzige, was ich über ihn sagen kann, ist, daß ich ihn liebte – daß ich so sein wollte wie er, daß ich so sein wollte, daß ich ihm gefallen hätte. Er war – so schien mir – ein richtiger Mann. Er war sehr still und etwas gebückt, und mein Vater sprach mit ihm anders als mit anderen, und nach jedem Wort war der Rucksack-Käser noch etwas stiller und etwas gebückter. Und das ist schon alles, was ich über ihn weiß, und so lohnt es sich wohl nicht, über ihn zu erzählen, und ich belästige wieder einmal meine Leserinnen und Leser mit Belanglosem.

Die Sache mit dem Rucksack-Käser ist jedenfalls nicht dringend. Ich hätte sie schon vor Jahren erzählen können oder auch Jahre später. Und vielleicht ist es nur meine Erinnerung an seinen Namen, was ihn für mich so wichtig macht: Rucksack-Käser. Und vielleicht ist er nur so wichtig, weil ich ihm einen Namen gegeben habe. Er war der erste Mensch, den ich benannt habe, dem ich einen Namen erfunden habe.

Ich war drei- oder vierjährig damals, und ich liebte den Rucksack-Käser ganz herzlich, ohne jeden Grund.

Er war im Unterschied zum anderen Käser der Käser mit Eigenschaft.

Es gibt einen hier in der Stadt, der gleicht ihm – ein stiller Trinker, ein Handwerker – Gipser –, ein wortkarger Mensch. Einer jedenfalls, dem man die Geschichte vom Rucksack-Käser nicht erzählen könnte. Wem könnte man diese Geschichte schon erzählen, diese Geschichte, die gar keine ist.

Ich habe noch selten ein Wort mit dem Gipser gesprochen. Ich habe ihm nur einmal gesagt, daß er jemandem gleicht. Aber das hat ihn – wohl zu Recht – nicht interessiert.

Trotzdem, ich freue mich jedesmal, wenn ich ihn treffe. Ich mag ihn sehr, und auch ihn ohne jeden Grund, das heißt, ohne daß er dafür verantwortlich sein könnte.

Denn ohne Grund eigentlich nicht – er erinnert mich an eine Zeit, als ich die Menschen noch gern hatte, als es mir noch gelang, einen Menschen zu benennen – mit einem Namen in meine Welt aufzunehmen – und zu lieben, so wie ich wohl damals meine Welt liebte.

Erst Jahrzehnte später fragte ich meinen Vater einmal nach diesem Rucksack-Käser. »Ein Nichtsnutz«, sagte er und lächelte, und das Lächeln sah aus, als ob auch er sich nicht nur ungern an ihn erinnerte. Aber was er von ihm erzählte, das war nicht viel Positives, ein Trinker halt, ein Rotweintrinker, der montags selten arbeitete und oft die ganze Woche nicht. Einer, der wohl seine ganze Habe im Rucksack hatte – ein Einsamer.

»Aber er war doch immer wieder bei uns zu Hause«, sagte ich.

»Nein«, sagte er, »mehr als zwei-, dreimal kannst du den gar nicht gesehen haben, und wenn er kam, dann kam er nur, um mich anzupumpen, und meistens auch sehr betrunken.«

Das überraschte mich, denn ich hielt ihn für einen richtigen Mann, für einen Stillen und Starken. Das war er offensichtlich nicht. Und mein Vater erzählte auch, daß er vielen Leuten viele Sorgen gemacht hatte – sich selbst auch – und daß er ein böses Ende genommen hatte.

Vielleicht war er einer, der von sich glaubte, auf dieser Welt zu nichts nütze zu sein. Und er wird wohl nie davon erfahren haben, daß er von einem kleinen Kind herzlich geliebt wurde, daß das damalige kleine Kind ihn bis heute nicht vergessen hat und daß es inzwischen auch eine (kleine) Neigung zu rotem Wein hat und sich inzwischen auch schwertut mit Lieben und Geliebtwerden.

Wir tun, was wir können

Es ist eine etwas mißlungene Formulierung, wenn der Instruktor im Zivilschutz sagt: »Osteuropa ist wieder im Kommen.« Und er hält auch inne hinterher und ist wohl selbst nicht sehr zufrieden.

Er meint nämlich nicht etwa, daß es in Osteuropa bessergehe, sondern eben schon wieder schlechter, er meint, das Feindbild sei wieder im Kommen; denn er fürchtet, jemand könnte am Sinn des Zivilschutzes zweifeln.

Im übrigen spricht man im Zivilschutz nicht mehr so gern von kriegerischen Ereignissen. Der Atomkrieg hat inzwischen als Argument ausgedient. Mit ihm wurde der Zivilschutz jahrelang verkauft – nun hat er sich anders zu begründen.

Nun braucht man eben andere Argumente. Der Instruktor erzählt von einem Vortrag des Brandschutzspezialisten einer großen Chemiefirma in Basel (er nannte den Namen der Firma), der erklärt hätte, daß jederzeit, in jeder Minute eine große chemische Katastrophe in der Schweiz möglich sei.

Da spricht doch die chemische Industrie sonst ganz anders, nämlich dann, wenn sie sich selbst zu verteidigen hat. Aber hier geht es nun mal um den Sinn des Zivilschutzes, und dafür braucht man eben eine möglichst große Gefahr. Zuerst kommt die Sache – nämlich der Zivilschutz –, und erst dann wird eben zu seinen Gunsten argumentiert.

Ich war letzte Woche zum vierten Mal dabei – furchtbar lange drei Tage – und habe wieder fast nichts anderes gehört als Verteidigungsreden für die Sache des Zivilschutzes.

Das ist in der Schweiz so Brauch: Die Institution verteidigt vorerst mal dauernd sich selbst. Sie fürchtet sich, wenn der Osten nicht mehr so recht im Kommen ist. Und wenn schon die Schweizer Atomkraftwerke sicher sein sollen, so sind es ganz sicher die ausländischen nicht. Sie haben sozusagen die Funktion, nicht sicher zu sein.

Die Frage, ob Zivilschutzverteidiger für oder gegen Atomkraftwerke seien, ist eine zynische und bösartige Frage. Sie müssen wohl dafür sein, daß sie gefährlich sind, und sie müssen dafür sein, daß es sie geben muß. Ein schwieriges Leben, wenn man sich einmal einer Institution verschrieben hat.

Nun sprach man in den Pausen auch von anderem, etwa von Europa (von West- und Ostdeutschland, so heißen sie nun wieder) und von 1992, von der EG und davon, was da alles auf uns zukommen könnte, und dann auch davon, daß unser Parlament, unsere Regierung völlig hilflos diesen Entwicklungen gegenüberstehen und abwarten und ein bißchen hoffen. Und dann die Frage, was könnten sie denn eigentlich tun, und keinem fiel eine Antwort ein, auch mir nicht. »Alles zu spät«, sagte einer, »was wir jetzt auch immer tun, es ist zu spät.«

Der Zivilschutz-Instruktor hat auch gesagt: »Wir können nicht einen Zivilschutz aufbauen, wenn es soweit ist – wir müssen vorbereitet sein, und wenn wir die Vorbereitungen nicht brauchen, dann um so besser.«

Das könnte doch auch ein Satz sein für unsere Politik, für unsere Außenpolitik, Wirtschaftspolitik, Sozialpolitik. Oder müssen wir es bereits in der Vergangenheit formulieren: »Das hätte doch auch ein Satz gewesen sein können.«

Daß Krieg eine Folge von schlechter, von unmenschlicher, von ungenügender Politik ist, das wissen wir. Krieg ist viel einfacher zu bewerkstelligen als Politik. Ist vielleicht auch Landesverteidigung einfacher zu bewerkstelligen als Politik? Ist es wohl doch einfacher, ein Land zu verteidigen, als es zu machen? Ist Armee vielleicht doch einfacher als Demokratie? Sind wir aus diesem Grund ein Landesverteidigungs-Staat geworden? Nämlich weil uns plötzlich die Demokratie zu kompliziert wurde?

Ich weiß, der totale Krieg und die totale Verteidigung, das ist nicht ganz dasselbe, aber die Frage: »Wollt ihr die totale Verteidigung?« wurde in diesem Land in den siebziger Jahren gestellt. Sie hieß zwar nicht »totale« Verteidigung, sondern Gesamtverteidigung.

Das Elend in unserem politischen Denken begann mit diesem Begriff.

Die Fichen und Akten der Bundespolizei dienen dem genau gleichen Zweck wie die Fichen des Militärdepartements. All diese Fichen sind Gesamtverteidigungsfichen. Die Eiterbeulen, die jetzt platzen, sind die Folge der vereinfachten Politik – statt Politik nur noch Verteidigung.

Es gibt in der Schweiz Regierungsräte, die militärische Kommandos haben und im Ernstfall einrücken müßten – man brauchte also im Ernstfall den Staat nicht mehr. (Die Lokomotivführer würde man noch brauchen, die sind vom Dienst freigestellt.)

Selbst der Generalsekretär des Militärdepartements hätte einzurücken, weil er einer Brigade vorsteht. Man hätte also im Ernstfall die politische Kontrolle nicht mehr nötig.

Die harmlose Antwort darauf heißt: »Vielleicht glaubt der Generalsekretär nicht an einen Ernstfall, und im Frieden kann er ja beide Ämter ausüben.«

Diese Antwort wird der Generalsekretär nicht akzeptieren. Welche dann?

Vielleicht diese: Wir haben Europa verpaßt, eine neue Welt bedroht uns – nicht etwa militärisch, sondern politisch –, und wir können nur Gesamtverteidigung. Und in diesem Zusammenhang dann die Politikerantwort: »Wir tun, was wir können.«

Vom Elend der Profis

Nein – über Fußball will ich jetzt und hier nicht schreiben. Aber ich schau mir die Spiele schon an – mit Freude und mit Schadenfreude, mit Interesse und mit Besserwissen.

Dummerweise und durch Zufall bin ich zum Profi geworden. Ausgerechnet in dieser Zeit der Weltmeisterschaften, wo sich ohnehin Professionalismus in den verschiedensten Formen der Lächerlichkeit aussetzt.

Ein Profi ist einer, der gelernt hat, zu behaupten, sein Beruf sei ein Beruf wie jeder andere Beruf auch.

Danach wird ein Maurer und ein Mechaniker und ein Bürolist zwar nie gefragt, und deshalb habe ich auch noch nie einen so saudummen Satz von einem richtigen Berufsmann gehört. Ich hörte noch nie einen Maurer sagen: »Maurer ist ein Beruf wie jeder andere Beruf auch.«

Ich kenne eine junge Frau, die hat nicht nur das Talent zum Laufen – also zum schnellen und zum ausdauernden Laufen –, sondern auch richtig Spaß daran. Sie wurde als Mädchen entdeckt und gefördert. Nun wäre sie altersmäßig so weit, daß es richtig ernst werden könnte: mit »richtigem« Training, mit »richtiger« medizinischer Betreuung und mit einem »richtigen« Ziel vor Augen. Sie war bis jetzt immer eine der besten – entweder sie »professionalisiert« sich jetzt und bleibt bei den Besseren, oder sie läßt es halt sein. Nur Spaß und Freude ist nach ihrer Entdeckung und Förderung nicht mehr drin. Entweder – Oder: das heißt Profi. Etwas, was man muß, weil man es dummerweise kann.

Ich aber, ich bin ein Profi geworden in einer Sache, für die mir jedes Talent fehlt, ich hoffe auch, daß ich diesen Beruf, der »jetzt auch ein Beruf wie jeder andere auch ist«, bald wieder loskriege. Ich will kein Profi sein, das Siegen geht mir auf die Nerven.

Aber was soll ich einem jungen Zweitliga-Fußballspieler, den ich vorher nie kannte und der mich um Rat fragt, sagen? Er hat ein Angebot eines Nationalliga A-Clubs. Das war sein Traum, schon als er mit

Spielen begann als kleiner Junge. Er hatte schon damals gewußt, daß Nationalligaspieler Profis sind, daß sie Geld verdienen – aber er hat nicht gewußt, daß es das Entweder – Oder sein wird – die endgültige Versklavung an ein Ziel.

Er selbst hätte noch anderes zu tun in seinem Leben, er ist ein talentierter Musiker, er ist begeistert von seinem Beruf.

Ich kann ihm nicht helfen. Ich kann ihn nur dafür beglückwünschen, daß er überhaupt auf die Idee kommt, darüber nachzudenken.

Und vor dem Gehen sagt er: »Eines ist sicher – entweder, oder: Ich werde nie mehr in der zweiten Liga spielen, entweder ich mache die Karriere, oder ich lasse es ganz sein. Der Spaß ist bereits nicht mehr derselbe.«

Professionalismus ist Zwang. Wer gezwungen wird, durch Talent und Neigung, durch Trainer und Nation, durch Eigensinn und Biographie, z. B. eine Kugel einige Meter weit zu stoßen, der wird – ohne daß er das wollen muß – zum Profi.

Nun gibt es bestimmt auch Maurer, die recht ungern und durch biographische Zufälle Maurer geworden sind, aber die Nation zwingt sie doch eher selten dazu.

Professionalismus ist der unumgängliche Zwang, eine Nebensache zum Beruf machen zu müssen, sich zu versklaven, nicht nur an eine Nation und einen Besitzer, sondern auch etwa an stereotype Interview-Antworten wie etwa: »Fußballer ist ein Beruf wie jeder andere auch.«

Wehe dem Profi, der diese einfache Antwort nicht richtig lernt – aber bis jetzt lernte sie noch jeder.

Und ausgerechnet ich werde am letzten Montag zum Profi – ohne jedes Talent, ohne Fleiß, ohne Durchhaltewillen.

Wer etwas tut, was nicht alle tun, der wird professionalisiert. Einen Dienstverweigerer zum Beispiel bestraft man auch damit, daß er nun ein ganzes Leben lang ein Dienstverweigerer zu sein hat.

Er wird also bezeichnet nach etwas, worauf er verzichtet hat.

Letzten Montag um 16.30 Uhr habe ich das Rauchen aufgegeben. Übrigens zum ersten Mal in meinem Leben und nur aus Trotz, weil die anderen am Tisch kein anderes Thema hatten als ihre Nichtraucherei, und ich wollte das Thema trotzig beenden.

Nun sitze ich mit drin und bin ein Profi. Ich denke seit Tagen nur noch an meinen blödsinnigen Beruf. Ich bin jetzt nur noch und ausschließlich ein Nichtraucher, selbstverständlich ist auch das ein Beruf »wie jeder andere«.

Ein großes Bißchen Freiheit

»Hast du bemerkt, wie sich die Stadt total verändert hat?« fragten mich meine Berliner Freunde, und sie meinten damit die Veränderung West-Berlins.

Und ich wußte nicht, was ich nun ehrlich antworten sollte. Habe ich es bemerkt oder habe ich es nur gewußt?

Gleich nach der Ankunft bin ich über den Kurfürstendamm gegangen, und ich wollte auch das sehen, wovon ich gehört hatte. Mir schien zwar, daß es besonders viele Leute auf der Straße hatte, aber das war auch früher schon so, mir wäre wohl nichts Besonderes aufgefallen, hätte ich nicht gewußt, daß hier Besonderes stattfindet.

Ich versuchte also, unter den Leuten jene zu erkennen, die aus Ost-Berlin (dem ehemaligen Ost-Berlin) kommen, aber sie trugen weder besondere Hüte noch besondere Jeans. Meine Freunde erklärten, daß sie solches noch vor Wochen getragen hätten, daß sie sich aber inzwischen auch schon im westlichen Kaufhaus eingekleidet hätten. Ich saß in einer Kneipe, und am Nebentisch waren nun endlich vier Ostberliner, d. h., ich glaubte, sie als solche erkennen zu können. Hätte ich nicht plötzlich ihre Sprache erkannt, ich würde sie jetzt hier beschreiben, aber es waren zu meiner Überraschung Amerikaner.

Eigentlich wollte ich nur sehen, was ich weiß. Ich glaube, man nennt das Vorurteil, und ich glaube, man nennt das ab und zu allzu voreilig Vorurteil. Wir sind alle immer so stolz auf unsere eigenen Beobachtungen, und wir halten sie auch wirklich für eigene Beobachtungen, dabei schaut man sich fast immer nur das an, was man schon weiß.

Touristen haben immer wieder den Eindruck, zu erleben, dabei ist ihr Erlebnis nicht nur vom Reiseveranstalter vorprogrammiert, sondern auch in ihrem Kopf.

Nein, ich hätte in West-Berlin keine Veränderung feststellen können, hätte ich nicht gewußt, daß in dieser Stadt fast Unvorstellbares geschieht, Wichtiges und Epochemachendes. Am Tag der Währungsumstellung ging ich nach Ost-Berlin (dem ehemaligen) und sah nun Dinge, von denen ich hätte wissen sollen, aber die mich doch überraschten. Gleich nach dem Brandenburger Tor ein hochgestyltes Geschäft eines japanischen Motorradherstellers mit der ganzen Programmpalette bis zur Musik und dem Flügel. Wer soll das denn kaufen hier im armen Osten, dachte ich – und selbstverständlich dachte ich falsch, denn vorläufig werden wohl die vom Westen hier kaufen. Vom ehemaligen Westen.

Am Brandenburger Tor auch das Suchen nach der Stelle, wo die Mauer war. Warum eigentlich? Sie ist jetzt einfach nicht mehr dort. Offensichtlich möchte man doch noch ein bißchen dieses Kitzeln verspüren, das man früher beim Überschreiten dieser erschreckenden Grenze hatte.

Aber der kleine Kitzel bleibt. Nicht etwa, weil man etwas sieht, sondern weil man weiß, daß man hier steht, wo vor ein paar Wochen noch eine ganz andere Welt war.

Es ist Sonntag, die Läden sind geschlossen, und vor den Schaufenstern stehen Leute, die staunend zuschauen, wie die »richtige« Welt in die Regale geräumt wird. Sie müßte jetzt eigentlich, am ersten Tag der Währungsunion, eine Überraschung sein. Sie ist keine mehr – alle haben die »richtige« Welt im Westen bereits angeschaut. Überraschend ist nur, daß sie jetzt auch hier stattfindet, wo sie nie stattfinden durfte.

In einer Kneipe diskutieren zwei Betrunkene mit dem Kellner. Er sagt, daß die Bar morgen wohl verkauft wird. Von wem und an wen? wird gefragt. Niemand weiß es. Keiner hier weiß, wer was von wem kaufen könnte, aber alle wissen, daß alles schon verkauft ist. Die großen Geschäfte sind bereits gemacht, und die Geschichte hinkt nicht sich selbst nach – sie hinkt den großen Geschäften nach.

Und dann ein langer Spaziergang durch dieses ehemalige Ost-Berlin, zum ersten Mal im Bewußtsein, daß man das sicher auch darf. Zur Zeit der Mauer wußte man nie so recht, was gestattet war, selbst wenn es gestattet war. Und auch hier sind die Ost-Deutschen nicht als Ost-Deutsche zu erkennen.

Aber die Stadt erinnert mich plötzlich an eine andere Stadt, die ich mal sehr liebte – vor bald dreißig Jahren –, sie erinnert mich an ein West-Berlin, das noch nicht reich war, noch nicht ganz eingenommen war vom westdeutschen Wirtschaftswunder, das ein bißchen schmutzig war, ein bißchen improvisiert und ein großes Bißchen frei.

Doch, meine Freunde, West-Berlin hat sich wirklich verändert – in den letzten dreißig Jahren.

Die Bewältigung der Unschuld

Daß die Revolution ihre eigenen Kinder frißt, das ist so einer jener Sätze, die fast selbstverständlich sind und nicht begriffen werden müssen.

Jetzt habe ich ihn doch zufällig begriffen.

Ich habe die Französische Revolution nicht lebend erlebt, und die russische auch nicht, aber die wichtige und sehr wahrscheinlich erfreuliche und sicher nötige Revolution der DDR – von der habe ich zum mindesten gehört, als ich noch lebte. Eigenartig, daß niemand bereit ist, in diesem Zusammenhang das Wort Revolution zu gebrauchen, das würde ja aussehen, als ob der Umbruch in der DDR ein Erfolg der ostdeutschen Bevölkerung wäre. Die Geschichte hat sich aber bereits dafür entschieden, daß das Ganze ein Erfolg des westlichen Kapitalismus sei, und der Bundeskanzler Kohl hat sich dafür entschieden, daß er es sei, der das alles in Ordnung bringen wird.

Wie auch immer, es wird ihm gelingen. Die Ordnung war schon immer so etwas wie eine deutsche Angelegenheit – auch die »Ordnung« der DDR war keine Unordnung. Und was man schnell ordnen kann, das war dann immerhin keine Revolution.

Ich selbst habe zwar den Eindruck, daß sich die DDR selbst befreit hat von ihrer »geordneten« Unterdrückung, inzwischen stellt es sich so dar, als hätte die BRD die DDR befreit.

Die Revolution war keine – deshalb, nur deshalb frißt sie die eigenen Kinder. Vielleicht war auch die französische keine und die russische auch nicht.

Eine Revolution ist dann erfolgreich, wenn sie opportun wird, wenn plötzlich die alten Opportunisten zu einem neuen Opportunismus finden – denn die Opportunisten sind immer, und immer wieder, die Mehrheit. Denn Christa Wolf, zum Beispiel, war nie eine Opportunistin. Sie glaubte zwar an die Möglichkeiten eines sozialistischen Staates, sie hatte Bedenken gegen Leute, die ihn führten, sie war bereit, trotzdem mitzudenken, sie war bereit, Gedanken zu äußern, die den Führenden nicht lieb waren, sie wurde dafür gefeiert in Ost und West.

Inzwischen hat der sogenannt freie Westen über einen mit Sicherheit unfreien Osten gesiegt – der Opportunismus hat nun ein neues Vorzeichen, und die ehemals kriechenden Ostler sind nun begeisterte Westler, wie wenn »kriechend« und »begeistert« austauschbar wären. So erinnert man sich halt an die nicht Kriechenden ungern, und an die nicht Begeisterten noch weniger.

Die Revolution – auch die französische, auch die russische – frißt ihre eigenen Kinder aus dem einzigen Grunde, weil die ehemals Mutlosen nach der erfolgreichen Revolution immer viel radikaler sind als die ehemals Mutigen.

Und sie möchten nach dem Sieg nicht an den Mut der Mutigen erinnert werden. Anständigkeit ist alles, und wer nicht anständig war – vorher – und nicht anständig ist – nachher –, der ist eben unanständig.

Eine Revolution ist dann erfolgreich, wenn sie anständig wird.

Ich kannte vor zwölf Jahren einen Studenten in der BRD. Er war nett, eifrig und zutraulich, hatte als Algerier in der DDR studiert, wurde DDR-Bürger, wurde Flüchtling und BRD-Bürger, und ich mochte ihn, und ich hatte mit ihm immer ein ungutes Gefühl – es hätte ja sein können, daß er ein Offizier des DDR-Geheimdienstes hätte gewesen sein können. Denn ein Offizier des DDR-Geheimdien-

stes hatte kurz zuvor den Bundeskanzler Willy Brandt zu Fall gebracht. Jener Guillaume wurde als Flüchtling in die BRD eingeschmuggelt, und er brachte es fleißig bis zum persönlichen Berater
von Willy Brandt.

Wie viele eingeschmuggelte Geheimdienstler haben es wohl zu
nichts gebracht? Politische Karrieren sind oft zufällig.

Mein »algerischer« DDR-Bundesrepublikaner hat es vielleicht in
dieser Sache zu nichts gebracht. Wie lebt er jetzt wohl? Das habe
ich mich schon vor dem Zusammenbruch der Mauer gefragt. Wie
lebt er wohl jetzt? frage ich mich nach der Zeit der Mauer.

Und die Antwort ist einfach: Er wird wohl leben – und er wird
(wie wir alle) seine Anständigkeiten und seine Unanständigkeiten
begründen und entschuldigen – und er wird eine ewige Wut auf jene
haben, die vorher schon versuchten, ein wenig anständig und ein
wenig tapfer zu sein.

Guillaume lebte noch in der DDR, die keine mehr ist, er hat für
nichts anderes gelebt als für eine lächerliche Pflichterfüllung. Seine
Verbitterung darüber wird weiterleben in jenem Land, das Deutschland heißt und das sich seit über hundert Jahren mit der Bewältigung
der Vergangenheit befaßt – erfolglos, aber im Bewußtsein der Schuld.
Nun können sie endlich Unschuld bewältigen – das wird ihnen sehr
schwerfallen.

Der Betrug mit der Freiheit

Menschen einsperren, das ist Folter – wie das auch geschieht und
wo es auch geschieht, und wenn wir als Schüler Karzer bekamen,
dann war das nicht zur Besserung unseres Charakters gedacht, sondern nur zur Qual und zur Strafe.

Strafe muß sein, heißt der Satz, und das klingt so, wie wenn Strafe
für alle sein müßte.

Als ich vor 35 Jahren meine erste Stelle als Lehrer antrat, empfahl
mir mein Vorgänger, jeden Tag einen Schüler zu verprügeln, sonst

bekäme ich das nie in den Griff. Ich fragte ihn, was ich denn tun sollte, wenn keiner sich strafbar gemacht hätte – und er sagte: »Die stellen alle dauernd was an, du wirst nie den Falschen erwischen.«

Unnötig zu sagen, daß ich nicht geschlagen habe, unnötig zu sagen, daß sie wirklich ab und zu etwas anstellten – wohl so viel wie vorher, oder vielleicht auch ein bißchen weniger.

Geschlagen wurden sie von meinem Vorgänger nur, weil Strafe sein soll – Strafe muß sein.

Einsperren ist auch eine Strafe. Kürzlich wurde ein ganzes Volk befreit, das eingesperrt war – die Menschen in der DDR –, es war ein neuer Oberaufseher für Gefängnisse gekommen, der gegen Gefängnisse war, Gorbatschow, und dann fiel die Mauer. So einfach ist das, wenn einer gegen Gefängnisse ist, dann gibt es sie nicht mehr.

Daß Strafgefangene in der DDR glauben, sie hätten nun ein Recht auf Amnestie, das ist nicht so abwegig – denn sie sind schließlich unter dem Druck der Gesamtgefangenschaft straffällig geworden. Sie möchten nun – wie alle ehemals Gefangenen – die Freiheit.

Freiheit, das ist ein eigenartiges Wort.

Es ist so leicht zu verstehen, so leicht auszusprechen, es ist so leicht, sich Freiheit vorzustellen. Es ist so leicht zu sagen, daß Freiheit die Rücksichtnahme aller auf alle bedeute.

Es gab noch nie einen Staat auf der Welt, der für die Unfreiheit plädiert hätte. Alle Staaten, alle Diktaturen verstanden sich als Orte der Freiheit.

Ich habe das Glück, in einem freien Staat zu leben – ich glaube sogar ein wenig daran, wenn ich auch weiß, daß alle Politiker in allen Staaten ihren Bürgern nichts anderes versprechen als Freiheit. Aber ich muß zum Beispiel diese verfluchte Steuererklärung ausfüllen – ich sehe das ein und bin dafür, aber Freiheit ist das nicht –, ich muß in diesen total lächerlichen Zivilschutz, um die Freiheit zu verteidigen, die mir mit der Verteidigung genommen wird.

Nein, im Ernst, ich bin für die Abschaffung des Begriffs Freiheit. Mit ihm wurde und wird immer Schindluder getrieben.

Wie oft wurde ich schon in die »Freiheit« entlassen. Als ich endlich ein Schüler wurde, versprach ich mir davon die Freiheit. Ich wurde konfirmiert, und das erschien mir wie eine Entlassung in die Freiheit. Ich wurde volljährig und erwartete Freiheit. Ich wurde mit fünfzig aus dem Militär entlassen – endlich – und war endlich frei.

Und dann kam dieser schmierig-freundliche Zivildienst, wo alles sehr nett war und das Essen gut – und alles im Namen der Freiheit.

Ich fühlte mich keineswegs frei in den letzten Tagen, weil diese verdammte Pflicht des Kolumnenschreibens auf mir lastete. Doch, doch – ich tu es freiwillig, ich tu es gern. Ich sehe das mit den Steuern auch ein, das mit dem Staat sehe ich auch ein, das mit den Bürger-pflichten auch – auch daß Tausende von freiwilligen Aktuaren in frei-willigen Kommissionen mit dem Schreiben von Protokollen belä-stigt werden; doch, ich sehe das alles ein.

Ich möchte es nur nicht Freiheit genannt haben.

Es wäre mir lieber, wenn man das Sozialverständnis nennen würde, soziales Verhalten. Ich möchte lieber in einem sozialen Staat leben als in einem freien.

In Zürich lebte mal ein Mann, der nannte sich Lenin, und der hatte als junger Mensch die Vorstellung, daß man den Staat abschaffen müßte, weil er die Menschen unfrei macht. Und dann hatte er die Vorstellung, daß man einen Machtstaat bräuchte, damit man die Men-schen dazu erziehen könnte, ohne Staat zu leben. Wir wissen, was daraus geworden ist.

Ich hatte durch Zufall mit vielen Strafgefangenen zu tun. Ich kenne ihr Verhältnis zur Freiheit – es ist eine totale Vorstellung von einer totalen Freiheit, die es nicht gibt. Wer einmal gefangen war, der wird nie mehr in der relativen Freiheit leben können und nicht nur die Freiheit, sondern auch sich selbst zerstören. Auf das »freie« Europa kommen Millionen von ehemals Gefangenen zu. Und unsere politi-sche Rechte, die Wirtschaftsleute, frohlocken und sprechen wieder von freier Marktwirtschaft. Ein Wort, das es bei uns vierzig Jahre lang kaum mehr gab. Es hieß noch vor einem Jahr – auch bei uns – soziale Marktwirtschaft.

Der Betrug mit der Freiheit hat eine neue Chance.

Die Fassaden von Salamanca

Salamanca ist eine schöne Stadt, das habe ich meinen Gastgebern auch gesagt, und es ist mir leichtgefallen, es zu sagen. Salamanca ist wirklich eine schöne Stadt, und es hat mir dort sehr gefallen.

Mit Salamanca ist das sehr einfach: Salamanca ist alt, also ist Salamanca schön. Die Stadt hat etwas, was man nicht wegdiskutieren kann: Sie hat Jahrhunderte, ein zwölftes und ein dreizehntes und ein fünfzehntes und ein sechzehntes, und das eine heißt Romanik und das andere heißt Gotik, und es macht sich für einen Besucher nicht schlecht, ab und zu zu fragen: »Sind das nicht vielleicht maurische Elemente?«, oder man kann auch sagen: »Ich erkenne hier doch schon barocke Einflüsse«, und damit wäre die gesamte europäische Geschichte bereits abgehandelt: Gotik, Romanik, Barock – immer wieder und in dauernden Wiederholungen.

Die Gastgeber haben mir freundlicherweise auch einen Bildband über Salamanca geschenkt – zur Erinnerung. Nun liegt er hier auf dem Tisch und erinnert mich an nichts anderes als an europäische Kunstgeschichte.

Der Bildband über Freiburg (welches auch immer) und der Bildband über Mailand und der Bildband über Solothurn ist derselbe. Nichts wird mich so wenig an Salamanca erinnern wie seine Fassaden.

Es ist eigenartig, für Touristen sind Städte total ohne Geschichte. Sie stehen einfach da und kommen aus Jahrhunderten, und was der Fremdenführer zu vermelden hat, ist nichts anderes als abgestandene Kunstgeschichte.

In die wunderschöne Bibliothek der Universität wurde ich zu früh und übereilt geschleppt. Ich hatte ein Buch aus dem 11. Jahrhundert in der Hand und die erste Übersetzung von Aristoteles ins Lateinische – nein, nicht aus dem Griechischen, sondern aus dem Arabischen – 14. Jahrhundert –, und wir blätterten in den Büchern und staunten über respektlose Randbemerkungen von Zeitgenossen der Bücher. Und ich kam mir schäbig vor, als ganz gewöhnlicher Voyeur, der fragt: »Welches Jahrhundert?« und dann pflichtgemäß ein bißchen staunt.

Ich war froh, als die Führung endlich vorbei war. Ich kam mir als blöder Eindringling – ohne Lateinkenntnisse, ohne Spanischkenntnisse, nicht einmal Arabisch kann ich –, als Eindringling in eine Welt vor, die für anderes gedacht war als zum beglotzt werden.

Es mag seine Gründe haben, daß wir die Geschichte der Welt immer wieder auf Kunstgeschichte reduzieren. Sie gibt so weniger zu denken. Und die wunderschöne Bibliothek von Salamanca war mal als Sammlung des Denkens dieser Welt gedacht.

Ich verzichtete auf weitere Führungen, verzichtete auf Kirchen und Klöster und freute mich an dem, was ich zufällig sah: einen uralten Vorlesungssaal aus dem 16. Jahrhundert, düster und beängstigend, karg, als wäre Wissen eine harte Last, dunkel und unheimlich, und oben an der Wand eine kleine Kanzel, von der das Wissen kam.

Ich wagte den Raum nicht zu betreten, aber ich blieb jedesmal fasziniert stehen, wenn ich an ihm vorbeikam.

Und eines Tages erzählte mir ein spanischer Begleiter, hier habe Fray Luis de Leon Vorlesungen gehalten.

»Wer war das?« fragte ich.

»Er war ein großer spanischer Lyriker, Augustinermönch, er hat das Hohelied Salomons ins Spanische übersetzt und als Liebeslyrik interpretiert. Die Inquisition hat ihn dafür 5 Jahre in den Kerker gesperrt, und als er nach fünf harten Jahren – zwei Freunde waren im Gefängnis gestorben – zurückkam, stieg er auf diese Kanzel und sagte: ›Wie ich gestern gesagt habe‹ im Sinne von ›Gestern waren wir stehengeblieben bei ...‹«

Luis de Leon steht vor der Universität auf einem Sockel. Ich grüßte ihn jeden Tag. Die Geschichte von seiner Vorlesung überzeugte mich. Aber in meinem Bildband und in meinem Fremdenführer steht nichts davon.

Jetzt suche ich ihn, ein paar Gedichte habe ich auf deutsch schon gefunden.

Beim Verlassen des Kerkers

»Die Lüge und der Neid
mich hier gefangenhielt.
Den Weisen lob ich mir,
der arm an Tisch und Haus,
bescheiden sich entfernt
aus dieser bösen Welt,
auf wunderbarer Flur,
nur Gottes eingedenk,
allein durchs Leben geht,
beneidend nicht, noch neidend.«

Luis de Leon soll dieses Gedicht an seine Kerkerwand geschrieben haben. Und Salomons Hoheslied hat er ganz privat für eine Nonne übersetzt – Liebeslyrik.

Doch – es hat sich gelohnt, Salamanca zu besuchen. Ich habe einen Satz von Luis de Leon kennengelernt. Ich werde ihn und Salamanca nicht vergessen. Den Bildband kann ich ja einmal einem flüchtigen Besucher von Solothurn schenken.

Wie schlecht die Schüler sind

Irgendwo in der Schweiz sitzt ein spanischer Primarschüler in der zweithintersten Reihe und ist ein schlechter Schüler. Der Grund, daß er ein schlechter Schüler ist, ist ganz einfach: er hat Mühe mit Deutsch – er hat also Mühe mit Fremdsprachen.

In Wirklichkeit hat er aber nicht die geringste Schwierigkeit mit Fremdsprachen – keiner in der Klasse, auch der Lehrer nicht, spricht so viele Sprachen wie er, er spricht und versteht vier oder fünf Sprachen, und eigentlich alle diese Sprachen sind für ihn Fremdsprachen – und wir nehmen an, er sei ein schlechter Schüler, weil er Mühe mit Fremdsprachen habe.

Seine Eltern sind Galizier. Sie kommen aus dem Norden Spaniens und sprechen eine andere Sprache als Spanisch, nämlich Galizisch. Das ist die Sprache, die der Schüler zu Hause hört. Bevor er in die Schweiz kam – mit sieben –, war er aber ein Jahr im Kindergarten, dort hat er Spanisch gehört und Spanisch gelernt, auf der Straße in der Schweiz lernte er Schweizerdeutsch – akzentfrei wie ein Schweizer –, und in der Schweizer Schule lernte er Hochdeutsch. Dazu kam – weil es bei uns weder ein galizisches noch ein spanisches Fernsehen gibt –, daß zu Hause stets das italienische Fernsehen lief, so lernte der Junge nun auch noch seine fünfte Sprache und spricht sie perfekt.

Nein, ich kenne ihn nicht, diesen Primarschüler in der Schweiz. Ich weiß auch nicht, wo er in die Schule geht.

Ich weiß nur, daß es ihn gibt, und sicher gibt es ihn mehrmals und überall in der Schweiz: Der Schüler oder die Schülerin, die fünf Sprachen kann und kein guter Schüler, keine gute Schülerin ist.

Ich war für eine Woche an der Universität Salamanca in Spanien und hatte mit spanischen Germanisten und Germanistikstudenten zu tun. Das war sehr schön und angenehm, und das gute Deutsch der Studenten und Studentinnen hat mich beeindruckt.

In den Pausen kamen aber auch Studenten, die mich auf schweizerdeutsch ansprachen, richtiges Schweizerdeutsch aus dem Aargau, aus der Ostschweiz – ziemlich genau lokalisierbar, aber es waren Spanier.

Es war sehr eigenartig für mich. Hier sprachen Spanier Schweizerdeutsch als Fremdsprache, und weil sie in dieser Fremdsprache etwas direkter mit mir sprechen konnten als jene, die Hochdeutsch als Fremdsprache konnten, war es dann auch so etwas wie eine Geheimsprache.

Und als ich Manuel darauf ansprach, sagte er: »Weißt du, auch Spanisch ist für mich Fremdsprache, ich bin Galizier, habe ›zu Hause‹ im Aargau nur galizisch gesprochen und am Fernsehen italienisch gehört. Mein Spanisch war damals nicht sehr gut.«

Manuel hat sein Germanistikstudium an der Universität abgeschlossen und arbeitet gegenwärtig an seinem Doktorat. Er ist ein interessanter Mensch, er hat in vielen Welten gelebt und in vielen Sprachen. Er weiß mehr von dieser Welt als ich. Aber er war in dieser Schweizer Schule ein schlechter Schüler – in derselben Schweizer Schule, in der ich ein guter Schüler war.

Ich versuche, ihn dazu zu bringen, sich darüber zu beklagen oder darüber zu schimpfen, aber er schimpft nicht – nicht einmal über die Schweiz. Aber wäre seine Biographie eine schweizerische geblieben, er wäre wohl ein Hilfsarbeiter geworden, man hätte ihn für einen »dummen« Spanier gehalten, und das Schlimmste – er selbst hätte das wohl auch geglaubt. Den Weg an eine Schweizer Universität hätte er bestimmt nicht gefunden.

Daran ist niemand schuld, auch sein Schweizer Lehrer wohl nicht.

An einer spanischen Universität hat er es nun geschafft, mit einer anderen Sprache, die auch nicht seine Muttersprache ist, mit Spanisch.

Ich will hier keine Klage gegen Lehrer und Schule führen, sehr wahrscheinlich ist das einfach so – eine schulische Biographie ist wohl für immer und für alle zufällig. Jener, der einen Lehrer findet, der behauptet, sein Schüler sei talentiert, jener hat Glück. Ich habe das Glück gehabt, er aber hat es sich erkämpfen müssen nach einer langen Zeit als Hilfsarbeiter in der Schweiz.

Mir ist nur plötzlich eingefallen, daß es doch eigenartig ist, wie wenig in unserer Schule kulturelle Vielfältigkeit gilt – wie wenig es gilt, wenn der Schüler in der zweithintersten Reihe fünf Sprachen kann. Und dies in einem Land, das so stolz ist auf seine kulturelle Vielfältigkeit. Dies allerdings auch in einem ganz kleinen Land, in dem einem Kind mit einem Ortswechsel von wenigen Kilometern schon die ganze schulische Biographie versaut werden kann.

Ganz einfach, weil Schule auf Bildung keine Rücksicht nehmen kann und will.

Der Atlas liegt vor mir

»Wie sieht das Land bei Dir aus? Bist Du nahe genug, die Alpen zu sehen. Ich werde in Europa studieren und möchte in die Schweiz fahren. Ich möchte noch einmal Luzern besuchen. Gibt es noch etwas anderes, wohin ich gehen sollte?«

Eine Klasse von amerikanischen Deutschstudenten hat mir Briefe geschrieben. Sie schreiben hervorragendes Deutsch und sie studieren erst seit einem Jahr Deutsch. Es sind zwar nicht Briefe an mich persönlich. Es geht vielmehr um eine Schulübung. Sie schreiben zwar alle, daß sie mit Spannung auf meine Antwort warten. Aber die meisten Fragen sehen nicht so aus, als ob sie dringend Antworten benötigen.

Immerhin, ich habe ihrer Professorin versprochen, zu antworten, und versuche, es zu tun.

Nur, was soll nun dieser Student in der Schweiz außer Luzern noch anschauen – und warum? Soll ich ihm Solothurn empfehlen, Welschenrohr oder Dübendorf? Und wie sieht das Land bei mir aus?

Ich staune darüber, daß mich dieser Brief echt beleidigt. Ich bin beleidigt als Schweizer, und ich glaube doch immer, daß man mich in dieser Sache nicht beleidigen kann. Ich bin beleidigt, weil man mich reduziert auf die Geographie, in der ich wohne.

Ich weiß, er meint es freundlich, er will mein Land loben, die Alpen und Luzern, und nachdem er weiß, daß ich Schweizer bin, ist er auch überzeugt, daß es mich freuen wird. Ein ähnliches Kompliment an Amerika, an den Grand Canyon, an die Niagarafälle würde ihn wohl freuen.

Nein, Schweiz ist für mich nicht Geographie. Wenn ich an dieses Land Schweiz denke, denke ich an anderes als an seine Grenzen. »Wie sieht das Land bei Dir aus«? Er erwartet eine geographische Antwort, und er wäre wohl entsetzt, wenn er eine politische Antwort bekäme. Wenn ich ihm etwa erzählen würde, daß in diesem Land über die Abschaffung der Armee abgestimmt wurde, daß 35 % der Stimmenden für diese Abschaffung waren, daß dies die Restlichen kurz beeindruckt hat und dann schnell vergessen wurde. Daß man hier in diesem Land Mehrheitsbeschlüsse akzeptiert.

Nein, ich kann es ihm nicht erklären, und das ist wohl das, was mich beleidigt. Ich habe immer noch den Eindruck, daß es so etwas gibt wie die Schweiz und daß ich so etwas bin wie ein Schweizer – er aber liebt sie zum voraus, er möchte noch mal nach Luzern und fragt mich, was es sonst noch so gebe in dieser wunderschönen Gegend. Er wäre nicht überrascht, wenn ich ihm das Matterhorn empfehlen würde. Als Schweizer müßte ich das eigentlich. Aber ganz zufälligerweise habe ich selbst das Matterhorn im Original noch nie gesehen – auf Bildern allerdings fast täglich, und ich kenne es. Durch Zufall ist das Matterhorn nicht meine Schweiz. Er aber fragt mich, ob ich nahe genug bin, die Alpen zu sehen.

Und ich habe wohl den Eindruck, er könnte nahe genug sein, New York zu sehen, oder er hört den ganzen Tag das Rauschen des Niagaras, oder er ist befreundet mit Winnetou oder sieht genau gleich aus wie Präsident Bush.

Er lebt in Indiana. Ich könnte das jetzt auf der Landkarte suchen und sagen: »Aha, hier lebt er, westlich von New York und östlich von Kalifornien«, und dann hätte ich wohl auch den Eindruck, ich wüßte jetzt, wo er lebt.

Ich mußte kürzlich eine lange Reise durch Amerika machen, mit dem Flugzeug, und überall, wo ich war, war nichts anderes als Amerika. So wie Zermatt und Solothurn nichts anderes als die Schweiz ist.

Ich habe schon als Schüler das Fach Geographie nicht begriffen – diese Grenzen und diese Hauptstädte, diese Berge und diese Meere. Und die Grenzen erscheinen auf einer politischen Karte wie Natur, und im Atlas wird die Politik zur Geographie.

In einer Sache allerdings werden wir uns gleich verhalten – der Amerikaner und ich –, wir werden in einem Atlas Irak suchen und Kuwait und Saudi-Arabien.

Und wir werden es finden und den Eindruck haben, daß wir nun doch ein bißchen etwas wissen davon – etwas mehr wissen als jene, die Irak auf der Karte nicht finden. Geographie ist ein untaugliches Mittel, Welt zu begreifen – und in den Schulen der ganzen Welt wird Geographie als ebenjenes Mittel angeboten.

Hätten wir keinen Geographieunterricht, der Tourismusindustrie würde es schlechtgehen.

Ab und zu frage ich mich, ob es der Rüstungsindustrie ohne Geographieunterricht auch schlechtgehen würde.

Der Golfkrieg jedenfalls wird in unserer Gegend immer noch als geographisches Ereignis betrachtet.

Der Atlas liegt vor mir.

Krieg an und für sich

Ein Freund kommt mir entgegen, grüßt und geht vorbei, dann dreht er sich um, sagt Hallo, kommt zurück und fragt: »Wie geht es dir.«

Was ich auch immer antworte – »gut«, »so, so«, »ja, doch« –, meine Antwort erschreckt mich jedenfalls immer.

Bei den Englisch-Sprechenden ist die entsprechende Frage eine Grußformel, die man in der Regel einfach mit derselben Frage erwidert. In unserer Gegend fordert die Frage eine echte Antwort. Das bringt mich immer wieder in Verlegenheit, und oft erschreckt mich meine Antwort noch Minuten später. Weshalb habe ich jetzt »gut« gesagt, wo ich doch eben noch traurig war? Weshalb antworte ich »schrecklich«?

Nein, ich habe nichts gegen diese Frage, und es ist mir recht, daß die Frage bei uns ernst genommen wird.

Ich frage also meinen Freund zurück: »Wie geht es dir?« Und er sagt: »Sehr schlecht – mein bester Freund ist gestorben, Krebs.«

Seine Augen werden feucht. Nun sollte ich wieder etwas sagen, aber was? »Tut mir leid, schrecklich, Scheiße.«

Ja, ich kenne sein Leiden. Ich habe das auch schon erlebt, daß der Freund plötzlich weg war.

Ich habe damals wohl auch gesagt, daß es mir schlechtgehe.

Aber ich kenne seinen Freund nicht, habe ihn nie gekannt. Mein eigenes Befinden verändert sich durch seine Trauer nicht. Das finde ich entsetzlich, und es quält mich den ganzen Tag, die Traurigkeit meines Freundes macht mich nicht traurig.

Ich habe immerhin nicht nach den Umständen des Todes gefragt –
Sterben ist schlimm genug.

Aber ich saß nachher lange in meinem Zimmer, ohne etwas zu tun,
und hörte zu jeder vollen Stunde die Nachrichten, von denen ich
immer geglaubt hatte, daß sie mich brennend interessieren. Und
plötzlich entdeckte ich, daß ich sie so entgegennehme wie die die Mitteilung meines Freundes.

Ich nehme die Nachrichten vom Golf als Wissender entgegen: »Ja,
ja, ich kenne das.« »Und das ist eben so – und wir werden alle sterben.«

»Tut mir leid« – ich frage mich, ob meine Anteilnahme, ob meine
Traurigkeit über diesen Krieg nicht vielleicht doch auch gespielt ist.

Und dann fällt mir plötzlich dieser international genormte Tonfall der Reporter und Korrespondenten auf: Deutsch mit englischer
Schnelligkeit, glatt, gewandt, gescheit – die Kenner, die Connaisseurs –, immer derselbe Tonfall, als gäbe es auf der ganzen Welt nur
einen einzigen Kommentator, mit zwar verschiedenen Meinungen.
Fast scheint mir – und zu Unrecht –, die amerikanische Zensur ist
pressefreundlich. Sie erlaubt den sauberen klaren Kommentar mit
Ausblick und Rückblick. Die Zensur macht CNN nicht verlegen –
im Gegenteil, sie erlaubt sozusagen ein 24stündiges Gespräch mit
Korrespondenten über die Sache an und für sich.

So wie ich mit meinem Freund durchaus über die Sache an und
für sich sprechen kann: über den Tod, der uns sicher ist, über Krebs,
was grauenhaft ist, über Leben an und für sich, über Freundschaft
an und für sich.

Der Golfkrieg unterliegt immer noch der Geheimhaltung, und er
wird wohl für immer geheim bleiben. Begründet wird die Geheimhaltung politisch und militärisch und mag deshalb teilweise einseh-
bar sein.

Ich glaube trotzdem, es geht um etwas anderes, darum nämlich,
daß wir alle die Chance haben, über die Sache an und für sich zu diskutieren, über die Aggression der Iraker, über den Krieg, über die
Taktik der Amerikaner.

Geschichte hat auch die Aufgabe, die großen Zusammenhänge zu zeigen. Ein Diktator kann noch so schlimm gewesen sein, er verliert in der Geschichte seinen Schrecken.

So wie der Golfkrieg seinen Schrecken bereits verloren hat, weil man von Anfang an versucht hat, ihn uns nicht zu hautnah werden zu lassen. So sitzen wir denn vor dem CNN wie vor einem Geschichtsbuch und hören uns die stoischen, klaren und gescheiten Kommentare an – wie wenn es nicht um aktuelles Geschehen, sondern um eine historische Erinnerung ginge.

Geheimhaltung ist zwar nicht immer Betrug – aber sie hat fast immer Betrug zur Folge. Man betrügt uns um unseren Realitätsbezug. Meine Meinung zum Golfkrieg zum Beispiel kann ich mir nicht selbst bilden, ich bin – leider – auf meine Vor-Urteile angewiesen.

Feiertage

Ostern ist vorbei. Erinnern Sie sich noch, wie wir uns vor einer Woche »Frohe Ostern« und »Schöne Festtage« gewünscht haben?

Haben wir nun wirklich den Opfertod und die Auferstehung Christi gefeiert? Nein, das haben wir wohl nicht. Ich bin nicht einmal sicher, ob ein Pfarrer oder Bischof das getan hat. Aber wir haben gut gekocht an Ostern oder uns bekochen lassen. Viele haben an Karfreitag Fisch gegessen – einen teuren Fisch, wenn schon, selbstverständlich: Seezunge, Dorade, Hecht. Die ersten Spargel – teuer – auch, die hat man sich am Donnerstag gekauft, und die Verkäuferin hat »Schöne Ostern« gewünscht – und irgendwie haben wir uns alle auf Ostern gefreut. Und Ostern wird trotzdem nie so richtig Ostern.

In Sachen Weihnachten haben wir uns bereits daran gewöhnt: Der Dezember ist ein Streß, Geschenke und Geschäfte, und das Fest zu Hause will nicht mehr so richtig gelingen. Aber es muß trotzdem sein, das Fest, es muß auch sein, wenn wir nicht an jenen glauben, der an Weihnachten geboren wurde. Und viele haben den Verdacht, daß uns die Geschäfte das Weihnachtsfest versauen.

Das kann nicht wahr sein, denn vor Ostern sind die Verkaufsgeschäfte viel weniger aggressiv als an Weihnachten, und an Pfingsten treten sie überhaupt nicht in Erscheinung, und wir werden uns auch vor Pfingsten »Frohe Pfingsten« wünschen, und wir werden auch vor Pfingsten einen guten Braten einkaufen, und irgendwie haben wir vor den Feiertagen doch immer die Vorstellung von etwas Besonderem.

Die Feiertage sind nicht besonders, weil sie uns zur Gewohnheit geworden sind, zu einer noch größeren Gewohnheit als der Alltag.

Eine Woche vor Ostern traf ich am Morgen in der Beiz verkaterte und betrunkene Leute. Sie waren sehr laut und sehr fröhlich. Sie feierten den Schweizermeistertitel des SCB Bern. Nein, sie waren nicht in Lugano, sie hatten nicht einmal alle das Spiel im Fernsehen gesehen. Aber sie feierten (versuchten zu feiern) das große Ereignis, und sie gingen für einen Tag, für zwei Tage nicht zur Arbeit – das ist ein hoher Preis für den Glauben an den SCB Bern –, und ich, der ich keine Neigung zu Eishockey habe, verstehe das eigentlich nicht.

Vier Tage feiern in Erinnerung an den Tod und die Auferstehung jenes Jesus von Nazareth ist kein hoher Preis – das sind staatlich festgelegte Feiertage, auf die wir uns jedes Jahr freuen und die uns Jahr für Jahr mißlingen.

Denn in Wirklichkeit sind das keine Feiertage, sondern nur zufällige Freitage.

Der besoffene Markus aber in der Beiz, der feiert diesen unnötigen Sieg von Bern eine ganze Woche, und ich kann das nicht nachvollziehen – ganz einfach nur deshalb, weil mir der Glaube fehlt.

So sind denn auch die Feiern zum Jahr 1991 nicht etwa gescheitert, weil »Kulturschaffende« – in Leserbriefen heißen sie »sogenannte Kulturschaffende« – nicht mitmachen wollten, sondern nur, weil 1991 nicht mehr ist als Weihnachten, Ostern und Pfingsten – nicht etwa die 700-Jahrfeier mißlingt uns, sondern alle Feiern.

So entscheidet sich halt dann der besoffene Markus für einen eigenen Glauben, für den Glauben an den SCB Bern. Dafür muß ich unter den verlogenen religiösen und nationalen Verhältnissen fast Verständnis haben. Der Glaube von Markus – er weiß es nicht – ist irrational, also echt.

Im übrigen ist Markus auch ein Nationalist, gegen Tamilen, gegen Ausländer, gegen alles, aber – wenn man ihn fragen würde – für die Schweiz. Zwar nicht für die Tessiner (Lugano), nicht für die Jurassier, nicht für die Thurgauer, aber für die Schweiz – nämlich dafür, daß er ein Schweizer ist und eben nicht ein Ausländer.

Ich weiß nicht, ob der Glaube von Markus an den SCB Ersatzreligion ist oder Ersatzpatriotismus. Es ist wohl nur eine Ersatzfeier, weil unsere Feiern so verlogen geworden sind.

Und wenn die Serben nicht mehr wollen und wenn die Kroaten nicht mehr wollen und wenn die Ukrainer nicht mehr wollen und wenn die Jurassier nicht mehr wollen, die Letten, die Estländer – dann ist das vielleicht doch nichts anderes als die Suche nach der echten, der eigenen Feier – endlich etwas, das man überzeugt feiern kann. Die Feier der Leute in der DDR war eine wunderbare, und sie führte in den Kater wie die Feier von Markus.

Immerhin, die Suche nach Irrationalität ist vielleicht gar kein so schlechter Weg. Und wenn all die Bewegungen – auch die von Markus mit seinem SCB – auch einen sehr nationalistischen Eindruck machen – letztlich werden sie zur Auflösung der Nationen führen, zum Ende der verlogenen Feiern.

Amerika, Amerika!

Ja, ich fürchte mich vor einem Amerika, das – wie Präsident Bush – von einer neuen Weltordnung spricht, »unter der unabdingbaren Führung Amerikas, weil nur Amerika dazu die moralische Kraft besitzt«.

Ich habe davon gesprochen, und ich habe darüber geschrieben. Und schon gibt es wieder das große Schlagwort vom »Antiamerikanismus«. Wenn ich es höre, dann habe ich das dringende Bedürfnis, mich zu verteidigen. Und meine Verteidigung wirkt für die anderen unglaubwürdig. Es genügt offenbar nicht, zu sagen, daß ich Amerika gern habe, daß ich New York liebe, daß ich gern unter Amerikanern lebe.

Verlangt ist jetzt mehr, nämlich Bekenntnis. »Wer nicht für mich ist, ist wider mich«, ein religiöses Bekenntnis.

Wie oft habe ich von Amerika doch schon erzählt, geschrieben, und dieselben Leute, die sich über mein Lob ärgerten, ärgern sich über meine Bedenken. Amerika, so scheint mir, wird zu einem Tabu – man hat dafür zu sein, das ist alles. Und wer nicht für Bush ist, der steht im Verdacht, für den anderen zu sein – für den jeweils anderen, denn dieser andere hatte schon viele Namen: Breschnew, Gaddhafi, Khomeini, Hussein. Und wir haben die Namen der jeweiligen Feinde schnell gelernt und schnell gehaßt, und es war immer nur einer – und alle anderen waren die Freunde.

Keiner von denen hatte je meine Sympathie, aber Hussein zum Beispiel hatte die Sympathie der Amerikaner – zu einer Zeit, als wir alle nur Khomeini kannten und haßten.

Ja, ich verhasple mich, wenn ich mich verteidigen will gegen den Vorwurf des Antiamerikanismus. Ich bin das gewohnt – ich bin auch von denselben Leuten ins »Kreuzverhör« genommen worden, wenn ich versuchte, meine Liebe zu Amerika zu begründen. Wer in dieser Sache begründet, der steht bereits im Verdacht des Verrats. Man hat unbegründet dafür oder dagegen zu sein.

Ich schreibe das, weil wohl noch nie so sehr wie jetzt meine Gedanken in New York sind, im Village, in der White Horse Bar, im Central Park, auf der Fähre von South Ferry nach Staten Island.

Max Frisch hat mir vor zwanzig Jahren diese Stadt gezeigt. Ich habe sie durch ihn lieben gelernt, und ich war seither nie mehr in New York, ohne am ersten Tag diese erste Wanderung mit Max Frisch ganz genau zu wiederholen. Ich werde, wenn ich an ihn denke, an New York denken. Und wenn ich wieder da sein werde, dann wird mich jeder Stein an ihn erinnern. Es war seine Stadt. Und nicht nur mir – auch vielen anderen – hat er sie vorgeführt auf langen Wanderungen.

Die Nachricht von der bösen Verschlimmerung seiner Krankheit hat mich im letzten November in New York erreicht, und die Wanderungen durch Manhattan wurden mir in diesen Tagen schwer. Ich ging zum Naturhistorischen Museum – denn da war ich einmal mit ihm –, stand vor der Tür, sehr lange, und brachte es nicht fertig, hineinzugehen.

Wir waren damals lange in diesem Museum – viel zu lange –, wir sprachen kaum ein Wort und schauten uns die vorgeschichtlichen Ungetüme an, Skelette von Dinosauriern, von Tieren wohl auch aus dem Holozän, »in dem der Mensch erscheint«. Und wir gingen schweigend aus dem Museum und schweigend durch die Stadt, und es dauerte lange, bis wir wieder sprachen. Die Vergänglichkeit hatte uns betroffen und der Zweifel an einem Schöpfer. Seine Kolosse sahen aus wie böse Späße eines begeisterten Bastlers. Wir erwähnten solche Gedanken nur kurz, und wir haben später nie mehr davon gesprochen, auch nach der Veröffentlichung seines »Der Mensch erscheint im Holozän« nicht. Es war, als schämten wir uns dafür, gleichzeitig dasselbe gedacht, erlebt zu haben.

Ich wußte damals schon, daß er älter ist als ich, und zwanzig Jahre später habe ich in dieser Stadt die schmerzliche Bestätigung bekommen, daß er älter ist.

Nein, ich weiß, die Befürworter amerikanischer Politik werden auch das nicht als Beweis meiner Liebe zu Amerika nehmen können. Ausgerechnet Max Frisch erinnert mich an Amerika, und ausgerechnet Amerika wird mich an ihn erinnern.

Das Erlebnis mit einem Naturhistorischen Museum hätte auch anderswo stattfinden können, aber es hat nun mal – und nicht zufällig – in New York stattgefunden.

Liebe kann ja auch etwas Ambivalentes sein.

Amerika ist ein schreckliches Land. Voller Armut und voller Ungerechtigkeiten. Aber ich bringe den Gedanken nicht aus dem Kopf, daß es auch das Land des liberalen Versprechens ist.

Irgendwie wird es für mich zum Land der Trauer werden, Trauer über den Verlust von Max Frisch, den Verlust des liberalen Versprechens.

Das wird schwer zu verstehen sein für die Feinde von Max Frisch, für die Freunde der amerikanischen Politik – und für mich eigentlich auch.

Der Briefträger

Gegen unseren Briefträger – damals, als ich ein kleines Kind war –
konnte man nichts machen. Er kam jeden Tag etwas später als erwartet, also müßte er ab und zu auch früher als erwartet gekommen sein.
In Wirklichkeit aber arbeitete er ohne Zeitplan. Die Post wurde
damals noch zweimal am Tag zugestellt, und so war er also den ganzen Tag in unserem Quartier anzutreffen. Wer seine Post etwas früher wollte, suchte ihn in der nächsten Straße. Dann setzte er sich
auf ein Mäuerchen, atmete tief ein und tief aus, kramte in seiner
Tasche herum, brachte die ganze Ordnung durcheinander, fand endlich die Post und händigte sie aus.

Im übrigen war er eine Respektsperson. Er trug seine Uniform
wie ein General, und er verteilte die Post wie eine persönliche Gunst.
Er – so schien es – entschied darüber, wer einen Brief bekommt,
eine Postkarte, eine Mahnung oder eine Zeitung. Und er war gerecht,
alle bekamen ab und zu eine Zeitung. Er hatte einen langen weißen
Bart und den schleppenden Gang des Sankt Nikolaus, und so alt,
wie er in meiner Erinnerung erscheint, kann er gar nicht gewesen sein.

Die Art, wie er sein Amt ausübte, muß ihn älter gemacht haben –
er war so etwas wie ein Götterbote, und wenn man ihn sah, dann
hatte man nicht den Eindruck, daß er die Briefe auf dem Postamt
abholte. Es waren sozusagen seine eigenen Briefe – auf die er ab
und zu wohlwollend verzichtete, sie wohlwollend einem glücklichen
oder unglücklichen Empfänger übergab. Und weil er so langsam war,
lebte er eigentlich den ganzen Tag in unserem Quartier und
übte sozusagen die Arbeit eines verschlafenen Nachtwächters tagsüber aus.

Nein, das war nicht auf dem Land, und das war keine Idylle. Das
war in einer Stadt, die im übrigen so ungemütlich war wie andere
Städte, und die Nachbarn waren nicht anders als anderswo.

Erwähnenswert wäre er auch nicht, unser damaliger Briefträger,
hätte er nicht eine Eigenschaft gehabt, die mir als Bild dauernd im
Kopf bleibt: Unser Briefträger war ein leidenschaftlicher Leser. Wo
er auch immer ging, er war dauernd – gehend – am Lesen.

Er las die Zeitung, ging ein paar Schritte, blieb stehen, ging wieder bis zum entsprechenden Briefkasten, las den Artikel vor dem Briefkasten zu Ende, faltete die Zeitung und warf sie ein.

Er öffnete unverschlossene Drucksachen und las die Prospekte. Und wohl nur, weil Zeitungen so unförmig sind, bevorzugte er Postkarten. Er las, er blieb stehen, er schüttelte den Kopf über einen Rechtschreibfehler, er freute sich über eine gute Nachricht, und wenn ihm die Postkarte ganz besonders gefallen hatte, dann legte er sie nicht nur in den Briefkasten, sondern er läutete, grüßte freundlich und sagte: »Ihrer Schwester im Tessin geht es sehr gut, sie haben wunderschönes Wetter, und sie hat sich auch gut erholt.«

Hätte jemand über sein Verhalten bei der Post geklagt, er hätte wohl Schwierigkeiten bekommen und wäre wohl im Wiederholungsfalle entlassen worden.

Aber geklagt hat niemand. Geärgert darüber haben sich wohl alle – und unrecht war es auch, aber es war nun mal so, und er war nun mal so – und ein richtiger Briefträger hätte ihn nicht ersetzen können.

Beim Lesen meiner Fichen ist er mir wieder eingefallen, unser guter alter Briefträger, der unsere Postkarten nicht etwa im geheimen las, sondern öffentlich und mitleidend, sich mitfreuend, teilnehmend. Und er teilte den Adressaten auch mit, was er jetzt wußte. Hie und da hat man gern einen Mitleser, und er war ein besorgter Mitleser.

Das Postgeheimnis – so scheint mir – war bei ihm in guten Händen.

Inzwischen wissen wir, in wie schlechten Händen es bei den offiziellen Hütern des Geheimnisses ist.

Das, was unser Briefträger getan hat, war wohl – wenn auch akzeptiert – illegal. Genauso illegal wie die Machenschaften der Bundespolizei – die mir im übrigen nicht eine Fotokopie meiner Fiche, sondern eine Fotomontage geschickt hat – eine schlecht gemachte Fotomontage sogar. Es fehlen in ihr ganze zehn Jahre, die vielleicht auf die Überwachung eines prominenten Freundes hätten hinweisen können. Aber ich will davon nichts mehr wissen. Es ist mir verleidet, mit Illegalen über die Legalität zu streiten, mit jenen auch, die heute wieder von Rechtsstaatlichkeit sprechen, wenn es um das Leid kurdischer Familien geht.

Woher beziehen sie übrigens das Recht, mir die Fichen zuzustellen? Aus einer bundesrätlichen Anweisung, über die auch niemand abgestimmt hat.

Eine solche Anweisung wäre doch auch aus humanitären Gründen gegenüber Kurden denkbar, ohne daß die Rechtsstaatlichkeit verletzt wird.

Was mir aus Fichen, die ich gesehen habe, entgegentritt, das ist Haß – persönlicher Haß von kleinen anonymen Beamten.

Unseren Briefträger aber kannten wir, er liebte uns, und seine Schnüffelei war Anteilnahme.

Das Lob der Armut

Sieben Kinder waren sie – irgendwo im Aargau –, der Vater früh gestorben, die Mutter eine wunderbare Frau, die sieben Kinder durchbrachte als Putzfrau, und im Dorf hatten sie's nicht gut, weil sie arm waren. Aber alle sieben haben eine Lehre gemacht, es ist aus allen etwas geworden.

Warum erzählt er mir das, der Fremde im Zug?

Er hat mich angesprochen. Er hat schon von mir gelesen, irgendwo, vielleicht in der »Schweizer Illustrierten«, und er weiß also, daß ich Schriftsteller bin, und er stellt sich darunter wohl irgend etwas vor, zum Beispiel, daß ich Geschichten mag – und Geschichten sind eigenartigerweise immer wieder Geschichten über Armut.

Ich habe noch keinen getroffen, der mir in der Eisenbahn erzählt hätte, wie reich und wohlhabend er aufgewachsen sei.

Tolstoi und Dostojewski haben sie uns erzählt, und Keller und Gotthelf und Johanna Spyri in ihrem Heidi – die Geschichten der Armut, die Geschichten des reichen, blühenden, spannenden Lebens der Armen. Die Dichter haben die Armut beschrieben – oft aus politischem Engagement, zum Aufrütteln, zum Aufmerksammachen auf soziale Mißstände –, aber immer wieder auch mit dem Mißerfolg, daß Armut ein wunderschönes, farbiges und großes Bild abgab.

Ich höre meinem Nachbarn im Zug gern zu, er kann schön erzählen aus seiner Jugend, und er schimpft nicht auf die heutige Wohlstandsjugend, die das alles nicht kennt. Er ist stolz darauf, aus der
Armut zu kommen, und er hat einen Beruf und eine Familie, erwachsene Kinder und Enkel, und er ist zufrieden.

Wir sprechen auch über viel anderes, und ich verstehe mich gut
mit dem Mann.

Und plötzlich höre ich mich den Satz sagen: »Mein Vater war Eisenbahner«, und ich meinte wohl damit, daß ich selbst auch eine Herkunft hätte, auch aus dem einfachen Leben komme – das Signal ist
gesetzt, wir kommen aus dem Gleichen, wir haben einen ähnlichen
Jahrgang, wir stammen aus den Zeiten, als es noch Armut gab.

So hat mir das schon mein Vater erzählt, der auch aus der Armut
kam, und so hat es ihm der Großvater erzählt, der auch aus einer sehr
wirklichen Armut kam, und so werden es wohl dereinst unsere Söhne
ihren Söhnen weitererzählen – alle wollen aus der Armut stammen.
Alle haben in ihrer Ahnenreihe einen armen Bergbauern, eine arme
Heimarbeiterin, einen armen Weber, und alle sind stolz darauf.

Ich glaube, das ist ein sehr schweizerisches Thema. Die Geschichten aus der Kriegs- und Nachkriegszeit, die mir gleichaltrige deutsche Freunde erzählen, klingen jedenfalls anders – weniger romantisch, und sie werden nicht mit strahlenden Augen erzählt. Und es
war wohl schon die Literatur, die immer wieder Modelle angeboten hat, Armut im romantischen Licht erstrahlen zu lassen.

Es muß wirklich mal eine ärmere Schweiz gegeben haben. Sie
war auch in diesem Jahrhundert noch ein Auswanderungsland. Und
die Formel »Bergbauer« – nur die Formel, nicht die Wirklichkeit –
ist eine besänftigende Vorstellung. Die romantischen Bilder der Armut haben sich uns eingeprägt. Das macht es uns unmöglich, uns
mit gegenwärtiger, heutiger Armut zu befassen. Die Bilder der heutigen Armen wollen jenen von Johanna Spyri – eine fantastische,
sozialkritische Autorin ihrer Zeit – nicht mehr gleichen.

Der Drogenabhängige läßt sich kaum mehr romantisieren. Der
Arbeitslose weiß, daß jeder annimmt, er sei selber schuld. Armut ist
in unserer reichen, stinkreichen Schweiz nicht mehr vorstellbar. Es

gibt sie zwar – das wissen alle –, aber sie ergibt kein schönes Bild mehr. Sie will jenem Bild, das wir uns alle von unserer armen Jugend machen, nicht gleichen. Also hassen wir sie, die Armen unserer Zeit, weil sie die Legende unserer Herkunft zerstören, die in meinem Falle nur Legende ist, meine Eltern haben zwar nicht viel verdient – in Armut, nicht einmal in Spuren von Armut, habe ich nie gelebt. Aber schön würde sich das schon ausnehmen in einer Biographie, und auch ich sage mit Stolz: »Mein Vater war Eisenbahner.«

Wir träumen alle von einer ehemaligen armen Schweiz, die wir zwar alle nicht mehr möchten, aber die uns als Rührseligkeit so lieb geworden ist.

Und irgendwie habe ich dieses Bild der ärmeren Schweiz auch in meinem Kopf, und ich hatte arme, mausarme Schulkollegen, und ich wußte, wo sie wohnen: In der Altstadt zum Beispiel in uralten Häusern – die heute von den Reichen bewohnt werden, die sich mit renovierten, geschwärzten Balken an die Rustikalität der Armut erinnern.

Ja, es gab Arme – und sie waren wirklich arm – aber sie hatten Platz.

In der reichen Schweiz gibt es keinen Platz für Arme, keine Chance für Arme, keine Wohnung für Arme.

Daß Flüchtlinge arm sind – zum Beispiel –, das ist der einzige Grund dafür, daß sie bei uns keinen Platz haben.

Die richtigen Golns

Eines der ersten Wörter, die Nora kannte, war das Wort »Goln«. Sätze bildete sie noch keine, aber sie zeigte auf jeden »Goln« und erkannte ihn, konnte ihn unterscheiden von den gewöhnlichen Menschen, und sie freute sich, wenn sie einen »Goln« sah, auf einem Plakat, auf einem Bild.

»Goln« war ihre Bezeichnung für Clown – und wenn auch das Wort »Gloon« viel leichter zu sprechen gewesen wäre, sie beharrte auf dem komplizierten Ausdruck »Goln«, und sie liebte die Golne, ohne sie je in Aktion gesehen zu haben.

Sie hat nicht gelacht, wenn sie einen Goln sah, sondern sie hat sich gefreut – gefreut darüber, daß sie ihn erkannte, und gestaunt darüber, daß er anders war.

Irgendwie hatte ich damals immer das Gefühl, daß Golns etwas anderes sind als Clowns, und einige von ihnen werden für mich für immer Golns bleiben – Laurel und Hardy, Buster Keaton, Charlie Rivel – Golns wurden mir zur Bezeichnung einer Art von Menschen.

Nora – und das erstaunte mich – konnte Golns mit absoluter Sicherheit von »normalen« Menschen unterscheiden: geschminkte Clowns, die dummen Auguste, und ungeschminkte, Charlie Chaplin. Und dies sozusagen ohne Sprache, ohne Sätze, ohne Anleitung – nur mit einem Wort, »Goln«.

Ich möchte wissen, wie es kleinen Kindern gelingt, das Gewöhnliche vom Außergewöhnlichen zu unterscheiden. Warum bringt man sie mit Purzelbäumen zum Lachen? Warum erkennen sie das, was nicht normal ist? Und warum lieben sie es?

Inzwischen ist Nora älter geworden, und sie war schon oft im Zirkus. Sie hat inzwischen gelernt, daß sie Clowns heißen, sie hat sie inzwischen in Aktion gesehen, und sie hat inzwischen auch schon schlechte Erfahrungen mit ihnen gemacht. Einer hat einmal mit einem Gewehr in die Luft geschossen, das hat Nora ihm sehr übelgenommen, und ihr positiver Kommentar nach einem Zirkusbesuch heißt: »Die Clowns haben nicht geschossen« oder: »Der kleine freche Clown, der immer schießt, war nicht dabei.«

Sie freut sich auf die Clowns, auch wenn einer sie einmal ganz bitter enttäuscht hat.

Kürzlich hat sie einen Kinderzirkus besucht. Das hat ihr sehr gefallen, und als ich sie fragte, ob es denn auch Clowns gehabt hätte im Zirkus, da sagte sie: »Nicht richtige Clowns, nur Kinder, die so angemalt waren wie Clowns und so taten wie Clowns«, und auf meine Frage, ob sie denn lustig gewesen wären, sagte sie: »Ja, sie waren so lustig wie richtige Clowns.«

Richtige Clowns sind also nicht angemalt, sondern sie sind eine Art von Menschen – vielleicht eine Art von Menschen, die sich anmalen.

Und plötzlich erinnerte ich mich, ich hatte das – wie wir alle – schon längst vergessen. Clowns waren auch für mich, damals als Kind, richtige Menschen, ganz andere Menschen als die Menschen sind, alternative Menschen, die Hoffnung darauf, daß Menschen anders sein könnten – daß sie dumm sein könnten zum Beispiel. Eigenartig, kaum kennt man die Menschen ein bißchen, möchte man schon, daß sie ein bißchen anders wären, eine ganz andere Art von Menschen, und die ganz andere Art ist nicht eine Bedrohung, sondern eine Hoffnung – auch dann, wenn ein einzelner kleiner Frecher sich absolut bedrohlich benimmt und mit einem Gewehr schießt. Nora wird es ihm ein Leben lang übelnehmen – aber nur ihm selbst und nicht den Clowns.

Man könnte jetzt Überlegungen zum Rassismus der Erwachsenen anstellen, Überlegungen zum Fremdenhaß. Aber lassen wir das. Sehr wahrscheinlich ist unser Fremdenhaß nur angelernt, und wir haben nur die Freude am anderen, am Anderssein, verloren.

Als am Bahnhof der Zirkus die Tiere auslud, gab ein Dreijähriger seine begeisterten Kommentare ab. Er kannte die Tiere, die Pferde, die Elefanten, das Nashorn, und er war begeistert, daß er sie erkannte. Er nahm sie mit ihren Namen in Besitz – sie gehörten nun ihm und sie gehörten nun zu ihm.

Und dann kam plötzlich eine sehr kleine Frau – eine Liliputanerin – mit Pferden aus dem Eisenbahnwagen und ritt auf einem der Pferde davon, und der Kleine rief: »Ich weiß, was das ist, ich weiß, was das ist – das ist ein Clown, ein richtiger Clown.«

Und er erzählte nur noch davon, daß er einen richtigen Clown gesehen habe, und die richtigen Elefanten und das richtige Nashorn waren unwichtig geworden.

»Siehst du«, sagte er zur Mutter, »das ist ein richtiger Clown, er hat nicht einmal eine rote Nase.«

Gefunden werden

Es gibt in der Schweiz viele jugoslawische Arbeiter, und man nennt
sie Jugoslawen, und sie sprechen selbstverständlich alle Jugosla-
wisch – eine Sprache, die es nicht gibt und die niemand spricht. Daß
sie Serbisch, Kroatisch, Slowenisch sprechen, das widerspricht unserer Vorstellung, daß sie alle gleich sind – eben alles Jugoslawen oder –
so die despektierliche Abkürzung – Jugos. Wir sind irgendwie darauf
angewiesen, daß sie alle gleich sind. Damit beginnt übrigens auch Rassismus, daß man von einer Gruppe von Menschen behauptet, sie seien
alle gleich.

Ähnlich geht es uns mit Spaniern, von denen wir annehmen, daß
sie Spanisch sprechen, wenn auch ein großer Teil unserer spanischen
Arbeiter Galizisch spricht. Wir mögen nicht differenzieren. Wir wollen, daß sie alle gleich sind.

Nun wird Jugoslawien zum Problem, nicht nur zum nationalen,
sondern auch zum europäischen, und nicht nur wir, sondern auch
die Politiker, die Ministerpräsidenten und Außenminister, hätten
nun vom einen Tag auf den anderen zu lernen, daß sie verschieden
sind. Wir werden es vielleicht schmerzlich zu lernen haben.

Ich hatte lange Mühe mit den feministischen Forderungen nach
einer toleranteren Sprache, nach einer weniger männlichen Sprache.
Ich glaubte, daß, wenn ich Schreiner sage, die Schreinerinnen selbstverständlich auch gemeint seien – bis ich dann einmal den Satz hörte:
Wir wollen nicht nur gemeint, wir wollen genannt sein.

Auch das geht mir durch den Kopf, wenn die Slowenen Slowenen
sein möchten, wenn die Kroaten Kroaten sein möchten und die Kosovo-Albaner Kosovo-Albaner. Sie möchten genannt sein. Ich bin
nicht so ganz sicher, ob das nur mit dem neuen alten Nationalismus
zu tun hat – vielleicht auch wirklich mit dem Ende der Nationen.
Nicht mehr die Nation ist die Identität, sondern die Sprache, die
Umgebung, die Lebensformen. Ich kann mir eine Welt ohne Nationen
vorstellen – eine Welt voller selbständiger Minderheiten, eine plura-
listische Welt, in der jeder bei seinem Namen genannt wird und nicht

in seiner zufälligen Nationalität – eine Welt, in der man fremde Arbeiter nicht mit Jugo anspricht.

Wir würden oder werden es wohl schmerzlich lernen müssen.

Etwa so, wie ich lernen mußte, mit kleinen Kindern Verstecken zu spielen. Ich war der Meinung, es gehe in diesem Spiel darum, möglichst lange oder gar nicht gefunden zu werden. Und versuchte, es den Kindern auch immer wieder mit langen Erklärungen beizubringen. Aber sie ließen nicht ab davon, sie erklärten mir immer zum voraus, wo sie sich verstecken werden und wo sie gefunden werden wollen, und sie fanden das Spiel so viel spannender.

Sie hielten es vor Spannung fast nicht aus, weil sie wußten, jetzt zählt er bis zehn, und dann wird er kommen und wird mich hier finden.

Gefunden werden – wir hätten noch viele zu finden, die irgendwo in Nationen versteckt sind und darauf warten, gefunden zu werden.

Wenn wir sie nicht finden, dann machen sie das, was die kleinen Kinder beim Versteckspiel machen: Sie werden schreien und rufen und klopfen und stampfen, bis ich endlich weiß, wo sie sind, und sie finde.

Ich jedenfalls kriege immer wieder ein schlechtes Gewissen, wenn irgendwo im Ausland die Schweiz dafür gelobt wird, daß hier mehrere Sprachen friedlich zusammenleben. Das mag ja eine politische Leistung der Schweiz sein. Ich selbst habe damit fast gar nichts zu tun – leider –, denn ich wüßte nicht, wann und wie ich mir Mühe gegeben hätte, sie zu finden, die Romands, die Rätoromanen, die Tessiner, und wenn sie eines Tages aufschreien würden, wäre ich jedenfalls nicht ohne Schuld. Und auch wir verlassen uns in dieser Sache ausschließlich auf die Selbstverständlichkeit der gemeinsamen Nation – und dies bis jetzt auch mit Recht.

Der Asylant aus Magdeburg

Am 2. September 1795 – drei Jahre vor dem Zusammenbruch der
alten Eidgenossenschaft – kam ein Mann bei Schaffhausen über die
Schweizergrenze. Er kam aus Magdeburg (das liegt heute in der
ehemaligen DDR und lag erst vor kurzem noch in der DDR – so
schnell wechseln die Zeiten), Magdeburg lag damals noch in Preußen. Der Preuße, der damals ankam, hieß Heinrich Zschokke, ein
Schriftsteller und Theologieprofessor, und er war – wie er in sein
Tagebuch eintrug – »begierig, im Lande Wilhelm Tells die Segens-
früchte der Freiheit kennen zu lernen«.

Der Preuße Zschokke war erst einmal sehr enttäuscht: »Im allgemeinen hatte ich schon ein freieres Volk in den preußischen Staaten
gesehen, denn hier in der Schweiz, wo diese große Mehrheit der Ge-
samtbevölkerung in erblicher Dienstbarkeit von reichsstädtischen
Patriziaten und Zunftherren eines Hauptstädtchens lebte; oder in
trauriger Geistesknechtschaft eines gebieterischen Priestertums.«

Heinrich Zschokke – ein Freund von Heinrich von Kleist, mit
dem er einen Wettstreit austrug über das Thema »Der zerbrochene
Krug« – war von diesem Land Schweiz tief enttäuscht. Er schrieb:
»Die Schweiz stand da, ein verdorrtes politisches Gewächs des Mittelalters; ohne gemeinsames Haupt; ohne festen Verband ihrer einzelnen kleinen Staaten, ohne Eintracht der Regierungen mit den Re-
gierten – das ganze ein planlos zusammengestelltes Gemenge kleiner
Städte, Abteien und Ländchen, die gegeneinander in spießbürger-
licher Majestät eifersüchtelten.«

Der enttäuschte Heinrich Zschokke verließ diese Schweiz schnell
wieder und ging nach Paris.

Sozusagen durch Zufall kam er zurück in dieses Land, wurde
Schulleiter im Kanton Graubünden, begann in Zeitungen zu schreiben und setzte sich mit aller Kraft dafür ein, daß Graubünden die
damals neue Verfassung der Schweiz annahm.

Die Verfassung hat ihm nicht gefallen und niemandem. Sie war
der Verlust der eidgenössischen Unabhängigkeit – aber er glaubte,
daß Zusammenbleiben nun das Wichtigste war.

Der Aargauer Stapfer wurde auf diesen Preußen – kein Schweizerdeutsch, keine Schweizerart – aufmerksam und holte ihn nach Aarau in die Regierung. Da saß er nun, der Preuße, der ursprünglich enttäuscht, bitter enttäuscht war von dieser Schweiz, und hatte sich an ihr zu beteiligen als Minister, als Verantwortlicher.

Er hielt nicht viel von der rebellischen Legende Wilhelm Tells – aber immerhin, er hielt sie für eine Chance. Er war übrigens – der »Asylant« – nach einem halben Jahr bereits Bündner Bürger geworden und nach einem weiteren Jahr Aargauer.

Und er begann das zu verwirklichen, was er sich vorstellte, bevor er in diese Schweiz kam. Er setzte sich vehement ein für Volksbildung, denn Demokratie – so glaubte er – ist ohne ein politisch gebildetes Volk nicht möglich. Er hatte eine Vorstellung von einer Schweiz, er hatte eine Utopie – die hätte er auch in Preußen erhoffen können, aber er hat sie hier erhofft.

Das haben wir ihm zu verdanken – und vielen anderen Liberalen auch. Wir aber feiern in diesem Jahr und immer wieder viel lieber »das verdorrte politische Gewächs des Mittelalters«.

Was hat uns Heinrich Zschokke denn Übles angetan, daß wir ihn nicht kennen mögen? Was haben wir eigentlich gegen unsere Demokratie?

Warum will niemand in diesem Land die Geschichte unserer Demokratie hören? Warum hat niemand – ich nicht, du nicht, Sie nicht – je in der Schule von dieser Demokratie gehört? Schämen wir uns? Warum?

Zschokke übrigens ist 1848 gestorben, in jenem Jahr, als unsere erste Bundesverfassung, für die er kämpfte und von der wir profitierten, in Kraft trat.

Ein Kampf gegen alle

Gegen Burgdorf waren wir nicht gut. Wer »wir«? Der FC Solothurn, dessen Heimspiele ich besuche. Ich weiß immer noch nicht, ob es mir eigentlich sehr wichtig ist, daß der FC Solothurn gewinnt. Aber wenn er verliert, dann bleibt so ein ungutes Gefühl zurück. Vielleicht aber besuche ich gar nicht den FC Solothurn, sondern ich besuche vielmehr die Besucher des FC Solothurn – vor dem Spiel und nach dem Spiel in dem kleinen Beizli unter der Tribüne. Dort kann ich endlich mit Leuten, die wohl sonst selten meiner Meinung wären, gleicher Meinung sein, die gleichen Wünsche haben – den einfachen Wunsch nämlich, daß Solothurn gewinnt –, und wenn wir »Solothurn« sagen, dann meinen wir das nur als Abkürzung für »FC Solothurn«, und wir haben keineswegs den Eindruck, daß nun die Stadt Burgdorf die Stadt Solothurn geschlagen hätte – 4 zu 1, ein fast vernichtendes Resultat –, nein, es geht nur um die beiden Fußballclubs, wenn ich mir auch immerhin merken kann, daß der eine Solothurn heißt, meist in Rotweiß spielt, und wenn ich auch weiß, daß mir das Spiel ohne Engagement für die eine Mannschaft – die rotweiße – nicht gefallen könnte.

Daß ich ein Freund des FC Solothurn bin, das halte ich für untypisch für mich, für eigenartig, und deshalb wohl macht es mir Spaß.

Im Beizli vor dem Spiel üben wir uns ein in die Niederlage. Wir sprechen inkompetent von den Schwierigkeiten und Mängeln der eigenen Mannschaft, geben eher schlechte Prognosen ab und hoffen im stillen auf ein gutes Resultat.

Es ist uns offensichtlich doch so wichtig, daß wir eine Niederlage schwer ertragen, und deshalb haben wir uns darauf vorzubereiten mit Pessimismus und voreiliger Resignation, und was auch immer passiert, wir hatten es schon immer gesagt.

Einem Spiel zuzuschauen wird so zu einem Spiel, zu einem Nervenkitzel, den man sich selbst eingebrockt hat, wird so zu einem Spiel mit sich selbst.

Sie haben bestimmt das Spiel zwischen der Schweiz und Schottland gesehen. Alle haben es gesehen – ich auch. Und hier ist wohl »Schweiz« keine Abkürzung mehr für Schweizer Nationalmannschaft oder für »FC Schweiz«. Nun geht es doch plötzlich um mehr, um die nationale Ehre sozusagen. Auch hier haben wir uns selbstverständlich mental auf eine Niederlage vorbereitet, auf eine schwere Niederlage sogar – sie wäre unter anderen Bedingungen ja kaum zu ertragen. Um so mehr die Freude über die erste Halbzeit. Das haben wir doch gewünscht, daß wir überrascht werden von der Schweiz. Ich habe das Spiel in einer Beiz – im »Steinbock« – angeschaut, denn Fußball ohne Publikum ist furchtbar langweilig. Wir haben da auch applaudiert und sind aufgesprungen – und es war halt dann doch »*die* Schweiz«, die da spielte, wir, die Schweiz.

Und als es ein bißchen harzte in der zweiten Halbzeit, da rief einer plötzlich: »Die Schweizer waren immer Idioten, die waren immer gut und die stärksten, und die hätten früher die ganze Welt, ganz Europa erobern können«, und er wußte sogar noch ein Ereignis – die Burgunderkriege –, »aber die waren immer so blöd, daß sie es dann sein ließen, wenn wir die ganze Welt beherrschen würden, dann hätten wir jetzt keine«, ich zog den Kopf ein und wußte, was jetzt kommt, »keine Tamilen hier.«

Er kann sich nicht einmal vorstellen, daß, wenn die Schweiz durch Eroberungen größer geworden wäre, dann wohl alle Schweizer wären, die in diesem Gebiet wohnen würden. Nein, er glaubt, wir – er und ich – wären die Herrscher und die anderen die Geschlagenen für ewige Zeiten.

Ja, auch ich hätte mich gefreut, wenn die Schweiz gewonnen hätte. Und die Analyse, daß sie gut gespielt haben, war ein schwacher Trost.

Aber ich fürchte mich doch davor, wenn ich mir vorstelle, daß er sich vorstellt, daß jedes Spiel sozusagen ein Kampf gegen – gegen wen? gegen alle! – gegen die Tamilen ist.

Die Flucht nach Olten

In Olten fluchen die Leute nicht – ich bin fast sicher, daß ich den Satz erfunden habe, damals, denn ich traue meiner Mutter nicht zu, daß sie mich in dieser Sache angelogen hätte.

Ich war fünf damals, und ich wurde nach Langnau gebracht, in die Ferien, weil wir von Luzern nach Olten umzogen und weil die Anwesenheit des kleinen Fünfjährigen dabei wohl zu umständlich gewesen wäre.

Immerhin, Olten, das klang so schön in den Ohren des Kleinen. Ich kann mir das heute nicht mehr so recht vorstellen, daß das Wort »Olten« so schön klingen konnte – aber ich, der Kleine, war so furchtbar stolz darauf, daß wir umziehen, ich fand das doch etwas ganz Besonderes, und so bekam der Ort, in den wir umzogen, einen besonderen Klang.

Im übrigen, mein Namensgedächtnis ist schlecht, ich bilde mir nichts darauf ein, aber den Namen der Leute, die mich für meinen Satz herzlich und freundlich ausgelacht haben, weiß ich noch – Horisberger –, sie waren die Nachbarn meiner Patentante. Ich habe eben im Telefonbuch nachgeschaut, die Metzgerei gibt es noch. Ich erzählte also diesen Horisbergers mit großem Stolz davon, daß wir nun von Luzern nach Olten ziehen, und wohl auch, daß Olten eine wunderbare Stadt sei. Und da werden sie mich wohl ausgefragt haben und wohl mit mir so gesprochen haben wie mit einem Fünfjährigen, mit dem man eben nur spricht, damit er etwas sagt, etwas Drolliges, wenn möglich. Und sie werden Luzern gelobt haben, und sie werden gesagt haben, daß Olten nicht so schön sei, und da wird sich der kleine Fünfjährige zu dem schönen Satz aufgerafft haben: »Aber in Olten fluchen die Leute nicht.«

Horisbergers haben – mit Recht – ganz herzlich darüber gelacht. Daran erinnere ich mich genau, und von da an hatte ich einen Satz zu verteidigen, den ich erfunden hatte. Ich hatte meine Hoffnung zu verteidigen, nicht etwa vor Horisbergers, sondern nur vor mir, denn mein erfundener Satz hieß viel mehr, er hieß auch: »Die Leute in Olten lügen nicht, in Olten scheint die Sonne, in Olten sind die Leute sanft, in Olten gibt es Bananen.«

Ein paar Tage später waren wir in Olten angekommen, meine Mutter hatte mich abgeholt in Langnau, und wir kamen kurz nach dem Zügelwagen an. Ich erinnere mich genau daran, daß es sehr sonnig war, denn im Garten stand mein Schaukelpferd, und es glänzte in der Sonne, und vor dem Haus standen Kinder, und sie glotzten, und sie sahen alle so freundlich aus.

Schon am anderen Tag hat einer geflucht und am übernächsten auch – aber es gibt ja Ausnahmen –, ich hatte nun mal einen Satz, und den hatte ich zu verteidigen: Die Oltner fluchen nicht.

Was habe ich gelitten in dieser Stadt! Wie jedes Kind in jeder anderen Stadt auch. Und mir fällt auf, daß ich inzwischen die Vorstellung »Olten« – fünfzig Jahre später – aus meinem Kopf verdrängt habe. Ich war so etwas wie ein Oltner Lokalpatriot, bevor ich dort angekommen war.

Und ich stelle mir vor, daß es Leute gibt, die heute von weit her in unsere Gegend ziehen und im voraus Lokalpatrioten sind, das Land, den Ort ihrer Träume, von vornherein loben: »Dort fluchen sie nicht, dort lügen sie nicht.«

Es gibt Politiker, die den Vorschlag machen, unser Land für Flüchtlinge »unattraktiv« zu machen. Olten war nicht attraktiv – das kann man zugeben –, es war nur das andere. Lebensgefährlich war aber Olten nicht, ich habe – und sogar recht gut – überlebt, und Attraktivität war nicht die Hoffnung des Fünfjährigen.

Ich glaube, »Unattraktivität« genügt nicht. Wer »Unattraktivität« fordert, der fordert etwas ganz anderes, nämlich Lebensgefährlichkeit. Wer sie fordert, der ist auch dafür verantwortlich.

Soll ich weiter auf meinem Satz ohne jeden Grund beharren: »In Olten fluchen die Leute nicht«?

Bescheidenheit und Entschiedenheit

Einmal sagte er: »Ich stelle fest, du verstehst zuwenig von Geschichte.« Ich hatte ihm in etwas allzu schwarzen Farben meine Eindrücke von einer Amerikareise geschildert und gesagt, daß ich mich fürchte vor einer Nation, die sich nur vorstellen kann, die erste, die führende Nation der Welt zu sein, ich hatte ihm erzählt, wie die Verarmung zunimmt in diesem Land, die Arbeitslosigkeit, das wirtschaftliche Elend.

Ich erzählte, daß ich mich vor einem Land fürchte, das nur noch eine mächtige Armee hat, um seine Vormachtstellung darzustellen. »Sie werden sich nie daran gewöhnen können, nicht mehr die erste Nation der Welt zu sein – und sie werden losschlagen.«

Da kam sein ruhiger und gelassener Satz: »Ich stelle fest, du verstehst zuwenig von Geschichte«, und er erklärte mir, daß sie sich ganz sicher daran gewöhnten, nicht mehr die ersten zu sein, und daß es schon viele Nationen auf der Welt gegeben habe, die mal die ersten waren und sich daran gewöhnen mußten, es nicht mehr zu sein.

»Die aber werden losschlagen«, sagte ich. Und er antwortete: »Wenn es stimmt, daß sie ruiniert sind, dann werden sie auch nicht losschlagen. Sie werden es ganz einfach nicht mehr können. Die Römer wollten auch losschlagen, als es zu Ende ging, und sie konnten es auch nicht.«

Ich neige hin und wieder zu Schwarzmalereien und zu pessimistischen Prognosen, und jedesmal, wenn mir das in Gesprächen mit Jean von Salis passierte, war ich hinterher etwas beschämt und kam mir schrecklich jung vor.

Seine Antwort habe ich hier sehr verkürzt wiedergegeben. J. R. von Salis war nie der Mann der kurzen Antworten, sondern der langen, ausführlichen und differenzierten.

Aus der Geschichte könne man lernen, sagt man. Und mir scheint, wir lernen aus der Geschichte nie. Sie wiederholt sich, weil wir nicht lernen wollen. Aber vielleicht lernten wir immer das Falsche: kleine

Einzelheiten, kleine Verhaltensmuster. Wir lernten immer nur das »Nie wieder«, und dann kam es doch wieder.

Mir scheint, J. R. von Salis hat immer versucht, das Ganze zu lernen – im Wissen, daß man es nie lernen wird, aber im Glauben, daß es ein Ganzes gibt, die kleine Einsicht in Zusammenhänge machte ihn bescheiden. Dabei gehörte er immer zu den entschiedenen, zu den engagierten Menschen. Bescheiden und still in der Analyse und entschieden und tapfer in der Entscheidung. Die Reihenfolge ist wichtig.

Ich war noch ein Kind, als von Salis am Radio seine wöchentliche Weltchronik vortrug, und ich erinnere mich nur noch an zwei Dinge, an den tiefen Ernst meines Vaters, wenn er ihm am Radio zuhörte, und an den Klang seiner Stimme – nur an den Klang, den Inhalt konnte ich nicht verstehen, und dieser Klang nahm aber dem Kind die Angst. Da erzählte einer in geduldiger Ruhe von Dingen, über die die anderen nur schrien. Da erzählte einer von Geschichte und nicht von Sensationen. Und alle seine Hörer wußten, wo er stand und was er meinte – wenn auch seine Manuskripte von der Schweizer Zensur zusammengestrichen wurden, von einer Zensur, die nicht seiner Meinung war. Seinen Tonfall und seine Überzeugung konnte sie nicht streichen. Vielleicht sind Unbestechliche nicht zensurierbar.

Er wurde gehört, hier und in Europa. Und er hat nicht nur ein Stück Ehre für die Schweiz gerettet, sondern auch die Ehre seiner Zensoren, die hinterher wohl schnell und gern seiner Meinung waren.

Jean Rodolphe von Salis wird am 12. Dezember dieses Jahres 90jährig. Er hat jenes Jahrhundert durchmessen, in dem wir alle leben. Er hat versucht, uns die Augen zu öffnen für ein Jahrhundert. Und er hat es uns nie übelgenommen, wenn es uns nicht gelang – ein guter Lehrer, ein geduldiger Lehrer, für den Mißerfolg mit seinen unaufmerksamen Schülern seiner Arbeit nichts antun konnte. Er tat sie einfach, und sie war ihm selbstverständlich. Ich habe kürzlich wieder von einem jüngeren Menschen gehört, von Salis sei ein Landesverräter gewesen – das hat er wohl von seinen neofaschistischen Freunden.

Da war ich sehr stolz, sein Freund sein zu dürfen, und mit ihm zusammen – dem Europäer von Salis – bin ich gern Schweizer.

Churchill und Onkel Jules

Im Schaufenster eines Spielwarenladens habe ich einen »Roten Pfeil« gesehen. Ich betrachtete ihn lange, hatte irgendwie das Gefühl, daß ich etwas mit ihm zu tun hätte, daß er – der Rote Pfeil – etwas mit meiner Biographie zu tun hätte, und ich hätte eigentlich Lust gehabt, Passanten anzuhalten und ihnen mitzuteilen: »Schauen Sie mal – ein Roter Pfeil.«

Und ich hätte mit dem Finger darauf gezeigt, und sie hätten einen kleinen roten Eisenbahntriebwagen gesehen mit zwei eleganten Nasen vorn und hinten, und der wäre sicher den Jüngeren als nichts anderes erschienen als eben so etwas wie ein Oldtimer für Modelleisenbahnfans.

Für mich ist es aber immer noch nicht irgendein roter Pfeil, sondern eben *der* Rote Pfeil.

Als wir Kinder waren, da war die Mitteilung »Ich habe den Roten Pfeil gesehen« doch eine ganz besondere Mitteilung, und Mitschüler beneideten einen dafür, daß man ihn wirklich gesehen hatte.

Es gab auch immer wieder Gerüchte in Olten, wo ich aufgewachsen bin, daß morgen nachmittag um 5 Uhr der Rote Pfeil im Bahnhof vorbeiführe, und wir gingen zum Bahnhof, und er kam nicht. Daß er sogar hätte anhalten können in Olten, daran wagten wir gar nicht zu denken.

Ich hatte einen Onkel Jules in Winterthur, er war Filmer, und ich war ab und zu bei ihm in den Ferien. Ab und zu wurde dann verdunkelt, die Nachbarskinder eingeladen, und dann wurden Filme vorgeführt – langweilige Dokumentarfilme wohl, ohne Ton, ohne Farbe, aber immerhin richtige Filme wie im Kino, in das wir ja noch nicht durften.

Einer von seinen Filmen wurde uns zum Kultfilm: der Film über den Roten Pfeil. Man sah auf dem Film nichts anderes als immer wieder den Roten Pfeil vorbeifahren. Mein Onkel war sehr stolz darauf, daß er den Roten Pfeil immer wieder »erwischt« hatte, er lag für den Roten Pfeil auf der Lauer wie ein Zoologe auf ein äußerst seltenes Tier.

Churchill ist nach dem Krieg im Roten Pfeil durch den Oltner Bahnhof gefahren. Churchill haben wir nicht gesehen, aber den Roten Pfeil.

Nur ein paar Jahre später – ich war dreißig – war ich mit einer Klasse als Lehrer auf der Schulreise. In Olten hatten wir umzusteigen, um nach Liestal zu fahren – und da stand der richtige Rote Pfeil, und wir »durften« mit dem ganz richtigen Roten Pfeil fahren. Er sah etwas abgetakelt aus, aber immerhin.

Ich muß mich vor meinen Schülern sehr lächerlich gemacht haben. Ich ging im Wagen auf und ab und sagte: »Der richtige Rote Pfeil«, ich versuchte zu erklären: Churchill und Onkel Jules, es nützte alles nichts, für sie blieb es ein ganz gewöhnlicher Triebwagen – da konnte mein Herz so hoch schlagen, wie es wollte.

Nein, nicht die Zeiten hatten sich geändert, nur die Formeln: Die Formel »Roter Pfeil« gab es nicht mehr.

»Ich war schon lange nicht mehr an der Generalversammlung unseres Vereins – aber ich war da mal aktiv und ging wieder einmal«, erzählte mir kürzlich ein Freund, »da saßen sie dann – die Ehemaligen – und sprachen von alten Zeiten, von den würdigen Zeiten, und der Präsident sprach von Tradition und Leistung, und da saßen die Jungen und verstanden nichts.«

Und so gefiel es dann den Alten nicht mehr und den Jungen schon gar nicht.

Sie tun aber immer noch dasselbe, die Jungen – sie machen Blasmusik, mit Begeisterung und Einsatz.

Den Alten genügt das nicht, weil die Formeln und die Namen und die alten Tugenden nicht mehr da sind. Weil das alles jetzt nichts mehr gelten soll: Hugo Koblet und Leo Amberg, das Restaurant »Helvetia« und der Stadtpräsident Soundso und eben der Rote Pfeil, der doch ein ganz besonderer war.

Und das nimmt man dann seit Jahrtausenden den Jungen übel und
behauptet, daß sie keine Werte mehr kennen.

Der bewaffnete Stolz

»Sei stolz darauf, ein Deutscher zu sein«, sagt mir einer hier in New
York an der Bar, nachdem er meinen deutschen Akzent erkannt hat.
Das Suchen nach einer Antwort in einer fremden Sprache sieht oft
aus wie Entsetzen, und so beeilt er sich anzufügen: »Ich bin stolz
darauf, Italiener zu sein, hundert Prozent Italiener, dritte Generation – und nicht Sizilianer.«

Sein Großvater sei aus Kalabrien gekommen. Das liege in Mittelitalien. Ich versuche ihm zu erklären, wo Kalabrien liegt. »Ja, ja, am
Fuß«, sagt er, »und der Fuß liegt in Mittelitalien.« Er wollte ganz
sicher sein, kein Sizilianer zu sein, und so schob er seine Herkunft
auf die Höhe von Rom.

»Sei stolz darauf, ein Deutscher zu sein« – nachdem ich keiner bin,
machte mich das doppelt verlegen. Soll ich ihm jetzt sagen, daß ich
Schweizer bin? Etwa so, wie er – »Mittelitaliener« – kein Sizilianer
ist. Soll ich jetzt stolz darauf sein wie er, nicht zu den anderen zu gehören – stolz darauf, kein Schwarzer zu sein, kein Spanier zu sein –,
nicht zu den anderen zu gehören, sondern zu uns.

Ich verzichte darauf, ihm das in meinem schlechten Englisch zu
erklären, und ich plaudere weiter mit ihm, froh darüber, daß mir überhaupt jemand Gelegenheit gibt, Englisch zu sprechen. Aber auch mit
gutem Englisch wäre wenig zu machen: »Nicht stolz darauf sein«,
auf irgend etwas, das gibt es für Amerikaner kaum.

Und das Wort »stolz« – to be proud of – hört man jetzt vor den
Wahlen täglich von den Kandidaten. Stark sein, Power haben, sich
verteidigen.

In einer Schule hier wurden von einem Fünfzehnjährigen zwei
Mitschüler erschossen. Die Zeitungen sind täglich voll davon. Die
Politiker sind entsetzt. Der schwarze Bürgermeister hält Reden, gute

Reden, gescheite Worte: »Es geht nicht um Gewaltlosigkeit oder Gewalt – es geht um Gewaltlosigkeit oder Nichtexistenz, Tod.« Die Schüler in jener Gegend sind bewaffnet, gehen bewaffnet zur Schule. Sie brauchen die Waffen zur Selbstverteidigung, sagen sie – wohl auch für das Selbstwertgefühl, für ihren Stolz. Die Stadt New York will nun für Millionen Detektorgeräte anschaffen, mit denen man die Schüler vor dem Betreten der Schule nach Waffen untersuchen kann. Es ist entsetzlich – es muß etwas geschehen.

Das Pentagon hat kürzlich sieben (sieben ist eine schöne Zahl – wenn schon, dann sieben) neue Kriegsszenarien veröffentlicht: Rußland erobert das Baltikum zurück usw.

Selbstverteidigung, verständliche Selbstverteidigung des Pentagons: Man hat einen großen Feind und einen großen Bruder verloren, die Sowjetunion – was soll nun mit einer Welt geschehen ohne Verteidigung, ohne Ordnung, denn der böse Feind war bis jetzt die Ordnung. Der böse Feind hat Arbeitsplätze geschaffen, der böse Feind hat die Argumente dafür geliefert, stolz auf Power und Waffen sein zu dürfen, zu können und zu müssen.

Jener fünfzehnjährige Mörder kennt das Wort »Stolz« wohl auch, und er weiß, daß man ohne Power ein Schwächling ist und ohne Feinde ein Niemand. Verletzter Stolz führt zur Selbstverteidigung, selbst dann, wenn man sich seinen Stolz selbst verletzt hat. Schuld daran ist so oder so immer der andere – der Feind: der Ausländer, der Asylant. Schweizer sein, das heißt ja vor allem einmal »kein Ausländer sein«.

Ich erinnere mich, daß die höchste Schweizer Offizierin in einem Interview mal gesagt hat, in einer friedlichen Welt wäre sie die erste, die für die Abschaffung der Armee wäre, und ich wunderte mich damals, warum sie gleich die erste sein müßte – warum nicht die zweite oder dritte oder zwanzigste.

Und gab es irgendwo in einem Verteidigungsministerium ein Szenario für den Fall der Auflösung der Sowjetunion, das Szenario einer Welt ohne Selbstverteidigung?

Der Fünfzehnjährige glaubte jedenfalls, sich verteidigen zu müssen – damit ist er nicht entschuldigt. Aber damit entschuldigen sich (fast) alle Nationen dieser Welt und führen ihre blitzblanken wunderschönen Waffen an strahlenden, wehrwilligen Kinderaugen vorbei.

Übrigens, daß die Eskalation der Gewalt unter Schülern nur mit Drogen zu tun habe, das wird – so scheint mir – nach und nach zu einer immer billigeren Entschuldigung.

Plastikmeldungen über eine Plastikwelt

Eben fällt mir ein, daß ich heute vergessen habe, in der »New York Times« nachzulesen, was an den Olympischen Spielen geschah. Die Zeitung liegt neben mir, aber es ist plötzlich nicht mehr dringend. Im übrigen bilde ich mir immer ein, daß mich Sport nicht interessiert, daß ich sozusagen zufällig halt dann doch Fernsehen schaue, und »zufälligerweise« sehe ich dann die Abfahrtsrennen fast immer.

Hier in New York hatte ich mich bereits dafür entschieden, ohne Fernsehen zu leben – ganz einfach, weil kein Fernseher in meinem Zimmer stand. Aber am Tag vor dem Abfahrtsrennen bin ich doch losgerannt und habe mir bei einem Trödler einen ganz billigen kleinen Fernseher gekauft. Das Rennen fand in Frankreich um 12 Uhr mittags statt, das wäre hier also morgens um sechs gewesen. Aber das war es nicht. Die Fernsehstation CBS, die fast nur noch von den Olympics lebt, entschied sich für eine bessere Sendezeit, nämlich für abends zwischen 8 Uhr und 11 Uhr, also 15 Stunden nach dem Ereignis.

So unterließ ich es, mich in der Schweiz telefonisch nach dem Resultat zu erkundigen, ich verzichtete auf europäische Kurzwellen und versuchte auf diese Weise, »live« dabeizusein.

Das stellte sich als unmöglich heraus, weil »live« hier etwas ganz anderes ist. Man sah hier innerhalb von zwei Stunden – und unterbrochen durch Reklame und Gespräche, Reportagen, eine sehr schöne über die Familie von unserem Franz Heinzer – nur etwa sechs Fahrer und ein paar Stürze. Man machte es spannend und machte damit die Spannung kaputt. Skifahren ist hier zuwenig populär, als daß es an und für sich spannend sein könnte.

Wie auch immer, ich habe von hier aus keine Chance, »live« dabeizusein. Welt findet immer dann statt, wenn sie mich erreicht – und in diesem Falle erreicht sie mich hier nicht. Die Resultate, das überrascht mich, interessieren mich hier nicht. Denn zu Hause sind sie etwas ganz anderes als nur die Sache an und für sich – sie sind ein Gesprächsstoff, eine Möglichkeit, mit dem Nachbar zu reden, eine Möglichkeit, mit dem Mann in der Beiz für einmal gleicher Meinung zu sein.

Aktualität ist nicht das, was stattfindet, sondern das, worüber man reden kann.

Ich war vor dreißig Jahren sehr überrascht, als mein Vater plötzlich begann, von Fußball zu reden – von Inter Milan und von Turin. Er hatte mit Sicherheit nie in seinem Leben ein Fußballspiel original gesehen, und nun kaufte er sich einen Fernseher, und das Fernsehen war dasselbe Fernsehen wie das Fernsehen aller Leute – eben ein Fernsehen mit Inter Milan und Turin.

Ich kann mir nicht vorstellen, daß sich mein Vater für Fußball auch nur ein bißchen interessierte. Aber an Gesprächen aller Art war er interessiert. Er konnte jetzt mitsprechen.

Hier in New York kann ich nicht mitsprechen. Das Ereignis ist zwar genau dasselbe – die olympische Abfahrt in Albertville –, aber die Meldung darüber ist eine ganz andere. Und würde ich Gesprächspartner finden in der Bar, ihr Wissen wäre ein anderes und ihr Interesse auch.

Manchmal zweifle ich daran, daß das Ereignis wirklich stattfindet oder ob nur noch die Meldung – nur noch das Fernsehen – stattfindet. Und ich bin fast sicher, daß mich Skirennen nicht interessieren, sondern eben nur das Fernsehen darüber.

Bernhard Russi wurde von einer Zeitung hier über die Strecke befragt, die er entworfen hatte. Zum Schluß fragte man ihn, an welcher Stelle er das Rennen anschauen werde, und er antwortete: »Am Fernseher, da habe ich den ganzen Überblick.« Das leuchtet ein. Aber es ist doch eigenartig, daß selbst am Originalschauplatz das Fernsehen dem Original überlegen ist. Könnte es sein, daß das, was wir sehen im Fernsehen, schon längst keine Reportage mehr über etwas ist, sondern die Sache selbst, daß das Fernsehen also keine Skifahrer zeigt, sondern daß sie fürs Fernsehen fahren und ein Besuch des Originalereignisses so etwas Ähnliches ist wie der Besuch eines Fernsehstudios: Plastikmeldungen über eine Plastikwelt?

Die Wirklichkeit als Erinnerung

André R. arbeitet jetzt hier in New York in einem spanischen Restaurant als Kellner. Ich habe ihn schon einige Male gesehen. Er ist immer noch derselbe, diese eigenartige Mischung von Freundlichkeit und Arroganz, von Noblesse und Fahrlässigkeit. Die Rolle des Kellners steht ihm gut. In seinem Leben damals in der Schweiz war er nie ein Kellner – er ist vor Jahren gestorben, und hier in New York erinnere ich mich an ihn, immer wieder. Und ich sehe ihn auch – den Kellner im spanischen Restaurant.

Einen anderen Freund, der gestorben ist, habe ich hier auch wieder getroffen, in jeder Faser seines Charakters derselbe, ein Sarkast und Zyniker, der nicht das geringste Interesse zeigt, sich selbst ernst zu nehmen, er ist witzig und lustig und gebildet, und er trinkt zuviel. Ich bin froh darüber, daß mein Englisch zu langsam ist, um auf seine schnelle Witzigkeit zu reagieren. Ich würde ihm sonst wohl von jenem anderen erzählen und ihn dabei genau beobachten. Und vielleicht würde ich Recherchen anstellen und nach und nach daran glauben und verrückt werden.

Es ist diese eigenartige Stadt New York, die erinnert. Sie erinnert mich an Bubenträume von Amerika. Sie erinnert mich aber auch an meinen Großvater, der nie in einer Großstadt lebte, nie in Amerika war – der New York wohl nicht geliebt hätte –, aber New York erinnert mich an jenes 19. Jahrhundert, aus dem mein Großvater kam: die alten Häuser, die kleinen Läden, der Krämer, der Schuhmacher, der Uhrmacher – Nostalgie, gefährliche Nostalgie, die der Brutalität dieser Stadt in nichts entspricht.

Daß man New York liebt, das ist für viele, die es tun, immer wieder selbst eine Überraschung, und so ganz wohl ist es niemandem dabei – aber die Sehnsucht New York bleibt, und viele Literaten frönen dieser Sehnsucht. Vielleicht ist es das: New York erinnert.

Literatur erinnert auch. Literatur erinnert an Menschen, an Menschliches, das ist der Grund, weshalb wir Bücher lesen. Leidenschaftliche Leser sind Leute, die dauernd an sich selbst und an die Ihren erinnert werden möchten.

Diese Stadt tut das auch, sie tut es für Touristen und Besucher, für die staunenden Wanderer, die das, was für die wirklichen New Yorker harte Realität sein kann, als Bilder und Bildchen erleben – die Wirklichkeit als Erinnerung erleben.

Ob das nur für Gäste so ist oder ob nicht vielleicht auch Amerikaner und New Yorker ab und zu dieser gefährlichen Droge Erinnerung verfallen – ich weiß es nicht, und nachfragen würde wohl zu nichts führen, aber ich denke doch daran, wenn ich täglich Berichte höre und lese über den Prozeß gegen den Mafiaboß Gotti. Sein Stellvertreter Gravano hat gegen ihn ausgesagt, die wunderschönsten Mordkomplotte, Mordgeschichten und Räubergeschichten erzählt, die zwar grauenhafte und schreckliche Realität sind, Elend, Terror und bösartige Macht – und die dann, wenn man sie in der Zeitung liest, nicht an Realität erinnern, sondern an Kino, an die Filme aus der Traumfabrik. Und wenn ich das lese, dann erlebe ich es nur als Erinnerung an jene Träume – die Wirklichkeit wird zur Nachahmung der Erfindung, und die Literatur wird gefährlich und die Erinnerung besänftigt.

Gegenwärtig sind hier die Primaries: die Kandidatenauslese für die Präsidentschaftswahlen, und die Kommentatoren bemühen sich, festzustellen, daß diesmal alles ganz anders sei – andere Themen, eine andere, völlig veränderte Welt. Und das stimmt, das müßte doch eine andere Welt sein – so viel hat sich verändert.

Ich habe seit 1972 zufällig alle Primaries hier erlebt, und ich kann beim besten Willen nicht feststellen, daß diesmal etwas anders wäre als die letzten Male, selbst die Themen sind dieselben und die Kandidaten sind dieselben – nur mit teilweise anderen Namen.

Der Zwang, nachahmen zu müssen, ist offensichtlich stärker als jede Geschichte, und so erscheinen mir auch diese Vorwahlen – in einer »ganz neuen Welt« – wie ein Theaterstück, das ich schon mehrmals gesehen habe.

Auch in diesem Sinne erinnert mich Amerika – an die Schweiz zum Beispiel.

Die Privatisierung des Lebens

New York ist eine Stadt, die einen allein läßt, und ich genieße das – allein zu sein unter vielen Leuten, unter freundlichen Leuten auch. Eine Stadt für lange Wanderungen, eine Stadt zum Staunen.

»Woher kommen Sie?« frage ich den Taxifahrer. Aus Afghanistan, aus Rußland, aus Indien, aus Senegal. Viele sprechen kaum Englisch. Fast alle Fahrer sind Emigranten. Taxifahrer ist ihre erste – schlecht bezahlte – Arbeit. »Wie lange sind Sie schon hier? Wie gefällt Ihnen New York City?«

Nein, es gefällt ihm gar nicht. Sein Leben hier ist fürchterlich, und auf die Frage, ob er denn zurückmöchte nach Pakistan, folgt ein entschiedenes Ja.

Er ist aus der Armut unter Leuten in die Armut ohne Leute, in die Armut in der Einsamkeit geflohen, und ich beginne mich für meine New-York-Begeisterung zu schämen. Wer hier nichts ist, kein Geld hat, gehört hier zu niemandem.

Die amerikanische Gesellschaft ist eine ghettoisierte. Man lebt hier, wenn überhaupt, nur im engsten Kreis von Freunden. Man trifft sich hier nicht in der Kneipe, sondern auf der privaten Party: Familie, Freunde, Geschäftsfreunde, Gleichgesinnte, Gleichgestellte, wenn möglich auch gleicher Konfession.

Man trifft die anderen auch nicht in der Bar, die Armen, die kleinen Leute, die Trinker – denn die Bar ist teuer, und wer hier sitzt, hat Geld. Und wer viel Geld hat, der geht nicht in die Bar, sondern mit immer denselben Freunden ins Restaurant. Und New York ist

immer noch die große Ausnahme in Amerika. Es gibt hier noch die
gemütliche Bar.

Außerhalb von New York – in Amerika – gibt es gar nichts mehr
außer dem privaten Kreis.

Das hatte einmal seine guten Gründe und war immer wieder einer
der Gründe für Emigration. Unsere Schweizer Wiedertäufer sind
nach Amerika ausgewandert, weil sie dort im Frieden unter sich leben
konnten und können. Homosexuelle können hier im Frieden unter
sich leben. Künstler können hier unter sich leben, Alternative, Sek-
ten, Eigenartige. Das ist schön und gut, das hat mich immer beeindruckt, und es hat lange gedauert, jahrelang, bis ich merkte, daß ich
hier auf Dauer nicht leben könnte. Man begegnet sich in diesem Land
nicht. Mir fehlt die Beiz hier – die Beiz, wo ich jene treffe, die anders
sind als ich, und wo ich alle treffe – auch jene, die ich nicht mag.

Man diskutiert jetzt hier viel über die Unruhen in Los Angeles –
was zu unternehmen sei für die Besserstellung, die Integration der
Schwarzen. Und was auch vorgeschlagen wird, es fehlt das Geld dazu:
Bildung, Sozialprogramme, Aufklärung.

Was aber wirklich fehlt in diesem Land, ist der Ort, sind die Orte,
wo man sich begegnet. Der eine Schwarze wird es schaffen, wird
aufsteigen in eine Partygesellschaft, in einen Kreis von Professoren
oder Geschäftsleuten oder Katholiken oder Protestanten.

Was hier geschieht, hat zwar mit Rassenhaß zu tun – aber nur am
Rande, nur am Rande. Aber auch ohne Haß – und Haß ist hier nicht
so häufig, der Amerikaner hat wenig Talent dafür –, auch hinterher,
wenn alles gut wäre, Bildung und Sozialprogramme zum Beispiel,
wäre das Grundproblem immer noch dasselbe: Man begegnet sich
in dieser Gesellschaft nicht, die private Party ist kein Ersatz für öffentliches Leben. Nicht nur die Armen leben hier im Ghetto, sondern
alle. Das heilige Credo der Privatisierung ist hier nicht nur ein wirt-
schaftliches Credo – es hat auf das ganze Leben übergegriffen. Es
gibt kein öffentliches Leben mehr.

Ich komme bald zurück in die Schweiz – nicht nur gern, mir gefällt es in New York –, und ich habe bereits geträumt davon, daß
meine Beizen in Solothurn inzwischen zugemacht hätten. Das haben
viele in den letzten Jahren.

Wenn sie mal alle zu sind – und es nur noch schöne Restaurants gibt –, dann werden wohl auch wir eine amerikanische Gesellschaft sein, die sich nicht begegnet. Auf dem Weg dazu sind wir bereits.

Er spricht mit mir

Mein Weg zu meiner Wohnung hier in New York führt durch das Schlafzimmer eines anderen Mannes. In der Regel schläft er schon, wenn ich nach Hause komme. Er geht früh zu Bett, zwischen neun und zehn, und oft liest er vor dem Einschlafen noch ein Buch. Ich gehe, wenn ich um elf vorbeikomme, auf den Zehenspitzen, und wenn die Nacht nicht zu kalt ist, sehe ich sein Gesicht, völlig entspannt wie das Gesicht eines Kindes, das Buch liegt noch aufgeschlagen neben ihm, es ist seinen Händen entglitten, eine Flasche mit Orangensaft steht neben seinem Bett. Ein bißchen peinlich ist es schon, jeden Abend auf den Zehenspitzen durch sein Schlafzimmer gehen zu müssen. Trotzdem, wenn er noch wach ist, grüßt er freundlich, wünscht mir eine gute Nacht, und ich erwidere den Wunsch. Er ist mein Nachbar, und wir kennen uns, ohne daß ich seinen Namen und seine Geschichte kennen würde. Aber würde er mir begegnen, irgendwo auf einem Bahnhof, ich würde ihn wiedererkennen, würde auf ihn zugehen und sagen, wir haben doch damals in New York in derselben Straße gewohnt. Vielleicht würde er mich auch wiedererkennen, weil ich ihm hier ab und zu ein paar Dollars zustecke oder neben sein Bett lege. Irgendwie ist mir das zwar auch peinlich, aber er bedankt sich freundlich und wünscht mir alles Gute.

Vor meinem Haus hier schläft ein Homeless – ein Obdachloser – bei jeder Kälte, bei jedem Regen, und er ist mein Nachbar. Was mich an ihm so fasziniert, ist, wie ordentlich er wohnt. Ich selbst habe Mühe, meine gute und richtige Wohnung hier oben so in Ordnung zu halten, meine gutbürgerliche Existenz hat immer einen kleinen Hauch von Untergang – seine Randexistenz verteidigt er mit Ordnung, er hat zu überleben, und er hat das Tag für Tag, Nacht für Nacht.

»Not so bad« – nicht so schlimm –, sagt er, wenn ich ihn auf die fürchterliche Kälte anspreche, und ich schleiche beschämt in meine warme Wohnung. »Not so bad«, sagt er wohl nur, um mich zu trösten, wie wenn er das Gefühl hätte, ich hätte es schwer. »Not so bad«, heißt so etwas wie »Mach dir keine Sorgen«.

Nun, vielleicht ist mein Homeless-Nachbar die Ausnahme. Er scheint zum Beispiel kein Trinker zu sein, er scheint sich noch nicht aufgegeben zu haben, er liest noch Bücher und die Zeitung.

Und wenn ich ihn beschreibe, dann tu ich ihm unrecht. Denn was man auch immer beschreibt, es erhält den Hauch des Romantischen – der romantische Clochard, Vagabund, Landstreicher, Plattenschieber. Zum mindesten diese romantischen Bezeichnungen sind verschwunden – sie heißen jetzt nur noch Homeless, Obdachlose.

Und was mich beeindruckt, ist, daß er mit mir spricht. Er fragt nicht mal, woher ich komme, woher ich meinen Akzent habe, und er nimmt es mir nicht übel, daß ich täglich durch sein Schlafzimmer gehe auf dem Weg zu meinem warmen Bett – denn ich bin ja der doppelt Fremde für ihn: Ich bin – mein Akzent verrät mich – ein Tourist, also ein Reicher, und ich bin einer mit einem warmen Bett, also ein Privilegierter.

Ich weiß nicht, ob das genauso einfach wäre, würde einer sein »Schlafzimmer« vor meinem Haus in der Schweiz einrichten.

Nun gibt es das ja in der Schweiz nicht, oder nicht so häufig. Trotzdem, ich frage mich, was geschehen würde, wenn es das gäbe. Würden wir sprechen mit ihm, würde er sprechen mit uns, und würden wir zu Nachbarn?

Aber eben, das gibt es in der Schweiz nicht.

Oder doch? Gibt es vielleicht doch Ähnliches, Vergleichbares in der Schweiz? Und wir wollen es nur nicht sehen, und wir wollen keine solchen Nachbarn. Und wir wollen nicht, daß sie mit uns sprechen. Ich jedenfalls bin dankbar dafür, daß mein »Nachbar« mein schlechtes Englisch verträgt.

Er spricht mit mir – vielleicht um mich zu trösten –, und ich darf sein Nachbar sein. Er haßt mich nicht.

Hören und Dazugehören

Ich hatte mich für eine amerikanische Fluggesellschaft entschieden, in der Absicht, Amerika noch ein wenig zu verlängern, nach New York noch einmal acht Stunden in Amerika zu bleiben und die Schweiz erst in Zürich und nicht schon in New York zu betreten. Aber kaum hatte ich mich im Flugzeug gesetzt, erreichte mich Sprache – Deutsch, Schweizerdeutsch –, und diese Sprachen ließen mich den ganzen Flug nicht schlafen. Sie drangen quälend auf mich ein.

Ich war es nicht mehr gewohnt, mich den Gesprächen der anderen nicht entziehen zu können. Englisch kann ich immer noch abschalten: Ich kann mich entscheiden, zuzuhören oder nicht zuzuhören – entscheiden, ob ich nur menschliche Geräusche hören will oder Sprache mit Inhalten.

So hatte ich nun vier Monate gelebt, mit einer Sprache, die ich einschalten oder abschalten konnte – mit einer Sprache, die mir Spaß gemacht hat. Ich verstand sie auch immer besser. Und was für Quatsch auch erzählt wurde in der New Yorker Bar, mir war es Erfolgserlebnis genug, wenn ich – einigermaßen – verstand, was erzählt wurde. Und wenn ich Zeitung lesen wollte, dann stieg ich einfach aus dem Zuhören aus und war allein mit mir und meiner Zeitung.

Das ist der Vorteil von Fremdsprachen. Sie heißen so, weil sie einem fremd sind und weil man in ihnen fremd sein darf.

Ich steige ins Flugzeug und bin wieder dabei, gehöre wieder dazu. Hat das Wort »Dazugehören« etwa etwas mit »Hören« zu tun? Ich kann mich dem Hören nicht mehr entziehen. Hinter mir sitzt ein junges Ehepaar – zwei Wochen Karibik –, das gelangweilt auf sich einredet. Er erklärt ihr die Welt, und sie stellt pflichtbewußt die Fragen. Vor mir drei jüngere Leute – drei Wochen Florida –, es geht um Preise, um die Qualität des Buffets, um die Pferdestärke des Motorboots, um den Preis der Reise und auch darum, wie oft schon und wie immer wieder man da war und da sein wird.

Da würden wohl Amerikaner nichts anderes erzählen, oder vielleicht noch Schlimmeres, aber ich könnte mich entscheiden, ob ich zuhören will, und würde ich mich dafür entscheiden, dann könnte ich mich wenigstens darüber freuen, daß ich die fremde Sprache verstehe.

Selbstverständlich ärgere ich mich über die Schweizer. Sie halten mich auch acht Stunden wach, und ich höre und höre und höre und gehöre dazu.

Die erste Veranstaltung, die ich, wieder in der Schweiz, besuche, ist ein Auswärtsspiel des FC Solothurn. »Wir« gewinnen – ein wichtiges Spiel –, und ich freue mich, ich freue mich über das »wir«. Ich kann jetzt wieder schnell und schlagfertig mitreden, dumme Bemerkungen machen und halbfachmännische Kommentare, und ich gehöre wieder dazu. Ich brauche, was mir einfällt, nicht mehr zu formulieren, ich muß nur den Mund öffnen, und es läuft Sprache raus. Das ist schön, mitreden zu können. Ich werde wieder zum Fußball gehen – auf englisch würde mir das keinen Spaß machen.

Aber fremd sein ist auch schön. Es ist die Illusion des Sich-selber-Seins. Man spricht mehr mit sich selbst in einer fremden Sprache, in einem fremden Land. Und wenn man gefragt wird, dann hat man einfach zu antworten, und die einfache Antwort überrascht mich. Hie und da ist sie besser als die komplizierte, die ich auf deutsch gegeben hätte. Aber sie ist mir ein bißchen fremd, meine einfache Antwort, und ich werde mir selber fremd und beginne mich zu beobachten.

»Wie war es?« fragen mich die Leute, »du hast sicher sehr viel erlebt.«

»Ich liebe New York«, sage ich, und ich verstehe, daß sie mich nicht verstehen. »Ich habe nichts anderes erfahren als mich selbst«, müßte ich sagen.

Das nehme ich den Touristen im Flugzeug übel, daß sie sich in der Fremde nicht fremd geworden sind.

New York läßt mich fremd sein, das mag ich an dieser Stadt. Trotzdem, ich zittere für den FC Solothurn, und als mein Freund Egon den Text auf meiner amerikanischen Zigarettenschachtel zu entziffern sucht, sage ich: »Soll ich dir's übersetzen?« »Nein«, sagt er, »dann wäre es ja nicht mehr englisch.« Egon versteht mich.

Die Verzweiflung der Friedlichen

Ich war immer friedlich, ich war still und ruhig, ich hatte es schwer und ich schrie nicht – und eines Tages kriegte ich eine große Wut, und ich habe alles um mich herum zerstört, ich habe mein eigenes Haus angezündet, ich habe geschrien, weil ich gehört werden wollte – und jetzt kommen sie, die Weißen, und das einzige, was ihnen einfällt dazu, das ist, daß sie mir sagen: »Sei friedlich – be peaceful!« Aber das war ich ja schon immer, schon vorher, mein ganzes Leben lang.

Das erzählte ein Schwarzer einem amerikanischen Reporter nach den Unruhen in Los Angeles. Mir scheint, ich kenne das – ganz im Kleinen –, es ist mein eigener Teller, den ich zerschlage, wenn ich eine Wut kriege, und nicht der meines Nachbarn, und ich empfinde meine Wut nicht als Wut, sondern als Verzweiflung.

Ich werde gefragt, ob ich die Unruhen in New York miterlebt habe. Es muß hier entsprechende Bilder im Fernsehen gegeben haben, aber ich habe nichts gesehen, nur eine kleine Demonstration, der dann gleich um die Ecke zwei Autos zum Opfer gefallen sind – aber das erfuhr ich auch nur aus der Zeitung. Nein, New York war ruhig – ein ungeheurer Satz, denn jedermann weiß, daß er nicht stimmt, und Angst breitet sich aus, die Angst davor, daß wirklich einmal alles brennen könnte und nicht nur zwei Autos, die vielleicht, wer weiß, für ihre Besitzer schon fast alles waren.

Aber vorläufig ist es noch eine Lotterie mit sehr wenig Chancen, irgendeinen trifft es, aber es trifft nicht alle, es trifft mich nicht, es hat mich bis jetzt nicht getroffen. Vielleicht wird es mich erst treffen, wenn es alle trifft, und vielleicht ist unsere Angst nichts anderes als unser Wissen darüber, daß es auf dieser Welt Millionen gibt, die »immer friedlich waren, still und ruhig, die es schwer haben und die nicht schreien und die eines Tages eine große Wut kriegen«, wie das der Schwarze in Los Angeles erzählte.

Frage: Wieviel hätten Sie jenen, die Ihnen alles nehmen, vorher dafür gegeben, daß sie Ihnen nichts nehmen und Ihnen ein guter Teil bleibt – die Hälfte, ein Viertel, ein Zehntel?

Die Frage ist – leider – leicht zu beantworten: Nichts werde ich ihnen geben, denn sie haben keinen Rechtsanspruch darauf. Und gebe ich dem einen, dann kommt der andere – abgesehen davon, daß das, was mir gehört, mir gehört und ich mir einbilde, ich hätte es mit Fleiß und Eifer erworben – oder zum mindesten meine Väter oder meine Schweiz. Ich fühle mich – mir scheint, zu Recht – unschuldig am Elend, an der Armut der anderen. Und wenn niemand daran schuldig ist, dann bleiben als Schuldige nur noch sie selbst, dann sind sie eben alle selbst schuld.

Nur eben – im Grunde genommen wissen wir alle schon längst, was der Schwarze in Los Angeles formuliert hat – fällt uns allen nichts anderes dazu ein als das, was ihn so verbittert: Ich war ein ganzes Leben lang friedlich – und jetzt fällt ihnen nichts anderes ein, als mir zu empfehlen: »Sei friedlich!«

Noch zerstören die Gewalttätigen ihren eigenen Besitz, die Jugoslawen ihr geliebtes Jugoslawien, die Hooligans ihren geliebten Fußball, die Schwarzen ihre eigenen Hütten.

Wir aber leiden nicht mit den Jugoslawen – wir fürchten uns nur davor, daß es einmal unsere Hütten sein könnten oder unsere Länder. Und es gibt sogar Leute, die daran glauben, daß so etwas damit verhindert werden könnte, daß wir Schweizer uns weigern, zu Europa zu gehören; denn unsere Welt wäre ja eigentlich – so wie sie immer war – in Ordnung. Wir bräuchten nur noch »Stabilität« und »Frieden«, rufen den anderen zu: »Seid friedlich« und glauben damit einen menschlichen und christlichen Vorschlag zu machen – nur eben, wir meinen damit nicht ihren Frieden, sondern unseren.

Sie hätten etwas zu leisten – friedlich zu sein –, damit wir unseren Frieden haben. Und sie leisten es und leisten es und leisten es bis zur Verzweiflung, und uns fällt nicht ein, daß es unsere Sache wäre, den Frieden zu finden und zu erfinden, damit die anderen nicht nur friedlich sein müssen, sondern auch ihren Frieden haben. Ich kann mir nicht helfen, ich glaube daran – an eine mögliche friedliche Welt. Nur tu ich nichts dafür, wenn ich auch weiß, daß sie uns nicht geschenkt wird – von den andern schon gar nicht.

Sich etwas kaufen

»Also, es ist viel billiger, wenn man einen Flug nach Athen nimmt und
dann dort einen Flug kauft nach den Inseln«, sagt der eine, und der
andere sagt, daß sein Bruder letzte Woche geflogen sei – er weiß nicht
genau, wohin –, aber er habe 700 Franken gespart, weil er so und
so gebucht habe. Es gibt jetzt auch einen Flug nach Bangkok für
soundsoviel, und wenn man so bucht und so fliegt, dann spart man
noch einmal 200 Franken.

Sie waren schon überall, und sie kennen die Preise von überall.
Der eine ist eben aus seinen Ferien zurückgekommen. Das ist der Anlaß, über Flugpreise zu diskutieren. Ich bekomme während des ganzen Gesprächs nicht mit, wo er nun diesmal wirklich war. Am Meer
wohl, an irgendeinem Meer.

Er hat sich das geleistet, wie er sagt. Er hat sich etwas Teures gekauft, und er hat es sogar etwas billiger bekommen, weil er eben
weiß, wie das läuft.

Die Reise, so scheint mir, ist dabei fast nebensächlich. Jedenfalls,
davon wird nicht gesprochen. Ich will ihm nicht unterschieben, daß
er seine Ferien nicht genossen hat, daß sie ihm nicht gefallen haben.
Offensichtlich ist er nur unfähig, darüber zu sprechen.

So spricht er halt dann so über die Reise wie über den Kauf eines
Autos: Preis, Qualität, technische Daten. Schließlich ist ja nicht nur
ein Auto etwas, sondern eben auch der Kauf eines Autos. Es macht
Spaß, zu kaufen – Teures zu kaufen und Teures günstig zu kaufen.
Es macht Spaß, eine Uhr zu kaufen, eine wunderschöne Jacke zu
kaufen – eine Reise zu kaufen. Nun hat er sie gekauft, die Reise,
nun gehört sie ihm. Das ist ihm zu gönnen, und es ist schön und gut,
daß er sich das leisten kann. Es ist auch richtig, daß er nicht zuviel ausgibt dafür. Traurig ist nur, daß der Preis an der Sache hängenbleibt:
Das ist jetzt für immer eine Uhr, die 1678 Franken gekostet hat, das
ist jetzt für immer eine Reise, die 945 Franken gekostet hat. Die Reise
hat so im voraus einen Wert. Daß man die Uhr hinterher auch brauchen und die Reise antreten kann, das ist fast nur eine Folge und
selbstverständlich.

Während ich dasitze und zuhöre, liegt mir dauernd eine Frage auf der Zunge. Aber ich fürchte mich, sie zu stellen: »Warst du denn auch schon mal in Jugoslawien in den Ferien?« Ich stelle die Frage nicht, weil ich weiß, daß ich ihn damit in Verlegenheit bringen würde. Er wüßte wohl nichts zu erzählen, und es bliebe ihm deshalb nichts anderes übrig, als loszuschimpfen über alle Jugoslawen – das möchte ich jetzt nicht hören, also lasse ich die Frage. Jugoslawien kauft man jetzt nicht mehr.

Ich weiß erst seit kurzem, daß Sarajewo in Bosnien liegt, und ich frage mich, ob ich es schon länger gewußt hätte, wäre ich mal in Jugoslawien in den Ferien gewesen. Ich zweifle daran, wenn ich höre, wie sie hier am Tisch über Ferien sprechen. Jedenfalls bleibt es ein eigenartiges Phänomen, daß der Tourismus zur Völkerverständigung nichts, gar nichts beigetragen hat und daß die Bemerkung »Ich kenne die!« immer Negatives meint. Daß Reisen bildet, ist eine Weisheit, die aus einer Zeit stammt, als es noch keinen Tourismus gab.

Nun wäre es auch vermessen, von jedem zu verlangen, daß er sich auf seinen Reisen bildet, daß er gescheiter und informierter zurückkommt. Er hat bestimmt ein Recht darauf, irgendwo am Strand zu liegen, sich zu erholen und sich um nichts zu kümmern.

Das Schlimme scheint mir nur, daß er glaubt, er habe es gekauft, es gehöre ihm nun, die Reise, die Leute, das Land. Zwar kosten Reisen etwas, sie haben ihren Preis. Aber käuflich erwerben kann man sie wohl trotzdem nicht.

Die Leute hier am Tisch, die über die Preise der Welt diskutieren, mögen die Ausländer nicht sehr und das Ausland eigentlich auch nicht. Sie möchten nicht dazugehören zum Ausland, zu Europa zum Beispiel. Könnte es sein, daß dies seinen Grund auch darin hat, daß wir gelernt haben, daß das Ausland billig ist, daß man es sich billig kaufen kann. Vielleicht ist es so, daß, wer glaubt, daß ihm die Welt gehört, nicht glaubt, dazugehören zu müssen. Den Engländern gehörte einmal eine Welt, seither haben sie sehr Mühe, dazuzugehören.

Erinnerung an die Titanic

Im Augenblick, während ich dies schreibe, spielt in Barcelona einer um die Silbermedaille. Das soll sehr wichtig sein. Wenn es ihm gelingt, dann wird er morgen auf der ersten Seite aller Schweizer Zeitungen stehen. Ich werde die Berichte lesen, ich werde mir anhören müssen, was alle und immer wieder darüber sagen.

Wenn er nicht gewinnt, dann wird morgen auf der ersten Seite anderes stehen. Das heißt auch, daß, wenn er gewinnt, das andere nicht dort stehen wird. Denn im Augenblick, während ich dies schreibe, sterben in Jugoslawien Menschen. Bosnier sterben auf der Seite der »Gerechten«, Serben auf der Seite der »Ungerechten«. Letztlich vielleicht beide schuldlos, der bosnische Soldat, der serbische Soldat. Aber der serbische wird ein Leben lang gezeichnet sein, weil er durch Zufall auf der Seite der »Ungerechten« verpflichtet war. Ich weiß davon nur aus den Medien und nur so viel, wie mir die Medien berichten können und wollen. Sollte also die Silbermedaille möglich werden – irgendwie interessiert es mich doch –, dann werden mir die Medien weniger oder nichts von Bosnien berichten auf der ersten Seite.

Schon werden die Kurden nicht mehr verfolgt. Schon leiden die Leute in der Sahelzone keinen Hunger mehr. Schon gibt es keine Probleme mehr in Sri Lanka. Von den Polen spricht niemand mehr, von politischen Gefangenen in Südamerika auch nicht. Ein Ereignis wischt das andere weg. Darüber, so fürchte ich, sind wir alle froh. Im Grunde genommen erreichen uns die Meldungen gar nicht. Wir speichern sie nicht – jede neue Meldung löscht die alte. Wir leben nicht als Zeitgenossen, als Zeitzeugen, sondern nur als Konsumenten von Aktualität, und wir sind alle darauf bedacht, daß uns die Geschichte nicht trifft. Jugoslawien geht uns nichts an, und wir wollen auch nichts damit zu tun bekommen.

Der Tennisspieler geht uns zwar auch nichts an. Wir kennen ihn nicht. Er wohnt weit im Westen unseres Landes. Er hat mit uns nur etwas mit Sicherheit gemein, die Nationalität. Doch, doch, ich kenne den Namen, ich werde mich heute abend nach dem Resultat erkundigen. Eine Niederlage wird meine Laune nicht verändern und ein Sieg auch nicht, aber wissen möchte ich das Resultat schon, ich erwarte, daß es morgen in der Zeitung steht, und ich werde es in einigen Wochen vergessen haben – ein Ereignis wischt das andere weg.

Eigenartig aber ist, daß es Ereignisse gibt, die sich gehalten haben über Jahrzehnte und über Generationen. Ich denke zum Beispiel an den Untergang der Titanic. Er ist uns präsenter als der Erste Weltkrieg, als der Zweite Weltkrieg. Ich suche in meinem Lexikon nach der Titanic. Es steht ein großer Artikel über sie darin. Ich suche andere Schiffe, Andrea Doria z. B. – sie fehlen. Warum? Vielleicht, weil man sich damals die Ereignisse noch erzählen konnte. Vielleicht, weil Zeitungen damals noch erzählten. So wurde die zeitgenössische Geschichte zu Geschichten, zu etwas, das uns betrifft. So wurde die Titanic etwas, das uns alle immer noch betrifft, ein Mythos.

Erinnern Sie sich noch an den Ungarnaufstand 1956, an den Prager Frühling 1968? Fällt Ihnen auch auf, daß damals niemand von Flüchtlingsquoten sprach, daß man zwar Enttäuschungen erlebte mit einzelnen Ungarn, weil sie nicht ganz so waren wie wir, aber sie durften kommen, sie durften bleiben, sie wurden Schweizer. Haben wir uns nicht damals doch alle ganz anders verhalten? Warum? Ich möchte diese Frage nur gestellt haben.

Das Schweizerische Ostinstitut soll seine Tätigkeit aufgeben, ich bin ihm – zugegeben – nicht besonders geneigt. Es ging aus der Bewegung »Niemals vergessen« hervor, nach dem Ungarnaufstand. Der Kommunismus ist vorbei, den kann man also jetzt endlich vergessen. Und die Menschen?

Die Wahrheit als Information

Einer hat sich den Penis abgeschnitten, irgendwo auf dieser Welt, ich weiß nicht mehr, wo, aber es steht in der Zeitung, und es wird schon wahr sein. Einer sagt, nachdem er es gelesen hat: »Auch das noch, die Welt wird immer verrückter.«

Er hält diese Geschichte, diese traurige Geschichte, deren Hintergrund nicht mitgeteilt wird oder nicht mitteilenswert ist, für eine Information über diese Welt. Und wenn ich den Journalisten frage, warum das in seiner Zeitung steht, dann sagt er, daß es eine Information sei, daß alles recherchiert sei, daß der Leser, die Leserin ein Recht darauf habe, informiert zu werden.

Ich habe gestern ein Blatt von einem Baum fallen sehen. Ich habe es vorsichtig aufgehoben, den nächsten Passanten aufgehalten, ihn darum gebeten, mir zu bestätigen, daß dieses Blatt vom Baum gefallen sei. Er weigerte sich erst, weil er das unnötig fand. Ich hatte seine Zeugenleistung zu bezahlen. Ich ging mit dem Blatt zu einem Experten, einem Biologen, und ließ mir bestätigen, daß es sich um ein Ahornblatt handelt. Die Gegenexpertise kam auf dasselbe Resultat: Beim Blatt, das gestern von einem Baum fiel, handelt es sich um ein Ahornblatt.

Ob das eine Information ist? Die Geschichte ist wahr – hier zwar als Beispiel erfunden –, und die »Wahrheit« ist eine Information, das behauptet der Journalist. Die Leute wollen das wissen. Vor dem Baum warten ein englisches, ein französisches und ein amerikanisches Fernsehteam auf das nächste Blatt, denn die Zuschauer haben ein Recht darauf, zu wissen, wann das nächste Blatt fällt. Ich unterhalte mich mit dem Chef des amerikanischen Teams. Er ist intelligent und sehr gebildet, und er erklärt mir, daß es nicht seine Sache sei, wenn sich eben die Zuschauer für solche Sachen interessieren. Aber es sei alles recherchiert, es handle sich wirklich um ein Ahornblatt.

Meine Geschichte hat den Vorteil, daß sie erfunden ist – unnötig und erfunden.

Wollen Sie eine andere Geschichte? Etwa die, daß irgendwo eine

Frau ihre Mutter durch Krebs verloren hat, wo doch erst kürzlich ihr Mann überraschend von einem Tag auf den anderen gestorben ist. Nein, ich will das nicht ins Lächerliche ziehen. Das ist schlimm und das tut weh. Ob es eine Information ist, nur weil es wahr ist?

Der Journalist sagt mir, daß sich die Leute mit dieser Frau – weil sie prominent ist – identifizieren und daß das ja alles nur stellvertretend sei für ihre eigenen Geschichten.

Also eine andere Geschichte: Ein dreiundvierzigjähriger Mann kriegt ein Kind, von einer Frau selbstverständlich, über die wir auch schon informiert wurden. Ist das nun eine Information, nur weil wir schon informiert wurden? Der Mann, intelligent und sympathisch, freut sich. Trotzdem, die Bilder sind exklusiv.

Also eine andere Geschichte: Einer sitzt da und sagt plötzlich und ohne jeden Grund: »Das ist nun wirklich eine arme Frau – diese Lilo P. –, die tut mir nun wirklich leid.« Er selbst ist teilinvalid und arbeitslos, aber das spielt in diesem Zusammenhang keine Rolle – denn er hat ja trotz seines Elends ein Recht auf Unterhaltung. Und sein eigenes Leben ist ja nur Realität. Das passiert ja nur. Das ist ja nur da.

Das wirkliche Leben, glaubt er, findet nur noch in den Medien statt. Alles andere ist kein Leben: keine Geburt, kein Tod. Leiden tun nur noch die, die in der Zeitung sind. Den Lesern bleibt nur noch das Mitleiden, das Mitfreuen. Das ist wesentlich mehr als Entmündigung, das ist Enteignung. Aber bitte, es ist wahr, es ist recherchiert.

Die Literatur allerdings hat seit je darüber berichtet, daß irgendwo ein Blatt vom Baum fiel, irgendwo irgendwer ein Kind bekam. Der Irgendwer ist jetzt ein Prominenter, und die Journalisten begnügen sich damit, schlechte Literatur anzubieten.

Werbung für uns

Auch ich erschrak, als ich vor drei Wochen zum ersten Mal die neue Tagesschau sah. Ich glaubte, mich im Sender verwählt zu haben, bis dann jenes Kühlschranklogo in der Ecke des Bildschirms erschien, das wohl an jene Kühlschrankreklame erinnern soll, mit der das Fernsehen DRS seine Programme beginnt.

Auch ich staune immer, wie konservativ ich sein kann: Meine erste Reaktion war Ärger. Ich fand die neue Tagesschau fürchterlich, inzwischen fällt mir kaum mehr etwas auf. Und es würde mir wohl auch nicht auffallen, wenn nun plötzlich wieder die Tagesschau in der alten Form gesendet würde. Geblieben ist nur die Lächerlichkeit der gesponserten Wettervorhersage – glücklich die Firma, die sich leisten kann, sich einer solchen Lächerlichkeit auszusetzen. Immerhin können nun jene, die mit dem Wetter unzufrieden sind, sich durch Produkteboykott rächen. Selbstverständlich wurde den Zuschauern etwas ganz anderes verkauft als eine Neugestaltung der Tagesschau. Man tut einfach so, als wäre die Werbung ein integrierter Bestandteil des wunderbar neuen Konzepts, und es ist zu befürchten, daß sie das auch ist.

Ich habe nichts, gar nichts gegen Werbung. Am Radio DRS vermisse ich sie. Aber ich habe etwas gegen Werbebetrug. Gegen dieses So-tun, als wäre die Firma Soundso jene, die sich nun freundlicherweise ums Wetter kümmert. Eine Firma, von der ich annehmen soll, daß sie ihre Produkte ernst nimmt, sich ernsthaft um sie kümmert, sie zu verbessern versucht oder zum mindesten mit ihren Produkten etwas zu tun hat. Nun kann man – und ich finde das gut – Jazzkonzerte sponsern, man kann Opernaufführungen sponsern, man kann eine Tagung gegen Reklame sponsern – oder was auch immer. Das ist gut, weil diese Ereignisse – wie gut sie auch immer sind – nicht stattfinden könnten ohne Sponsoring. Das Wetter aber, und auch die Wetterprognose, würden stattfinden auch ohne Sponsoring.

Und wieder einmal wird die Moderne gestreßt. Man hat jetzt endlich wieder einmal etwas »Modernes« gemacht, und die Ewiggestrigen sind – wieder einmal – dagegen. Ich sehe die Menschen – gescheite und gute Menschen –, die das ausgebrütet haben in stundenlangen Konferenzen, in schlaflosen Nächten: Ein neues Konzept, eine ganz neue, eine ganz wunderbare Konzeption, die die Leute am ersten Tag ein bißchen erschreckt und die am zweiten Tag niemandem – nicht einmal den Machern – auch nur ein bißchen auffällt.

Nein, kosten tut das nicht besonders viel, auch die vielen Sitzungen nicht. Nur hätte man vielleicht bei diesen vielen Sitzungen über anderes sprechen können als über das neue Outfit. Das Fernsehen hat – wie ein armes, schönes Mädchen – nur noch Mode im Kopf. Und die neue Tagesschau ist so viel wert wie ein neues Kleidchen. Wem gar nichts mehr einfällt, dem fallen neue Kleidchen ein.

Es war einmal ein Kaiser. Der hatte einen Schneider usw. Und dann kam ein Kind und rief: »Der Kaiser ist nackt.«

Im übrigen – ich fand und finde die Schweizer Tagesschau recht gut. Besser kann allerdings alles werden – warum die Tagesschau nicht? Ist sie den Machern ein Dorn im Auge? Muß sie wegästhetisiert werden? Oder geht es nur um die Eitelkeit der Macher?

Ich erinnere mich. 1955 sind wir aus dem Lehrerseminar gekommen und haben angefangen, Schule zu halten. Selbstverständlich glaubten wir nicht, Lehrer zu sein wie die anderen Lehrer – also hatten wir es selbstverständlich anders zu machen. Also stellten wir die Bänke im Kreis und nicht mehr in Reihen, und niemand mehr konnte daran zweifeln, daß wir nicht ganz neue, ganz moderne Lehrer seien. Wenn einem nichts mehr einfällt, fällt einem Ästhetik ein. Übrigens, auch wir machten Werbung. Wir machten Werbung für uns.

Mein alter Freund

Kürzlich habe ich nach langen Jahren wieder meinen alten Freund W. getroffen. Meinen alten Freund? Ja, so haben wir uns schon damals angesprochen, und so haben wir wohl auch voneinander erzählt – mein alter Freund. Wir hatten zusammen wunderbare Zeiten in Berlin. Wir hatten große literarische Pläne, über die wir stundenlang diskutieren und blödeln konnten. Es fiel uns viel Unsinn ein, wir heckten Streiche aus, die wir eigentlich nie ausführten. Wir lebten in unseren Köpfen. Wir hatten ähnliche Ideen, ähnliche Ansichten, über die wir uns streiten konnten. Vom Alter her und auch von seiner Reputation war er schon ein wenig eine Respektsperson für mich, schon etwas älter als ich, er wußte schon noch von anderen Zeiten zu erzählen. Aber wir gehörten derselben Generation an. Und ich war stolz darauf, vom Älteren akzeptiert zu werden.

Mein alter Freund! Jetzt ist er es wirklich. Er erkundigt sich leise und fast ohne Anteilnahme nach gemeinsamen Freunden von damals. Er ist still geworden, ohne Feuer. Ich bin fast ein bißchen beleidigt, daß er mich nicht überschwenglich begrüßt und daß man ihn – den alten Herrn – nicht mehr überschwenglich begrüßen kann. Irgendwie ist er plötzlich aus unserer Zeit gefallen. Nicht, daß er älter geworden ist, erschreckt mich, sondern daß er alt geworden ist, alt und müde.

Und man beginnt zu rechnen. Wie alt war er damals? Wieviel älter als ich ist er? Die Frage, die man sich etwa stellt, wenn man an ehemalige Lehrer denkt, die damals alte Respektspersonen waren – alt und erwachsen und altmodisch –, und man stellt fest, daß man inzwischen viel älter ist, als jene Lehrer es damals waren.

Irgendwie nützt alles Rechnen nichts. Man kriegt es irgendwie nicht in den Kopf. Man kann es drehen wie man will, es ist kein arithmetisches Problem. Es ist mit Zahlen nicht zu lösen. Vielleicht weil es wohl so etwas gibt wie eine Magie der Zahlen, die mit Zusammenzählen allein wohl nichts zu tun hat.

Wie alt war er damals, 1964? Wie alt war ich damals? Und wann würde ich so alt sein wie er jetzt ist.

Und ich erschrecke. Ich würde im Jahre 2008 so alt sein. Nein, lange dauert das nicht mehr bis zur Jahrhundertwende oder Jahrtausendwende. Und ich werde irgendwann hinter dieser »Wende« irgendwie so sein wie er – in einer anderen Zeit, einem anderen Jahrhundert, in einem Jahrhundert, das wir uns immer utopisch vorgestellt haben, d. h., wir wollten es uns nie vorstellen. »Die Schweiz im Jahre 2000?« Das war ein Thema, das uns immer wieder zur Scherzfrage verkommen ist – ein Aufsatzthema für phantasielose Lehrer.

Und ich erinnere mich, wie wir als Schüler uns dieses Jahr 2000 begeistert vorgestellt haben: Der ganze Himmel voller Flugzeuge und Raketen, die Straßen voller Autos und Bahnen, Hochbahnen und U-Bahnen. Eine Zeit mit totaler Technik, mit totalem Wachstum, mit Lärm und Großstadt, und die Vision war uns eine Freude, eine glückhafte Utopie ohne jeden Schrecken, ein großer Rummelplatz, so hatten wir uns das vorgestellt.

Und ganz im geheimen wußten wir als Kinder, daß es dieses Jahr 2000 nie geben wird, nie geben kann.

Jetzt kommt es plötzlich doch auf uns zu, dieses magische Jahr 2000, dieses dritte Jahrtausend – als hätten wir je im zweiten Jahrtausend gelebt. Und die Utopie »Die Welt im Jahre 2000« ist bereits keine mehr.

Vielleicht belasten uns alle im Augenblick möglichen Veränderungen deshalb doppelt schwer, weil sie in einer Zeit wirksam werden sollen – EWR und Europa zum Beispiel –, die in unseren Köpfen noch gar nicht existiert.

Ich jedenfalls werde so alt sein wie mein alter Freund, in einer Zeit, die es gar nicht gibt. Ob das wohl für ihn heute auch so ist?

Eine Sammlung von Menschen

Vielleicht haben Sie schon mal Joseph Conrad gelesen, »Almayers Wahn« zum Beispiel, ein Buch voller Menschen, voller fremder Menschen, dunkelhäutiger, böser, gefährlicher – ein Buch voller Menschen, die mir nahe sind, die meinen Nachbarn gleichen und die mir so fremd und so nah sind wie meine Nachbarn.

Vielleicht haben Sie mal den »Grünen Heinrich« von Gottfried Keller gelesen, ein Buch voller Menschen, ein Buch voller Schweizer, die vor 150 Jahren gelebt haben und den Schweizern, die heute leben, immer noch gleichen. Ich hätte immer wieder Lust gehabt, auszuzählen, wie viele Menschen denn vorkommen im »Grünen Heinrich«, wenn man alle zählen würde, die vorkommen, irgendwo vorbeigehen, irgendwie erwähnt werden.

Vielleicht haben Sie das Glück gehabt, »Krieg und Frieden« von Tolstoi lesen zu dürfen, ein Buch voller Namen, verwirrend vieler Namen und verwirrender Beziehungen – wer ist die Tante von wem? –, und vielleicht ging es Ihnen so wie mir damals, daß man sich plötzlich heimisch fühlt in diesem Gewirr von Namen und Beziehungen.

Sind Sie zufälligerweise eine leidenschaftliche Leserin? (Die weibliche Form ist berechtigt, Leser sind seltener.) Lesen ist etwas ganz Eigenartiges. Es hat letztlich mit Buchstaben zu tun, mit der Lust, Buchstaben vor den Augen zu haben, sie zusammenzusetzen und daraus Menschen und Namen und Welten zu formen. Lesesucht nennt man das – nicht ohne Buchstaben vor den Augen leben zu können: auf einer Toilette zum Beispiel ohne Lesestoff verloren zu sein und dann sämtliche Gebrauchsanweisungen von Waschmitteln zu lesen, nur um Buchstaben vor den Augen zu haben, und irgendwie wird die Gebrauchsanweisung zur Geschichte, zur Erzählung.

Wenn Sie das nicht kennen, dann sind Sie normal, und dann brauchen Sie hier nicht weiterzulesen, denn es gibt nicht viele Buchstabenverrückte, es gibt nicht viele Leser und Leserinnen.

Sie bleiben zum Beispiel ab und zu an Telefonbüchern hängen, suchen eine Nummer und beginnen zu lesen: Bircher, Bischoff, Bisig, Bislin, Trapper, Treier, Tremp ... Treier wird der sein, der sein ganzes Leben lang zu sagen hat: »Nein, mit T«, und schon beginnt eine Geschichte. Und bei Theiler, Josef steht sein Beruf »Technischer Dienstchef«, und ich überlege mir, von was für einer Technik und von was für einem Dienst er Chef sein könnte, und ich überlege mir, ob das überhaupt ein Beruf ist – oder ist es ein Rang wie Dr., wie Professor etwa.

Vor Jahren fand ich im Telefonbuch mal einen, der war »Lizenzinhaber«, und da dachte ich mir, das bin ich eigentlich auch. Ich besitze eine Lizenz zum Autofahren. Ich könnte ja auch ein »Lizenzinhaber« sein.

Und dann gibt es eine ganze Reihe Sonderegger, nur Namen und Adressen und Berufe, und es steht nichts davon dabei, daß es Gustav Sonderegger besonders schwer hat, weil er krank ist, Streit hat mit seinem Sohn, gequält wird von seinem Nachbarn. Es steht da nur »kaufm. Angestellter«, als würde ihn das mehr unterscheiden von anderen Menschen als seine Leiden und seine Sorgen.

Und dann gibt es diese dumme Geschichte vom Mann im Irrenhaus, der seinem Freund dauernd Bücher empfiehlt und ausleiht, und jedesmal, wenn sie der andere zurückbringt, fragt er ihn, wie es ihm gefallen habe, und der andere sagt: »Ja, ganz schön, aber ein bißchen viele Namen und wenig Handlung.« Und er empfiehlt ihm den Band 12, der noch schöner sei. Da kommt der Direktor vorbei, sieht die Bücher und sagt: »Ah, ihr zwei klaut mir immer die Telefonbücher.« Die zwei waren bestimmt richtige Leser, denen es Spaß machte, mit Buchstaben Menschen zusammenzusetzen und über sie nachzudenken: Eine riesige Sammlung von Menschen wie in Tolstois »Krieg und Frieden«. Eine Sammlung von Nöten, Sorgen, Freuden, Stolz und Eitelkeiten. Ein Buch über diese Welt.

Ein Buch über Menschen

Ich traf ihn erst ein paar Wochen später, als ihn niemand mehr darauf ansprach, daß er in der Zeitung stand. Aber er saß immer noch
in der Kneipe, lächelte – was ihm fast nicht gelang – den Leuten zu,
wartete immer noch darauf, daß ihn einer auf seine Leistung an-
spräche, und seine rechte Hand war schon bereit für die abweisende
Bewegung, mit der er das Kompliment von sich gewiesen hätte.

Alfred interessiert sich nicht für all dieses Zeug, das in den Zeitungen steht. Er will seine Ruhe haben, wie er sagt, und das heißt
für ihn auch Ruhe vor den Buchstaben, mit denen er mal gequält
wurde in der Schule und die mitunter verantwortlich waren dafür,
daß er keinen Beruf lernen konnte, daß man mit ihm auf den Ämtern
anders sprach als mit anderen, daß er Termine verpaßte und – wo
und wie auch immer – in Verzug kam.

Ich bin nicht einmal sicher, ob Alfred ein Exemplar der Zeitung
besaß und aufbewahrte, und wenn, dann wüßte er wohl bereits
nicht mehr, wo – er hätte den Zeitungsausriß wohl zwei Wochen in
der Jacke mitgetragen, bis er zerknüllt und unlesbar gewesen wäre.
Nein, wer die Buchstaben nicht mag, der geht mit seinem Leben nicht
buchhalterisch um, und fast hätte man ihm seine abweisende Handbewegung geglaubt.

Alfred versteht etwas von Pilzen. Er kennt sie alle – nicht eigentlich
ein Naturfreund, viel eher einer, der darüber mehr weiß als die anderen, und einer, der seine Pilzkenntnisse aus der Armut in seiner
Jugend hat.

Den riesengroßen Steinpilz – nein, nicht einfach ein Riesenbovist –,
mit dem er nun vor Wochen in der Zeitung abgebildet war, hatte er
nicht einfach durch Zufall gefunden, sondern durch besondere Kenntnisse, und er beobachtete ihn lange, pflegte ihn und tarnte ihn und
ließ ihn groß und gesund werden.

Inzwischen war der Zeitungsausschnitt zerknüllt und unlesbar
und die Sache vergessen. Irgendwie war ihm das auch recht, denn er
hatte nach und nach genug davon, mit all jenen, die nichts von Pilzen
verstehen, über Pilze streiten zu müssen.

Ich saß ihm also gegenüber und hatte zufällig ein Buch von mir – eine Sammlung von Kolumnen – in der Tasche. Ich wußte, wie hoch das Risiko war, ihm, dem Buchstabenfeindlichen, ein Buch zu schenken. Ich fürchtete mich vor seiner Wut.

Ich versuchte es trotzdem und schrieb in das Buch: »Für Alfred – dem großen Pilzkenner mit herzlicher Gratulation zum größten Steinpilz.« Zu meiner Überraschung freute ihn das Geschenk, er versuchte sogar zu strahlen – und er versuchte, einen ganzen Abend lang freundlich zu sein.

Er steckte das Buch in die hintere Tasche seiner Jeans, und ich hätte nicht gedacht, daß er es so bis nach Hause bringen würde. Ein paar Tage später aber sprach er mich darauf an. Er hatte wirklich versucht, darin zu lesen, erwähnte einige Sachen, glaubte auch, sich selbst in dem Buch entdeckt zu haben, und nahm es mir nicht übel.

Er hatte wirklich versucht, in diesem Buch zu lesen – ich werde ihm das nie vergessen, er ist ein Freund von mir, wenn auch ein schwieriger.

Nun, zwei Jahre später, beginnt er plötzlich, mit mir über Pilze zu sprechen – er tut das sonst mit niemandem –, und wie ich sage, daß ich von Pilzen nichts verstehe, sagt er: »Doch, du verstehst sehr viel davon, du hast mir doch damals ein Buch über Pilze geschenkt.«

Das überraschte mich, denn in jenem Buch stand nichts – gar nichts – über Pilze. Er hatte nur das Buch sehr persönlich genommen – und er persönlich ist ein Pilzkenner.

Alfred ist kein Leser. Aber ich habe von ihm gelernt, was Lesen sein könnte: Geschichten persönlich nehmen. So wird dann für den leidenschaftlichen Pilzfreund jedes Buch zu einem Buch über Pilze, für den leidenschaftlichen Menschen jedes Buch ein Buch über Menschen.

Ein guter Mensch

Wir sehen es täglich in den Zeitungen, im Fernsehen, wir hören es im Radio: »Die Gewalt nimmt zu«, und wir sprechen den Satz nach wie eine Selbstverständlichkeit, wie den Wetterbericht, und trotzdem glauben wir immer wieder, daß wir ihn erstmalig aussprechen.

Haben wir den je gesagt: »Die Gewalt nimmt ab«? Nahm sie nicht schon immer zu in den Hunderten von vergangenen Jahren? Und müßte sie inzwischen nicht überdimensional groß sein, diese Gewalt, wenn sie dauernd zugenommen hätte?

»Der Mensch ist ein bösartiges Tier. Seine Bösartigkeit muß organisiert werden. Das Verbrechen ist eine notwendige Bedingung der organisierten Existenz. Die Gesellschaft ist ihrem Wesen nach kriminell, sonst würde sie nicht existieren. Der Egoismus rettet alles – absolut alles –, was wir hassen, was wir lieben. Und alles bleibt so, wie es ist«, schrieb der große englische Schriftsteller Joseph Conrad 1899.

»Seine Bösartigkeit muß organisiert werden«, ich dachte kürzlich daran, als ich jene Meldung las über den dreifachen Kindsmörder, der in Amerika hingerichtet wurde.

Er machte es all jenen, die in Amerika gegen die Todesstrafe kämpfen, schwer, denn er hatte selbst dringend gewünscht, hingerichtet zu werden, und zwar durch den Strang. Er drohte, daß er ausbrechen und fortfahren würde mit seinem Tun, wenn man seinen Wunsch nicht erfüllte.

Vor dem Gefängnis, in dem er hingerichtet wurde, demonstrierte diesmal nur ein kleines Grüppchen gegen die Todesstrafe.

Der Verurteilte und das Gericht hatten akzeptiert. Die Meldung über den Vollzug hätte mit den Worten beginnen können: »Im gegenseitigen Einverständnis ...«

Nun könnte man annehmen, daß der Verurteilte einsichtig ist, seine Strafe als gerecht empfindet. Er sagte auch, daß er sein letztes Opfer aufgehängt hatte und deshalb auch aufgehängt werden wollte.

Aber ich fürchte, das hat mit Einsicht wenig zu tun, vielmehr haben sich da zwei Gewalttätige zusammengetan – der illegal gewalttätige Mensch mit dem legal gewalttätigen Staat. In Sachen Gewalt sind sie derselben Meinung.

Kürzlich ist ein alter Mann gestorben, den ich mochte, und dies eigentlich nur, weil er mich überrascht hatte. Ich hielt früher nicht viel von ihm, und ich kannte ihn als den Vertreter der militärischen Staatsgewalt, dem es ungemein Spaß machte, bei Inspektionen auf seine sekundengenaue Uhr zu schauen und jene, die drei Sekunden zu spät kamen, mit entsprechenden »lustigen« Sprüchen nach Hause zu schicken. Dem es überhaupt Spaß machte, Späße zu machen auf Kosten der anderen, und der als lauter Trinker selbst nicht ganz außer allen Zweifeln stand.

Nun, er hatte als Kreiskommandant nichts mit Kanonen und Kampfflugzeugen zu tun, aber er stand immerhin im Dienste der Gewalt – einer legalen Gewalt selbstverständlich, vielleicht sogar im Dienste einer notwendigen Gewalt. Ich mochte ihn damals nicht, und wenige mochten ihn.

Nun höre ich in der Kneipe, wie einige auf ihn schimpfen, und das tut mir weh. Denn ich lernte ihn später – nach seiner Pensionierung – kennen als Präsident der Vormundschaftsbehörde, und ich hatte den Eindruck, daß man damit den Bock zum Gärtner gemacht hatte. Aber im Gegenteil, er spielte nicht den Biedermann gegenüber seinen armen Schützlingen, sondern er trat auf als jener, der das selbst kennt, das mit dem Alkohol und das mit der Kneipe, und er setzte sich für den »Schlechtesten« mit Engagement ein.

Einmal traf ich ihn auf dem Weg zur Stadt. Er brauche eine neue A-Saite, sagte er. Und er erzählte mir, daß er jeden Donnerstag mit seinem Cousin, der auch schon über achtzig sei, Geige spiele.

Das wollte mir nicht ins Bild passen.

»Der Mensch ist ein bösartiges Tier«, schrieb Joseph Conrad. Aber sie sind auch immer Menschen – diese bösartigen Tiere. Auch wenn sie sich an der Organisation der Bösartigkeit beteiligen.

Ich mochte ihn eigentlich sehr, ich glaube, daß er ein guter Mensch war. Aber, aber ... aber eben auch ein Mensch, wie wir alle.

Selbstgemachte Geschichten

»Ich habe deine selbstgemachten Blumen noch, die du mir mal geschenkt hast«, sagt ein Kind zu mir, und ich weiß vorerst nicht, wovon es spricht. Ich stelle keine Blumen her, wenn es auch Blumen gibt,
von denen ich das Gefühl habe, sie gehören mir so sehr, daß es wirklich ganz und gar nur meine sind.

Die selbstgemachten Blumen? Plötzlich fällt es mir ein. Ich habe
dem Mädchen mal ein paar Blumen geschenkt, die aus Holz ge-
schnitzt waren. Es waren also nicht »richtige« Blumen, sondern eben
»selbstgemachte«.

Die Gastgeberin setzt uns Kekse vor – selbstgemachte –, und auf
das entsprechende Kompliment und die entsprechende Frage antwortet sie, daß eine Nachbarin ihrer alten Tante sie selbst gemacht
habe. »Hausgemacht« ist eine eigenartige Vorstellung, was wird denn
schon gemacht, wenn nicht in einem Haus?

Meine Enkelin, und davon wollte ich eigentlich erzählen, hat die
Witze entdeckt – nicht etwa nur als Möglichkeit zum Lachen, sondern viel mehr als eine Möglichkeit, lang und langen Unsinn zu erzählen. Und wer Witze erzählt, der bekommt auch Witze zurückerzählt.
Meine Enkelin ruft an und sagt: »Ich weiß einen Witz«, und ich höre
ihr gerne zu, sie kann schön erzählen. Kürzlich nun erzählte sie einen
Witz, den ich bereits kannte. Sie aber sagte, sie habe ihn »selbst gemacht«. Ich fragte also mehrmals nach, ob sie ihn denn wirklich
selbst gemacht habe, und sie bestätigte das überzeugt. Dabei hatten
mir ihre wirklich selbstgemachten Witze viel besser gefallen.

Nein, Nora lügt (noch) nicht. Wenn sie sagt, sie habe es selber gemacht. Dann hat sie es selber gemacht. Sie hat den Witz selber gehört,
sie hat ihn selber verstanden, sie hat ihn sich selber gemerkt, sie hat
ihn selber nicht vergessen, und sie hat ihn selber in eine Form gebracht, in der sie ihn mir erzählen konnte. (Mit keinem Bastelset
aus dem Spielzeugladen ist ein Kind so sehr »selbst« beteiligt – Erzählen ist immer eine Eigenleistung und Zuhören auch.)

Wenn ich etwas lese, dann höre ich zu. Ich höre Joseph Conrad zu

(»Herz der Finsternis«), und ich bin mit ihm auf dem Kongo, und nur wir zwei verstehen, was hier geschieht. Ja, das ist meine Geschichte. Sie ist – weil ich plötzlich feststelle, daß ich etwas mit ihr zu tun habe – zu meiner Geschichte geworden.

Erzähl doch deinen Witz noch mal, den mit den Hühnern, werde ich aufgefordert. Es ist – inzwischen – wirklich »mein« Witz geworden, meine Zuhörer haben das Gefühl, er gehöre zu mir. Ich habe ihn mir sozusagen angezogen wie ein Kleid. So habe ich mir damals auch »Herz der Finsternis« angezogen. Es ist meine Geschichte. Während ich sie lese, schreibe ich sie irgendwie auch. Sollte ich sie meiner Frau erzählen, abends und stundenlang und begeistert, dann würde sie total zu meiner Geschichte.

Doch der Witz von meiner Enkelin ist einer, den sie selbst gemacht hat, selbst gehört, sich selbst gemerkt und selbst mit großer Begeisterung weitererzählt hat.

Ich kriege einen Brief von einem verwirrt erscheinenden Mann. Er scheint Ausländer zu sein – Jugoslawe sehr wahrscheinlich –, er hat eine wunderschöne pedantische Schrift. Er erzählt sehr schön in seinem Brief. Er erzählt, wie er ein Buch von mir findet – »Des Schweizers Schweiz« – und daß er feststellen mußte, daß ich alles von ihm abgeschrieben habe. Er selbst hätte das Buch damals geschrieben. Ivo Andrić hätte auch alles von ihm abgeschrieben. Nun habe ich zwar wirklich den Eindruck, daß ich das damals selbst geschrieben habe, ich erschrecke auch über diese »Anmaßung« des Schreibers. Und er verwirrt mich. Er fordert mich auf, dies nun wirklich mal richtigzustellen und öffentlich zu bekennen.

Das ist schwierig und hart. Aber immerhin, er nimmt das, was ich geschrieben habe, persönlich. Es ist seine Sache geworden – wie der Witz meiner Enkelin –, das ist doch eigentlich ein Kompliment, und solche Leser möchte man eigentlich.

Übrigens – es gibt diese alte Frage, wer eigentlich die Witze erfindet. Die Antwort ist einfach: Niemand, aber wir.

Sind wir Zeitgenossen?

Die Zeitung vom 15. Februar 1993 zum Beispiel – das ist noch nicht so lange her –, ich lese sie jetzt zufällig. Auf den starken Mann von Algerien ist ein Anschlag verübt worden. Rußland und USA zeigen Bosnien-Harmonie. Was das wohl ist: Bosnien-Harmonie? und »Hohe Wahlbeteiligung im Niger« und »Erfolg von Israels Deportierten-Kompromiß«. Zufälligerweise in dieser Nummer keine Erwähnung des Problems der Kurden, kein Sudan, kein Hunger – zufälligerweise; keine Arbeitslosigkeit auch – zufälligerweise – im Inlandteil.

Und ich lese das alles im Wissen, daß es Arbeitslosigkeit gibt, daß es Krieg gibt in Bosnien, daß es Hunger gibt in der Welt. Und ich langweile mich bei der Lektüre der Zeitung vom 15. Februar. Es ist nichts Wirkliches geschehen, und selbst die Skiweltmeisterschaften hinterlassen nicht viel mehr als ein schales Gefühl.

Doch, die Kurden sind erwähnt – im Lokalteil: »Auch an diesem Samstagnachmittag ist in der Zürcher Innenstadt wieder eine Demonstration durchgeführt worden. Diesmal waren es knapp 1000 Kurdinnen und Kurden ...« Das »Diesmal« läßt auf das langweilende »Immer wieder« schließen. Langeweile wird so zum Argument gegen Aktualität. Selbstverständlich gab es am 14. Februar Tote in Bosnien, selbstverständlich sind in Bosnien am 14. Februar Menschen verhungert, und nicht nur dort. Aber die Meldung darüber würde uns langweilen, wir wissen doch schon, daß Menschen verhungern, und wenn es nicht mehr sind als üblich, dann langweilt die Meldung.

Ich lese eine Zeitung vom 15. Februar – das ist noch nicht lange her – und bekomme den Eindruck, daß die Welt – einigermaßen – in Ordnung ist; daß sich das, was ist, in Buchstaben ordnen läßt. Und ich versuche mir vorzustellen, daß in 50 Jahren jemand diese Zeitung in die Hände bekommt und die Vorstellung haben wird, daß damals, am 15. 2. 93, die Welt einigermaßen in Ordnung war. Wir wissen zwar alle, daß sie es nicht war, und weil wir es bereits wissen, hat die Zeitung nicht dauernd davon zu berichten. Ich beklage mich nicht über die Zeitung – ich bin vielmehr entsetzt darüber, daß es mir tagtäglich gelingt, mich mit der Zeitung zu langweilen.

Jener, der sie lesen wird in 50 Jahren, wird diese Zeitung ohnehin nur abklopfen nach all den Dingen aus unserer Zeit, die Geschichte geworden sind. Und niemand weiß, ob der 15. 2. 93 Geschichte wird. Sollte jener Montag Geschichte werden, ich bin überzeugt, jener Leser in 50 Jahren wird enttäuscht sein, sie in der entsprechenden Zeitung nicht zu finden – vielleicht auch nur deshalb, weil sich unsere Gelangweiltheit von seiner Gelangweiltheit unterscheidet.

Im Tagebuch von Ennio Flaiano steht der wunderschöne und bitterböse Satz: »Und meine Reisen in China haben wahrhaftig wenig Bedeutung, verglichen mit den tastenden Schritten im Dunkeln vom Bett zur Küche, auf der Suche nach einem Glas Wasser.«

Er meinte damit bestimmt nichts Zynisches. Er meinte vielmehr, daß die wirkliche Welt im Kleinen liegt und nicht im Großen, nicht im Exotischen und Ausgefallenen.

Nur, es wird halt dann doch zum Zynismus. Zum Beispiel dann, wenn ich in meinem Arm fürchterliche Schmerzen habe, nachts nicht schlafen kann, eine alte Zeitung finde, gelangweilt und unter Schmerzen darin rumblättere. Und »Schmerzen« ist ohnehin ein großes Wort, verglichen mit den Schmerzen dieser Welt. Aber es tut halt weh – und zwar mir.

Letztlich ist es die Frage nach der Zeitgenossenschaft: Sind wir Zeitgenossen? Erleben wir mit, was in dieser Zeit geschieht? Könnten wir Auskunft geben – jenem Interessierten in 50 Jahren zum Beispiel –, was denn eigentlich war in jener Zeit, in der wir lebten. Was da war mit den Kurden, mit den Irakern, mit dem Sudan, mit Algerien, mit Israel und den Palästinensern, mit der Arbeitslosigkeit und der Krise?

Nein, wir könnten es nicht. Unsere Auskunft wäre weniger wert als die Auskunft irgendeines Geschichtsbuches. Und ich lese diese Zeitung vom 15. Februar 1993 und stelle fest, daß sie nicht einmal mir Auskunft geben will über jene Zeit, die erst vor ein paar Tagen stattfand. Das hat nichts zu tun mit der sogenannten Schnellebigkeit, nichts zu tun mit der mangelnden Qualität der Zeitung, sondern nur und ausschließlich mit mir. Schließlich muß ich auch leben, und schließlich schmerzt mich mein Arm.

Nein, ich bin kein Zeitgenosse. Aber sollte ich achtzig werden, ich bin überzeugt – auch ich werde dann behaupten, ein Zeitgenosse gewesen zu sein. Leider werden es mir dann einige glauben.

Begegnung mit meiner Landschaft

In Norddeutschland bevorzuge ich die langsamen Züge, die gemächlich von einer Station zur anderen ziehen und die ruhige Landschaft in Ruhe lassen. Die fast immer gleiche Landschaft erträgt die Schnelligkeit nicht.

Immer wieder hat sie mich fasziniert, diese Landschaft, immer wieder der vorschnelle Wunsch, hier möchte ich sein, hier möchte ich bleiben. Dabei weiß ich genau, ich würde es hier überhaupt nicht aushalten, ich brauche Menschen und Läden und Straßen.

Trotzdem, die norddeutsche Landschaft hat für mich immer wieder so etwas wie Heimkommen, und die Bemerkung der Leute, daß ich als Schweizer hier sicher die Berge vermisse, bringt mich immer wieder in Verlegenheit.

An einer Station hält dieser Zug, und da gibt es ein Strohhaus, einen alten Weidezaun und das Graugrün des Vorfrühlings, und plötzlich sehe ich das Bild aus meiner Kindheit. Hier, genau hier habe ich damals gelebt. Stundenlang stand ich an diesem Zaun, ließ ihn verschwinden, zerstörte ihn, baute ihn wieder auf und liebte dieses Grün, das es nirgends sonst gab, nur hier. Hier habe ich gewohnt, ganz allein, ohne meine Eltern, und niemand hat von meinem Wohnen gewußt. Ich wußte auch nichts davon – oder wollte es nicht wissen –, daß es irgendwo in Wirklichkeit solche Landschaften gab.

Denn meine Landschaft war ein Zusammensetzspiel. Sechzehn Würfel mit je sechs Bildausschnitten, die man zu Landschaften zusammenfügen konnte, und weil das Spiel wohl aus Deutschland kam, waren es deutsche Landschaften, die so deutsch und so fremd waren wie die Landschaften aus Grimms Märchen. Man hat auch Heimaten im Kopf, unerreichbare und unlebbare – ich könnte da nicht wohnen –, aber ich habe da einmal als Kind in meinem Kopf gewohnt.

Ich habe das Glück, allein in einem Zugabteil zu sitzen. Nun wird es jäh zerstört. Ein Mann kommt schnaufend rein, läßt seine Massigkeit ins Polster plumpsen, grüßt laut und freundlich, behält seine schwere Jacke an und auch die vollgestopfte Umhängetasche. Ich schaue demonstrativ zum Fenster hinaus, um nicht sprechen zu müssen, und es ist vorläufig auch nicht nötig. Er führt Selbstgespräche: »Flensburg, Flensburg – und ein toter Vater in der russischen Steppe, umsteigen nach Flensburg.« Die Fahrt wird noch lange dauern, und ich werde es zu ertragen haben. Gefährlich sieht er nicht aus. Er hat ein markantes, intelligentes Gesicht, einen fast gepflegten Sechs-, Siebentagebart, eine ruhige, sanfte Stimme. Er sieht meine Zigarette und sagt, eigentlich zu sich: »Das Rauchen habe ich aufgegeben, aber das Saufen, das Saufen.« Dann stellt er sich auf den Gang, der Schaffner kommt – er verwickelt ihn mit Fragen in ein Gespräch, der Schaffner gibt freundlich Auskunft. Es gelingt ihm, den Schaffner abzulenken, ein Gast ohne Fahrkarte, er kommt lächelnd zurück. Aus seiner Tasche nimmt er ein Buch. »Von mir«, sagt er, »es ist käuflich zu erwerben – 16 Mark.« Ich kaufe es, und er ist überrascht, daß ich es kaufe. Ich nehme mir vor, nicht von meiner Tätigkeit zu sprechen.

Professor sei er, sagt er, Sozialgeschichte und Informatik. Den Namen der Universität wiederholt er mehrmals. Die Gedichte sind ganz gut. Er schreibt mir eine Widmung.

Ich ertappe mich beim Gedanken, mich später erkundigen zu wollen, ob es an der Universität X einen solchen Professor gibt, ich schäme mich für den Gedanken. Warum soll ich den Fremden der Lüge überführen, und was habe ich davon, wenn er nicht lügt. Nun erzählt er von Sprachen: Russisch, Französisch, Italienisch, er scheint diese Sprachen zu können. Er philosophiert über den Zusammenhang zwischen Völkern und Sprache. Ich erkenne den Jargon der Soziologen der 68er-Zeit. In seiner Tasche hat er Bierflaschen, und er trinkt, betrunken, eine nach der anderen. Nun spricht er auch von 68. Und er lobt sich immer wieder dafür, daß er Professor ist. Und er schämt sich jedesmal hinterher dafür. Und ich denke mir, daß hier einer – er ist jünger als ich – in seiner Jugend eine Landschaft hatte, in der man nicht mehr wohnen kann – die Landschaft der 68er.

Beim Aussteigen in Kiel sind wir offensichtlich beide daran interessiert, nicht aneinander hängenzubleiben. Er verabschiedet sich schnell. Er geht auf dem Perron in die falsche Richtung. Ich höre hinter mir eine Bierflasche zu Boden fallen und zerplatzen. In Rußland, da möchte er leben, hatte er auch gesagt – und es in Russisch wiederholt. Das klang schön. Es klang so graugrün. Ich war froh, daß ich ihn loshatte.

Des Pudels Kern

Es ist sehr angenehm, intelligente Menschen zu treffen, gebildete Menschen, die nicht nur etwas erlebt und gesehen haben, die in diesem Leben nicht nur ihr eigenes Leben gelebt haben, sondern durch Bildung auch an vielen anderen Leben teilgenommen haben. Es ist eigenartig, daß Menschen, die nicht nur gelebt, sondern auch gelesen haben, mehr von ihrem eigenen Leben zu erzählen haben und erzählen können als jene, die nur ihr eigenes Leben gelebt haben.

Einen Menschen zu treffen, zufällig in irgendeiner Beiz, mit dem man über die »Wanderjahre« von Goethe, über die »Rote Zora« von Kurt Held, über das »Heidi« von Johanna Spyri sprechen kann, das ist das Glück, einen zu treffen, der ein ähnliches Leben hatte. Zwei, die dasselbe Buch gelesen haben, haben eine gute Zeit ihres Lebens ähnlich verbracht.

Selbstverständlich mag ich gebildete, belesene Menschen – trotzdem fürchte ich mich vor Menschen mit Kultur, vor jenen, denen es gelingt, nicht nur Kunst zu lieben, sondern auch in ihr zu leben, auch so gemessen zu leben, wie sie sich das vorstellen beim stillen Lesen von Goethe.

Das war vor vielen Jahren auf einer Lesereise. Da traf ich so einen, der viel gelesen hatte. Er hatte so etwas wie Kultur, ein alter protestantischer Pfarrer, und ich erwähne den Beruf nur, um seine Umgebung nicht eingehender beschreiben zu müssen.

Er wohnte in einem richtigen Pfarrhaus, hatte eine richtige Bibliothek, die jeden Besucher gleich beim Eintritt vorwurfsvoll darauf aufmerksam machte, daß er kein Griechisch, kein Hebräisch, nicht einmal Latein kann.

Jedenfalls galt mein erster Gedanke beim Eintritt meinen Fingernägeln, dann meinen Haaren, meinen Schuhen, und wir tranken also Kaffee oder Tee in der Bibliothek. Die Frau Pfarrer bekam ich nur kurz zu Gesicht, eine Sache unter gebildeten Männern: »Was halten Sie von Thomas Mann? Sie mögen also Gustav Mahler? Ich lehne ihn ab, er hat etwas Scharlatanisches.«

Und ich sitze da und wage nicht zu widersprechen. Meine Antwort zur Frage »Thomas Mann« steht immer noch aus und ist auch nicht gefordert. Er besitzt Briefe von Thomas Mann, hat ihn gekannt. An den Wänden hängen Bilder eines Malers, der mir lieb ist. Er hat ihn gekannt.

Nein, kein Snob, ein durchaus freundlicher Mann, und ein belesener und gescheiter Mann – aber eben ein Mann mit Kultur –, und ich denke an meine Fingernägel und wage nicht mal zu kontrollieren, ob sie schmutzig sind, sie sind es sicher.

Es gibt jene Menschen, denen niemand zu widersprechen wagt, weil sie so anständig sind, so sauber sind, so ordentlich sind, so gescheit und so gebildet, so wissend. Und man widerspricht ihnen auch nicht.

Es mag auch sein, daß er an meinem Kulturverstand zweifelte – meine Fingernägel hatte er wohl schon gesehen, ich immer noch nicht –, und da gab es auch noch einen Pudel, sicher auch ein gescheiter, und weil ich nun wirklich keinen Anlaß hatte, mit ihm nicht zu sprechen, sagte ich halt etwas Freundliches über den Pudel, fragte, wie alt er sei. Und da kam sein Satz, ein einfacher Satz, den ich nie mehr vergessen habe, der mir jedesmal wieder einfällt, wenn ich einen Herrn mit Hund sehe: »Er kriegt sein spezielles Essen.« Und dann ereiferte er sich über all jene, die Hunden nicht spezielles und ausgewähltes Hundefutter geben. Zu seiner ganzen Kultur kam nun auch noch eine spezielle Pudelkultur, und ich begann ihn nun doch für seine ganze Kultur zu hassen, für seine ordentliche Ordnung, eine Ordnung, die all jene zerstören muß, denen sie nicht einleuchtet, eine Verachtung für jene, die Thomas Mann nicht mögen, die Gustav Mahler mögen, die Nolde falsch lieben, die Hunde falsch ernähren.

Das ist nun schon fast dreißig Jahre her. Ich schäme mich, daß ich ihm damals nicht widersprochen habe, und eigentlich ist es gut so. Weil ich nicht widersprochen habe, schleppe ich es immer noch mit und streite immer noch mit ihm, mit ihm, der glaubte, es müsse alles seine Ordnung haben.

Leute, die das so sicher glauben wie er – Leute mit Kultur –, bringen immer wieder die Welt in Unordnung mit ihrem Ordnungsfanatismus. Dann müssen dann eben die Hunde das richtige Essen kriegen, die Serben müssen essen, was die Serben essen, und die Muslime müssen wohnen, wo die Muslime wohnen – nichts als Ordnung, die dann wichtiger wird als das Leben, eine Vorstellung von Kultur, die dann das ist, was alle anderen nicht haben.

Nicht nur die Serben haben solche Vorstellungen. Er muß mich gehaßt haben für meine Fingernägel. Er hat recht, sie sind unordentlich, aber sie erinnern mich an Leben, und sie machen keinen Krieg.

Abgeschoben ins Ghetto

Eine Kindheitserinnerung, die sich mir eingeprägt hat und die ganz sicher nicht ganz der Realität entsprach, aber um so eindrücklicher war sie.

In irgendeinem kleinen Dorf im Emmental gab es ein Armenasyl. Mein Vater versuchte mir zu erklären, was das ist, und die Erklärungen meines Vaters beeindruckten mich sehr.

Das Bild, das ich sehe und das wohl nicht ganz so war, das sind Dutzende von Männern, die vor einem Haus standen, ein Taschentuch, ein großes rotes, an der einen Ecke mit Zeigefinger und Daumen der linken Hand hielten, mit den Fingernägeln von Zeigefinger und Daumen der rechten Hand am Rand des Taschentuchs bis zur nächsten Ecke fuhren, dann das Taschentuch drehten, die Ecke wieder mit der linken Hand hielten und mit den Fingernägeln der rechten wieder weiterfuhren bis zur nächsten Ecke, und das taten sie stundenlang. Das taten sie auch noch, wenn man ein halbes Jahr später an diesem Haus vorbeikam. Sie taten es, wenn man morgens vorbeikam, und sie taten es, wenn man abends vorbeikam.

Und ich kann mir inzwischen nicht vorstellen, daß das Dutzende waren, die das taten. Vielleicht war das nur einer, und seine Tätigkeit wurde mir zum Symbol der Tätigkeit der anderen.

Sie waren alle der Schande der Armut ausgeliefert, der Schande der Berufslosigkeit, der Schande der Untätigkeit, der Schande des Selbstverschuldens. In Wirklichkeit waren sie vielleicht Bauernknechte, die ein Leben lang hart gearbeitet hatten für Gotteslohn und jetzt nicht mehr brauchbar waren.

Sie wurden auf die Heimatgemeinde abgeschoben. Denn in der Schweiz hatte jeder Bürger eine Heimatgemeinde, eine Bürgergemeinde, auf die er abgeschoben wurde, wenn er irgendwo anderswo zur Last fiel.

Das ist glücklicherweise inzwischen nicht mehr so. Aber die Bürgergemeinden gibt es noch – nur in der Schweiz und sonst nirgends. Und sie waren immens reich, weil sie Wälder besaßen und Rebberge und weil das damals Reichtum bedeutete.

Dieser Reichtum machte die Einheimischen auch zu Gegnern der neuen Bundesverfassung von 1848, weil diese die Freizügigkeit der Wohnsitznahme versprach und weil sie ihren Reichtum mit fremden Schweizern nicht teilen wollten.

So kam Stapfer, einer der Väter unseres Staates, auf die Idee, daß man zwei verschiedene Gemeinden bilden könnte, die der Alteingesessenen, denen man den bisherigen Besitz (Wälder, Rebberge, Spitäler) lassen sollte, und das war dann die Bürgergemeinde, und die Gemeinde der Neubürger und aller Einwohner war dann die Einwohnergemeinde, die dann nur von Steuern lebte und nicht reich war. Als Gegenleistung hatten die Bürgergemeinden die Armenpflege ihrer Bürger zu übernehmen, und so wurden die Armen – mit ihren roten Taschentüchern – auf die Heimatgemeinde abgeschoben.

Das ist inzwischen nicht mehr so.

Und die Bürgergemeinden, die immer nur reich waren und stolz, sind nicht mehr so reich. Und einzelnen Bürgergemeinden geht es so schlecht, daß sie viel lieber keine mehr sein möchten.

Aber den »Unsinn« der stolzen Bürgergemeinden gibt es immer noch. Soll es ihn weiter geben! Mir ist es recht so.

Die Bürgergemeinden hatte Stapfer erfunden, um das liberale Recht des Bürgers und der Bürgerin auf freien Wohnsitz durchzusetzen.

Es ist durchgesetzt. Wir können innerhalb der Schweiz – unabhängig von unserem Reichtum, unserer Armut, unseren Krankheiten, unserem Jähzorn oder unserer Sanftmut – wohnen, wo wir wollen. So ist das Gesetz, und so ist die Verfassung. Sie gilt allerdings nicht mehr für alle. Bereits sind viele Gemeinden auf die Idee gekommen, auswärtige Drogenabhängige abzuschieben in ihre Gemeinden. Sie werden in den Zug gesetzt und abgeschoben – von allen Gemeinden in alle Gemeinden –, als ob sie kein Recht hätten, sich in den Zug zu setzen und zurückzufahren. Das Recht haben sie. Das Recht haben sie nach unserer Verfassung. Ich fürchte nur, dieses Recht wird ihnen nichts nützen.

Wir leben im 19. Jahrhundert. Den Juden wurde dieses Recht der freien Wohnsitznahme damals auch nicht zugestanden. Zwei liberale Gemeinden im Aargau – Lengnau und Endingen – gaben ihnen dieses Recht. So wurden Lengnau und Endingen zum Ghetto.

Ich schlage vor – damit endlich Ordnung ist – daß alle Käser in Lengnau wohnen müssen, alle Bauern in Großhöchstetten, alle Kaufleute in Zürich, alle Laboranten in Basel, alle Reichen in Ascona, alle Armen in Bückten usw. usw. – damit diese, den Bürgern lästige, liberale Bundesverfassung endlich ihr Ende hat.

Die guten Vorbilder

Mein Nachbar am Tisch hat die Sache im Griff. Er ist nicht einer, der sich auf die Kappe scheißen läßt – er sieht so aus wie einer, der sein nicht existierendes Geschäft als »Import und Export« bezeichnet. Er fürchtet sich nicht vor der Kellnerin und zwinkert ihr zu. Und er sieht gut aus, nämlich genauso wie jener bekannte Fußballer, und das weiß er. Er ahmt ihn nach, hat seine Haartracht und stellt sich auch vor, wie jener in der Kneipe sitzen würde, wenn jener in der Kneipe sitzen würde.

Nun ist aber jener Fußballer ein eher zurückhaltender Typ, bescheiden und freundlich und intelligent in seinen Interviews. Aber etwas ist er auch noch, und daran kann er trotz seiner Bescheidenheit – vorläufig – nichts ändern, er ist bedeutend.

Das nun ist für seinen Nachahmer die einzige wichtige Eigenschaft seines Vorbildes: die Bedeutung. Und er glaubt, daß Bedeutung auch Macht sei, und er spielt seine Macht aus und hat die Sache im Griff. Sein Vorbild würde sich über diese Nachahmung mit Recht ärgern. Damit hat er nun wirklich nichts zu tun. Immerhin, in den Augen seines Jüngers ist er ein Erfolgreicher, und sein Jünger ist es nun auch – ein ekelhafter, dummer Mensch, der den Erfolgreichen, den Mächtigen spielt.

Ein Schriftsteller wird ab und zu nach seinen Vorbildern gefragt, und das bringt mich immer wieder in große Verlegenheit. Selbstverständlich habe ich das Schreiben nicht selbst erfunden. Selbstverständlich gleiche ich in meinem Schreiben anderen. Nur bin ich nicht sicher, ob jene anderen nun auch meine Lieblingsautoren sind. Ich liebe zum Beispiel Joseph Conrad, und ich liebe Jean Paul, Flaubert, aber ich bin nicht so wie sie und ich schreibe nicht so wie sie. Als literarische Vorbilder nützen sie mir nichts. Ich freue mich nur als Leser über sie. Und das genügt mir. Über jenen Fußballer übrigens freute ich mich auch schon, sein wunderschönes Tor im Spiel gegen …, aber Vorbild wird er deswegen noch lange nicht.

Max Frisch hat viel und immer wieder von Albin Zollinger gesprochen. Als Kind hat er ihn mal gesehen, ein richtiger Schriftsteller, und später als Jüngling noch einmal. Er hat ihn gelesen, und er hat ihm imponiert, und er hat ihm irgendwie die Treue gehalten und von ihm erzählt. Aber Max Frisch ist ein anderer geworden. Vorbild?

Dafür taugen sie vielleicht, die Vorbilder, um eben ein Fußballer zu werden, wie jener ein Fußballer ist, oder ein Schriftsteller zu werden, wie jener ein Schriftsteller ist, oder ein Zimmermann zu werden, wie jener ein Zimmermann ist.

Aber so sein zu wollen wie jener. So bedeutend, so mächtig, so prominent, so erfolgreich – das hieße Selbstaufgabe. Und leider sind zu dieser Art Vorbild wahllos alle Auffälligen tauglich, die Fußballer, die Autorennfahrer, die Generaldirektoren und die Generäle, die Millionäre und die Hochstapler, die Guten und die Bösen. All jene, die immer wieder in allen Zeitungen zur freien Verfügung angeboten werden. Nachgeahmt wird aber nicht ihr Können, nicht ihre Freundlichkeit, nicht ihr Charakter, ihr Gemüt, sondern nur ihre Bedeutung, in der Vorstellung, daß Bedeutung Macht sei.

Ich denke an jene jungen Faschisten, Skinheads, Nazis, die sich Macht und Bedeutung aneignen und Vorbilder haben – Vorbilder, die sie ihrem Nichts-Sein überstülpen. Nicht einfach sie gälte es zu bekämpfen, sondern auch ihre Vorbilder.

Doch diese Vorbilder werden nicht zu finden sein. Ihre Vorbilder sind nicht einfach nur alte Nazis, sondern das sind Filmstars und Skirennfahrer und Playboys und Schönheitsköniginnen – sind all jene, von denen sie denken, sie seien bedeutend und hätten Macht.

Es gibt Politiker, die in Interviews davon sprechen, daß sie durchaus Lust an der Macht hätten. Eine gräßliche Formel. Denn genau darum geht es: Macht, losgelöst von Inhalten.

Die Vorbilder sind letztlich wir, wir alle. Wir hätten etwas gegen uns zu unternehmen, gegen eine Welt, in der Erfolg und Prominenz Macht bedeutet. Doch wir wissen, daß wir die Welt nicht ändern werden.

Die Vorbilder werden letztlich unschuldig sein, auch zum Beispiel die militärischen und legalen Vorbilder der Gewalt. Wir werden es dereinst nicht gewußt haben.

Und die Ideen?

Kaum eine andere Frage macht mich so verlegen wie die fast alltägliche Frage an einen Schriftsteller: »Woher haben Sie Ihre Einfälle?«
»Genau vom selben Ort, wo alle anderen Leute ihre Einfälle auch herhaben«, sage ich, und die oder der Fragende sagt: »Ich habe aber selten oder nie Einfälle«, und ich sage: »Ich auch.«
Die Frage macht mich verlegen, weil ich zum vornherein weiß, daß mir die Antwort niemand glaubt. Und ich muß wohl nicht erwähnen, daß ich eben jetzt an der Schreibmaschine sitze, eine Kolumne schreiben sollte und daß mir nichts einfällt. Ich komme eben aus Berlin, ich war kürzlich in London. Ich reise seit Wochen. »Wenn einer eine Reise tut, dann kann er was erzählen.« Also müßte ich jetzt doch zu erzählen haben. Ich habe nichts, und irgendwie muß etwas an dem Satz, der so selbstverständlich klingt, nicht stimmen. Denn inzwischen reisen alle, und alle haben nichts zu erzählen. Der Großvater jedenfalls, der noch erzählte, damals, der war nicht weit gereist. Ich bin gestern zurückgekommen, ich fahre morgen wieder weg, und ich sitze da und habe nichts zu erzählen.
Woher habe ich denn meine Einfälle, und woher hatte sie denn jener Großvater auf jenem berühmten Ofenbänklein? Er erzählte an langweiligen und endlosen Abenden, er erzählte in der Langeweile, und er hatte dafür lange Weile, eine lange Zeit, und Einfälle kommen aus der Langeweile. Ich habe nur Einfälle, wenn ich mich langweilen kann, sehr lange langweilen kann, und gute Erzählungen beginnen oft mit dem Wort »Damals«, denn zwischen dem Ereignis und der Erzählung muß Zeit verstrichen sein, die Zeit der Langeweile. Daß wir von damals erzählen, das hat nicht einfach nur mit Nostalgie zu tun, sondern mit der langen Zeit, die eine Geschichte braucht. (»Längi Zyt« heißt im Berndeutschen übrigens Sehnsucht.)
»Wenn einer eine Reise tut ...«, das ist wohl ein uralter Satz. Und es müssen andere Reisen gewesen sein, die damals gemacht wurden – lange und umständliche und langwierige, die schon in sich die Langeweile hatten, die Einfälle möglich macht. Inzwischen reisen Journa-

listen: Drei Tage Bosnien – gesehen, beschrieben, fotografiert. Und die Handelsreisenden wissen höchstens ein Restaurant in Singapur zu empfehlen.

Nein, ich nehme mich da nicht aus, und ich lache auch nicht über sie. Auch ich habe nichts zu erzählen. Ich erlebe im Augenblick zuviel – und wer viel erlebt, der hat wenig zu erzählen, dem fällt wenig ein. Erzählen hat nichts mit Fleiß zu tun und Einfälle Haben auch nicht.

Und dabei fällt mir ein, daß wir in einer Zeit leben, die Einfälle nötig hätte: Einfälle in der Politik, Einfälle in der Wirtschaft; und zwar dringende Einfälle. Aber die Zeit ist schlecht und sie ist hektisch. Es sollte jetzt schnell gehen. Und wir leben in einer Zeit der Rationalisierungen. Aber Ideen lassen sich nicht rationalisieren. Wer jene, die sich langweilen, wegrationalisiert, der rationalisiert auch die Ideen weg.

Die Ideen hätten wir haben müssen, als wir noch Zeit hatten. Aber eben auch schon damals hatten wir keine Zeit. (So wie der Staat in der guten Zeit hätte Geld auf die Seite legen sollen – aber eben, schon damals hatte er kein Geld. Und wer sprach denn schon von einer guten Zeit, damals?) Und daß Not erfinderisch mache, das können nur jene meinen, die nicht in der Not leben. Die Not und die Angst lähmen, und der Arbeitslose hat die Zeit nicht zur Langeweile.

Der Philosoph Kant verbrachte sein ganzes Leben in Königsberg und schrieb über die ganze Welt. Er hatte viel Zeit dafür, und es ist ihm etwas eingefallen. Er hat seine Reisen im Kopf gemacht. Und er hatte lange Zeit, »längi Zyt« – Sehnsucht.

Mein gerechter Großvater

Mein Großvater ist sehr alt geworden. Er hat ein Leben lang – ein langes Leben – jeden Morgen unten am Brunnen hinter dem Haus einen kräftigen Schluck Wasser getrunken. Die Familie war mit ihm überzeugt davon, daß das gesund sei und daß er ein langes Leben haben würde – er hatte es.

Ich hatte das Glück, ihn als liebevollen alten Mann zu kennen, und das Glück, sein Enkel zu sein, den er mochte, weil er ein Patriarch war. Die Generation vor mir hatte es etwas schwerer mit ihm. Er war ein strenger und ein harter Mann. Er wußte, was recht ist und was gerecht ist, und es gab im Dorf auch Leute, die ihn nicht grüßten, weil sie ihn als Kavalleriewachtmeister kennengelernt hatten.

So hielt er es auch mit seinem Schluck Wasser vom Brunnen hinter dem Haus – in den nüchternen Magen und bei jeder Kälte, morgens um vier. Hätten alle so viel Anstand gehabt wie er, die Welt wäre in Ordnung gewesen. Denn er hielt seinen Schluck Wasser für Tapferkeit und Mut. Er hielt ihn – so glaube ich – sogar für Patriotismus.

Denn schon damals gab es viel Gesindel im Dorf: Radfahrer zum Beispiel, die hielt mein Großvater grundsätzlich für Sozialdemokraten, also für solche, die morgens um vier keinen Schluck kaltes Wasser trinken. Nicht daß er Autofahrer gewesen wäre, das war man damals noch nicht. Er war nicht einmal Fußgänger. Er war ein Mann, der nach dem Grundsatz lebte: »Tue recht und scheue niemand«, und er wußte, was Rechttun heißt – er trank, er trank einen kräftigen Schluck Wasser vom Brunnen.

Das gab ihm die Kraft zum Arbeiten und die Überzeugung, daß alle anderen faul, ungewaschen und arbeitsunwillig seien. Er propagierte sein Wassertrinken nicht. Es war ihm recht, der einzige Gerechte zu sein.

Die Heilslehre ist immer die Lehre von der Anständigkeit. Man tut irgend etwas – und zwar konsequent –, und jene, die es nicht tun, das sind dann die Unanständigen.

Es gibt im Amerikanischen seit einiger Zeit ein neues Wort dafür: »politically correct«, abgekürzt »PC«. Und das Wort »politically« meint nicht politisch, es meint anständig – und anständig heißt dann z. B. Vegetarier sein, heißt Körner essen, auf die Gesundheit achten, umweltbewußt leben, friedlich leben; und Vegetarier sein und sich biologisch ernähren, das ist schon die Friedlichkeit an und für sich. Wären die Jugoslawen »PC« gewesen, so glauben jene, würden sie noch immer im Frieden leben.

Nein, mein Großvater wäre in ihren Augen kein »PC« gewesen, kein Friedlicher. Trotzdem, er erinnert mich an jene, die den Frieden der Welt in einer Heilslehre suchen, in einer Diät, in Düften und Blüten, in Turnübungen.

Nein, mein Großvater hat im Unterschied zu ihnen nicht gesund gelebt – ganz im Gegenteil, und er konnte ein Grobian sein. Sein Ziel war nicht Friedlichkeit, sondern der Sieg der Gerechten, der Sieg der gerechten Kavallerie. Und die Ungerechten, das waren die Unanständigen – jene nämlich, die nicht morgens um vier auf den Beinen waren und einen tüchtigen Schluck Wasser vom Brunnen hinter dem Haus tranken.

Heilslehren haben Konjunktur – sie sprechen von der Gesundheit und vom langen Leben, und das mag ja erstrebenswert sein. Aber sie meinen etwas ganz anderes, sie meinen die Anständigkeit der Gerechten. Und die Gerechtigkeit der Anständigen hat auch einen Namen: Sie heißt Selbstgerechtigkeit. Und so geht es dann um den Kampf der Gerechten – der gerechten Schweizer gegen die ungerechten Türken, der gerechten Inländer gegen die ungerechten Ausländer, gegen die ungerechten Drogenkranken usw.

Ja, das war er, mein Großvater, selbstgerecht war er. Den Nachbrand lernte ich selber erst viel später kennen, als auch ich den Rotwein entdeckt hatte und morgens als erstes einen tüchtigen Schluck kaltes Wasser von der Röhre trank.

Herr Hauptmann, habe ich gesagt

Warum erzählt er mir das? Er kennt mich doch, und er hat doch seine Bedenken gegenüber dem, was ich denke. Warum erzählt er ausgerechnet mir das?

Armin ist 84, er ist als Schuhmacher in der Welt herumgekommen, in einer kleinen Welt zwar, aber immerhin hat er auch in Paris gearbeitet, bis 1939, dann brach der Krieg aus, Armin war dreißig. Später, nach dem Krieg hat er es zu was gebracht, auf Umwegen, er besitzt Häuser, und er ist Mitglied von Vereinen und beschäftigt mit Generalversammlungen, Vereinsausflügen, Komitee-Sitzungen. Er ist ein freundlicher Mensch – geworden vielleicht –, und aus irgendwelchen eigenartigen Gründen mag er mich, wo er doch weiß, daß ich seine politischen Meinungen nicht teilen kann, wir sehen uns selten und zufällig. Er ist noch einer jener Gäste, die in der Beiz ihre Ruhe und Gemütlichkeit suchen, und er raucht seine Zigarre genüßlich – zu Hause raucht er nicht, nicht etwa wegen der Gesundheit, er hat eine erstaunliche Gesundheit, sondern wegen der Vorhänge.

Er hat es nach dem Krieg zu Vermögen und Ansehen gebracht, zu Kenntnissen über Rotwein auch und zur Fähigkeit, Zigarren genüßlich zu rauchen. Er freut sich, wenn er mich sieht in der Beiz, und ohne lange Umschweife beginnt er zu erzählen: »Den Siegfried, den hatten wir 1940 noch als Leutnant – ein Aargauer –, 1942 am Gotthard oben war er dann schon Oberleutnant. Und da glaubte er nun, er könne uns alten Hasen etwas vormachen. ›Herr Oberleutnant‹, habe ich ihm gesagt, ›Sie haben keine Ahnung von einer Telefonleitung‹, das habe ich ihm gesagt, einfach so ins Gesicht, und der ging zum Hauptmann, und das ging bis zum Oberst, Brunner hieß der, ein Zürcher, aber dem hab ich's gesagt. ›Herr Oberst, hab ich gesagt ...‹«

Ich höre ihm nur mit einem Ohr zu. Zweiunddreißig war er damals, über fünfzig Jahre ist das her, und er hat nichts anderes zu erzählen. Warum erzählt er das ausgerechnet mir? Er weiß doch. Vielleicht, weil ich – wenn auch nur mit einem Ohr – zuhöre.

Ich muß mich auch ein bißchen beherrschen, nun nicht auch noch

anzufangen und mitzuerzählen, wie ich damals dem Feldweibel und
dem Hauptmann usw. usw. Es ist zwar traurig, daß Armins Leben –
sein Erleben – damals vor fünfzig Jahren zu Ende war und dann nur
noch die Häuser und die Arbeit und ein bißchen Ehe und ein Kind
und ein paar Vereine und Ehrengesellschaften dazukamen, von denen
er nie erzählt. Aber lassen wir das. Er ist nicht der einzige, der solche
und nur solche Geschichten erzählt. Und alle, die solche Geschichten erzählen, erzählen nichts anderes als die Geschichte, wie sie dem
Feldweibel alle Schande gesagt haben, wie sie sich das vom Hauptmann nicht haben bieten lassen, wie sie dem Oberst ins Gesicht gesagt haben, daß er ein Arschloch sei.

Nein, das hat er nicht gesagt – ich kenne Armin, ein serviler, an-
gepaßter Mann, der alles, was er erreicht hat, mit seiner Servilität erreicht hat. In Wirklichkeit hat er gesagt: »Zu Befehl, Herr Oberleutnant.« In Wirklichkeit hat er gesagt: »Das war nicht ich, sondern
der Meier.« Und nur eines ist ihm gutzuhalten, daß er sich mindestens
ein Leben lang geschämt hat für seine kleinlaute Servilität. Wäre er
der einzige, der so erzählt, es wäre nicht erwähnenswert, aber alle
erzählen so. Es fällt keinem leicht, diesen Siegfrieds und Brunners ausgesetzt und ausgeliefert zu sein und ihre unumschränkte Macht maso-
chistisch zu genießen.

»Herr Obersturmbannführer«, habe ich gesagt, 1942, »dieser
Krieg ist doch verloren. Das habe ich gesagt – und ohne auch nur
Heil Hitler zu sagen«, wie oft habe ich diesen und ähnliche Sätze
schon gehört von alten Deutschen. »Ja, genauso habe ich das gesagt.«

Selbstverständlich hat er nicht, fast niemand hat. Und alle erzählen davon, wie sie dem Feldweibel, wie sie dem Hauptmann, wie sie
dem Oberst. Denn hätten sie, es hätte nie Kriege gegeben. Und wäre
das Militär so, daß man so etwas sagen könnte, niemand würde
vom Militär erzählen.

Haben Sie etwas gegen die Italiener?

»Sie hat die ganze Garage aufgeräumt, wir vier zusammen hätten das nicht besser gekonnt«, er spricht von seiner jungen Ehefrau. Er spricht mit Bewunderung von ihr, er lobt sie. »Sie ist sehr sauber«, sagt er.

Ja, er liebt sie. Er verteidigt sie: »Wir vier zusammen hätten das nicht besser gekonnt.« Sie hat es übrigens gut, ihr Ehemann ist ein erfolgreicher Geschäftsmann, sie liebt ihn, vielleicht vergöttert sie ihn. Aber irgendwie habe ich den Eindruck, er spricht von ihr wie von einem geliebten Haustier, von einer sauberen, sehr intelligenten, sehr anhänglichen Katze, deren Verlust einen sehr schmerzen würde, von einem Hund, der einen versteht und sogar die Zeitung täglich am Kiosk holt.

Selbstverständlich ist er ein Macho, das unterscheidet ihn nicht von anderen Männern, und er ist stolz darauf. Aber selbstverständlich ist er kein Rassist, er glaubt, dafür den Beweis angetreten zu haben. Er hat – wie alle Rassisten – den Beweis der Ausnahme, er hat eine dunkelhäutige Frau, und er lobt sie.

Übrigens hat er nicht gesagt: »Sie ist sauber«, er hat gesagt: »Die Asiatinnen sind sauber.« Einer Gruppe von Menschen gemeinsame Eigenschaften – positive oder negative – zuzumessen und damit zu meinen, alle dieser Gruppe seien gleich, das ist Rassismus. Er aber ist stolz auf seine Frau, er bekennt sich zu ihr. Was gibt es daran rumzumeckern? Sie hat es sicher gut bei ihm.

Nur das Lob will mir nicht gefallen. Liebe hat mit etwas anderem zu tun als mit den Qualitäten der Partnerin, des Partners. Liebe wäre etwas Ganzes, was kein Lob mehr braucht.

Aber stolz ist er auf sie – Besitzerstolz. So wie man stolz sein kann auf ein besonders kostbares Reitpferd, auf einen besonders treuen Hund. Irgendwie sind wir alle immer noch wie Bauern des 19. Jahrhunderts, die sich eine Frau nehmen, die sauber ist, die arbeiten kann, mit der man sich zeigen kann, die man in Besitz nehmen kann.

Ein anderer, ein jüngerer, weiß, daß er ein Rassist ist, und er ist stolz darauf. Wenn er Rassismus meint, dann meint er die Türken und die Jugos. Und befragt, was er denn von Tamilen halte, sagt er überraschenderweise, die seien schon recht, die seien schüchtern und würden sich unterwerfen. (Das ist also die Anpassung, die immer wieder von Ausländern erwartet wird: Unterwerfung.) Und nun erwähnt er die Schwarzenbach-Initiative, und daß es idiotisch gewesen sei, sie abzulehnen. Und ich erinnere mich, wie wir damals gegen diese Initiative gekämpft haben, und um was für Leute es ging – es ging um Italiener, und es gab damals einen Haß auf Italiener – wie lange das schon her ist oder wie schnell das schon vergessen ist.

»Ein kleines Herrenvolk sieht sich in Gefahr: man hat Arbeitskräfte gerufen, und es kommen Menschen. Sie fressen den Wohlstand nicht auf, im Gegenteil, sie sind für den Wohlstand unerläßlich ...«, schrieb Max Frisch 1965 in einem Vorwort zum Buch »Siamo Italiani« von Alexander J. Seiler. Wer damals seiner Meinung war, hatte nicht viele Freunde.

Inzwischen ist das alljährliche Ausländerfest, das vor Jahren junge Linke auf die Beine stellten, um für Verständnis für Gastarbeiter zu werben, fest in italienischen Händen und zu einem Muß für die Bürger der Stadt geworden. Die Italiener teilen inzwischen die Meinung der Schweizer über Ausländer – man hat sich gegenseitig im Verrat gefunden.

Die Türken sind die neuen Juden. Die Italiener waren sie mal, die Tamilen waren sie mal. Wer auch immer die neuen Juden sein werden, die Politik wird die Sorgen der Bevölkerung ernst nehmen. Nicht etwa die Sorgen, daß zu viele hier sind, sondern daß solche hier sind, die wir nicht mögen, 1970 die Italiener, 1980 die Tamilen, 1990 die Türken, die Kurden. Nicht das Problem ist gemeint, sondern die jeweiligen Menschengruppen. Das ist Rassismus – ohne Argumente, einfach so. Und die Politik macht bereits mit, so wie sie damals beim Antisemitismus mitgemacht hat. Und die neuen Verhaßten befreien die alten Verhaßten. Oder haben sie wirklich etwas gegen die Italiener?

Frieden unter Freunden?

In einem Fragebogen von Max Frisch – Fragen, die nicht dafür gedacht sind, vorschnell beantwortet zu werden – steht die Frage:

»Wenn Sie die Macht hätten zu befehlen, was Ihnen heute richtig scheint, würden Sie es befehlen gegen den Widerspruch der Mehrheit? Ja oder Nein. Und warum nicht, wenn es Ihnen richtig scheint?«

Ich möchte die Frage nicht beantworten, aber sie beschäftigt mich, und es ist wohl jene Frage, die immer wieder Politik relativiert. Niemand will große Politik, man will die ganz kleine oder noch lieber gar keine.

Rabin und Arafat haben kürzlich Politik gemacht, große Politik und für viele auch unpopuläre. Die politischen Kommentatoren waren sich denn auch sehr schnell darin einig, daß dieses Abkommen der gegenseitigen Anerkennung nicht unterschrieben werde, keine Chancen habe, und nach der Unterschrift war man sich auch bald einig, daß es nicht funktionieren könne. Die erste Prognose allerdings war falsch – es wurde unterschrieben. Vielleicht haben die beiden wirklich Frischs Frage mit Ja beantwortet.

Rabin hatte einen harten Stand vor dem israelischen Parlament – der Knesset –, als er seine Entscheidung, die PLO anzuerkennen, zu begründen hatte. Und er sagte dabei einen Satz, der in der allgemeinen Aktualitätenflut etwas allzuschnell untergegangen ist:

»Die PLO ist ein Feind und bleibt ein Feind, aber Frieden wird unter Feinden ausgehandelt.«

Das ist ein harter Satz und ein mutiger Satz, und er erinnerte mich an die – rhetorische – Frage von Max Frisch. Unsere Politik ist dauernd und immer wieder die Politik von Freunden und die Politik unter Freunden – von echter Freundschaft über erzwungene Freundschaften bis hin zur freundschaftlichen Korruption. Politiker wollen beliebt sein und sie sind es, und damit basta.

Mit dem Feind Frieden schließen, das heißt auch, den andern so zu nehmen, wie er ist – nicht darüber zu diskutieren, ob die PLO, ob die Serben, die Türken, die Kurden nun nett oder sympathisch oder gar sympathischer seien, sondern zu wissen, daß sie ganz anders sind, vielleicht sogar feindlich sind, zu wissen, daß Frieden unter Feinden ausgehandelt wird.

Macht ausüben, das heißt mitunter auch, andere zur Freundschaft zu zwingen. Auch despotische Chefs sind davon überzeugt, daß sie beliebt sind, denn sie zwingen ihre »Untertanen« zur Liebe. Diktatoren zum Beispiel haben keine Feinde und sie zwingen ihre Bürger zur Freundschaft – wie etwa Erich Honecker, der durchaus überzeugt war, ein beliebter Landesvater zu sein. Wenn dann einer den Diktator nicht liebt, dann wird er zum Staatsfeind erklärt, nicht etwa zum Feind des Präsidenten, sondern zum Staatsfeind. Diktatoren können sehr unangenehm werden, wenn man ihnen die Liebe versagt.

Demokratie ist Politik von Mehrheiten. Aber die Eitelkeit und die Liebebedürftigkeit der Politiker macht diese Mehrheit oft zu einer lächerlichen Masse. Die Demokratie ist eine andere – eine bessere – Regierungsform, aber die Politiker aller Regierungsformen sind ähnlich: Eitelkeit und Liebesbedürftigkeit bestimmt ihr Tun. Und zum Schluß kann man dann in allen Staatsformen feststellen, daß wohl das Volk selber schuld war. Der Politiker ringt um die Liebe eines Volkes. Nicht *was* das Volk liebt, ist entscheidend, sondern *wen*. Daß es dann auch entsprechend zu hassen hat – nämlich alle anderen –, das ist der tödliche Preis für die Eitelkeit der Politik.

Wären wir nämlich alle so liebend und geliebt, wir hätten keine Politik nötig, und Frieden wird unter Feinden ausgehandelt.

Von der Streitkultur

Ein Freund in Berlin fragt mich nach Meienberg, nach seinem Tod. Warum kann ich nun nicht einfach sagen: »Ich bin traurig.« Warum muß ich ansetzen zu langen Erklärungen von Schwierigkeiten, die wir mit ihm hatten, die er uns immer wieder machte?

Ich weiß nicht einmal, wieviel jener Berliner von Meienberg kennt, ob er überhaupt etwas von Meienberg gelesen hat – vielleicht nicht –, aber er ist ein Linker, ein 68er wie Meienberg selbst, und er weiß sicher etwas von Meienberg, nämlich daß er einer von ihnen war, daß sie, die ehemaligen 68er, einen verloren haben.

Warum muß ich ihm nun noch erklären, daß Meienberg sehr unsolidarisch sein konnte, sämtliche seiner Freunde immer wieder mit seiner Eifersucht quälte, sie dauernd zu diffamieren versuchte, eifersüchtig darauf bedacht, der Beste und der Geliebteste zu sein? Ist es Eifersucht gegen Eifersucht?

Ich erinnere mich an einen ruhigen, stillen Sonntag in meinem Arbeitszimmer. Ich war am Lesen, genoß es, von niemandem gestört zu werden. Da rief Meienberg an – wie immer in seiner aufgeregten Art – und sagte, er sei in Solothurn, sitze in einer Beiz und wolle mich sehen. Der schöne Sonntag war kaputt. Ich wußte, er würde mit mir heftig diskutieren, über Kollegen schimpfen, mich beschimpfen. Doch es wurde ein wunderschöner Nachmittag und ein stiller, und Niklaus erzählte. Getrübt wurde er nur durch meine lauernde Haltung: »Wann kommt es? Warum ist er so freundlich?« Wir gingen nach einigen Stunden zu seinem Auto, er öffnete den Kofferraum, entnahm ihm sein eben erschienenes Buch »Wille und Wahn« und überreichte es mir. Ich ging zurück in mein Arbeitszimmer, begann zu lesen und konnte nicht mehr aufhören. Ich war begeistert, ein hervorragendes Buch. Das war es, was ihn so angenehm machte an diesem Tag: Er wußte, daß er ein gutes Buch geschrieben hatte. Und für mich blieb nur ein ganz kleiner Ärger zurück, der Ärger darüber, daß ich mich freuen mußte, daß er mich nicht beschimpft hatte.

Er hatte uns alle dauernd in Verdacht. Er verdächtigte uns des Verrats, der falschen politischen Haltung, der falschen literarischen Auffassung. Und wir haben es alle ertragen – ein Mal, zwei Mal, drei Mal –, und dann kamen unsere Verdächtigungen.

Er war ungerecht, und das war er immer dann, wenn er vehement um das Recht kämpfte, um das Recht der Darstellung der Wahrheit, um seine persönlichen Rechte, um das Recht, Meinung verbreiten zu dürfen. Er war ungerecht, das war seine Stärke, seine politische und seine literarische Stärke. Er reagierte heftig und schnell auf alles.

Und wer so heftig reagiert, der muß auch ungenau sein. Da war immer ein Komma, ein Satz, eine Behauptung, an der ihn ein politischer Gegner aufhängen konnte. Denn seine Gegner glaubten an absolute Wahrheiten. Eine Welt der absoluten Wahrheit aber macht Journalismus unmöglich. Das wissen jene, die von Journalisten Objektivität und nur Objektivität verlangen. (Die DDR z. B. war eine Welt der absoluten Wahrheiten. Die Wahrheit war dort ein Regierungsbeschluß. Es gibt genug Spießer, die dies auch bei uns so haben möchten.)

In der Beiz, in der ich Niklaus damals traf, saßen viele Italiener. Sie schrien sich an mit roten Köpfen. Sie stritten sich fürchterlich, und sie waren Freunde, gute Freunde, die sich hier freundschaftlich trafen.

Wir sprechen zwar viel von demokratischer Kultur und meinen damit dann wohl doch nur ein bißchen Wohlverhalten und ein bißchen Nettigkeit. Mir scheint, daß uns die Streitkultur verlorengegangen ist. Die Zunahme der Gewalt könnte unter vielem anderen auch damit zu tun haben, daß wir das Streiten verlernt haben. Wir können nur noch hassen oder lieben – streiten können wir nicht mehr.

Nun haben wir einen Streiter mehr verloren, und das vielleicht auch deshalb, weil uns immer wieder die Lust fehlte, mit ihm zu streiten, und ihm letztlich nur noch der Streit mit sich selbst blieb.

Ein Land ohne Patriotismus?

Angenommen, ich lebte in einem Land, das ganz andere Anständigkeiten kennen würde als jenes, in dem ich lebe; in einem unanständigen Land also – denn wenn ein Staat die Anständigkeit für sich definiert hat, ist doch jede andere Definition unanständig.

Ich nehme doch an, daß ich in jenem anderen Land zur Schule gegangen wäre, um Lesen und Schreiben zu lernen. Ich nehme doch an, daß mein Vater mich auch in jenem anderen Land angehalten hätte, ein guter und fleißiger und anständiger Schüler zu sein. Ich hätte dort dieselben Buchstaben gelernt wie hier, dieselbe Sprache. Ich hätte später von denselben Dichtern gehört: Goethe, Schiller,

Thomas Mann. Ich hätte dieselben Gedichte auswendig lernen müssen, »die Glocke« von Schiller zum Beispiel.

Ich wäre ein Schüler gewesen – das ist sicher –, der seinem Lehrer an den Lippen gehangen hätte. Ich nehme an, daß er ein Lehrer gewesen wäre, der mich so begeistert hätte wie jener, den ich hier in der Schweiz hatte. Und ich hätte ihm auch Freude machen wollen mit meinem schnellen Begreifen. Ich wäre auch vom Geschichtsunterricht und von der Staatsbürgerkunde begeistert gewesen. Vielleicht hätte ich später damit einige Schwierigkeiten bekommen, hätte – wie auch hier – begonnen, ein bißchen selbst zu denken. Aber ich hätte in jenem Land gelebt – vorerst einmal für immer –, und ich hätte nicht dauernd ganz anders als die anderen sein wollen, und ich hätte nicht allzusehr auffallen wollen, dem Staat nicht, der Polizei nicht, den Nachbarn nicht.

Patriotismus ist – wo auch immer – ein absoluter Wert, und man hat, will man anständig sein, ein Patriot zu sein – wo auch immer.

Am Brandenburger Tor in Berlin wird der strahlende Müll einer Gesellschaft verkauft: Russische Uniformstücke, Orden der DDR usw.

Ein Freund kauft mir dort – nur so zum Spaß – einen Orden der DDR. Eine Medaille in purpurrotem Email mit den Emblemen des Staates und der Inschrift »Für patriotische Leistungen«. Der Verkäufer, ein Deutscher, sagt mit zynischem Lächeln: »In Gold«. Es muß also eine besondere Ehre gewesen sein, diese Medaille zu bekommen. Vielleicht war es seine. Sie ist jetzt nichts mehr, der absolute Wert des Patriotismus ist nur noch Müll.

Ich könnte sie jetzt tragen, aus dummem Übermut, als Provokation oder einfach so, wie man halt irgendeinen Pin trägt.

Es gibt zwei Gründe, die mich davon abhalten. Der erste Grund: Der ehemalige Träger könnte ein Übeltäter gewesen sein, einer, der auf Flüchtlinge geschossen hat, einer, der seinen Nachbarn ins Gefängnis gebracht hat. Und der zweite Grund: Vielleicht hat den Orden eine Frau getragen, die jemandem das Leben gerettet hat, ein alter Mann, der einen Kinderspielplatz gebaut und betreut hat. Es werden nicht nur Übeltäter und naive Sportler gewesen sein, die ausgezeichnet wurden.

Ich kann diese Medaille nicht mit mir herumtragen. (Ich weiß nicht einmal mehr, wo sie ist.) Ich kann sie nicht tragen wegen des Stolzes, der an ihr hängt. Die ehemalige Besitzerin, der Besitzer, wird stolz gewesen sein auf sie. Sie hatten etwas geleistet für ihr Vaterland.

Ich habe mal einen schweizerischen Oberstdivisionär – der mir seine Biographie erzählte, und wie er fast zufällig, wenn auch überzeugt und als Patriot, zu seinem Beruf gekommen sei – gefragt, ob er sich vorstellen könnte, daß er in Rußland geboren wäre, eine ähnlich angepaßte Biographie gehabt hätte und russischer General geworden wäre. Er wies dies entsetzt von sich, und ich frage mich, was er denn dort geworden wäre – Pazifist vielleicht oder Arbeiter in einem Kohlebergwerk.

Und vielleicht hätten er oder ich auch mit Stolz einen Orden für patriotische Leistungen getragen. Ich jedenfalls wünschte mir ein Land ohne Patriotismus.

Zum Beispiel das mit den Käfern

Weihnachten, Neujahr: Die Zeitungen rufen wieder an, eine kleine Umfrage: »Was sind Ihre Wünsche fürs neue Jahr?« Ich mag darauf nicht antworten. Oder dann die Frage: »Was sind Ihre Utopien für die nächsten zehn Jahre?« Ich kann darauf nicht antworten. Also keine Wünsche? Ja, ich habe keine Wünsche, wenn damit persönliche Wünsche gemeint sind. Also keine Utopien? Ja, wenn damit Hoffnungen gemeint sind. Ich spiele kein Lotto, weil ich mich vor der Million fürchte. Sie würde mein Leben verändern, davor fürchte ich mich. Hoffnungen – die Hoffnung, daß ein Engel kommt und das alles wegnimmt, die finanziellen Sorgen, das mit den Drogen, das mit den Asylanten, das mit der Arbeitslosigkeit.

Ich möchte zum Beispiel, daß ein solcher Engel die Käfer in meiner Wohnung wegnimmt. Ich habe genug davon, sie umzubringen. Bei jedem Zerquetschen habe ich ein schlechtes Gewissen. Sie stören auch nicht sehr – ich fürchte mich nur vor ihrer Vermehrung.

Und es sind Lebewesen, es sind Kreaturen. Sie gehören zur Vielfalt an Lebendem in dieser Welt. Ich habe nichts, gar nichts gegen sie. Und ich meine, ich hätte sie umzubringen. Schädlinge? Ich könnte keinen Schaden nachweisen, den sie mir angerichtet haben. Sie sind auch scheu und fliehen Licht und Menschen. Ich könnte hier ruhig schlafen mit ihnen. Aber sie stören. Man hat keine Käfer in der Wohnung. Wer Käfer in der Wohnung hat, ist ein unordentlicher Mensch. Ich möchte ein ordentlicher Mensch sein. Ich möchte mich nicht vor Besuchern für diese Käfer entschuldigen müssen, behaupten müssen, sie seien neu und ich hätte vorher noch keine gesehen. Also bringe ich sie um, und ich nehme ihnen das persönlich übel, daß ich sie umbringen muß. Ich hasse sie, weil sie mich schuldig machen. Wären sie nicht hier, sondern irgendwo im Käferland, dann könnte ich ruhig ein unschuldiger Mensch sein. Ich bin kein Rassist, aber sie – die andere Rasse, die Rasse Käfer – beweist mir tagtäglich, daß ich ein Rassist bin. Das nehme ich dieser Rasse übel, daß sie mir beweist, daß ich einer bin.

Wenn sie doch endlich weg wäre, die Arbeitslosigkeit! Wenn sie doch endlich weg wären, die Flüchtlinge, die Drogen! Ob die Kriege in aller Welt noch ein bißchen bleiben dürften?

Wie feiern wir eigentlich Weihnachten unter diesen Bedingungen? Wohl genauso wie letztes Jahr, wie vorletztes Jahr. Ist »feiern« überhaupt das richtige Wort, wäre »machen« nicht zutreffender?

Wie macht zum Beispiel jener Weihnachten, den ich kürzlich im Bahnhof Zürich erlebt habe. Ich stehe auf der Rolltreppe. Plötzlich beginnt hinter mir jemand zu schreien: »Du dreckiges Schwein, du Affe, Sauhund« usw., ich drehe mich um, hinter mir steht eine junge Frau, bleich und erschrocken. Hinter ihr ein gutgekleideter, absolut seriös aussehender Geschäftsmann, Aktenkoffer, Anzug, Mantel. Er eilt oben an der Treppe an mir vorbei. Ich bleibe entsetzt stehen, und nun kommt ein Mann auf mich zu – offensichtlich Ausländer, so wie ein Asylant eben aussieht – und sagt zu mir in recht gutem Deutsch: »Der spinnt wohl, dem geht es nicht gut«, und er versucht mich zu trösten. »Das darf man nicht ernst nehmen«, sagt er. »Wissen Sie, ich arbeite hier, schon lange und jeden Tag. Ich bin kein Flüchtling. Ich habe eine Arbeitsbewilligung, eine Aufenthaltsbewilligung, schon lange.«

Wäre der Schreihals, der Beschimpfer ein Skinhead gewesen, eben so einer, wie man sich Neofaschisten vorstellt, ich wäre zwar auch erschrocken, aber so einer hätte wenigstens in meine Vorstellung gepaßt. Was mich hinterher doppelt erschreckte, war mein falsches Geschichtsbild. Die wirklichen Nazis waren nämlich nicht Skinheads und wilde Horden, sondern auch recht ordentliche Geschäftsherren, Buchhalter, Handwerker.

Ich versuche mir vorzustellen, wie jener Geschäftsherr von der Rolltreppe Weihnachten macht. Wohl so wie wir alle: Die Enkel auf den Knien und von ihnen geliebt. Ein Weihnachtsfest in Unschuld. Schuldig sind jene anderen, die uns zu Tätern machen.

Von den guten alten Zeiten

»Der Huber, das war noch ein Kerl. Ich saß noch mit ihm zusammen, als er plötzlich sagte, daß er sich jetzt umbringen würde, und dann ging er auf die Straße und brachte sich um. Der Keller, wer hätte gedacht, daß der so jung stirbt. Der Hauri hat auch dort unten gewohnt, der lebt auch nicht mehr. Und der Gerber hatte Pech mit seiner Frau und saß dann im Gefängnis. Hast du den Joachim Zaugg noch gekannt?«

Morgens früh im Café – er hält mich für gleichaltrig, was ich einigermaßen auch bin, und er klappert Namen herunter, die wir beide, und eben nur wir beide, noch kannten. Denn da sitzen auch noch andere im Café, jüngere, die eben noch nicht da waren, als jene – der Huber, der Keller, der Hauri – noch da waren.

Endlich bezahlt er und geht, und beim Herausgehen sagt er noch: »Das waren noch Zeiten, das Leben war damals doch sehr viel besser.«

Daran haben wir uns alle gewöhnt, daß die Zeiten, an die sich die Jüngeren eben nicht erinnern, besser waren. (Die Zeiten, in denen sich Huber umbrachte; die Zeiten, in denen Gerber Pech hatte mit seiner Frau und dafür im Gefängnis saß; die Zeiten, in denen Keller so jung starb.)

Es hat keinen Sinn, ihn zu fragen, warum diese Zeiten nun besser waren. Sie waren einfach besser, und ich ertappe mich dabei, daß ich auch ein wenig stolz darauf bin, daß ich mich erinnere.

Eine junge Frau, Jahrgang 68, erzählt am Radio, daß sie ihr ganzes Leben in ihrem Dorf verbracht habe, und der Interviewer fragt aus Verlegenheit: »Hat sich Ihr Dorf verändert?« Ja, es hat sich – selbstverständlich – total verändert. »Es ist nicht mehr wie früher.« Früher muß für sie vor zehn Jahren gewesen sein. Für uns Ältere sind zehn Jahre noch nicht »früher«.

Aber für alle gibt es ein »Früher«, auch für meine sechsjährige Enkelin. Auch sie sagt bereits: »Weißt du noch?« Auch für sie gibt es bereits Leute (Kinder), die damals noch nicht waren.

Das, was die Alten – auch meine sechsjährige »alte« Enkelin – als Erfahrung bezeichnen, das ist nichts anderes als Erinnerung: gelebt zu haben, als die anderen noch nicht lebten.

Ich habe in Olten noch Leute gekannt, die davon erzählten, wie um die Jahrhundertwende die Aare gefroren war und man auf ihr Schlittschuh laufen konnte. Damals waren sie Kinder, jetzt waren sie alt. Und ich beneidete sie darum. Nicht etwa darum, daß sie auf der Aare Schlittschuh laufen konnten, sondern vielmehr darum, daß sie von Dingen erzählen konnten, die nur sie und niemand anders erlebt hatten. Ich hätte – und nur aus diesem Grund – sehr gern gehabt, die Aare würde gefrieren.

Würde sie heute gefrieren, sie täte es – für mich – zu spät, denn ich könnte in fünfzig Jahren den jungen Leuten nicht sagen, daß ich schon lebte, als die Aare gefroren war. Einem Jungen könnte das Ereignis noch zur Erinnerung werden, einem Alten nicht.

Deshalb auch klingt in Erzählungen der Alten über den Krieg damals so etwas wie Triumph mit, der Triumph, daß die Jungen damals noch nicht lebten. Und wohl nur deshalb waren die alten Zeiten so gut, weil man sich an sie erinnert.

So wird wohl auch die heutige Jugend in fünfzig Jahren ihren

Enkeln vorwerfen, daß sie die Krise der neunziger Jahre nicht erlebt haben. Sie werden ihnen mit Stolz vorwerfen, wie schwer sie es hatten – und wie gute Zeiten das waren. Die gute alte Zeit.

Und die Jungen leben immer in der schlechten neuen Zeit und sind eine schlechte Jugend. Und die Alten nennen ihren Stolz darauf, daß sie damals schon lebten, Erfahrung. Und daß die Jungen den Huber nicht kannten, das ist ihnen Beweis genug, daß die Jungen unerfahren sind.

Die Welt ist noch in Ordnung

»Der Mensch steht wieder vor dem Chaos; und das ist um so furchtbarer, als die meisten es gar nicht sehen, weil überall wissenschaftlich gebildete Leute reden, Maschinen laufen und Behörden funktionieren.«

Das Zitat ist nicht von heute – ob das tröstlich ist? Der Autor, Romano Guardini, ist 1968 gestorben. Er war ein katholischer Theologe und Religionsphilosoph, und er erhielt 1952 den Friedenspreis des Deutschen Buchhandels.

Leider kenne ich den Zusammenhang nicht, aus dem das Zitat stammt. Ich habe es der Zuckermühle Rupperswil zu verdanken. Es stammt von einem Zuckersäcklein, das mir in der Beiz zu meinem Morgenkaffee serviert wurde – jenem Morgenkaffee, der eigentlich nur die Funktion hat, etwas Ordnung in mein Leben zu bringen, den Tag genau gleich zu beginnen wie alle Tage, damit alle Tage zum mindesten zu Beginn ihre Ordnung haben.

Man nennt das Gewohnheiten, und sie haben wohl auch etwas Schäbiges, denn Tausende von Menschen leben ohne Gewohnheiten, haben ihre Gewohnheiten verloren – in Bosnien zum Beispiel, in Sarajewo, wo vor einiger Zeit noch eine internationale Ordnungsschau stattfand: die Olympischen Spiele.

Ärgern Sie sich auch ab und zu über die Kommentatoren von Skirennen? Ich muß Ihnen sagen, Sie ärgern sich zu Unrecht. Die können nämlich nicht anders. Sie haben etwas Fachliches zu sagen, etwas Wissenschaftliches sozusagen zu einer Geschichte, zu der es nichts Wissenschaftliches zu sagen gibt, »... und das ist um so furchtbarer, als die meisten es gar nicht sehen, weil überall wissenschaftlich gebildete Leute reden ...«

Ich mag die fachlichen Kommentare von Russi zum Beispiel – denn wenn ich ganz ehrlich bin, dann fallen mir bei den ersten dreißig Fahrern kaum Unterschiede auf. Ich wüßte nichts zu ihnen zu sagen. Inzwischen habe ich aber von Russi gelernt: Ideallinie, Rutscher, Innenski. Ich habe es von ihm so gut gelernt, daß ich mit Schadenfreude darauf reagiere, wenn er sich verhaut. Wenn er sieht, wie der spätere Sieger bei einem entscheidenden Fehler eine gute halbe Sekunde verloren hat. Und ich lächle bei Russis Versuch, doch noch recht zu bekommen, auf einen zu warten, der es fehlerlos macht. Dann wäre hinterher der Kommentar doch richtig gewesen, dann hätte Wasmeier die Medaille doch mit dem entscheidenden Fehler verloren. Der Fehler war nicht entscheidend. Die Prognose war falsch.

Es gibt in der Philosophie einen neuen Modeartikel, die Chaostheorie. Alle einigermaßen Gebildeten sprechen darüber. Romano Guardini kannte sie noch nicht. Alle stellen sich ein bißchen was darunter vor. Zum Beispiel beinhaltet sie auch, daß die Wissenschaft kaum Prognosen stellen kann.

Die Geschwindigkeit eines Skirennfahrers ist nicht sichtbar: Vreni Schneider wirkt langsam und gewinnt, die Dreißigste wirkt unheimlich schnell. Der Kommentator hat sich dauernd mit einem »aber« zu korrigieren: »... aber schnell.«

Ich frage mich schon lange, warum noch nie jemand an der Zeitmessung herumgemeckert hat, so wie man etwa an Schiedsrichterleistungen herummeckert. Ganz einfach deshalb, weil man Fußball auch mit einem schlechten Schiedsrichter spielen kann. Ohne die Uhr mit ihren Hundertsteln wäre Skirennen nicht möglich. Der Glaube an die Uhr ist alles. Wir glauben etwas, das wir nicht sehen.

Und die Kommentatoren erklären uns die Ordnung. Alles hat seine Gründe, jeder Sieg und jede Niederlage. Jeder Krieg und jeder Völkerhaß. Jede Wirtschaftskrise und jede Rationalisierung.

»... und das ist um so furchtbarer, als die meisten es gar nicht sehen, weil überall wissenschaftlich gebildete Leute reden, Maschinen laufen und Behörden funktionieren.«

Die Olympischen Spiele, die funktionieren auch. Sie funktionieren in einer Welt, die nicht mehr funktionieren will. Und sie geben uns die Illusion von Ordnung. Für die nächsten Spiele – da sind sich die Kommentatoren einig – werden wir uns neu zu organisieren haben.

Ohne Worte

Vor einigen Jahren fuhr ich mit der Eisenbahn von Kairo nach Assuan, ein bißchen und, wie sich herausstellte, zu Unrecht verängstigt. Ich wurde in Kairo von Freunden in den Zug geschoben, und er fuhr los, sozusagen irgendwohin. Er fuhr durch irgendeinen Traum, auf der linken Seite des Zuges immer die Wüste, auf der rechten Seite das Grün des Nilufers, eine Fahrt durch ein Bild, und auch während des Schlafens im Schlafwagen konnte ich nicht aus diesem Bild aussteigen.

Ich teilte mein Abteil mit einem Ägypter. Ein sehr freundlicher Mann, klein, untersetzt, mit einem Bäuchlein. Er saß schon da, als ich einstieg, und er las in einem Buch. Später erklärte er mir, daß er viel lese, aber ausschließlich religiöse Bücher. Und er fragte mich, als ich dann las, ob mein Buch auch ein religiöses sei. Er war Feuerwehroffizier in der Feuerwehr von Kairo, und er fuhr nach Assuan zu einem Kongreß von Feuerwehrleuten – ein Weiterbildungskurs wohl oder so etwas. Er erzählte mir von seiner Familie, das ist relativ leicht, er erzählte mit Fotos. Der älteste Sohn studierte Medizin – vier Kinder, zwei Buben, zwei Mädchen.

Sobald es Tag wurde, stand ich auf, ging in den Aussichtswagen und fuhr durch dieses fast immer gleiche Bild, durch diesen Traum. Ich sah meinen freundlichen Kameraden des Schlafwagens nur noch kurz vor dem Aussteigen. Wir verabschiedeten uns und wünschten uns, auch Wünsche an die Familie, und dann war da ein Bahnhof, der auch Heidelberg, Salzburg oder Wil hätte heißen können, ein Ausstieg aus einem Traum sozusagen.

Und ich stand auf meinen Füßen auf dem Bahnsteig und war wieder ich selbst. Und da überfiel mich ein großer Schrecken, nicht einfach nur Verwunderung, sondern Schrecken. Erst jetzt fiel mir ein, daß der Feuerwehroffizier kein Wort Englisch gesprochen hatte. Er konnte nur Arabisch, und ich konnte in dieser Sprache nicht einmal »ja« oder »nein« sagen, sondern nur »danke schön«. Aber ich wußte mit Sicherheit, daß er Offizier war und zu einem Kongreß fuhr. Ich wußte auch, daß wir über eine Stunde miteinander gesprochen hatten, daß wir uns angeregt unterhalten hatten und daß er mir ausgesprochen sympathisch war.

Ich erinnerte mich aber nicht daran, wie er mir das mitgeteilt hatte. Das mit der Familie ist einfach, dafür gibt es Fotos. Aber ein Foto in Uniform – da war ich ganz sicher – hatte er nicht mit. Vielleicht einen Ausweis? Ich erinnerte mich nicht daran, ich erinnerte mich nur daran, daß wir angeregt miteinander gesprochen hatten – und er konnte nur Arabisch.

Ein großer Schrecken – irgend etwas war nicht mit rechten Dingen zugegangen.

Hier in der Schweiz, wo ich wohne, treffe ich ab und zu einen, mit dem ich mich eigentlich nicht unterhalten könnte. Er gehört einer kleinen extremen Partei an, vor der ich mich – und wohl zu Recht – fürchte. Wir sprechen zwar das ähnliche Schweizerdeutsch, aber wir sprechen ganz und gar nicht dieselbe Sprache.

Immerhin, auch er erzählt von seiner Familie, von seinem Beruf, und er ist immerhin hier einer der wenigen, die sich überhaupt für etwas interessieren, für Politik zum Beispiel. Trotzdem, seine Politik würde mich erschrecken, und es erschreckt mich, daß ich ab und zu das Gefühl habe, ich hätte ihn verstanden.

Mir ist das eingefallen nach den Wahlen in Italien. Da haben wohl auch viele geglaubt, verstanden zu haben, alles verstanden zu haben; und wenn es schiefgehen sollte, sie werden mit Recht wieder sagen können: »Wir haben es nicht gewußt.« Gewußt haben sie es nicht, sie haben es nur vorschnell verstanden.

Aber nichts gegen meinen ägyptischen Feuerwehroffizier. Er war wirklich ein freundlicher Mann. Wir haben uns wirklich gut verstanden. Trotzdem, eine Welt ohne Sprache ist eine erschreckende Welt. Und jene, die sagen: »Schluß mit dem Gerede«, das waren immer politische Übeltäter.

Eine Kultur der Behauptungen

Fridolin war gut im Rechnen. Er belästigte alle Leute in der Kneipe damit, daß er sie aufforderte, ihm Rechenaufgaben zu stellen. Es kam selten vor, daß jemand das tat, und wenn, dann begann er wieder zu erklären, daß er sehr gut sei im Rechnen – im Kopfrechnen, sagte er, und er stellte sich unter Kopfrechnen etwas ganz Besonderes vor, nämlich nicht einfach Rechnen im Kopf, sondern eben in einem ganz besonderen Kopf.

Mag sein, daß er einmal wirklich gut war im Kopfrechnen, in der Schule damals – in was für einer Schule auch immer. Mag sein, daß er im Kopfrechnen vielleicht doch besser war als in anderen Fächern, mag sein, daß er nicht der Dümmste war. Seine Bitte um Rechenaufgaben ist inzwischen alltäglich, Resultate gibt es keine, aber sie werden hier in der Kneipe auch nicht verlangt, weder er noch wir kamen in den letzten Jahren dazu, zu kontrollieren, ob er immer noch ein guter Rechner ist.

Er war übrigens wirklich nicht in einer schlechten Schule, hatte die Prüfungen bestanden, ist heute noch stolz darauf. Er hat den Beweis, daß er gescheit ist. Wer einmal Kopfrechnen konnte – man stelle sich das mal vor, richtig im Kopf –, der ist nicht dumm.

Inzwischen verbringt er sein Leben in einer Gesellschaft, die vom Lernen nichts mehr hält, sondern nur noch vom Wissen. »Du weißt ja nicht einmal, wie die Hauptstadt von Saudi-Arabien heißt«, und wer es nicht weiß, der ist dumm, und wer es weiß, der ist gescheit, und dann werden Zeugen aufgerufen, und dann wird gewettet, und man könnte das doch irgendwo nachschlagen, aber Bücher sind hier keine Beweise.

Lesen konnte er wohl selbstverständlich einmal, ohne diese Kenntnisse hätte er die Prüfungen damals nicht geschafft. Aber ich habe
ihn seit Jahren nie lesen gesehen, weder die Lokalzeitung noch den
»Blick«, und wenn ihm jemand die Zeitung zuschiebt, dann hat er
die Brille zu Hause vergessen. Ich habe ihn noch nie mit Brille gesehen, ich kann mir Fridolin mit Brille gar nicht vorstellen.

Aber er weiß alles und alles besser als die anderen. Und die anderen – das ist das Elend hier – wissen es auch besser. Es geht hier nicht
um Lernen, es geht um Wissen. Wer es weiß – das Zufällige –, der
hat gewonnen. So ist es im Quiz, so lernt man es im Radio und Fernsehen: Wer es weiß, ist ein Hirsch. Wer es lernen muß, ist dumm. Es
gibt hier in der Kneipe keine Gespräche mehr, es gibt nur Behauptungen. Es gibt keine Diskussionen, es gibt nur das Ja und das Nein,
das Richtig und das Falsch.

Fridolin besitzt auch ein Lexikon. Er kann es nicht benützen. Er
weiß nichts von einer alphabetischen Ordnung, aber wenn er mit seinen Behauptungen in Schwierigkeiten kommt, weist er doch darauf
hin, daß er das Wissen (das Lexikon) besitzt.

Die Rekrutenprüfungen in der Schweiz haben genau dieses Bild ergeben. So ist es. Damit haben wir uns abzufinden. Ich fürchte, dagegen gibt es noch lange kein Mittel, vor allem auch, weil es die Parteien
und die Politiker, die von diesem Elend profitieren werden, bereits
gibt – und sie werden profitieren.

Es wird nicht mehr diskutiert, es wird behauptet. Politik ohne Argumente, das ist die Politik der Analphabeten. Einer weiß alles, und er
weiß es ganz genau. Ihm glaubt man.

Sprechen wir mal nicht vom Schweizer B., sondern vielleicht vom
Italiener Berlusconi. Er weiß es, und er kann es. Und er ist für alle,
die wissen wollen und nicht zweifeln wollen, eine Hoffnung. Die Hoffnung nämlich, daß nun so, wie »wir« sind, endlich alle sind. Nicht der
Analphabetismus an und für sich ist beängstigend, sondern nur, daß
er – endlich – opportun wird.

Im Kanton Solothurn wurden kürzlich attraktive Autonummern
versteigert – der Staat als dümmlicher Krämerladen oder die Verstaat-
lichung der Korruption? Die Nummer 1 hat ein Lehrer für eine Un-

summe ersteigert, und die Nummer 2 gehört auch einem Lehrer, und sie fahren wohl stolz damit herum. 1 und 2 sind einfache Nummern, und Autokaufen ist auch einfach und Autofahren auch – vielleicht ist auch das eine Art von Analphabetismus. Arme Schüler.

Titelbilder

»Seit ein paar Stunden bin ich in New York, in dieser überaus intimen geometrischen Stadt, erbaut in babylonischem Stil und von Amerikanern bewohnt«, beginnt Ennio Flaiano, der langjährige Drehbuchautor von Fellini, sein Buch »Melampus«. Nun soll New York doch etwas ganz anderes sein als Amerika, und es ist wohl ganz anders, aber eben doch von Amerikanern bewohnt, die sich irgendwie gegen diese chaotische Stadt nicht durchsetzen können.

»Amerika: Ich habe alles über Amerika begriffen, am ersten Tag, an dem ich zum ersten Mal dort ankam; aber jetzt begreife ich nichts mehr«, schreibt Flaiano.

Letzte Woche fand hier in den Medien die 50-Jahrfeier des D-Day, der Invasion, statt, den ganzen Tag kam am Fernsehen bis zum Überdruß immer wieder dasselbe Bild, dasselbe Interview mit einem Veteranen, derselbe Ausschnitt aus Clintons Rede. Irgendwie gelang es nicht, die Sache zu aktualisieren. Dabei war es damals ein wunderbares Ereignis für eine ganze Welt. Erstaunlich auch, wie wenig Hintergrundinformationen dazu geliefert wurden. Selbst beim Stanley-Cup im Eishockey fällt den Amerikanern mehr Geschichte ein. Der Zwang zur Aktualisierung macht alles schal, und die Reportagen über den D-Day erinnerten mich an eine andere »Aktualität« vor zwei Wochen, den Tod von Jacqueline Kennedy Onassis.

»Sie ist«, sagte Präsident Clinton, »ein Vorbild für Amerika, ein Vorbild für die ganze Welt.« Und ich frage mich, ein Vorbild für was? Wir leben offensichtlich in einer Welt – und dies nicht nur hier in Amerika –, in der Prominenz alles ist. Jackie war prominent, und daß sie prominent war, das hält man wohl für vorbildlich. Übrigens war nirgends ein Bild von ihrem zweiten Mann zu sehen. Selbst die seriöse und fast unbestechliche Times verschwieg den Grund des eigenartigen Namens Onassis – denn Jackie hatte inzwischen Eigenschaften bekommen, die nicht zum Jet-Set passen wollen: Bescheidenheit, Zurückgezogenheit usw. usw. Sie ist nun die wunderbarste, die einfachste, die selbstloseste Frau überhaupt. Ein Vorbild für die Welt? Niemand hier denkt daran, daß das abgeschmackt und lächerlich sein könnte.

So ist halt denn auch Senna ein Vorbild für die Welt wie Mutter Teresa, wie Peach Weber oder Dürrenmatt. Alles schön in denselben Topf: Skifahrerinnen, Heilige und Gangster. Prominenz ist alles, und Prominenz unterscheidet sich von Prominenz nicht. Zum Schluß ist alles schal, alles gleich und alles einigermaßen langweilig.

Als ich darüber mit einigen amerikanischen Studentinnen und Studenten sprechen wollte, waren sie entsetzt. Alle von ihnen waren von der einmaligen Größe von Jackie überzeugt. Und als ich dann wissen wollte, was diese Größe sei, sagte eine durchaus gescheite, gebildete und sonst kritische Studentin: »Sie hat sich beim Tod von Kennedy so wunderbar benommen.«

Davon wußte ich nun allerdings nichts. Aber ich erinnerte mich an meine Erschütterung nach dem Tod von Kennedy, und daß mich das Bild der jungen Witwe in Schwarz mit ihren kleinen Kindern auch rührte. Ich erinnere mich aber auch an das amerikanische Entsetzen darüber, daß sie Onassis heiratete. Onassis gibt es inzwischen für die Amerikaner nicht mehr. Und eigentlich – ein paar Tage später – auch Jackie nicht mehr, vergessen, wohl für immer. Auch die Vorbilder sind kurzlebig geworden, auch die »Vorbilder für die ganze Welt«. Denn Vorbild heißt offensichtlich heute nur noch Titelbild.

Übrigens kenne ich den Mann, der die Familie Kennedy damals fotografierte. Er ist über Nacht sehr reich geworden. Das ist ihm zu gönnen, er ist ein freundlicher und lustiger Mensch.

Aha, das ist Aarau

Das schönste Kompliment für New York hörte ich einmal von einem vierjährigen Mädchen in Philadelphia. Aufgefordert von seiner Mutter, mir zu erklären, welches »her favorite town on earth sei«, sagte es mit strahlenden Augen »New York«. Und als ich sie fragte, warum, sagte es: »There is a store up 81st Street, where you get a piece of sausage for free – dort gibt es einen Laden, wo man ein Rädchen Wurst gratis bekommt.« Was für eine wunderbare Stadt! Und ich erinnerte mich an jenen Metzger, der in meiner Kindheit mit einem Rädchen Wurst Olten für mich damals zu einer wunderbaren Stadt machte.

Wenn inzwischen ein Fremder »meine« Stadt Solothurn lobt, werde ich verlegen, und ich stimme ihm nur aus Höflichkeit etwas halbherzig zu. Jedenfalls wird all das, was er lobt, nicht das sein, was ich als Einheimischer an Solothurn mag – vielleicht halt eben auch »a piece of sausage for free«, einen Menschen, einige Menschen, eine Beiz, einige.

Fassadenästhetik, was wohl in der Regel die Fremden zu loben haben, erhöht das Wohlbefinden der Einwohner wenig. Aber es gibt Dinge und Sachen und Menschen, die ich mag, und Menschliches auch. Mit dem Satz »Solothurn ist wunderbar« weiß ich wenig anzufangen.

Die New Yorker reagieren dann auch genauso verlegen, wenn ich sage: »New York ist wunderbar«, und ihre irgendwelche Antwort ist von einem Schulterzucken begleitet.

Als ich vor zwei Jahren hier war, schlief ein Obdachloser vor meinem Haus. Er ist nicht mehr hier – gestorben oder weil es Sommer ist, oder ist er vertrieben worden? Ich weiß es nicht. Der Bettler an der Ecke ist ein anderer, aber er ist jetzt der Bettler. Alles, was jetzt ist, ist jetzt New York – und eigentlich für immer. Als Tourist nimmt man die Umgebung wahr wie ein Kind: Alles ist einfach so, und alles wird für immer so sein. Der Großvater ist alt, er war es schon immer, er war schon immer ein Großvater und wird es für immer sein – endgültig festgelegt wie etwa Humphrey Bogart im Film, er bewegt sich immer noch wie Bogart, ist immer noch so jung wie Bogart, auch viele Jahre nach seinem Tod. Vielleicht ist es auch das, was Kino so schön tröstlich macht, daß der Film endgültig ist und letztlich nicht beängstigend, weil er sich nicht mehr verändern wird.

Wir kommen in eine fremde Stadt und sagen: »Aha, das ist Barcelona – aha, das ist Oslo – aha, das ist Aarau!« Und der Einheimische kann sich nicht mit dem Satz dagegen wehren: »Nein, es war auch schon mal anders, ich war hier mal ein Kind, ich habe jene wunderschöne Kneipe gekannt – es war hier mal anders, ich habe kürzlich einen Freund verloren.«

Es gäbe wirklich einen Grund, umzuziehen – nach Aarau zum Beispiel, ich kenne Aarau nicht –, denn mitunter ist es gar nicht so leicht, mit den anderen älter zu werden, eine eigene Geschichte zu haben, die man viel mehr an den Gesichtern der anderen ablesen kann als am eigenen.

Umziehen in eine völlig neue Stadt, die schon immer so war, in eine Stadt, wo die Siebzigjährigen schon immer alt waren, wie es mein Großvater war, in eine Stadt, wo die Sterbenden schon immer Sterbende waren und es für immer sein werden.

Doch, ich liebe New York, ich fühle mich hier frei. Auch diesmal bin ich wieder hierher gekommen, um für mich zu arbeiten, zu schreiben – es gelang wiederum fast nicht. Wo alles einfach so ist, wie es ist, wo niemand älter wird, wo sich nichts verändert, wo letztlich nichts zum Ärgernis wird – da fehlen die Geschichten. Und irgendwie ist Ferienmachen doch immer wieder so etwas wie Aussteigen aus dem Leben. So ärgerlich das auch immer ist, das Leben findet zu Hause statt, wo die Nachbarn eine Geschichte haben, wo man die Siebzigjährigen sieht, die man schon als Zwanzigjährige gekannt hat. Wer in Geschichten leben will, setzt sich auch in ihnen gefangen.

Von den ganz anderen

Wir sprechen von Jimmy, seit er nicht mehr lebt, haben alle nur Gutes
über ihn zu berichten: Wie er es einfach nicht lassen konnte, Autos zu
klauen, und wie er es nicht lassen konnte, alle geklauten Autos zu-
schanden zu fahren, wie er bündelweise Geld in den Taschen hatte
und wie er die Richter fast zu Tränen rühren konnte. Auch ich verspüre ein bißchen Stolz, daß ich mitreden kann, daß ich ihn auch
noch – und zwar gut – gekannt hatte; denn es sitzen auch andere da,
die ihn nicht kannten und die man nun damit beeindrucken konnte,
daß man mit so einem Tausendsassa irgendwie befreundet war. Einmal traf er im Bahnhofbuffet einen, der eben nach Ägypten in die
Ferien reiste, da ging er einfach mit, kaufte sich mit dem letzten Geld
eine Flugkarte, hatte kein Gepäck und nichts – und schimpfte, als er
wieder hier war, auf die Schweizer Botschaft, die ihm dort noch Fragen stellte, bevor sie ihn wieder zurückschob.

Ja, ja – der Jimmy, und dann der Erwin und der Klaus und der Hugo:
eine ganze Galerie von mehr oder weniger harmlosen Kleinkrimi-
nellen, die immerhin immer wieder irgend jemand schädigten und
letztlich immer wieder uns alle.

Aber warum erzählen wir so begeistert von ihnen? Warum sind
wir plötzlich – und hinterher – so stolz auf sie? Oder anders gefragt
– und die Frage nützt wenig –, was für Bedingungen müssen Kleinkri-
minelle erfüllen, damit sie uns sympathisch sind?

Johann Peter Hebel, der brave Pfarrer und Dichter im frühen
19. Jahrhundert, hat in seinem »Rheinischen Hausfreund« immer
wieder die frechsten Geschichten über den Zundelfrieder erfunden,
einen gewitzten Dieb und Gauner, und er hat in diesen Geschichten
immer wieder auf eine Moral verzichtet. Trotzdem, man hat nicht
den Eindruck, daß er sie nur zur Belustigung und Unterhaltung geschrieben hätte.

Zundelfrieder gehörte wohl einfach zur Vielfältigkeit des Lebens.
Es sind eben nicht alle Menschen gleich, und es gibt Füchse und
Schlaumeier unter ihnen, die schaden zwar ab und zu ein bißchen

wie andere Schädlinge auch, aber sie bringen auch ein bißchen Farbe in den grauen Alltag – wenn vielleicht auch nur damit, daß man eben von ihnen erzählen kann.

Jene, mit denen ich über Jimmy spreche, sind sonst nicht besonders tolerante Leute und auch sehr schnell zu rassistischem Verhalten und rassistischen Bemerkungen bereit. Jetzt werden sie plötzlich zu guten und freundlichen Erzählern, und es kommt ein bißchen Freude auf am Tisch. Es lohnt sich, sich zu erinnern – und wenn es sich zu erinnern lohnt, dann lohnt es sich auch zu leben.

Jimmy war auch einer von ihnen, einer von uns. Er gehörte keiner Gruppe an, war kein Homosexueller, kein Drögeler, kein Ausländer, kein Türke – er war eben nur Jimmy. Und nur Jimmy war Jimmy.

Wir mochten ihn alle nicht besonders, als er noch lebte. Keiner hätte sich für ihn verbürgt. Aber das war auch nicht nötig, er war selber jemand, kein Guter, aber selber jemand.

Daß alle Menschen gleich sind, das scheint mir mehr und mehr ein rassistischer Satz zu sein. Die Menschen sind nicht gleich, sie sind total verschieden, jeder Mensch ist selber einer. Davon geht die Demokratie aus, daß ganz verschiedene dieselben Rechte haben, auch die Eigenartigen, auch die Eigenwilligen – und selbst dieser fürchterliche Jimmy.

Nein, ich bin nicht so wie Jimmy, und ich möchte nicht so sein wie Jimmy. Ich bin froh, daß die meisten nicht so sind wie Jimmy. Ich bin froh, daß die Menschen nicht alle gleich sind. Jimmy – der Solothurner – gleicht mir – dem Solothurner – nicht. Der Türke gleicht nicht einem Türken, kein Schweizer gleicht einem Schweizer, ich bin ganz selber jemand – und du auch. Und keiner ist einfach nur so wie die Gruppe, zu der er gehört. Jeder hat das Recht, als einzelner betrachtet zu werden, als einzelner, als einzelne geliebt zu werden, gehaßt zu werden, gemocht zu werden und nicht gemocht zu werden. Ich weiß gar nicht, ob ich nun Jimmy mochte – ich kannte ihn halt, und er war halt da.

Ein vergessenes Land

Eine Reise in eine Gegend, die ich mir nie ausgewählt hätte, eine Reise sozusagen nach irgendwo. Und selbstverständlich hat man Vorstellungen von dieser Gegend – nicht eigentlich Vorurteile, aber Vorstellungen. Es gibt Länder, in die fährt man ohne Grund: Frankreich, Amerika, Italien oder Mallorca. Da gibt es bestimmte Vorstellungen, und die Erlebnisse werden sich mit den Vorstellungen einigermaßen decken. Es gibt irgendwelche Sehnsüchte: die Sehnsucht Frankreich, die Sehnsucht Mallorca – oder für Amerikaner zum Beispiel die Sehnsucht Schweiz.

Prag zum Beispiel kann auch eine Stadt der Sehnsüchte sein. Prag hat eine Geschichte, und die tschechische Republik hat einen Präsidenten – Havel –, den man in der Welt kennt. Er war der Präsident der Tschechoslowakei, bevor der eine Teil unabhängig sein wollte. In diesem einen Teil war ich, fast am anderen Ende unserer Welt, an der Grenze zur Ukraine.

Die Slowakei, ein inzwischen fast vergessenes Land, das auch irgendwie fast vergessen bleiben wird. Selbst seine Lage auf der Landkarte stellt man sich falsch vor.

Wer hier Ferien macht, der macht hier wohl Ferien, weil es billig ist, dreckbillig. Jede Rechnung im Restaurant erscheint als Irrtum. Es kostet alles sozusagen nichts. Bereits aber liefern vor dem Hotel die Kleindealer den größeren Dealern ihr Geld ab. Sie sprechen deutsch. Der Westen ist angekommen – nicht mit den erwarteten Investitionen, sondern mit den miesen Kleingeschäften. In der Hotelbar sitzen die westlichen Möchtegern-Geschäftsleute, jene, die glauben, daß man aus der Vergessenheit dieses Landes etwas herausholen könnte.

Unter solchen Bedingungen ist Armut zu erwarten, sichtbare Armut. Ich habe (fast) keine gesehen. Die Städte sind belebt, sie wirken noch westlicher als die westlichen. Sie wirken so wie der Westen in den Zeiten der Hochkonjunktur (fünfziger, sechziger Jahre). Dabei ist hier alles, was für uns so beschämend billig ist, für die Slowaken unerschwinglich teuer. Ein Gymnasiallehrer verdient 300 Franken im Monat. Was ist das für eine Welt?

Eine Gegend, die immer wieder betrogen wurde, von den Ungarn vor dem Krieg, von den Deutschen, den deutschsprachigen, von den Tschechen wohl auch, vom Sozialismus, der Spuren hinterlassen hat, die lange bleiben werden: vorprogrammierte Armut in Wohnsilos. Und dabei Autos wie bei uns, und nicht wenige, auch der Reichtum ist eingekehrt hier, hat sich eingenistet in der Armut.

Am nächsten Wochenende sind die Wahlen. Es werden wohl jene gewählt, die an der Macht waren, die es schon immer waren. Ihr politisches Angebot heißt »Unabhängigkeit«. Ein Angebot, das wir Schweizer gut kennen und das wir in einigen Abstimmungen der letzten Zeit so tapfer verteidigt haben – koste es, was es wolle.

Ich habe mich in der Slowakei auch nicht sehr fremd gefühlt, die Menschen erinnern mich an Schweizer, die Landschaft erinnert mich an die Schweiz. Und dann auch die hartnäckige Verwechslung von »Unabhängigkeit« und »Freiheit«. Für beide Länder hat diese Verwechslung eine Geschichte. Auf der einen Seite die gute Erfahrung, die die Schweizer in zwei Kriegen mit der Unabhängigkeit gemacht haben, auf der anderen Seite die schlechte Erfahrung, die die Slowaken in derselben Zeit mit der Abhängigkeit gemacht haben.

Unabhängigkeit kann zwar unter Umständen die Voraussetzung zur Freiheit sein. Vergessen sein in Armut aber ist keine Freiheit. Man braucht die anderen, auch die anderen Länder, um zu leben. Und wer nicht mitmachen kann oder will, wird mißbraucht.

Immerhin, und das hat mich überrascht, die Leute in der Slowakei leben. Und wüßte man nur das, was man sieht, man würde annehmen, die leben gut. Ob die Schweiz unter solchen Bedingungen auch noch so aussehen würde?

Mein Kollege F. G.

Mein Kollege, den ich herzlich liebe, mein Kollege F. G. ist drogenabhängig. Wenn ich ihn zu suchen hätte, dann hätte ich ihn am Letten zu suchen oder auf einem entsprechenden Platz in einer Schweizer Kleinstadt. Ich würde ihn antreffen, schmutzig, ausgemergelt
und kaum ansprechbar. Vielleicht würde er mich anbetteln auf der
Straße, oder er würde einer alten Frau die Tasche entreißen. Eigenartig ist nur, daß er schreibt. Er veröffentlicht jedes Jahr ein Buch, er
schreibt wunderschöne Geschichten für Zeitungen und Zeitschriften. Redaktoren kümmern sich um ihn und drucken seine Sachen
gern. Er ist ein leidenschaftlicher Briefschreiber, führt Briefwechsel
mit vielen Leuten, und er wird bestimmt – später – zu den berühmte-
sten Schweizer Autoren gehören. Es werden über ihn Dissertationen
geschrieben werden, seine Romane werden verfilmt werden, an Universitäten werden über ihn Seminare gehalten. Daß er ein schweres,
ein verdammt schweres Leben gehabt haben wird, das wird ihn noch
interessanter machen, daß er betrogen und gestohlen hat und inhaf-
tiert wurde, in Gefängnissen saß und interniert wurde – all das wird
ihn zusätzlich interessant machen. Für ihn selbst stellt sich das vorläufig nicht so dar. Er kann sich nicht einmal vorstellen, daß er dereinst berühmt sein wird. Er hat andere Sorgen. Die Sorge, wie er zu
seinem Stoff kommt, und zu seinem Stoff kommt er hier am Letten.
Woher er die Kraft nimmt zum Schreiben, zum Schreiben von großen Romanen? Wo er überhaupt den Platz findet, es zu tun auf seiner kleinen Hermes-Baby? Ein Wunder! Professoren werden sich
mit ihm beschäftigen, Interpreten werden gescheit über sein Werk
schreiben, viele werden ihn lesen – später –, Tausende werden seine
Verfilmungen anschauen. Aber vorläufig ist er noch am Letten.

Ja, an dieser Geschichte stimmt etwas nicht. Ja, am Letten leben
keine solchen Leute. Und sollte der Letten geschlossen werden, dann
werden auch anderswo in der Szene keine solchen Leute wohnen.

Als mein Kollege F. G. – Friedrich Glauser – morphiumsüchtig war,
gab es noch keinen Letten, aber Morphinisten gab es schon damals.

Es bleibt ein Wunder, wie er trotz und neben seiner Sucht zum Schreiben kam. Er hat sich ruiniert, selbstverständlich. Er ist 1938 im Alter von 42 Jahren gestorben. Die Drogen – auch die Drogen – haben ihn umgebracht.

Er hatte ein schreckliches Leben, aber er hatte – immerhin – ein Leben. Das einzige, was ihn unterschied von seinen heutigen Leidensgenossen, das ist, daß er sich ausschließlich legale Drogen beschaffte, die legal hergestellt wurden, in legalem Besitz waren. Er hat sie sich zwar illegal beschafft, das gab viele Schwierigkeiten. Aber er hatte sein ganzes Leben lang nie in einer Szene der illegalen Drogen zu leben. Es ging ihm zwar dreckig, aber er lebte nicht im Dreck.

Was er tat, das war illegal, vielleicht noch illegaler als heute, noch unverständlicher, aber er hatte nicht mit Illegalen, mit der Geldmafia zu tun.

Ja, ich meine die Legalisierung.

Denn dieser Glauser wäre nach heutigen Bedingungen am Letten – jener Glauser, der mit Behörden und Polizei ein Leben lang nur Mais gehabt hat. Jener Glauser, der trotzdem den gemütlichsten und menschlichsten Polizisten erfunden hat: Wachtmeister Studer. Er, der Heimatlose, hat mit ihm ein Stück Heimat gefunden. Ein kleines Stück davon muß er auch ab und zu erfahren haben. Er unterscheidet sich sehr von all jenen Hoffnungslosen, denen wir so hoffnungslos gegenüberstehen. Und eigentlich unterscheidet ihn nur etwas von ihnen – die Art der Beschaffung.

Drogen waren zu seiner Zeit noch nicht das große Geschäft, noch nicht der riesige Geldfluß. Auch Glauser war krank, er hat gelitten. Er war genauso krank wie seine heutigen Leidensgenossen. Er war es nur in einer anderen Zeit. Ich bin jedenfalls dankbar, daß ich mir meinen Rotwein legal beschaffen darf und daß er legal hergestellt wird. Und ich bin froh und dankbar, daß Friedrich Glauser dabei noch die Kraft fand, zu schreiben. Ich bestaune ihn dafür, daß er die Kraft hatte, uns einen guten, braven und gemütlichen Polizisten zu schenken: Wachtmeister Studer. Würde er heute leben, ich wäre dafür – wer nicht? –, daß man ihm eine Chance gäbe. Das Sondergesetz für Ausländer jedenfalls ist diese Chance nicht. Das Geschäft

wird bleiben, und das Geschäft macht wirklich krank. Sollten es dereinst nur Schweizer betreiben, nichts wäre damit gewonnen. Soll ich
sagen, im Gegenteil? Ja, im Gegenteil. Denn ans Geschäft gewöhnen
sich Schweizer schnell.

Du hast nichts verpaßt

Wir treffen uns immer am Neujahr bei einem Freund, alle freuen
sich darauf, aber alle haben wohl auch ihre Mühe mit dem »Immer
wieder«. Nichts kommt so schnell immer wieder wie unser Neu-
jahrstreffen, wie Weihnachten und Neujahr – kein Frühling, kein Sommer, kein Herbst. Der Winter ist lang, der Sommer ist lang – nur das
Jahr nicht.

Otto F. ist gestorben in diesem Jahr – im September – und bereits
ist auch das lange her, schon fast sehr lange. Ich habe ihn schon
Dutzende von Malen nicht mehr getroffen in der Beiz. Und trotzdem,
das Jahr, in dem er starb, war kurz – auch wenn er vor einem Jahr
noch nichts, noch gar nichts von seiner Krankheit wußte. Das ist alles
schon sehr lange her – mein erster Besuch im Spital, unser gemeinsames Hoffen, unser lustiger letzter Spaziergang – bereits Erinnerung, bereits weit weg. Und das Jahr war kurz, schon wieder Neujahr.

Im Sommer hat das noch nie jemand gesagt: »Schon wieder Sommer«, und »schon wieder Frühling« sagen wir auch nicht. Und ich
frage mich, ob das Jahr auch für die Leute in Sarajewo, im Sudan,
irgendwo in der ehemaligen Sowjetunion, im Irak ein kurzes war.

Weihnachten, so wissen wir, soll ein grauenhaftes Fest sein für Ein-
same – ein kleines bißchen sind wir alle wohl einsam, und so ist es halt
dann ein kleines bißchen für alle ein kleines bißchen ein grauenhaftes Fest. Daß wir das Jahr als kurz empfinden, das ist wohl dann letztlich doch die Summe unserer Gelangweiltheiten. Wir haben uns ein
Jahr lang gelangweilt mit Fußball-Weltmeisterschaften (mit glän-
zenden und gefeierten), mit Rekorden und Niederlagen, mit Schiffs-
katastrophen und Kriegen, mit NEAT und EU – und vor allem mit
uns selbst.

Ich stelle mir vor, daß es klopfen würde an meiner Tür – gleich
jetzt –, und Otto F. würde eintreten, zurückgekehrt, und sein »so«
sagen. Er hätte wohl mit Recht den Eindruck, daß ich sehr viel länger
gelebt hätte als er, drei Monate länger, und er würde mich mit Recht
fragen: »Und – und was ist passiert in diesen drei Monaten?« Beschämt müßte ich gestehen: »Nichts, gar nichts, nichts Besonderes –
alles dasselbe.«

Was würde ich meinem Freund H., der vor 14 Jahren gestorben ist,
erzählen? »Du hast nichts verpaßt, gar nichts«, würde ich ihm sagen,
und er würde böse, und er würde mich anschreien, denn er starb jung,
und er hätte sehr gerne länger gelebt, und er hätte gelebt, und es hätte
ihn interessiert. Ich würde ihm sagen: »Die Sowjetunion gibt es nicht
mehr, die DDR gibt es nicht mehr«, und er könnte sich das im ersten
Augenblick nicht vorstellen, und schon im zweiten wäre es für ihn
so, wie wenn er es schon immer gewußt hätte. Er wäre übrigens heute
noch, nach 14 Jahren, der Belesenere, und was er damals wußte, das
wäre noch heute fast das ganze Wissen der Welt. Ich hätte heute noch
ihn zu fragen und nicht er mich.

Und selbst, wenn Goethe zurückkäme, ich hätte ihn wohl immer
noch mehr zu fragen als er mich – er wüßte wohl noch immer mehr
von dieser Welt als ich –, und das bißchen mehr Technik – Flugzeug
und Computer – würde ihn wohl nicht so sehr überraschen. Er war
Naturwissenschaftler, ein interessierter Mensch.

Enttäuscht wären andere, Schiller etwa, der sich eine bessere Welt
vorstellen konnte und wollte. Jean Paul, der im frühen 19. Jahrhundert an unser Jahrhundert, an das 20. Jahrhundert, glaubte. Enttäuscht wäre Marx – nicht, wie wir glauben wollen, über den Zusammenbruch der Sowjetunion, sondern über den Zustand der Welt,
darüber, daß seine Beschreibung der Welt immer noch, und wieder
zunehmend, zutrifft, das würde ihn nicht freuen. Und enttäuscht
wäre – sollte er ein Mensch gewesen sein – jener Jesus von Nazareth,
der an die Menschen und an das Leben glaubte. Überrascht wären
sie wohl alle trotzdem nicht.

Oder gab es vielleicht doch Zeiten, und gibt es vielleicht noch Kulturen und Gegenden ohne diese grauenhafte Gelangweiltheit, die

uns ein ganzes Jahr wie weggeschmolzen erscheinen läßt, ohne diese schale Gelangweiltheit, an die uns die Festtage Jahr für Jahr erinnern. Jedenfalls, so oder so, diese ungeliebten Festtage haben wir uns als Erinnerung an unsere Gelangweiltheit selbst verdient.

Max Frisch hat in einem Fragebogen die Frage gestellt: »Wen, der tot ist, möchten Sie wiedersehen?« Ich möchte dem anfügen: »Hätten Sie den Mut, jenen wiederzusehen, der selbst so gern noch gelebt hätte – und Sie hätten ihm nichts zu erzählen?«

Die Röntgenstadt

Als ich etwa zwölf war – und ein Dichter werden wollte oder eigentlich fest daran glaubte, einer zu sein –, als ich zwölf war, waren meine Eltern eines Abends weg. Ich ging in die Stube, holte das große Radio und schleppte es in mein Zimmer, um einmal im Bett liegend Radio hören zu können – Beromünster, wie das damals hieß. Als ich es andrehte und lange wartete, bis endlich die Röhren warm waren, hörte ich Englisch, ein Mann rezitierte Gedichte, laut und pathetisch und mit großer Stimme. Ich verstand kein Wort, aber ich glaubte zu verstehen, und die Gedichte gefielen mir sehr. Ich hörte sie wie Musik. Ich hatte das Radio dann wieder in die Stube zu schleppen, damit meine Eltern, wenn sie heimkommen, nichts davon merken, und so konnte ich auch die Absage nicht hören, ich wußte nicht, was ich gehört hatte. Aber es hatte mich so beeindruckt, daß ich schon anderntags versuchte, solche Gedichte auf deutsch zu schreiben. Und ich ging mit ihnen in den Wald und deklamierte sie, schrie sie in den Wald.

Viele Jahre später – acht Jahre waren damals noch viel – entdeckte ich einen englischen Autor, Dylan Thomas, und er gefiel mir sehr. Er hatte ein wunderbares Hörspiel geschrieben, *Unter dem Milchwald*, und wunderschöne pathetische Gedichte. Und ich hörte von seinem Leben und daß er zuviel trank. Und ich hörte auch, daß er nicht aus England war, sondern aus Wales, und ich stellte mir Wales –

weil seine Gedichte romantisch waren – romantisch vor. Noch etwas später hörte ich eine Schallplatte, auf der er Gedichte rezitierte, und ich wußte sofort, es war jener, den ich als Kind im Radio – und zwar verbotenerweise, das ist wichtig – gehört hatte.

Ich beschloß, einmal nach Wales zu gehen, Dylan Thomas war damals schon tot. Er ist 1953 im Alter von 39 Jahren gestorben, in New York.

Nun bin ich, vierzig Jahre später, in Wales, in Swansea, wo Dylan Thomas (Bob Dylan übrigens, der Robert Zimmermann heißt, wählte sein Pseudonym seinetwegen) geboren wurde, in Swansea, von dem er sagte »the ugly lovely town« (»die häßlich wunderbare Stadt«), oder wie Alfred Hofkunst, der Maler, mal sagte: »Ich stelle mir Wales vor wie Olten am Meer.« In Olten übrigens hörte ich ihn damals am Radio.

Ich wäre nie nach Wales gekommen, hätte ich nicht zufällig hier zu tun gehabt. Aber zugesagt für die Arbeit habe ich nur, weil ich gleich an Dylan Thomas gedacht habe. Ich habe mich auf Swansea gefreut. Im Reiseführer über Wales, den ich zu Hause kaufte, war er selbstverständlich erwähnt, er gehört zu den Sehenswürdigkeiten von Wales und ist vermerkt unter dem Kapitel »Walisische Helden«, wie auch Richard Burton – eigenartige Helden: Die Touristik-Industrie tut, was sie kann.

Und ich bin wohl nicht der einzige, der an Dylan Thomas denkt, wenn er an Wales denkt. Ich habe das Haus gesehen, wo er wohnte – andere haben es auch gesehen, auch solche, die nie etwas von ihm gehört oder gelesen haben.

Vor vielen Jahren war ich irgendwo in Deutschland. Am Bahnhof stand angeschrieben: Die Röntgenstadt. Der Mann, der mich abholte, fragte gleich: »Wußten Sie, daß Röntgen hier geboren wurde?«, und er war überrascht, daß ich es nicht wußte. »Er hat also hier gelebt?« fragte ich. »Nein«, sagte er, »seine Eltern sind kurz nach seiner Geburt weggezogen.« Trotzdem, die »Röntgenstadt«. Trotzdem, die »Dylan-Thomas-Stadt«. Nun sitzt er in Bronze – jung und sauber und nett und nüchtern – auf einem Sockel vor einem Theater, das seinen Namen trägt in seiner »ugly lovely town«. Nur einer, ein alter Mann, erklärt mir, daß man ihn hier nicht besonders mochte, als er noch lebte. Er sei arrogant gewesen, sagt er.

Ich bin gerne hier. Es gefällt mir hier. Die Pubs sind wunderbar. Die Menschen sind freundlich. Nur an Dylan Thomas erinnert mich diese Stadt nicht – so wenig wie mich Frankfurt an Goethe erinnert. Das war doch zu erwarten. Warum fallen wir immer wieder darauf herein?

Die Bar in New York – wo er sein letztes Bier trank – ist meine Lieblingsbar. Sie lebt auch ein bißchen von seinem Namen, und auch ich habe sie vor vielen Jahren das erste Mal seinetwegen besucht. Nur, New York weiß nichts davon. Und er ist in den Fremdenführern von New York nicht erwähnt. Und noch nie hat ein Freund, der mich dort am Flughafen abholte, gesagt: »Weißt du, daß XY mal hier gelebt hat?« In New York übrigens hat sich Dylan wohl gefühlt. In New York fühle ich mich ihm näher.

Und Swansea ist viel angenehmer, als es die Fremdenführer beschreiben, eine häßlich wunderbare Stadt, es leben Menschen hier.

Die Einladung der Mitte

Sie hieß einmal »Die Zeitung«, und in der Zeitung stand drin, was geschah – schlecht und recht. Und die eine Zeitung war freisinnig und hat gelogen, und die andere war sozialdemokratisch und hat gelogen, und die dritte war katholisch und hat gelogen. Das war für die jeweils anderen ärgerlich. Dann gab es auch die »Nachrichten«, die kamen vom Radio. Wer von Nachrichten sprach, der meinte die Nachrichten von Beromünster, am Radio wurde, so glaubte man, nicht gelogen.

Sie hießen einmal »Die Zeitung« und das »Radio«. Und erst als das Fernsehen kam, kam jemand auf die Idee, das Ganze die »Medien« zu nennen, erst mal die »Massenmedien« und dann einfach die »Medien«. Sprachregelungen – in der Regel schiebt man sie den Missetätern in die Schuhe. Bei der Sprachregelung »Medien« habe ich eher die Gutwilligen im Verdacht – die Schule zum Beispiel, die den »Medien-Unterricht« einführte, um ihre Schüler vor den Manipulationen der Zeitungen, des Radios, des Fernsehens zu schützen, vor allem vor dem Fernsehen, das eben die ganze Sache zum Medium gemacht hatte.

Seitdem beschäftigen sich die Leute, die einmal Journalisten waren, nicht mehr mit Journalen, auch nicht mehr mit Radio oder Fernsehen, sondern eben mit dem Medium.

Ich habe das Wort Medium im Wörterbuch nachgeschlagen. Die Wörterbücher tun sich mit dem Wort sehr schwer – es heißt inzwischen zuviel, es heißt inzwischen fast alles. Und zum Schluß wird noch das Medium im Spiritismus erwähnt: die »vermittelnde Person«. Gesichert ist, daß »Medium« vom lateinischen »medius« kommt, das heißt »in der Mitte befindlich«.

Also lügen die Freisinnigen jetzt nicht mehr so sehr (es stimmt, mein Ärger über die »Solothurner Zeitung« hat mehr und mehr nachgelassen), und die Katholiken sind gar nicht mehr so sehr katholisch, und die Sozialdemokraten, wenn überhaupt ... »medius«, in der Mitte befindlich.

Die Mitte der Welt sind inzwischen die Medien. Sie sitzen satt und gemütlich in der Mitte, bedauern oder begeifern die Ränder, und die Ränder überlegen sich, was sie zur Freude der Mitte – zur Freude des Mediums – beitragen könnten. Und alle Schrecklichkeiten der Welt werden zum Erfolg der Mitte.

Die Mitte, das Medium, die vermittelnde Person stellt sich den Rändern zur Verfügung.

Auf meinem Telefonbeantworter habe ich folgende Meldung: »Guten Tag, Herr Bichsel, ich bin XY, ich mache mit Ihnen am 15. Mai ein Interview ...« Darauf sollte ich mich freuen. Er gibt auch eine Nummer an, die ich anrufen sollte, eine Nummer in Italien, ein Häuschen in Italien, auch wenn er für ein Schweizer Medium arbeitet. Ich müßte nur anrufen, und er würde sich zur Verfügung stellen. Ich rufe nicht an, weil ich die altmodische Vorstellung habe, daß ich mich zur Verfügung stelle, immer wieder zur Verfügung gestellt habe – damals, als die Medien noch von der Welt berichteten, die Welt ungerecht und auch gerecht kommentierten. Inzwischen sind sie selbst die Welt – die Mitte, das Medium –, und alle drängen in die Mitte, alle, die etwas zu verkaufen haben, die Inserenten, die Politiker, die Sponsoren, die Kulturschaffenden, und die Mitte stellt sich ihnen zur Verfügung – ohne eigentliches Interesse, aber gern. Die Medien sind zum Dienstleistungsbetrieb geworden. Ob man sie mag oder nicht, sie sind so etwas wie die Bank oder die Post.

Daß sie sich auch kleinen und unbedeutenden Dingen zur Verfügung stellen und daß sie sich ihnen zur Verfügung stellen ohne direkte Bezahlung, das rechnen sie sich selbst hoch an und halten es für Idealismus.

Ich hätte mir vor dreißig Jahren nicht vorstellen können, daß ich mir je die schlechte und ungerechte freisinnige »Solothurner Zeitung« zurückwünschen würde. Auch sie ist inzwischen ein Medium, ein Mittelding, so gut wie die anderen. Daß sich die Politiker das Privatradio und das Privatfernsehen so sehr herbeigewünscht haben, war der Wunsch, daß sich ihnen noch ein bißchen mehr Mitte zur Verfügung stellen werde. Jetzt haben sie ihre Mitte, ihr »Ich werde Sie am 15. Mai interviewen«.

Alles von mir gelernt

Die Arena Pilatus der Familie Bühlmann war damals, als ich ein Kind war, ein Zirkus ohne Zelt. Das hatte für sie den Nachteil, daß viele mitguckten, ohne zu bezahlen, und für uns den Vorteil, daß wir es uns anschauen konnten. Meine Mutter gab mir allerdings ein Geldstück mit und prägte mir ein, daß ich es in den Hut werfen soll, wenn sie außerhalb des Zauns einziehen würden – das tat ich auch.

Es muß ein wunderbarer Zirkus gewesen sein – in seiner Hilflosigkeit. Aber davon bekam ich nichts mit. Mir blieb nur das Staunen. Erinnerungen daran habe ich fast keine, außer daß alles weiß war, die Bühne, die Zäune. Und da war da noch einer, den ich herzlich liebte und den ich verehrte: der Clown. Der hatte so Schuhe wie die

Clowns und so eine Nase. In Wirklichkeit war er nur jener, der die
Geräte der einen Nummer abräumte und die Geräte für die nächste Nummer aufbaute. Er war nicht lustig. Dafür hatte er auch gar
keine Zeit. Aber er war ein Clown, und ich mochte ihn. Und er sagte
nur einen Satz. Dieser Satz hat mich damals sehr beeindruckt, und
er ging mir nie mehr aus dem Kopf. Er sagte, wenn er kam, um abzu-
räumen nach einer Nummer: »Alles von mir gelernt.« Und ich glaubte
ihm das.

Eine andere Geschichte: Ich hatte ihn schon lange nicht mehr gesehen; nicht eigentlich vermißt, aber schon lange nicht mehr gesehen.
Und nun saß er wieder da in der Beiz, etwas bleich und etwas dünn,
und er trank ein alkoholfreies Bier, und ich fragte ihn, wo er die ganze
Zeit war. Im Spital war er. Und auf die Frage, was er denn gehabt
hätte, sagt er: »Sie haben mir die Leber herausgenommen.«

»Nein, das haben sie ganz sicher nicht«, sage ich ihm, und er wird
böse, schreit mich an und sagt, daß schließlich er im Spital war, sieben Wochen, und nicht ich, und daß sie ihm alles ganz genau erklärt
hätten, daß der Arzt vorzüglich gewesen sei, sich an sein Bett gesetzt
habe und ihm alles erklärt habe. Jetzt lebt er also ohne Leber. Und es
nützt nichts, wenn ich ihm sage, daß das gar nicht geht und daß es
sich vielleicht doch eher um die Galle handelt.

Nein, kein Vorwurf an die Ärzte – auch er war begeistert von ihnen,
und sie werden sich große Mühe gegeben haben, ihm alles zu erklären –, auch ich habe immer wieder versucht, ihm zu erklären, wie
irgend etwas funktioniert, der Staat, die Justiz, die Steuern. Es ist hoffnungslos. Er tut mir so leid. Er lebt jetzt »ohne Leber«, und er weiß
nicht, was mit ihm geschieht.

Und das wußte er schon nicht, als er zum Militär mußte. Das wußte
er schon nicht, als er Steuern bezahlen mußte, als er zum Arzt gehen
mußte, ins Spital gehen mußte. Er mußte halt. Er mußte ein Leben
lang müssen. Er ist ein Unaufgeklärter, ein Gefangener seiner eigenen Vorstellungen.

Nur, was hat diese Geschichte mit dem Clown der Arena Pilatus
zu tun? Ich weiß es selbst nicht so recht und bin überrascht, daß
mir die beiden Geschichten gleichzeitig einfallen. Vielleicht weil der

Clown nicht gesagt hat: »Ich kann das auch.« Er hat gesagt: »Alles
von mir gelernt.« Das klingt wohl noch prahlerischer, trotzdem, es
machte auf etwas aufmerksam, nämlich darauf, daß das, was die Ar-
tisten hier machten – Purzelbäume und Überschläge, Seiltanzen und
Jonglieren –, daß das alles gelernt ist und daß die Voraussetzung dazu
der Wille zum Lernen ist.

Man spricht mehr und mehr vom Ende der Aufklärung. Und das
klingt dann schnell so, wie wenn es keine Aufklärer mehr geben
würde. In Wirklichkeit aber sind wir alle wohl zu müde geworden,
lernen zu wollen. Und dann ist halt dann alles einfach so, wie es ist,
und wir müssen nur noch, eingesperrt in das, was wir für unsere
eigene Meinung halten. Und dann leben wir halt – auch wenn das
nicht geht – ohne Leber. Und die Leichtigkeit, übers Seil gehen zu
können, bleibt uns verschlossen.

Unbewältigte Vergangenheit

Nach und nach schaffe ich es, auf die Forderungen der Offiziere gelassen zu reagieren. Seit Jahren schon rücke ich zu spät ein, habe entweder mein Militärmesser zu Hause vergessen oder trage Sanda-
len. Das Militärgericht ist mir nach und nach sicher. Übrigens, warum
ist es immer wieder das Militärmesser? Sehr wahrscheinlich, weil
eine ganze Armee an ihm hängt. Was wäre das Militärmesser ohne
Armee?

Aber inzwischen nehme ich es gelassener; ich bin älter geworden,
und viel kann mir nicht mehr passieren. Letzte Woche bin ich wieder mal eingerückt. Ich hatte zu Hause viel zu tun, noch viel zu erledi-
gen, und mitten in der Arbeit fiel mir ein, daß ich einzurücken hätte.
Auf halbem Weg stellte ich fast ohne Schrecken fest, daß ich den Tor-
nister nicht mithatte. Zu meiner Überraschung war mir das gleichgül-
tig; oder eher, es gelang mir, mich dazu zu überreden – zur Gleichgül-
tigkeit zu überreden. Selbstverständlich war ich zu spät, die anderen
exerzierten schon. Nachdem ich es gewohnt bin, immer noch vom

Militärdienst zu träumen, hält sich inzwischen mein Schrecken in Grenzen. Der Offizier sagte auch, daß alles in Ordnung sei und daß ich keinen Dienst mehr zu machen brauche.

Ich Idiot beharrte darauf, ihn zu machen. Das erschreckte mich nach dem Erwachen. Ich habe es wohl noch immer nicht hinter mir, ich werde weiter davon träumen müssen. Was haben die mir angetan mit ihren munteren Scherzen über Wasserflecken auf meinem Militärmesser? Im nächsten Traum werde ich mir das nicht mehr bieten lassen, ich werde mich schlecht aufführen.

Nur wird der nächste Traum vielleicht der andere sein, immer wieder derselbe: Ich bin Lehrer einer sechsten Klasse, es ist sechs Wochen vor den Prüfungen, ich sitze im Lehrerzimmer und höre, wie meine Kollegen davon sprechen, wie weit sie im Rechnen schon seien. Ich beteilige mich vorsichtig am Gespräch – aber ich weiß, daß ich mit dem Rechnen noch gar nicht angefangen habe. Ich bin verloren, das ist nicht mehr aufzuholen. Ich tröste mich, wenn ich nun morgen beginne und jeden Tag zehn Seiten im Rechenbuch durchnehme, dann komme ich noch durch, aber morgen ist schon Samstag, also beginnen wir am Montag. Nein, ich habe das Rechnen nicht vergessen, ich habe es nur verschoben, immer wieder verschoben auf den nächsten Tag, und ich weiß, daß ich es weiter verschieben werde, und in sechs Wochen sind die Prüfungen ... Ich erwache schweißgebadet, und es dauert noch ein paar lange Sekunden, bis mir einfällt, daß ich schon seit bald dreißig Jahren nicht mehr Lehrer bin – ein Glücksgefühl, etwas, das einem in der Realität nicht gelingt, da fällt einfach in einer Sekunde eine große Last von der Schulter, weggenommen wie von einem Engel.

Warum träume ich das? Ich möchte das nie mehr träumen, das vom Militär und das mit der Schule. Und es gab schon Zeiten, da habe ich es ein halbes Jahr nicht geträumt, und ich dachte, es sei weg. Aber ich weiß, es kommt wieder, immer wieder. Unbewältigte Vergangenheit, schlechtes Gewissen? Vielleicht auch die Rache dafür, daß wir unsere Träume nicht in der Realität zu verwirklichen versuchen, den Traum zum Beispiel, den Dienst zu verweigern, aus irgendeinem Grund den Dienst zu verweigern, das Messer nicht zu putzen, die

Schuhe nicht anzuziehen, sich nicht verspotten zu lassen vom dumm-dreisten Kreiskommandanten (nein, nicht der, und der auch nicht, sondern der andere).

Einen kannte ich, einen Träumer, einen Menschen, der so sanft-mütig war, daß er kaum auszuhalten war. Er setzte sich ein für alles Sanftmütige: vom Blockflötenspielen und süßlicher Mundartliteratur bis zur Entwicklungshilfe und allen anderen Hilfsprogrammen. Politisch dachte er dabei absolut mit der Mehrheit. Er war immer auf der Seite der Anständigen, und er hielt die Mehrheit für anständig. Es fiel mir schwer, ihn zu mögen, und vielen anderen wohl auch.

Als er sich dann ganz still das Leben nahm – er ist in einen kleinen flachen See hineingelaufen –, tat er mir leid.

Er fällt mir immer wieder ein nach meinen Träumen. Er soll einmal als Lehrer mit seinen Primarschülern zwei Jahre nicht gerechnet haben, weil er etwas unternehmen wollte gegen den Materialismus der Welt. Selbstverständlich geht das nicht, nicht so. Trotzdem, er hatte einen Traum. Vielleicht hat ihn der umgebracht. Er hat für einen Traum ein Leben eingesetzt. Ausgerechnet er, der immer die Mehrheit für anständig hielt.

Die Legende von Hugo Koblet

Rominger hat gewonnen, das hat mich gefreut. Eines Tages war er da, der Name Rominger. Und man konnte ihn sich gleich merken, nicht einfach Rominger, sondern *der* Rominger – der einzige. Indurain mag ich auch, ein toller Fahrer, aber Rominger hat noch eine andere Qualität: Irgendwie ist er genau gleich wie ich, er ist Schweizer, er ist dasselbe wie ich, und ich zittere mit ihm und für ihn am Fernsehen.

Was macht uns denn gleich? Sein sportlicher Leiter sagt in einem Interview: »Dazu kommt, daß er auch mit 34 Jahren so seriös arbeitet wie kein anderer – er ist eben Schweizer.« Und schon das trifft auf mich nicht zu. Ich kann nicht so seriös arbeiten wie kein anderer. Aber er spricht wenigstens dieselbe Sprache wie ich, Schweizerdeutsch. Aber auch in Gegenden der Schweiz, wo diese Sprache nicht gesprochen wird, freut man sich über seinen Sieg, und Rominger spricht noch sechs andere Sprachen fließend. Er wohnt nicht in der Schweiz, sondern in Monaco. Er fährt für eine spanische Mannschaft, zusammen mit Belgiern und Italienern. Er ist in Dänemark geboren. Ich kenne Türken, Italiener, Spanier, Jugoslawen, die hier in der Schweiz geboren sind, hier ihre Steuern bezahlen, so gut Schweizerdeutsch sprechen wie Rominger und wir – wären sie aber Radrennfahrer und würden den Giro gewinnen, dann würde halt eben ein Jugoslawe, ein Türke gewinnen, auch wenn er in seinem Leben nie anderswo gewohnt hätte als in der Schweiz.

Nationalität ist etwas sehr Eigenartiges. Und sollte es dereinst einmal keine Nationalitäten mehr geben, es würde sehr schwer sein, den Leuten dann zu erklären, was das war damals: eine Nationalität.

Aber vorläufig haben wir noch eine Nationalität, und ich freue mich darüber, daß Rominger dieselbe hat wie ich – auch wenn er mir ferner ist als der Türke, der hier in Solothurn, in der Schweiz aufgewachsen ist und lebt.

Übrigens gab es einmal einen anderen Rominger, einen – so scheint es mir –, der noch berühmter war zu seiner Zeit. Er trug als Markenzeichen eine weiße Schirmmütze, eben eine Romingermütze, war ein Skirennfahrer und Slalommeister. Ich habe ihn als Kind noch gesehen, er zog von Warenhaus zu Warenhaus, verteilte Unterschriften und kommentierte seine Filme, in denen er in großen Schleifen um die Stangen fuhr, und er erzählte vom Skifahren.

Ein anderer hieß Koblet – von dem hört man noch. Ich glaube nicht, daß man von Rominger so lange hören wird. Irgendwie hatten die Siege von Koblet einen anderen Glanz. Warum? Sehr wahrscheinlich, weil wir seine »Taten« nicht eins zu eins am Fernsehen mit verfolgen konnten, sondern weil sie uns erzählt wurden – von Schampi Gerwig zum Beispiel, der uns am Radio ganze Etappen bis ins Detail erzählte. Von Sport erfuhren wir durch Erzählungen. Inzwischen sind wir alle am Fernsehen live dabei, und den anderen Medien bleibt nichts anderes mehr übrig, als ein paar Statistiken, ein paar Hintergrundinformationen, ein paar Ranglisten nachzuliefern. Ich habe mir am Dienstag nach Pfingsten ein paar zusätzliche Zeitungen gekauft, weil ich das, was ich gesehen hatte, gern noch einmal erzählt bekommen hätte. Aber die Sache war gelaufen, es gab nichts mehr zu erzählen.

Eine Legende aber ist eine Erzählung. Nur in einer Erzählung kann jemand zu einer Legende werden. Und weil wir nicht mehr erzählen, bleibt alles live und schal. Keine Hintergrundinformation, keine Homestory macht das wett. Das Original ist glanzlos. Wir erzählen nicht mehr davon, wir sind nur noch dabei. Und wenn es zu Ende ist, dann ist es halt zu Ende, und wir warten auf die nächste Sensation. »Es ist so langweilig geworden«, sagte Rominger am Anfang des Giros, »alle wollen nur, daß ich siege.« Die Geschichte will niemand mehr; vielleicht meinte er das damit.

Von der Lüge und der Wahrheit

Ich traf ihn vor Jahren, er drängte sich auf, wollte unbedingt mit mir zu tun haben, ohne auch nur irgendwie eine Ahnung zu haben, was ich tue. Er wollte, und zwar gleich jetzt, mit mir befreundet sein. Ich war wohl etwas abweisend, das ärgerte ihn, denn er war ja auch jemand: Ein hoher Offizier der Armee, ein Direktor einer Firma, »Assekuranzen«, wie er sagte, und befreundet mit Bundesräten. Fast hätte ich es ihm geglaubt, und hätte ich, er wäre mir noch unsympathischer gewesen, ein dummer Aufschneider, so oder so.

Als ich ihn später wieder einmal traf – und wir waren ja jetzt, so glaubte er, Freunde –, die gleiche Aufschneiderei: nur eine andere Firma, ein anderer militärischer Grad, andere prominente Freunde. Ich hielt es nicht aus und schrie ihn an. Warum eigentlich? Er richtete ja mit seinen Unwahrheiten keinen Schaden an. Ich beschloß, ihm das nächste Mal zuzuhören.

Das nächste Mal kam er auf mich zu, mein »alter Freund«, und entschuldigte sich. »Nein, er sei keineswegs Offizier«, sagte er, und ich lächelte. Und gleich begann er mit neuen Aufschneidereien. Er konnte es nicht lassen, und ich ärgerte mich darüber, daß ich mich darüber ärgerte.

Frühmorgens steigen in den Vorortzug nach Frankfurt zwei alte Trinker, Obdachlose wohl. Sie sind mir schon auf dem Bahnsteig aufgefallen. Der eine einbeinig mit Krücken, und beide mit Bierflaschen, die sie von Zeit zu Zeit ansetzen, wohl zwei vom Bahnhof Mainz, die beschlossen haben, jene vom Bahnhof Frankfurt zu besuchen. Die junge Dame, wohl eine Sekretärin, ist nicht glücklich darüber, neben ihnen sitzen zu müssen. Aber auf der ersten Station werden Plätze frei, und die beiden ziehen umständlich um.

»Habe ich dir die Sache von Diana schon erzählt«, sagt der eine zum anderen, »also Diana habe ich für 3000 Mark gekauft, ich konnte sie abzahlen. Und mit Diana habe ich meine erste Million gemacht. Da muß ich mich hinter keiner Mülltonne verstecken, reiten kann ich ein bißchen. Die Reitlehrerin auf meinem Gut wollte Diana zum Schulpferd machen. Das Pferd kommt auf die Rennbahn, sagte ich. Feurig war sie, die Diana. Einmal ist sie abgehauen, bis unten zum Fluß. Die weiß ja, wo ihr Stall ist, sagte ich. Als sie zurückkam, schaute sie mich an, als wollte sie sich entschuldigen. Weißt du, wie Pferde einen anschauen können . . .«

»Da muß ich dich nun mal unterbrechen«, sagt der andere.

»Nein, laß mich erst mal zu Ende erzählen«, sagt der eine.

»Ein Teufelskerl bist du, ein Tausendsassa«, sagt der andere.

»Also, wenn wir dann erst in Pommern sind – wir nehmen den ICE –, dann wirst du das alles sehen.«

Nein, sie sprechen nicht laut – ein bißchen angetrunken schon, aber nicht laut. Sie erzählen nicht für die Mitreisenden. Sie erzählen sich selbst – den ganzen Tag wohl. Und ganz kurz geht mir der Gedanke durch den Kopf, daß die Geschichte wahr sein könnte: ein heruntergekommener Baron, der einst ein großes Leben hatte? Nein, sicher nicht. Nur zwei Lügenbarone, die sich mit Erzählungen vom Leben über Wasser halten.

Und ein bißchen wahr sind sie auch, die Geschichten der beiden, denn solche Geschichten gibt es – und ein Gut wie dieses hat er wohl gekannt. Er beschreibt den Weg zum Fluß und die Augen des Pferdes. Und der andere hört zu, schreit nicht auf und schimpft ihn einen Lügner, und mir fällt plötzlich jener Aufschneider ein, den ich nicht aushalte und den ich anschreie.

Warum? Weil er nicht erzählt. Es geht ihm nicht um die Erfindung eines Lebens. Es geht ihm nur darum, jemand zu sein, etwas zu sein.

Das ist für die beiden Trinker im Vorortzug längst vorbei. Sie sind nichts, sie werden nichts, sie haben fast kein Leben. Aber sie erfinden sich eines und gönnen sich das erfundene Leben gegenseitig – und es wird zur Wahrheit, weil man es erzählen kann.

Live ist das Leben

»Jonny Belinda« war ein Rührstück der fünfziger Jahre, eine Geschichte von einem stummen Mädchen und einem Bösewicht, wenn ich mich richtig erinnere, und der Bösewicht kollerte so schön dramatisch die Treppe runter und überschlug sich dabei mehrmals, nachdem die Stumme ihn erschossen hatte, und sie fand dabei ihre Sprache wieder – wenn ich mich richtig erinnere.

Die damalige Aufführung füllte nicht nur täglich das Solothurner Stadttheater, sondern besetzte auch die Köpfe einer ganzen Stadt und tauchte sie in Tränen und Empörung. Nur eben, was sollte man mit dieser Empörung in einer Stadt voller Unschuldiger, und das Stück spielte zudem in Amerika? So hielt man sich halt an die Schauspieler, verehrte die Schauspielerin, die das Mädchen spielte, und haßte den Darsteller des Bösewichts.

Er wurde nicht mehr gegrüßt, er wurde beschimpft und angespuckt – denn so etwas, davon waren die Leute überzeugt, kann man nicht spielen, so ist man. Familiäre Schwierigkeiten, die er damals hatte, kamen als Beweis dazu.

Eine Stadt war in Aufruhr und spielte ein amerikanisches Rührstück auf der Straße weiter.

Nun gab es auch andere, die wußten zu unterscheiden zwischen

Rolle und Darsteller. Ich schrieb damals Theaterkritiken für eine kleine sozialdemokratische Zeitung und betrieb das mit hartem Ernst. Der Theaterdirektor entzog mir auch einmal die Plätze mit der Begründung: »Er liest die Stücke vorher, kein Wunder, daß es für ihn dann nicht mehr spannend ist.«

Immerhin, das wußten damals dann vielleicht doch alle – auch der Theaterdirektor –, daß das Theater nicht das Leben selbst ist. Das Leben selbst bezogen wir damals eher aus dem Kino. Hier war auch für uns der Bösewicht etwas mehr Bösewicht als im Theater, und hier gelangen auch uns im Dunkeln jene Tränen, für die wir die Bürger im Theater belächelten. Immerhin war John Wayne nicht einer unter uns. Und es dauerte nach dem Kino nur kurz, bis wir den Gang des Cowboys – Arme leicht angewinkelt, Hände auf Hüfthöhe – wieder verloren.

Trotzdem, ich habe einen guten Teil meines Weltbildes vom Kino, ein verfälschtes Weltbild also, und es dauerte auch einige Jahre, bis ich es aufgab, in Amerika jenes Amerika zu suchen, das ich aus dem Kino kannte, und Amerikaner nicht mit John Wayne zu vergleichen.

Nein, das war schon immer so: Das Publikum sucht im Theater, im Kino die Identifikation. Der Nervenkitzel besteht darin, daß der Darsteller nicht eine Rolle spielt, sondern sich selbst; daß er es wirklich ist, daß wir es mit ihm sind. Ohne dies hätte es nie ein Publikum gegeben, nie ein Theater gegeben.

Totale Identifikation, totale Identität, das suchte das Publikum schon immer, und das Fernsehen ist endlich jenes Theater, das dies in Wirklichkeit – nämlich »live«, das direkte Leben – vermitteln kann.

Es ist erreicht, der Traum ist aus: Hier endlich ist Kurt Felix der Kurt Felix, und genauso ist er. Alle kennen ihn und wissen, wer er ist, wie er ist, und vielleicht – ich weiß es nicht – glaubt er es selbst. Das Fernsehen ist eine kunstlose Form, weil es die Künstlichkeit als Prinzip aufgegeben hat: Das gleicht nicht mehr dem Krieg in Bosnien, sondern das ist der Krieg in Bosnien, und in der Stube wird er gewöhnlich – zum Wohnen und zum Gewöhnen. Der gleicht nicht mehr einem Killer, sondern das ist ein Killer. Das ist nicht mehr ein Abbild des Lebens, sondern das Leben selbst – live –, und zudem ein recht erträgliches Leben.

Und die damaligen Naiven von Solothurn, die den Darsteller des Bösewichts auf der Straße bespuckten, sind nicht mehr lächerlich. Inzwischen sind alle so. Wir nehmen inzwischen das Abbild für das Leben. Zwar wird Fernsehen immer noch künstlich, sehr künstlich, hergestellt, aber die Macher machen inzwischen nicht mehr Abbilder, sondern das Leben selbst, im Fernsehen nun endlich geschieht die Wirklichkeit.

Die damaligen Naiven von Solothurn waren immerhin noch zu Emotionen fähig. Weil das Abbild Bilder auslöst – das Live-Leben nicht mehr.

Das Unverständliche lesen

Nicht lesen können, das stelle ich mir schrecklich vor, noch viel schrecklicher als nicht verstehen können. Es gibt Übersetzungen von meinen Büchern, sie machen mich hilflos und verlegen, aber ich kann sie lesen. Ich kenne die Buchstaben, kann sie aneinanderreihen, kann vielleicht sogar herausfinden, an welcher Stelle des Originaltextes ich mich befinde, aber es ist mir sehr unwohl dabei, denn nicht nur meine Geschichte wurde übersetzt, sondern auch ich selbst: Ich wurde übersetzt, ich bin etwas ganz anderes – davor fürchte ich mich.

In Korea habe ich einmal einen ganzen Tag damit verbracht, die koreanische Schrift zu lernen, sie sieht sehr fremd aus und ist sehr einfach. Ich konnte mir zwar nicht einmal merken, was »danke schön« auf koreanisch heißt, aber ich konnte jetzt alles lesen – nicht verstehen, aber lesen. Ich fühlte mich schon ein bißchen weniger fremd. Ich konnte Straßenschilder unterscheiden und Firmenaufschriften. Ich war zwar immer noch ohne Sprache, aber nicht ohne Schrift – so etwa wie in Finnland.

Nun wurde mir ein Buch zugeschickt von einem Übersetzer, mit einem freundlichen deutschen Begleitbrief. Er vergaß im Brief nur zu erwähnen, was für eine Sprache das ist, irgendeine indische Sprache mit eigenartigen Schriftzeichen. Ich bin ganz sicher, daß das nicht von mir sein kann, daß das nicht ich sein kann; aber ich trage es doch ein bißchen mit mir herum, gehe mit ihm spazieren.

In einem Restaurant sagt mir der Kellner, nachdem er das Buch gesehen hat: »Ich kann das lesen«, und zeigt mir, wo mein Name steht, und schreibt mir meinen Namen auf einen Zettel und erklärt mir die Bedeutung der »Buchstaben«. Ich gebe ihm das Buch und frage ihn, ob er wisse, was das für eine Sprache sei, und er sagt: »Ich kann es lesen, aber ich verstehe es nicht«, eine andere Sprache also als Arabisch, aber geschrieben mit arabischen Schriftzeichen. Er kann es wenigstens lesen.

Und nun beginnt er, uns – es sitzen noch andere am Tisch – die arabische Schrift zu erklären. Es ist hoffnungslos, wir begreifen es nicht, aber wir schauen und hören ihm gespannt zu. Und einer sagt: »Verrückt, das ist verrückt.«

Wenn man einen Stuhl ein bißchen zur Seite schiebt, dann ist er verrückt: einen Stuhl verrücken. Wenn die Sache nicht mehr die Sache selbst ist, dann ist sie verrückt, und das geschriebene Wort HAUS ist kein wirkliches Haus – verrückt. »Ja, ein Verrückter muß die Schrift erfunden haben«, sagt einer.

Nach einer Fernsehsendung kriege ich Briefe, und ich freue mich über sie, denn schriftliche Reaktionen sind in den letzten Jahren seltener geworden. So freue ich mich auch über die bösen Briefe, über die ablehnenden, auch sie sind seltener geworden.

Was zunimmt, das sind die Briefe von Verrückten, seitenlange Briefe von manischen Menschen, die fast ohne Zusammenhang mit meiner Sache von ihrer Sache sprechen – oft wirr und unverständlich. Zwar durch und durch in deutscher Sprache geschrieben, fehlerlos geschrieben mit unseren Buchstaben und trotzdem fast unverständlich.

Oft habe ich den Eindruck, die Schrift – wie mein Tischnachbar sagt: »von einem Verrückten erfunden« – geht nach und nach zurück zu den Verrückten. Sie wurde dann also nur zwischendurch von »Normalen« gebraucht, solange sie eben brauchbar war und nützlich. Und vielleicht sind jene, die in Schriften denken, wirklich ein bißchen »verrückt«, ein bißchen verschoben. Ich bin jedenfalls überzeugt, daß es

ohne Schrift keinen Widerstand, kein Dagegendenken, kein Quer-
denken gibt, und ich freue mich über die Briefe von meinen »Mitver-
rückten«, von meinen Mitverschobenen – wenn sie mich auch immer
wieder erschrecken, weil ich sie nur lesen und nicht verstehen kann.

Ein Recht auf Flucht

Der freundlichste Gastgeber, den ich je traf, war Werner Hoffmeister.
Er hatte mich eingeladen an eine Schule in Amerika, und ich zögerte
lange, die Einladung anzunehmen. Der Ort schien mir doch etwas all-
zuweit von der Welt entfernt zu sein, und ich stellte vorerst vorsichtig Fragen: »Wie viele Kneipen gibt's dort?« »Wie weit ist es bis zur
nächsten richtigen Stadt?« »Wohin spaziert man, wenn man spazieren will?«
    Die Antworten meines Gastgebers waren ehrlich: Keine Stadt,
kein Spazieren – aber ein paar Kneipen. Sechs oder sieben hatte er ge-
zählt, aber er zählte die Restaurants mit gepflegtem Service mit, und
es stellte sich nach meiner Ankunft heraus, daß nur eines der Lokale
für meine Bedürfnisse brauchbar war – eine schäbige Kneipe, eher
die letzte Tankstelle vor der Wüste als das Tor zur richtigen Welt.
    Ich war in Boston, der nächsten richtigen Stadt, am Flughafen ab-
geholt worden. Die Fahrt mit dem Auto war lang, die Häuser wurden seltener, die Bäume häufiger. Ich zählte die Stunden, jede Stunde
war eine Stunde mehr von der Welt entfernt, und ich traf in Hanover,
New Hampshire, nachts und müde ein, wurde irgendwo einquartiert –
ein schönes Quartier, wie sich später herausstellte –, setzte mich an
den Tisch und verfluchte mich dafür, die Einladung angenommen
zu haben.
    Am anderen Tag traf ich Werner Hoffmeister, meinen Gastgeber.
Er wolle mir den Ort und die Gegend zeigen, sagte er, aber er zeigte
mir nicht die Schule – das College –, sondern er fuhr erst in eine öde
Gegend außerhalb, hielt vor einem großen häßlichen Gebäude in
einem Fabrikgelände, ging mit mir hinein und sagte: »Wenn du drin-

gende Post hast, dann mußt du die hier aufgeben, von hier aus ist es drei, vier Tage schneller.« Von da führte er mich zu einer alten Hütte und sagte: »Das ist der Bahnhof von White River Junction, es ist kaum zu glauben, aber hier hält einmal am Tag ein Zug von Montreal nach New York, mit Schlafwagen, sehr bequem.« (Den Ort hatte ich vorher schon auf einer Landkarte gefunden: »White River Junction«, wie schön das klingt, fast ein Versprechen, so ein bißchen Karl May; auch wenn man ihn nicht gelesen hat, wird man ihn nicht los.) Dann führte er mich zur nächsten Busstation und zum Schluß zu einem unglaublich kleinen Flughafen. Andere Gastgeber zeigen einem vorerst mal die Sehenswürdigkeiten. Er zeigte mir die – schäbigen – Ausgänge. Am Abend war ich bei ihm eingeladen, und seine Frau fragte uns, was wir gesehen hätten. »Ich habe ihm die Fluchtpunkte gezeigt«, sagte er.

Das hatte mir die nächsten Wochen erträglich gemacht, ich fühlte mich wohl, war kein Gefangener. Ich benützte die »Fluchtpunkte« zwar nie, aber ich wußte: Es gibt sie.

Am liebsten erreiche ich einen Ort mit der Eisenbahn. Mit ihr komme ich an einem Bahnhof an. Er ist für mich der Eingang zur Stadt. Und ich kenne mit ihm auch bereits den Ausgang – den »Fluchtpunkt«, wie Werner sagte.

Zwar ist flüchten zu müssen für Tausende ein schreckliches Schicksal, aber für Tausende von anderen ist es schrecklich, nicht flüchten zu können. Mir scheint, es müßte auch so etwas geben wie ein Recht auf Flucht. Glücklich mögen jene sein, die es nicht benützen müssen – glücklich sind auch jene, die nicht hinter geschlossenen Türen leben müssen.

Ich spiele an meinem Computer herum und lande in irgendeinem Programm, das mir fremd ist, und ich finde den Befehl nicht, mit dem ich wieder rauskommen könnte. Das ist nicht schlimm. Trotzdem beschleicht mich Angst, die Angst des Gefangenseins. Das kleine Computerproblem ist bald gelöst – aber es erinnert mich. Ein Freund, der sich auskennt mit Computern, zeigt mir den Weg zurück ins normale Programm.

So wie mir Werner Hoffmeister damals als erstes die Türen zeigte.

Er zeigte mir, daß sie offen sind: die Post, die Bahn, der Bus. Werner kannte das Problem aus eigener Erfahrung, er wußte vom Eingesperrtsein. Und wer die Türen schließt, sperrt nicht nur die anderen aus, sondern auch sich selbst ein.

Wie funktioniert das?

»Wir gratulieren Ihnen zum Kauf eines XLT 712, Sie haben damit...«, so beginnen Gebrauchsanweisungen, und dann folgt das Kapitel *Erste Schritte*: »Legen Sie das Gerät so vor sich hin, daß die Frontseite mit den beiden Knöpfen vor Ihnen liegt. Schieben Sie nun die beiden Knöpfe gleichzeitig mit beiden Daumen nach links bzw. rechts und öffnen Sie den Deckel.« Das ist einfach, das habe ich mir gedacht, daß ich vorerst den Deckel zu öffnen habe – trotzdem, die Bemerkung am Anfang macht mir Hoffnung, die Hoffnung, daß die Gebrauchsanweisung die Absicht hat, einfach zu sein. Darauf, das weiß ich, werde ich angewiesen sein. »Betätigen Sie jetzt den on/off-Schalter«, auch das habe ich mir gedacht. »Den Emulgatkonzeptor setzen Sie nun mit einem einfachen Konserptionsschritt in den Zustand der Konklusion«, und schon bin ich am Ende.

Also schön von vorn beginnen: »Legen Sie das Gerät so vor sich hin, daß die ...«, das hätte ich also richtig gemacht, an dem kann es nicht liegen.

Nein, ich liebe Gebrauchsanweisungen, ich liebe sie als Literatur. Ich lese sie am liebsten, ohne das entsprechende Gerät zu besitzen. Und sie sind Literatur, sie spielen mit der Unmöglichkeit der Beschreibung. Ein Fachmann, dem alles klar ist, hat einem Anfänger etwas zu erklären, etwas absolut Neues. Das schafft die Literatur nie, sie kann eigentlich nur Dinge beschreiben, die der Leser bereits kennt: Liebe, Trauer, Gemeinheit und Sonnenuntergänge.

Oder schreiben Sie mal für einen Außerirdischen die Gebrauchsanweisung zum Öffnen einer Tür: »Mit der ausgestreckten rechten Hand die Klinke« (was ist eine Klinke?) »ergreifen, sie leicht nach unten drücken, gegen sich ziehen, mit dem Körper eine halbe Drehung nach links machen, zwei Schritte vorwärts bzw. rückwärts machen, dabei die Klinke loslassen und gleichzeitig mit der linken Hand die Klinke auf der anderen Seite fassen und die Tür hinter sich zuziehen. Wir gratulieren. Sie befinden sich nun auf der anderen Seite der Mauer bei wiederum geschlossener Tür.«

Oder ich hätte einem Außerirdischen zu erklären, wie man wählt. Wo beginnt man da? Muß ich ihm zuerst erklären, was Schrift ist, was Papier ist, dann, was ein Staat ist, ein Parlament ist? Ich käme in dieselbe Verlegenheit wie der Autor der Gebrauchsanweisung für den XLT 712 – ganz einfach beginnen, und schon ist es zu schwer.

Nun hat mich noch nie jemand gefragt, wie man eine Tür öffnet. Die Türen sind einfach da, und die Leute gehen durch die Türen, weil das einfach einmal dringend nötig ist.

Aber vor den Nationalratswahlen sagte mir ein junger Mann – ein durchaus interessierter, intelligenter und aufgeschlossener –, er möchte eigentlich auch gern wählen, aber er wisse nicht, wie das gehe. Ich bin hilflos. Was soll ich ihm nun erklären? Er wisse schon, daß er da zuerst eine Liste auswählen müsse, sagt er.

Ich möchte eigentlich gern, daß er wählen geht, aber wo soll ich nun mit meiner »Gebrauchsanweisung« beginnen? Bei der Erfindung der Schrift? Bei der Französischen Revolution? Oder hält er das Wahlmaterial, das er zugestellt bekam, für eine Gebrauchsanweisung? Also dann mal ganz einfach: »Sie legen den Umschlag mit dem Wahlmaterial so vor sich hin, daß Sie die Rückseite des Umschlags vor sich haben – also die Gegenseite der Adresse. Mit der einen Hand halten Sie nun den Umschlag, mit der anderen öffnen Sie die Lasche ...«, nein, so geht das nicht, und das möchte er auch nicht wissen.

Nein, ich verachte ihn keineswegs für seine hilflose Bemerkung, daß er gerne abstimmen mag, aber nicht weiß, wie. Ich könnte ihm jetzt zwar vorführen, wie ich abgestimmt habe, aber ich möchte ihm seine Freiheit lassen. Was für eine Freiheit?

Jedenfalls würde es mir doch noch etwas leichterfallen, einem Außerirdischen das Wählen zu erklären – ich wüßte, wo beginnen: nämlich ganz von vorn, bei der Erfindung der Schrift.

Jemand muß es tun

Sie roch, daran erinnere ich mich, nach Druckerschwärze. Ich mochte den Geruch sehr als Kind, und ich vermisse ihn heute – jenen Geruch, der mich vielleicht auch zum Leser gemacht hat. Der Geruch war für mich damals der Geruch der Wahrheit.

Peter Surava ist gestorben, der Chefredaktor der legendären Zeitschrift »Die Nation«, jener Zeitschrift, die den befreienden Geruch der Wahrheit hatte. Als sie damals die ersten Bilder aus einem Konzentrationslager veröffentlichte, wurde das zum Skandal, dabei waren damals bereits (fast) alle gegen die Nazis, eigentlich (inzwischen) alle. Und Peter Surava wurde schon bald zum Verfolgten, er wurde verurteilt, verhaftet und ein Leben lang gehetzt und verfolgt. Dies wohl, weil er nicht einfach ein Gegner der Deutschen war, sondern ein Antifaschist aus Prinzip. Er wollte, daß darüber geredet wird, daß die Vergangenheit – auch die Vergangenheit der Schweiz und der Schweizer – nicht einfach ad acta gelegt wird. Die Opportunisten, die es vorher schon waren, als noch anderes opportun war, und die es dann wieder waren, als wieder anderes opportun war, wollten nicht daran erinnert werden, daß mal was anderes opportun war.

Peter Surava hat ein Leben lang für seine Rehabilitation gekämpft. Erst nach dem erschütternden Dokumentarfilm über ihn fanden die Etablierten zu ihm zurück, rehabilitierten ihn. Rehabilitation, ein eigenartiges Wort: »Wieder einkleiden.« Nun drückten ihm Bundesräte die Hand. Nun verneigte man sich vor ihm, er gehörte wieder dazu – zu wem? Nun mußte – endlich – niemand mehr von Schuld sprechen. Ich bin jedenfalls überzeugt, daß er nicht Eingang finden wird in die Schweizergeschichte, in die Schulbücher. Er wird nicht gelernt werden müssen, man wird an ihm nicht gelernt haben. Rehabilitation? – Er war jetzt wieder einer von uns!

Am selben Tag, als Surava starb, wurde ein anderer – ein gleicher und ein anderer zugleich – geehrt: Peter Zuber, der Mann, der sich gegen die Ausschaffungsgesetze gewehrt hat, der mit seinem ganzen

Körper, seiner ganzen Person sich den Gesetzen entgegengestellt hat, zusammen mit seiner Frau Heidi Zuber.

Und jener Mann, der jene Gesetze auszuführen hatte, Peter Arbenz, hielt die Laudatio: eine sehr freundliche, freundschaftliche Laudatio, keine überschwengliche, fast ein bißchen zu still. Ich erinnere mich, wie wir vor Jahren in demselben Saal versammelt waren zu einem *Banquet Républicain* und wie uns nicht nur unser Engagement, sondern auch die gemeinsame Wut auf Arbenz einigte.

Inzwischen sind Peter und Heidi Zuber und Peter Arbenz Freunde geworden – nicht einfach irgendwelche Freunde, sondern echte Freunde. Entstanden ist die Freundschaft, weil Peter Zuber der Sache zuliebe reden wollte. Es begann damit, daß er seinem damaligen »Gegner« Kompromisse abrang, um Zeit bat, versuchte, einzelne Leben zu retten – nur einzelne unter vielen. Es ging ihm vorerst nicht um das Prinzip, nicht um die Sache, sondern um die einzelnen Schicksale verfolgter Menschen. Jemand mußte es tun. Er mußte es tun. Und jemand – Arbenz – »mußte« halt das andere tun. Heldenhaft ist das nicht, sich mit seinem Gegner zu verständigen – aber mutig ist es.

Was mich an Heidi und Peter Zuber immer fasziniert hat: Sie waren die einzigen, die ich je getroffen habe, deren menschlicher (und übermenschlicher) Einsatz nicht den geringsten Hauch von Hysterie, von Sektierertum hatte. Es ging ihnen nicht um ein Prinzip, sondern um die einfache Sache, daß man einen, der anklopft, nicht im Stich läßt. Nun haben sie einen Preis für Menschlichkeit bekommen – nach ihrer eigenen Meinung einen Preis für die selbstverständlichste Sache der Welt.

Ich war auf der Feier. Ich bin gern gegangen, ich liebe Heidi und Peter, und ich bin ihnen dankbar. Aber irgendwie fand ich mich fehl am Platz, denn da waren viele andere, von denen ich wußte, daß sie sich mit Leib und Seele für diese Sache einsetzten, mit Polizei und Gesetz in Konflikt kamen und immer noch kommen, wie die Zubers auch – und sie saßen da, bildeten sich auf nichts etwas ein, und sie sahen aus wie Schweizer, wie biedere Schweizer, die auch irgendeine andere Meinung hätten haben können.

Ich fühlte mich ein bißchen fehl am Platz, weil ich zwar immer ihrer Meinung war – aber immer ein wenig zuwenig Zeit hatte, mit ihnen aktiv zu werden. Nicht nur die Verehrung der späten Rehabilitierer, auch meine Verehrung für Peter Surava, für Heidi und Peter Zuber ist ein wenig billig – trotzdem, auch ich danke.

Die Weihnachtsgeschichten

25. Dezember, ob wir Christen sind oder nicht, wir kommen nicht um ihn herum. Wir sitzen da, und vielleicht ist es ein bißchen langweilig, vielleicht auch ein bißchen zu heiß – so viele Leute sind nur an Weihnachten in der Stube, es ist ein bißchen viel –, und dann die Kerzen, und auf die Heizung hätte man verzichten können.

Aber irgend etwas müßte doch jetzt geschehen: Man erinnert sich, man erinnert sich ein bißchen, und man hat fast alles vergessen. Aber dann beginnt Tante Sabine zu erzählen: »Wie hat er nur geheißen, der Schreiner – der hatte so eine Frau –, der war doch immer dabei. Spielt ja keine Rolle, wie er geheißen hat, aber ebenjener Schreiner – nein, nicht der Feierabend, das war ein anderer –, jener Schreiner also, wenn wir als Kinder in der Weihnachtszeit …«

Es ist so schrecklich, Tante Sabine hat ein so schlechtes Gedächtnis. Dabei hätte sie so viel zu erzählen. Und sie erzählt so schön.

Ich kannte einen, der hatte ein gutes Gedächtnis, ein hervorragendes sogar, nämlich ein absolutes. Alles, was er erlebte, prägte sich für immer in sein Gedächtnis, an alles erinnerte er sich so, wie wenn es gerade jetzt – eben in diesem Augenblick – geschehen würde. Jeder Zeitungsartikel, jedes Buch, das er gelesen hatte, war im Original in seinem Kopf gespeichert. Ich war ein Jüngling damals, und ich habe jenem Mann eine Menge Wissen zu verdanken. Er führte mich ein in die Philosophie, wir hatten lange theologische Gespräche. Und was auch immer war, er wußte es, konnte es zitieren, mit Seitenzahlen, mit Datum, und er hatte nie das Pech, den Autor eines Zitats oder gar den Titel eines Buches nicht mehr zu wissen.

Nicht viele Menschen mochten ihn, aber einige schon, und mir war er sehr wichtig. Er war zwar streng und unbestechlich, aber er war genau und gerecht. Ich hatte damals das Glück, ihn für zwei, drei Jahre zu kennen. Länger konnte unsere Freundschaft nicht dauern. Wir bekamen Schwierigkeiten. Ich interessierte mich für andere Literatur, für andere Musik und vor allem für andere Dinge des Lebens, und ich erlebte seine Fähigkeit mehr und mehr als Unfähigkeit. Er war nicht etwa fähig, sich alles zu merken – im Gegenteil, er war unfähig, zu vergessen. Er war ein armer geplagter Mensch, und erst Jahre später erfuhr ich, daß er Ärzte in aller Welt besuchte, in der Hoffnung, sie könnten ihn von seiner Krankheit befreien.

Nicht vergessen können, das heißt dann auch, daß alles im Original bleibt, daß jede kleine Beleidigung so bleibt, wie sie in jener schrecklichen Sekunde war. Das heißt dann auch, daß man seinem Gesprächspartner die Chance nicht mehr geben kann, daß man sagt: »Ja, ich weiß es auch nicht mehr, ja irgendwie so hat er geheißen ...«

Ich denke zwar immer noch in großer Verehrung an ihn, und es tut mir immer noch weh, daß wir uns verloren haben – aber er wurde für mich unmöglich: Ein strenger, gerechter und selbstgerechter Mann – man konnte mit ihm ganz einfach nicht reden.

Und am 25. wird Tante Sabine wieder erzählen: »Wie hat er nur geheißen, der Schreiner damals – nein, so hat er nicht geheißen ...«, und sie wird erzählen, und sie wird sich zwischendurch über ihr schlechtes Gedächtnis beklagen. Und dann wird sie sagen: »Da fällt mir noch ein ...«, und dann werde ich mich an meinen Freund mit dem totalen Gedächtnis erinnern. Ihm konnte in seinem ganzen Leben nichts einfallen. Es war einfach alles schon da. Und er war der schlechteste Erzähler. Er konnte überhaupt nicht erzählen, weil Erzählen immer mit Erinnerung zu tun hat, und ein absolutes Gedächtnis erinnert sich nicht.

Erzählen hat mit dem Erinnern zu tun und das Erinnern mit Vergessenkönnen und Wiederfinden – mit dem langsamen Einfallen.

Übrigens: Vergessenkönnen ist auch die Voraussetzung des Verzeihens. Weil Erzählen mit dem Vergessen und dem Erinnern zu tun hat, ist es etwas Friedliches. Deshalb wohl gibt es Weihnachtsge-

schichten. Mein Mann mit dem Gedächtnis kannte sie alle auswendig – er konnte sie nur nicht erzählen. Er hatte die Fähigkeit nicht,
sie in seinem Kopf nach und nach zu suchen. Im übrigen, er war ein
friedlicher Mensch, aber der Frieden muß ihm sehr schwergefallen
sein.

Die Leser

Im Restaurant hängt eine große Tafel mit den Speisen, die heute angeboten werden. Mittags kommen die Gäste, bleiben nach der Tür
stehen, heben ihren Blick hoch zur Tafel und wählen ihr Menü aus.

Und wenn sie so dastehen, sehen sie aus, als würden sie beten –
ihr Blick ist wie der Blick der Frommen zum Hochaltar. Wäre da
ein TV-Gerät, der Blick wäre ein anderer. Sie stehen hier andächtig,
und es beschämt mich ein bißchen, ihnen zuschauen zu müssen. Ich
habe den Eindruck, ich beobachte sie bei etwas sehr Intimem – nämlich beim Lesen.

An der Busstation steht eine Frau. Sie hat ein dickes Taschenbuch
in der Hand, ein sehr benütztes, zerfleddertes, sie streckt ihren Hals
vor, wird eins mit dem Buch und liest – eine sehr junge Frau, eine sehr
schöne Frau. Sie liest. Ich bin wieder beschämt, daß ich sie dabei beobachte. Der Bus kommt. Sie steigt lesend ein, liest weiter. Sie erinnert mich an einen frommen Mönch mit seinem Brevier.

In meiner Beiz gibt es wenige Leser. Auch der *Blick* wird hier nicht
von allen gelesen, aber von allen erzählt. Es wird hier behauptet und
gesagt und noch einmal gesagt. Ich gehöre hier mit dazu, vielleicht
nicht einmal gern, aber einfach so.

Einer von meinen Kumpanen heißt Paul. Er redet auch und er behauptet auch und er gehört auch dazu. Er ist Geleisemonteur – früher
hieß das Gramper. Er ist jung, sehr jung, und er macht nie den Eindruck, daß er mit Buchstaben zu tun hat.

Nun kommt das Gespräch zufällig auf Calvados, und Paul sagt: »In
Drei Kameraden trinken sie auch Calvados.« Ich kenne das Buch und

den Autor, Erich Maria Remarque. Ich erschrecke, es kann doch nicht sein, daß er liest. »Du hast das gelesen?« frage ich, und nun sprudelt es aus ihm heraus. Am liebsten lese er Tschechow. Und dann fragt er: »Kennst du *Meister und Margarita* von Bulgakow?« Das kenne ich, eines der größten Bücher, die je geschrieben wurden, lang und schwer zu lesen.

Er hat es gekauft in der Buchhandlung, ein teures Buch. »Wie kamst du dazu, wer hat es dir empfohlen?« frage ich, und er sagt: »Ich wollte eigentlich Charles Bukowski, und dann habe ich danebengegriffen in der Buchhandlung. Weißt du«, sagt er, »ich lese auch Comics, ich lese alles – ich lese gern.« Und dann sagt er, und deshalb schreibe ich das hier auf: »Aber du bist in die richtigen Schulen gegangen, und du weißt das alles – bei mir ist das nur Zufall.«

Er glaubt wirklich, daß jene, die »in die Schulen gegangen sind« – Leser sind. Sie sind es nicht. Leser sind selten, und das Lesen in diesem Sinne hat noch niemand in der Schule gelernt. Lesen ist eine Verrücktheit wie Glauben.

Ich hätte es längst erkennen müssen, er hat wirklich jenen Blick der Leute, die kurz nach der Tür ihren Kopf zur Tafel heben, auf der die Menüs des Tages stehen.

Inzwischen reden wir ab und zu über Bücher, über Mozart übrigens auch, er hört auch viel Musik. Ich rede mit viel Hemmungen mit ihm, denn er ist mir überlegen: Er ist ganz allein – ohne Schule, ohne Lehrer, ohne Vorbild – zum Leser geworden. Ich nehme nicht an, daß er während seiner Schulzeit je einen Lehrer gehabt hat, der so gebildet war, wie er jetzt ist – hätte er, er hätte eine andere Schulzeit gehabt.

Er sagt: »Ich achte meistens darauf, wenn ich Bücher kaufe, daß der Verlag ›soundso‹ darauf steht.« Das ist ein sehr ehrgeiziger Verlag, ein hochliterarischer. Ich habe das noch nie gehört, daß einer Bücher kauft wie Lebensmittel oder Radios und auf die Marke achtet. Ich finde das schön.

Eigentlich nur schade, daß ich ihm über den Weg gelaufen bin. Ich werde auf die Dauer kaum verhindern können, daß ich es ihm erkläre. Denn wir gehören jetzt zusammen, wir sind Leser.

Und dann sagt er einen schönen Satz: »Hie und da habe ich das Gefühl, ich sei zu spät geboren.« Das erinnert mich an die Zeit, als ich, viel zu jung und ohne jede Anleitung, Adalbert Stifter gelesen habe. Ich fühlte mich damals auch als zu spät geboren. Vielleicht waren die Leser schon immer zu spät geboren – schön, daß sie immer noch geboren werden, wenn auch immer zu spät.

Austreten

Dogg sehe ich selten und zufällig, aber ich freue mich, wenn ich ihn sehe. Er hat immer noch ein bißchen was von Vorbild für mich. Dabei weiß ich gar nicht, was er jetzt macht, was er jetzt denkt, was er vertritt, was er mag und was er haßt. Er lobt mich für etwas, das ich geschrieben habe, das macht mich richtig stolz. Und er begrüßt mich mit der linken Hand, das beschämt mich.

Dogg war damals mein Pfadfinderführer. Für einen Pfadfinder war ich zwar ein bißchen zu langsam, zu ungelenk und zu linkisch. Um so mehr hat mir die Idee gefallen. Ich war gut in der Theorie, im Auswendiglernen der Gesetze und der Ideologie der Pfadfinder. Ich kannte die Biographie von Baden Powell. Und ich hatte – 1948 noch, drei Jahre nach dem Krieg – das Versprechen im Kopf, daß wir Pfadfinder beim Ausbruch eines Kriegs als Meldeläufer eingesetzt würden. Ob ich deshalb auf Krieg gehofft habe – ich hoffe es nicht. Aber als Pfadfinder war ich ein glühender Patriot, ich freute mich auch darauf, später Soldat zu sein, und zwar einer, der weiß, um was es geht. Man konnte mich zwar praktisch nicht sehr brauchen, aber die Ideologie gefiel mir. Und ich gab meinen Mitpfadfindern wenigstens die Gelegenheit, den Grundsatz, daß der Stärkere den Schwächeren schützt, in die Tat umzusetzen. Sie taten es liebevoll und waren stolz darauf, mich bei kantonalen Wettbewerben über den Parcours schleppen zu dürfen.

Dogg war ein wunderbarer Pfadfinderführer. Er gibt mir heute noch die linke Hand, und das beschämt mich. Ich wage ihm nicht mitzuteilen, daß ich schon längst ausgetreten bin – vor 46 Jahren, mit 14. An irgendeinem Samstag schwänzte ich und ging mit meinem Vater auf eine Wanderung. Ob ich an diesem Tag schon wußte, daß ich nun ausgetreten war? Wohl schon. Denn ein Pfadfinder ist treu, und unentschuldigt fernbleiben ist Untreue. Und Untreue, auch notwendige und einsichtige, geht unter die Haut. Nein, ich bin kein Pfadfinder mehr, und die Ideologie der Pfadfinder ist schon längst nicht mehr meine. Aber ich bin dankbar dafür, daß sie es einmal war, daß ich einmal für ein paar Jahre treu war. Und daß ich an ihr den Treuebruch üben konnte. Ich wage Dogg heute noch nicht mitzuteilen, daß ich kein Pfadfinder mehr bin.

Am letzten Sonntag auf einem Festplatz traf ich Ida wieder. Sie kam zu mir, grüßte mich strahlend, fragte, ob ich sie noch erkenne – das tat ich vorerst nicht und dann mit großer Freude. Ida war unsere Leiterin in unserer Jugendgruppe im Blauen Kreuz gewesen. Ich war ein zehn-, elf-, vierzehnjähriger überzeugter Abstinent, und ich verehrte Ida, ich lernte viel von ihr. Ich lernte von ihr, eine Überzeugung zu haben. Nun traf sie mich hier beim Rotwein, und sie weiß wohl auch, daß ich ihn inzwischen gern habe – aber Ida freute sich offensichtlich, mich wieder zu treffen. Ich habe von ihr damals viel gelernt, nur vielleicht nicht das, was sie mir beibringen wollte. Irgendwie hatte ich das Gefühl, daß sie ein bißchen Verständnis hat für mich – vielleicht noch mehr als ich selbst –, denn die Erinnerung an den Treuebruch bleibt, bleibt für immer und steckt unter der Haut.

Dabei war Austreten immer als Befreiung gemeint – Befreiung vom Gelübde des Pfadfinders, des Blaukreuzlers. Doch die Erinnerung an den Trennungsschmerz bleibt – Treuebruch hinterläßt Narben. Narben, die mich immer wieder an Dogg und an Ida erinnern. Ich habe sie damals verlassen, um ganz selbst Verantwortung zu übernehmen, um selbst über »Meldeläufer« nachdenken zu dürfen. Eine Befreiung war es nicht. Die Scham ließ mich nachdenken und argumentieren und dagegen denken. Das habe ich von Dogg und Ida gelernt, ohne daß sie das eigentlich wollten. Dafür habe ich beiden zu danken. Wäre ich noch Pfadfinder, wäre ich noch Abstinent, ich hätte sie wohl beide vergessen.

Interesse an und für sich

Vor vielen Jahren ein Gespräch mit Witold Gombrowicz – ein exzen-
trischer und ein von sich eingenommener, aber großartiger polni-
scher Autor. Er beklagte die mangelnde Allgemeinbildung der Leute,
und als ich ihn fragte, was denn Allgemeinbildung sei, antwortete
er: »Allgemeinbildung ist alles, was ich weiß.«

Das schien mir damals doch ein bißchen einfach, selbstgerecht und
arrogant. Da könnte ja jeder kommen und sagen, was ich weiß, ist Allgemeinbildung – und was ich weiß, ist alles, was man wissen muß.

Bei Gottfried Benn habe ich einmal gelesen, es sei wichtig, daß man
von einer einzigen kleinen Sache alles wisse. Das hat mir – ich war
noch sehr jung – eingeleuchtet, und weil ich eben Hugo Ball entdeckt
hatte, den Vater der Dadaisten, und begeistert von ihm war, wie man
wohl nur als junger Mensch begeistert sein kann, entschloß ich mich,
alles über Hugo Ball wissen zu wollen. Ich begann zu lesen: alles von
ihm, über ihn, die Werke seiner Freunde, seiner wunderbaren Frau,
Emmy Hennings – ich stieß dabei auch schon sehr früh auf Friedrich
Glauser, der Balls Freund war –, aber ich kannte mich: Ich halte solche Sachen nicht lange durch, und ich wußte schon zu Beginn, daß
ich wohl irgendwo am Anfang oder in der Mitte steckenbleiben
würde, daß auch seine Bücher bald verstaubt in der Ecke stehen würden.

Das beschämte mich zum voraus – und hinterher, als es eintraf,
noch mehr.

Irgendwie fehlt mir die Fähigkeit, mich zu konzentrieren auf eine
Sache, ich lasse mich ablenken von allem. Darüber bin ich froh, denn
eigentlich wäre es ein fürchterliches Leben, wenn es besetzt wäre von
Briefmarken, Nashörnern oder Taschenuhren. Irgendeinmal lernt
man nämlich jene kennen, die besetzt sind von einer einzigen Sache.
Ich weiß nicht, ob sie dem Gottfried Benn gefallen hätten – teilweise
leider.

Also dann doch Gombrowicz: »Allgemeinbildung ist alles, was
ich weiß«, und vielleicht mit dem Zusatz, »wenn ich alles wissen

will«, denn Gombrowicz war nicht nur ein Eingebildeter, sondern auch ein Hochgebildeter – einer, der sich interessierte, wenn auch trotzig.

Das erinnert mich an kleine Kinder – an ein-, zweijährige –, die total interessiert sind, ihre Welt in sich aufsaugen, sie in sich hineinreißen. Und wir Erwachsenen sitzen ihnen gegenüber und freuen uns darüber, daß wir wahrgenommen werden – von niemandem so und von niemandem so direkt wie von Kindern, als würden sie sich sagen: Aha, der gehört auch zur Welt. Wenn Interesse Allgemeinbildung ist – und das hat Gombrowicz wohl gemeint –, dann sind die kleinen Kinder die Gebildetsten. Sie lernen Sprachen und sie lernen sprechen, alle – unabhängig von der Dummheit oder Klugheit ihrer Eltern – einfach so. Ist denn Erwachsenwerden nichts anders als das Interesse verlieren? Und wer oder was macht uns so? »Du wirst dir die Hörner schon noch abstoßen«, sagen die Erwachsenen. Ich habe sie in Verdacht, daß sie wirklich meinen: »Auch du wirst noch dein Interesse verlieren.« Nämlich das Interesse an der Welt an und für sich – ohne an Nützlichkeit und Erfolg zu denken.

Ich denke an W. Ich kenne ihn schon lange. Der Sinn für Interesse wurde ihm schon mit zwölf gründlich ausgetrieben, und von da an trieb er sich ziemlich stumpf in dieser Welt herum – nicht total erfolglos, aber mehr oder weniger freudlos. Nun treffe ich ihn wieder, und er stellt Fragen und stellt fest, und er erzählt. Erzählt von seinem Computer – er hat eine Nische für den verlorenen Sinn für Interesse gefunden. Er ist jetzt ein Computerfreak. Nein, er wird sich aus dem Internet kein Wissen holen – aber er hat eine Welt gefunden, in der man sich kindlich interessieren kann und darf.

In Nischen finden wir zum Sinn für Interesse zurück: Pins sammeln, Nashörner sammeln, in den Computer schlüpfen und sich in einer Welt verstecken, die zu nichts nütze ist. Wichtig ist, von einer Sache (bitte von einer *un*nützlichen) alles zu wissen. Und Gottfried Benn bekommt so doch noch recht.

Zu denken geben müßte uns nur, wie früh das Kinder schon nötig haben. Mit Interesse hat das, so scheint mir, nicht viel zu tun, viel mehr mit der Suche nach dem kindlichen Sinn für Interesse – sich interessieren dürfen ohne Nützlichkeit.

Positives Denken

Sie lassen verlauten – mit gelockerter Krawatte, in gelockerter Pose, den frischgewaschenen Schalk des Pfadfinders in den Augenwinkeln –, ihre Prognosen für das nächste Jahr seien gedämpft optimistisch. Sie sähen durchaus eine Chance. Sie nähmen die neuen Herausforderungen an. Sie sähen durchaus eine Möglichkeit. Sie würden die Konkurrenzfähigkeit steigern müssen.

Die Manager geben ihre Interviews. Ihre Zeit kommt, ihre Meinung ist jetzt gefragt, und was sie im Betriebswirtschaftsstudium gelernt haben, kommt jetzt endlich zum Tragen. Aktionäre und Anleger haben sich nicht zu fürchten, die Betriebsergebnisse des letzten Jahres waren weit besser als erwartet, und die Dividende bleibt unverändert, und jetzt wird erst noch maximiert und rationalisiert, (gedämpfter) Optimismus ist angesagt. Das Lehrbüchlein der Nationalökonomie kommt endlich zu seinem Recht, der Markt ist frei und funktioniert endlich nach seinen Gesetzen.

Vor den Wahlen in Rheinland-Pfalz steht Bundeskanzler Kohl auf dem Domplatz in Mainz und erklärt den auffallend wenigen Leuten sein »ehrgeiziges Programm«, Tausende von Arbeitsplätzen zu schaffen. »Die Schweizer machen uns vor, wie man das macht«, sagt er und spricht begeistert von Novartis (Ciba-Sandoz). Die wüßten, wie man stark wird. Arbeitsplätze?

Nein, es geht um anderes. Es geht um die Stimmung. Und die Krise wurde herbeigeredet, und die Miesmacher sind schuld. Wir müssen nur wieder lachen und uns freuen und positiv in die Zukunft schauen. Wer wir? Wir, die Manager, selbstverständlich.

Und letztlich sind halt dann die Arbeitslosen schuld an allem. Sie machen die Stimmung kaputt. Sie fürchten sich in einer Zeit, wo Leistung und Innovation und positives Denken gefragt sind. Letztlich sind all jene schuld, die um ihre Arbeitsplätze fürchten. Die machen wirklich die Stimmung kaputt – ausgerechnet jetzt, wo alles, was die Manager können, zum Tragen käme. (»Die Schweizer machen uns das vor.«)

Ich habe den Schuldigen gefunden: Philipp. Er ist nicht ganz zufrieden und ein bißchen unzufrieden, und er klagt. Also erst einmal hat ihn der Mechaniker betrogen und ihm etwa acht Franken zuviel verlangt für die neue Kette für das alte Töffli. Dann hatte er einen Unfall mit dem Töffli – ein Autofahrer. Dann also im Spital und in der Rehabilitation, dann Fürsorge, dann Invalidenversicherung, dann wurde das Töffli gestohlen. (Also, das war so: Er hat es einem ausgeliehen, und der hat es gleich dem Velohändler verkauft, und der hat es gleich weiterverkauft – und weil er es gleich weiterverkauft hatte, konnte man juristisch nichts machen, sagt er.) Dann suchte er immer eine Frau. Dann ist ihm eine Freundin davongelaufen. Dann hat er einem Freund gesagt, daß er ihm am Samstag ein Brot bringen soll. Der hat es aber vergessen, und dann hatte er am Sonntag kein Brot. Dann hat der Freund gesagt, daß der Bäcker am Sonntagmorgen offen habe. Aber er steht doch nicht auf am Sonntag, zieht doch nicht die Hosen an, geht doch nicht runter zur Tür und öffnet sie mit dem Schlüssel. Also war es doch falsch, daß der Freund vergessen hat, ihm am Samstag ein Brot zu bringen – oder? Und dann kommen so Zettel, und die sollte man lesen, und dann weiß er von nichts, wie es funktioniert. Aber er weiß, daß man, wenn man es nicht weiß, betrogen wird – also weiß er es, aber nicht richtig. Dann wurde er noch krank – jene Krankheit mit der Chemotherapie. Die Krankheit war dann gleich weg, hat der Arzt gesagt oder so etwas. Und all das in klagendem Ton – nur eben, er lebt eigentlich gern, und dann sieht er die Frauen gern, und außer daß er invalid ist, fühlt er sich so richtig jung, eben außer daß er mal kurz krank war. Und außer daß sein Freund mal vor fünf Jahren am Samstag das Brot nicht gebracht hat.

Ja richtig, Herr Manager, die Geschichte paßt überhaupt nicht zum Thema. Warum sie mir trotzdem eingefallen ist? Ich weiß nicht. Ich mag ihn halt. Er ist halt ein Mensch. Und ich frage mich, was mit ihm geschieht. Nein, Herr Manager, das ist nun überhaupt nicht Ihr Problem. Philipp ist schon längst aus dem Arbeitsprozeß herausgefallen.

Ich frage mich trotzdem, was mit ihm – er ist alt – geschehen wird. Wie haben Sie gesagt? Das meiste werde mit natürlichen Abgängen geregelt. Natürliche Abgänge?

Die schöne Schwester der Langeweile

Eigentlich müßte ich jetzt über die Fußball-Europameisterschaften schreiben – oder viel schlimmer: Eigentlich kann ich jetzt über gar nichts anderes schreiben, denn die Europameisterschaften besetzen meinen Kopf. Nein, nicht den ganzen, in meinem Kopf ist noch anderes: Ich weiß noch, wie ich heiße, wo ich wohne, ich weiß noch einiges, was ich gelernt habe, was ich gelebt habe. Ich interessiere mich für vieles andere mehr als für Fußball. Und was ich über Fußball weiß, ist wohl ein ganz kleiner und unwichtiger Teil meines Wissens, und ich verstehe auch nicht viel davon. Trotzdem, der Fußball beginnt meinen Kopf zu besetzen.

Als Kind habe ich mir mal ein Schulheft gekauft und auf das Etikett geschrieben: »Was ich alles weiß«. Ich wollte sozusagen ein Inhaltsverzeichnis meines Hirns anlegen. Ich wollte wissen, wieviel drin ist. Also: »Ich weiß, wie ich heiße. Ich weiß, wo ich wohne. Ich weiß den Namen meiner Schwester. Ich weiß, wie sie aussieht. Ich weiß die Namen meiner Mitschüler. Ich weiß, ich weiß . . .«

Auf meinem Computer ist ein Dateimanager. Da kann ich schauen, was und wieviel da alles drin ist. Und ich staune, wieviel es ist – und wieviel da noch Platz hätte. Ich werde ihn nie füllen können. Ich frage mich – eine kindliche Frage –, wieviel Platz all das, was ich weiß (wo ich wohne, wie man die Eisenbahn benützt, die Marke meiner Zahnpasta), auf einem Computer beanspruchen würde.

Ich lösche auf meinem Computer alles, was ich nicht mehr brauche. Ich werde ihn zwar nie füllen, aber ich geize mit Kilobytes. Mit meinem Hirn kann ich das nicht, wenn auch die Festplatte meines Hirns – mein Gedächtnis – noch viel freien Raum hätte. Ob, wenn ich etwas vergesse, auch in meinem Hirn Raum frei wird?

Ich habe mich als Kind furchtbar gelangweilt und meine Mutter damit gequält, die ich allerdings auch im Verdacht hatte, daß sie sich langweilt. Sie versuchte meine Langeweile nur deshalb zu bekämpfen, weil ich es besser haben sollte als sie.

Ich habe dann halt Bücher gelesen aus Langeweile. Ich habe versucht, ein Inhaltsverzeichnis meines Hirns anzulegen, aus lauter Langeweile. Und ich habe mich mehr und mehr daran gewöhnt, in der Langeweile zu leben – in den Leerstellen meines Hirns.

Und diese Leerstellen, so scheint mir, unterscheiden sich vom freien Platz auf der Festplatte meines Computers. Irgend etwas ist da drin, in diesen Leerstellen: die quälende Gelangweiltheit und ihre sanfte Schwester, die Langeweile. Jene Langeweile, die die Zeit lang macht, das Leben lang macht, jene lange Weile, die mir Zeit gibt, die mir »lange Zeit« gibt, auf Schweizerdeutsch »Längi Zyt«, ein wunderschönes Wort für Sehnsucht.

Nur eben, im Augenblick, sind die Leerstellen in meinem Hirn, wo die »Längi Zyt«, die Langeweile, wohnt, besetzt von etwas, das ich gar nicht will, von Fußball, und wenn der Fußball vorbei ist, dann wird Werbung diesen Teil besetzen wollen und Scheinärger und Scheinnachrichten. Ich kriege den freien Teil in meinem Kopf nicht frei.

Die etwas schwerfällige, aber wunderbare Langeweile hat eine lustige, schöne, aber böse Schwester – sie heißt Kurzweil. Sie versaut und verkürzt uns das Leben, denn jene leere Ecke in meinem Hirn, in der die Langeweile sich gemütlich breitmachen möchte, jene leere Ecke, in der die Langeweile zur Sehnsucht wird, das wäre wohl ich – ich ganz selber. Aber immer wieder ist sie besetzt von der schönen, bösen Schwester Kurzweil. »Ich bin kein Dichter«, hat Paul Valéry gesagt, »ich langweile mich nur.«

Und bleib imer frölich

Vor mir an der Wand hängt seit Jahren ein Zettel mit dem Satz: »Und bleib imer frölich, Deine Anna.« Er stammt aus Karlsruhe. Ich hatte dort mal eine Lesung vor Kindern. In der Pause durften sie Fragen aufschreiben, die ich dann zu beantworten hatte.

»Wie lange brauchen Sie für eine Geschichte?« »Wie finden Sie die Namen?« »Wie viele Bücher haben Sie geschrieben?« Das sind

keine dummen Fragen. Es gibt keine dummen Fragen. Es gibt nur
dumme Antworten. Der Zettel von Anna aber war anders als die
anderen. Sie hatte auf ihm vorerst Linien gezogen, ohne Lineal,
krumme Linien, und dann auf diese krummen Linien mühsam Buchstaben gesetzt – keine Frage, nur ein Wunsch: »Bleib imer frölich.«
Eine Frage eines kleinen Mädchens an die Erwachsenen – die Frage
nach dem Leben der Erwachsenen: »Bleib imer frölich, Deine Anna.«

Das ist schon zwanzig Jahre her. Und Anna – ich habe sie nie gesehen, nur ihren Zettel – ist, wenn sie damals sieben war, inzwischen
27. Ich frage mich, ob sie noch schreibt, ob sie noch immer Buchstaben auf kleine Zettelchen schreibt. Denn mir scheint, sie war talentiert, sie konnte mit ein paar mühsamen Buchstaben auf krumm ge-
zogenen Linien Welt beschreiben – Freuden und Leiden. Und sie hatte
den Mut zum Schreiben. Dieser Mut, so fürchte ich, wird sie inzwischen wohl verlassen haben – wie viele andere auch, die sich auch einmal darüber freuten, daß sie mit ein paar Buchstaben Sprache auf
einen Zettel zaubern konnten.

Ich versuchte damals, die Frage von Anna – denn es war eine Frage –
zu beantworten, zögernd wohl und stotternd, und ich habe damals
versprochen, daß ich ab jetzt das Wort frölich immer ohne »h« schreiben werde. Ob ich mein Versprechen gehalten habe? Es könnte sein,
daß ich das Wort seither noch nie gebraucht habe.

Die Geschichte mit Anna – die »frölich« so wunderschön ohne »h«
schrieb – ist mir wieder eingefallen, als ich kürzlich zufällig mit Freunden eine Frau traf, die Professorin für Volkswirtschaft ist. Das erste,
was ihr einfiel, als sie hörte, daß ich ein Schriftsteller sei, war, daß
ihre Studenten die Kommaregeln nicht kennen und daß sie dauernd
damit zu tun habe, Kommas zu korrigieren.

Selbstverständlich war ich beleidigt, denn ein Schriftsteller ist
nicht einer, der die Kommaregeln kennt. Ich kenne das von meinen
Saufkumpanen. Sie sind ein bißchen stolz auf mich, und zwar, weil
sie glauben, ich beherrschte die Rechtschreibung – warum heißt das
Rechtschreibung und nicht Richtigschreibung? Es heißt Rechtschreibung, weil jene, die sie können, im Recht sind, und jene, die sie nicht
können, im Unrecht. Vielleicht hat Anna Volkswirtschaft studiert.

Aber inzwischen ist alles gut. Die Rechtschreibung wurde revidiert. Deutschland, die Schweiz, Liechtenstein und Österreich haben ein Vertragswerk unterschrieben.

Mich selbst haben die alten Regeln so wenig interessiert wie die neuen. Ich hätte nie geschrieben, wenn mich die Rechtschreibung interessiert hätte. Sie war zu nichts anderem gedacht, als mich und Anna daran zu hindern, die Schrift zu gebrauchen. Ich habe es trotzdem getan. Die Rechtschreibung ist jetzt einfacher, aber sie ist jetzt Gesetz. Wer ab jetzt falsch schreibt, verstößt gegen Staatsverträge – so ein hirnverbrannter Blödsinn.

Die Staatsverträge übrigens hätte man schon früher unterschreiben können, aber es gab Schwierigkeiten mit der deutschen Delegation. Sie ließ verlauten, sie hätte noch mit dem Bundeskanzler Rücksprache zu nehmen.

So ist das. Der Kaiser verordnet auf Grund von Erkenntnissen seiner Weisen die Rechtschreibung, und Anna mit ihren schönen krummen Linien kommt unter die Räder. Um keine Fehler zu machen, wird sie das Schreiben nun lassen.

So ist es auch gedacht. Denn wo kämen wir hin, wenn alle, die die Buchstaben gelernt haben, auf Schriftliches schriftlich reagieren könnten. Die Rechtschreibung dient dazu, daß nicht alle wagen, zu ihrem Recht zu kommen.

Schafft sie doch endlich ab – und gebt der Volkswirtschafts-Professorin Gelegenheit, Gescheiteres zu unterrichten als Rechtschreibung – oder macht die Rechtschreibung so schwer, daß sie niemand mehr kann und alle wieder den Mut hätten, zu schreiben. Denn die Vereinfachung wertet die Rechtschreibung noch mehr auf. Schafft sie endlich ab.

Ich möchte, daß Anna immer noch schreibt – und dabei ein wenig frölich bleibt.

Sara McKeney, Schweiz, Gold

Sind Sie sicher, daß Sie sich für Sport interessieren? Dann wissen Sie wohl auch noch, wie die beiden Brüder heißen, die eine Goldmedaille im Rudern gewonnen haben. Vor einer Woche wußten wir es doch noch. Oder ist es vielleicht doch so, daß Sie sich überhaupt nicht für das Rudern interessieren? Vor zwei Wochen waren Sie noch ausgesprochene Fachleute in Sachen Rudern. Sie (und ich) plapperten einfach dem Reporter nach: Schlagzahl, Kadenz, Einteilung des Rennens. Vor zwei Wochen glaubten Sie doch im Ernst daran, sich dafür zu interessieren.

Nein, im Augenblick und spontan wüßte ich jetzt die Namen der beiden nicht. Dabei habe ich gelesen, daß sie Helden seien, und Helden sind doch für immer – die Namen Wilhelm Tell und Winkelried weiß ich noch.

Könnte es sein, daß Sie sich zwei Wochen lang für Dinge interessierten, die Sie überhaupt nicht interessieren? Ist Ihnen aufgefallen, daß Sie sich alle vier Jahre Sportarten anschauen, für die Sie nicht mal aus dem Fenster schauen würden, wenn sie vor Ihrem Haus stattfinden würden: Hammerwerfen, Synchronschwimmen, Dreisprung, Landhockey usw. usw. Den Namen Pascal Richard weiß ich – vorläufig – noch. Ich interessiere mich ein bißchen für Radrennfahren.

Und noch eine Frage: Würden Sie sich für das Sackgumpen interessieren, wenn es eine olympische Disziplin wäre? Verneinen Sie bitte die Frage nicht allzu voreilig – selbstverständlich, Sie würden. Und wenn Sara McKeney – durch Heirat Schweizerin geworden – unter den Favoriten wäre, würden Sie aufbleiben bis morgens um vier, um den Final zu sehen. Kurz vor den Spielen hätte Sara noch den Trainer gewechselt und den Ausrüster. Sie gumpt jetzt in einem afghanischen Sack und in den Schuhen der Konkurrenz. Keine andere hat eine so hohe Gumpkadenz. Keine andere trainiert so hart, sieben Stunden am Tag, und das seit Jahren, stets ein Ziel, nur ein Ziel vor Augen. Sie hat – wie keine andere – eine professionelle Einstellung. Sie ist – und bleibt – ein Vorbild. Selbstverständlich würden Sie Ihrem neunjährigen Sohn den Wunsch nach einem afghanischen Sack – die heißen nur so, weil Afghanistan seit Jahrzehnten die besten Gumper stellt; McKeney ist die erste westeuropäische Goldmedaillistin – nicht abschlagen, die 670 Franken dafür ausgeben und heimlich hoffen, daß er ein Sackgump-Profi wird – ein Vorbild wie Sara McKeney, die übrigens als Sechsjährige angefangen hat. Mit zwölf – immer noch in Kanada – hatte sie dann die beiden Knieoperationen, die bewirkten, daß sie – wie keine andere – absolut parallel in ihrem Sack steht.

Doch, auch ich Esel würde mir das anschauen und mitzittern und die Daumen drücken für nationales Gold, und wenn sie dann auf dem Treppchen stehen würde, hätte auch ich – Esel – jenes Würgen im Hals, das ich bei den beiden Brüdern hatte, deren Namen mir im Augenblick nicht einfallen. Ist Ihnen übrigens aufgefallen, daß es erstaunlich still wurde um den Sieg des Luzerner Chinesen, als wir dann »eigene« und »richtige« Medaillen machten? Er trat also nur als nationaler Ersatzmann für den Notfall an, sozusagen.

Ja, das habe ich mir alles angeschaut, und ich bin beleidigt, daß man mir Ereignisse angedreht hat, die keine sind. Ich bin darauf reingefallen und habe mich für Dinge interessiert, die mich nicht interessieren. Die Nation jedenfalls hat gut daran getan, in die McKeney hoch zu investieren.

Mein Vater übrigens interessierte sich nicht für Sport oder nur für jenen, den er selbst betrieb. Er war ein leidenschaftlicher Bergsteiger und Skifahrer. In den fünfziger Jahren kaufte er sich dann einen Fernseher, und plötzlich kannte er die Namen von Fußballern, wurde zum begeisterten Fachmann, kritisierte die Schiedsrichter und zitterte für Basel oder Luzern.

Ob er sich für Fußball interessierte? Nein, aber er interessierte sich fürs Fernsehen – leider.

Und nun, leert eure Taschen und investiert in die Heldin der Nation. Wir wollen die McKeney in vier Jahren wieder sieggumpen sehen. Es wäre ihr drittes Gold, das zweite für die Schweiz.

Die Schweiz hat jedenfalls, so habe ich gelesen, mit ihren Investitionen in den Sport den richtigen Weg eingeschlagen. Und dann ist ja noch das mit dem Breitensport. Spitzensport dient dem Breitensport: breites und verbreitetes Sackgumpen.

Die Olympischen Spiele, so scheint mir, sind die Spiele der Kranken, der kranken Nationen, des kranken Publikums, der kranken Funktionäre. Und vielleicht sind die Spiele der Invaliden die Spiele der Gesunden – die Frage ist nur, ob sie das immer noch sind, und wenn, wie lange noch.

Heimat ist gratis

Ich bin in diesem Leben zum Raucher geworden. Ich bin auch anderes geworden, was ich nicht werden wollte – Soldat zum Beispiel. Radrennfahrer oder Fußballer bin ich nicht geworden. Dabei schwärmte ich als Kind von Hugo Koblet und von Ballabio. Wäre ich es geworden, ich hätte meinen Ärger damit gehabt, und Ballabio wäre schuld, ihn würde ich anklagen vor Gericht, denn er hätte es mir vorgemacht, er hätte mich verführt, er wäre verantwortlich für die Arthrose in meinem rechten Knie. (Ich bitte davon abzusehen, mir Hausmittelchen und Kuren zu empfehlen, es ist absolut erträglich.) Ich sehe auch davon ab, Ballabio anzuklagen.

Geraucht habe ich, und ich tue es noch immer. Das ist nicht gescheit, und das kommt nicht gut. Aber abgesehen davon ist es mir auch eine dauernde Belästigung: Ich mag meine vollen Aschenbecher nicht, ich mag es nicht, meine Nachbarn belästigen zu müssen. Ich mag es nicht, daß die Zigaretten einen Teil meines Tagesablaufs bestimmen. Aufhören – der Vorschlag ist berechtigt, aber dann würde wohl für lange Zeit mein Tagesablauf durch das Nichtrauchen bestimmt.

Wer hat mich denn eigentlich zum Menschen gemacht, oder zum Schreiber, zum Sozialisten, zum Leser, zum Träumer? Alles Dinge, die nicht nur Freude machen, sondern auch ganz schön belästigen können. Da müßte ich doch jemanden anklagen können dafür, daß ich träume – vom Militär zum Beispiel, immer noch – und schweißgebadet erwache.

Im amerikanischen Fernsehen gibt es Werbespots von Rechtsan-
wälten, die den Leuten einreden, daß jeder Mensch irgendwo einen
Haftpflichtanspruch habe. Denn für alles, was wir haben, ist ein anderer verantwortlich – zum Schreiben bin ich verführt worden, von
Johann Peter Hebel, Robert Walser, Max Frisch. (Bei Frisch gäbe es
noch Rechtsnachfolger. Die müßten mir jetzt eigentlich den Schaden
ersetzen. Meine vollen Aschenbecher zum Beispiel könnten ja mit
dem Elend des Schreibens zu tun haben.)

Aber ich habe Max Frisch gern gelesen, ich habe mich von ihm
gern verführen lassen. Er gehört zu meinem Leben. Er ist ein Teil
meines Lebens. Die Zigaretten sind auch ein Teil meines Lebens.
Und ich werde am Ende meines Lebens sterben, weil alle am Ende
ihres Lebens sterben. Nicht an den Zigaretten werde ich sterben,
sondern an meinem Leben, zu dem halt – jedenfalls bis jetzt und auch
leider – die Zigaretten gehören. Ich weiß gar nicht, wie das angefangen hat, eines Tages waren sie da, die Zigaretten, und sie haben
mich nicht mehr verlassen. Sie haben mich begleitet, belästigt, geärgert.

In Amerika wurde eine Tabakfirma zu Schadenersatz gegenüber
einem Raucher, der an Krebs erkrankte, verurteilt. Er wußte nicht,
daß in den Zigaretten Gift ist, und die Firma hatte es ihm nicht mitgeteilt.

Das brachte wohl einen Mann in Amerika, der weiterhin Präsident
bleiben möchte, auf die Idee, das Prinzip auszudehnen: Die ganze Tabakindustrie soll verurteilt werden für all die Schäden, die sie verursacht hat.

»Verursacherprinzip« heißt das. Wer den Schaden anrichtet, soll
ihn bezahlen, zum Beispiel die Waffenfabriken die Folgen von Schußverletzungen, die Autofabriken die Folgen des Straßenverkehrs, die
Arbeitgeber die Folgen von Entlassungen und die Gärtner die Folgen von Blutvergiftungen, weil sie nicht darauf aufmerksam gemacht
haben, daß Rosen Dornen haben.

Aber jener Amerikaner, der Präsident bleiben will, ist vor vier Jahren mit einem politischen Programm in die Wahlen gestiegen: Verbesserung der Bildung, der Sozialversicherung, der Krankenversiche-

rung. Diesmal – vier Jahre später und gescheitert – bleibt nur noch ein Programm, das nichts kostet. Das Verursacherprinzip kostet nichts, und es leuchtet so schön ein. Das ist keineswegs ein Prinzip von Clinton, das ist das Prinzip einer weltweiten Politik: Der Staat wird schlank, die Politiker haben ihm Magersucht verordnet. Magersucht ist tödlich.

Aber trotzdem: Richtig, Herr Präsident, die Verursacher sollen bezahlen. Die Frage ist nur, warum es denn noch einen Präsidenten braucht. Das totale Verursacherprinzip ist die totale Entsolidarisierung, die totale Privatisierung, ist die Abschaffung des Staates. Ohne Staat brauchen wir auch keinen Präsidenten. Da braucht man nur noch ein paar schlitzohrige Rechtsanwälte und einen Richter.

Als Amerikaner würde ich übrigens Bill Clinton wählen, nur wüßte ich nicht, warum. Bis jetzt bin ich als Bürger zur Wahl gegangen, um zu unserem Staat, zu unserer Solidarität, zu stehen. Inzwischen wähle ich Politiker, die ihre Haut damit retten wollen, daß sie den Staat abschaffen, oder die den Begriff Staat durch den Begriff Heimat ersetzen, und schon ist alles gratis – siehe Blocher.

Sollte es, endlich, so weit kommen – dann bitte ich darum, daß Waffenfabriken haftpflichtig werden für Schußverletzungen. Sie haben es unterlassen, den Bevölkerungen mitzuteilen, daß Waffen tödlich sind.

Ein unbeobachtetes Land

Deutsche Freunde fragen mich nach der Vergangenheitsbewältigung der Schweiz. Sie tun das zurückhaltend, vorsichtig, ohne Schadenfreude. Aber sie bringen mich in Verlegenheit. Ich neige dazu, ihnen zu sagen: »Vergangenheitsbewältigung? Keine!«

Der Nationalrat beschließt wieder einmal, die Europäische Sozialcharta nicht zu ratifizieren. Vor zwanzig Jahren hatte sie der Bundesrat unterschrieben – und ratifiziert wird sie nie, einfach nie. Dabei ist die Schweiz ausgesprochen geübt darin, Vertragswerke nicht allzu wörtlich zu nehmen. Man hätte das ja auch wieder so handhaben können, und dieselben Nationalräte, die die Sozialcharta wieder einmal ablehnten, haben kurz zuvor mit Enthusiasmus dafür gestimmt, der NATO Friedenssoldaten zur Verfügung zu stellen – ohne Bedenken. Könnte es sein, daß an diesen Friedenssoldaten zu verdienen ist, an ihrer Ausrüstung zum Beispiel, oder könnte es sein, daß sie unserer Armee, an der man ja auch verdienen kann, auf Ewigkeit ein Alibi geben?

Warum kämpfen Schweizer Politiker gegen eine Sozialcharta? Sicher nicht wegen ihres Inhalts, sondern ganz einfach nur deshalb, weil die Schweiz nicht beobachtet werden möchte. Wir sind ein unbeobachtetes Land und konnten fünfzig Jahre lang tun und lassen, was wir wollten – was uns nützte und mitunter anderen schadete. Das Ausland ging davon aus, daß wir anständig seien, und damit basta.

Vor Jahren wurde in einer Runde in Berlin über deutsche Attacken auf Asylanten und Asylantenheime diskutiert. Die deutschen Freunde waren sehr aufgebracht und entsetzt. Als ich dann sagte, daß es solches in der Schweiz auch gäbe, wurde das weggewischt mit der Bemerkung: »Ach was?«, als wollten sie sagen: »Wie niedlich!« Ich aber war orientiert über ihre Probleme, ihr Land war und ist ein beobachtetes Land – unser Land war unbeobachtet.

Das war auch die Angst der Schweizer Politiker – derselben, die für NATO-Soldaten sind –, in die UNO einzutreten: Wir könnten beobachtet werden, unsere Machenschaften könnten beobachtet werden. Das ist nun wirklich kein Vergangenheitsproblem, das ist unser Gegenwartsproblem, und unsere Gegenwart heißt seit fünfzig Jahren »Nachkriegszeit« – in ihr sind wir reich geworden, in ihr haben wir Gold gehortet, eigenes und fremdes, in ihr sind wir unbeobachtet geblieben als Land des »Friedens«.

Unsere ganze Politik besteht ausschließlich daraus, diese »Nachkriegszeit« auf ewig zu verlängern. Wir sind überzeugt, daß wir ohne sie nichts mehr wären. Aber UNO, EG, EWR, Sozialcharta sind das endliche Ende der Nachkriegszeit. Die Schweiz lebt in einer Zeit, die es nicht mehr gibt. Das ist ihr Problem. Die Sache mit unterschlagenen Fluchtgeldern, mit ergaunertem – legal ergaunertem – Gold hat mit Vergangenheitsbewältigung nichts zu tun. Es ist unsere Gegenwart, und die können und wollen wir nicht bewältigen.

Ich kannte einen Buchhändler in einer kleinen deutschen Stadt, einen erfolgreichen Buchhändler. Seine Buchhandlung gehörte vor dem Krieg einem Juden. Dieser mußte sie – ganz legal – jenem strammen Nationalsozialisten »verkaufen«, der Lust hatte, billig ein erfolgreicher Buchhändler zu werden. Er nahm also dann das Schild mit dem Namen des Juden herunter und hängte das Schild mit seinem Namen auf. Er soll auch dafür gesorgt haben, daß der Träger des ersten Namens möglichst schnell aus der Stadt verschwand. Nach dem Krieg wechselte er das Schild wieder, die Buchhandlung bekam wieder ihren alten Namen – den jetzt wieder guten Namen des Juden. Soweit die Vergangenheit. Die Gegenwart aber war, daß sich der Buchhändler von da an tagtäglich am Telefon mit dem Namen seines Opfers meldete: »Buchhandlung Soundso«, und er hielt das wohl für besonders anständig. Das Opfer war übrigens völlig legal zum Opfer geworden und der Buchhändler völlig legal zum Buchhändler – es gab entsprechende Gesetze.

Eine scheußliche Geschichte. Aber ihr zweiter Teil, die Unschuld der Gegenwart, erinnert mich auch – Entschuldigung – an die Schweiz.

Dieselben Nationalräte haben auch – und diesmal sogar überraschend einstimmig – beschlossen, daß nun das mit den Fluchtgeldern und dem Nazigold aufgeklärt und offengelegt werden soll. Sie sind zwar nicht selbst darauf gekommen, das tun sie nie. Sie haben es nur beschlossen, weil die Amerikaner beschlossen haben, uns zu beobachten. Aber die Nationalräte glauben wohl immer noch, daß hier eine Vergangenheit offengelegt werden soll, und das halten sie wohl für harmlos. Sie werden sich, davon bin ich überzeugt, noch ganz anders und bitter damit beschäftigen müssen – nämlich nicht mit der Vergangenheit, sondern mit der Gegenwart des »legalen« Betrugs. Denn die Nachkriegszeit und die Vergangenheit sind endlich vorbei. Wir sind endlich gegenwärtig – wir sind endlich beobachtet.

Sag es ihnen mal

»Sag es ihnen mal, aber so richtig – daß sie es verstehen«, sagt einer. Er selbst liest zwar nichts, keine Zeitung, kein Buch, aber er glaubt, wenn ich es ihnen sagen würde, nämlich schreiben – so daß sie es verstehen –, dann würde sich gleich alles ändern.

»Wem soll ich es sagen?« frage ich ihn, aber er weiß es nicht genau – einfach ihnen, einfach denen. Ich verzichte darauf, zu fragen, was ich ihnen sagen soll, denn das würde ihn zu sehr in Verlegenheit bringen. Einfach *es* soll ich ihnen sagen, so wie es ihm sein Vorgesetzter immer wieder gesagt hat, als er noch Arbeit hatte.

Er stellt sich vor, daß man nur etwas schreiben müßte – und dann wäre es so. Er, der nicht liest, hat das mit dem Schreiben auch so erfahren. Der Richter hatte einen Zettel geschrieben, und dann mußte er vor Gericht. Dann hat der Richter einen Zettel geschrieben, und dann mußte er eine Buße bezahlen. Und der Arbeitgeber hat einen Brief geschrieben – eingeschrieben –, und dann hatte er keine Arbeit mehr. Und dann kam ein beschriebener Zettel, und dann mußte er Steuern zahlen.

Ich sitze mit ein paar Leuten zusammen, die sich in Umweltfragen engagieren. Sie möchten eine Veranstaltung aufziehen und sind am Organisieren. Und dann wird mir zum Schluß strahlend mitgeteilt: »Und dann machen wir damit ein Buch.« Ich sage ihnen, daß ein Buch teuer komme und daß sie mit ihrem Geld Gescheiteres machen könnten, daß es ein großer Erfolg wäre, wenn sie 500 oder 600 Stück absetzen könnten. Auch mein Einwand, daß es schon viele solche Bücher gäbe und daß wohl eine Mehrzahl jener, die überhaupt Bücher lesen, bereits auf ihrer Seite seien, nützte nichts. Denn ihr Buch – so meinen sie – sei ein ganz anderes: eines, wo es dann eben gesagt sei, alles gesagt sei. Ich habe sie übrigens im Verdacht, daß sie selbst keine Leser sind und deshalb wohl auch die Vorstellung haben von einem allerersten Buch.

Nach einer Lesung in Mainz meldet sich einer aus dem Publikum. Er beginnt zwar im Tonfall einer Frage, aber er will reden, nur reden:

»Du bist doch Schweizer und ein Patriot, und diese Deutschen und Suhrkamp und Holtzbrinck und Bertelsmann . . .« Ich hatte einen sehr unpatriotischen Text über die Schweiz vorgelesen. Ich wollte ihm antworten, aber er ließ sich nicht unterbrechen. Er sei Schweizer, sagt er nun und mischt ein paar Mundartwörter in seinen Redefluß, eher nachgeahmtes Schwäbisch oder Bayerisch als Schweizerdeutsch. Das Publikum wird unruhig. Und wie ein paar Leute lächeln, beschimpft er sie als Antisemiten, die immer noch Juden vergasen würden, wenn sie könnten, er sei Jude – Schweizer Jude. Und er drohte damit, jetzt den Saal zu verlassen, und er tat es.

Da applaudierten die Leute, und da tat er mir leid. Er hatte ja nichts anderes versucht, als es den Leuten zu sagen. Was? Einfach alles, und alles auf einmal. Ein belesener Mann offensichtlich, er zitiert und zitiert – und ein verzweifelter Mann, niemand versteht ihn. Und er hat doch gelesen, und er weiß es – ein Gerechter in einer ungerechten Welt. Einer, der stört. Ein Arroganter auch, der nicht fragt (arogare heißt »nicht fragen«) und der sich ausnimmt – nur er ist gerecht.

Sag *es* ihnen doch einmal – ohne zu wissen, was eigentlich und wem eigentlich –, ich höre diese Aufforderung nicht zum ersten Mal, und sie macht mir angst. Denn es gab genug Politiker, die es ihnen gesagt und hinterher als »Gerechte« die Welt zerstört haben.

Im übrigen weiß mein Bekannter, daß ich politisch wohl in wenigem seiner Meinung wäre. Das ist ihm Wurst – es geht nicht um Inhalte und Argumente, sondern nur darum, daß einer es ihnen so richtig sagt.

Und deshalb kommt man gegen Demagogen mit Argumenten nicht durch. Und weil die Argumente unwichtig sind, sind Demagogen erfolgreich. Er hat es ihnen gesagt, das ist alles. Und was er gesagt hat, wird hinterher niemand gehört haben wollen.

Hitler hat *es* »ihnen« einmal gesagt. Und das begeisterte die Leute, daß es einer ihnen gesagt hat. Hinterher wollte niemand davon gewußt haben, daß Juden vernichtet wurden, und davon wollte niemand gehört haben. Denn was er gesagt hat, war unwichtig – nur daß er es ihnen gesagt hat.

Die Zeiten für Demagogen werden wieder günstig. Der Probleme

sind so viele, daß niemand mehr von ihnen hören will. Es soll nur
einer kommen, der es »ihnen« sagt, der sie alle zusammenscheißt –
so wie der Vorarbeiter das getan hat und tut.

Wohnen im Gewohnten

Vor vielen Jahren fragte ich einen Kellner in einem Restaurant in
Norddeutschland, was für Rotwein sie hätten. Er schaute mich entsetzt an und antwortete kurz: »Rotwein ist Rotwein!« Der Wein,
den er dann brachte, war etwas weniger trocken als seine Antwort,
aber durchaus genießbar, und sein Satz blieb mir im Kopf hängen,
ich fühlte mich von ihm irgendwie ertappt.

Nun mag ich es zwar, wenn ich zwischen zwei, drei Weinen auswählen kann, aber das Getränk, das ich inzwischen trinke, heißt
nicht *Château de Soundso*, sondern es heißt Rotwein. Der eine mag
ein bißchen besser sein, der andere ein bißchen schlechter – aber ich
mag die Weine, die Rotwein heißen. Und wenn ich verschiedene Beizen besuche, dann sind die Weine verschieden genug und die Auswahl
deshalb groß.

Jedenfalls war ich in Mainz, wo ich meine Zeit in diesem Jahr verbrachte, nicht auf der Suche nach einem guten Wein, sondern nach
einer Beiz, in der ich mich wohl fühlen könnte. Schließlich waren es
drei. In der einen war der Wein meist miserabel, die Gäste meist auch,
aber der Wirt war freundlich. Er kaufte, wenn die eine Flasche leer
war, beim Billiggeschäft um die Ecke eine andere, irgendeine – hie
und da blieb ich sogar etwas länger sitzen, und hie und da trank ich
den Wein sehr langsam und tapfer und bestellte ein Wasser dazu.

In meiner Lieblingskneipe aber war der Wein vorzüglich – einer
der besten, die ich je getrunken habe, ein Wein aus der Gegend. Der
Wirt hat mir zum Abschied zwei Flaschen geschenkt. Ich habe mir
lange überlegt, ob ich sie nach Hause schleppen soll, und ich habe
es schließlich doch getan, drei Kilo mehr in meinem schweren Koffer.
Ich werde ihn dann mal versuchen, und ich bin sicher, daß er mir nicht

schmecken wird. Nicht weil er den Transport nicht verträgt – so ein Blödsinn –, sondern weil es eben genau der Wein jener Kneipe war – eben Rotwein. Zu Hause ist er das nicht mehr. Zu Hause gibt es andere Beizen mit anderen Weinen.

Es gibt diesen Satz, der immer wieder so ausgesprochen wird, als hätte der Sprecher ihn eben erfunden: »Das Leben ist zu kurz, um schlechten Wein zu trinken.« Nun sind zwar fast alle Bonmots, in denen das Wort »Leben« erscheint, strohdumm – aber wenn ich diesen Satz höre, sehne ich mich wirklich in jene Kneipe zurück, wo es jenen »schlechten« Wein gibt. Und da möchte ich nur sitzen und nicht über Qualität und Vorzüge diskutieren müssen. (»Im Abgang einen leichten Hauch von Quitte und Himbeere« – so was Scheußliches! Wenn ich Rotwein trinke, dann möchte ich Rotwein und nicht Konfitüre. Ja richtig, Rotwein ist Rotwein.)

Man müßte etwas anderes gern haben als den guten Wein, nämlich das Leben selbst, dann wäre jeder Wein gut genug und das Leben lang genug, um schlechten zu trinken.

Nein, selbstverständlich meine ich etwas anderes. Ich kriege mehr und mehr Mühe mit dem Begriff Qualität. »Also nur etwas mehr Qualität, und schon sind wir wieder konkurrenzfähig!« »Wir haben die EU nicht nötig, wir werden den Markt erobern mit Qualität.« »Wir brauchen jetzt mehr qualifizierte Arbeitskräfte.«

In den siebziger Jahren fiel den Sozialdemokraten – Willy Brandt – der Begriff Lebensqualität ein. Sie forderten mehr Lebensqualität. Das klang sehr gut, aber in Wirklichkeit meinte es nichts anderes, als daß jene, die den Wohlstand geschaffen hatten, die Arbeiter, auch ein bißchen an ihm schnuppern sollten.

Das Wort Lebensqualität ist verschwunden. Leben an und für sich würde inzwischen wieder genügen. Aber leben haben wir in den letzten Jahrzehnten endgültig verlernt. Es gibt nur noch die Qualität, in der die einen leben, und das Nichts der anderen.

Leben ist Leben, hätte der Kellner in Norddeutschland auch sagen können, und Qualität – das ist der Rolls-Royce. Zugegeben, man kann mit ihm fahren. Zugegeben, man kann den *Château de Soundso* trinken, aber Leben ist etwas anderes.

Nein, ich meine nicht das »einfache Leben«, und ich habe Verständnis für Luxus als Schabernack. Ich meine nichts anderes als das Recht auf Leben, das von den Leistungs- und Qualitätsaposteln hämisch mit Füßen getreten wird.

Leben ist leben im Gewohnten, nur im Gewohnten kann man wohnen, und das Gewohnte ist das Gewöhnliche. Und es gibt immer noch keinen, der sich an seinen Rolls-Royce gewöhnt hätte. Sonst hätte er ihn gar nicht gekauft.

Ja richtig, Rotwein ist Rotwein.

Erzählen gegen den Tod

Zwei Feste – als wir Kinder waren – hatten mit Nacht zu tun, Weihnachten und der Erste August, eine Winternacht und eine Sommernacht. (Sankt Nikolaus war etwas anderes: Ich nahm es Tante Anni ein Leben lang übel, daß sie dem Sankt Nikolaus glich, und Sankt Nikolaus war ein dunkles Fest – es hatte nicht mit Licht zu tun.)

Sehr wahrscheinlich habe ich die Nachtfeste auch verwechselt und durcheinandergebracht. Sie hatten mit Licht zu tun und sie hatten mit Nacht zu tun, und die Nacht war etwas, das den Erwachsenen vorbehalten war. Der Wunsch, erwachsen zu werden, hatte auch damit zu tun, an der Nacht teilhaben zu können. Als es endlich soweit war, als die Nächte selbstverständlich wurden, war Weihnachten nicht mehr das, was es war und der Erste August schon gar nicht.

Weihnachten läßt sich zwar noch irgendwie herstellen, aber es läßt sich nicht mehr erleben als der kleine Schrecken, daß da irgend etwas vorgeht im verschlossenen Wohnzimmer. Eines Tages steht man auf der anderen Seite, auf der Seite der Macher, der Seite der »Betrüger«. Nein, nicht daß ich meinen Vater für einen Betrüger hielt, ich wußte schon längst, daß er der kleine Schrecken im verschlossenen Wohnzimmer war. Erst als ich die Seite wechselte – ich zögerte es so lange hinaus, wie ich bei meinen Eltern wohnte, also bis zwanzig –, kam ich mir als Verräter vor, als einer, der den Glauben aufgegeben hatte.

Immerhin, Weihnachten läßt sich noch einigermaßen – als Erinnerung – herstellen, der Erste August nicht mehr. Das Durcheinanderbringen der beiden Feste hat Gründe, und irgendwie war der Erste August fast das frömmere Fest: Ein Licht durch die Nacht tragen, ein rotes Licht mit einem weißen Schweizerkreuz – es war Krieg in Europa, und davon wußten wir, und wir trugen die Schweiz durch die Nacht, als wäre sie ein Licht für Europa.

Nein, mein Vater war kein Betrüger, als er den Weihnachtsbaum schmückte, und er war kein Betrüger, als er mir erzählte vom Krieg und den verfolgten Juden und vom roten Kreuz und von der Schweiz. Und ein richtiges Lampion war rot und hatte ein weißes Kreuz – daran hatte ich geglaubt, damals in der Nacht, an eine Schweiz wie an das Christkind. Aus, Ende!

Eine andere Nacht, »Geschichten aus Tausendundeiner Nacht«, ist mir geblieben. Da gibt es wunderschöne Geschichten, inzwischen tausendjährige – sie sind es geworden, tausend Jahre, und nicht das Reich, an das auch Schweizer geglaubt hatten –, und da gibt es unscheinbare Geschichten, Geschichten, die fast keine sind, die nur irgendwas Erzähltes sind, sie gefallen mir am besten.

Scheherezade hat sie ihrem Verlobten erzählt, dem König von Samarkand. Und sie hat so lange erzählt, tausendundeine Nacht, bis er den Vorsatz, sie hinrichten zu lassen, aufgab. Mir stockt der Atem, wenn ich diese Geschichten lese. Auch hier habe ich beim Lesen, beim »Zuhören«, die Nacht im Kopf. Und die Geschichten sind auch so etwas wie ein Licht in der Nacht.

Sie sind nicht nur ein Licht des Glaubens, sondern ein Licht gegen die Verzweiflung. Scheherezade erzählt verzweifelt. Solange sie erzählt, lebt sie. Und es fällt ihr so wenig ein, wie uns allen einfällt – nur erzählen, für immer erzählen. Die Geschichten, die eigentlich keine sind, das sind die eigentlichen Geschichten der Scheherezade – erzählen, damit erzählt wird.

Damals, als ich ein Lampion durch die Nacht trug – es war Krieg in Europa, und ich war noch keine zehn –, da gab es auch ein Plakat, das mich beeindruckte: der Schattenriß eines Mannes mit Hut, er hatte den Finger auf die Lippen gepreßt, und darunter der Schriftzug:

»Wer nicht schweigt, schadet der Heimat!« Ich wußte, was das bedeutete, mein Vater hatte es mir erklärt – Landesverrat, der Verrat an meinem leuchtenden Lampion. Und wir haben geschwiegen.

Sicher, die Situation der Schweiz – eine Insel mitten im Krieg – war eine fast verzweifelte. Und unser Mittel gegen die Verzweiflung war das Schweigen. Das hatte seinen Sinn und schien sinnvoll.

Scheherezade aber hatte verzweifelt erzählt – gegen den Tod erzählt.

Ein anderes Plakat hat nach dem Krieg gefehlt. Man hatte es vergessen: »Wer jetzt nicht erzählt, wer jetzt nicht redet, schadet der Heimat.« Und wir haben geschwiegen. Und die, die versucht haben, zu erzählen – Alfred A. Häsler: »Das Boot ist voll« –, galten als Störenfriede.

Nun werden wir – fünfzig Jahre später – vom Ausland gezwungen, doch noch zu erzählen, und wir versprechen hoch und heilig, es zu tun. Ob wir das noch können nach so langem Schweigen?

Gestern habe ich einen guten alten Freund getroffen, den ich schon jahrelang nicht mehr gesehen habe. Wir haben uns beide gefreut. Aber wir hatten uns nichts zu erzählen. Wer sich so lange nichts erzählt hat, kann nicht einfach so mit Erzählen beginnen. Wir haben uns auseinandergeschwiegen.

Probleme, Probleme

Etwas vom Gemeinsten, was ich in letzter Zeit gehört habe, war die Verlautbarung des Pressesprechers des Bischofs von Chur, der auf die Besorgtheit der Kantone über die Zustände im Bistum erklärte: »Haben die Kantone keine anderen Probleme?«

Das ist überheblich und zynisch, und es ist nichts anderes als eine Verachtung der Probleme, ein Lächerlichmachen von allem. Die Aussage ist nicht nur eine Gemeinheit, sie ist auch nicht nur eine Dummheit, sondern sie ist Dummheit schlechthin (ohne Artikel), so wie das Anmaßen eines Doktortitels nicht *eine* Dummheit war, sondern Dummheit.

Denn die Antwort auf die dummdreiste Frage des Pressesprechers ist einfach: »Ja, die Kantone haben Probleme, viele Probleme und fast nur Probleme. Und die Welt hat Probleme, dieselben wie die Kantone und noch mehr!«

Nur das Bistum hat wohl keine, weil es offensichtlich nicht von dieser Welt ist – wenn auch die Karriere von Bischof Haas von dieser Welt ist. Doktortitel zum mindesten sind weltlich, und die Karriere von Bischof Haas ist diesseitig, und er wird sie auch diesseitig genießen, diesseitig verteidigen und diesseitig an ihr leiden; denn einen Fehler möchte ich hier nicht machen, nämlich den Fehler, daß ich nun sage: »Ihre Probleme möchte ich haben«, und damit die Dummheit des Pressesprechers zurückgebe.

»Deine Probleme möchte ich haben«, das ist ausnahmslos und immer ein bösartiger Satz. Wer weiß schon davon, ob der Weinkrampf eines zweijährigen Kindes ein kleineres Problem ist als für seinen Vater der Betreibungsbeamte, ob der Liebeskummer eines Sechzehnjährigen ein kleineres Problem ist als ein komplizierter Beinbruch?

Oder, um es noch an einem Beispiel zu demonstrieren: Ein Polizist verpaßt einem Autofahrer eine Parkbuße, und der Autofahrer sagt: »Haben Sie keine anderen Probleme?« Selbstverständlich hat der Polizist andere Probleme – er hat vielleicht einen Sohn, der nicht gut tut, er hat eine Frau, die krank ist, er hat für sich selbst einen schlechten Bericht von seinem Arzt, er hat einen Vorgesetzten, mit dem er sich nicht versteht, und Ärger mit dem Präsidenten des Schützenvereins. Gemessen daran ist das Verteilen von Parkbußen wirklich eine kleine Sache, aber ...

Oder ich würde in einem Laden auf einen Mangel der gekauften Ware aufmerksam machen, und der Verkäufer würde sagen: »Haben Sie keine anderen Probleme?« Dann wäre das ein gemeiner und schlechter Verkäufer, auch wenn er recht hätte – ich habe wirklich andere und größere Probleme. Nur habe ich eine solche Verkäuferin, einen solchen Verkäufer noch nie getroffen.

Der Pressesprecher von Bischof Haas ist ein solcher Verkäufer. Ob der Pressesprecher und sein Bischof deshalb weltfremd sind? Ich glaube nicht, denn Karriere ist etwas Weltliches, und die Karriere des Bischofs, der falsche Doktor gehört durchaus zur Karriere, ist wohl doch gründlich mißlungen – für immer. Das müßte er ja nun wohl in Demut einsehen, aber Demut ist eine Eigenschaft von einfachen Menschen und nicht von Karrieristen.

Von was schreibe ich da? Nein, nicht vom Bischof und seinem Bistum, nur von einem Satz, der zynisch, dumm und herabwürdigend ist. »Haben die Kantone keine anderen Probleme.« Doch, Herr Bischof, wir haben andere Probleme, wir alle – die Zweijährige und die Achtzigjährige, der Arbeitslose und der Spekulant, der Mörder und die Heilige und die Kantone auch –, für Sie aber ist das nur ein Anlaß zu Zynismus, ein Anlaß, Ihre Karriere verzweifelt zu verteidigen.

Da lobe ich mir jenen, den ich kürzlich getroffen habe und der – als von den Holocaust-Geldern gesprochen wurde – ganz still und leise, was sonst nicht seine Art ist, gesagt hat: »Leider, leider sind meine eigenen Probleme nicht politischer Natur.« Das hat mich beeindruckt, und ich zweifelte kurz an meinem politischen Engagement, denn ich weiß ein bißchen von seinen Problemen – ja, er hat welche.

Ja, Herr Bischof, er hat andere Probleme. Beruhigt Sie das?

Die Ordnungskräfte

Meine Eltern waren ordentliche Leute, die Mutter eine perfekte Hausfrau, der Vater ein exakter Handwerker, und sie waren gute Eltern, ich hatte es gut mit ihnen. Mag sein, daß Ordnung auch für sie nichts anderes war als bürgerliche Wohlanständigkeit, mir selbst erschien es nie so – Ordnung war ihnen selbstverständlich, machte ihnen keine Mühe, sie war einfach da, die Ordnung, sie mußte nicht hergestellt werden. Die Ordnung war dasselbe wie meine Eltern, meine Eltern waren ordentlich.

Ich aber habe mich ein Leben lang damit gequält, Ordnung herzustellen, und meine Eltern beobachteten meine verzweifelten Versuche

mit Entsetzen. Ich wollte, weil ich so sein wollte wie sie, auch ordentlich sein, und ich war ein lieber Bub und ein folgsamer und ein lern-
begieriger, und die Ordnung, die mir meine Eltern sanft und durch
Vorbild beibringen wollten, leuchtete mir ein, war für mich erstrebenswert – nur gelang sie mir zu unser allem Entsetzen nie.

Die notwendigen Ordnungen halte ich zwar ein: Ich fahre rechts
auf der Straße, beachte die Verkehrsregeln, bezahle die Steuern, und
ich interessiere mich für die Regelung der Ordnung – für die Politik.

Wohl niemand außer mir hat in seinem Leben so viele Sammel-
mappen, Ordnungssysteme, Hängeregistraturen, Karteikästen, Koffer, Taschen und Kisten gekauft wie ich, immer in der Hoffnung,
daß das Gerät die Ordnung herstellen würde – es tat es nie, und
ich werde weiterhin durch die Schreibwarengeschäfte schleichen.

Aber immerhin, es gibt eine Ordnung um mich herum. Ich bin
zwar nicht ordentlich, aber ich kann mich auf Ordnung verlassen:
Es gibt einen Staat und eine Polizei und eine Bank, und es gibt Gesetze.

Nun höre und lese ich, daß in einem Land – in Albanien – die Ord-
nungskräfte die Kontrolle verloren haben. Es gibt keine Ordnung
mehr in diesem Land, und ich erinnere mich an die drastischen Schil-
derungen meines Primarschullehrers im Geschichtsunterricht: 1308,
Albrecht von Habsburg war ermordet worden und die Ordnung zusammengebrochen, es herrschte Faustrecht – wir Schüler kriegten
Gänsehaut bei der blutig-farbenen Schilderung unseres Lehrers, und
ich erinnere mich noch genau an die Faust, die der Lehrer an die
Wandtafel zeichnete und die wir schaudernd in unser Heft übertragen
mußten. Ich glaubte damals – und nicht nur zu Unrecht – meinem Lehrer jedes Wort, und ich stellte mir Faustrecht schrecklich vor – kein
Recht, kein Richter, keine schützende Polizei –, und trotzdem hatte
ich meine Zweifel. Denn vorher hatte uns der Lehrer von 1291 erzählt, als die Eidgenossen eine andere Ordnung wollten, ihre eigene
Ordnung wollten, ihr eigenes Recht, ihre eigenen Richter – und nun
sollte der Zusammenbruch der fremden Ordnung eine Gefahr sein?

Die Ordnungsmächte haben die Kontrolle verloren? Die Kontrolle
über welche Ordnung? Halt einfach über die Ordnung schlechthin.

Denn Ordnung muß sein. Und die Ordnung kann nur mit der Ordnung umgehen – die amerikanische Ordnung mit der chinesischen Ordnung, die schweizerische Ordnung mit der türkischen Ordnung, die persische mit der palästinensischen.

Ordnung ist dann, wenn die Bürger – aus was für Gründen auch immer – nicht im Weg herumstehen, nicht auf den Geleisen sitzen, nicht verzweifeln. Ordnung ist dann, wenn die Händler einen Ansprechpartner haben – einen Präsidenten, der an der Macht ist. (Die Frage nach der Qualität von Jelzin ist nur und ausschließlich die Frage danach, ob er noch die Macht hat. Wofür er seine Macht einsetzt, ist irrelevant. Der Händler will nur wissen, ob ihm, dem Präsidenten, dieses Land gehört – mehr hat er nicht zu tun und zu wollen. Denn wenn seine Macht zusammenbrechen sollte, werden die Ordnungsmächte die Kontrolle verloren haben. Die Kontrolle wofür und worüber?)

In Albanien ist die Ordnung zusammengebrochen. Warum macht uns das angst? Vielleicht auch deshalb, weil jeder Zusammenbruch einer Ordnung die Frage stellt, ob Ordnung einen Sinn zu haben hat oder ob es eine Ordnung an und für sich gibt – eine Ordnung, die nur der Ordnung zuliebe eine Ordnung ist. Meinen Eltern war diese Ordnung selbstverständlich, ich bewunderte sie dafür – mir aber ist diese Selbstverständlichkeit nie gelungen.

Ich hatte immer Mühe, Ordnung zu halten. Ich schleiche ein Leben lang durch Schreibwarengeschäfte und suche Ordnungssysteme. Ich habe die Bücher der politischen Theoretiker gelesen, die Ordnungssysteme vorschlagen. Ich hatte mich als unordentlicher Mensch ein Leben lang mit Ordnung auseinanderzusetzen. Menschen, denen Ordnung – Ordnung an und für sich – selbstverständlich ist, sind mir, trotz meiner guten Eltern, unheimlich – weil für viele dann Ordnung ist, wenn irgendeine Ordnung ist, wenn das Geschäft »in Ordnung« möglich ist, was für ein Geschäft auch immer.

Wer sind Sie wirklich?

Also angenommen, Sie wären ganz Sie selber, nur Sie selber, kein Bauarbeiter bei der Firma Soundso, keine Mutter, die sich Sorgen macht um ihren gefährdeten Sohn, keine Verkäuferin in einem Gemüseladen, von der die Leute wissen, daß sie freundlich ist, kein Arbeitsloser, der versuchen muß, einen guten Eindruck zu machen – also angenommen, Sie wären ganz Sie selber, wer wären Sie dann?

Sind Sie wirklich die Person in Ihrem Fotoalbum, von der alle sagen: »Typisch Rosa, typisch Albert.« Angenommen, morgen ruft die Schweizer Illustrierte an und will bei Ihnen zu Hause eine Home Story machen, wissen Sie nicht zum voraus, daß Sie das nicht sein werden?

Die Home Story, die Geschichte des Menschen an und für sich, befriedigt die berechtigte Neugierde der Leute – der Bundesrat, der eigentlich ein Rosenzüchter ist, der General, der eigentlich ..., und die Skifahrerin, die eigentlich ..., und der Schwingerkönig auf seiner geliebten Honda und der Manager, der Abend für Abend auf seinem Sofa neben seiner Frau sitzt, auf der linken Lehne der Sohn und auf der rechten Lehne das Töchterchen.

Doch, doch – die Neugierde ist berechtigt: Wie reden die Leute, die Rücksicht nehmen müssen, diplomatisch sein müssen, vorsichtig sein müssen – wie reden die, wenn sie ganz sie selber sind und so reden, wie sie reden?

Nein, ich habe nichts gegen Home Stories, hie und da schimmert etwas durch – und das, was durchschimmert, ist wohl die Erinnerung an mich selbst: Wer bin ich wirklich, wer sind Sie wirklich, wenn Sie Sie selber wären?

In Japan haben Computerleute einen künstlichen Menschen konstruiert, eine Frau, die total ein Mensch ist, die aber nur auf dem Bildschirm existiert. Sie kann alles, man kann aus ihr eine Sängerin machen, man wird mit ihr Filme drehen können, man wird sie auch aufs Sofa neben ihre Familie setzen können. Man wird ihr Geschichten und Kleider erfinden und Abenteuer – ein Milliardenprojekt –, und man wird sie vermarkten, und wir werden sie und ihre Brüder und Schwestern kennenlernen – nämlich dort, wo unsere Welt schon längst stattfindet: auf dem Bildschirm.

Mich erinnert das an Literatur: Conan Doyle ließ seinen »künstlichen« Menschen Sherlock Holmes in die Gießbachfälle stürzen und sterben, weil er genug von ihm hatte, und Leser in der ganzen Welt protestierten gegen seinen Tod. Er mußte ihn auferstehen lassen. Mary Shelley, die Frau des großen englischen Lyrikers, erfand 1818 einen Menschen, Frankenstein, der einen künstlichen Menschen erfand. Inzwischen hat der künstliche Mensch den Namen »Frankenstein« selbst angenommen und ist nicht umzubringen, und die Dinosaurier waren noch nie so real wie heute, so sehr haben sie noch nie gelebt, wie sie heute auf Leinwand und Bildschirm leben, noch nie zuvor waren sie im Bewußtsein so vieler Menschen – berühmter als Jesus, wie John Lennon traurig und zynisch und zu Recht von sich selbst gesagt hat.

Also zurück zu den elektronisch künstlichen Menschen aus Japan, die nur auf dem Bildschirm und auf Bildern existieren, wie die wirklichen Sängerinnen und Sportler, Schriftsteller und Verbrecher, Politikerinnen und Philosophinnen auch, die für uns auch nur auf dem Bildschirm existieren. Ich stelle mir vor, nur als Beispiel: Die argentinischen Elektroniker und die deutschen, die amerikanischen, australischen, japanischen und schweizerischen Elektroniker stellen Bildschirmmenschen her, trainieren sie – wie man richtige Mädchen trainiert, z. B. 14 Jahre lang – als Tennisspielerinnen, als Fußballer, als Eisprinzessinnen, geben ihnen ein Gesicht, eine typische Stimme, einen typischen Gang und ein Outfit. Dann läßt man sie gegeneinander antreten, an genau demselben Ort, wo die »richtigen« Menschen gegeneinander antreten, auf dem Bildschirm – und sie sind die besten und die saubersten und die cleversten und selbstverständlich sympathisch wie Sherlock Holmes und die Dinos. Und die künstlichen Menschen hätten Namen, und wir würden die Namen kennen wie die Namen von Chapuisat und Navratilova, und der eine hätte einen Schnurrbart und wäre etwas böse und würde sich dauernd beschweren beim Schiedsrichter, der auch hergestellt wäre in Argentinien oder Australien, und XY aus Österreich wäre ein Sandplatzspezialist, und alle und alles wäre hergestellt, nur hergestellt für den Bildschirm – für jenen Bildschirm, auf dem wir das richtige Leben wahrzunehmen glauben – dann ...

Dann – ja was dann? Dann wäre wohl alles so, wie es heute bereits ist. Was man heute macht und herstellt mit Menschen und Geld, das kann man auch mit Kunstmenschen machen und herstellen – und auch wenn es sich um wirkliche Menschen handeln sollte, wir sehen nur die Kopie – und die Kopie der Kopie der Kopie.

Und die Wirklichkeit ist ohnehin etwas anderes. Wer sind Sie wirklich?

Bern, 8. Juni 2027

In den Zeitungen lese ich schon am Montag, daß das Spiel, das ich so spannend fand, eigentlich kein Spiel mit besonderen fußballerischen Höhepunkten war. Ich suche in der Zeitung auch die Bestätigung meines Ärgers über den Schiedsrichter, ich finde sie nirgends, ich muß mich getäuscht haben; ganz abgesehen davon, daß mein Ärger, jetzt am Montag, auch keiner mehr ist, und mein Interesse daran, wer der Sieger gewesen sein wird (grammatikalisch kompliziert), ist verblaßt.

Es ist jetzt schon eine Woche her. Erinnern Sie sich noch? Denn der Reporter hatte in seiner Begeisterung gesagt, daß dies ein Cupfinal sei, von dem man noch in zwanzig, dreißig Jahren sprechen werde. Sprechen Sie noch davon? Es ist erst eine Woche her. Schön wär's, wenn der Reporter recht hätte. Wenn es Ereignisse gäbe – bedeutende und vor allem auch unbedeutende –, von denen noch in dreißig Jahren erzählt würde. Aber das Erzählen ist längst eingeholt worden von der Aktualität, man erzählt nicht mehr, Aktualität und Erzählung sind identisch geworden – das nächste Jahrhundertereignis wird morgen stattfinden und das übernächste übermorgen.

Oder wollen wir uns gemütlich zusammensetzen in zwanzig Jahren – ich mit 82 – und uns gegenseitig gemütlich den Cupfinal 1997 erzählen? Wollen wir uns am 8. Juni 2017 in Bern treffen und das Jubiläum dieses unvergeßlichen Cupfinals feiern? Nein, das wollen wir nicht und werden wir nicht. Eigentlich schade – ich selbst mag Fußball nur aus dem einen Grund, daß man ihn erzählen kann, ich mag die Stunden nach dem Spiel in der Beiz des Stadions in Solothurn.

Das mag er gemeint haben, der Beni Thurnheer, als er sagte, daß man von diesem Final noch in dreißig Jahren sprechen werde, denn er selbst ist ein leidenschaftlicher Erzähler, und ich mag seine Aktualitätserzählungen – lieber solche als gar keine.

Vielleicht meinte er aber auch etwas ganz anderes – nämlich das »Wir waren dabei«. Dabeisein, wenn etwas Einmaliges oder Erstmaliges passiert. »Wir waren dabei, als zum ersten Mal ein Cup durch Elfmeterschießen entschieden wurde.« Und die Erzählungen von alten Leuten klingen denn auch so – sie hatten sich schon damals, als es so kalt war oben am Gotthard, entschieden, es zu erzählen. Sie wußten schon 1947 – ein heißer Sommer –, daß sie einen heißen Sommer erlebten, von dem man später jenen, die ihn nicht erlebten, erzählen konnte. Sie wußten schon am Tage des Untergangs der Titanic, daß sie am Tage des Untergangs der Titanic lebten.

Also: Ich war dabei, als ich dem General Guisan die Hand gab. Ich war dabei – am Fernsehen –, als Ungarn gegen Deutschland den Final verlor, ich war dabei, als der Feldwebel . . ., ich war dabei, als der Hauptmann . . ., und 1947, ein heißer Sommer, war ich in Huttwil in den Ferien. Das Thermometer bei der Apotheke platzte. Man wird noch in fünfzig Jahren davon reden, jetzt wär's soweit – aber lassen wir das!

Ein Ereignis habe ich aber für immer verpaßt. Ich war nicht dabei, und ich werde nie dabeigewesen sein: Als ich ein Kind war in Olten, erzählten die alten Leute, sie hätten es noch erlebt, wie die Aare zufror, wie man mit Fuhrwerken auf ihr hin und her fahren konnte – und sie erzählten es uns vorwurfsvoll. Wir waren zu jung, um es erlebt haben zu können, das war der Vorwurf. Und ich verbrachte damals im Winter Stunden und Tage damit, die Aare zu beobachten. Ich wünschte mir, daß sie zufriert – nicht eigentlich, um es zu erleben, sondern um es später erzählen zu können, den Jüngeren, die es eben nicht erlebt hätten. Ich erinnere mich noch heute daran, auch an heißen Sommertagen, wenn ich in Olten über die Brücke gehe.

Nun wäre es ja möglich, daß sie in den nächsten zehn Jahren noch zufriert, daß ich das also noch erlebe. Nur werde ich es dann nicht mehr erzählen können in dreißig Jahren – und ich wollte es ja damals nur erleben, um es später erzählen zu können – eben all jenen, die zu jung sein werden, um es erlebt haben zu können. Jetzt bin ich am Zufrieren der Aare nicht mehr interessiert – es würde mir nicht mehr zur Erinnerung werden, ich würde es nicht in dreißig Jahren erzählen können.

Ob uns der Cupfinal zur Erinnerung wird? Schön wäre es, denn nur was erzählbar ist, hat stattgefunden – der Erzähler Thurnheer weiß das. Also, wir treffen uns – wir alle – am 8. Juni 2027 in Bern und gedenken des Cupfinals, von dem man dann – in dreißig Jahren – noch sprechen wird. Schön wär's.

Namen, Namen, Namen

Ich kenne ihn kaum, und wir treffen uns selten und zufällig, aber wir duzen uns. Ich treffe ihn gern, er ist ein stiller, bedächtiger Mann. Aber jedesmal, wenn ich ihn sehe, hat er ein wenig ein schlechtes Gewissen. Er hat einmal in einer Diskussion, es ging um Drogenabhängige, den Namen Hitler erwähnt, und ich habe ihn gefragt: »Dafür also, für diese ›Ordnung‹, würdest du Millionen von unschuldigen Toten in Kauf nehmen?« Und zu meiner Überraschung entschuldigte er sich augenblicklich – er konnte es selbst nicht fassen, daß ihm der Name Hitler eingefallen war.

Ich glaubte ihm sein Entsetzen über sich selbst sofort – glaubte ihm, daß ihm nicht eine Sache, nicht die grauenhafte Weltgeschichte eingefallen war – sondern nur ein Name, ein Name wie Hugo Koblet, Ferdy Kübler, wie Napoleon oder Marlboro, wie Hingis oder Novartis.

Zwei Sekunden mindestens dauert es täglich, bis mir der Name unserer lieben Nachbarin wieder – und immer wieder – einfällt. Dabei ist unser Gedächtnis voller Namen, und ich möchte gern wissen, wie viele Namen denn nun in meinem Hirn sind. Sind es Hunderte, Tausende, Zehn- oder Hunderttausende? Und welche davon fallen mir spontan ein?

Immer noch, und für gar nichts, kenne ich die Namen der Offiziere meines Vaters im Aktivdienst. Er muß sie so ausgesprochen haben, daß sie sich in mein Hirn eingebrannt haben: Hauptmann Nievergeld ... Und kürzlich hat mir ein Freund eine Diskette geschenkt mit Statistiken über die Tour de France, den Giro und die Tour de Suisse: Seppli Wagner, Weilenmann, Bartali, Rolf Graf – ja, die Namen sind noch drin in meinem Kopf, und eigentlich erinnern sie mich nicht an jene Fahrer, sondern an mich selbst. Damals war ich zwölf – ich sehe mich an der Straße stehen und die Tour de Suisse erwarten.

Aber ich stelle auch fest, zu meinem Ärger, daß da auch noch ein Stück Verehrung mitspielt. Verehrung wofür? Wohl dafür, und nur dafür, daß ich schon war, als sie waren. Meine Biographie hängt an Namen, an unnötigen Namen. Ich hatte mit Bartali etwas zu tun, »er war ein netter Kerl«. Aber woher soll ich das wissen?

Fast täglich passiert es mir, daß mich jemand auf Willi Ritschard anspricht – nein, das war kein Radrennfahrer – aber ich höre auch nicht mehr, als daß das eben noch einer war, daß es keinen solchen mehr gäbe, und vor allem: »Ich habe ihn gekannt, ich habe ihn einmal gesehen.« So wie ich einmal in Olten Gino Bartali habe vorbeifahren sehen. Ich ärgere mich wirklich jedesmal, denn eigentlich würde ich ein Gespräch über politische Inhalte erwarten, aber es bleibt ein Gespräch über einen Namen, und wenn es noch schlimmer wird, dann heißt das, er – Ritschard – wäre auch gegen den EWR gewesen, er wäre auch gegen die Asylanten gewesen, er wäre auch gegen Bodenmann und gegen die Koch.

Ich kenne einen, der ist im Winter – und zwar laut – für den SCB (die fahren Schlittschuh) und im Sommer – noch lauter – für Schumacher. Da kann er sehr, sehr böse werden, wenn ihm einer widerspricht: Der Schumacher wird es schaffen, der wird es schaffen. Und wenn ihm auch alle zustimmen, er bleibt laut: Dem macht keiner etwas vor, der schafft es, und alle anderen sind nur Torenbuben. (Dieser Schumacher ist zwar leider auch in meinem Kopf – aber ich würde einen anderen Schumacher kennen, den Gründer der neuen SPD und wohl auch den wichtigsten Mann bei der Gründung der Bundesrepublik nach dem Krieg. Aber das war ein Mann mit Inhalten, und das war ein Pragmatiker und einer, der wußte, daß es im Leben um mehr geht als nur um Sieg und Niederlage. Einer, der wußte, daß es keine Besten gibt und auch keine Schlechtesten, einer, dem es nicht darum ging, »es zu schaffen«, sondern etwas zu schaffen – etwas, worin Menschen in den letzten fünfzig Jahren in Frieden leben konnten.) Aber Schumacher wird es schaffen, ihr Vollidioten werdet erleben, daß er es schafft, ihr werdet noch an mich denken!

Schumacher, Herbert, Villeneuve, Frentzen – Namen, Namen, Namen. Sagt Ihnen der Name Adolf Muschg etwas? Ah ja, ist das der, der gegen den Blocher? Nein, Muschg ist ein Mann mit Inhalten, einer, dem es um mehr geht als nur um recht haben und siegen, aber die meisten von uns kennen nur seinen Namen. Willi Ritschard war auch ein Mann mit Inhalten, und er ist jetzt auch nur noch ein Name. Namen wie irgendwelche Namen – man ist dafür oder dagegen wie für Schumacher oder Villeneuve.

Also kann man es ja gleich – Namen, Namen – beim Namen lassen: Glauben Sie, daß Camenzind es schaffen wird? Glauben Sie, daß Bjarne Riis es schaffen wird?

Glauben Sie, daß Christoph Blocher es schafft? Was?

Der Mythos vom Mythos

Die Königin Bertha muß eine gute und gütige Frau gewesen sein. So hat sich das in meinen Kopf eingeprägt. Meine Mutter erzählte mir von ihr, immer wieder. Wenn ich mich richtig erinnere, saß sie zu Pferd und hatte einen Spinnrocken in der Hand. Sie hatte ein Herz für die armen Leute und brachte den Frauen das Stricken bei. Warum und bei welchen Gelegenheiten meine Mutter mir das erzählte, das weiß ich nicht mehr, und irgendwie ist es auch eine eigenartige Vorstellung, daß sich da jemand hinsetzt und sagt: »Also, die Königin Bertha ...«

Aber eines weiß ich noch: Ich war ganz sicher, daß meine Mutter diese Königin Bertha persönlich gekannt hat, und es hätte mich nicht verwundert, wenn sie uns einmal besucht hätte. Ich war schon einiges älter, als ich entdeckte, daß diese Bertha im 9. Jahrhundert gelebt hat, aber trotzdem, ich brachte es nicht aus meinem Kopf, daß meine Mutter – daß wir etwas mit ihr zu tun haben. Sie ist nun mal in meinem Kopf, wenn wohl auch nur als Name.

Heute weiß ich, weshalb ich glaubte, meine Mutter sei mit ihr befreundet gewesen. Sie hat es erzählt – lang und ausführlich und mit Ausschmückungen. Sie, die Erzählerin, war mit drin in dieser Geschichte. Die Stimme meiner Mutter, die Phantasie meiner Mutter, wurde für mich zu einem Teil jener Königin Bertha. Und mit Geschichte im Sinne von Historik hatte das nichts zu tun. Vielmehr mit Mythos – sie war nun mal eine Gute, diese Bertha, und sie hatte es auch zu sein.

Aber meine Eltern haben mir auch andere Geschichten erzählt. Jene, die alle erzählt bekamen. »Hänsel und Gretel«, »Schneewittchen« und »Dornröschen«, dann den Untergang der Titanic und die Internierung der Bourbakiarmee, vom Rütli, vom Tell und vom Winkelried – und alle und alles haben ein bißchen gelebt wie Königin Bertha, waren irgendwie gegenwärtig. »Und wenn sie nicht gestorben sind, dann leben sie heute noch«, enden die Märchen. Wir haben es fast noch persönlich gekannt, das »Schneewittchen«, und unsere

Eltern sind fast noch mit ihm zur Schule gegangen. Und es gab so etwas wie ein gemeinsames Wissen – Schneewittchen und Winkelried kannten alle, und alle hatten Mütter und Väter, die fast noch dabei waren.

Inzwischen, so scheint mir, sind sie weg, die Mythen. Wie viele Schweizer könnten wohl noch jenen bezeichnen, der in der Schlacht von Sempach ...? Oder wie hieß jener, der das Rote Kreuz ...? Und die einzigen Mythen, die eigenartigerweise Bestand haben, sind Marilyn Monroe und die Titanic.

Vor ein paar Jahren noch hieß es: Wenn drei Schweizer Männer zusammenkommen, erzählen sie vom Militärdienst. Das war auch so, und es hat mich genervt, und ich versuchte das Thema zu vermeiden, und es gelang mir nicht immer. Inzwischen ist es weg, und ich vermisse es fast. Es wird nicht mehr erzählt. Die Geschichten beginnen nicht mehr mit »Es war einmal ...« oder mit »Damals, als wir ...« Sie sind ersetzt worden durch Aktualität, durch tägliche Sensationen: Die Titanic geht inzwischen alle zehn Minuten irgendwo unter. Die Geschichte heißt jetzt nicht mehr Nationalsozialismus und Judenvernichtung, sie heißt jetzt nur noch D'Amato und Bronsman und Blocher.

Und trotzdem wird wieder vom Mythos Schweiz gesprochen, der überprüft und relativiert werden müsse, wird davon gesprochen, daß die Schweizer immer noch an ihrem Mythos hängen würden.

Das glaube ich nicht. Unsere Überheblichkeit, unsere Überzeugung, die Besten und die Einzigen zu sein, hat keine historischen Wurzeln. Das ist ein Phänomen unserer Gegenwart, und Historiker werden daran nichts ändern.

Ich begrüße es sehr, daß eine Historikerkommission unsere Geschichte aufarbeitet – das hätte schon längst geschehen sollen –, aber ich fürchte, auch mit einer neuen und ehrlicheren Geschichte werden wir die gleichen Schweizer bleiben. Denn die alte, die mythisch verbrämte Geschichte kennt ja auch kaum jemand mehr – und erzählt wird sie nicht, weder von Vätern noch von Müttern.

Wir machen es uns viel zu leicht, wenn wir glauben, es seien die Mythen, die die Schweizer daran hinderten, solidarisch und human zu sein, weltoffener zu denken. Das Gegenteil ist wahr, der Mythos – auch der alte – würde uns dazu verpflichten.

Ich fürchte, die Historikerkommission ist eine falsche Hoffnung. Ihr Ergebnis wird weder die Schweiz noch die Schweizer verändern. Und wie es auch aussehen wird, das Ergebnis, es wird im Fernsehen zur gewöhnlichen alltäglichen Sensation werden, zum gewohnten alltäglichen Untergang der Titanic oder zum alltäglichen Sieg der Hingis. Man wird dafür und dagegen sein, und alles wird gleichbleiben.

Die Diskussion über schweizerische Mythen, fürchte ich, könnte zum Ablenkungsmanöver werden. Denn nicht unsere Geschichte ist gefordert, sondern wir selbst.

Tagebücher des Staunens

Es gibt in Amerika eine stereotype Frage an Fremde: »Ist das Ihr erster Aufenthalt in Amerika?« Und als ich die Frage noch mit Ja beantworten konnte, wurde ich freudig begrüßt und besonders freundlich behandelt. Später war es dann der zweite, der dritte – ich begann exakt zu zählen, um die Frage genau beantworten zu können, und ich erwartete, daß meine Gesprächspartner mit Staunen zur Kenntnis nehmen würden, daß ich schon mehrere Male hier war. Das Staunen blieb aus. Der Frager erwartete nur ein Ja oder ein Nein, und vom späteren Nein war er enttäuscht. Denn das Staunen erwartete er von mir, dem Neuling. Dem, der noch über das staunen kann, was dem Einheimischen alltäglich ist.

Ein Atomphysiker – übrigens und zufällig in New York – führte mir seinen Neutronenbeschleuniger vor, den kleinsten der Welt, wie er mit Stolz bemerkte – auch das gibt es im Land der Rekorde: das Kleinste. Auf meine Frage, was man denn mit dem Beschleuniger mache, sagte er: »Wir bauen Unfälle, Crashes«, und er genoß seinen bübischen Einfall und mein Staunen, »wir versuchen dabei, Teilchen in Kerne zu schießen, wo sie nicht hingehören, wo sie noch nie waren, und wenn uns das gelingt, dann schauen wir, wie sich diese Teilchen in der fremden Umwelt verhalten, und hoffen, so neue Erkenntnisse über diese Kerne zu erhalten.«

»Wissen Sie«, sagte er, »es gibt diesen alten Traum der Menschheit, daß einmal ein Außerirdischer unsere Welt besuchen wird. Und wir werden ihn beobachten und wohl feststellen, daß er ganz anders auf unsere Welt reagiert, als wir es erwarteten. Er wird vielleicht über andere Dinge lachen als wir, über andere weinen und über andere staunen. Und wir könnten von ihm lernen, unsere Welt neu zu sehen – sie sozusagen erstmalig zu sehen.«

Der amerikanische Schriftsteller Ernest Hemingway wurde einmal gefragt, was er sich wünschen würde, wenn er sich etwas Unmögliches wünschen könnte, zum Beispiel etwas, das gegen die Naturgesetze verstößt. Er sagte: »Noch einmal zum ersten Mal *Krieg und Frieden* von Tolstoi lesen können.«

Und noch einmal Amerika – und nur zum Beispiel, es könnte auch Langnau im Emmental, Welschenrohr oder Niederbipp sein –, kürzlich ein Krimi im Fernsehen gesehen, New York, ja genau da, zwei Straßen weiter habe ich gewohnt, wenn die Kamera nur ein kleines bißchen schwenken würde, ja hier, der Coffee-Shop. Und gleichzeitig fällt mir ein, daß ich jetzt überhaupt keine Lust hätte, dort zu sein. Schon bei meinem letzten Aufenthalt habe ich mich doch ziemlich gelangweilt. Vielleicht gehe ich nie mehr nach Amerika. Ich kenne es inzwischen, und mein täglicher Tramp dort unterscheidet sich von meinem täglichen Tramp hier nicht mehr sehr.

Und trotzdem – die Lust, nach New York zu gehen, fehlt mir zwar, aber die Sehnsucht nach New York bleibt. Irgendwie hat mich das reale New York nie richtig erreicht. New York ist eine Vorstellung geblieben. Und die Bilder am Fernsehen erinnern mich mehr an mich selbst als an New York. Solothurn erinnert mich auch an mich selbst. Heimat ist wohl das, was uns an uns selbst erinnert. Ja, Hemingway hatte recht: Noch einmal zum ersten Mal *Krieg und Frieden* lesen können, noch einmal zum ersten Mal staunen. Der Abenteurer Hemingway wußte, daß es kaum ein größeres Abenteuer gibt, als ein geliebtes Buch zum ersten Mal zu lesen.

Und genau das ist wohl der Grund dafür, daß ich fast nur noch Bücher lese, die ich schon mal gelesen habe. Sie erinnern mich an jenen, der es mit siebzehn, mit zwanzig zum ersten Mal las. Sie erinnern mich daran, wo ich saß, als ich diese Seite las, wie ich empfunden habe, wie ich mich fühlte und wie ich dachte damals. Nichts erinnert mich so sehr an mich selbst wie die Bücher, die ich gelesen habe. Sie sind mir zu Tagebüchern geworden.

Also angenommen

Angenommen, die Wissenschaft würde herausfinden, daß, wenn wir nur noch einen Tag länger Auto fahren würden ... nein, das Beispiel taugt nichts, es würde falsch verstanden. Also anders und unwahrscheinlicher: Angenommen, die Wissenschaft würde mit Sicherheit und unwidersprochen herausfinden, daß, wenn die Eisenbahnen noch einen Tag länger fahren würden, dann das ganze Ökosystem total zusammenbrechen würde und sämtliche Menschen innert wenigen Tagen tot wären – nur angenommen, würden dann morgen die Eisenbahnen noch fahren?

Ja, sie würden. Man kann sie nicht einfach nicht fahren lassen. Die Gründe sind einfach, wirtschaftliche Zwänge, Arbeitsplätze usw. Wenn sie nicht fahren würden, würde alles zusammenbrechen, die Autos zum Beispiel – doch, ich besitze ein Auto.

Angenommen, man würde feststellen, daß Tabakrauchen schädlich oder gar tödlich ist – also nur angenommen, ich bin Raucher –, würde man dann, würde ich dann? Die Amerikaner sind da radikaler. Die Tabakindustrie wird zur Kasse gebeten, aber nur zur Kasse.

Oder angenommen, man könnte den Gotthardtunnel aus irgendwelchen Gründen nicht bauen, würde er dann trotzdem gebaut, und würde er wegen des Bauens gebaut oder wegen des Befahrens?

Oder angenommen – einfacheres Beispiel –, man würde feststellen, daß die Umgebung von Schießanlagen katastrophal von Blei verseucht sei – darauf hätte man ja schon längst kommen können –, würde man dann auf das Verschießen von Blei verzichten?

Nein, man würde nicht, man würde die Anlagen umzäunen, man würde den Bauern verbieten, ihre Kühe in der Umgebung weiden zu lassen, und man würde weiterhin Blei verschießen. Man verschießt weiterhin Blei, denn Schießen ist mit Blei, und Schießen braucht den Kitzel des Gefährlichen.

Nun gibt es zwar auch Sportschützen, die haben, so sagen sie, weder mit irgendeinem Haudegentum noch mit militärischer Ertüchtigung zu tun. Sie betrieben das Schießen nur als Sport. Ich glaube ihnen das, und ich glaube daran, daß es das gibt, es gibt auch Speerwerfer, und auch der Speer war mal eine Waffe wie der Diskus auch.

Es bliebe nur die Frage, warum denn die Gewehre knallen müssen und warum es – in doppeltem Sinne – tödliches Blei sein muß, das da nach vorn auf die Scheibe fliegt. Man könnte das doch billiger und einfacher machen, und erst noch mit exakteren Ergebnissen, mit elektronischen Gewehren. Aber eben, das wäre dann nicht Schießen – weil es nicht knallt und nicht an Gefährlichkeit erinnert –, und Schießen muß sein. Alles, was ist, muß sein.

Eine Umfrage ergab, daß ein Großteil der Bevölkerung das Vertrauen in die Behörden, in die Politik verloren hat. Also angenommen, wir kämen zur Überzeugung, daß wir ein neues Regierungssystem bräuchten – zum Beispiel, nur zum Beispiel –, ein Parlament, das einen Ministerpräsidenten wählt, der dann sein Kabinett mit Fachleuten zusammenstellt, wären wir fähig, das System zu wechseln? Wären wir fähig, eine neue Verfassung zu machen, wenn wir eine neue brauchten?

Amerikanische Ökonomen fanden heraus, daß der Geldfluß des Drogenhandels, des illegalen Waffenhandels auch, annähernd den Geldfluß des Erdölhandels erreicht habe und eine eminente wirtschaftliche Bedeutung besitze. Heißt das, daß das, was wir alle wünschen, eine Welt ohne Drogenopfer, vielleicht doch nicht wünschenswert ist?

Wir reden dauernd davon, daß sich die Welt in den letzten Jahrzehnten total verändert habe, und wir leben seit Jahrzehnten hartnäckig in derselben Welt. Alles hängt mit allem zusammen, und (fast) alles wird zum wirtschaftlichen Faktor. Daß wir es einsehen, macht die

Sache noch schlimmer, denn veränderbar ist sie nicht. Wir glauben, wir könnten nicht mehr zurück, dabei sind wir hinter allem zurückgeblieben. Wirklich entscheiden können wir nicht mehr, wir können es nur noch ein bißchen biegen und flicken. Ob wir eine Armee brauchen – zu ihrem eigentlichen Zweck –, ist nur noch eine Scheindiskussion. Wir haben sie, und es hängt halt so viel an ihr, basta.

Ich habe in den fünfziger Jahren am Städtebundtheater Solothurn-Biel – einem wunderbaren Provinztheater damals – eine Aufführung von Frischs »Biedermann und die Brandstifter« gesehen. Da begann plötzlich der schwere Tisch auf der Bühne zu wackeln. Die Schauspieler überspielten das genial, hielten den Tisch mit der linken Hand und machten mit der rechten ihre pathetischen Gesten. Nach und nach wurden dann von den Neuauftretenden Stecken hereingeschmuggelt und diskret unter den Tisch geklemmt, um ihn zu stützen. Sie erfanden Abgänge und Auftritte, um noch mehr Stecken zu holen. Sie machten das genial wie Zauberkünstler, der Tisch hatte zum Schluß mindestens zwanzig Beine, und niemand hatte gesehen, wie die Stecken unter den Tisch kamen. Nur, das war halt denn auch alles. Die Vorstellung wollten sie zwar retten, aber es gab sie gar nicht mehr. Die Schauspieler hatten andere Probleme. In einem richtigen Theater hätte man den Vorhang gezogen, den Tisch repariert und neu begonnen.

Ich lebe gern

Der Clown Grock hat mal eine kleine Autobiographie geschrieben, ich habe sie als Jüngling gelesen, aber ich wüßte kaum mehr etwas davon zu erzählen. Schon damals, daran erinnere ich mich, hat mich der Titel so erschlagen, daß ich vom Inhalt des Buches eben nicht mehr als den Titel mitbekam, er hieß: »Ich lebe gern«.

Ich erinnere mich, daß ich Liebeskummer hatte damals und Schwierigkeiten mit einem Lehrer, der wohl nicht gern lebte, sondern lieber jemand war: ein mächtiger Lehrer. Und da kam nun einer und hatte die Frechheit, zu sagen, er lebe gern, eine Frechheit auch deshalb, weil es dazu eigentlich kein Gegenteil gibt – ich lebe ungern.

Ich werde immer wieder gefragt, für wen ich schreibe. Ich weiß es nicht, aber ich denke in der Regel schon an jemanden, wenn ich schreibe, an einen Freund, an eine Freundin, an meine Frau, ihnen soll es gefallen. Gestern aber traf ich einen, der eben seine Stelle verloren hatte. Nach und nach gewöhnt man sich daran. Das Gespräch wird zur Routine: »Schlimm, grauenhaft, schrecklich.« Er wird ab jetzt nur noch routinierte Gesprächspartner haben, die Leute vom Arbeitsamt, den Projektleiter eines Kurses, später vielleicht einen Sozialarbeiter, den Mann von der Bank, Hypothek, Einfamilienhaus. Er wird im entsprechenden Kurs lernen, wie man ein Bewerbungsschreiben abfaßt, als wäre er arbeitslos geworden, weil er keine richtigen Bewerbungen schreiben konnte. Der Lehrer wird auch ein Arbeitsloser sein, auch wenn er weiß, wie man ein Bewerbungsschreiben verfaßt. Man wird ihm Weiterbildung anbieten, einen Computerkurs, vorerst mal das Zehnfingersystem.

Alle machen jetzt einen Computerkurs, und er ist über fünfzig. Er hat sich jetzt vorzubereiten auf eine Zeit, in der es wieder Arbeit gibt. Er weiß, daß es keine mehr geben wird. Vielleicht macht er auch einen Kurs in positivem Denken, positiv denken über was? Jedenfalls wird er dem Arbeitsamt monatlich sechs Bewerbungen vorlegen müssen. Und ich sitze da und sage: »Schlimm, schrecklich, grauenhaft.«

An wen denken Sie, wenn Sie schreiben? Gegenwärtig an ihn, und deshalb will mir kein Thema als wichtig genug erscheinen: Verhandlungen mit der EU, Schwerverkehr, Neat, ein wunderbarer Herbsttag heute?

Ich werde nichts schreiben können, was ihn jetzt interessieren könnte. Ob es ihn vorher interessiert hätte? Ich weiß es nicht, sehr wahrscheinlich nicht, er hat eine kleine Karriere gemacht, ein unentbehrlicher Mitarbeiter, eine sichere Stelle. Mein Erbarmen hält sich in Grenzen, trotzdem, er tut mir leid, und wenn ich ihn auch nicht kenne, ich fürchte mich davor, daß er sein Leben wegwerfen könnte. Ich fürchte mich davor, daß ihn alles, was ich jetzt schreiben würde, beleidigen könnte.

Ein Thema hatte er mir zwar angeboten. Er begann zu schimpfen, nein, nicht über die Arbeitgeber, nicht über die Reichen, nicht über die Tennisspielerinnen und über die Fußballer, nicht über jenen, der ein Bild für 56 Millionen Dollar ersteigert hat – nein, er fluchte auf die Armen, auf die Asylanten, auf die Drögeler, auf die Arbeitsscheuen, denen man das Geld nachwirft, auf die Juden, die an unser Gold wollen. Er fluchte auf unsere Politiker, die mit Brüssel verhandeln, unser Land verraten, und nur deshalb, nur deshalb ... Er weiß zwar nicht, was deshalb, aber eben deshalb. Und er erwähnte jetzt auch den Namen jenes Politikers, der das alles – der eben recht habe und es ihnen sage. In der Regel widerspreche ich bei solchen Äußerungen. Heute halte ich mich still. Er ist seit gestern arbeitslos, und er lebt im Ärger. Daß er sich noch ärgern kann, hält ihn am Leben.

Nur, ob das noch ein Leben ist, ein Leben im Ärger? Oder war es vielleicht immer ein Leben im Ärger, sein Leben?

Dem Politiker, den er erwähnte – »Sieben solche bräuchten wir in Bern« –, kann das nur recht sein. Helfen wird er ihm zwar nicht, aber Erfolg haben wird er mit ihm und seinem Ärger. Es ist leicht, Erfolg zu haben in einem Land der Verärgerten. Und wenn es ein Land der Verärgerten bleibt, um so besser.

Ich lebe gern, hat Grock gesagt. Ich ahne, was das sein könnte, wenn ich zweijährige, dreijährige Kinder sehe, die sich eine Welt ganz neu erobern, staunend, interessiert und von diesem Leben begeistert. Mit diesen Kindern wäre keine Politik des Ärgers zu machen. Im übrigen, der Titel von Grock – »Ich lebe gern« – erscheint mir als trotzig. Trotz ist etwas anderes als Ärger. Trotz ist etwas Übermütiges.

Ein gutes altes Jahr

»Ich wünsche gut gespeist zu haben«, sagte der alte Berliner Kellner beim Abräumen der Teller – ein eigenartiger Wunsch; das Essen war gegessen, es war genießbar, jedenfalls reichlich. Was soll der Wunsch nun hinterher? Am Essen ist nichts mehr zu verbessern, mein Appetit ist auch weg, es war vielleicht doch zu reichlich. Also gut, eine Floskel, der Kellner wird auch nicht wissen, was sein Wunsch meint, und sehr wahrscheinlich merkt er gar nicht, daß er es sagt, gesagt hat.

Zeit der Wünsche: »Schöne Weihnachten!« »Rütschet guet übere!« »Es guets Neus!«

Schöne Weihnachten, was ist das? Lassen wir das, sie ist vorbei. Aber vielleicht doch eine Frage: »War es schön, Ihr Weihnachtsfest?« Ich wünsche Ihnen das herzlich, daß es schön war, Ihr Weihnachtsfest – oder, wie der Berliner Kellner sagen würde: Ich wünsche ein schönes Weihnachtsfest gehabt zu haben. Ein Weihnachtsfest nämlich, an das man sich erinnert: an die vergessene Gans im Backofen – »so was ist mir noch nie passiert« –, die schwarz, klein und schrecklich war, und an das Ersatzessen, im Kühlschrank waren noch ein paar Bratwürste – mit Zwiebelschweitze und Rösti, das beste Weihnachtsessen überhaupt. Und alle erzählen ihre Geschichten über mißlungene Essen, über Füchse, die als Kaninchen ausgegeben wurden, und über Spaghetti, die besten, die man je hatte, nichts mehr war im Haus, keine Tomaten und nichts, nur noch Spaghetti, sogar ein bißchen Konfitüre haben wir reingeschmissen. Wenn die Gans so geworden wäre, wie sie beschrieben war in dem Rezept aus dem Heftchen, man hätte es nicht so lustig gehabt – und die Bratwürste und die Zwiebelschweitze ...

Ja, ich wünsche Ihnen, ein schönes Weihnachtsfest gehabt zu haben, eines, an das man sich noch lange erinnert, eines, von dem man erzählen kann: Tante Barbara, niemand mochte sie in der Familie, war plötzlich lustig und erzählte von all ihren Dummheiten im Leben und setzte sich dafür ein – ausgerechnet sie –, daß die Jungen doch

machen sollen, was sie wollen, sie fände Piercing ganz lustig. Haben
Sie ein schönes Weihnachtsfest gehabt? Ich wünsche es Ihnen.

Und das alte Jahr, wie war es? »Eines zum Wegschmeißen«, das
habe ich auch schon gesagt, voreilig und unüberlegt – es war doch immerhin ein Jahr, immerhin besser als gar keines, immerhin Leben.
Und Leben ist das, was man erzählen kann.

Nein, gut war es nicht, das alte Jahr, abgesehen mal von allen
Schrecknissen und Gemeinheiten der Welt. Es sind Menschen gestorben im alten Jahr, Menschen, die so gern noch gelebt hätten, der
Millionen-Kunz und der Giggeri-Hausi, sie würden mich jetzt ver-
fluchen, sie mochten ihre Übernamen gar nicht, und sie hätten auch
nicht zusammen genannt werden wollen, aber ihre Übernamen sind
Geschichten, nicht Geschichten von Reichtum und Lebensfreude,
zwei, die halt da waren und an die man sich gewöhnt hatte. Jetzt kann
man nur noch von ihnen erzählen, aber man erzählt jetzt mehr von
ihnen als vorher. Sie sind – wie das alte Jahr – zu einer Erzählung geworden.

»Weißt du noch, da hat doch der Millionen-Kunz ...« Ja gut, es war
ein schreckliches Jahr, für die beiden ohnehin und für uns alle auch,
für die einen war es ein bißchen schrecklich und für viele andere sehr,
aber wenn wir es erleben, das neue Jahr, dann werden wir zum mindesten vom alten Jahr erzählen können.

Ein schönes Weihnachtsfest, das wäre wohl nicht ein Fest, wo
die großen Geschenke eintreffen, die Wunder passieren – der stroh-
dumme Sechser im Lotto –, sondern ein Fest, das erinnert. An was?
An uns selbst: das uns daran erinnert, daß wir leben, zusammen leben
und zusammen gelebt haben.

Was wünschen wir uns denn, wenn wir uns ein gutes Jahr wünschen? Den Sechser im Lotto? Ein Leben wie Ebner mit seinen Millionen? Der Millionen-Kunz hatte sie übrigens nicht, und – ich habe
versucht, zu rechnen – eine Million Biere kann er in seinem Leben
nicht getrunken haben, aber viele schon, und sie mögen auch viel
gekostet haben, aber mehr hätte er gar nicht trinken können. Also,
was wünschen wir uns gegenseitig? Ein Leben wie der Millionen-
Kunz oder wie der Millionen-Ebner? Oder den Sechser im Lotto?

Oder wünschen wir uns einfach ein Leben?

Vielleicht meine ich, wenn ich sage »Es guets Neus«, nichts anderes, als daß sie oder er es erlebt – nichts anderes, als daß er weiter mitlebt, daß er lachen kann über die schwarzgebratene Gans und sich freuen kann über die Bratwürste an Weihnachten – die besten, die er je hatte. Daß er leben kann und daß er erzählen kann, erzählen kann zum Beispiel – vom alten Jahr.

Und deshalb und in diesem Sinne wünsche ich ein gutes altes Jahr gehabt zu haben.

Also brechen wir auf

Seit den Feiern in Aarau – 200 Jahre Helvetik – dürfte es uns allen klar sein: Wir haben nun in die Zukunft zu blicken, gemeinsam an unserer Zukunft zu arbeiten, den Mut zu Neuem zu haben, unsere Demokratie, unseren Staat weiter zu entwickeln.

Entschuldigung, ich möchte die Feiern nicht stören, aber ich habe da eine kleine Zwischenfrage: Wer ist denn dagegen, daß wir mutig in die Zukunft blicken? Blocher? Die Grünen? Die Roten und die Rötlichen? Die Gelben? Die Schwarzen? Ebner und die Universalbank Schweiz?

Entschuldigung, ich habe nicht die geringste Absicht, die Feier zu stören, ich habe eine große Verehrung für die in- und ausländischen Gründer unseres Staates, ich bin auch für Feiern, für Essen und für Trinken, für Musik und Feuerwerk. Aber ich habe Bedenken, wenn Dinge postuliert werden, die mutig klingen, nur weil vom Mutigen-in-die-Zukunft-Schauen die Rede ist. Wer möchte da dagegen sein? Wer ist da dagegen – kein einziger, keine einzige. Dabei kriegen wir doch alle ein bißchen Gänsehaut, wenn vom Mut zur Zukunft die Rede ist, als ob es für diesen »Mut« Mut bräuchte.

Es gibt einige Dinge in meinem persönlichen Leben, auf die ich nicht stolz bin, einige Dinge, die mir peinlich sind, einige, für die ich mich schäme. Nun könnte man von mir mit Recht verlangen, daß ich das hier nicht einfach so vage erwähne, sondern beim Namen nenne – Entschuldigung, mir fehlt der Mut dazu.

In Sachen Zukunft jedenfalls bin ich trotz aller Hoffnungslosig-
keit mutiger. Für die Zukunft jedenfalls habe ich mich nicht zu ver-
antworten. Dabei gibt es Leute genug, die gar keine Zukunft mehr
haben, und Leute genug, die sich vor ihrer Zukunft fürchten. Ihnen
wird mitunter positives Denken empfohlen, Eigeninitiative. Ich
möchte ihnen lieber Vertrauen in die Gemeinschaft, Vertrauen in
den Staat empfehlen können, aber damit, das weiß ich, würde ich
mich – und leider mehr und mehr zu Recht – lächerlich machen.

Mir fällt auf, daß ich in Sachen Staat mutlos geworden bin. Ich
bin stiller geworden, wenn in der Beiz auf den Staat geflucht wird.
Ich bin nicht mehr so sicher, ob es ihn noch gibt.

Übrigens wird von jenen auf den Staat geflucht, die vehement für
die Landesverteidigung sind, also für die Armee, die Fußballnationalmannschaft, die Schweizer Skirennfahrer – für die Schweiz überhaupt und gegen alles andere. Die Schweizer Armee nehmen sie
durchaus noch wahr, die Schweiz auch, aber den Staat Schweiz nicht
mehr.

Was nützt es da, wenn man mit dieser Schweiz aufbrechen will in
eine Zukunft und kaum mehr jemand mit »Schweiz« einen Staat
meint?

Die Idee Staat war eine Idee der Aufklärung. Die Aufklärung ist fast
gleich alt wie die moderne Schweiz, und sie hat abgedankt, die Aufklärung.

Ich habe es mehrmals und immer wieder gehört in der Beiz, ausgesprochen von armen Leuten, von Arbeitslosen und Ausgesteuer-
ten: »Der Ebner hat recht, was er getan hat mit seinen Millionen
und mit seinen Steuern, das ist legal – Hand aufs Herz, das würdest
du auch tun, alle würden das tun.« Nicht einer schimpft auf den
Staat, der solches zuläßt.

Die Hoffnung ist nicht mehr die Gemeinschaft, sondern die, durch
Zufall – durch den Lottozettel – so schlau zu werden wie Ebner.

Mir fällt dazu noch das Wort »schamlos« ein, aber das Wort ist
nicht am Platz. Er braucht sich nicht zu schämen, denn alle hätten es
getan, genau gleich getan wie er. Und wer will sich schon die Chance
verbauen, es im Falle des Lottogewinns genauso tun zu können wie

er. Die Hoffnung heißt nicht mehr Gemeinschaft, die Hoffnung heißt nicht mehr AHV und Sozialversicherung. Sie heißt schlicht: Reichtum.

Den Staat gibt es zwar noch, und es wird ihn wohl noch einige Zeit geben. Aber er hat nur noch die Rolle des Sündenbocks. Nicht die Wirtschaft ist schuld an der Arbeitslosigkeit, sondern der Staat, der alles falsch macht. Die Wirtschaft fordert die Marktwirtschaft und gründet Monopole gegen den Markt, sie fordert die Privatisierung, und ihre Fusionen werden zu Staatsgründungen. Die Wirtschaftsmacht duldet den Staat noch und behandelt ihn lächelnd als kleinen Bruder. Die Wirtschaftsmacht macht die Staatsmacht mehr und mehr lächerlich, und wir schauen dem mit Sympathie zu und bestaunen die legalen Machenschaften der Erfolgreichen.

Wir werden auch erfolgreich sein: Unsere Fußballnationalmannschaft hat eine reelle Chance, und die Armee zum mindesten wird uns bleiben, an ihrer Privatisierung ist wohl niemand interessiert.

Also brechen wir auf in die Zukunft! Was bleibt uns anderes übrig?

Chaotisch wie die Sprache selbst

Im kleinen Bergdorf Barbiana sammelte der Pfarrer Don Milani all jene Schüler aus der Umgebung, die in der Hauptschule unten im Tal durchgefallen waren, und forderte sie auf, selbst eine Schule zu machen, sich selbst gegenseitig zu unterrichten. Die »Scuola di Barbiana« hatte keine Lehrer, nur interessierte, begeisterte Schüler, die sich gegenseitig begeisterten.

Später schrieben diese Schüler einen langen Brief an ihre ehemalige Lehrerin, die sie hatte durchfallen lassen. Der Brief erschien als Buch mit dem Titel »Scuola di Barbiana – Brief an eine Lehrerin«.

Sie erzählen darin auch von Gianni, der in einem Aufsatz »Aradio« statt »Radio« geschrieben habe. Die Lehrerin habe ihm das als Fehler angestrichen. Damit habe die Lehrerin gegen die italienische Verfassung verstoßen, denn in der Verfassung stehe, daß Bürger aller

Sprachen vor der Verfassung gleich seien. Giannis Vater aber habe immer »Aradio« gesagt, so sei es also Giannis Vatersprache (Muttersprache). Zwar gebe es eine italienische Sprache, in der dieser Gegenstand »Radio« heiße, die wolle Gianni in der Schule lernen, trotzdem bleibe die »Adiosprache« seine Muttersprache.

Ich mag etymologische Wörterbücher. Sie erzählen wunderbare Geschichten von Sprachwerdung, die deutschen Wörter kommen aus dem Arabischen, aus dem Türkischen, aus dem Lateinischen und dem Griechischen, und dann stehen sie da so schön fettgedruckt und sind so stolz darauf, daß sie die einzig richtigen sind. Wäre beim »Radio« aus irgendeinem Grund ein weiteres A dazugekommen, dann wäre es uns selbstverständlich, daß das Ding Aradio heißt, und das etymologische Wörterbuch würde uns das mit Ernst erklären.

Was muß das für eine Welt gewesen sein, als die einfachsten deutschen Wörter aus dem Arabischen kamen, das Wort »Gast« zum Beispiel aus dem Aramäischen. Was müssen das für Menschen gewesen sein, die einfach miteinander sprachen, viele oder alle Sprachen durcheinander, und die durch Sprachen Sprache entstehen ließen.

Es gab in Europa eine Bronzezeit, Höhlenbewohner und Pfahlbauer. Und Händler jenes legendären Salomo werden ihnen Kupfer verkauft haben. Sie werden miteinander gesprochen haben, die Händler und die Käufer. Darauf hat mich kein Geschichtslehrer aufmerksam gemacht, wenn es auch in jeder neuen Schule wieder neu mit der Steinzeit begann und immer wieder irgendwo im Spätmittelalter endete. Daß die miteinander gesprochen haben, war kein Gegenstand der Geschichte. Der Gegenstand des Geschichtsunterrichts war nur, daß alles, was heute ist, folgerichtig so ist.

Es ist so: Das heißt Radio; der Zufall des »Aradios« ist nicht eingetreten.

Ich erinnere mich an ein Gespräch vor Jahren, das ich im Speisewagen vom Nebentisch mithörte. Ein englisches Ehepaar, ihnen gegenüber ein alter Herr, sehr alt und wohl ein bißchen senil, aber mit überzeugter kräftiger Stimme, ein ehemaliger höherer Beamter vielleicht oder ein ebenso höherer Offizier.

Er begann nun ein Gespräch. »Sind Sie Engländer?« fragte er, und das konnten die beiden, die nicht Deutsch konnten, noch bestätigen, und zwar mit einem deutschen Ja. »Sagen Sie mal«, posaunte er nun, denn der ganze Speisewagen sollte seinen flüssigen Umgang mit Fremdsprachen mitbekommen: »Sagen Sie mal«, sagte er nun – selbstverständlich auf deutsch –, »wie haben Sie es mit Ihrer Eisernen Lady« – er meinte die Thatcher. Die beiden schauten sich an, schauten ihn an, zuckten mit den Schultern. Der alte Deutsche wiederholte nun mehrmals »Eiserne Lady«, immer eindringlicher, immer lauter und überzeugt von seinen Englischkenntnissen, denn Lady ist ja nun mal ein englisches Wort und die »Eiserne Lady« ein englischer Gegenstand. Nach weiterem Nichtverstandenwerden stellte er laut und empört fest: »Das sind keine Engländer!«

Nein, ich meine jetzt nicht das mit den Fremdsprachen, ich meine nur unsere Sicherheit, daß Lissabon eben Lissabon heißt – auf portugiesisch zwar Lisboa, aber die Portugiesen werden nichts daran ändern können, daß Lissabon Lissabon heißt. Es soll sogar Franzosen geben, die nicht wissen, daß die EU EU heißt. Der Alte im Speisewagen hielt offensichtlich »Eiserne Lady« für ein Fremdwort, so wie andere Lissabon für ein Fremdwort halten, und – so glauben sie – Fremdwörter zum mindesten sollten von Fremden verstanden werden.

In Frankreich wollte das Parlament ein Gesetz erlassen, das Fremdwörter verbietet und unter Strafe stellt. Das Verfassungsgericht hat das verhindert. Es wird also weiterhin eine französische Sprache geben, denn eine Sprache besteht aus Sprachen und ist nicht nur selbst etwas. Sie hat eine Herkunft aus anderen Sprachen.

In Ägypten habe ich mal einen koptischen Gelehrten getroffen. Er hat die erste Etymologie des Arabischen geschrieben, die Geschichte der Herkunft der arabischen Sprache. Dafür mußte er ins Gefängnis und bekam lebenslänglich Schreibverbot – weil die arabische Sprache keine Herkunft hat, sondern von Gott ist.

So etwas wäre in Frankreich nun wohl doch nicht vorstellbar und in Deutschland wohl auch nicht. In Deutschland weiß man – wissen die Schulmeister –, daß die Sprache eine Herkunft hat. Doch was eine Herkunft hat, hat auch eine Zukunft. Die Sprache ist nicht nur jetzt und für immer von irgendwo hergekommen, das wird sie – so hoffe ich – auch morgen und übermorgen wieder. Sie wird, so hoffe ich, immer wieder von neuem von irgendwo herkommen. Und der Einwand, daß es eben fast nur noch das Englische sei, das in unsere Sprache eindringe, scheint berechtigt. In Wirklichkeit aber leben mehr Italiener, Jugoslawen, Portugiesen, Türken bei uns. Sprachgeschichtlich werden sie keine Rolle spielen, wir werden wohl all diese Sprachen verpaßt haben, und unsere Sprache verarmt, weil wir sie nicht (mehr) bereichern wollen.

Ich würde mich sehr freuen darüber, wenn dieser Text – den ich hier schreibe – in hundert Jahren nicht mehr lesbar wäre, weil die Sprache inzwischen gewachsen wäre. Aber leider werden das schulmeisterliche Sprachpuristen verhindern.

Ich zweifle übrigens daran, daß das Englische nur wegen politischer und wirtschaftlicher Macht zur Weltsprache geworden ist. Es ist es vor allem geworden, weil es lebt, weil es sich verändert, weil es sich zur Verfügung stellt für Verballhornungen, Minimalisierungen – auch für mangelhafte Rechtschreibung und Grammatik. Dabei gibt es in England und Amerika so viele Puristen wie überall – wenn nicht noch mehr –, aber gegenüber der Sprache haben sie keine Chance. Sie ist schon viel zu reich, als daß man sie jetzt noch bereinigen könnte. Es gibt zwar auch schönes und noch schöneres, gepflegtes und noch gepflegteres Englisch. Darum kümmern sich schon Leute, und die sollen sich auch kümmern. Aber die Sprache ist stark genug, eine Sprache zu sein und immer wieder neu zu werden – eine »Adiosprache«.

Aber eigentlich wollte ich über die deutsche Rechtschreibung schreiben. Nun ist mir die Einleitung zu lang geworden. Also lassen wir sie, die Rechtschreibung – wenn wir sie endlich lassen, dann wird sie schon werden, dann wird sie werden wie die Sprache selbst, eine Herkunft haben und irgendwo hingehen. Die Sprache wird leben und die Rechtschreibung mitleben – nicht logisch, sondern chaotisch wie die Sprache selbst.

Was willst du werden?

Nun sind sie wieder mal vorbei, die Olympischen Winterspiele. Sind Sie auch nachts aufgestanden, um live dabeizusein? Wenn Sie mich fragen, mich interessiert das eigentlich nicht. Ich habe von mir den Eindruck, daß es mich nicht interessiert. Das ist beschlossen, es interessiert mich nicht, es interessiert mich überhaupt nicht – aber aufgestanden bin ich. Ich habe mich selbst ertappt dabei, daß ich aufgestanden bin, ich habe mich ertappt dabei, daß ich auf die Schweizer gewartet habe. Ich habe mich ertappt dabei, daß mich Sportarten, die mir völlig Wurst sind, plötzlich interessieren und daß ich nach zehn Minuten Curling-Schauen schon so etwas wie ein Fachmann für Curling-Taktik war und nach zwanzig Minuten bereits meine ersten Bedenken anmeldete gegenüber den Bemerkungen des Kommentators – jenes Kommentators, von dem ich innert zehn Minuten alles gelernt hatte.

Eigentlich, wenn ich mich frei entscheiden könnte, möchte ich Sport nicht mögen. Und ich könnte mich doch durchaus frei entscheiden, ob ich nachts um drei aufstehen will oder nicht. Aber ich bin mitunter aufgestanden. Hätten die Spiele in Europa stattgefunden, könnte ich jetzt sagen: »Ich habe halt so ein bißchen am Fernseher herumgedrückt, und dann hab ich es mir halt angeschaut.« Aber nun haben sie in Ostasien stattgefunden, und ich bin überführt.

Warum, verflucht, habe ich mitgeweint mit dem weinenden Skip der Curler? Wie oft schon hätte ich gern geweint, vor Freude oder vor Trauer, und ich konnte nicht, warum also gerade jetzt – Curling, was soll's? Der Sport beweist mir immer wieder etwas, was ich lieber nicht bewiesen haben möchte, er beweist mir, daß ich halt doch dazugehöre, daß man sich dem, was ist, nicht entziehen kann, daß man sich, wo auch immer, für Dinge interessieren muß, für die man sich lieber nicht interessieren möchte. Ich müßte den Sport hassen wie ein Überführter seinen Untersuchungsrichter.

Es gibt Fragen, die werden einem in frühester Kindheit ins Hirn gemeißelt, und da bleiben sie dann eingekerbt für ein ganzes Leben.

Auch wenn sie schon längst beantwortet sind, sie bleiben als Frage stehen.

»Was willst du werden?« Ein ganzes Leben lang fragt dieses Hirn: »Was willst du werden?« Tanten und Onkel und Nachbarn und wohl auch die Eltern haben diese Frage eingepflanzt für immer. Da kann man werden, was man will, das Hirn fragt weiter.

Und ich bin inzwischen 63. Andere, mit richtigen Berufen, wären wohl schon frühpensioniert oder längst arbeitslos, aber immer noch lese ich Stelleninserate. Und ich lese sie fast im Ernst, und ich erschrecke darüber, daß es fast nichts mehr zu werden gibt – eine »belastbare Persönlichkeit« zum Beispiel war ich nie. Nun, ich brauche keine neue Stelle, ich brauche keinen neuen Beruf, trotzdem, die Frage ist eingemeißelt im Hirn, es fragt ohne Sinn dauernd weiter: »Was willst du werden«, unabhängig davon, ob ich etwas geworden bin oder nicht.

Ich stelle mir vor, daß diese Frage auch in den Köpfen jener ist, die heute nichts anderes suchen als Arbeit, jener, die es längst haben aufgeben müssen, etwas werden zu wollen; und der Arbeitsmarkt verkommt für sie zum Sklavenmarkt, einfach Arbeit, irgendeine Arbeit – und das Hirn fragt etwas ganz anderes: »Was willst du werden?«

Siegerehrungen treiben mir – diesmal unabhängig von der Nation – die Tränen in die Augen. Das ärgert mich maßlos, aber ich kann nichts machen dagegen. Warum rührt es mich, wenn ich irgend jemanden aus irgendeiner Sportart dort oben stehen sehe? Meine nationale Seele ist es in diesem Augenblick nicht, mich rühren in diesem Augenblick auch eine chinesische Siegerin oder ein finnischer Sieger. Vielleicht ist es diese eingehämmerte Frage im Kopf, diese hartnäckige Frage, die sich durch keine Antwort, durch keine Leistung, durch keinen Erfolg befriedigen läßt: »Was willst du werden?«

Die Sieger auf dem Treppchen vermitteln uns die Illusion, daß wir dabei waren, als jemand wirklich etwas wurde, für immer und ewig etwas wurde – und schon spricht der Reporter von einem historischen Sieg, von einem Sieg, der in die olympische Geschichtsschreibung eingehen wird.

Wir erleben die Illusion, daß einer ganz, ganz oben steht. Vielleicht ist es einer, der einmal als Dreijähriger, als er gefragt wurde, was er werden wolle, gesagt hat: »Olympia-Sieger«, und die Leute haben das drollig gefunden.

Täusche ich mich, wenn ich in den Gesichtern der Sieger bereits die ersten Zeichen von Enttäuschung zu erkennen glaube? Jedenfalls wird auch ihr Hirn dauernd hartnäckig weiterfragen: »Was willst du werden?«

Die Antwort des dreijährigen Kindes wäre wohl die einzig richtige: »Ich will nichts werden, ich bin schon etwas, ich bin Hans.« Aber schon ein Jahr später sagte es: »Ich weiß es noch nicht, aber etwas mit Publikum.«

K. am Sonntag

Ich bin für zehn Tage in einer deutschen Kleinstadt, und ich habe mich fast ein bißchen auf diesen Aufenthalt gefreut. Ich habe hier nur abends etwas zu tun, und für den Tag habe ich mir nicht viel vorgenommen, ich will nur ein bißchen sein.

Am Bahnhof wurde ich abgeholt, hier schon als erstes die Entschuldigung des Abholenden, daß es halt eine kleine Stadt sei, und dann die vorsichtige Frage, wie groß denn Solothurn sei. Und ich sage, und die Solothurner mögen mir verzeihen: »Noch kleiner.« Vor Jahren habe ich die Frage noch etwas selbstbewußter beantwortet, davon gesprochen, daß Solothurn aber ein Zentrum sei, ein richtiges Theater habe zum Beispiel und daß »klein« in der Schweiz eben etwas anderes sei.

Die letzten drei Monate, als ich schon von der Reise wußte, war mir der Name der Stadt noch präsent, er klang nach etwas, er weckte Bilder, ohne daß ich die Stadt kannte, aber seit ich hier bin, vergesse ich ihn dauernd. Also dann K., es ist nicht nötig, daß Sie den Namen wissen, wenn ich ihn im Augenblick auch nicht weiß oder nachschlagen müßte.

Die Stadtmauern, so las ich im Prospekt, sind noch fast vollständig vorhanden, ich finde sie nicht, und dort, wo ich sie dann doch erahne, sind sie eine Enttäuschung, die Mauern sind keine Mauern mehr, sie grenzen nichts mehr ab und sind in die Stadt hineingewachsen. Vor meinem Zimmer im Gang ist ein Stück alte Mauer ausgespart, braun, verrottet, häßlich, aber eben halt alt, historisch – so ein Unsinn, der Maurer, der sie damals gebaut hat, würde sich sicher ärgern, er hat sie damals schön sauber ausgefugt und verputzt, und nun steht sie da, und ihre einzige Qualität ist ihr historisches Alter. Sie ist nun so etwas wie wertvoll, eine Antiquität eben wie das alte häßliche Kohlebügeleisen als Blumentopf.

Nun gut, alle Kleinstädte haben ihre »bedeutende« Geschichte. Darauf sind sie stolz, denn Geschichte ist eine Antiquität, und Antiquitäten sind wertvoll, aber der Stolz auf Geschichte hat vielleicht doch etwas Lächerliches, Antiquitäten sind kein Ersatz für Leben.

Trotzdem, auch ich habe Vorstellungen von einer alten Welt, die ich selbst nie gekannt habe, aber die ich kenne von verlogenen Kinderbüchern oder von Adventskalendern, die das Leben in Städten zeigen. Da fällt mir ein, daß Busunternehmer immer noch ihre Geschäfte machen mit Weihnachtsmärkten, Christkindelmärkten in Deutschland, in Nürnberg zum Beispiel. Die Vorstellung von einer Stadt, von einer richtigen Stadt, von einer wunderschönen Stadt Nürnberg, die eben etwa so aussieht wie auf dem Adventskalender, lockt die Leute in die Busse, und in Nürnberg stehen dann genormte Marktstände in irgendeiner Stadt, und irgend etwas wird dort verkauft, an jedem zweiten Stand dasselbe und meist auch dasselbe wie hier.

Trotzdem, die Leute gehen nächstes Jahr wieder. Die Vorstellung von einer Stadt, einer Stadt wie auf dem Adventskalender mit Glimmerschnee, Nachtwächtern und Gaslaternen, bleibt. Die gesehene Realität kann die Vorstellung nicht korrigieren. Eigenartig, trotz Autos, Eisenbahn und Flugzeugen bleibt diese Vorstellung in unseren Köpfen, daß man wandern könnte, wandern wie Theodor Fontane durch die Mark Brandenburg, wandern auf der staubigen Landstraße und dann von weitem die Mauern einer Stadt sehen und sich freuen könnte auf die Menschen dort und darauf, den Abend unter Menschen verbringen zu können.

Hier in K. ist Sonntag, eine ausgestorbene Stadt wie wohl noch ein paar tausend andere in Europa. Auf den Straßen keine Menschen, nur ein paar Autos. Die Menschen gehen nicht mehr ungeschützt auf die Straße, sie brauchen ihren Panzer aus Blech. Die Straße hier ist keine Durchgangsstraße, man kommt auf dieser Straße nirgends hin als in die Stadt, aber in der Stadt sind nur Autos und keine Menschen.

Es gab einmal die Vorstellung von Urbanität, die Vorstellung, daß man miteinander im Schutz von Mauern wohnen könnte. Die Stadt war einmal eine humane Idee. Es gibt sie gar nicht mehr, die Städte. Sie heißen nur noch so. Hier wohnen zwar noch Menschen, sie sind verzeichnet im Telefonbuch, aber sie wohnen nicht mehr miteinander. Das läßt sich wohl nicht mehr ändern und ist schon lange so.

Eigenartig ist nur, daß die Vorstellung »Stadt« in unseren Köpfen geblieben ist. Nächste Woche gehe ich nach Weimar, die Stadt Goethes und Herders, Schillers und Wielands, die Stadt, durch die sie gegangen sind. Ich kann mir nicht helfen, schon wieder die Vorstellung von einer Stadt, in der die Leute leben.

Am Radio kommen

Peter von Gunten hat mal vor vielen Jahren einen kurzen kleinen Film gemacht, der sich mir eingeprägt hat für immer. Da sitzen zwei alte Leute oder Leutchen, ein Ehepaar, starr wie auf einem Foto auf einem Sofa, aufgenommen von einer unbewegten Kamera, und hören sich »Im schönsten Wiesengrunde« an. Das ist der ganze Film, und er braucht keinen Kommentar: Jubilare, die sich die Gratulation am Radio anhören. Es bleibt einem dabei nichts anderes übrig, als zu lachen, zu lachen aus Notwehr sozusagen, es ist peinlich, diese Situation erleben zu müssen, hier schmilzt ein ganzes Leben auf die paar Sekunden eines wunderschön kitschigen Liedes zusammen.

Vielleicht ist es dieser Film, der mich fast tagtäglich wieder zwingt, die immer gleichen Gratulationen und immer gleichen Melodien zu hören, in anderen Zusammenhängen jedenfalls würde ich die wenigsten dieser Lieder ertragen und das Radio ausschalten.

Und dann fällt mir immer wieder jenes Gespräch ein, vor vielen Jahren im Militärdienst, als sich ab und zu ein freundlicher Offizier zu uns setzte und plauderte und erzählte. Der Name des Offiziers ließ darauf schließen, daß er aus einer besseren Familie kam, und das französische »R« in seinem Berndeutsch auch, und er setzte sich wohl auch zu uns, weil ihm das Militär nicht mehr gefiel als uns und jedenfalls weniger als dem Wachtmeister, dem alles, was war, ernst war.

Einmal begann der Offizier von seiner Großmutter zu erzählen, nur so, nur daß eben etwas erzählt wurde, und als er erzählte, daß seine Großmutter 97 Jahre alt sei, unterbrach ihn der Wachtmeister augenblicklich und rief aus: »Dann ist sie schon dreimal am Radio gekommen«, er hatte blitzschnell und richtig gerechnet, jeder andere wäre auf zweimal gekommen.

»Nein, meine Großmutter«, sagte der Offizier, und er betonte deutlich das Wort ›meine‹, »meine Großmutter kommt nicht am Radio.«

Wir anderen verstanden das betonte »meine« oder »unsere« sofort, aber der Wachtmeister begann zu erklären: »Da müssen Sie nur, das ist ganz einfach, auf die Einwohnerkontrolle und sich das amtlich bestätigen lassen und das dann dem Radio schicken, und dann kommt sie.«

»Meine Großmutter nicht«, sagte der Offizier, und der Wachtmeister wurde lauter und heftiger und begann zu verzweifeln und versuchte zu erklären, noch besser zu erklären, und wir hörten ihm zu, und er suchte unsere Hilfe, ob wir denn nicht bestätigen könnten, daß er im Recht sei und daß man dafür nur eine Bestätigung der Einwohnerkontrolle brauche.

»Meine Großmutter nicht«, sagte der Offizier.

Das war für den Wachtmeister unverständlich, und er redete noch anderntags davon und wollte von uns immer wieder bestätigt haben, daß man nur auf die Einwohnerkontrolle zu gehen habe.

Der Wachtmeister war ein lieber Kerl, wir mochten ihn, aber es fiel uns nicht leicht, ihn ernst zu nehmen in seinem Ernst. Wachtmeister war wohl das Höchste, was er in seinem Leben erreicht hatte, und mehr würde es in seinem Leben auch nicht zu erreichen geben.

So blieb ihm nur das Rechnen. In 65 Jahren also – mit 95, sollte er das schaffen – würde er am Radio kommen, man müßte dann nur auf die Einwohnerkontrolle, und in 15 Jahren wird er das erste Dienstaltersgeschenk bekommen, einen Monatslohn, in 20 Jahren wird er »abgeben«, also seine militärische Ausrüstung abgeben, in 35 Jahren wird er pensioniert sein, in 65 Jahren am Radio kommen. Ich glaube, es ist ihm wichtig, 95 zu werden, nicht alt, aber 95. Und er wird sein ganzes Leben nur verrechnet haben. Er hat ein Geburtsdatum und einen Jahrgang, alles andere muß man nur dazurechnen. Und dann hat er noch ein Tierzeichen, Wassermann, Löwe oder Steinbock oder so etwas. Darauf ist er auch stolz, ein typischer Löwe, und darauf hat er ein Recht.

Er hat ein Recht darauf, wahrgenommen zu werden, eben als Löwe, als Dienstaltersjubilar, dann als Veteran, dann als Pensionierter und dann eben zum Schluß, man muß nur auf die Einwohnerkontrolle, als 95jähriger.

Horoskope, so scheint mir, haben wohl doch nur damit zu tun, daß wir wahrgenommen werden wollen: Wir sind etwas, wir sind vom Universum gemeint, wir sind Widder. Es gibt Menschen, denen genügt zum Gemeintsein ein Gott. Dem Wachtmeister genügt das nicht, er möchte 95 werden, darauf freut er sich ein langes Leben lang: Am 29. August des Jahres 2032 wird er am Radio kommen.

Beim täglichen Öffnen meines Kühlschranks

Er fährt einen Jaguar, und zwar nicht irgendeinen, und er nennt die Buchstaben und Zahlen, die dem dunkelgrünen Wort Jaguar folgen. Er ist ein erfolgreicher Mann, und das in einem Geschäft, in dem der finanzielle Erfolg nicht selbstverständlich ist. Es gäbe viel zu erzählen über ihn, und er selbst hat viel zu erzählen. Er ist gescheit und unterhaltsam. Das ist auch sein Geschäft, und er übt es auch mit Macht aus. So hat er denn auch Feinde, und seine Feinde identifizieren ihn mit seinem Jaguar, und weil er ein trotziger Mensch ist, tut er das auch – auch er identifiziert sich mit seinem Jaguar.

Begonnen hatte das Ganze vor dreißig Jahren mit einem Ferrari. Den hatte er dann zu finanzieren, und wie schon erwähnt, war er auf Grund seiner Intelligenz in einen Beruf geraten, in dem es in der Regel nicht allzuviel zu verdienen gibt. Ihm aber gelang es, fast ohne es zu wollen, oder nur, weil er sich neben seinem Beruf auch ein Leben gewählt hatte, ein Leben mit Krawatte und Maßanzügen, ein Leben, in dem das, was er zu sagen hatte – und er hatte wirklich etwas zu sagen –, auch Geltung und Wirkung haben sollte.

Und das hat er jetzt davon, er ist nicht beschreibbar. Denn wie ich ihn auch beschreibe, es ergibt ein falsches Bild. Nein, weder ein zu schlechtes noch ein zu gutes – nur ein falsches. Und daß er nicht beschreibbar ist, das macht es seinen Feinden leicht und seinen Freunden schwer. Er ist so etwas wie ein Freund von mir, und Freunde sollten so etwas wie beschreibbar sein.

Dabei ist es immer wieder Sprache, die mich an ihn erinnert, ein Satz, der mir nie mehr aus dem Kopf geht, der sich in mein Hirn gebrannt hat wie ein Werbeslogan, der auch dann noch im Kopf ist, wenn es das Produkt schon längst nicht mehr gibt. Ich öffne jeden Morgen den Kühlschrank, und oben stehen in einer Reihe die Joghurts, und dann fällt mir sein Satz ein: »Toni-Joghurt – bei Toni-Joghurt kann ich nicht widerstehen.« Das war in einer Kantine, wo wir uns trafen zu einem Gespräch – ein schönes und ein gutes und ein wichtiges Gespräch, aber den Inhalt habe ich vergessen. Er ging zur Theke, um sich etwas zu holen, und kam zurück mit seinem Tablett. Darauf standen zwei Joghurt-Becher, und er sagte: »Bei Toni-Joghurt kann ich nicht widerstehen.« Mag sein, daß er das bedeutungsvoll ausgesprochen hat wie ein Connaisseur, der von Krawatten spricht oder von Bordeaux oder weißen Trüffeln, jedenfalls erschreckte mich der Satz, ich wüßte nicht, warum, aber er blieb hängen wie die Drohung eines Lehrers. Jeden Morgen, wenn ich den Kühlschrank öffne ...

Mein Tag beginnt mit Kochen. Ich stehe zwar in der Regel früh auf, aber ich erwache langsam. Es dauert einige Zeit, bis die Wörter, die Sprache in den Kopf zurückkehren, der Blick in den Kühlschrank, und schon ist er da, der Satz. Zwiebeln hacke ich nicht mehr so, wie ich es einmal gelernt habe – viel langsamer und viel genüßlicher, eine Art Schnitzerei oder Bastelarbeit, während der dann die Sätze in den Kopf zurückkehren. Und Knoblauch, und schon ist Jean-Pierre Gerwig wieder in meinem Kopf, ein wirklich guter Freund, und ich war sehr stolz auf diese Freundschaft. Er war schon ein bekannter Sportreporter, als ich noch ein Kind war, und ich verehrte ihn glühend. (Das waren noch Zeiten, als man jene verehrte, die davon erzählten, aber eben, damals erzählten sie noch.)

Inzwischen war ich erwachsen, und wir wurden Freunde. Beim Knoblauchschälen fällt er mir ein, fast jeden Morgen. Ich half ihm mal beim Kochen, viel Knoblauch – Tomates provençales –, und ich erklärte ihm, daß sich die Knoblauchzehen besser schälen lassen, wenn man sie vorher halbiert. »Das funktioniert nur bei den ganz frischen«, sagte er. Nun, wir hatten frische, und es funktionierte, und so wichtig war es ja auch nicht, und Rechthaberei verdirbt die Gerichte. Er war der Koch, ich der Zudiener. Es bestand kein Anlaß, ihn darauf aufmerksam zu machen, daß das durchaus auch bei den alten, trockenen Zehen funktioniert, denn die, die wir hatten, waren ja frisch.

Nach dem Blick in den Kühlschrank und auf die Joghurtreihe also die Zwiebeln, dann der Knoblauch, ein Schnitt durch die ganze Zehe vorerst, und schon ist er da, der Satz von Schampi: »Das funktioniert nur bei den ganz frischen.«

Max Frisch in einem Fragebogen in seinem zweiten Tagebuch: »Wenn Sie an Verstorbene denken: wünschen Sie, daß der Verstorbene zu Ihnen spricht, oder *möchten* Sie lieber dem Verstorbenen noch etwas sagen?«

Der Satz von Frisch fällt mir ein, wenn ich Knoblauch schäle. Es fällt mir ein, daß ich vor dem Tod von Schampi keine Gelegenheit mehr hatte, ihm zu sagen, daß es sich auch lohnt, alte Knoblauchzehen vor dem Schälen zu halbieren. Käme er zurück, hier rein durch die Küchentür, dann würde ich ihm das sagen und vielleicht nur das.

Ich glaube nicht, daß ich damit den Satz, der seit Jahren in der Luft hängt, der mich seit Jahren fast täglich erreicht, loskriegen würde, er ist eingebrannt in der Schale meines Hirns. Der Satz quält mich nicht, er verfolgt mich nicht, er belastet mich nicht, aber er ist da für immer – für immer und für nichts. Ich fürchte mich nicht einmal davor, daß er eines Tages wichtig werden könnte, groß, einzigartig und wichtig, wenn ich auch weiß, daß mich dann niemand mehr verstehen würde.

Ich mag Fremdsprachen. Ich kann am Radio stundenlang Russisch hören oder Portugiesisch – einfach Menschen, die sprechen, die irgend etwas sprechen, und ich bin inzwischen überzeugt, daß meine langjährige New-York-Begeisterung letztlich mit Sprache zu tun hat, mit einer Vorstellung von Sprache, mit Hollywood und Karl May, mit Hemingway auch und mit Sherwood Anderson. Jedenfalls war meine Verehrung für jene, die diese Sprache sprachen, die Sprache Sherwood Andersons, groß – und erst als sie sich nach und nach aus dem Nebel des Nichtverstehens löste, als sie nach und nach etwas meinte, nahm meine Verehrung für jene, die sie sprachen, ab. Erst als die Fremdsprache sich nach und nach aufschlüsselte, wurde sie mir fremd.

Die ersten Sätze am Morgen in meiner Sprache, die mir nach und nach beim Zwiebelschälen in mein Hirn tropfen, diese Sätze, die aus Wörtern bestehen, die ich durchaus kenne, die einen Sinn ergeben, aber sinnlos sind, erinnern mich daran, daß mir die Sprache, die ich spreche, in der ich lebe, einmal unverständlich war. Meine Mutter muß eine wunderbare Sprache gehabt haben, damals, als ich sie noch nicht verstand. Und die ersten Sätze, die mich erreichten, müssen die Qualität von jenem Joghurt-Satz gehabt haben, der mir jeden Morgen in mein Hirn tropft, am Morgen, wenn die Sprache wieder beginnt, am Morgen, wenn die Sprache wieder ist, was sie am Anfang war – nur Sprache, nur etwas, das an Menschen erinnert.

Und alles ist ganz anders

Irgend etwas stimmt nicht im Vatikan. Was wirklich war, das werden wir nie erfahren, und sollten wir es doch erfahren, wie können wir dann erkennen, daß das, was wir erfahren haben, die Wahrheit ist? Es könnte aber auch durchaus sein, daß da einer dem Wahnsinn verfiel, zwei Menschen umbrachte und sich dann selbst richtete.

Es könnte durchaus sein – zum Beispiel –, daß eine englische Prinzessin bei einem Autounfall, überhöhte Geschwindigkeit, in einem Tunnel in Paris zu Tode kam. Daß das kein erfreuliches Ereignis ist, da sind wir uns wohl doch alle einig, es ist unerfreulich, daß die Prinzessin zu Tode kam. Trotzdem, uns bleibt der Verdacht, daß es für einzelne erfreulich gewesen sein könnte.

Und ja, mit Recht, auch ich habe mich längst daran gewöhnt oder gewöhnen lassen, daß alles nicht so ist, wie es ist – daß alles ganz anders ist.

Irgendwie habe ich das Gefühl, ich war dabei, als Lee Harvey Oswald den amerikanischen Präsidenten John F. Kennedy ermordete. Ich lebte damals, 1963, in Berlin, und wir saßen in einer Kneipe, als wir die Meldung im Radio hörten. Die Wirtin überredete uns, am Trauerzug zum Schöneberger Rathaus teilzunehmen. Sie spendierte noch eine Flasche Sekt, vom Besten, sagte sie, aber nur unter der Bedingung, daß wir hingingen. Wir gingen hin und waren dabei. Der Bürgermeister Willy Brandt sprach. Ich glaube, wir waren erschüttert: Kennedy war tot, und damit war das Triumvirat Papst Johannes–Chruschtschow–Kennedy, in das wir unsere Hoffnungen setzten, zu Ende. Vorläufig war aber nur Kennedy tot. Später wurde dann Oswald von einem Barbesitzer erschossen, und der Barbesitzer starb im Gefängnis, und Oswald konnte es vielleicht ganz sicher eventuell gar nicht gewesen sein.

Ein Telefon, morgens früh, die junge Freundin eines uralten Freundes, die ich zwar nicht kenne, aber von der ich weiß. Sie ist Ärztin. Sie braucht dringend Hilfe. Sie hat die Gabe, hinter die Gesichter von Menschen zu schauen, und sie hat einen Massenmörder entdeckt, er ist Schweizer, und weil ich auch Schweizer bin, soll ich ihr helfen. Die Polizei müsse man ausschalten, ein Komplott. Aber auch sie weiß nicht, wie ich helfen könnte. Aber man kann doch Mörder nicht frei herumlaufen lassen. Sie belästigt mich, das Telefon klingelt dauernd.

Ich rufe einen gemeinsamen Freund an, er weiß davon – doch, sagt er, es könnte etwas daran sein, sie habe diese Gabe, hinter die Gesichter von Menschen zu sehen. Ist er denn auch verrückt? Oder bin ich es?

Vor vielen Jahren war ich bei einem Mordprozeß. Es gab nur einen Angeklagten, und er war vorverurteilt durch eine Unterhaltungssendung des Fernsehens. Mir fiel nur auf, daß er sich bei seinen Aussagen immer wieder verstolperte, er sagte immer wieder »wir« und korrigierte gleich auf »ich«, und den Richtern, das fiel mir auf, wollte nichts auffallen, er erwähnte auch einen Namen immer wieder, und dieser Name stand weder in den Voruntersuchungen, noch war jemand mit diesem Namen als Zeuge geladen. Sein Vor- und Nachname waren alles andere als häufig. Ich nehme an, daß er der einzige ist, der so heißt.

Zwei Jahre später finde ich den Namen auf einem Konzertplakat – nein, nicht klassisch – und beschließe, mir den Mann anzuschauen. Ich reise also in jene Stadt, finde das Lokal, habe die Türfalle schon in der Hand und entschließe mich, ihn doch nicht sehen zu wollen. Das war mein Glück. Ich konnte mich inzwischen mit anderem beschäftigen als mit Verschwörungstheorien. Der andere war längst verurteilt, und zwar milde. Und was ist denn die Wahrheit? Die Wahrheit ist wohl schon die, daß die Macht nicht bei den Mördern liegt, mächtig sind andere – vielleicht jener mit dem eigenartigen Namen. Ich habe ihn zufällig getroffen vor einem Jahr, ich habe aufgehorcht bei seinem eigenartigen Namen, ich habe ihn lange beobachtet, und ich habe nichts gesehen, weder auf seinem Gesicht noch hinter seinem Gesicht. Der damals Verurteilte hatte jemanden gedeckt – Rokkerehre –, davon war ich überzeugt. Inzwischen glaube ich, daß auch dieser Name nur die Funktion hatte, eine weitere falsche Spur zu legen. Aber irgendwo saß die Macht, die gedeckt wurde, und diese Macht wird nie ein Gegenstand unserer Rechtsprechung sein.

Ja, etwas stimmt nicht im Vatikan. Das haben wir doch inzwischen gelernt, daß da, wo die Macht ist, auch die Korruption ist und daß jene, die an der Macht sind, die Macht selbst nicht haben. Die Macht korrumpiert, und die Macht ist korrupt. Das wissen wir, was nützt es uns? Auch unter diesen Bedingungen kann es ganz gewöhnliche Abläufe geben. Nur sind wir daran nicht interessiert. Die Macht hat spannend zu sein. Sie ist es – leider.

Auf der Suche nach Buchstaben

Auf dem Weg nach Weimar fuhr ich mit dem Zug an Eisenach vorbei. Ich riß das Fenster herunter, wollte die Stadt sehen, sah keine, rannte auf die andere Seite, dann wieder zurück, suchte die Wartburg, der Zug mußte sich schon weit von Eisenach entfernt haben, und ich suchte immer noch. Enttäuscht und trotzig beschloß ich, Eisenach nicht sehen zu wollen, ein schwerer Entscheid, aber um so mehr ein endgültiger Entscheid: Ich gehe nicht nach Eisenach! Und wie bei allen schweren Entscheiden fühlte ich mich hinterher erlöst: Nein, ich muß nicht nach Eisenach!

Wir hatten zu Hause das große Lutherbuch, es stand neben der Bibel, und ich blätterte als kleines Kind fast täglich darin herum, und später, auf der Suche nach Buchstaben in dem buchstabenarmen Haus, las ich es auch immer wieder und wurde dabei selbstverständlich fromm. Das war aber sozusagen nur eine Nebenwirkung, denn eigentlich ging es um etwas anderes, es ging um Welt. In diesem Buch war für mich die Welt, die richtige Welt, die zu Hause nicht war. Und Marin Luther war die Welt und Wittenberg und die Wartburg und Eisenach, und ein Stahlstich von dieser Stadt brannte sich ein in mein Hirn, Eisenach wurde zur Stadt meiner Sehnsucht. Daß sie dann schon bald »unerreichbar« in der DDR lag, machte mir die Sehnsucht leicht, denn ich dachte mir, daß ich hingegangen wäre, hätte ich ohne Umstände hingehen können.

Auf Weimar aber freute ich mich. Weimar gehörte nicht zu meinen kindlichen Sehnsüchten, und »Hermann und Dorothea« besaßen meine Eltern nicht. So bin ich denn etwas erwachsener durch Weimar gegangen, aber immerhin mit der Furcht, Weimar könnte mich zum Touristen machen. So verzichtete ich dann auf Stadtplan und Reiseführer und beschloß, nur das zu sehen, was ich halt herumspazierend sehe.

Und nur von einer Sache hoffte ich, daß sie mir begegnen würde, das Haus von Herder, oder genauer: die Tür zum Haus von Herder, jene Tür, an die der junge Jean Paul geklopft hatte, als er zum ersten Mal in Weimar war, jene Tür, vor der er von Herder unter Tränen umarmt wurde und damit aufgenommen wurde in die Welt der großen Geister.

Ich hatte am ersten Abend mit Weimar nichts im Sinn, ich wollte nur noch ein bißchen frische Luft und ein Glas Wein, und ich suchte nichts, nur eine Kneipe. Das Haus Goethes sah ich von weitem und machte vorläufig einen großen Bogen darum herum. In einer kleinen Gasse hinter der Kirche – die guten Kneipen sind in kleinen Gassen und nicht selten in der Nähe von Kirchen – fiel mir ein Haus auf, und es zog mich an. Ich las die Tafel neben der Tür, das Haus Herders, bin ich vielleicht durch Zufall denselben Weg gegangen wie Jean Paul? Vor dieser Tür also stand er, an diese Tür klopfte er, abends wohl, nach einem tagelangen Fußmarsch von Hof nach Weimar. Ich stand lange da, und ich sah nur noch die Tür, und ich hatte Gänsehaut, und mein Kopf war voller Buchstaben, die Buchstaben von Jean Paul. Eigentlich hätte ich gleich abreisen sollen. Es hätte mir genügen sollen, den Weg gekreuzt zu haben von einem, der Herder und Goethe besuchte und nicht nur herkam, um ihren Nachlaß zu begaffen.

Aber ich hatte am anderen Abend hier noch zu tun, und so blieb mir – leider – ein weiterer Tag, um mir anzuschauen, was die Touristen hier anschauen. Dabei hätte ich mich besser einschließen sollen in mein Hotelzimmer und jene Bücher lesen sollen – »Die grönländischen Prozesse«, »Die geheime Loge« –, für die Herder den Jean Paul vor ebenjener Tür unter Tränen umarmte.

Ich hätte mich daran erinnern sollen, daß Eisenach in meinem Kopf nicht eine wirkliche Stadt war und ist, sondern ein Stahlstich in einem Buch, das später, als ich lesen lernte, ein Buch voller Buchstaben wurde.

Aber eben, fremde Städte machen hysterisch, wenn man schon da ist, dann will man sie auch sehen. Und zu Hause ist man da, wo man die Sehenswürdigkeiten noch nie gesehen hat. Immerhin, Tourist sein, das möchte man dann doch nicht, und so machte ich am anderen Tag erst mal einen Spaziergang um die Stadt herum, ging durch einen Park, stand plötzlich vor einem Haus, das mir bekannt vorkam, das Gartenhaus Goethes, das ich mir immer im Garten seines Hauses vorgestellt habe und das mich nun hier überraschte. Ich ging durch den Garten, stand auf dem Kieselmosaik nach pompejanischem Vorbild, das sich Goethe vor der Haustür hat legen lassen und auf dem er wohl auch stand, überlegte mir lange, ob ich das Haus betreten sollte, tat es dann doch, und es war auch nicht so schlimm, das Haus war fast leer, fast ohne Möbel, und die paar Möbel, die noch hier standen, waren nicht seine, nur ähnliche aus der Zeit. Ich konnte mir hier etwas vorstellen, ich konnte mir hier einen Schreibenden vorstellen. Und damit hätte ich es bewenden lassen sollen, aber in der Stadt stand eben noch jenes Goethehaus, ich habe es erst betreten nach zwei Kneipenbesuchen und wohl nur, weil ich außerhalb der Touristenzeit hier war.

Es ist ohnehin unanständig, in fremden Häusern herumzugaffen, wenn einen der Hausherr nicht dazu eingeladen hat, ich hätte darauf verzichten sollen, denn mein Goethe hat hier nicht gewohnt, mein Goethe wohnt in Büchern, in den »Wanderjahren«, die ich herzlich liebe, in seinen Briefen auch, in denen er kein Toter ist, sondern lebt und von seinem Garten und seinen Gartenarbeiten erzählt und von seinen Tapeten und vom Tapezieren.

Mein Eisenach ist eine Stadt in einem Buch, und mein Weimar ist eine Stadt in Büchern. Marin Luther ist ein Mann aus Buchstaben. Irgendwie hat er sie auch erfunden, die »Schrift«, wie mein Großvater die Bibel noch nannte. Mit dem Goethe in seinen Büchern kann ich meine Scherze treiben, ich kann ihn verspotten und ich kann ihm widersprechen, ich kann ihn loben und ich kann ihn verehren. Hier aber, hier in Weimar, ist er nur tot.

Als ich vor Jahren in Middleburry in Vermont war, kam jemand auf die Idee, dort in der Nähe, Breadloaf hieß der Ort wohl, das Haus von Robert Frost, dem großen Lyriker, zu besuchen. Wir fanden das Haus, das inzwischen ein kleines Museum war. Wir klopften, und eine freundliche Frau öffnete die Tür, und wir, fünf Personen, erklärten ihr, daß wir das Haus anschauen möchten. Sie führte uns in das Haus, zeigte uns das Wohnzimmer, die Küche, einen Arbeitsraum, das Schlafzimmer und die Kinderzimmer, und als einer von uns dann fragte, wo er denn gearbeitet hätte, fragte die Frau überrascht: »Wer?« Und wir sagten: »Robert Frost.«

»Robert Frost«, sagte sie, immer noch freundlich, immer noch lächelnd, »Robert Frost, das ist drei Häuser weiter.«

Wir haben dann, nach diesem schönen Besuch in einem fremden Haus, beschlossen, das andere fremde Haus, jenes von Frost, nicht zu besuchen.

Und alles demokratisch

Kaum eine Abstimmung fiel mir so schwer wie jene über die Genschutz-Initiative. Nein, nicht etwa das Ja oder das Nein, sondern die Abstimmung selbst. Es war zum voraus keine Abstimmung, denn alle, die mitstimmten, wußten, daß sie über das, was sie abstimmen möchten, nicht abstimmen können, wohl nie mehr werden abstimmen können – nämlich über die Macht.

Das war einmal die Vorstellung von Demokratie, daß mit ihr die Macht beim Volk wäre, und das ist die Hoffnung vieler unterdrückter Völker, daß sie mit der Demokratie die Macht bekämen.

Nein, ich beklage mich nicht über die Ablehnung, ich würde die Annahme der Initiative ebenso beklagen. Aber diese Abstimmung – und nicht nur diese – macht mir schmerzlich bewußt, daß die Macht schon längst nicht mehr beim Staat ist, und ohne Staat kann das Volk die Macht auch nicht haben. Die Macht ist bei den Reichen, und der Staat ist arm. Und die Wirtschaft duldet den Staat nur noch, weil er arm ist. Schuldensanierung – darüber haben wir auch abgestimmt –, das gibt es auch für arme Schlucker, die zum Beispiel mit Kleinkrediten in Bedrängnis gekommen sind. Sie ist zwar in der Regel hoffnungslos und nutzlos, weil sie immer nur die Ausgaben betreffen kann und nicht die Einnahmen. Der arme Schlucker wird auch nach der Sanierung ein armer Schlucker bleiben. So kann denn der Staat Gesetze erlassen, verbindliche Gesetze, aber sie ändern den Lauf der Welt nicht – den Lauf der Welt bestimmen die Mächtigen, und der Lauf der Welt heißt ungebremstes Wachstum und ungebremste Arbeitslosigkeit. Schuld an dieser Arbeitslosigkeit sind dann wieder jene, die die Macht nicht haben, der Staat und wir.

Nun haben wir in der Schweiz zum mindesten eine kräftige, ja fast gesunde demokratische Tradition, und sie wird sich sicher noch einige Zeit halten, denn die Mächtigen haben nichts gegen Traditionen, im Gegenteil, Traditionen beschwichtigen das Volk. Solange wir Schwingfeste haben – ich gehe gern zu Schwingfesten –, sind wir immerhin Schweizer. Solange wir Demokratie haben, sind wir immerhin ein freies Volk. Und »Wollt ihr Demokratie oder Arbeit« ist vorläufig noch nicht die Alternative – ich hoffe, noch lange nicht, aber ich hoffe nur.

Die drei strahlenden Bundesräte nach der Abstimmung haben mir diesmal nicht gefallen. Ich kann da, auch bei umgekehrten Resultaten, nicht mitlachen. Und daß die Initiative »Schweiz ohne Schnüffelstaat« so hoch abgelehnt wurde, kann ich verstehen. Vielleicht wollten hier Demokratinnen und Demokraten dem Staat die Macht geben, die er braucht, die er brauchen würde, wenn er sie hätte.

Im Speisewagen des Zugs von Genf nach Zürich sitzen die Manager, Jungmanager. Sie führen laut und deutlich, Offiziersschule, ihre bedeutenden Gespräche. Einer telefoniert mit Amerika, sein Englisch ist perfekt und laut und deutlich, er teilt dem anderen mit, ihm die erfreuliche Mitteilung machen zu können, daß der Vertrag auf bestem Wege sei, es scheint um Millionen zu gehen, laut und deutlich, wir sollen das alle mithören – die Wirtschaft ist schamlos geworden. Die anderen dürfen ruhig mitbekommen, daß man an der Macht teilhat. Der Manager auf der anderen Seite ist da noch nicht so sicher, keine Offiziersschule, Handelsvertreter wohl, er läßt sich anrufen und gibt Befehle durch, es klingt noch nicht überzeugend, aber er wird es wohl auch noch lernen – oder halt dann nicht.

Warum bringe ich diesen Sepp Blatter nicht aus dem Kopf? Das geht mich doch nichts an, wer in dieser Fifa Präsident ist und ob es ein Schweizer ist. Sein Vorgänger hat mir nicht gefallen, sein Gegenkandidat auch nicht, aber sie legen keinen Wert auf das Gefallen, denn Macht hat auch mit Angstmachen zu tun, der Handelsreisende neben mir weiß das. Warum fällt mir Blatter ein? Weil auch er demokratisch gewählt wurde? Nein, im Ernst, er wurde demokratisch gewählt.

Und noch etwas, warum hörte ich mit Spannung an jenem Dienstag die Radionachrichten um halb eins, dann um zwei Uhr und dann um drei Uhr, er ist gewählt! Warum interessierte mich das? Vielleicht, weil ich wissen wollte, ob so etwas funktioniert – es funktioniert, die Demokratie funktioniert.

Und noch einmal die Gentechnik: Ich bin bereit, wenn auch zögernd, den Gentechnikern zu glauben, daß sie verantwortungsvoll forschen, nur: Haben sie die Macht? Die Technik, auch die Atombombentechnik, wird weder von der Wissenschaft noch von der Politik verbreitet, sondern von jenen, die die Macht haben, von der Wirtschaft. Und Macht ist nur Macht, wenn sie Machtmißbrauch ist.

Und noch etwas: Nein, ich habe nicht resigniert. Ich bleibe Demokrat, unter allen Umständen – so wie ich unter allen Umständen Sozialist geblieben bin.

Die Hoheitszeichenstempler

Kürzlich ist mir wieder ein Spiel eingefallen, das wir als Kinder mit Leidenschaft – wenn auch mit eher gelangweilter Leidenschaft – betrieben haben: CH-stempeln.

Es war kurz nach dem Krieg, die ersten richtigen Autos fuhren wieder, und sie waren noch einigermaßen selten. Wenn wir also auf der Straße standen, sämtliche Spiele schon durchgespielt hatten und nicht mehr wußten, was wir noch tun könnten, sagte einer: »Komm, wir gehen CH-stempeln.« Wir gingen also runter zur Aarauerstraße, warteten auf Autos und schauten ihnen nach, und wenn dann ein Auto ein CH-Schild hatte – auch das war selten unter den seltenen –, riefen wir »CH« und stempelten es. Das ging so, daß wir den rechten Daumen mit der Zunge netzten, richtig naß mußte er sein, mit dem Daumen die Handfläche der linken Hand befeuchteten und mit der rechten Faust in die linke Handfläche schlugen und dazu eben riefen: »CH«. Das war ein ernstes Ritual und mußte exakt ausgeführt werden. Selbst ich als konsequenter und hoffnungslos unverbesserlicher Linkshänder schlug mit der rechten Faust in die feuchte linke Handfläche, gegen Abend konnte das sogar weh tun, harte Arbeit, ähnlich dem gelangweilten, aber offiziellen Ernst, mit dem das Postfräulein die Briefe stempelt, ähnlich in unseren Ohren fast auch das Geräusch.

Was mich hinterher und in der Erinnerung an dieses Spiel überrascht und auch fasziniert: Es hatte keine Bedeutung, außer vielleicht der, daß wir uns dabei wohl ein bißchen bedeutend vorkamen. Es war kein Wettbewerb damit verbunden, wir zählten die Stempel nicht, es hatte nichts Magisches, es brachte weder Glück noch Unglück, es war nur so etwas wie die Nachahmung einer zwar in Realität nicht existierenden, aber durchaus ernsten Arbeit. Ich bestaune uns hinterher dafür, daß wir dazu fähig waren. Wir hatten damals wohl noch nicht begriffen, was uns Schule und Umgebung beibringen wollten.

Aber inzwischen sind wir erwachsen: Meine Enkelin hat mir ihren Game-Boy ausgeliehen, ich wollte mal wissen, was das ist und wie es funktioniert. Verflucht, es ist Ernst daraus geworden, bitterer Ernst. Ich bin bereits süchtig und stehe in hartem Konkurrenzkampf zu mir selber. Ich habe inzwischen begriffen, was mir die Schule beibringen wollte, vielleicht könnte man mit einem Tee oder etwas Ähnlichem die Reaktionsschnelligkeit verbessern.

Zülles rührende und durchaus nachvollziehbare Zweifel an seinem Doping-Geständnis hatten wohl damit zu tun, daß er wußte, daß er mit seinem Geständnis am System nichts ändern werde. Es wird nichts ändern, weil Sport schon längst nicht mehr eine Initiative zum Leben ist, sondern das Leben selbst, an dem Millionen hängen, Millionen von Menschen und Millionen von Franken. Gerettet muß da weder die Sportlichkeit noch der Anstand oder die Sauberkeit werden, sondern nur die Sache selbst, der Sport – und die Sache wird gerettet werden. Oder glauben Sie, wir hätten die Chance, auch nur ein einziges Spiel der besten Tennisspielerin der Welt am Fernsehen zu sehen, wenn ihr Spiel nicht Millionen umsetzen würde. Und die zweite Frage: Würde es uns überhaupt interessieren, wenn es nur ein Spiel wäre? Ja, ja, ich schaue das auch an. Ja, ja, ich mag Pantani auch. Ja, ja, sie rühren mich auch, die Männer und Frauen auf dem Treppchen. Auch ich bin interessiert daran, daß die Tour de France wieder stattfindet – es ist halt so spannend, zuzuschauen, wie es ums Überleben geht. Und was schluckt man nicht alles, um zu überleben? Die Tour de France wird überleben müssen, die Funktionäre werden überleben müssen, wir alle wollen überleben und der Staat auch und seine Justiz auch, und das Überleben macht nicht nur die Radrennfahrer krank, sondern uns alle – eigenartig, daß ausgerechnet Überleben krank macht.

Nein, Sport ist kein Spiel. Erwachsene können nicht spielen. Wir hatten Glück damals nach dem Krieg an der Aarauerstraße in Olten. Es gab damals noch keinen internationalen Verband der Hoheitszeichenstempler, kein Sekretariat mit Generalsekretär, wir hatten nicht mal einen Trainer, aber wäre das Stempeln zu verbessern gewesen, zum Beispiel mit einem Tee, der die Speichelproduktion verbessert hätte ... aber es war nichts zu verbessern, es war bedeutungslos. Dabei waren wir durchaus schon in jener Schule, die uns beizubringen hatte, daß nur, was bedeutend ist, auch etwas bedeutet. Wir hatten es nicht begriffen.

Und nicht einmal ein Bundesrat – es gab schon damals Bundesräte – hätte sich dafür eingesetzt, daß die Internationalen Spiele der Hoheitszeichenstempler ins Wallis gekommen wären.

Ich weiß, ich bin ein Miesmacher. Mir fehlt das positive Denken. Und mit dem positiven Denken beginnt alles – auch das Doping. Aber

Sie sollten mich mal am Game-Boy meiner Enkelin sehen – da bin
auch ich durchaus erwachsen.

Jörg Steiner, Stadtschreiber

Die Schweiz wird in diesem Herbst Gastland der Buchmesse in Frankfurt sein. Die Schweiz? Und schon beginnt die hysterische Dränge-
lei. Endlich werden wir sichtbar, endlich werden sie international auffällig, die Hunderte von Schweizer Dichtern. Und nach ein paar
Tagen wird alles vorbei sein, wird alles viel Geld gekostet haben,
und zurückbleiben wird nach dem großen Trara ein zum mindesten
kleiner Katzenjammer.

Einer aber war schon da in Frankfurt, ein ganzes Jahr lang und
für die Schweiz in aller Stille, der Schriftsteller Jörg Steiner aus Biel.
Er war für ein Jahr lang der Stadtschreiber von Bergen-Enkheim,
einem Stadtteil von Frankfurt, und wurde dort vor einer Woche von
über zweitausend Leuten in einem Festzelt verabschiedet. Journalisten aus ganz Deutschland waren dabei, ein Gedränge von Fotografen, die deutsche Presse berichtete von einem großen Ereignis, die
Schweizer Presse aber war daran nicht interessiert. Die warten auf
»ihr« Ereignis im Herbst und werden wohl dann ein paar zynische
Zeilen, wie ich hier, darüber verfassen.

Was nicht schweizerisch ist, ist für Schweizer offensichtlich ohne
Interesse. Jörg Steiner war nicht von der Pro Helvetia bezahlt, nicht
vom Eidgenössischen Amt für Kultur, nicht von der Pro Literis. Er
war Gast der Stadt Frankfurt, wurde verabschiedet von der Frankfurter Oberbürgermeisterin, gefeiert in Reden, und die Bergen-Enkheimer bedauerten, daß Steiners Jahr schon zu Ende war. Er selbst
hat in diesem Jahr ein paar Bergener liebgewonnen und die Bergener
ihn. Die Verabschiedung durch die zweitausend Anwesenden war von
überwältigender Herzlichkeit.

Aber was ist das, ein Stadtschreiber? Niemand weiß das so recht,
die Bergen-Enkheimer nicht und auch sicher Jörg Steiner nicht, der
ein Jahr lang der Stadtschreiber von Bergen war.

Erst mal ist das einer der angesehensten Literaturpreise Deutschlands mit einer schönen Preissumme, und zudem wird dem Preisträger ein Häuschen zur Verfügung gestellt, ein Häuschen, das man benützen kann, wie man will, oder das man auch nicht benützen kann, wenn man nicht will. Benützt man es, dann kann unter Umständen der angesehene Preis zu einem anstrengenden werden, die Bergener reden gern von einem Schriftsteller zum Anfassen.

Verbürgt ist nur die Geschichte dieses Preises. Dem Bergener Franz Josef Schneider, selbst ein Schriftsteller und Mitbegründer der Gruppe 47, ist er vor 25 Jahren eingefallen. Er wollte damit Literatur zu den Leuten bringen – ein naives und zweckloses Unternehmen, würde auch ich geglaubt haben, aber Bergen-Enkheim ist inzwischen wirklich eine Gegend, die von der Existenz der Literatur weiß, Jörg Steiner kennt man hier, und es ist eine Gegend, in der gelesen wird, viele hier haben Jörg Steiner inzwischen gelesen.

Aber vorerst hatte Franz Josef Schneider die Idee auch den Bürgern und Politikern beliebt zu machen. Da kam ihm die Politik selbst zu Hilfe. Es war die Zeit, als rings um Frankfurt viele kleine und größere Gemeinden nach Frankfurt eingemeindet werden sollten, unter ihnen auch Bergen-Enkheim. Die meisten wehrten sich vehement und erfolglos dagegen. Die Bergener aber wußten, daß sie diesen Kampf verlieren würden, und sie verlangten von der Stadt, daß sie – eingemeindet – eine eigene Kulturgesellschaft bekommen sollten und als Symbol der Eigenständigkeit sozusagen die Einrichtung des Stadtschreibers. Vor 25 Jahren trat der erste, Wolfgang Koeppen, sein Amt an – ein Fremder, denn noch war Literatur den Bergenern fremd, und es kamen später noch fremdere, Dichterinnen und Dichter aus Österreich, aus Rumänien, aus der damaligen DDR, Norddeutsche und Süddeutsche. Aber das politische Ziel wurde erreicht – Bergen-Enkheim ist in der deutschen Literatur ein Begriff: Ein kleiner Ort, wie es noch Hunderte gibt in Deutschland, hat sich sichtbar gemacht. Seine kulturelle Eigenständigkeit ist größer als je zuvor.

Das ist ein Wunder, daß ein kleiner und wohl auch kleinbürgerlicher Ort auf die Idee kommt, seine Eigenständigkeit damit zu bewahren, daß er das Fremde, die Literatur, zu sich holt – daß er die

Fremden, die Schriftsteller, holt. Eigenständigkeit durch das Fremde bewahren, das ist ein verwegenes Modell, ein sehr modernes oder vielleicht gar ein antiquiertes.

Über zweitausend Leute feierten letzte Woche nicht nur Jörg Steiner, sondern auch sich selbst – die stolzen Bergen-Enkheimer, die so stolz sind auf sich und ihr Modell.

Jörg Steiner ist zurückgekehrt in die Schweiz. Er wird hier mehr ein Fremder sein als in Bergen.

Und wem dieser Satz sauer aufstößt, dem schlage ich vor, die Bücher Jörg Steiners zu lesen – den »Kollegen« zum Beispiel –, das Eigene im Fremden zu suchen, auch das ein Thema Jörg Steiners. Er gehört zu den wichtigen zeitgenössischen Autoren der Schweiz. In einem kleinen (Entschuldigung, fast häßlichen) Ort in Hessen hat er Leser gefunden. Er hätte sie schon längst in der Schweiz verdient. Nur eben, die Eigenständigkeit im Fremden zu suchen, das ist uns Schweizern noch immer fremd.

Er konnte kein Französisch

Daß Clowns eigentlich und persönlich traurige Menschen sind, ist nicht nur ein hartnäckiges Klischee – auf unzähligen Kitschbildern mühsam festgehalten –, sondern eine Selbstverständlichkeit. Was sollte man ihnen denn für ein Leben erfinden, wenn nicht ein trauriges? Ich kannte zwar einen bösen, gemeinen und hinterhältigen, und dann kannte ich einen anderen, der war privat genauso wie in der Manege, der lachte genau gleich, der sprach genau gleich. Er war ein wunderbarer Clown, aber wenn man ihn privat kannte, mußte man an seiner Kunst zweifeln – er konnte gar nicht anders. Nun bestätigen, wie man weiß, die Ausnahmen die Regel, und wenn es nur noch Ausnahmen gibt – bei Minderheiten zum Beispiel: Juden, Jugos, Schwarze, Schwule –, dann bestätigt das die Regel nicht nur, sondern es erhärtet sie. So einfach ist das – leider.

Und nachdem die Clowns im Grunde genommen traurig sind, sind

wohl die Boxer im Grunde genommen sanftmütig. Jedenfalls kannte
ich einen solchen. Seine Erfolge als Boxer lagen Jahrzehnte zurück,
ein kleines, altes Männchen mit einem großen ovalen Kopf, der tag-
aus, tagein leuchtete wie eine sanfte Abendsonne. So war er auch:
ein Zufriedener und ein Freundlicher. Er hieß Beaujolais, und das
bestellte er auch, wenn er in die Kneipe kam, ein Gläschen Beaujolais.
Und die Leute nahmen an, daß er deshalb diesen Spitznamen hatte.
Aber in Wirklichkeit hatte er ihn schon als Boxer, weil er Bosetti hieß
und die Leute sich seinen Namen nicht merken konnten. Ich war
einer der wenigen in der Kneipe, die noch davon wußten, daß er einmal ein großer Preisboxer war. Und er selbst sprach nicht davon,
und wenn man ihn aufforderte, es zu bestätigen, strahlte er nur übers
ganze Gesicht und schüttelte den Kopf, was die Uneingeweihten als
Verneinung interpretierten, er aber meinte: Ach, lassen wir das.

Einmal, Beaujolais war schon über achtzig, machte ich irgendeine
Bemerkung, um ihn zu necken, und Beaujolais sagte strahlend: »Paß
auf, ich hau dir eins!«

»Da habe ich keine Angst«, sagte ich, »du hast sicher noch nie
jemanden geschlagen, außer im Ring.«

Beaujolais wurde still und besinnlich, schaute vor sich hin und
sagte dann: »Ja, das stimmt – das hat gestimmt bis vor zwei Wochen«,
und dann langsam und zögernd, er erzählte es wohl zum ersten Mal,
»da ging ich unten beim Theater ins Pissoir, und da kam ein Bursche auf mich zu, ein Kopf größer als ich, und der sagte: ›Gib mir
dein Portemonnaie, oder ich hack dich zusammen.‹ Da habe ich links
ausgelegt und eine rechte Gerade geschlagen, und er lag in der Schüs-
sel.«

»Aber Beaujolais«, sagte ich.

»Ja«, sagte er, »ich bin ganz schön erschrocken, ich habe doch
gar nicht gewußt, daß ich das noch kann.«

»Und der andere, der ist wohl auch erschrocken«, sagte ich.

»Ich bin dann noch einmal zurückgegangen«, sagte Beaujolais,
»und habe ihm den Puls gefühlt, er lebte noch.«

Nein, er war nicht stolz darauf, er war erschüttert. Worüber? Über
vieles, aber am meisten wohl doch darüber, daß etwas in ihm drin
war, von dem er nichts wußte.

Bobby war auch ein Boxer, ein berühmter Amateurboxer in den dreißiger Jahren. Er kämpfte zweimal um die Europameisterschaft, und auch er wurde uralt. Auch er ein angenehmer Bürger und bei allen beliebt, wenn auch ein bißchen von oben herab behandelt. Halt der Bobby, halt einer, der schon immer da war, ein leidenschaftlicher und guter Kartenspieler. Und er hatte wohl nur eine auffällige Eigenart: Er konnte nicht verlieren, und er konnte zu üblen Tricks greifen, wenn er am Verlieren war. Dies aber wohl nicht aus Ehrgeiz, sondern weil ihn die paar Batzen reuten, die er als Verlierer hätte bezahlen müssen. Eigenartigerweise war er außerhalb des Kartenspiels großzügig.

Einmal sagte er zu mir: »Du, ich habe zu Hause noch so Zeitungsausschnitte, die kannst du sicher brauchen. Ich bring sie dir.«

Und er kam anderntags mit einem Mäppchen voller Ausschnitte, einen über fleischfressende Pflanzen, einen über Bergheuer, einen über die Rentierzucht der Lappen, und ich sagte ihm, daß er die doch selber aufbewahren müsse, das seien seine Ausschnitte, ich könne damit nichts anfangen. Das enttäuschte ihn sehr, und er sagte, daß sie noch hochinteressant seien. Da sagte ich: »Du hast doch sicher noch Zeitungsausschnitte von Berichten über deine Boxkämpfe.«

»Meine Schwester hat das gesammelt«, sagte er, »aber ich glaube nicht, daß sie die noch hat. Ich habe sicher nichts mehr.«

»Gegen wen hast du denn um die Europameisterschaften gekämpft?« fragte ich ihn, und er sagte: »Das ist es ja eben, ich kann kein Französisch, und das war ein Franzose, und ich konnte mir schon damals den Namen nicht merken – und die anderen kannten ihn ja, den Namen.«

»Wo haben die Kämpfe dann stattgefunden?«

»Nicht in Paris und nicht in Marseille, das hätte ich mir merken können, aber eben, ich kann kein Französisch.«

Nein, Bobby war kein Trottel, er war ein gewitztes, schlaues Männchen, gescheit, interessiert und lustig, ein hervorragender Erzähler und einer, der Zeitungsausschnitte sammelte. Er konnte wirklich nur kein Französisch. Und ich stellte mir vor, wie stolz ich gewesen wäre, damals in den dreißiger Jahren sein Freund gewesen zu sein,

Bobby Wolf, dessen Kämpfe im Radio kommentiert wurden, dessen Bild in der Zeitung stand.

»Wie ist das denn, Bobby, wenn man einmal so berühmt gewesen ist als junger Mensch und dann nach und nach vergessen wird?« Er schaute mich an, sagte, daß er mich nicht verstehe.

Ich wiederholte die Frage, und er sagte: »Ja, ich hatte sogar so Karten mit meinem Bild zum Unterschreiben.«

Und ich wiederholte die Frage.

»Ja, ja, da gab es viele gute Boxer damals in Solothurn«, sagte er. Und er zählte die Namen auf, voller Bewunderung.

Es war nichts zu machen, er verstand meine Frage wirklich nicht. Er war der Bobby Wolf, der ein Leben lang bei der Firma Zetter gearbeitet hatte, Spezialist für Kiesklebedächer, da machte ihm keiner was vor, ein hervorragender Kartenspieler, ein Kneipengänger, einer, der die Frauen gern sah, der Bobby Wolf, da gab es nur einen, der so hieß. Und er verehrte alle, mich, weil ich ein Schriftsteller bin, den Bäri, weil er der beste Schreiner ist, die Serviertochter, weil sie so gescheit ist, und den Wirt, weil er der Wirt ist.

Und er war der Bobby, das stand mal fest.

Die Schönheitsköniginnen

Vor Jahren besuchte ich eine junge Frau nach einer ihrer vielen Operationen im Spital. Ich ließ mir die Zimmernummer geben, klopfte und trat ein, und da lag eine andere Frau. Ich entschuldigte mich und wollte gehen. Da sprach sie mich an, es war ihre Stimme, aber sie hatte ein anderes Gesicht, weil sie ungeschminkt war. Es war nicht das Gesicht, das ich seit Jahren kannte, und ich sprach jetzt mit einer Fremden, die die Stimme einer Frau hatte, die ich kannte. Die »Fremde« hatte ein wunderschönes Gesicht, ein schöneres als jenes, das sie sich seit Jahren aufschminkte.

Nein, ich habe ihr nicht gesagt, daß mir ihr »richtiges« Gesicht noch besser gefällt als ihr geschminktes. Aber beschäftigt hat es mich noch lange. Sie war eine schwerkranke Frau, die mit Schmerzen lebte. Davon wußten nur wenige, und jene, die sie sonst kannten, hielten ihre Stöcke wohl für eine Marotte oder für Simulation. Sie schien mit ihnen kaum den Boden zu berühren, bewegte sich elegant, tänzerisch – und niemand, auch ich nicht, bemerkte, daß sie ohne Stöcke überhaupt nicht hätte gehen können. Sie war eine muntere, fröhliche, lustige Frau, übermütig und frech. Und eigentlich war sie das alles nicht, sie spielte es nur, und sie spielte es leidenschaftlich, sie spielte ein Leben, und das Leben war ihr zu einem Spiel geworden. Dazu gehörte auch ihre Maske, ihr aufgeschminktes Gesicht.

Zufällig fand ich kurz darauf im Gerümpel ein paar Schminkstifte. Aus lauter Langeweile, so glaubte ich, setzte ich mich vor einen Spiegel und begann mein Gesicht zu verändern. Sehr bald fiel mir dabei jene Frau ein. Und dann fiel mir auch eine andere Person ein, nämlich ich mir selbst. Ich begann mich mit meinem Gesicht zu beschäftigen und erschrak bei der Vorstellung, daß ich das vorher noch nie getan hatte. Ich begann eine richtige Kur, eine Schminkkur, besorgte mir jetzt auch weitere Farben, Pinsel und Schwämme, saß vor dem Spiegel und schminkte mich. Und wenn das neue Gesicht, es wurden immer Clowns, fertig war, wischte ich das Ganze runter und staunte, was für ein Gesicht unter der Schminke hervorkam, mein eigenes – mein eigenes?

An der Busstation wartet neben mir eine Frau, eine Schönheitskönigin, eine der Tausenden von Schönheitsköniginnen. Es ist Donnerstag, Abendverkauf in der Stadt, Korso der Schönen auf der Straße vor dem Warenhaus. Vor ein paar Wochen noch war sie ein Kind. Jetzt hat sie sich eine Frau auf das Kind geschminkt, wunderschön übertrieben, eine kalte Schönheit, zwei kleine Haarsträhnen im Gesicht – perfekt. Und nur die Kaugummiblasen erinnern an das Kind unter der Maske, da bläst ein Kind Blasen durch die aufgeschminkte Frau hindurch. Das Kind geht heute mit unzähligen anderen und gleichen zusammen Schönheitskönigin spielen in der Stadt.

Keine der Kandidatinnen für die Miss Schweiz unterscheidet sich auch nur ein bißchen von ihnen, und das ist recht so, denn alle haben ein Recht darauf. Und wenn nicht alle gleich wären, dann wäre der Wettbewerb ungerecht.

Die Kandidatinnen posieren dann auch im Badeanzug, damit nicht etwa eine die ungünstige Figur mit günstigen Kleidern kaschiert – allerdings posieren sie nicht barfuß, was doch dem Badeanzug angepaßt wäre. Und wenn schon die Jury das Bedürfnis hat, darunter zu schauen, damit keine kaschieren kann, warum denn posieren die Damen nicht ungeschminkt, damit man auch einmal unter die Maske schauen könnte, damit keine kaschiert? Ganz einfach, weil das Ganze nicht ernst ist. Hier wird nichts und niemand ernst genommen. Das ist ein Spiel, nur ein Spiel, und ein Spiel spielt man in Masken.

Deshalb wohl auch wollen die Schönheitsköniginnen, befragt nach ihren Plänen, eine Schauspielschule besuchen, weil Spielen mit Masken zu tun hat, und Maskentragen sind sie gewohnt. Sie wollen in die Schauspielschule und dann wohl zum Film. Nur, ich habe im Kino noch nie solche Frauen gesehen. Wie kommen die Schönheitsköniginnen auf die Idee, daß Filmschauspielerinnen so aussehen wie sie?

Ein Mädchen in unserer Nachbarschaft, das sich selbst als häßlich empfand, schrieb vor vielen Jahren ihrem verehrten Sänger Roy Black einen Brief und bat ihn um ein Autogramm. Und weil sie selbst »häßlich« war, bat sie das schönste Mädchen in der Gegend um ein Foto und klebte dieses Foto auf den Brief. Ich fand das eine himmeltraurige Geschichte, eine der traurigsten Geschichten, die mir je begegnet sind.

Inzwischen aber frage ich mich, ob es wirklich das Bild einer anderen war.

Die Sucht verlieren

Als Othmar Götschi am 3. Juni 1998, einem Mittwoch, um zehn nach sechs erwachte, wußte er noch nichts davon. Er stand auf, machte sich einen Kaffee, setzte sich an den Tisch, starrte vor sich hin, dann ging er zur Arbeit, dann kam er von der Arbeit, dann erwachte er am 4. Juni 1998, einem Donnerstag, um zehn nach sechs, machte sich einen Kaffee, setzte sich an den Tisch, starrte vor sich hin, ging und kam von der Arbeit, und erst am Freitagabend fragte ihn seine Frau: »Sag mal, Othmar, rauchst du nicht mehr?« Othmar erschrak. Er hatte es selbst nicht festgestellt. Dem Othmar war eine Sucht abhanden gekommen. So einfach ist das, eines Tages raucht man nicht mehr. Die Frau freut sich, die Kollegen gratulieren, der Hausarzt ist zufrieden.

Im Ernst, ich fürchte mich davor, daß mir eines Tages eine Sucht abhanden kommen könnte. Und ich fürchte mich davor, daß ich es wohl gar nicht bemerken würde.

Kürzlich fragte mich ein Freund, der liest, was ich denn im Augenblick lese. Ich erschrak dabei, mich selbst ertappt zu haben, daß ich im Augenblick nichts lese, und ich erwähnte das Buch, das ich vor einiger Zeit gelesen hatte, »Candide« von Voltaire, denn ich wollte vor meinem Freund nicht den Eindruck erwecken, daß ich kein Süchtiger mehr bin, daß ich es – endlich – geschafft habe, ohne Buchstaben zu leben. Ist mir die Lesesucht abhanden gekommen? Und wenn, wann war das, an welchem Mittwoch und um welche Zeit? Denn eine Sucht verschwindet nicht nach und nach, das ist ein Entweder-Oder. Der Gedanke, daß ich kein Süchtiger mehr bin, ist mir unerträglich. Wie schaffe ich es, rückfällig zu werden? Wer führt mich zurück in die Sucht?

Nein, ich will hier nichts verharmlosen. Ich kenne Süchtige, die sich seit Jahren mit kaum etwas anderem befassen als mit der Hoffnung, davon loszukommen. Und ich kenne meine gefährlichen Süchte. Eines Tages werden sie weg sein, so oder so. Sie werden auch weg sein, wenn sie mich umgebracht haben.

Nur habe ich gehört – und das hat mir auch eingeleuchtet –, daß es ein grundsätzliches Suchtverhalten gibt, daß also Alkoholsucht und Nikotinsucht etwas miteinander zu tun haben können, und viele andere Süchte auch. Ich kenne es selbst durchaus, dieses Suchtverhalten, und ich habe keineswegs gelernt, mit Süchten umzugehen – bei mir ist es ein Entweder-Oder, viel oder nichts.

Etwa mit zehn, elf Jahren fing es an, ich wurde süchtig, buchstabensüchtig, ich fraß Buchstaben bis zur Vergiftung: blaue Ränder unter den Augen, Schlaflosigkeit, Konzentrationsschwäche in der

Schule und zudem noch schwach in der Rechtschreibung. Ich las so schnell, daß ich nicht mitbekam, wie es geschrieben ist. (Heute rauche ich so schnell, daß ich nicht mitbekomme, wie es schmeckt.) Ich las alles, was mir vor die Augen kam, erst mal das ganze Lexikon meines Vaters, die Bibel und alles andere, was noch so an Gedrucktem zu Hause herumlag, viel war es nicht, aber immerhin. Wie schön war es doch, zu lesen, als man das Gute noch nicht vom »Schlechten« unterscheiden konnte, als Adalbert Stifter und Courths-Mahler – die fand ich schon bald in der Bibliothek – noch dasselbe waren, eben Buchstaben, die man verschlang. (Als der Rotwein noch Rotwein war, nur Rotwein und nichts anderes.)

Ich höre am Radio eine Diskussion zwischen einem Vertreter der Tabakindustrie und einem Gegner des Rauchens. Der Gegner spricht von Sucht, der Befürworter von Genuß. Der Befürworter hat unrecht, wäre Rauchen ein Genuß, ich hätte es längst aufgegeben. Gewohnheit ist etwas weit Höheres als Genuß, Gewohnheit ist die alltägliche Art, das Leben zu verbringen. Das Leben, das für jene kurz ist, die es kurzweilig gestalten, und lang für jene, die es langweilig gestalten.

Ich habe mich schon als Kind für das »lange« Leben entschieden, für ein Leben mit langen dicken Büchern, für ein Leben mit Buchstaben, die man aneinanderreihen muß, einen nach dem anderen, täglich Tausende. (So wie man auch Zigaretten aneinanderreihen kann.)

Ob das gescheit ist? Nein, das ist wohl nicht sehr gescheit, und ich bin überzeugt, daß nicht nur Drogensüchtige, sondern auch Leser soziale Kosten verursachen, sie verträumen das Leben, sie stolpern mit ihrem Tolstoi im Kopf über die Straße und gefährden sich und den Verkehr, sie schneiden sich in die Finger, sie bewegen sich zuwenig.

Trotzdem, mein Leben wäre mir zu kurz gewesen ohne Buchstaben. Aber ich stelle fest, daß mir ihre Dringlichkeit nach und nach abhanden kommt. Ich lese immer noch, aber die Sucht ist mir abhanden gekommen.

Vielleicht geht jetzt auch das Rauchen weg – und dann auch der Rotwein. Vielleicht erwache ich eines Tages wie Othmar Götschi und bin nicht mehr süchtig. Davor fürchte ich mich.

Das Metzgerspiel

Eine lange Bahnreise durch Norddeutschland, Schleswig-Holstein –
ich habe das schon mal beschrieben: Die Landschaft sollte mir fremd
sein, und die Leute, die ich hier treffe, sprechen mich auch darauf
an: »Sie könnten hier wohl nicht leben, Sie als Schweizer, Sie würden wohl schon bald Ihre Berge vermissen.« Meine Berge? Ich habe
keine Berge. Und eigenartigerweise ist mir diese Landschaft hier
in Norddeutschland nicht fremd, sondern vertraut wie fast keine. Es
ist eine der Landschaften aus meiner Kindheit, mein geliebtes Zusammensetzspiel, neun Würfel, mit denen man sechs verschiedene
Landschaften, offensichtlich norddeutsche Landschaften, zusammensetzen konnte. Ich bin als Kind stundenlang auf diesen Bildern her-
umgereist.

Nun kann das Gewohnte, das, in dem man wohnt, das Gewöhnliche, auch langweilen, und ich schaute nach einer langen, ermüden-
den Reise gelangweilt in die Landschaft, im Wagen waren nur noch
drei andere Personen, spanische Arbeiter wohl, die sich angeregt
unterhielten. Ich hörte ihnen zu, auch wenn ich kein Wort verstand –
ich mag Fremdsprachen, ich höre gern Fremdsprachen, ich stelle
mir vor, wovon gesprochen wird, und mache mir die »entsprechenden« deutschen Dialoge im Kopf. Vielleicht kann ich deshalb fast
keine Fremdsprachen. Es kann auch etwas verlorengehen, wenn
man versteht, es kann eine Welt im Kopf verlorengehen. So freute
ich mich zwar in Amerika über meine zunehmenden Englischkenntnisse – es ist, wie wenn man Licht am Ende des Tunnels erblickt –,
aber meine Amerikabegeisterung nahm mit zunehmenden Sprach-
kenntnissen ab – Amerika wurde Wirklichkeit und fand nicht mehr
in meinem Kopf statt.

Ich hörte also mit meinem deutschsprachigen Kopf den Spaniern
zu, bildete mir ein, sie zu verstehen, und erfand mir ihr Gespräch.
Ich schaute zum Fenster des Zuges hinaus und war in Spanien. Ich
stellte fest, daß ich mir Spanien anders vorgestellt habe und daß
das Spanien, das ich kenne, anders aussieht, um so mehr begann mich

die Landschaft zu interessieren, vielleicht die Mancha, die hätte ich
gern einmal gesehen. Die langweilige Reise durch Norddeutschland
wurde zum Vergnügen, ich freute mich, in Spanien zu sein, in einem
Spanien, das ich noch nie gesehen hatte – und wohl auch außer mir
niemand.

Wenn ich mich langweile bei irgendwelchen Versammlungen, einer
großen Versammlung von Schriftstellern zum Beispiel, dann mache
ich ab und zu das »Metzgerspiel«. Ich stelle mir vor, daß hier nicht
über die Berufsbedingungen von Schriftstellern diskutiert wird, sondern über die von Metzgern, und daß die Anwesenden nicht Schriftsteller wären, sondern Metzger. Die Diskussion beginnt mich augenblicklich zu interessieren. Ich verstehe die Fachausdrücke nicht
mehr – Verleger, Lektor, Honorar, Lizenzen. »Honorar« ist wohl,
stelle ich fest, der Preis für Kälber, Lebendgewicht; ein Lektor vielleicht ein Viehhändler. Viel spannender aber sind die Anwesenden.
Die Leute, die eben noch Schriftsteller waren, sind jetzt Metzger.
Und sie sehen plötzlich auch so aus – diese Nase, dieses Kinn, diese
Hände. Die meisten kräftig und gemütlich, kaum einer brutal – Metzger sind nicht brutal. Und der Kleine mit der randlosen Brille und
dem korrekten Scheitel ist wohl der Sohn einer Großschlächterei,
er hat Volkswirtschaft studiert und schickt sich an, den Betrieb seines Vaters zu übernehmen. Die hübsche, zierliche Frau hat wohl nach
dem Tode ihres Mannes die Metzgerei weitergeführt, später sogar
vergrößert, inzwischen sogar zwei Filialen in der Gegend eröffnet,
eine tüchtige Frau. Nein, niemand hier sieht so aus, als würde er nicht
in die Versammlung der Metzger gehören. Ich habe mir zwar vielleicht Metzger anders vorgestellt, aber eben, Metzger sind nicht so,
wie man sie sich vorstellt. Oder wollen wir es versuchen mit einer
Versammlung von Seiltänzern, einer Versammlung von Gorillafor-
schern, von Kunststopfern? Keiner und keine, der oder die nicht in
die Versammlung passen würde. Und es wäre doch schön, einmal eine
Versammlung von Seiltänzern beobachten zu können: Der Dicke
vorne rechts übrigens ist ein ehemaliger Seiltänzer, inzwischen be-
treibt er eine Artistenagentur.

Ich schreibe dies im Zug zwischen Solothurn und Genf, ein fast

sonniger Tag, ein fast nebliger Tag, »diffus« nennt man wohl dieses
Licht. Vor dem Fenster jetzt nur noch Bäume, einige Birken dazwischen, ich sitze in der transsibirischen Eisenbahn, kurz nach Moskau, ja genauso habe ich mir das vorgestellt.

Oder ganz einfach: Erinnern Sie sich. Sie lagen als Kind im Bett,
schlossen die Augen und versuchten sich vorzustellen, daß das Bett
umgekehrt steht, das Fußende nicht mehr zur Tür, sondern zum Fenster. Und langsam drehte sich das Bett, und Sie lagen in der falschen
Richtung. Dann die Augen öffnen, und flugs steht das Bett wieder
richtig.

Ausprobieren, wie es wäre, wenn es nicht so wäre, wie es ist. Der
Kellner im Speisewagen übrigens ist sehr freundlich. Die Russen sind
sehr freundliche Menschen.

Paris ist gar nichts

Ein Leser beklagt sich über meine letzte Kolumne. Ich kann ihn verstehen. Da fährt einer mit der Bahn von Solothurn nach Genf und
vergißt dabei plötzlich, daß er sich in der Schweiz befindet. Ein paar
Birken erinnern ihn an die Transsibirische Eisenbahn, mit der er in
Wirklichkeit noch nie gefahren ist. Nun bildet er sich ein, durch Rußland zu fahren. Und der Leser stellt fest, daß dieser Schreiber ein
»Gnusch im Fadechörbli« habe. Das verstehe ich.

Aber ich bitte um eine weitere Chance, auch wenn ich weiß, daß
ich den Leser auch damit nicht zufriedenstellen kann. Also eine weitere Fahrt von Solothurn nach Genf. Ja, der Leser hat recht. Eine wunderschöne Landschaft: der Jura mit weißen Flecken, die Rebberge
sind zu jeder Jahreszeit ein neues Erlebnis, das wechselnde Grün ihres
Bodens, die Seen, die Alpen. Heute sind sie nicht strahlend, sie liegen in leichtem Dunst, ja sie sind schön.

Nur eben – und schon kann mein entsetzter Leser wohl nicht mehr
meiner Meinung sein –, auch das, auch der großartige Anblick der
Alpen findet in meinem Kopf statt, sie sind nicht einfach an und für

sich schön, mein Kopf muß sie als schön entdecken und als schön empfinden.

Das war nicht einfach immer so, daß die Menschen die Alpen als schön empfanden: Sie empfanden sie als schrecklich, bedrohlich, beängstigend, wild und chaotisch, und die noblen Leute, die sich in Sänften über die Alpen tragen ließen, zogen die Vorhänge zu, um das Schreckliche und Erschreckende nicht sehen zu müssen.

Im 18. Jahrhundert hat dann ein Berner, Albrecht von Haller, die Alpen für die Welt entdeckt. Er hat ein großes Gedicht, »Die Alpen«, geschrieben, das von den Gebildeten seiner Zeit mit großer Überraschung gelesen wurde. Er öffnete ihnen die Augen, und von da an waren die Alpen schön. Die Menschen lernten durch Albrecht von Haller die Berge anders sehen. Mein entsetzter Leser wird mir das nicht glauben, und ich selbst habe Mühe, es zu glauben. Ich blicke über den Genfersee, die Alpen sind wirklich schön.

Und jetzt mache ich halt noch einmal das, was mein Leser nicht mag: Ich versuche mir etwas vorzustellen – ich schaue und schaue und versuche, die Alpen als schrecklich und häßlich zu empfinden. Und mein Versuch ist total erfolglos. Ich kann es drehen, wie ich will, ich kann schauen, wie ich will, ich kann denken, wie ich will, es gelingt mir nicht, das Bild in meinem Kopf herzustellen, das die Menschen vor Albrecht von Haller von diesen Alpen hatten. Sie sind nun für mich und alle anderen ein für allemal wunderschön.

Was wir in unseren Köpfen haben, sind selten eigene Beobachtungen. Immer wieder andere haben es für uns einmal beobachtet, und wir beobachten es ihnen nur nach und halten dann fremde Beobachtungen für eigene. Ja, ja, auch ich. Auch mir passiert das. Wir leben von und mit Vorurteilen. Daß die Alpen schön sind, das ist mir ein liebes Vorurteil, aber es gibt auch andere.

Sehen ist noch lange nicht entdecken. Selbstverständlich haben die Leute die Alpen schon vor Haller gesehen. Ihre Schönheit aber hat er für sie entdeckt.

So bitte ich denn darum, mir in meinem Kopf eine ganz andere Welt vorstellen zu dürfen. Wenigstens versuchen zu dürfen, es ganz allein und ganz neu zu sehen. Keine Angst, es gelingt mir selten.

Im Wagen sitzen auch zwei ältere Männer. Offensichtlich Pensionierte mit Generalabonnement, die sich ab und zu in der Bahn zufällig treffen. Sie erzählen sich von ihren Reisen. Der eine sagt, daß er nächstens mal nach Paris wolle. »Paris ist gar nichts«, sagt der andere, »meine Schwester war kürzlich da, sie war sehr enttäuscht, es hat ihr gar nicht gefallen.«

In Genf habe ich dann zwei Züge übersprungen und bin spazierengegangen. In Paris war ich noch nie. Trotzdem, ich stelle mir Paris schön vor. Hier in Genf fällt mir das ein. Dann die Rückfahrt. Der Nebel ist jetzt dichter, rötlich gefärbt durch die untergehende Sonne, der See nur noch erahnbar, die Berge sind weg. Eine märchenhafte Stimmung – könnte das nicht irgendwo oder überall sein?

Mein Großvater war ein weitgereister Mann. Er hat die Schweiz in seinem ganzen Leben nie verlassen. Aber er hat seine Reisen mit dem Zeigefinger auf dem Atlas gemacht und sich Welten vorgestellt. Sein Afrika, er erzählte oft davon, muß wunderbar gewesen sein.

Ein außerordentlich flugtüchtiger Engel

Änneli ist gestorben, das Änneli – nicht die Anna, nicht die Anna Gygax, wie sie nun heißt in der kleinen Notiz unter Todesfällen –, das Änneli, sächlich, eine Sache also. Viel gibt es über sie nicht zu sagen, sie ist neunzig geworden, das ist schon fast alles.

Und ich weiß nicht viel mehr über sie. Trotzdem, sie hat einen Nachruf verdient. Die Pfarrerin, die sie beerdigen soll, hat mich schon angerufen, sie hat gehört, daß ich sie kenne aus der Kneipe. Ich kann der Pfarrerin nicht helfen, ich kann ihr nur sagen, wie sie ausgesehen hat, vielleicht noch, wie sie war. Sie war einfach da wie eine Sache. Und man wird sie vermissen in der Stadt wie eine Sache, wie ein Haus, das weder historisch noch schön war und auch sonst keine Bedeutung hatte. Und das einzige, was von ihm noch einige Zeit bleibt, ist die Erinnerung daran, daß hier einmal ein Haus stand. Das Haus selbst wüßte nicht mehr über sich selbst, es hätte keine Geschichte.

So wie auch Änneli kaum etwas über sich zu erzählen gehabt hätte. Ich glaube, sie wußte von sich selbst nicht mehr als wir. Aber sie war das Änneli, alle in der Stadt wußten das, und irgendwie waren alle irgendwie stolz darauf, daß sie wußten, daß das das Änneli war.

Sie hat jedenfalls einen Nachruf verdient. Und weil es von ihr nichts zu erzählen gibt, ist die Tageszeitung ungeeignet für einen Nachruf. So schreiben wir ihn hier auf Kunstdruckpapier und stellen das Änneli ins »Plateau«, mitten hinein in Aufsätze, die es nicht verstanden hätte, auch wenn es die Buchstaben gekannt hätte, mitten hinein in Bilder, die ihm nicht gefallen hätten. Da gehört es hin, denn die Welt, in der es gelebt hat, war ihm kein bißchen weniger fremd als diese.

Alle kannten das Änneli. Es aber kannte niemanden. Die Leute seiner Umgebung hatten keinen Namen. Sie hießen Du – »Du, Mann«, »Du, Frau«.

Nur einer hatte einen Namen, der Kari. (Eigenartig, männliche Namen bleiben im Schweizerdeutschen auch in der Verkleinerungsform männlich, weibliche Namen werden in der Verkleinerungsform sächlich.) Der Kari Gygax war ihr Mann. Er war ihr Mann, aber alle hielten ihn für ihren Freund. Man hielt sie für zwei, die im Alter durch Zufall zusammengekommen sind. Man wollte sie nicht als Paar, sie war das Änneli, er war der Kari. Und sie waren alt, das war alles, was sie waren.

Sie gingen täglich in die Kneipe, das kleine Änneli mit schnellen festen Schritten auf seinen Säbelbeinen, der lange Kari an seinem Stock mit müdem, schleppendem Gang drei Meter hinter ihr, sie schnell, er langsam, und der Abstand blieb dabei immer derselbe – drei Meter. Sie sprachen kaum miteinander oder höchstens darüber, was sie bestellen sollten, auch wenn es immer dasselbe war, er ein Bier, sie einen Tee. Und dann wurde der Kari gefragt, ob er jetzt gehen wolle oder ob er noch bleiben wolle, und Kari murrte etwas Unverständliches. Irgendeinmal stand er dann unvermittelt auf, nahm seinen Stock und ging langsam zur Tür. Sie schnellte auf, rannte ihm nach, überholte ihn, um den Abstand von drei Metern wiederherzustellen, und sie gingen nach Hause, sie schnell, er langsam, mit immer demselben Abstand.

Und nur etwas paßte nicht ins Bild, ab und zu sangen sie zusammen in der Kneipe, Jodellieder mit unzähligen Strophen in wunderschönen Küchenterzen, und sie waren beide sehr stolz darauf, daß sie jodeln konnten, und sie bekamen auch Applaus, aber aufgefordert zum Jodeln wurden sie eigentlich nie.

Das Jodeln war das einzige, was nicht ins Bild passen wollte. Denn das waren sie eigentlich, ein Bild, ein stummes Bild, das sich einem einprägen mußte, das vielleicht nichts bedeutete, aber da war.

Vor zehn Jahren, als Änneli achtzig wurde – sie erzählte ein Jahr vorher und ein Jahr nachher kaum von etwas anderem, Alter war ihr Thema, Alter war ihr Leben –, sagte sie allen, daß sie nur einen Wunsch habe, daß der Kari sie überlebe, und das sagte sie so, wie wenn sie es auswendig gelernt hätte in der Schule, wie ein Gedicht. Und als dann der Kari bald darauf starb, erzählte sie allen, daß der Kari gestorben sei, und auch das, wie wenn sie es auswendig gelernt hätte, und sie brach nicht zusammen, und sie ging den gleichen Weg, genau gleich schnell. Und sie jammerte später nur über den Tod von Kari, wenn sie einen Tee bezahlt haben wollte, und den kriegte sie dann auch. Was die Leute tun rings um sie, wußte sie nicht, aber alle waren lieb, die Fixer und die Säufer und die Damen und die Herren. Sie aber arbeitete ein Leben lang hart als Putzfrau, stapfte mit Kessel, Taschen und Besen durch die Stadt, und Kari ging hinter ihr, blieb dann in der fremden Wohnung in einer Ecke stehen und wartete, bis sie geputzt war, und ging dann wieder hinter ihr. Und als er starb, änderte sich nichts an ihrem Gang. Sie putzte jetzt nicht mehr und bekam ihr Geld von der Fürsorge und wußte nicht, wie das alles funktioniert.

Sie fragte den ganzen Tag, sie fragte und fragte und verstand die Antworten nicht. »Früher«, sagte sie, »war da unten an der Ecke eine Bank, da konnte man Geld holen, aber die Bank ist jetzt nicht mehr dort, und ich weiß nicht, wo sie ist.« Und sie forderte alle auf, doch mit ihr zu kommen und die Bank zu suchen, wo man Geld holen könne. Nein, Änneli war weder debil noch dumm, sie war gewitzt, sie brachte sich durch, sie war kräftig, und wäre sie hundert geworden oder zweihundert, niemand hätte sich gewundert, Häuser werden mitunter auch alt, und zwar vor allem jene, die bereits alt sind.

Und das war sie, das Änneli, sie war ein Leben lang eine alte Frau, niemand – auch die Ältesten in der Stadt nicht – erinnerte sich daran, daß Änneli einmal jung war.

Ich trage seit Jahren in meiner Brieftasche ein Foto von ihr herum. Sie hatte mir das Foto einmal geschenkt, und sie wußte, daß ich es mit mir herumtrage, und forderte mich immer wieder auf, es allen zu zeigen.

Auf dem Foto steht ein kleines Mädchen, ärmliches Sonntagskleid, mit zwei dünnen, rachitischen Beinchen in zu großen Nagelschuhen neben einer Ziege. Das Kind kann nicht älter sein als zwölf, aber es hat den Kopf einer alten Frau, den Kopf von Änneli – alle erkennen sie gleich. Das kleine arme Kind und die alte Frau waren damals fünfunddreißig. Dazu fällt mir nichts ein, aber es beschäftigt mich.

In der kleinen Notiz über ihren Tod steht auch ihr lediger Name: Karbowski. Niemand hat je diesen Namen gehört. Vielleicht ist dieser Name ihre Geschichte, die niemand kennt, vielleicht auch sie selbst nicht.

Etwas aber ist mir nach dem Tod eines Menschen noch nie passiert. Ich stelle mir das schnelle und kräftige Änneli immer wieder fliegend vor. Sollte es wirklich Engel geben, Änneli wird ein außerordentlich flugtüchtiger Engel sein.

Warum nicht Pusterla?

Es kann passieren, daß sich die einfachsten Namen davonstehlen. Ich sitze in einer Diskussion zu irgendeinem literarischen Thema und sage: Der Dings hat einmal gesagt – helft mir –, wie heißt er, der Autor des »Faust«, der »Wahlverwandtschaften«, und niemand flüstert mir zu »Goethe«, weil sich niemand vorstellen kann, daß mir ausgerechnet dieser Name abhanden gekommen ist.

Aber dann gibt es auch jene Namen, die sich mir ohne jeden Grund einprägen, immer wieder da sind, wenn ich mein Hirn nach einem Namen durchstöbere, die einfach da sind für nichts und die auch an fast nichts erinnern – Pusterla.

Dabei weiß ich nicht einmal, wie Pusterla ausgesehen hat, weiß nicht, wo das war und wann das war – einfach nur ein Name. Immerhin, jener Pusterla hat etwas gemacht, was mich beeindruckte, nämlich nichts.

Vor vielen Jahren einmal tauchte er bei einem Leichtathletik-Meeting auf und lief die 100 Meter in einer sensationellen Zeit – ein bisher Unbekannter, eine Entdeckung, ein Talent, eine Hoffnung für den Schweizer Sport, für Olympische Spiele und Weltmeisterschaften.

Er aber wollte weder entdeckt noch gefördert, noch berühmt und gefeiert werden. Er war nur einer, der schnell läuft, und trainieren, um noch zwei schäbige Hundertstel schneller zu sein, wollte er nicht. Pusterla war ein Name, der ganz kurz aufblinkte und verschwand. Etwa so, wie wenn ein bisher völlig unbekannter siebzehnjähriger Schweizer in Kitzbühel die Abfahrt gewinnen würde und dann sagen würde – kurz vor der Weltmeisterschaft: »Das genügt, mehr will ich nicht, es interessiert mich eigentlich nicht.« Es ist anzunehmen, daß er von da an in unserem Land unter Polizeischutz leben müßte. Man würde ihm nicht verzeihen, daß er sich nicht zur Verfügung stellt, und es stehen zu viele in der Schlange, die von nichts anderem träumen als von einer Olympia- oder Weltmeisterschaftsmedaille.

Träume, Träume – sie erinnern mich an jenen kleinen Buben, der, als er gefragt wurde, was er werden wolle, antwortete: »Ich weiß es noch nicht, aber etwas mit Publikum.« Ich nehme an, daß er so etwas wie Zirkusclown oder Musiker, Schauspieler oder Sänger gemeint hat, denn er wird wohl noch nichts davon gewußt haben, daß es für alles so etwas gibt wie eine Karriere, den gehetzten Lauf nach oben, und daß man sich dabei anzustellen und seinen Platz in der Reihe zu verteidigen hat und daß man nur so die Chance hat, etwas zu werden, nämlich irgend etwas, denn die Reihe jener, die sich anstellen, ist lang, und wo die Reihe schließlich ankommt, kann zufällig sein. Man hat im richtigen Augenblick in der richtigen Reihe an der richtigen Position zu sein.

Ja, ja, können muß man auch etwas, wenn möglich mehr als die anderen. Man muß einen Ausweis haben wie in allen Schlangen der

Welt. Und dann gibt es Anforderungsprofile. Die sind wichtig für die Wahltaktiken. Und zum Schluß wird einer gewählt, und der freut sich dann.

Ja, von den Bundesratswahlen wollte ich schreiben. Jetzt ist mir die Einleitung zu lang geraten. Ich kenne das, Einleitungen werden dann lang, wenn einem zum Thema nichts einfällt.

Erst beim Schreiben habe ich entdeckt, daß mir dazu nichts einfällt. Das ist betrüblich und entsetzt mich. Denn schließlich leben wir in schwierigen Zeiten des Umbruchs. Wir brauchen eine starke, kräftige, mutige, handlungsfähige Regierung. Vorläufig stehen aber nur ein paar Namen zur Verfügung, und sie stehen in der Reihe, unabhängig davon, ob die Zeiten schwer sind und die Hoffnungen groß, sie stehen einfach in der Reihe. Und sie werden von den Medien befragt und machen sich lächerlich durch durchschaubare Diplomatie – Bedenkzeit – und können dabei kaum verbergen, daß es unbedingt sein muß.

In der Bundesrepublik Deutschland hat sich wenigstens nur einer der Lächerlichkeit der Auswahl und des Wahlkampfs auszusetzen, der Bundeskanzlerkandidat, die anderen, die Fachminister, wählt er sich dann aus.

Ja, ich weiß, ich habe nur von Männern geschrieben. Bewußten Frauen mag das zu Recht unangenehm aufgefallen sein. Ich tat das absichtlich, weil nämlich in Sachen Gerangel in der Schlange nur von Männern die Rede ist. Vielleicht weil die Politik der Frauen noch nicht eine so lange Tradition hat. Vielleicht auch, weil Frauen anders wählen und gewählt werden. Eine Frau ist diesmal sozusagen auf Sicher gesetzt, auch wenn man noch nicht weiß, welche. Das Parlament wird sie wohl akzeptieren oder schlucken oder fast einsehen, daß man nicht anders kann. Die Lächerlichkeit des Gerangels der Musterschüler veranstalten nur die Männer. Und sie kommen sich dabei wohl auch sehr männlich vor. Und mit dieser Lächerlichkeit haben wir wohl zu leben und unsere Demokratie auch, unabhängig davon, wie die Zeiten sind und wie die Aufgaben sind in diesen Zeiten.

Ob es anders aussehen würde, wenn es zum vornherein zwei Frauen wären? Vielleicht.

Vom persönlichen Wissen

Waren Sie schon einmal in Venedig? Nein? Woher wissen Sie dann,
daß es dort Wasser hat, Kanäle und Gondolieri und Tauben auf dem
Markusplatz und eine Rialtobrücke? Und alle wissen das mit Venedig – und alle dasselbe. Das ist einfach so, und das weiß man.

Ich zum Beispiel war noch nie dort. Und ich weiß alles über diese
Stadt, ohne daß ich das habe wissen wollen, ohne daß Italien oder
Venedig auch nur einmal in der Schule erwähnt worden wären. Ich
habe das nie gelernt. Ich weiß nicht, woher ich das weiß. Ich weiß
nicht einmal, warum man das wissen muß – aber man weiß das. Alle,
eigentlich alle, wissen das – und alle, ohne es gelernt zu haben und
ohne es wissen zu müssen. Keiner wird sagen können, woher er das
weiß, keine wird sagen können, wann und wo sie zum ersten Mal
davon gehört hat. In Venedig gibt es Wasser, und damit basta, das
weiß man.

Nur einen ganz kleinen Teil meines Wissens habe ich gelernt, mitunter unter Zwang gebüffelt, und für noch einen viel kleineren Teil
meines Wissens habe ich mich frei entscheiden können. Fast mein
ganzes Wissen, all das, was eben alle wissen – daß es Wolkenkratzer
gibt in New York –, ist mir zugefallen ohne mein Zutun. Trotzdem,
von irgendwo habe ich es, aber es ist mir nicht bewußt. Ich halte
es – irrtümlicherweise – für mein eigenes, ganz persönliches Wissen.

Von den Skiweltmeisterschaften zum Beispiel möchte ich eigentlich nichts wissen. Ich möchte eigentlich, daß sie mich nicht interessieren, und das, weil sie mich wirklich nicht interessieren. Aber
ich komme nicht daran vorbei. Und wenn man nicht daran vorbei-
kommt, schleicht sich, ohne daß man will, Interesse ein. Doch, doch,
auch ich kann mitdiskutieren über Erfolge und Mißerfolge »unserer« Skimannschaft und über ihre Gründe. Es interessiert mich nicht,
aber ich weiß es. Und ich kann mich sogar ärgern über die Aussagen von Funktionären.

Nun könnte ich die Herkunft meines »Wissens« in Sachen Skirennen wohl doch leichter eruieren als die Herkunft meines Wissens

über Venedig. Ich suche aber die Herkunft nicht, und so bin ich dann, wenn auch ohne Interesse, überzeugt davon, daß das eben mein ganz persönliches Wissen sei, meine persönliche Überzeugung.

Selbst ich, ohne jedes Interesse, habe mich schon dabei ertappt, daß ich wüßte, ohne jedes Interesse, wer im Schweizer Skiverband zurückzutreten hätte.

Eine Umfrage im Radio, was die Leute von den Leistungen der Schweizer an den Weltmeisterschaften halten: Alle wissen ganz genau, was geschehen sollte, wer zurücktreten sollte, und alle halten das für ihre ganz persönliche Meinung, und alle sagen dasselbe. Die persönliche Meinung gleicht der persönlichen Meinung, daß es in Venedig Wasser gibt. Und dann kommt noch der Satz, daß die Medien schuld seien, die eben die Fahrer diffamierten und die Verantwortlichen unter zu großen Druck setzten. Und keinem fällt dabei auf, daß er das, was er weiß, nur und ausschließlich von diesen Medien weiß. Er glaubt eben, es sei – wie sein Wissen vom Wasser in Venedig – sein ganz persönliches Wissen, das von nirgendwo herkommt. Es ist jenes Wissen, das auf uns gekommen ist, ohne daß wir fragen mußten.

So denn noch zum Schluß eine Geschichte des Nichtwissens, eine alte deutsche Dame hat sie mir einmal erzählt. Sie war sehr nobel und mit Dienern und Mägden aufgewachsen, und ihr Bruder und sie trieben ihre Scherze mit den Angestellten.

Eines Tages entschied die Familie, ein halbes Jahr in Venedig zu verbringen in einem großen Palais am Canal Grande. Der Umzug des ganzen Haushalts mit Dienern und Mägden wurde nun vorbereitet. Da ging der Bruder zum naiven Kindermädchen und erzählte ihm, daß die Leute in Venedig kein Schweinefleisch äßen, auch kein Rindfleisch. »Das sind Kannibalen, die essen nur Menschenfleisch«, erzählte er.

Einen Tag vor der Abreise ging der Bruder wieder zum Kindermädchen und erzählte ihr: »In Venedig gibt es keine Straßen, da gibt es nur Wasser, und man ruft kein Taxi, sondern ein Boot, und man fährt mit dem Boot vor die Haustür.«

Sie aber ließ sich nicht verwirren: »Ach, du erzählst wieder Geschichten«, sagte das Kindermädchen.

Zwei Tage später waren sie in Venedig. Das Kindermädchen verließ das ganze halbe Jahr das Haus nicht.

Gleich neben der Cremeschnitte

Es ist wohl anzunehmen, daß nie mehr eine schönere, eine traurigere
und eine unheimlichere Geschichte über das Ballonfliegen geschrieben wird als jene, die Jean Paul vor genau 200 Jahren geschrieben
hat, die Geschichte des Luftschiffers Gianozzo, der davon wußte,
daß das, was er tat, teuflisch verwegen war, der davon wußte, daß
er mit seinem Luftschiff, seinem Ballon, dem Ende entgegenfliegt,
und das auch in seinen wirren Eintragungen im Bordbuch festhielt.

Zur Zeit Goethes, um 1800 herum, gab es die Diskussion über
den Sinn und Unsinn des Ballonfliegens, und selbstverständlich hielten die Gebildeten es für einen Unsinn. Goethe war da milder und
sagte, daß die Menschen doch das Recht hätten, sich ein wenig über
die Erdenschwere zu erheben.

Jetzt, wie ich das schreibe, ist der Ballon »Orbiter 3« noch in der
Luft, irgendwo in der Gegend von Hawaii – jetzt, wo Sie das lesen,
wird der Flug (ich weiß, die »Fahrt«) beendet sein und die Erdumrundung gelungen oder mißlungen. Wozu? Für was? Was haben wir
davon? Nicht einmal eine Teflonpfanne wird dabei herausschauen.

Bereits hatte ich mich entschieden, darüber zu meckern, da fiel
mir noch Goethe ein, der »Konservative«, und Jean Paul, der Phan-
tast. Goethe, davon bin ich überzeugt, hätte sich dafür interessiert,
und er hätte sich wohl ein Modell des Ballons und der Kapsel beschafft, so wie er sich aus England ein Modell der ersten Lokomotive
von Stephenson kommen ließ, um der Sache auf den Grund zu kommen.

»Goethe und die Naturwissenschaften«, zu Dutzenden liegen im
Goethejahr entsprechende Bücher in den Buchhandlungen. Aber Goethe selbst wollte nicht als Naturwissenschafter bezeichnet werden –
nein, er wollte kein Naturwissenschafter, er wollte ein Naturforscher
sein.

»Forscher«, so scheint mir, ist inzwischen ein antiquiertes Wort. Zwar wird noch geforscht, und es gibt auch noch die Forschung, aber in der Forschung arbeiten keine Forscher mehr, sondern Naturwissenschafter. Unser Bubentraum damals war ein ganz anderer, wir wollten Forscher werden, Afrikaforscher wollten wir werden, einfach so mit Löwen und Sahara, und dann Afrikaforscher sein wie David Livingstone und dann einfach so forschen, oder Polarforscher wie Nansen und Amundsen, und dann alles im Eis, tagelang, monatelang, und frieren und hungern und forschen, oder sich wie Sven Hedin durch die Wüste Gobi kämpfen. Oder wie Karl May! Und wir stritten darüber, ob es wahr sei, daß er nie da gewesen sein soll, bei den Indianern – und selbstverständlich war er da, ein richtiger Indianerforscher. Und kein Wissenschafter wird je unser falsches Bild der Indianer verändern können – der »Forscher« Karl May hat sie ein für allemal erfunden.

Und das eben wollten wir werden, Afrikaforscher oder Polarforscher, vielleicht wie Nobile mit einem Ballon, oder war das Amundsen? Und wir hatten alles, fast alles aus Büchern, und wir konnten das uns ausmalen, wie wir wollten, und vielleicht brachten wir ab und zu auch den Nordpol mit Afrika durcheinander und Asien mit dem Südpol, Captain Scott – und schon wieder dieser Amundsen.

Und da gab es noch einen Forscher, der war sogar Schweizer, und der stieg mit einem Ballon in die Stratosphäre (so hieß die, und das wußten wir schon damals) und stellte einen Höhenrekord auf und forschte, und der Himmel war schwarz, ganz schwarz. Das hat er geforscht, staunten wir, daß der Himmel schwarz ist. Und ich erinnere mich, daß ich diesen Auguste Piccard als Kind immer mit Einstein verwechselte oder daß ich glaubte, Einstein und Piccard seien dieselben, eben halt so Forscher mit so Haaren. Und Forscher wollten wir werden.

Auch Goethe war ein Forscher, kein Geologe, sondern ein Steinforscher, kein Physiker, sondern ein Farbforscher – ein neugieriger Mensch, ein Mensch mit Gier auf Neues, auf Neuigkeiten.

Inzwischen aber leben wir inmitten einer dauernden Inflation von Neuigkeiten, und die Neuigkeit von der Erdumrundung in einem Ballon wird uns nur ein paar Stunden, ein paar Tage beschäftigen und dann bald weggewischt werden von anderen Sensationen. Jener David Livingstone aber, der Afrikaforscher, war damals, als er uns so imponierte, schon bald hundert Jahre tot. So lange dauerten damals die Neuigkeiten. Und Piccards Umrundung der Erde hätte die Menschen in der ersten Hälfte unseres Jahrhunderts noch jahrzehntelang beschäftigt.

Heute aber ist es nur noch ein Eintrag ins Guinnessbook der Rekorde, gleich neben der längsten Cremeschnitte der Welt. Das ist traurig, und der Enkel jenes Auguste Piccard hat das nicht verdient. Denn auch er könnte ein Forscher sein wie sein Großvater, wenn wir noch Zeit und Muße hätten für Neuigkeiten.

Die Vorstellung vom Rekord macht alles zu schnell, sogar den langsamen und geduldigen Flug des Ballons. Ein Rekord? Der nächste bitte!

Für etwas aber bin ich Piccard und Jones dankbar. Sie haben mich daran erinnert, daß auch ich einmal Afrikaforscher werden wollte.

Und vielleicht noch lange

Ja, ein bißchen ein schlechtes Gewissen habe ich dabei schon, und dies nicht erst heute, sondern schon immer. Denn nicht erst heute, sondern schon immer war die Frage berechtigt, ob man sich in Zeiten, in denen andere verzweifelt um ihr nacktes Leben kämpfen, mit Wert- und Nutzlosem beschäftigen dürfe, mit Fußball zum Beispiel. Nein, ich meine nicht jene, die Fußball spielen – ich meine mich und die anderen, die sich brennend dafür interessieren, denen es wichtig ist, daß ihre Mannschaft den Ligaerhalt schafft. Zwar glaube ich von mir selbst, daß es mir nicht so wichtig sei. Aber ich würde mich wohl doch, auch nach der Beerdigung meines besten Freundes und vielleicht immer noch mit zwei, drei Tränen im Auge, während des Essens kurz davonschleichen, um in einer Telefonkabine die aktuellen Resultate abzuhören und um in meinem Taschencomputer die entsprechenden Statistiken up to date zu bringen. Ja, ein bißchen schämen würde ich mich dabei schon.

Was müßte geschehen, daß ich das vergessen würde? Ja, das Wort Angst habe ich wohl auch schon gebraucht im Zusammenhang mit Kosovo; »ich habe Angst«, aber ist das, was ich habe, wirklich Angst? Wäre das sanftere und unverbindliche Wort »Bedenken« nicht eher am Platz? Immerhin, das schreckliche Politiker-Unwort »Betroffenheit« ist seltener geworden, Betroffenheit gibt es nur für die Betroffenen. Das Wort Hilflosigkeit kommt der Sache näher. Ich bin hilflos, aber auch dieses Wort klingt zynisch gegenüber jenen, die es wirklich sind. Oder stehe ich wirklich hilflos am Fußballfeld und wünsche mir betroffen, daß meine Mannschaft gewinnt?

Angst? Ich bin 1935 geboren. Als der zweite Weltkrieg ausbrach, war ich vier, als er zu Ende war, war ich zehn. Und mitleiden mit Opfern, das konnte ich als kleines Kind wohl doch intensiver und echter als heute – aber Angst? Nein, Angst hatte ich keine, ich war ganz sicher, daß es uns nicht betreffen würde. Ob ich nur keine Angst hatte, weil die Erwachsenen sie von mir ferngehalten hatten? Ich weiß es nicht. Ich habe später als Erwachsener oft mit meinem Vater darüber gesprochen. Er wußte es auch nicht mehr. Er erinnerte sich, aber er wußte es nicht mehr. Unser Erinnerungsvermögen für Angst ist getrübt. Etwa so, wie wir kaum ein Erinnerungsvermögen haben für Schmerzen – wenn die Kopfschmerzen weg sind, sind sie weg. Wir erinnern uns zwar noch daran, daß wir Kopfschmerzen hatten, aber wie genau sie wirklich waren, das ist gelöscht in unserer Erinnerung. Erst bei den nächsten Kopfschmerzen werden wir uns die letzten Schmerzen vorstellen können, vielleicht.

Aber mein Vater kaufte sich damals eine Pistole, mein friedlicher und sehr wahrscheinlich im stillen frommer Vater. Das beeindruckte mich. Er stellte sich vor, daß er ohne Gewehr im Urlaub hätte gewesen sein können, und da wollte er nicht wehrlos sein.

Da fällt mir ein: Warum gibt es keine Abrüstungskonferenzen mehr? Warum sind Abrüstungskonferenzen sinnlos geworden? Wohl deshalb, weil es nie um Abrüstung ging, sondern nur um eine Vorstellung von Gleichgewicht. Die Abrüstungskonferenzen hatten nicht den Zweck, den Krieg zu verhindern, sie hatten den Zweck, ihn noch vorstellbar zu machen. Solange er vorstellbar ist, ist daran zu verdienen. Ist der gegenwärtige Krieg der NATO vorstellbar? Nein, er ist es nicht, aber es gibt ihn. Mein Vater übrigens wäre eigentlich ein Pazifist gewesen, aber er war es nicht. Hilflosigkeit?

Zurück zum Fußball: Es ist nicht nur Zufall, daß ich in diesem Zusammenhang darauf gekommen bin: Die internationalen Spiele mit Mannschaften aus exjugoslawischen Staaten wurden vorläufig abgesagt. Das leuchtet ein, man kann doch nicht spielen, wenn ... Wenn was, und wenn wo?

Immerhin, es gibt also Fußball in Jugoslawien, und der wird nach den genau gleichen Regeln gespielt wie überall auf der Welt, sogar nach denselben ungerechten Regeln, der Schiedsrichter kann und darf falsch entscheiden. Da wird zwar ab und zu reklamiert, aber das gibt die gelbe Karte, und die wird akzeptiert. Und wer die rote Karte kriegt, berechtigt oder unberechtigt, muß vom Feld – und überall auf der Welt geht er vom Feld, berechtigt oder unberechtigt. Und der Elfmeter wird gespielt, ob mit Recht oder zu Unrecht. Es ist doch eigenartig, daß sich alle daran halten. Der Grund ist ganz einfach, ohne exakte und internationale Regeln würde es schon bald keinen Fußball mehr geben, und die Beteiligten sind daran interessiert, daß es den Fußball gibt.

Nun gibt es zwar auch in der Politik internationale Gesetze und Regeln. Nur ist leider die Welt nicht so sehr auf Regeln angewiesen wie der Fußball. Die Welt geht auch dann weiter, wenn niemand mehr die Regeln beachtet – vorläufig noch und vielleicht noch lange.

Schreiben Sie doch mal

»Schreiben Sie doch einmal etwas über das Eisenbahnfahren«, sagt der freundliche Kondukteur zu mir.

Was verspricht er sich davon? Vielleicht, daß endlich einmal die Eisenbahn zum Thema wird oder gar daß endlich alle Eisenbahn fahren? Soll ich ihm sagen, daß ich immer und immer wieder über die Eisenbahn geschrieben habe, mehrere Geschichten, ein Drehbuch und einen langen Text fürs Fernsehen? Doch ja, den Film hat er gesehen. »Aber Sie könnten doch auch mal etwas schreiben über die Eisenbahn.«

Ein anderer beklagt sich über das Beizensterben. Es gibt sie nicht mehr, die kleinen, dunklen, lauten und gemütlichen Kneipen. Ich bin mit ihm durchaus einverstanden. Ich bedaure das auch – also: »Warum schreibst du nicht über ...«

Dabei gibt es Leser genug, die feststellen, daß ich kaum über anderes geschrieben habe als über Beizen. Ich sage ihm das, und er sagt: »Ja, ja – aber warum schreibst du nicht einmal darüber?«

Es gibt diese eigenartige Vorstellung, daß man nur darüber schreiben müßte, ein Buch zum Beispiel, und von einem Tag auf den anderen würden die Leute auf ihr Auto verzichten, und die Beizen würden nicht mehr sterben.

Der Glaube an das geschriebene Wort hält sich hartnäckig. Lesen tut fast niemand, und es wird vom Ende des Buchzeitalters gesprochen, und der Analphabetismus nimmt zu, und trotzdem: »Darüber sollte man einmal schreiben.«

Oder soll ich den Kondukteur auf das wunderschöne Eisenbahngedicht von Walt Whitman aufmerksam machen, ein euphorisches Gedicht, das feiert, daß die Welt nun mit eisernen Strängen zusammengefügt werde zu einer friedlichen Welt. Oder soll ich ihm sagen, daß eigentlich schon Homer alles und über alles geschrieben hat – und wenn schon nicht ausdrücklich über Eisenbahnen, dann sicher über das Reisen.

»Warum machen die Schriftsteller nichts mehr?« werde ich gefragt. Ich weiß, was das meint: Warum machen sie nichts gegen den Kosovokrieg, gegen die Ausrottung der Delphine, für die Mutterschaftsversicherung, für den Umweltschutz und gegen den bedrohlichen Vormarsch der Rechten. Und ich weiß auch, wen sie meinen: »Max Frisch, der hat doch noch.« Und schon ein paar Wochen nach dem Tod von Dürrenmatt und Frisch stellten die ersten Journalisten fest: »Warum machen die Schriftsteller nicht mehr so wie Frisch.«

Und wenn sie noch machen würden, dann gäbe es wohl wieder
große Disputationen, und das Volk würde wieder aufgerüttelt, und
es gäbe wieder große eindrückliche Friedensdemonstrationen.

Was hat er denn eigentlich gemacht, der Max Frisch? Er hat sich
in Diskussionen eingemischt, die bereits stattfanden. Er hat an Demonstrationen gesprochen, die bereits organisiert waren. Politik
war ein Thema. Es gab eine politisch interessierte Jugend. Seit den
68ern wußte der Bürger, daß alles seine Gründe hat und nicht einfach zufällig so geworden ist. Eine politische Welt wurde wieder spannend, weil die Jugend überzeugt war, daß diese Welt nicht zufällig ist –
nicht ein zufälliger Bösewicht, nicht ein zufälliger Fehler. Das waren nicht Schriftsteller und Philosophen – auch nicht Marcuse –, die
das ausgelöst hatten. Sie hatten nur da und dort Partei ergriffen für
die Engagierten. Auch der Vietnamkrieg hatte für alle irgendeine
Selbstverständlichkeit. Trotzdem, er erhitzte die Gemüter. Wir haben
demonstriert, diskutiert und diskutiert und auch geschrieben. Und
in der Spannung, in der erhitzten und hartnäckigen Auseinandersetzung lag die große Hoffnung, daß die Welt anders aussehen könnte
als diese. Der Glaube daran war wohl klein, aber die Hoffnung war
groß. Der Jugoslawienkrieg findet in einer anderen Situation statt,
in einer depressiven – in einer Welt, die von Sensation zu Sensation
rennt, mit einer Presse, die täglich die Supermeldung sucht –, und
der Krieg bleibt seit Wochen derselbe. Wir sind zwar besorgt, entsetzt, verunsichert, wir fürchten für diese Welt und vor allem für
uns. Wir wissen, daß dieser Krieg Folgen haben wird, wir wissen,
daß er Gründe hat, und diese Gründe liegen wohl nicht nur auf dem
Balkan.

Wir wissen, wir fürchten, wir sind entsetzt, aber – Hand aufs Herz –
der Krieg, der alltäglich gleiche Krieg, beginnt uns zu langweilen. Er
wird für das Fernsehen zum Problem, weil er keine höheren Einschalt-
quoten mehr bringt, für die Presse, weil er die Schlagzeile nicht liefert.

Vielleicht könnte ja da vielleicht ein Schriftsteller – Max Frisch
zum Beispiel.

Nur wüßte er wohl zu dieser Situation nicht viel anderes zu sagen als zu der Situation vor zwanzig Jahren. Die große Schlagzeile würde er wohl nicht mehr liefern. Die Medien haben das Infotaining erfunden, unterhaltsame Information. Jetzt können sie nicht mehr informieren, weil dieser Krieg nicht unterhält. Man hat dem Publikum erfolgreich beigebracht, daß er unterhalten zu sein hat. Der Krieg ist langweilig. Das ist zynisch. Aber es ist nicht mein Zynismus, es ist unser Zynismus.

Aber die Sklaven sind reich

Martina habe sich schlecht aufgeführt in Paris, habe ich gehört, und wenn ich nicht wüßte, um was es sich handelt – nämlich nur um Tennis und nur um ein paar hunderttausend Dollar –, dann würde ich mir wohl ausmalen, wie sich ein junges Mädchen in Paris schlecht aufführt, säuft und pafft, die Leute anpöbelt, die Nachtruhe stört und die Polizei provoziert.

Das hat sie nicht getan, weil sie nämlich gar nicht in Paris war, sondern nur auf einem Tennisplatz, der genauso aussieht wie jeder andere Tennisplatz der Welt auch.

Irgendwo habe ich gelesen, Martina sei schlecht erzogen. Wenn dem so wäre, dann müßte das ja jemand getan haben, jemand müßte sie schlecht erzogen haben. Das ist mir nun allerdings neu, und das kann ich mir nicht so recht vorstellen, daß die Mutter Melanie ihre Tochter Martina schlecht erzogen hätte. Sie hat sie doch, und zwar erfolgreich, zur Tennisspielerin erzogen und sie dafür wohl von allem Üblen und Gefährlichen ferngehalten. Martina wurde gut erzogen – sonst würden wir sie wohl gar nicht kennen. Ihr Erfolg ist der Erfolg ihrer Erziehung.

Pantani mag ich. Ich mag ihn immer noch. Er gefällt mir. Er ist der Sohn eines Pizzabäckers. Er wurde, so nehme ich an, nicht zum Radrennfahrer erzogen. Er wird einfach trainiert haben. Vielleicht wurde er daneben schlecht erzogen oder gar nicht. Ich habe aber nichts davon gehört, daß er sich schlecht erzogen aufgeführt hätte.

Schön wäre es, wenn Doping auf eine schlechte Erziehung schließen ließe, dann müßte man nur die Erziehung überprüfen. Vielleicht war das mal so, auch der Radrennsport war mal eine Angelegenheit der Noblen. Erst als man Rekorde sehen wollte, brauchte man die Arbeiter.

Ja, jetzt ist er wieder einmal kaputt, der Radrennsport, und ausgerechnet Pantani – jetzt müßte man endlich mal etwas unternehmen. Jetzt müßten die Experten. Und was müßten sie eigentlich, die Experten. Sie müßten den Sport sauber machen. Es ist einfach ungezogen, auf die andere Platzhälfte zu gehen und sich den Ballabdruck anzusehen. Wer das tut, hat keine Grandezza. Und ausgerechnet Pantani.

Und war da vielleicht doch gar nichts. Oder geschah es ohne Wissen von Pantani, oder ist es einfach üblich, oder sind Sportärzte vielleicht doch eher Fans als Ärzte? Also, man muß sich jetzt zusammensetzen und alles in Ordnung bringen.

Als Hugo Koblet noch, und als Kübler und Bartali und Coppi noch, da war, wie wir wissen, der Radrennsport noch sauber. Aber wir wissen, daß sie auch geschluckt haben, allerdings nicht unter sportärztlicher Aufsicht, sondern halt einfach so. Inzwischen ist der Sport nicht mehr sauber, also soll er wieder sauber gemacht werden – mit Konsequenz und Kompromissen, um die Gesundheit der Fahrer geht es dabei nicht (fünf Pässe am Tag sind unter den anständigsten Bedingungen nicht gesund), es geht nur um den Ruf des Sports.

Das erinnert mich daran, daß Banken ihre Direktoren vor Gericht bringen, wenn sie sich bei »Transaktionen« strafbar gemacht haben. Aber sie würden sie auch gleich entlassen, wenn sie nicht bereit wären, außerordentliche »Risiken« einzugehen. Die Bank nämlich ist sauber und macht nichts Ungesetzliches, nur einzelne Manager tun es. Und der Radrennsport nämlich ist sauber, nur einzelne Fahrer sind es nicht.

Wollte man wirklich Sauberkeit, dann hätte man das ganze Geschäft sauber zu machen. Aber es gibt keine Sauberkeit, wenn Millionen im Spiel sind. Der Kampf gegen Doping ist richtig und gerecht, nur zäumt man damit das Pferd am Schwanz auf. Man hätte, möchte man Sauberkeit, vorn zu beginnen, das Doping ist nicht der Anfang der Unanständigkeit, nur das bittere Ende. Aber die Millionen sind schon da, und das Geschäft ist schon am Laufen. Da kann man höchstens am bitteren Ende noch etwas Kosmetik betreiben. Es ist zwar keine Freude, aber ein bißchen Schadenfreude sei erlaubt, wenn Multimillionäre zu Sklaven werden, nicht nur die Stars des Sports, die Stars der Wirtschaft auch.

Und bezahlt werden sie schließlich dafür, daß sie mit Topleistungen beweisen, daß die Sache eine saubere ist. Martina, das hat sie jetzt noch zu lernen, hat anständig erzogen zu sein. Die letzte Anständigkeit, die dem Sport noch bleibt, ist die Anständigkeit der Athleten.

Allerdings sind diese Edelsklaven nicht die letzten in der Kette. Der letzte bin ich: Ich schaue mir Tennis nicht ohne Interesse an und Radrennen sogar mit Begeisterung. Bin ich etwa der Schuldige? Ja sicher, ich ergötze mich an hochbezahlter Sklavenarbeit. Nicht nur die Fahrer sind gedopt, sondern das ganze System.

Die kleine Freiheit

Schorsch saß zwar bei jeder sich bietenden Gelegenheit in der Beiz, trotzdem traf man ihn dort selten, aber die Gäste und der Wirt kannten ihn. Sie kannten ihn wie den Frühling, der auch ab und zu kommt und den man eigentlich gern kommen sieht, auch wenn es sich bald herausstellt, daß er doch kein guter Frühling war.

Einmal sagte einer zu ihm: »Schorsch, du bist eigentlich ein furchtbarer Pechvogel, jetzt lebst du schon seit dreißig Jahren in der Freiheit und warst nur zwei, drei Jahre davon frei.« Schorsch quittierte das mit einem sonnigen Grinsen übers ganze Gesicht. Schorsch war, so schien es, zufrieden damit. Nicht etwa, daß die Beiz Freiheit geheißen hätte, sondern diese Gegend hier hieß die Freiheit, der Westen. Er kam aus dem Osten.

1956, Ungarnaufstand, ein Strom von Flüchtlingen bewegte sich in Richtung Freiheit. Und die Flüchtlinge wurden hier mit Begeisterung begrüßt, wurden gar sehnsüchtig erwartet, wurden bestaunt, die Helden des Aufstands. Die Familie B. wurde gleich zur Nachbarsfamilie, und die Frau B. sprach nach einem halben Jahr ein breites Berndeutsch und gehörte dazu. Die Schweizer Kinder hatten Wollplätzchen gestrickt, die zu Wolldecken zusammengenäht wurden, damit die Flüchtlinge nicht frieren müßten, damit sie es warm hätten bei uns. Man wußte zwar davon, daß jene, die kamen, jene waren, die gleich am ersten Tag losgelaufen waren, man wußte davon, daß die Helden des Aufstands in Ungarn geblieben waren, und man wußte davon, daß, als die Gefängnisse geöffnet wurden, um die politischen Häftlinge zu befreien, eben auch Verbrecher befreit wurden. Schorsch war einer von ihnen. »Ich war ein richtiger Verbrecher in Ungarn«, sagte er, »jetzt bin ich aber nur noch ein kleiner Dieb und ein Tagedieb, ja, da hat sich viel geändert.« Man wußte es, daß Schorsch nun nicht ein echter Held war, aber man gönnte ihm seine Freiheit trotzdem, seine sehr kleine Freiheit in der sehr großen Freiheit, und Schorsch genoß sie auch durchaus und war der Schweiz dafür dankbar. Aber Kosten verursachte er ihr auch, seine Aufenthalte in Arbeitserziehungsanstalten, in Untersuchungs- und Bezirksgefängnissen kosteten etwas. Und sicher lebte da einer in der Freiheit, der sie eigentlich gar nicht verdient hatte. Was sollte es – man wußte von der großen Unfreiheit dort und gönnte ihm halt die kleine Freiheit hier. Man war sozusagen stolz auf unsere Freiheit und freute sich darüber, daß die Ungarn darüber staunten. So war man bereit, die Freiheit mit ihnen zu teilen. Man hatte sich nun mal dafür entschieden, auch wenn die Begeisterung dafür allmählich und zunehmend abnahm.

Die Familie B. – die ersten Ungarn, die wir von nahem sahen – schleppte schon nach drei, vier Tagen ein Autowrack auf den Parkplatz vor dem Haus, ein hoffnungslos kaputtes Auto, und die Familie und sämtliche Verwandten machten sich an dem Auto zu schaffen. Nach zwei, drei Wochen stand es poliert und fahrtüchtig vor dem Haus. Die Ungarn hatten ein Auto. Kaum eine Schweizer Familie im Quartier hatte eines. Als Fußmatten – und das gab Ärger – wurden ebenjene Wolldecken verwendet, die Wochen zuvor fleißige Mäd-

chen gestrickt hatten. Ich glaubte damals, daß ich das mit den Wolldecken mit eigenen Augen gesehen hätte. In Wirklichkeit hatte ich
es wohl nur gehört. Alle hatten es wohl nur gehört, aber sie wollten
es mit eigenen Augen gesehen haben. Die Ungarn, und das begann
man ihnen übelzunehmen, wollten einfach nicht frieren, sie wollten nicht erbärmliche Flüchtlinge sein. Hochstapler seien sie alle-
samt, hörte man jetzt, und schon gab es Probleme mit Schlägern
und Kriminellen und – aber dann konnten sie auch schon Schweizerdeutsch, und schon bald gab es sie kaum mehr, sie waren auf-
gegangen in den anderen und waren so schlecht oder so gut wie die
Schweizer.

So schlecht oder so gut wie Schorsch zum Beispiel. Als er davon
hörte, daß ich schreibe, breitete er sein ganzes literarisches Wissen
vor mir aus, sämtliche russischen Autoren aus der ungarischen Ge-
fängnisbibliothek. Dann kamen die ersten Briefe von ihm, in wunderbarem, schwungvollem Deutsch – nicht eigentlich deutsch, aber
glänzend nachgeahmt, Hochstapelei –, er verlangte von mir, daß
ich mich für ihn einsetzte, bei der Regierung, beim Bundesrat oder
irgendwo. An die Regierungsräte schrieb er auch selber, und zwar
so herzerschütternd, daß ihn einer sogar in der Arbeitsanstalt besuchte. Und da war er wieder jemand, der Schorsch. Und später
schrieb er ab und zu, ob ich ihm ein Buch von mir schicken könnte,
mit Widmung bitte. Die Widmung hieß: »Lieber Schorsch, siehe
Seite 79, herzlich Peter«, zwischen Seite 78 und 79 lagen die Banknoten.

Warum ich das schreibe? Irgendwie war ich stolz auf ihn, stolz
darauf, daß er hier war.

Ein Jahrhundertereignis

Meine elektronische Agenda – sie tut so, als ob sie praktisch wäre, in Wirklichkeit ist sie Unterhaltungselektronik – bietet verschiedene Möglichkeiten von Einträgen an und bringt mich damit mitunter in Verlegenheit. Handelt es sich nun bei dem neuen Eintrag um einen »Tageseintrag«, um eine »Aufgabe« oder um einen »Jahrestag«? Und was eigentlich ist ein »Ereignis«? Ist unser fünfundvierzigster Hochzeitstag ein Jahrestag oder ein Ereignis? Ist es richtig, daß ich die Spiele »meiner« Fußballmannschaft und die »Vuelta«, nur der Ordnung halber, als Ereignis eingetragen habe – sie erscheinen beim Ausdruck farbig, in verschiedenen Farben. Die Farben kann man auch ändern, also nochmals und nochmals und nochmals ausdrucken. Aber das letzte Spiel »meiner« Mannschaft, so stellte sich heraus, war kein Ereignis – es hat sich aber ereignet. Also noch einmal, alles von vorne und neu organisieren: In die »Ereignisse« kommen jetzt nur noch Ereignisse.

Ein Ereignis – da hatte ich keine Mühe, mich zu entscheiden – stand schon seit zwei Jahren in meiner Agenda. Ich hatte es irgendwo gelesen: 11. August 1999, Sonnenfinsternis. Ein echtes Ereignis, und es wird sich ereignen – es wird sich, inzwischen, ereignet haben. Und es ist – und das macht es zum Ereignis – selten. Sonnenaufgänge und Sonnenuntergänge sind zwar großartiger – aber sie sind keine Ereignisse, weil sie nicht selten sind.

So wurde ich also seit zwei Jahren fast täglich von meiner Agenda darauf aufmerksam gemacht, daß sich im August 1999 eine Sonnenfinsternis ereignen wird. Etwas später auch wurde mir in der Zeitung, im Fernsehen, im Radio der Vorgang noch und noch erklärt – da schiebt sich also die Scheibe des Monds (Neumond selbstverständlich) vor die Sonne, und die Korona ist wissenschaftlich interessant –, ich wurde für das Ereignis angeheizt, als ginge es um ein Konzert der Rolling Stones. Eine totale (oder fast totale) Sonnenfinsternis ist eben selten, und was selten ist, ist eben ein Ereignis. Und Ereignisse, so ist das eben nun einmal, sind Medienereignisse. Wenn eine totale

Sonnenfinsternis ein Ereignis ist, dann hat es auch – und zwar live – im Fernsehen stattzufinden.

Ich habe mir das Medienereignis am andern Tag angeschaut. Ein Freund hatte es auf Video. Er warnte mich, es sei gar nichts, überhaupt nichts. Damit hatte er zwar nicht unrecht, aber ich habe noch selten eine großangelegte Fernsehsendung (ARD, ZDF, ORF, DRS) so interessiert angeschaut. Hier versuchte ein Medium, das alles und alle bewegen kann, ein Jahrhundertereignis zu beschreiben, das nicht beschreibbar ist, weder in Worten noch in Bildern. Zum Glück regnete es an den meisten Orten, das gab wenigstens Anlaß zu ein paar Witzchen, und es wurde überall dunkel und dann wieder hell. Und Leute wurden interviewt: »Sie kommen also aus Basel. Warum?«

»Um die totale Sonnenfinsternis zu sehen.«

»Aha!«

Stuttgart: »Aber die Stimmung hier ist gut.«

Nein, mein Interesse war nicht Schadenfreude, sondern die Freude darüber, daß es immer noch unbeschreibbare Ereignisse gibt. (Der Wissenschaftler läßt als Pausenfüller noch einmal den (Neu-)Mond im Modell vor der Sonne durchgehen – interessant.)

Vielleicht war diese Sonnenfinsternis das einzige Ereignis der zweiten Hälfte des Jahrhunderts, das nicht fernsehtauglich war, vielleicht das letzte fernsehuntaugliche Ereignis überhaupt. Das Fernsehen war Fernsehen wie immer, wie bei einem Schlagerwettbewerb, bei einer Matterhornbesteigung – eben Fernsehen, Infotaining. Nur das Ereignis, das wahnsinnig seltene Ereignis, war nicht fernsehtauglich: »Wir rufen nun unseren Reporter in Schottland – Franz, ich kann deine Umrisse sehen.«

Das Ereignis selbst aber hat mich zu meiner eigenen Überraschung berührt und beeindruckt. Ich saß mittags im Garten, starke Bewölkung, keine Sonne. Dann wieder ganz kurz die Restsichel der Sonne hinter den Wolken – schön, aber nicht so schön wie die Restsichel des Mondes in der Nacht. Kurz vor dem Höhepunkt wurden die Vögel, Spatzen, unruhig; die Nachbarn auch. Noch eine Minute, die Vögel waren still, die Nachbarn auch. (Im Unterschied zu Stuttgart und zum Fernsehen, wo eben, trotz allem, eine gute Stimmung war.) Der

Höhepunkt war um wenige Sekunden überschritten. Die Vögel zwitscherten schon wieder, sie hatten bereits registriert, daß es wieder heller wurde, heller und heller, es wurde wieder Tag. Jetzt auch leichtere Bewölkung, Sonne, ein neuer Tag.

Es hatte mich richtig berührt. Ich blieb noch lange still. Aber was hatte ich eigentlich erlebt? Nach vielen, vielen Jahren war ich wieder einmal bewußt dabei, als es eindämmerte, dämmerte und aufdämmerte. Das hat mich fast erschüttert.

Vielleicht schaue ich mir doch wieder einmal ganz bewußt einen Sonnenaufgang, einen Sonnenuntergang an. Doch, die Sonnenfinsternis war ein Erlebnis – sie erinnerte mich an meine zunehmende Unfähigkeit, zu erleben. Vielleicht gerade deshalb, weil wir nur noch Ereignisse, Jahrhundertereignisse, wahrnehmen. Ein Sonnenaufgang ist kein Jahrhundertereignis.

Sind Sie für Grönland?

Nora, ein kleines Mädchen, spielt mit ihrem etwas älteren Bruder Joris im Garten Fußball. Die Tore sind nicht begrenzt, sie sind einfach irgendwo, und ich staune über die Großzügigkeit, mit der sie sich gegenseitig die Tore zugestehen.

»Tor«, ruft Joris nach einem Schuß von Nora. Nora aber sagt, sie habe danebengeschossen. »Nein, der war drin«, sagt Joris, »eins zu null für dich.«

»Ich bin Holland«, sagt Joris, »was bist du?«

»Ich bin nichts«, sagt Nora.

»Du mußt aber etwas sein«, sagt Joris, »du kannst die Schweiz sein.«

»Ich will nichts sein«, sagt Nora.

»Doch, du mußt ein Land sein«, sagt Joris.

»Ich will kein Land sein«, sagt Nora.

»Also gut«, sagt Joris, »Holland gegen Keins – null zu eins.«

Es wird durch Großzügigkeit ein Spiel mit einem hohen Resultat,

Holland geht gegen Keins in Führung, und mit der Zeit werden die Tore unzählbar. Keins hätte nach meiner Schätzung eigentlich verloren. Den beiden aber ist das nicht wichtig. Sie entscheiden sich für unentschieden – Holland gegen Keins: unentschieden. Dem anderen etwas zugestehen, dem anderen seinen Willen lassen oder seinen Unwillen oder halt eben seine Unentschiedenheit.

Nach einem Vortrag mit politischem Inhalt fragt mich ein strenger alter Herr unvermittelt und überfallartig: »Glauben Sie an Gott?« Ich zögere, ich überlege, ich will zu einer Antwort ansetzen. Er aber schreit mich an: »Sie haben die Frage bereits beantwortet. Wenn Sie nicht mit einem klaren Ja antworten können, dann glauben Sie nicht an Gott.«

Sein heiliger Zorn über mein Zögern erschreckte mich. Er kannte die Antwort, ich kannte sie nicht. Ich wollte eine Antwort dazu suchen oder vielleicht sogar eine Antwort dazu finden. Ich wollte es mir nicht einfach machen. Ich wollte in dieser Sache weder ihn noch mich belügen. Ein Ja und ein Nein wäre mir zu einfach gewesen.

Was würden Sie sagen, wenn Sie gefragt würden: »Sind Sie für den Herbst?« Was würden Sie sagen, wenn Sie gefragt würden: »Sind Sie für Australien oder sind Sie gegen Australien, sind Sie gegen Grönland, sind Sie für Afrika?« Oder: »Sind Sie für die Asylanten oder sind Sie gegen die Asylanten?« »Sind Sie für die Arbeitslosigkeit oder sind Sie gegen die Arbeitslosigkeit?« »Sind Sie für Biogemüse oder sind Sie gegen Biogemüse?« »Sind Sie für Europa oder sind Sie gegen Europa?«

Warum eigentlich ist diese letzte Frage nicht absurd? »Sind Sie gegen Europa?« Das klingt, als ginge es darum, einen Kontinent zu verhindern. Ja, ich weiß, diese Frage ist nur eine Abkürzung der Frage, ob sich die Schweiz annähern oder anschließen soll. Aber ist es wirklich nur zufällig, daß das so klingt, als ginge es darum, etwas zu verhindern, nämlich nicht nur den Beitritt, sondern Europa an und für sich – wie wenn die Schweiz über Europa bestimmen würde?

»Nein« heißt, daß ich das nicht will. Und »Ja« heißt, daß ich das will. Das ist so in der Demokratie. Wie oft schon war es mir nicht so ganz wohl mit meinem Ja, wie oft schon hätte ich gern mit »Ja, aber ...« gestimmt. Der Bürger stellt mitunter fest, daß »die in Bern« doch machten, was sie wollten. Meint er damit vielleicht auch, daß sein »Ja« und sein »Nein« falsch interpretiert wird; daß zum Beispiel sein »Nein« zur Abschaffung der Armee von der Armee als das totale Bekenntnis zu allem Militärischen interpretiert werden könnte?

Die Demokratie ist ein differenziertes System. Sie lebt von Verhandlungen, von Annäherungen und Abgrenzungen, von Postulaten und Kompromissen. Sie benötigt zwar in Abstimmungen immer wieder das Ja und das Nein, aber das Ja und das Nein ist nicht die ganze Demokratie. Die Demokratie ist mehr als nur eine Abstimmung.

Im Oktober wählen wir wieder. Wählen ist differenzierter als abstimmen. Ist es das wirklich noch? Oder hat eine Partei die Wahlen schon längst zu einer Abstimmung umfunktioniert und dabei auch andere Parteien in diesen Trend mitgerissen? Und wir wählen vielleicht gar nicht mehr, sondern stimmen nur noch ab – Ja oder Nein.

Dann wäre es auch einleuchtend, daß ein Politiker dieser Partei die Politik und die Politiker beschimpft. Das Volk hätte dann nur noch zum Ganzen, zur Politik und den Politikern, ein für allemal nein zu sagen. Das Modell kennen wir aus der Geschichte. Die Folge wäre, daß das Volk dann später nur noch ein für allemal ja zu sagen hätte.

Aha, das ist Taiwan

Vor Jahren schenkte mir jemand einen Globus. Ich war begeistert von dem Geschenk, wie oft schon wollte ich mir selbst einen kaufen, und ich bestaunte die Globusse in den Auslagen der Schreibwarengeschäfte. Dort waren sie wohl deshalb immer noch zu finden, weil sie früher zur selbstverständlichen Ausrüstung von Chef-Schreibtischen gehörten – Import und Export –, damals, als die Büros noch Kontore hießen, die Kontoristen noch Ärmelschoner trugen und der Tisch des Chefs noch aus Eiche oder Mahagoni war.

Brauchbar waren sie eigentlich nicht. Es gab kaum einen dringenden Anlaß, auf ihnen Amerika oder Kanada zu suchen. Das waren nur Umrisse – Umrisse, die wir alle kennen und die wir alle in Wirklichkeit noch nie gesehen haben.

In der Schule gab es einen Globus, der stand in der Regel, etwas verstaubt, oben auf dem Schrank. Ab und zu holte ihn der Lehrer herunter und führte ihn in holprigen Kreisen um eine Lichtquelle – um die Sonne –, um uns die ewigen Polarnächte und Polartage zu erklären und das Werden von Tag und Nacht. Das wirkte recht hilflos und leuchtete vorschnell ein – so ist es, es kann gar nicht anders sein, und dann verstaubte der Globus wieder auf dem Schrank.

Aber auf dem Schreibtisch des Chefs, damals, war der Globus wohl überhaupt nicht brauchbar. Trotzdem, er hatte hier nicht nur dekorative Funktion. Er signalisierte Macht, signalisierte, daß hier Import und Export betrieben wurde, daß die Waren über die Weltmeere gingen, rund um die Welt, und daß der Chef die Welt im Griff hatte, ein Weltmann.

So etwas hatte ich mir wohl vorgestellt, als ich mich über den geschenkten Globus gefreut habe. Nur eben, das Kontor und das Mahagonipult fehlten mir, und ich kriegte auch mit diesem Globus die Welt nicht in den Griff. Schön war er trotzdem und entsorgt wurde er später trotzdem.

Mir fiel das wieder ein, als ich Ost-Timor auf der Landkarte suchte – eigentlich nicht einmal suchte, sondern auf Anhieb fand. Was weiß ich jetzt mehr über Ost-Timor, über Bosnien, über Herzegowina, über die Elfenbeinküste und über Australien?

Wenn ich in Amerika bin, dann nehme ich die Umrisse Amerikas nicht wahr. Trotzdem, sie sind in meinem Kopf. Sie haben mit Amerika zu tun, weil ich nirgends so viel gereist bin wie auf der Landkarte – in einer absoluten Scheinwelt also, die zwar ein exaktes Abbild der Welt ist, ihr aber in nichts gleicht. Vielleicht haben meine Landkarten dieselbe Bedeutung und Lächerlichkeit wie der alte Globus im alten Kontor.

Geographie heißt wörtlich »Weltbeschreibung«. Die Landkarte ist ihr stolzer Versuch, die Welt exakt und nachmeßbar zu beschreiben.

Man kann die Karte abfahren oder abwandern auf der wirklichen Welt: »Aha, das ist diese Kreuzung!«

Die Landkarte ist wohl das erste, was uns zum Begriff »Geographie« einfällt, wenn auch die Geographen selbstverständlich die Welt nicht nur mit Karten beschreiben.

Ich habe, und die meisten meiner Leserinnen und Leser wohl auch, das Fach »Geographie« nie begriffen – weder als Schüler noch später als Lehrer, und so werden es wohl auch meine Schüler nicht begriffen haben. Kein Lehrer hat mir gesagt, daß Geographie der Versuch ist, ein hilfloser Versuch, Welt zu beschreiben. Man hat mir die Geographie in der Schule vermittelt als ein gesichertes »So-ist-es«. Es hätte mich interessieren können, wenn man mir gesagt hätte, daß es so nicht ist und daß Geographie nur ein Versuch ist, zu beschreiben, wie es ist. So wie die Hilflosigkeit des Versuchs, nach einem wunderbaren Auslandsaufenthalt den Daheimgebliebenen die dortige Welt zu beschreiben – das ist »Geographie«, eine Beschreibung, eine Erzählung ohne Ende.

Dafür fehlt uns inzwischen allerdings die Zeit. Wir haben keine Zeit mehr, endlosen Geschichten – Geschichten ohne Ende – zuzuhören.

Ich lese wieder einmal Alexander von Humboldt. Er hat vor 200 Jahren, als das Reisen noch beschwerlich war, die Welt bereist – Lateinamerika. Sein Bericht darüber umfaßt dreißig Bände mit Statistiken über Wirtschaft und Bevölkerung (wie er das wohl alles erfahren hat?), mit wundervollen Zeichnungen und Erklärungen – und mitten in der streng wissenschaftlichen »Geographie« findet man die Beschreibung eines schwarzen Jungen, der am Straßenrand mit Steinen spielt. Humboldt hat die ganze Welt beschrieben – in dreißig Bänden –, alles beschrieben, und er ist zu keinem Ende gekommen. Nicht das Ende interessierte ihn, sondern der scheiternde Versuch, zu beschreiben. Alles zu beschreiben.

Wie schäbig komme ich mir dabei vor. Ich, der ich alles weiß, zum Beispiel: »Aha, das ist Taiwan!«

Die Igel sterben aus Liebe

Wenn er kommt, wo auch immer, rücken die Leute eng zusammen, um ihm ja keine Möglichkeit zu geben, sich dazwischenzudrängen und alle zu belästigen. Wenn er kommt, dann ist er schwer betrunken. Man versteht ihn kaum mehr. Er lallt nur noch. Aber er möchte jetzt mit dabeisein, dazugehören. Er möchte jetzt diskutieren, über Politik und Literatur und über alles, was er gesehen, gehört und gelesen hat, er hat viel gelesen. Nun nützt es nichts, ihn schroff wegzuweisen, ihn anzuschreien, ihn zu bitten, uns in Ruhe zu lassen, ihm zu erklären, daß wir etwas Wichtiges zu besprechen hätten. Er will jetzt, jetzt und hier und augenblicklich, dazugehören. »Morgen, Franz, wenn du nüchtern bist«, sagt man ihm. Aber es gibt kein Morgen, weil er nüchtern ein schüchterner Mensch ist, weil er nüchtern, auch nüchtern, ein einsamer Mensch ist. Wie viele gemütliche Runden hat er schon zerstört, wie viele schöne Feste schon versaut, wie viele gute Launen schon verdorben? Kürzlich wieder, ein Fest, auf das ich mich und über das ich mich herzlich freute. Endlich einmal waren jene gewählt worden, die ich und die wir gewählt hatten, ein wunderschönes Fest. Und da war er wieder, der Franz. Und er wollte sich auch freuen, denn er hatte sie auch gewählt. Und die Leute rückten zusammen und drängten ihn weg, und er redete auf alle ein und ließ niemanden reden, richtig ärgerlich, penetrant und arrogant.

Gut, ich versuchte es wieder einmal. Ich versuchte, ihm zuzuhören, und ich versuchte, ihm zuzureden – nutzlos. Und wie ich ihn so anschaute, ging plötzlich ein großes, ein riesengroßes Grinsen über sein Gesicht, irgendwas mußte ihm eingefallen sein, irgendwas ganz anderes, irgendwas, das aus einer ganz anderen Welt war, vielleicht. Und er erinnerte mich. Er erinnerte mich plötzlich an jenen Bettler im Schauspiel »Elektra« von Jean Giraudoux:

Im Palast des Königs von Mykene laufen die Intrigen, wird politisiert und diskutiert, und da sitzt ein Bettler, der die Gesellschaft dauernd stört mit einer langweiligen Geschichte, die er immer wieder von vorn beginnt und die mit dem Geschehen nichts zu tun hat.

Er stört nur. Der König aber und seine Gesellschaft wagen ihn nicht wegzuweisen, weil er ein Gott sein könnte, ein verkleideter Gott. Das fiel mir ein, als Franz stockbetrunken vor mir saß und grinste und nichts anderes im Sinne hatte, als sich einzumischen und zu stören, und ich beschloß, ihn so zu nehmen wie die Gesellschaft im Palast von Mykene – vielleicht ist Franz ein Gott, ein verkleideter Gott.

Und jetzt störte er mich plötzlich nicht mehr – wir waren jetzt beide in einer Geschichte, und er gehörte halt dazu zu der Geschichte.

Ich war noch sehr jung, als ich die »Elektra« von Giraudoux zum ersten Mal sah, und der Bettler gefiel mir. Irgendwie begleitete er mich ein Leben lang. Aber erst jetzt, neben dem grinsenden Franz, verstand ich, was er meinte. Zwar belästigte mich Franz immer noch, aber es ärgerte mich nicht mehr. Der Verdacht, daß er ein verkleideter Gott sein könnte, gab mir den Respekt vor ihm zurück.

Übrigens, die Geschichte des Bettlers von Giraudoux war – als sie endlich erzählt war – folgende:

Die Igel sterben aus Liebe. Es gibt Igel, die leben auf der linken Seite der Straße, und es gibt Igel, die leben auf der rechten Straßenseite. Und was treibt sie dazu, die Straße zu überqueren und überfahren zu werden – nur die Liebe.

Und vielleicht ist Franz gar nicht der verkleidete Gott, sondern nur der Igel – wie vielleicht wir alle, denn etwas hat der Bettler von Giraudoux vergessen zu erwähnen: Nicht alle Igel, die die Straße überqueren, werden überfahren.

Wie gesagt, die Geschichte des Bettlers von Giraudoux wollte nicht in das Geschehen am Hofe von Mykene passen. Sie störte nur und hatte keine Bedeutung. Im Zusammenhang mit Franz begann ich sie zu begreifen: Die Igel sterben auf der Suche nach Liebe.

Aber die Menschen sind nicht so

Ja, es kann ab und zu wegen Reklamierens eine gelbe Karte geben, es kann ab und zu wegen wiederholten Reklamierens eine rote Karte geben – aber dann geht der Spieler, wenn auch unwillig und verärgert, vom Feld. Selbstverständlich war das ein Fehlentscheid des Schiedsrichters, selbstverständlich war das kein Foul, selbstverständlich war das kein Abseits, keine Ecke. Ich staune immer wieder, wie Fußballer – wenn auch verärgert – Fehlentscheide akzeptieren. Und sie akzeptieren sie keineswegs freiwillig – sie akzeptieren sie ganz einfach deshalb, weil es so ist, daß man sie akzeptiert. Sie akzeptieren die Regeln, und zu den Regeln gehört auch das Akzeptieren der Fehlentscheide des Schiedsrichters.

Da kriegt einer den Ball so schön, nimmt ihn so schön an, dreht sich so schön, und jetzt hebt der Linienrichter die Fahne, und es ist ein Abseits. Das wunderbare Tor wird nicht gegeben. Das ist doch Blödsinn, dieser weltweite Konsens über die Abseitsregel. Schaffen wir sie doch endlich ab. Lassen wir doch endlich dem Spiel seinen Lauf. Der Bessere soll gewinnen, der Stärkere soll gewinnen. Überlassen wir doch endlich den Fußball dem freien Kräftespiel. Irgendwie wird sich dieses freie Kräftespiel schon selbst regulieren. Wenn der Stärkere gewinnen soll, dann gibt es auch keine Fouls mehr. Die Besten werden sich durchsetzen. Wir werden wieder eine echte Konkurrenz haben, ohne die Ausbremsereien des Schiedsrichters. Wir werden endlich echten Fußball haben.

Deregulierung heißt das – Entregelung. Die ehemaligen Schiedsrichter werden zwar dann ab und zu nach dem Spiel auf die Spieler einreden und ihnen sagen, daß sie vielleicht doch – trotz der Deregulierung – etwas fairer spielen sollen, etwas menschlicher, etwas rücksichtsvoller. Etwa so, wie Regierungsvertreter auf jenen deutschen Konzernchef einreden, der zwei Betriebe schließt und Hunderte arbeitslos macht. Aber ohne Regeln gibt es keine Schiedsrichter mehr.

Ich erinnere mich an Diskussionen vor Jahrzehnten. Da wurde etwa von netten Bürgerlichen gesagt, daß der Kommunismus im Grunde genommen schon menschlich sei, sogar – der »echte« Kommunismus – christlich und idealistisch sei, daß aber die Menschen eben nicht so seien. Ich frage mich, ob das denn nur auf den »idealen Kommunismus« zutrifft, daß die Menschen eben nicht so sind. Trifft das nicht genauso auch auf eine sich selbst regulierende freie Marktwirtschaft zu? Die Menschen sind nicht so. Deregulierung: Die Schiedsrichter, die Politiker, schauen jetzt nur noch dem Spiel zu. Doch, doch, die Schiedsrichter gibt es noch – nur die Regeln gibt es nicht mehr: Der freie Markt ist endlich frei.

»Der Mensch ist ein bösartiges Tier. Seine Bösartigkeit muß organisiert werden«, schrieb Joseph Conrad im Zusammenhang mit seinem Buch »Herz der Finsternis«, in dem er einen Mann beschrieb, der einen grauenhaften Terrorstaat in der Wildnis des Kongos aufbaute. Joseph Conrad besuchte die Geliebte des Bösewichts, die in Brüssel geblieben war, um ihr die Nachricht vom Tode ihres Geliebten zu überbringen. Sie kannte ihn als sensiblen, feinfühligen, musischen Menschen. Conrad wagte nicht, ihr mitzuteilen, daß er in der »Freiheit« zum bösartigen Tier geworden war.

Nein, Unmenschen sind es nicht, die das Unmenschliche tun. Sie tun, was sie können, und sie tun, was sie müssen. Und sie tun es legal. Es gibt die Gesetze nicht, gegen die sie verstoßen könnten. Die Politiker haben ihnen die Macht längst übergeben, und zwar nicht gezwungenermaßen, sondern freiwillig und überzeugt: Das freie Spiel der Marktkräfte.

Es wäre allerdings lächerlich, wenn die Schiedsrichter die Regeln abschaffen und hinterher sagen würden: Aber Fairneß bitte!

So jedenfalls kommt mir das Entsetzen der Politiker vor, wenn die Manager – durchaus anständige Familienväter, die durchaus auch Gedichte lesen, Geige spielen und die Oper besuchen – ihre Sache tun und Betriebe schließen. Eine Menschlichkeit an und für sich, die gibt es nämlich nicht. Über die müßte man sich verständigen, und die Verständigung müßte zur Regel, zum Gesetz werden. Die Bösartigkeit muß organisiert werden.

Die Fußballer wissen, warum sie die Entscheide und Fehlentscheide des Schiedsrichters akzeptieren. Weil es ohne Regeln kein Spiel gibt. Das freie Spiel der Kräfte ist kein Spiel, sondern bitterböser Ernst. Politiker auf dem Bittgang sind etwas Erbärmliches. Sie bitten darum, ihre Begeisterung für Privatisierung und Deregulierung nicht so ganz ernst zu nehmen.

Vielleicht wird, so wie die Demokratie in einem Zweiparteiensystem endet – Alexis de Tocqueville hat es 1840 für die USA vorausgesagt –, auch die Wirtschaft in einem Zweifirmensystem enden. Spätestens dann werden wir wissen, woran wir sind.

Fußballvereine wird es aber wohl auch dann noch Tausende geben. Und sie werden deshalb verschieden sein, weil sie nach den gleichen Regeln spielen.

Was studierst du?

Unserem Deutschlehrer damals glaubten wir nichts. Er hatte, so glaubten wir, keine Ahnung von der Welt, und wir ärgerten ihn. Wenn wir Radau machten, nannte er uns verfluchte Kauboys (Cowboys), und wir lachten ihn aus, weil wir glaubten, daß das nicht »Kauboys« heißt, sondern »Goboy«. Wir konnten Englisch und kannten unseren Karl May, er aber war alt und hatte keine Ahnung von der modernen Welt.

Er ärgerte sich maßlos, wenn wir in unseren Aufsätzen den schweizerdeutschen Ausdruck »Studieren« anstelle von »Nachdenken« verwendeten. Er tobte: »Studieren tut man auf der Universität.«

Inzwischen weiß ich, daß er wohl Englisch konnte, inzwischen weiß ich, daß er recht hatte.

Trotzdem, das schweizerdeutsche »Studieren« ist etwas anderes als »Nachdenken«, vielleicht käme ihm der Ausdruck »Hirnen« etwas näher, aber ich fürchte, »Hirnen« ist auch eher Schweizerdeutsch, wenn auch vielleicht für die Deutschen begreifbarer. Aber auch »Hirnen« ist zu stark, zu gezielt. »Schtudiere« ist schwächer, ist fast nichts, ist Nachdenken über fast nichts, oder eigentlich Nachdenken an und für sich.

So kann dann die Frage: »Was schtudiersch?« (»Was studierst du?«)
auch meinen: »Was hast du?« »Geht es dir nicht gut?« Vielleicht ist
Schtudieren so etwas wie Denken ohne Worte.

In der Beiz sitzen zwei Gelangweilte. Der eine schaut ins Leere, und
der andere fragt: »Was studierst du?« »Das gleiche wie du«, sagt
der andere, dann wieder Stille. »Das gleiche wie du« – im Nichts
werden wir uns gleich.

»Was denkst du?« »Nichts, gar nichts«, sage ich. Aber eigentlich
habe ich nicht »nichts« gedacht, sondern eher »irgend etwas«. »Ich
habe etwas studiert«, heißt das im Schweizerdeutschen. Man beginnt
zu »studieren«, wenn man sich langweilt, wenn man Langeweile
hat, wenn einem die Zeit lang wird. Die Gedanken beim Einschlafen,
die quälenden Gedanken beim Nicht-einschlafen-Können, sobald
sie zum »Irgendetwas« werden, schläft man ein. Schtudieren heißt
vielleicht loslassen.

»Was denkst du?« »Es ist mir nur gerade in den Sinn gekommen,
daß ...« »Es ist mir irgend etwas in den Sinn gekommen.«

»Schtudieren« heißt vielleicht auch Einsamkeit und Sehnsucht,
Sehnsucht nach sich selbst vielleicht.

Weihnachten, irgendwie, wäre eine Gelegenheit dazu. Inzwischen
ist sie vorbei, und sie ist es gewesen.

Jetzt bleibt uns noch das Neujahr. Wir werden zum mindesten
dabeigewesen sein, als die Zahl, die das zweite Jahrtausend beenden
wird, auf dem Kalender erschienen ist.

Fritz sagt: »Das ist doch Blödsinn, wir werden das so machen
wie immer, wir werden etwas Gutes kochen und ...« Aber für Fritz
gibt es gar kein Wir, und kochen kann er auch nicht. Und er wird
sich, wie durch das ganze Jahr und durch das ganze Leben hindurch,
gottsträflich besaufen, und diesmal immerhin mit einem entschuld-
baren Grund, schließlich erlebt man nicht alle Tage, daß das Jahr
2000 beginnt. Er wird Prost sagen und annehmen, daß er eben zu
diesem besonderen Anlaß ein Gläschen oder zwei trinkt. Und dann
könnte ja auch die Heizung ausfallen, das Licht ausgehen, die Eisenbahnen von den Brücken fallen, die Fernsehgeräte explodieren, die
Flugzeuge ihr Ziel nicht mehr finden, alles Vorbereitete – und nicht

nur die Feuerwerke – losgehen. Und dann wäre der Fritz wenigstens dabeigewesen, als die Eisenbahnen von den Brücken fielen, oder wenigstens, als die Heizung ausfiel.

Fritz aber stellt fest, daß die alles im Griff haben und daß nichts passieren wird, und die anderen am Kneipentisch nicken. Die Stimme von Fritz klingt überzeugt. Aber ich glaube, auch einen Hauch von Resignation in ihr zu hören. Er weiß und fürchtet, daß wieder einmal mehr nichts, gar nichts geschehen wird. Und er wird in dreißig Jahren, Fritz ist noch jung, nicht erzählen können, daß er dabei war, als die Eisenbahnen von den Brücken fielen oder wenigstens der Eierkocher seinen Dienst versagte. Es gibt durchaus auch eine Hoffnung auf Katastrophen. Man wäre dann wenigstens dabeigewesen.

»Was schtudiersch, Fritz?«

»Nichts Besonderes!«

Von der Vergangenheit erzählen

Einer erzählt, daß früher alles ganz anders war, daß sie noch nicht so viel Geld hatten wie die Jungen heute, daß das alles jetzt ganz anders sei und daß die heutige Jugend usw. Nein, er ist kein alter Mann, er ist um die Dreißig, und er erzählt bereits davon, wie früher alles einfacher, bescheidener und ärmer war.

Und die Älteren haben das wohl schon vor tausend Jahren den Jüngeren erzählt, daß früher alles ganz anders war, nämlich richtig.

Einer fragt mich – und dies nur, weil er mit mir sprechen will –, was ich jetzt von diesem Jahr halte und von der Zukunft. Ich zucke mit den Schultern. »Du mußt das doch wissen«, sagt er, »du bist doch ein Schriftsteller.« Nun kommt mir einer zu Hilfe: »Schriftsteller schreiben von der Vergangenheit«, sagt er.

Vielleicht ist die jahrhundertealte Dauerbehauptung, daß früher alles ganz anders war, nämlich viel schlechter und deshalb besser, nichts anderes als ein literarisches Modell: Die Erinnerung hat immer eine Erinnerung an das andere zu sein, und das Wort »damals« meint nichts anderes, als daß wir Alten – die alten Dreißigjährigen – eben im Unterschied zu den Jungen erlebt haben und nicht nur gelebt.

Am Kiosk stehen zwei Damen, schlank, groß und aufgeputzt wie Schönheitsköniginnen, mit perfektem Make-up, geklebten Wimpern. Und sie bewegen sich auch so. Hinter ihnen ein paar genervte Wartende. Die beiden Hollywood-Damen, sie sind vielleicht vierzehn oder sechzehn, verhandeln lange mit der Verkäuferin. Sie können sich nicht entscheiden und fragen nach den Preisen. Ich bewundere die Geduld der Kioskfrau, sie scheint das gewohnt zu sein. Endlich entscheidet sich die eine für einen Kaugummi und die andere für einen Schleckstengel, sechzig Rappen. Dann tänzeln sie weg auf ihren hohen Schuhen, um sich auf der Straße als Damen bewundern zu lassen. Doch, doch, sie sind schön.

Und später, wenn alles ganz anders geworden sein wird – sie etwas dicker, die Liebe etwas schaler und die Aussicht auf eine Filmrolle etwas kleiner –, werden wohl auch sie ihren Kindern erzählen, daß früher alles ganz anders war und daß sie sich lange überlegen mußten, ob sie die sechzig Rappen für einen Schleckstengel ausgeben wollten. Doch, auch das werden dann andere Zeiten gewesen sein.

Heute aber noch – Donnerstag, Abendverkauf – werden die beiden mit vielen anderen vor dem Warenhaus stehen und mit den Buben schäkern. Und auch das wird dann wohl später nicht mehr so sein.

In Solothurn ist Markt, jeden zweiten Montag des Monats, seit Jahrhunderten. Und es gibt noch ein Warenangebot, das sich in den letzten fünfzig Jahren kaum verändert hat. Rote Taschentücher, währschafte Hosen und Hosenträger und Bauernhemden mit eingewobenen Edelweißen. Die Verkäufer von ostasiatischem Silberschmuck nehmen zwar zu, aber im großen ganzen sieht der Markt noch gleich aus. Es ist nur kein Fest mehr. Früher kamen noch die Bauern einmal im Monat in die Stadt, Hinterwäldler mit Rucksäcken und Bergschuhen. Sie sahen aus wie Bauern, und sie saßen in der Beiz, spielten Karten und aßen Erbssuppe, Kalbskopf und Kutteln bis morgens früh, Freinacht. Das Angebot gibt es durchaus noch, nur die Bauern gibt es nicht mehr. Sie haben inzwischen dasselbe Leben wie wir, dasselbe Fernsehen und dieselben Wünsche und Hoffnungen. Und trotzdem, der Markt ist immer noch so alt und altertümlich, wie er immer war. Und die heutigen Jungen werden später auch erzählen können, daß er früher ganz anders, nämlich richtig alt war. Denn das Alte gibt es immer, wir Alten erkennen es nur nicht als alt. Wir wollen es nicht erkennen, weil wir so stolz darauf sind, daß wir schon lebten, als das Alte noch wirklich alt war.

Die beiden Hollywood-Damen werden dereinst ihren Kindern auch erzählen, wie sie damals vor dem Warenhaus standen, bescheiden, ohne Geld und schüchtern, und mit den Buben ein bißchen schäkerten.

Denn was wären wir, wenn sich nicht alles verändert hätte. Wir wären nichts, hätten nichts erlebt und nichts zu erzählen. Schon seit Jahrhunderten leben die Kinder in einer alten Welt und die Alten in einer neuen, und dies nur, weil die Kinder jung sind und die Alten alt. Was wird sein in der Zukunft? Wir werden von der Vergangenheit erzählen.

Übrigens, der Zug von Genf nach Lausanne, Abfahrt 15.18 Uhr, fuhr vor einem halben Jahr noch von der anderen Seite des Perrons, ich habe immer noch Mühe, mich an die neue Seite zu gewöhnen. Und die Jungen werden nie wissen, daß er früher auf der anderen Seite abgefahren ist.

John Smart, Immobilien

Wenn man ihn trifft in der Beiz, weiß man, was geschehen wird. Er wird strahlend auf einen zukommen, wird sich setzen und wird sagen: »Ich wäre der Hans von Selzach.« Nein, er sagt nicht: »Ich bin«, er sagt: »Ich wäre«, und er meint damit nicht eine Möglichkeitsform, sondern eine Höflichkeitsform. Hans ist höflich, auch wenn er betrunken ist. Das ist er selten, ein Quartalstrinker – aber wenn er es ist, dann ist seine Höflichkeit nicht auszuhalten. Er wird sich nun den ganzen Abend dauernd vorstellen, bei allen und immer wieder. Und er wird sich dauernd entschuldigen und fragen, ob alles in Ordnung sei und ob man nichts gegen ihn habe. Wenn er nüchtern ist, dann ist er eher schweigsam. Und wenn man ihm diese Szene erzählt, dann lacht er. Er lächelt auch jetzt. Er weiß wohl, daß es der alte Fehler ist und daß man ihm den Fehler morgen oder nächste Woche vorhalten wird. Er möchte jetzt reden. Er möchte jetzt diskutieren.

Nüchtern ist er wohl zu schüchtern dazu, und betrunken fällt ihm nichts ein, nicht einmal das Wetter oder die Skinationalmannschaft. Er hat jetzt nur noch etwas anzubieten, seinen Namen und seine Höflichkeit, und damit versucht er nun ein Gespräch zu führen. Ich mag ihn. Und seine Hartnäckigkeit, seine hartnäckige und penetrante Höflichkeit beeindruckt mich. Auch wenn er damit lästig wird. Sein Name wird zu einer Behauptung. Er versucht, sich zu behaupten. Er ist jemand, er ist der Hans. Und weil Hans ein einfacher Name ist, wirkt das noch viel stärker. Einem Patrick oder Joachim würde Ähnliches wohl kaum gelingen. »Ich wäre der Hans«, das heißt auch: »Siehst du mich?« Denn er fürchtet, daß er ignoriert werden könnte. Und die meisten versuchen das jetzt auch.

Dem anderen einen Namen geben, das heißt ihm eine Identität geben. Ich mag die höfliche Gewohnheit der Amerikaner, in einem Gespräch dauernd den Namen des anderen zu wiederholen. Nicht nur zu sagen: »Es ist schönes Wetter«, sondern: »Es ist schönes Wetter, John.« Ich versuchte mir das immer, wenigstens im Englischen, anzugewöhnen, es gelang mir nie. Ein Amerikaner erzählte mir, daß diese Sitte aus der Pionierzeit stamme. Mit mehreren Wagen in den Westen ziehen, das war harte Arbeit. Und man brauchte jeden einzelnen, um weiterzukommen. Und manch einer drehte durch. Selbstmord war ein Problem. Und wenn nur einer fehlte, gab es kein Weiterkommen mehr. Mit dem Namen gibt man dem anderen seine Identität, er ist jemand, es gibt ihn. Man beachtet ihn. Jemandem den Namen geben, das heißt auch: »Bleibe bei uns.«

Vor vielen Jahren in Brisbane, in Australien, entdeckte ich gleich neben dem Hotel eine Bar. Es ging laut zu dort, und ich saß allein in einer Ecke. Als ich bezahlen wollte, sagte mir der Kellner, daß alles schon bezahlt sei. Mein Englisch war damals zu schwach, um nachzufragen, wer denn bezahlt habe und weshalb. So bedankte ich mich halt beim Herausgehen bei allen. Und das war auch gar nicht so falsch. Ein Student hat es mir dann erklärt: »Ach ja, die Bar gleich neben dem Gericht, da gehen alle hin, die ihren Namen gewechselt haben, und feiern ihren neuen Namen.« Er erklärte mir, daß man in Australien ohne Angabe von Gründen den Namen wechseln könne.

Das fand ich eigentlich schön: Ich bestimme, wie ich heiße. Als Schüler hätte ich wohl meinen Namen auch wechseln wollen, weil ihn meine Englischlehrerin so ekelhaft aussprechen konnte, daß ich meinen Namen selbst nicht mehr ausstehen konnte. Wie gut, wenn ich ihr anderntags strahlend hätte mitteilen können: »Nein, ich heiße Meier.«

Als ich am anderen Tag wieder in die Bar neben dem Gericht ging, gab nun wieder einer Runden aus und verteilte seine neue Visitenkarte, rot geflauscht und Goldprägung, Berufsangabe »real estate« und ein Zusatz – »spoken languages: Ich spreche Englisch, Russisch, Ukrainisch und Deutsch.« Er war ein unangenehmer, lauter Aufschneider. Aber er konnte wirklich Deutsch, und das gab mir die Gelegenheit, ihn zu befragen. Ein orthodoxer Priester sei er gewesen in der Ukraine, und jetzt sei er Geschäftsmann und Australier. Ich hätte so gern gewußt, wie er vorher geheißen hatte, und ich versuchte alles. Aber er war nicht bereit, seinen alten Namen preiszugeben. Er war jetzt ein Jemand. »John Smart, real estate« stand auf seiner geschmacklosen Visitenkarte. Wie schrecklich, dachte ich, wenn man für seinen eigenen Namen verantwortlich ist.

Da gefällt mir das »Ich wäre der Hans aus Selzach« doch viel besser. Und dabei fällt mir ein, daß er zu den wenigen gehört, die in der Beiz einen Namen haben. Die meisten heißen hier nur Du. Und wir kokettieren alle damit, daß wir ein schlechtes Namengedächtnis haben. Das haben wir vielleicht gar nicht, die Namen der Spitzensportler zum Beispiel kennen wir, aber wir leben in einer Gesellschaft ohne Namen. Namen haben nur die Namhaften. Hans zum mindesten ist ein Namhafter.

Sie kochen nicht mehr

Kürzlich stellte ich zu meinem Entsetzen fest, daß ich stolz bin auf meinen Espresso und daß ich auch dafür von meinen Gästen ein Kompliment erwarte. Dabei habe ich ihn gar nicht gemacht. Ich habe nur auf den entsprechenden Knopf meiner Maschine gedrückt. Meiner Maschine? Was macht sie denn zu »meiner« Maschine? Nur, daß ich sie gekauft habe, die Gebrauchsanleitung gelesen, Kaffeebohnen und Wasser eingefüllt und dann eben auf den Knopf gedrückt habe. Meine Kaffeemaschine! Ich bin der Herr über eine Maschine. Sie macht meinen Kaffee, und ich erwarte, von meinen Gästen dafür gelobt zu werden, für »meinen« Kaffee.

Warum eigentlich erwarten wir Komplimente für »unsere« Autos? Wir haben sie ja auch nur gekauft. Und wenn sie stehenbleiben, dann werden sie abgeschleppt und repariert.

Der Herr Giger hatte ein Auto, damals, als noch fast niemand ein Auto hatte. Und sein Auto hatte noch richtige Pannen: Kühlwasser, Kerzen, Zündverteiler, Benzinpumpe. Sonntags über Furka und Oberalp, drei Pannen, den Keilriemen mit den Nylonstrümpfen der Frau ersetzt. Ja, das war sein Auto, er ist mit schwarzen Händen nach Hause gekommen, er hat alles wieder hingekriegt.

Als ich mein erstes Auto hatte, habe ich gleich am ersten Tag Radwechseln geübt. Die entsprechende Technik war in der Gebrauchsanweisung beschrieben. Auch das Auswechseln von Kerzen war noch beschrieben, und wie man sie putzt.

Meine Mutter, daran erinnere ich mich, kriegte immer wieder Komplimente für ihren Kaffee. Sie besaß nicht einmal Filtertüten, die kamen später. Aber ich habe keine Ahnung, wie sie ihn gemacht hat. Unsere Gäste aber freuten sich auf ihren Kaffee. Sie war stolz darauf, mit Recht. Sie konnte das eben, Kaffee kochen.

Nun, »mein« Espresso ist sicher viel besser als ihr damaliger Kaffee. Ich trinke besseren Kaffee als sie. Aber sie hatte mit ihrem Kaffee noch etwas zu tun. Selbstverständlich würde ich mich über eine Panne meines Autos ärgern. Ich habe schon seit Jahren keine mehr gehabt. Den Wagenheber müßte ich suchen, ich weiß nicht, wo er ist. Das Ersatzrad habe ich noch nie gesehen. Aber der Herr Giger hatte mit seinem Wagen noch zu tun. Ja, das war ihr Kaffee, und das war sein Wagen.

Entfremdung, entfremdete Arbeit, entfremdetes Leben. Das wissen wir schon lange, daß die Technik entfremdet. Dort, wo sie nicht funktionierte, bekam sie ihre Menschlichkeit zurück.

Inzwischen funktioniert mein Auto. Den Motor habe ich wohl beim Kauf zum ersten und letzten Mal gesehen. Die alte Kaffeemaschine mußte man noch von Zeit zu Zeit reinigen. Die neue tut das jetzt selbst. Es gibt keinen Blick mehr in ihr Inneres.

Nein, ich bin kein Technikmuffel. Technik fasziniert mich. Für Elektronik verblödele ich mein Geld. Es ist faszinierend, wie das alles funktioniert – und daß es funktioniert. Nur ab und zu vermisse ich die Nähe. Ich bin den Dingen nicht mehr nah. Sie funktionieren nur noch. Und wenn sie nicht mehr funktionieren, dann sind sie kaputt.

Ich lebe meinen Espresso nicht mehr. Ich manage ihn. Ich investiere und drücke die richtigen Knöpfe. Management hat ja auch schon lange nichts mehr mit der Sache zu tun. Ob das Schuhe oder Flugzeuge oder Uhren, Bücher sind, Brot oder Käse ist, was da produziert wird – das Management ist austauschbar und immer dasselbe. Die Liebe zum Käse ist keine Voraussetzung, um Generaldirektor der Käserei zu werden.

(Ob das auch bereits die politischen Parteien ergriffen hat? Da gibt es eine Präsidentin, die das kann. Und da gibt es einen Sekretär, der das kann. Aber weil es nicht funktioniert, muß jetzt wohl das Management ausgetauscht werden. Sie funktioniert nicht mehr, die Partei. Frage: Hat sie denn je funktioniert? Oder geht es nur um Funktionswahnsinn? Soll die Partei so gut werden wie meine Kaffeemaschine? Verlust der Nähe – nicht etwa der Nähe zum Volk, sondern der Nähe zur Sache. Auch die Politik verkommt zum Management.)

Ich habe eine Angewohnheit, die ich wohl ursprünglich aus Amerika eingeschleppt hatte. Ich hatte mir das amerikanische Frühstück angewöhnt: Eier, Speck, Bratkartoffeln. Das habe ich dann zu Hause nach und nach ausgebaut: Gemüse, Fleisch, Teigwaren. Dann Vorspeise und Nachspeise. Mein Tag beginnt mit Kochen. Und wenn ich einige Tage von zu Hause weg bin, vermisse ich am Morgen keineswegs meine Eßgewohnheit. Hie und da genieße ich es sogar, im Hotel ein richtiges und gewöhnliches Frühstück zu essen. Aber ich vermisse das Kochen. Mein Tag muß mit Nähe beginnen, mit der Nähe zu Zwiebeln und Knoblauch, zu Rüben, Räben und Randen. Mit der Nähe zum Messer, das ich durch die Zwiebel führe. Einmal am Tag brauche ich Nähe.

Sie kochen nicht mehr, die Manager. Sie bringen es nur noch zum Funktionieren.

Mir fällt nichts ein

Ich schreibe seit über dreißig Jahren Kolumnen. Diese hier wird – mindestens vorläufig – meine zweitletzte sein. Und weil ich nicht mit einer letzten Kolumne aufhören will, schreibe ich die letzte Kolumne als zweitletzte und dann – in drei Wochen – noch eine dazu.

Vor bald dreißig Jahren hat, leider nur für kurze Zeit, Kurt Marti in der gleichen Zeitschrift wie ich Kolumnen geschrieben. Er schrieb hervorragende Kolumnen, eine über die Young Boys, das weiß ich noch. Nach sechs Kolumnen gab er auf und teilte mit, daß ihm nichts mehr einfiele. Diese Begründung fand ich eigenartig, sozusagen eine Ausrede, die ich heute, nach Hunderten von Kolumnen, auch benütze: Mir fällt nichts mehr ein.

Dabei, wenn ich ehrlich bin, war das schon bei meiner ersten und bei meiner zweiten und bei allen Kolumnen so: Mir ist nichts eingefallen. Und keine andere Frage von Lesern hat mich so verlegen gemacht wie diese: »Sagen Sie mal, wie fallen Ihnen denn all diese Sachen ein.«

Die Antwort, die ehrliche, erschreckt mich selbst: »Mir fällt nie etwas ein.«

Schreibende sind nicht mit ihrer Phantasie konfrontiert, sondern mit dem Umstand, daß die menschliche Phantasie fast nicht existiert. Den Schreibern fällt so wenig ein wie den Leuten. Wenn sie menschlich sind, die Schreiber, dann macht sie genau das menschlich.

Kolumnen schreiben, das ist der dauernde Umgang mit der eigenen Phantasielosigkeit. Und wenn mich jemand nach »meinem Anliegen« fragt, reagiere ich beschämt.

Mein dringendes Anliegen ist nie etwas anderes, als diese Seite mit Buchstaben zu füllen – Schreiben ist ein dauernder Kampf gegen weißes Papier. Der Angsttraum der Schreibenden ist weiß.

Übrigens, die Frage: »Warum schreiben Sie?« ist keine dumme Frage, sondern wohl eine ganz zentrale, eine existentielle Frage. Wer sie beantworten kann, gibt das Schreiben wohl auf.

Woher nehme ich die Motivation? Warum schreibe ich? Das habe ich beim Kolumnenschreiben immer genossen – die Motivation ist ganz einfach: ich schreibe, weil in Zürich ein Redaktor sitzt, der eine leere Seite hat. Wenn ich nicht liefere, kommt er in Schwierigkeiten. Ich habe den Auftrag, seine Seite zu füllen.

Kolumnen schreiben wird so zum Schreiben an und für sich, zum Umgehen mit Buchstaben. Also unnötig? Ja, unnötig! Das ist das Schöne am Kolumnenschreiben. Nichts von alledem, was ich in Kolumnen geschrieben habe, wäre mir eingefallen, wenn ich es nicht auf einen genauen Termin hin hätte schreiben müssen. Beim Schreiben von Kolumnen kommt das Schreiben sozusagen vor dem Einfall – Schreiben an und für sich –, und wenn es hinterher doch ein Einfall gewesen sein sollte, dann ist das für den Schreibenden wohl die größere Überraschung als für den Lesenden.

Ich hatte in all den Jahren ein einziges Kriterium für die Überprüfung der Qualität einer Kolumne: Wenn ich am Ende genau das geschrieben hatte, was ich mir zu Beginn vorstellte, dann schmiß ich sie in den Papierkorb.

Diese Kolumne erfüllt dieses Kriterium. Ich werde sie trotzdem drucken lassen. Ich hoffe sehr, daß sie damit meine einzige Kolumne ist, die dieses Kriterium erfüllt.

Als Kind habe ich in der Nachbarschaft alte Zeitungen und Zeitschriften eingesammelt und alles gelesen »unter dem Strich«.

»Feuilleton« hieß das. Da stand das Unnötige. Da wurde mit Buchstaben aufgefüllt – Buchstaben für Buchstabensüchtige.

Dort, und nicht bei Robert Walser oder Johann Peter Hebel, wie Literaturwissenschaftler wissen wollen, habe ich gelernt und abgeguckt. Und auf Umwegen haben sie vielleicht dann doch recht, die Wissenschaftler: Hebel hat nicht Kurzgeschichten geschrieben, sondern Feuilletons, mit denen er – mitunter unwillig – seinen Kalender füllte. Walser hat keine »Kurze Prosa« geschrieben, er hat Feuilletons geschrieben und dafür Zeilenhonorare zusammengekratzt.

Ich nehme an, daß ich »unter dem Strich« bei viel schlechteren Autoren gelernt habe, aber bei Autoren mit demselben Anspruch – die Leerstellen unter dem Strich zu füllen wie Albin Zollinger, Friedrich Glauser, Franz Kafka, der junge Max Frisch, wie vor einigen Jahrzehnten wohl fast alle Autoren. Die Leerstellen füllen, vielleicht war das schon immer eine Aufgabe der Literatur. Mehr und mehr sind sie besetzt durch anderes. Durch was? Die Literaturwissenschaft hat das Feuilleton stets ignoriert und damit eines der wohl wichtigsten Kapitel der neueren deutschen Literatur verpaßt.

Ich selbst bin nur kein Feuilletonist geworden, weil es das Feuilleton, damals, als ich anfing, nicht mehr gab. Also war es doppelt unnötig. Das hat mir Spaß gemacht.

Lieber Egon, danke schön

Er kam herein, ging zum Wurlitzer und drückte »Santa Maria«, setzte sich in eine Ecke und tat so, als sähe er mich nicht. Ich kannte ihn, er hatte so eine Art, Leute zu belästigen, Fragen zu stellen, ohne an einer Antwort interessiert zu sein, und konsequent keine Gegenfrage zu beantworten. Er drängte sich in Gespräche, ohne mitzusprechen. Ein Einsamer, der mit Hilfe von Bier ein bißchen Nähe sucht.

»Santa Maria« – ich hatte einige Wochen vorher eine Radiosendung mit meiner Lieblingsmusik gemacht und dabei auch diesen Kitsch gespielt. Nicht weil ich diese Musik mag, sondern weil mich kurz vorher ein schüchternes Liebespärchen in einem Café erschüttert hatte. Sie sahen so aus, als seien sie zum ersten Mal in einem Restaurant. Sie bestellten zwei Cola und schoben der Kellnerin einen Franken zu mit der Bitte, für sie »Santa Maria« zu spielen. Es muß für sie geklungen haben wie für mich der späte Beethoven. Für sie also hatte ich die Platte noch einmal am Radio gespielt. Sie werden es sicher nicht gehört haben.

Von dieser Sendung an ging also jener »Eigenartige« jedesmal, wenn er hereinkam, zum Wurlitzer und drückte »Santa Maria«. Sein Übername war Egon, und es war nicht leicht, mit ihm in ein Gespräch zu kommen. Er sprach nur in Andeutungen und Abkürzungen. Jeder Satz von ihm ein Rätsel, das man zu lösen hatte. Mir machte er es besonders schwer. Er begann mich zu prüfen, ob ich das, was ich geschrieben hatte, auch in meinem Kopf hatte. Ob ich zum Beispiel wußte, was auf Seite 86 meiner »Jahreszeiten« steht. Selbstverständlich wußte ich es nicht, und er knurrte mich an. Er begann mich zu zitieren und war enttäuscht, wenn ich das Zitat nicht erkannte oder nicht zuordnen konnte. Er hatte mich besser gelesen als ich mich selbst. Die anderen in der Beiz begriffen nicht, daß ich gern mit ihm zusammensaß, denn sie hielten sich für gescheit und den Egon für dumm.

Das alles ist schon Jahre her. Egon ist inzwischen älter geworden und ich auch. Und wir sitzen zusammen und sprechen miteinander oder schweigen miteinander. Wir sind Freunde geworden.

Ich schreibe seit Jahren für ihn meine Kolumnen.

Man kann nicht für Leute schreiben, auch nicht für ein Publikum oder gar für ein Zielpublikum. Ich schreibe so, wie ich Briefe schreibe. Ich denke beim Schreiben an einzelne Leute, und ich verlasse mich dabei darauf, daß diese Einzelnen vielen anderen Einzelnen gleichen.

Ich schreibe immer noch für Hugo Leber, er ist vor zwanzig Jahren gestorben, aber er sitzt mir immer noch halb im Herzen und halb im Nacken. Ich fürchte mich immer noch vor seinem harten Urteil: »Das ist gar nichts.« Und ich erwarte immer noch sein Lob. Ich streiche immer noch Sätze, weil ich fürchte, er würde mich dafür auslachen.

Und ich schreibe für Therese und für Jeanne Paula, für Hilda und für Urs, für Jörg, für Adrienne und für Rainer, für Siegfried, für Heinz und für Paul und für Rolf, für Frank auch – und ich schreibe nicht etwa für alle die zusammen, sondern immer nur für die eine oder für den anderen. Der Adressat kann von Satz zu Satz wechseln.

Für niemanden aber habe ich in den letzten Jahren so ehrgeizig geschrieben wie für Egon. Er erwartete meine Kolumnen. Er sagte: »Nächste Woche also.« Er kam und sagte: »Die letzte Kolumne war gar nichts.« Und er ließ sich zu keinem »weshalb« bewegen. Ich wußte, weshalb. Wenn eine Kolumne nur geschrieben war und nicht richtig erzählt, dann schüttelte Egon seinen großen Kopf. Und er hatte recht, ich wußte es schon beim Schreiben.

Es gibt Leute, die glauben, ich fände meine Geschichten in Kneipen. Das stimmt nicht. Aber ab und zu finde ich da einen Leser, einen Zuhörer. Egon ist als Leser ein guter Zuhörer. Er hört zu, wenn er liest, und deshalb will er erzählt haben.

Lieber Werner Egon Wiedmer, ich danke dir herzlich für deine jahrelange Begleitung meines Schreibens. Ich nehme an, daß dir diese Kolumne nicht gefällt. Sie ist wohl nicht richtig erzählt.

Aber ich weiß, daß du meine Kolumnen vermissen wirst. Das tut mir leid. Aber ich werde dir nun meine Kolumnen in der Beiz erzählen – und du mir deine. Und wir werden uns unsere Geschichten auch vorschweigen. Das ist so schwer beim Schreiben – das Schweigen.

Ich danke dir, Egon, und danke jenen, die dir gleichen.

Der mit der großen Kochmütze

1963 war ich für ein halbes Jahr in Berlin im Literarischen Colloquium. Ich war zum ersten Mal so richtig im Ausland, vieles war mir fremd, und ich genoß das staunend, und hie und da erschrak ich auch bei Kleinigkeiten. Zum Beispiel, wenn in diesem Colloquium etwas beschlossen werden sollte und der Vorsitzende dann sagte: »Wir können das auch demokratisch machen – wir stimmen ab.« Bei uns in der Schweiz hieß das ganz einfach: »Wir stimmen ab.«

Was mich damals in Berlin nicht nur störte, sondern erschreckte, war, daß eine kleine Abstimmung mit dem Wort »demokratisch« begründet werden mußte. Die Demokratie mußte offensichtlich dauernd erwähnt werden, weil sie noch nicht selbstverständlich war.

Derselbe Schrecken später, ein hoher deutscher Politiker besucht die Buchmesse. Der Platz, auf dem er ankam, wurde leergefegt, die Gassen zwischen den Ständen ebenso. Zwar wird er mit einigen gesprochen haben, mit Verlegern wohl lieber als mit Autoren, aber auf der Buchmesse war er nicht wirklich, denn die Buchmesse lebt von ihren Besuchern, und die waren nicht da.

Die erste Auslandsreise von Willi Ritschard als Bundesrat führte nach Leningrad und Moskau. Er hatte als Verkehrsminister eine neue Fluglinie der Swissair zu eröffnen. Später erzählte er immer wieder von diesen beiden total leeren Städten. Er hatte auf den Straßen keinen einzigen Menschen gesehen und auch keine Autos. Die Straßen waren für den Gast leergefegt worden.

Daß bei uns in der Schweiz der Bundespräsident ohne Bodyguards wie alle anderen Leute auf dem Bahnsteig auf den Zug wartet, darauf bin ich stolz. Und zwar nicht, weil es so ist – sondern vielmehr, weil es eine Selbstverständlichkeit ist. Das muß mit nichts begründet werden, und nichts spricht dagegen.

Eines der brisantesten oder erbärmlichsten politischen Bilder, die ich in der letzten Zeit sah, war jenes von einem kleinen, uralten Männchen mit einer übergroßen Kochmütze, das freundlich in die Kamera strahlte. Seinen Namen kennen alle: Der große Bocuse – eingeflogen nach Davos. Ich nehme nicht an, daß das mit Kochen zu tun hatte, sondern nur mit Prominenz. Es hätte geradesogut Pavarotti sein können oder Schumacher – nein, nicht der große Sozialdemokrat und Mitbegründer der deutschen Demokratie, Kurt Schumacher, sondern der andere, der prominent ist.

Ob der deutsche Außenminister dem Bocuse wohl auch die Hand geschüttelt hat, oder unser Bundespräsident, der auch ein hervorragender Koch ist?

Nein, wohl nicht, der Terminkalender des Außenministers war voll: hier fünf Minuten, dort zehn Minuten.

Über was reden denn die Wirtschaftskapitäne mit einem Politiker in fünf Minuten? Sie reden, wie uns jetzt erklärt wurde, über den Weltfrieden, über soziale Gerechtigkeit, über die Armut der dritten Welt. Wer glaubt das?

»Wichtige Kontakte«, das trifft die Sache wohl schon eher. Und wichtige Kontakte, das heißt dann hinterher ganz schlicht: »Mein Freund, der Außenminister.«

Also war das Treffen von Davos nichts anderes als ein riesengroßes Opernhausfoyer. Ein Foyer, in dem sich die Kultivierten treffen, und weil sie kultiviert sind, halten sie das, was sie tun, für Kultur.

Opernhausfoyers sind sehr teuer. Der arme Staat kann sich das kaum leisten. Aber weil er eben auch so kultiviert ist wie die Kultivierten, muß er sich das leisten. Also nehme ich an, daß im Foyer, in Davos, auch über Sponsoring gesprochen wird. Wer gibt noch etwas? Ja, sie geben. Bill Gates gibt.

Nein, der Mister Rich ist kein Schläger, kein Bösewicht, kein unkultivierter Mensch, kein Chaot, der die Ordnung untergraben will. Er ist ein Teil der Ordnung, und zwar der kultivierten Ordnung.

Ich bin übrigens auch stolz darauf, in einem Land zu leben, in dem der Bundespräsident niemanden begnadigen kann – etwas anderes würden wir als Unrecht empfinden. Man hat also dem amerikanischen Präsidenten etwas empfohlen, was wir als Unrecht empfinden? Nein, leider nicht ganz. Das Sponsoring, worüber in Davos gesprochen wurde, hat sich schon längst in den Staat hineingefressen. Jedenfalls, wenn ich ein großes Geschenk mache, möchte ich dafür geliebt werden. Für meine Steuern liebt mich niemand. Ob ich will oder nicht, wenn ich ein großes Geschenk mache, korrumpiere ich den Beschenkten. Der Staat, der sich sponsoren läßt, gibt seinen Stolz auf und damit auch seine Macht. In Davos trifft sich der Staat mit jenen, die die Macht haben. Kein Wunder, daß er dabei mit dem Polizeisäbel rasselt.

Aber das eigentliche Problem ist, daß wir für dieses Davos eine stolze politische Kultur aufs Spiel setzen, nämlich die Tradition, daß unsere Politiker – so gut oder so schlecht sie auch immer sind – unter uns leben, ohne Bodyguards und ohne Stacheldraht.

Ich jedenfalls war bis jetzt stolz darauf. Auf die Kultiviertheit der Mächtigen verzichte ich gern.

Und der Staat hat nicht kultiviert zu sein, sondern zivilisiert. Das Bild von Davos – der Alte mit der Kochmütze – ist erbärmlich, wenn auch das Bild einer kultivierten Gesellschaft. Aber wenn wir dieser Gesellschaft nachgeben, verkommt der Staat zum Opernhaus.

Alles wäre so, wie es ist

Ein alter Dienstkollege, ich habe ihn in guter Erinnerung, er tat seinen Dienst so unüberzeugt wie ich – selbstverständlich weiß ich seinen Namen nicht mehr, das ist lange her. Er aber weiß meinen Namen. Meinen Namen? Nein, eigentlich nicht, Bichsel ist nicht der Name seines ehemaligen Dienstkollegen, sondern sozusagen der Name eines anderen, von dem er inzwischen gehört hat. Fast ist es beleidigend, durch Umstände von der Anonymität (der Namenlosigkeit) ausgeschlossen zu sein. Und hie und da, wenn ich mit Namen gegrüßt werde, erinnert mich das eher an die schlagfertige Antwort auf eine Quizfrage als an einen freundlichen Gruß.

Ja, ja, die Namen. Wer schon hat nicht Mühe damit? Und auch ich schäme mich, wenn mir zwischendurch der Name meiner Nachbarin nicht spontan einfällt. Dann wünsche ich mir, sie hätte einen Doktortitel. Aber dann gibt es ja auch Leute, Verkäufer etwa, die werfen einem den Namen so geflissentlich schnell an den Kopf, daß der Aufprall weh tut. Da ist mir Nachdenken und Sich-Bemühen doch lieber.

Den Namen von Johnson aber kenne ich – nein, nicht der Schriftsteller und auch nicht der Cowboy. Johnson hatte diesen Namen (Übernamen), lange bevor man von den beiden anderen wußte. Aber Johnson ist eben nicht nur ein Name, es ist eine Geschichte, eine Beizengeschichte vor allem, eine »Weißt-du-noch-damals-als-wir«-Geschichte. Ein Kerl, der Johnson – einschlägig (ein treffendes Wort) bekannt damals.

Er sieht noch genau gleich aus wie damals, meine ich, er hat sich nicht verändert, und selbst wenn er heute etwas mühsam geht, habe ich eher den Eindruck, das sei schon immer so gewesen. Würde ich ihn auf einem Foto von damals sehen, hätte ich wohl den falschen Eindruck, er habe sich zwischen heute und damals – und nicht umgekehrt – verändert.

Wir sind gemeinsam älter geworden, die Veränderungen sind fließend, und wir sind mit ihnen geflossen. Wir haben ein gutes Stück gemeinsamer Biographie.

Das ist schön, eine Freude des Alters, mit jemandem eine gemeinsame Biographie zu haben. Trotzdem, es gäbe Gründe, die Stadt A zu verlassen und nach B zu ziehen, nicht etwa nach einer besonderen Stadt B, sondern nach irgendeiner. Die eigene Biographie nähme man zwar dabei mit, aber wenigstens die Biographien der anderen nicht.

Nicht allen gelingt – wie dem erfrischend erfolglosen Johnson – die Biographie zur Geschichte. Es gibt andere, die man gekannt hat, als sie jung waren, als sie Vorstellungen hatten, was werden könnte aus diesem Leben, und nun sind sie alt und älter, und ihr Leben ist nicht zur Biographie geworden, nicht zu einer Geschichte, sondern nur zur kontinuierlichen Karriere, zum anständigen Geld-Beschaffen und zum anständigen Geld-Ausgeben, zum anständigen Wohnen und zum anständigen Sein. Dabei haben auch sie das Leben damals im Kino gelernt, wo jeder, der etwas spielte, etwas war, nämlich der Teil einer Geschichte. Nein, ich verspotte diese Leute nicht. Ich fürchte nur, daß sie mich an mich erinnern könnten. Man leidet nicht nur an der eigenen Biographie, sondern auch an der von anderen. Es gäbe Gründe, die Stadt A zu verlassen.

In der Stadt B nämlich wären die Leute ohne Biographie. Sie würden da sitzen wie in einer Geschichte. Der Siebzigjährige wäre einfach siebzig, er wäre nie zwanzig, nie dreißig gewesen. Und der Trinker wäre ein Trinker, ein fröhlicher Trinker vielleicht oder ein heiliger gar, und er hätte nicht die Biographie eines Trinkers. So wie die Menschen im Film und in den Büchern – die sind einfach so.

Und man könnte da sitzen, und alles wäre so, wie es ist, eben wie in den Büchern. Wenn ich diese Bücher nach zwanzig Jahren wiederlese, ist der Held immer noch gleich alt. Er ist nur eine Figur, und Figuren haben nicht Biographien von Menschen.

Kann es auch das sein, was Rentner ab und zu dazu treibt, die Stadt A zu verlassen und in die Fremde zu gehen, Italien, Spanien, Argentinien? Die Hoffnung, einen Ort zu finden, der nur eine Geschichte ist. So wie uns das vom Kino und der Literatur vor fünfzig Jahren versprochen wurde.

Johnson und ich sind aber noch da. Wir sind geblieben. Vor vielen Jahren schon waren wir die beiden ältesten Stammgäste in einem Lokal. Der Wirt hatte die anderen vertrieben. Uns gefiel der Wirt zwar auch nicht immer, aber wir blieben, einfach so, nur aus Gewohnheit. Und Johnson übrigens erinnert mich nicht an mich, nur an uns.

Der Beste und der Schlechteste

Die Frage, welches mein Lieblingsbuch sei, finde ich beleidigend. Ich bin ein Leser. Ich lese gern. Ich lese viel. Mein Lieblingsbuch ist jenes, das ich jetzt lese.

Mein Lieblingswein ist der, den ich jetzt trinke. Ja, es gibt besseren als den, den ich jetzt trinke. Aber warum soll jetzt ausgerechnet jener Wein, den ich jetzt nicht habe, mein Lieblingswein sein? Ich trinke gern – auch Wasser. Mein Lieblingswasser? Ich trinke gern Wasser. Und wenn ich Durst habe, dann möchte ich Wasser, nichts anderes als Wasser.

Wenn ich lesen möchte, dann möchte ich lesen, irgend etwas lesen.

Lieblingsbuch, das klingt nach Askese – hie und da mal wieder in meinem Lieblingsbuch lesen. Ab und zu, alle drei Monate mal, ein kleiner Schluck von meinem Lieblingswein.

Kürzlich hat mich ein Interviewer nach meinem Lieblingsessen gefragt. Ich habe furchtbar lange nachgedacht, und dann habe ich gesagt: »Gschwellti.« Und hinterher stellte ich fest, daß ich jetzt alles andere essen wollte als »Gschwellti«. Die habe ich zwar gern, aber schon wenn mir einfällt, daß sie auf hochdeutsch »Pellkartoffeln« heißen, mag ich sie nicht mehr. Die Bezeichnung gehört mit zum Geschmack.

Mein sehr prominenter Freund W. R. hatte wirklich ein Essen, das er liebte – Fleischvögel mit Kartoffelstock (nein, nicht Kartoffelpüree, auch wenn es dasselbe ist), und zwar Fleischvögel, wie seine Frau Greti sie machte. Dann, eines Tages die unvermeidbare Interviewfrage: »Ihr Lieblingsessen?« Und Willi antwortete stolz, weil er stolz auf die Küche von Greti war: »Fleischvögu mit Härdöpfustock.« Er hatte bitter darunter zu leiden. Wo er von nun an auch eingeladen war, es gab Fleischvögel, und weil er nicht niemand war, gab es besondere Fleischvögel, solche mit Fleischfüllung, Kalbfleischvögel getrüffelt. Und dies, weil die netten Gastgeber wußten, daß er nichts anderes ißt als Fleischvögel, weil schließlich Fleischvögel sein Lieblingsgericht war.

Ihre Lieblingsfarbe? Die meisten sagen: »Blau«, ich auch. Aber warum sollte mir deshalb eine blaue Welt, eine Welt ohne Grün, ohne Gelb, ohne Rot gefallen?

Ich kam einmal am frühen Morgen auf die Idee, meiner Frau ein neues Auto zu kaufen, und zwar ein blaues. Ich begann bei Mercedes. Ein händereibender, süßlicher Verkäufer fragte mich nach meinem Wunsch. »Ich möchte ein blaues Auto«, sagte ich. »Ja, was haben Sie sich denn so vorgestellt?« »Blau«, sagte ich. »Ich meine preislich«, sagte er. »Haben Sie blaue Autos am Lager?« fragte ich. »Sie können alle Autos in Blau haben.« »Ich möchte aber nicht alle Autos in Blau – ich möchte nur *ein* blaues Auto«, und so weiter, und so weiter, und selbstverständlich war ich im Unrecht.

Bei Opel kam der Verkäufer auch händereibend auf mich zu, und mein Wunsch nach einem blauen Auto brachte selbstverständlich auch ihn – und zwar zu Recht – zur Verzweiflung.

Ich versuchte es bei einem dritten. Beim Herrn Meier von Auto Meier. »Ja, ich habe ein blaues«, sagte er. »Das ist gekauft«, sagte ich, »ich komme gleich noch mit meiner Frau vorbei.«

Eine Stunde später eine Probefahrt. Das Auto gefiel meiner Frau. Nach der Fahrt fragte sie den Garagisten: »Haben Sie das Auto auch in Weiß«, und schon hatte sie ein weißes. Mir war das auch recht. Lieblingsfarbe? Was soll's?

Dem Herrn Meier von »Auto Meier« sind wir aber treu geblieben. Nach dem dritten Wechsel hatten wir dann ein blaues, weil kein weißes am Lager war.

Weshalb denn werden wir dauernd darauf getrimmt, eine Lieblingsblume, einen Lieblingsbaum, eine Lieblingskrawatte zu haben? (Jene Mutter, die ihrem Sohn zu Weihnachten zwei Krawatten schenkt. Als er sie das nächste Mal besucht und eine der beiden Krawatten trägt, stellt sie schroff fest: »Die andere gefällt dir wohl nicht.«)

Weshalb haben wir uns dauernd zu entscheiden und werden dann auf unsere Entscheide verpflichtet? (Der Fremde, der mich in einer Beiz trifft und fragt: »Sind Sie nicht der ...«, sieht mein Mineralwasser und stellt entsetzt fest: »Aber warum trinken Sie keinen Rotwein?«).

Der Liebling und der Bösewicht. Der Beste und der Schlechteste – die kategorische Ablehnung der Vielfalt, die tägliche Einübung in die Einfalt, die täglichen kleinen Schritte in Richtung Rassismus.

Erinnern Sie sich an einen Mann namens Gaddhafi? Die Amerikaner erklärten ihn mal zum bösesten Bösewicht der Welt und taten so, als wäre die ganze Welt in Ordnung, wenn jener Bösewicht vernichtet würde. Er lebt noch und ist längst ersetzt durch einen anderen Bösesten, den es zu vernichten gilt und dessen Tod die heile Welt bedeuten würde.

Ich kriege ein bißchen Gänsehaut, wenn ich nach dem besten, nach meinem Lieblingsbuch gefragt werde. Es ist die Frage gegen die Vielfalt, die Frage nach der Einfalt. Mein Lieblingsbuch? Ja, ich lese gern. Ich trinke gern. Ich esse gern. Ich lebe gern.

Die Gewalttätigen

Dem Paul, sonst ein eher gemütlicher Mensch, geht es heute nicht gut.
»Mein Sohn ist Metzger, stark wie ein Stier, der macht alle kaputt«,
schreit er, und im lauten Lokal wird es still. Nein, nicht etwa, weil
solche Äußerungen hier selten wären, sondern weil die Äußerung
von Paul unvermittelt, unangekündigt und mitten aus der Gemütlichkeit heraus erfolgt.

»Wenn ich pensioniert bin, gehen wir nach Mexiko in die Südsee,
ohne die Weiber, brutal wie eine More. Rücksichtslos, verstehst du,
rücksichtslos.«

Der Ausländer am Tisch, Schweizerdeutsch mit leichtem Akzent,
sagt nun, daß er schon lange wissen möchte, woher das Wort Baracke
komme. Der Wutausbruch des anderen wird ihm ungeheuer. Er
möchte zurück in die Gemütlichkeit – »Woher kommt denn eigentlich
das Wort Baracke?« Seine Frage bleibt ungehört.

»Mein Sohn war auch Zimmermann, dem ist keiner gewachsen,
der macht alle kaputt, der hat keine Hemmungen – wenn ich im
Welschland etwas finde, fangen wir eine Schweinemästerei an, bauen
eine Scheune, und dann soll uns keiner mehr kommen, wir machen
alle kaputt.«

Ich kenne ihn, man braucht keine Angst vor ihm zu haben – oder
höchstens so viel wie vor dem Rottweiler, dessen Herrchen beteuert,
daß sein Hündchen ein liebes Tierchen sei.

Nein, gewalttätig ist er nicht, aber etwas anders ist er, gewaltbereit.
Sein Leben war ein Mißerfolg, und er mußte, wo er auch war, immer
unten durch, und da war immer ein Stärkerer, ein Mächtigerer, ein
Gewaltigerer. Und einmal, nur einmal, möchte er doch auch Erfolg
haben. Erfolg aber stellt er sich als etwas Gewalttätiges vor.

Aber Erfolg ist eine Sache von Fleiß, von besonderen Fähigkeiten,
von besonderer Seriosität, von Talent auch. So haben wir das gelernt,
und so müßte also der Schreihals im Lokal im Unrecht sein. Und den
Beweis dafür hat er ja auch bereits, müßte man annehmen. Aber in
Wirklichkeit war er nie gewalttätig, eine Gerichtssache zwar wegen

einer Schlägerei, aber so richtig gewalttätig war er doch eigentlich nie.

»Achttausend Schweine, stell dir das mal vor, achttausend Schweine, und nur wir zwei – und du hast keine Ahnung.«

Er wird es nie realisieren. Im Grunde genommen ist er viel sanfter. Aber dieses eine Mal glaubt er an die Gewalt und stellt sich vor, ein Gewaltiger zu werden. Ein tätiger Gewaltiger, ein Gewalttätiger.

Die Geschichte ist nicht erfunden, es ist einige Zeit her, daß ich sie zufällig mitgehört habe, und der Ausländer wollte noch einmal wissen, woher denn das Wort ›Baracke‹ komme.

Aber kürzlich hörte ich von einem Gewaltigen, der sich völlig legal mit einem Verwaltungsratsbeschluß acht Millionen zugeschanzt hatte. Das sind tausendmal achttausend Schweine. Er wurde tätig, der Gewaltige.

Die Gewalt in der Demokratie, so habe ich das gelernt in der Schule, steht nur dem Staat zu. Aber da gab es einen anderen Verwaltungsratspräsidenten, einen Gewaltigen, der auch um seine sich selbst zugesprochenen Millionen kämpfte. Er hatte mal für jenen demokratischen Staat, dem die Gewalt gehört, als Regierungsrat gearbeitet und er mußte sich dabei wohl auch ab und zu mit Gewalttätigen, mit Jugendlichen zum Beispiel, befassen, die gewalttätig wurden, ohne daß ihnen die Gewalt gehört. Und er wird sich auch überlegt haben, woher sie denn kommt, diese zunehmende Gewaltbereitschaft.

Selbst die Neue Zürcher Zeitung meldet mitunter ihre Bedenken an gegen die rücksichtslose Geldscheffelei von Gewaltigen. Es werden Bedenken laut, daß sie die Akzeptanz der freien Marktwirtschaft gefährden.

Sie gefährden aber viel mehr. Sie gefährden die politische Kultur, sie gefährden die friedliche Gesellschaft, nicht nur mit ihrer Rücksichtslosigkeit, sondern auch mit ihrer Schamlosigkeit.

Rücksichtslosigkeit und Schamlosigkeit sind die Voraussetzungen zur Gewalttätigkeit.

Nicht Fernsehen und Internet sind die Gründe für zunehmende Gewalttaten, sondern das Verhalten der tätigen Gewaltigen.

Sie tun es durchaus in der Legalität. Und sie verwechseln Tag für Tag Legalität mit Moral. Was legal ist, halten sie für moralisch. Sie sind das Vorbild des Schreihalses in der Kneipe; sie, die bis zur Unmenschlichkeit belastbaren Persönlichkeiten, sie, die Erfolgreichen.

Wenn aber der Schreihals auch ein tätiger Gewaltiger werden will, dann kann er das nur in der Illegalität werden. So wollen das unsere Gesetze. Und so wollen das jene, die sie machen, die Gewaltigen selbst. Die Diskussionen über die Moral eines Parlamentspräsidenten scheitern an der Legalität seines Tuns.

Und mein Schreihals wird sich so oder so strafbar machen. Zum Beispiel, weil er seine Steuern nicht bezahlt. Ihm fehlen die legalen Möglichkeiten, sie nicht zu bezahlen. Und im übrigen sieht er auch nicht so grundanständig aus wie jene, die in der wirklichen Gewalt tätig sind.

Ein afrikanisches Wintermärchen

Den Namen muß ich nachschlagen, aber seinen Titel weiß ich noch auswendig: »Vorstand der königlichen landwirtschaftlichen Winterschule«. Unter »Vorstand« konnte ich mir, damals als kleines Kind, etwas vorstellen, ein Bahnhofvorstand, und »Winterschule« war für mich ein Begriff, der sich zum Märchen verzuckerte – eine Schule wie ein Bahnhof und eine Schule, die sich in Weiß auflöst.

Aber von vorn: Dieser Dr. Aug. Schleyer, eben der Vorstand einer Schule, die nicht nur winterlich, sondern auch königlich war, ist der Autor des Buches »Die Säugetiere der Erde«, jenes Buches, mit dem ich in die Welt hinein erwacht war. Es war das Buch meines Großvaters, und es stand neben der Bibel auf dem Buffet. Und so wie mein frommer Großvater die Bibel bezeichnete – »Das Buch« –, so war jenes daneben für mich »Das Buch«.

Wenn ich mit meinen Eltern und vielleicht noch – unglücklicherweise – mit anderen Verwandten meinen Großvater besuchen mußte, ungern, dann gab es einen Trost, das Buch. Ich muß Hunderte von

Stunden mit ihm verbracht haben. Im übrigen liebte ich meinen Großvater sehr, ich besuchte ihn nur nicht gerne mit Erwachsenen zusammen, sie störten. Sie störten auch, wenn ich dasaß, über das Buch
gebeugt, und wenn sie mich mit ihrem Alltagsgeplapper aus der afrikanischen Steppe zurückholten nach Zofingen, wo mein Großvater
wohnte – aber wenn wir allein waren, wohnte auch er in der afrikanischen Steppe.

Später, als ich ein bißchen lesen konnte, muß ich das Buch auch
Dutzende Male gelesen haben: »Der Jaguar ist ein sehr mordlustiges
Tier und bewohnt hauptsächlich Südamerika«, und »Die siamesische
Katze hat ein Fell, das glatt anliegt und isabellenfarbig ist.« Ich kenne
die Isabellenfarbe heute noch nicht, aber es muß die Farbe der Winter-
schule sein, jener wunderbaren Winterschule, die irgendwo am Bahn-
hof anfängt und weit in die afrikanische Steppe führt, wo auch der
Jaguar sein Südamerika bewohnt.

Eigentlich hätte ich unter diesen Bedingungen ein großer Tierfreund werden müssen, ein leidenschaftlicher Zoogänger oder gar
ein fundierter Fachmann für Steppentiere. Aber ich bin das alles
nicht geworden – nur ein sehnsüchtiger Schüler der märchenhaften,
isabellenfarbigen Winterschule.

Ich besitze jetzt das Buch. Es steht jetzt nicht mehr einsam neben
der Bibel, sondern in einem großen Büchergestell. Das tut mir ein bißchen leid, denn ausgerechnet jenes Buch, in dem alles, alles, die ganze
Welt drin ist, steht nun neben all den Büchern, in denen irgendwas drin ist. Ich schlage es ab und zu auf, und das beginnt immer
mit einer Enttäuschung, so umwerfend farbig ist es beim ersten Betrachten nicht mehr, aber nach längerem Betrachten nimmt es die
Farbe der Erinnerung an, jene Farbe, die wie die Isabellenfarbe keine
Farbe dieser Welt ist, sondern die Farbe jener Welt, die beim Bahnhof
von Vorstand Schleyer, dem landwirtschaftlich-königlichen Bahnhof, beginnt.

Hätte ich das Buch damals richtig verstanden, ich hätte zum
Tierfreund, zum Säugetierfreund werden müssen, aber ich habe es
zu meinem Glück falsch verstanden – »Säugetiere der Erde«, nicht
eigentlich die Tiere, sondern die Erde hatte es mir angetan, diese
ganze Erde, die irgendwie in Afrika liegt.

In Afrika war ich noch nie. Das hat die Isabellenschule so an sich, daß man das, was man dort lernt, nicht zum Fortkommen und zum Weiterkommen lernt, sondern zum Dasein und zum Träumen. Das Buch übrigens hatte auch einen Geruch, einen starken, ätzenden, er bleibt noch Stunden an den Fingern. Für mich ist dieser Geruch zum Geruch von Buchstaben geworden. Was ich auch immer lese, Buchstaben erinnern mich an den Geruch des Winterschulvorstandes. Und wo das Buch inzwischen auch immer war, im ordentlichen Haus meiner Eltern oder in meinem unordentlichen, es behielt seinen Geruch. Man hatte die Hände nicht zu waschen, bevor man es in die Hände nahm, sondern hinterher – ich wusch sie nie. Der königliche Schleyer erwähnt nicht einmal, daß der Dachs stinkt, das finde ich nett und ausgesprochen rücksichtsvoll von ihm.

Das war eine gute Schule, die Bahnhofswinterschule, und gut war sie, weil man nichts anderes lernen mußte als die Erde – nämlich daß es sie gibt und daß sie groß ist und reich. Und ich durfte in dieser Schule auch alles falsch verstehen, und ich habe von diesem Privileg ausgiebig Gebrauch gemacht. Und zum Schluß blieb nichts anderes als ein Geruch, ein Geruch, der mich ein Leben lang begleitet hat, der Geruch von Buchstaben.

Nicht auszudenken, was geschehen wäre, wenn ich nur in jener Schule gewesen wäre, in der man die Sache zu lernen hat, die Säugetiere zum Beispiel, in jener Schule, in der man inzwischen Hochbegabte fördern will und meine Hochbegabung für Säugetiere entdeckt hätte. Vielleicht wäre ich dann nach Afrika gekommen, aber nie in jenes Afrika von Bahnhofvorstand Schleyers isabellenfarbiger Winterschule.

Als wir noch fliegen konnten

Die Geschichte ist kaum erwähnenswert, und es ist wohl auch keine Geschichte, nur ein kleines Ereignis. Aber seit vielen Jahren fällt es mir wieder ein, wenn ich an jenem Laden vorbeigehe, oft mehrmals täglich.

Ein kleiner Bub rüttelt verzweifelt an der Ladentür. Offensichtlich ist da seine Mutter drin, und er muß unbedingt hinein. Er stemmt erst mal das Knie, dann den Fuß an den Türrahmen und reißt mit aller Kraft und mit hochrotem Kopf an der Tür. »Komm, ich helf dir«, sage ich. Die Tür geht nach innen auf. Der Bub rennt los und spurtet in den Laden. Dann ein Vollstop. Er dreht sich und rennt zu mir zurück, schaut zu mir hoch und sagt strahlend: »I ha drum ned so fescht Chraft – Ich habe nämlich nicht so fest Kraft«, dreht sich wieder und spurtet zurück.

Vielleicht war das als Dank gedacht. Sein Strahlen war ein wunderbarer Dank. Aber es war mehr und etwas anderes, es war das stolze und strahlende Bekenntnis, eben nicht so einer zu sein, der fest Kraft hat, das stolze Bekenntnis: »Ich kann das nicht!«

Mein täglicher Weg zu meinem Arbeitszimmer führt an dieser Ladentür vorbei, die Erinnerung an jenes strahlende Bekenntnis hat mir schon oft meinen Tag gerettet.

Ich kann das nicht, warum denn sollte ich etwas können müssen, was ich nicht kann? Nichtkönnen nicht als Mangel, sondern als Freiheit empfinden. (Wieviel Ärger würde uns zum Beispiel erspart, wenn die Schweizer nun eben und durch irgendeinen Zufall nicht Fußball spielen könnten – aber eben, sie können es.)

Ich erinnere mich: Zu Hause, als ich klein war, war der Garderobehaken – meine Eltern achteten auf Ordnung – für mich zu hoch. Vorgesehen also war ein Hocker, auf den ich steigen konnte, um meine Jacke an den Haken hängen zu können. Das war unter meiner Würde, und ich entwickelte eine Technik, die etwas erwachsener war. Ich formte meine Jacke zu einer steifen Wurst und konnte sie so vom Boden aus über den Haken zirkeln. Dann, eines Tages, der langersehnte

Augenblick, als ich den Haken mit den Fingern erreichte. Aber es war nicht so wunderbar wie erwartet. Ich hatte nicht etwas gewonnen, sondern etwas verloren: Ich hatte meine stolze Technik verloren. Noch heute vermisse ich sie, wenn ich irgendwo meine Jacke aufhänge.

Das Nichtkönnen verlieren, das kann ein echter Verlust sein. Amerika jedenfalls war wunderbarer und großartiger, als ich es noch ohne Englischkenntnisse bereiste. Es fand gleichzeitig in Wirklichkeit und in meiner Fantasie statt. Nachdem ich dann endlich ein wenig Englisch konnte, fand es nur noch in Wirklichkeit statt.

»Als wir noch ganz klein waren, wir konnten noch nicht sprechen, und ich erinnere mich genau daran«, erzählte mir mal Fritz Dürrenmatt zu vorgerückter Stunde, »da konnten wir ein kleines bißchen fliegen. Wir stellten uns auf den Fenstersims, winkelten die Arme an, und mit heftigen Flügelschlägen schafften wir es, uns ein bißchen vom Fensterbrett zu heben, ein ganz kleines Stück nach vorn zu fliegen und dann gleich wieder zurück.« Zweifel anzumelden, zudem bei vorgerückter Stunde, war sinnlos. Und er meldete dann auch meine Zweifel selber an und begann es noch einmal zu erklären, die Technik des frühkindlichen Fliegens noch exakter zu beschreiben, und: »Hie und da gelang es uns sogar, von einem Fensterbrett zum anderen zu fliegen – aber nur ganz knapp, es reichte fast nicht.«

Und ich begann mich zu erinnern, zu meiner Überraschung begann ich mich zu erinnern, wie wir als ganz kleine Kinder ein kleines, ein ganz kleines bißchen fliegen konnten.

Das konnten wir wohl auch, weil wir noch nicht so fest stark waren – und weil man das gar nicht können mußte und weil es auch nicht bewiesen werden mußte und weil es auch keine entsprechende Ausbildung gab (keine Bébéflugfarmen, keine Bébéflugweltmeisterschaften), und verboten wäre es uns auch worden, aber man konnte uns damals noch nichts verbieten, weil wir ja noch nicht sprechen konnten.

Doch, doch – ich erinnerte mich, ich hatte es nur vergessen. Dürrenmatt erinnerte mich wieder daran. Und als ich ihm das auch bestätigen wollte, eine weitere vorgerückte Stunde später, da wollte er gar

nichts davon wissen und wischte es mit einer Handbewegung weg –
wischte es weg, wie wenn es nie gewesen wäre, nämlich, daß wir nie
stärker waren als damals, als wir noch schwach waren, als wir noch
nicht fest Kraft hatten, als wir noch nicht stark waren, aber immerhin keine Angst hatten. Inzwischen sind wir stark und leben nur
noch in Angst. Und die Angst, so glauben wir treu militärisch, macht
uns stark.

Kein Wunder, wirklich kein Wunder, daß wir nicht mehr fliegen
können. Wir sind zwar kräftig, aber furchtbar schwer geworden. Es
bleibt uns nichts anderes übrig, als unsere kindliche Erinnerung
daran, daß wir fliegen konnten, mit einer Handbewegung wegzuwi-
schen.

Vom Verlieren

Wenn ich irgendwo irgend etwas mache auf meinem Taschencomputer, dann ist immer irgendeiner da, der mich fragt, ob denn nicht
die Gefahr bestünde, daß ich das alles verlieren könnte.

»Ein Notizbuch könnte ich auch verlieren«, sage ich.

»Ja, ja«, sagt der andere, »aber das wäre dann doch noch irgendwo.«

Und wenn ich ihm sage, daß ich von all dem, was hier im Computer ist, noch zwei Kopien habe, dann schaut er mich entsetzt an und
bricht das Gespräch augenblicklich ab. Ich ahne, was durch seinen
Kopf geht: »Betrug!« Und er hält wohl nicht nur meine Sicherungs-
kopien für Betrug, sondern auch die ganze Computerei und mich
und die Ähnlichen für Betrug und Betrüger.

»Teufelswerk«, hieß das mal – alles Unerklärliche wie Luftballon
und Eisenbahn und Fotografie und Telefon. Und ich habe fast ein
wenig Verständnis dafür, daß es Leser meiner Geschichten gibt, die
sich betrogen vorkommen, wenn sie hören, daß die Geschichten auf
einem Computer geschrieben wurden.

Im übrigen und ganz unter uns – der Computermuffel braucht

nichts davon zu erfahren –, selbstverständlich habe ich schon etliches auf meinem Computer verloren – acht Seiten eines Vortrags zum Beispiel –, aber glücklicherweise endgültig und unwiederbringlich verloren. Ich brauchte nicht stundenlang – wie früher, als ich noch Schreibmaschine schrieb – nach den acht Seiten zu suchen und sie dann, nachdem ich sie endlich gefunden, enttäuscht durchzulesen, mich hinzusetzen und von vorn zu beginnen. Nein, mein Computer zwingt mich, gleich nach dem Verlust neu zu beginnen. Und die neuen Seiten führen auf neue Wege, und keine Korrektur der alten wäre so gelungen wie die neuen Seiten.

Ich besaß mal eine wunderschöne Pelzmütze, einen Fuchspelz mit Schwanz dran. Es blieb mir nichts anderes übrig, als auf sie stolz zu sein – so wie mir damals nichts anderes übrigblieb, als sie zu kaufen. Kurz darauf hatte ich auf einem Flughafen zu warten, und ich bemerkte zwei junge Burschen, denen meine Pelzmütze gefiel. Erst beobachtete ich das mit Stolz, später mit einigen Bedenken. Ich wechselte den Platz mehrmals, sie wechselten ihn auch, ich ging an die Bar und sie auch. Und ich beschloß zu meinem eigenen Entsetzen, mir die Mütze stehlen zu lassen. Ich ließ sie also in der Bar liegen und sah im Weggehen über meine Schulter, wie die beiden mit der Mütze abhauten.

Mir ging es hinterher richtig gut. Die Mütze war endlich weg, die schöne, teure, attraktive Mütze war wirklich weg. Wie anders hätte ich sie loskriegen können, die Wunderschöne? Verzichten kann man auf eine Wunderschöne nicht, man kann sie nur verlieren. Kaum auszudenken, was alles geschehen wäre, wenn ich sie heute noch hätte. Pfui Teufel! Als freier Mensch, endlich, stieg ich ins Flugzeug.

Ob es wohl Menschen gibt, die in ihrem Leben nie etwas verloren haben? Es müssen unglückliche Menschen sein. Schon nur die Vorstellung, daß ich meine Briefmarkensammlung noch hätte, bringt mich zum Verzweifeln. Und vielleicht habe ich all dem, was ich verloren habe, mehr zu verdanken als all dem, was ich gewonnen habe.

Meinen Computer habe ich ab und zu im Verdacht, daß er im Verlieren sehr wählerisch ist. Er verliert nur jene Sachen, die ich eigentlich – und ohne es zu wissen – loswerden will. Das ist eine Täuschung, mein Computer hat weder eine Seele noch Erbarmen. Aber etwas, irgend etwas verlieren, das befreit. Mein Computer und meine Fehlmanipulationen helfen mir dabei – ohne ihn hätte ich den Mut zum Verlieren nicht. Und wenn ich mich nicht hätte bestehlen lassen, hätte ich diese verfluchte Pelzmütze noch immer. Mein Leben wäre mit ihr anders verlaufen – mit dieser scheußlichen Pelzmütze! (Ich habe das Geschehen auf dem Flughafen übrigens leicht verfremdet, damit nicht etwa die Diebe sich erkennen und auf den Gedanken kommen könnten, mir die Mütze zurückzuschicken.)

Vielleicht ist Verlieren befreiend, weil es viel persönlicher ist als Gewinnen. Der Verlierer ist allein mit sich selbst – den Gewinner feiern die Massen. Dem Verlierer wird die Zeit lang, dem Sieger läuft sie davon. Der Verlierer hat letztlich etwas gegeben, der Sieger hat nur etwas genommen. Ich denke an den fraglichen Entscheid am grünen Tisch nach dem Schlußgang des Eidgenössischen Schwingfests. Der einzige wohl, der dabei nichts verloren hat, war der Verlierer.

Als das Haus der Eltern von Albrecht von Haller – jener, der später den Leuten mit seinem großen Gedicht die Augen öffnete für die Schönheit der Alpen –, als das Haus brannte, ging der junge Albrecht unter Lebensgefahr zurück ins brennende Haus und rettete seine Gedichte.

Eine Woche später verbrannte er sie.

Mein Lektor würde das streichen

Im alten Luchterhand-Verlag gab es einen Autorenbeirat. Darauf waren die Autoren und der Verlag sehr stolz. Zwar hatten wir überhaupt nichts mitzubestimmen, aber immerhin hatten wir ein Vetorecht im Falle eines Verkaufs. 1987 trat der Fall ein. Der Verlag sollte an einen holländischen Konzern verkauft werden. So trat also dieser Autorenbeirat mit den Direktoren des Verlags zusammen. Zum ersten Mal hatte der Beirat eine ernste Funktion, er hatte die Macht, den Verkauf zu verhindern.

Die Sitzung wurde lang und hitzig und nach und nach auch unfreundlich und gehässig. Der kaufmännische Direktor drehte während der stundenlangen Verhandlungen nervös ein Zettelchen in den Fingern, wurde arrogant und arroganter und demonstrierte sein Desinteresse an uns und unseren Meinungen.

Als es dann endlich zu einer Abstimmung kommen sollte, strich der Direktor sein Zettelchen glatt, setzte eine bedeutende Miene auf und verkündete: »Ich habe hier eine Meldung des Besitzers: Der Autorenrat ist abgesetzt. Die Sitzung ist geschlossen.«

Betretenes Schweigen.

Da sprang der kräftige Autor Max von der Grün auf und sagte: »Mein Lektor würde mir das streichen.« Das war denn auch das letzte Wort in diesem Raum. Und es blieb hängen, blieb hängen für immer: »Mein Lektor würde mir das streichen.«

Was heißt eigentlich »wahrscheinlich«? Und was heißt »unwahrscheinlich«? Das Wahrscheinliche ist vorstellbar. Was nicht vorstellbar ist, ist unwahrscheinlich. Ein Autor, so meinte der Lektor, hat Wahrscheinliches zu schreiben.

Oscar Wilde, ein englischer Autor im 19. Jahrhundert, hat Ähnliches einmal so gesagt: »Es kommt weit öfter vor, daß das Leben die Kunst nachahmt, als umgekehrt.«

Die beiden Sätze gehen mir seit dem 11. September 2001 nicht mehr aus dem Kopf, und jener Satz von Oscar Wilde, der für mich immer ein hochintellektueller Satz war, den ich für etwas Literarisches oder Ästhetisches hielt, wurde für mich zum Satz des Grauens, zur Prophetie des Grauens.

Wie viele wohl haben an jenem 11. September im Fernsehen herumgezappt und jene Bilder der Realität sofort wieder verlassen, weil sie sie für Film hielten und keine Horrorfilme mögen. Nein, es ist nicht so, daß wir diese oder ähnliche Bilder noch nie gesehen haben. Wir haben uns in der schäbigen Kunst des Erfolgsfilms seit Jahren an sie gewöhnt. Die Kunst des Films hat alles Unwahrscheinliche schon längst wahrscheinlich gemacht. Kein Lektor braucht mehr etwas zu streichen, die Unwahrscheinlichkeiten sind ausgereizt, und der Satz von Wilde, »Es kommt weit öfter vor, daß das Leben die Kunst nachahmt«, bekommt seine grauenhafte Realität.

Nein, ich meine jetzt nicht einfach Vorbild. Ich meine auch nicht Schuld. Ich meine nur, daß wir in unserer Lust auf Grauen unersättlich geworden sind. Wahrscheinlichkeit und Unwahrscheinlichkeit sind nicht mehr auseinanderzuhalten.

Das Sterben von Menschen im Horror hat uns Hollywood doch schon längst zu unserem Vergnügen und für seine Milliardengewinne vorgeführt. Oder hat damals jemand nach dem Kinobesuch von Betroffenheit gesprochen?

Daran allerdings läßt sich nichts ändern: Der Markt ist frei, und die Künste sind frei. Daß Freiheit auch mißbraucht wird, liegt im Wesen der Freiheit. Die Größenordnung aber ist eine Frage der Zivilisation.

Es war schon immer eine der gesellschaftlichen Aufgaben der Künste, darauf aufmerksam zu machen, daß es das gibt: die Armut und das Machtdenken, die Gier und die Erbärmlichkeit, das Böse und das Gute. Und die Kunst hat mitunter auch Gutes bewirkt. Nämlich dann, wenn es ihr gelang, der Gesellschaft die Augen zu öffnen. Und eigentlich immer war die Realität schlimmer, weil die Kunst zurückhaltend war. Und wer Realität beschreiben wollte, der mußte sie zurückführen in die Wahrscheinlichkeit – er mußte sie durch Reduktion glaubhaft machen. Das ist inzwischen ein altes und durchaus lächerliches ästhetisches Problem. Sehr wahrscheinlich wußte damals nur Oscar Wilde selbst, wieviel Erschreckendes in seinem gescheiten Satz stand.

Die Exposés für die Filme über den 11. September sind wohl längst schon geschrieben. Die Drehbücher sind in Arbeit. Die Filmautoren sitzen begeistert und ohne Gänsehaut an ihren Manuskripten. Es ist nicht anzunehmen, daß ihnen die Realität genügen wird. Die Realität wird wohl weiterhin von ihrer schäbigen Kunst lernen müssen. Mindestens so lange, bis den Menschen das Grauen dieser Welt genügend Nervenkitzel ist.

Zeit der Betroffenheiten

Zwar bietet der Duden für das Wort »betroffen« Erklärungen und
Alternativen an, wie etwa »entsetzt«, »verwirrt«, »konsterniert«,
»entgeistert«, »fassungslos«, und so etwas Ähnliches wird der Bundespräsident ja auch jeweils gemeint haben, wenn er einem anderen
Präsidenten sein Mitgefühl wegen eines schrecklichen Ereignisses
auszudrücken hatte – aber er hat sich den Gepflogenheiten zu unterwerfen, und die entsetzliche Gepflogenheit heißt »Betroffenheit«.

»Mitleid« würde mir besser gefallen: »Wir leiden mit Ihnen.« Aber
Mitleid geht nicht. Mitleid hat man mit Erbärmlichen, mit Erbar-
menswürdigen, und man kann dem anderen Präsidenten nicht mitteilen, daß er erbärmlich sei. »Fassungslos« geht auch nicht, denn
unser Präsident hat seine Mitteilung gefaßt vorzutragen, und verwirrt zu sein, kann er sich als Regierender schon gar nicht leisten.

Es bleibt nichts anderes als das Wort »Betroffenheit«. Wie oft hatte
er es zu sagen in diesem Jahr? Und wie oft schon hat die eine Betroffenheit die andere weggewischt?

Ich stelle mir vor, einem Universitätsprofessor wäre vor einem Jahr
eingefallen, einem Studenten die Aufgabe zu stellen, was geschehen
würde, wenn das World Trade Center zusammenbrechen würde. Ich
nehme an, der Student hätte Horrorszenarien für die Weltwirtschaft
entworfen.

Ich nehme an, daß in diesen Türmen auch absolut unersetzbare
Topmanager saßen. Sie sind ersetzt, niemand ist unersetzbar. Wir
sind nicht – oder schon nicht mehr – betroffen. Betroffen aber sind
immer noch Menschen, die ihren Vater, ihre Mutter, ihren Freund,
ihren Bruder vermissen. Unsere verblaßte Betroffenheit erscheint
mir als Hohn gegenüber ihrer echten und immer noch gegenwärtigen. Wie viele Betroffenheiten haben wir schon längst vergessen?
Und viele Opfer leiden immer noch, Flüchtlinge, Gefolterte, Hungern-
de, genauso wie am ersten Tag unseres aktuellen Entsetzens.

Eine ganz andere Geschichte: Ich höre eine Erstkläßlerin erzählen vom Besuch der Picasso-Ausstellung. Gelobt sei die Lehrerin, die

auf diesen Einfall gekommen ist. »Ich kenne die ganze Geschichte von Picasso«, erzählt das Mädchen, »als er mal keine Farben und keine Formen mehr hatte, da hat er mit zwei anderen zusammen ganz von vorn angefangen, weißt du, ganz von vorn« – sie erzählt vom Kubismus –, »und es gibt Bilder, da müßte man zwei Tage und zwei Nächte davor stehen, bis man sie kennt.« Und sie beginnt zu zeichnen: Eine Frau, das Auge auf der Seite, der Mund auf der Seite, die Brüste eine Linie mit zwei Senkungen, genau zu erkennen, Picasso, ich kenne das Bild, und gleichzeitig ist es eine eigene Zeichnung des Mädchens, seine eigene Welt, da haben sich zwei große Maler getroffen und gefunden: Die naive kleine Zeichnerin und der alte Meister, der sich in die Naivität zurückgekämpft hatte. Die Begeisterung der kleinen Erstkläßlerin ist unbeschreibbar. Die Begeisterung, davon überzeugt sie mich, wird sie wohl ein Leben lang begleiten. Hier hat einer, Picasso, sie betroffen gemacht – nicht konsterniert, nicht verwirrt, nicht entsetzt, sondern betroffen. Es betrifft sie, es geht sie was an, sie ist eine Betroffene. Sie hat jetzt mit Picasso etwas zu tun. Sie fühlt sich von ihm verstanden.

Das Wort »naiv« habe ich auch im Duden nachgeschlagen. Es kommt vom Lateinischen »nativus« – »durch Geburt entstanden«.

Wir wissen vom Totenkult der alten Ägypter. Das ist uns auch nicht fremd: die Frage, was nach dem Tode sei. Aber wenn es nachher etwas gäbe, dann müßte es ja auch vorher etwas geben, dann müßten die Menschen von irgendwo herkommen, und sie müßten in diesem Irgendwo Erfahrungen gemacht haben. Sie müßten etwas wissen, was wir Erwachsenen längst vergessen haben, etwas aus dem »nativus« – aus der Geburt. Vielleicht wäre echte Betroffenheit etwas Naives.

Eine Ägyptologin übersetzte mir einmal direkt aus den Hieroglyphen eine Geschichte: Die Menschen haben oberhalb der Oberlippe ein Grübchen, und die ganz kleinen Menschen, die Säuglinge, haben darunter sogar ein kleines Zäpfchen. Das kommt daher, daß Gott ihnen, bevor er sie auf die Welt schickte, den Finger auf die Lippen drückte und ihnen einschärfte: »Nichts sagen, nichts verraten!«

Die Geschichte fällt mir jedesmal ein, wenn ich kleine Kinder sehe.

Ja, genau wie der Vater. Und das hat sie von der Mutter. Und sie lacht
wie der Großvater. Und dann haben sie alle noch vieles von nirgendwo. Von nirgendwo kann es aber nicht sein. Denn auch nirgendwo ist irgendwo.

Nein, die Erstkläßlerin ist nicht mehr naiv. Das Grübchen hat sie
zwar noch wie wir alle. Aber sie erzählt inzwischen, und die Dinge,
die sie hätte verraten können, hat sie inzwischen vergessen, wie wir
alle. Wie auch der alte Picasso. Er versuchte sich in seinen Bildern
daran zu erinnern. Im Museum haben sich zwei ehemalige Naive getroffen, haben sich erinnert, haben sich als Betroffene erkannt und
haben den Finger auf die Lippen gepreßt und sich verstanden gefühlt.

Am Pulsschlag des Lebens

»Wir wollen noch die Vitalfunktionen prüfen«, sagt die junge Pflege-
rin. Sie ist noch in der Ausbildung und hat den Begriff wohl in der
Schule gehört. Ich höre ihn zum ersten Mal, und ich erwarte eine
große Untersuchung. Aber es ist das Alltägliche: Fiebermessen, Blut-
druck, Puls. Sie sagt: »gut« und geht.

Ich fühle meinen Puls. Das ist sie also, die Vitalfunktion. Ich lebe,
ich bin vital. Ich denke, wie jedesmal, wenn ich meinen Puls fühle,
an den Berner Schriftsteller und Arzt im 18. Jahrhundert, an Albrecht
von Haller, der sterbend seinen Finger an seinem Puls hielt und seinen eigenen Tod diagnostizierte: »Il bat, il bat – il ne bat plus.«

Meiner schlägt noch, schön regelmäßig. Der Gedanke daran beruhigt mich, ich bin ruhig, ich fühle mich wohl.

Leben an und für sich, wenn das Herz schlägt und wenn das Hirn
dies feststellen kann. Ich fühle mich gut, ich lebe. Ich genieße es, auf
meine »Vitalfunktionen« reduziert zu sein: »Il bat, il bat, il bat.« Reduziert sein auf das, was man ist, ein schlagendes Herz und ein durch-
blutetes Hirn. Ich mag weder lesen noch Radio hören, fernsehen
schon gar nicht. Nur daliegen und leben. Schön wäre es, wenn man

das für einmal wieder ganz und gar könnte. Aber so ganz und gar gelingt es mir nicht.

So ganz und gar wie damals als Kind: Die wunderschönen kleinen Krankheiten mit richtigem hohen Fieber, mit einer besorgten Mutter, mit Haferschleimsuppe mit einem kleinen Stück Butter in der Mitte, das langsam zerging und seine gelben Kreise im Grauen zog – und Kartoffelstock und richtig daliegen und richtig zugedeckt sein und richtig krank sein.

Damals, als Kinder, konnten wir das noch. Das mag daran liegen, daß der Tod in der Vorstellung ein bißchen weiter weg war. Aber als ich Diphtherie hatte, wußte ich genau, was das bedeutete. Ich wurde kurz vorher dagegen geimpft und auch darüber aufgeklärt, warum man impfen muß. Vorläufig hatte ich gar keine Zeit, krank zu sein, vorläufig hatte ich nur Schmerzen, aber ich kriegte Antibiotika, sie waren ganz neu damals, und nach zwei Tagen war alles weg, und ich war gesund.

Nun kam die lange Zeit der Quarantäne. Herr Dr. Schnöller, unser Arzt, setzte durch, daß ich die Quarantäne zu Hause in meinem Zimmer absitzen durfte. Und was heißt da absitzen: Es war ein Abliegen, ein Abschlafen, ein Abtanzen, ein Ablesen, ein Ableben.

Keine Zeit in meinem Leben war mir so wichtig wie diese. Niemand durfte mein Zimmer betreten. Was ich brauchte, wurde mir vor die Tür gestellt. Was ich nicht mehr brauchte, stellte ich vor die Tür. Und ich hatte jetzt nichts mehr anderes zu tun, als krank zu sein – und dies, ohne es wirklich zu sein.

Ich langweilte mich plötzlich nicht mehr. Ich hatte mich nicht mehr zu entscheiden, ob ich dies oder das mochte. Ich hatte nur noch zu sein, hier zu sein, zurückgeworfen auf mich selbst – nur auf mich selbst, auf meine »Vitalfunktionen«! Ich hatte plötzlich ein Leben, ich spürte körperlich ein Leben, und das Leben war ich, ich selbst.

Ich saß auf dem Fenstersims, baumelte mit den Beinen und schaute dem Leben der anderen Kinder zu, und es spielte keine Rolle mehr, ob ich mitspielen durfte oder nicht. Ich war jetzt Ich, ich selbst – in meiner Welt, die niemand betreten durfte. Und ich war, darauf beharrte ich, krank. Und was ich tat, das hatte keinen Zweck mehr zu haben. Ich las meine Bücher nicht mehr, um die Zeit zu vertreiben. Ich machte meine Schulaufgaben, die mein Lehrer Hasler vorbeibrachte, weder für ihn noch für mich, sondern einfach so, weil es jetzt nicht mehr unsere Aufgaben waren – sondern meine. Sie gehörten mir, und ich konnte darüber entscheiden.

Ich wurde in diesen sechs Wochen jemand. Jemand mit einem eigenen Herzschlag, mit einem eigenen Puls, mit einer eigenen Welt.

Herr Dr. Schnöller besuchte mich ab und zu – ohne Grund, einfach so. Er durfte mein Zimmer betreten. Und er besuchte mich, nicht meine Eltern. Und er setzte sich und sprach mit mir wie mit einem Erwachsenen. Und ich war der Gastgeber, und er war der Gast. Wir sprachen viel über Bücher. Er las viel und ich auch. Und er kam immer öfter. Ich empfing einen Gast. Ich war jemand.

Wohl keine Zeit hat mich so nachhaltig geprägt wie jene sechs Wochen der Quarantäne, die einzigen sechs Wochen, die nur mir, nur mir und meinen »Vitalfunktionen« gehörten. Ich habe sie als kleines und leider immer kleiner werdendes Gärtchen in meinem Herzen mitgetragen bis heute. Nichts, aber auch gar nichts, langweilt mich weniger als das Nichtstun: dasitzen und sein.

Bald kommt wieder die Zeit der Neujahrswünsche: »Und eine gute Gesundheit, das ist das Wichtigste!« Ich erschrecke immer bei diesem: »Das ist das Wichtigste«. Jedenfalls beneide ich den nicht, der sein ganzes Leben nie krank war. Ich fürchte, er hat sein ganzes Leben der Gesundheit geopfert.

Weiße Weihnachten

Weihnachten, ein Fest der Erinnerung: Wie weiß war sie doch damals, wie still und wie bescheiden. Das Fest, das ist wohl wieder einmal vorbestimmt, wird uns wohl mißlingen. Sie wird wohl kaum weiß sein und still und bescheiden wohl gar nicht. Die Erinnerung, die wunderbare, macht die Gegenwart schal. Und dies nicht nur für die Siebzigjährigen, die sich an die dreißiger Jahre erinnern, sondern auch für die Dreißigjährigen, die sich an die siebziger Jahre erinnern, und wohl auch für die Zwölfjährigen, die sich an 1995 erinnern. Für alle war sie damals wohl weiß, still und bescheiden.

Und davon, das ist das Elend, wissen die heutigen Jungen eben nichts mehr. Und so ist es wohl einfach: Die heutigen Jungen sind schuld daran, daß das Fest mißlingt. Und das mit der Kommerzialisierung war noch nie so schlimm wie dieses Jahr. Es gab, so lang ich lebe, noch kein Jahr, wo ich das nicht gehört hätte.

Ein paar Tische weiter sitzen die Stammtischbrüder. Sie haben gehört – nein, nicht gelesen, sondern gehört –, daß es um die Lesefähigkeit der Jugendlichen schlecht bestellt sei. Und der eine sagt wirklich: »Wir konnten noch lesen mit sechzehn.« Ich kenne ihn. Ich habe ihn noch nie mit einer Zeitung gesehen, und wenn ich ihm meine Zeitung hinüberschiebe und sage: »Lies das mal«, dann sagt er, er habe seine Brille vergessen. Ich nehme an, daß auch er in seinem Alter weitsichtig sein muß, aber ich habe ihn noch nie mit Brille gesehen. Er besitzt keine. Wie kommt er denn dazu, sich als Analphabet darüber aufzuhalten, daß die heutige Jugend nicht mehr lesen kann. Er stellt sich vor, daß er es konnte, als er jung war.

Und jetzt – es war zu erwarten – die Klage darüber, daß die heutige Jugend verweichlicht sei. Der Verteidigungsminister hat es in die Welt gesetzt und offene Ohren gefunden (mit Ausnahme der Spitzensportler selbstverständlich). Und die Stammtischbrüder stellen fest, daß die Jungen nur noch herumhängen, saufen und kiffen, und dann kommen ihre Militärgeschichten, und was für harte Kerle sie noch waren. Auch der Dreißigjährige am Tisch erzählt von seiner Jugend. Und wäre ein Siebzehnjähriger hier, dann wüßte auch der zu erzählen, wie hart sie noch in ihrer Jugend arbeiten mußten.

Und all das war damals, als das Weihnachtsfest noch weiß, still und bescheiden war. Damals, als die jungen Leute noch nachts allein im Wald standen. Damals, als man noch abtrocknen mußte. Damals, als man noch ein kleines, vom Vater zusammengebasteltes Holzspielzeug geschenkt bekam. Damals, als wir alle noch in bescheidener Armut gelebt haben und dabei hart und stark geworden sind – zum Beispiel richtige Schweizer geworden sind, die nachts allein und

furchtlos im Wald standen. Damals 1938 oder damals 1973 oder damals 1995. Jedenfalls damals. Damals, als die Jugend noch lesen
konnte – als wir noch lesen konnten.

Ja, davon sind sie überzeugt, die Stammtischbrüder: Aus ihnen ist
jedenfalls etwas geworden. Schweizer zum Beispiel, richtige Schweizer sind sie geworden. Mit ihnen sollte der Verteidigungsminister
seine Armee machen: Wie die alten Eidgenossen – ein bißchen
Schnaps, und keiner mehr wäre ihnen gewachsen. Ja, Schweizer –
eben Schweizer, die Jungen haben keine Ahnung mehr davon.

Und eine andere Eigenschaft haben sie auch erreicht: Sie sind
erwachsen geworden. Und wenn man erwachsen ist, dann darf
man: Man darf ins Kino, man darf nach Hause gehen, wann man
will – dann darf man alles. Und wenn man erwachsen ist, dann
muß man nicht mehr, dann muß man zum Beispiel nicht mehr lesen
können. Die Männer am Stammtisch sind, ohne zu erröten, entsetzt
darüber, daß die Jugend Mühe hat mit dem Lesen. Sie sind etwa so
entsetzt, wie wenn sie hören, daß die Jugend heute nicht mehr abtrocknen muß. Daß Erwachsene das nicht müssen, ist für sie selbstverständlich.

Muß deshalb die Jugend immer für unsere Schwächen herhalten,
weil wir Erwachsenen uns längst vom Zwang der Tugenden verabschiedet haben? Wir müssen nichts mehr. Wir sind, im Unterschied
zu den Jungen, etwas geworden: Wir sind Erwachsene geworden.

Die heutige Jugend aber, die gab es schon immer. Und sie war schon
immer verwöhnt und verweichlicht und interesselos. Sie glich schon
immer jenen Erwachsenen, die schon immer überzeugt waren, eine
andere Jugend gehabt zu haben. Weshalb sind sie denn so geworden,
diese Erwachsenen, trotz ihrer anderen Jugend?

Ja, es gibt genügend Gründe dafür, daß uns – uns Erwachsenen –
das Weihnachtsfest mißlingt. Unsere Verlogenheit zum Beispiel, unsere verlogene Erinnerung. Sollte Ihnen Ihr Weihnachtsfest aber wirklich mißlingen, dann bleibt Ihnen der Trost, daß auch Ihre Kinder
sich dereinst an eine weiße, stille, ruhige und bescheidene Weihnacht
erinnern werden. Und daß auch Ihre Kinder dereinst ihren Kindern
entsprechende Vorwürfe machen werden. Ich wünsche jedenfalls
Ihren Kindern ein entsprechendes Fest.

Zeit zum Lesen

Vor der Veranstaltung machte mich der Schuldirektor darauf aufmerksam, daß es schwierig werden könnte mit seinen Schülern, sie
brächten die Geduld für Literatur kaum mehr auf. Und dann sagte
er etwas, das mich beeindruckte. »Wir Lehrer«, sagte er, »sind zu
langsam«, und er erzählte von einem Experiment, das er kürzlich
mit Schülern und Lehrern zusammen gemacht habe. Sie hätten gemeinsam verschiedene Videoclips angeschaut und hinterher aufgeschrieben, was sie gesehen hätten. Die Schüler hätten das mühelos
auflisten können. Die Erwachsenen aber hätten sich kaum noch erinnern können, hätten eigentlich kaum etwas gesehen, es sei ihnen
alles zu schnell gewesen.

Der Schuldirektor zog daraus den Schluß, daß man diese Aufnah-
mekapazität der Schüler ausnützen müßte, und er machte sich seine
Überlegungen dazu.

Ja, er hatte erst einmal recht. Die Aufmerksamkeit bei der Lesung
war zum mindesten geteilt. Hinterher kam die Diskussion. Und er
hatte noch einmal recht: Die Fragen waren schnell und frech und
unzensuriert. Die Schüler versuchten mich auf Trab zu bringen, aus
dem Gleichgewicht zu bringen, vom Seil stürzen zu lassen. Mir blieb
als Mittel dagegen nur die Langsamkeit.

Ich beantwortete die Fragen zögernd. Oft hatte ich mit der Beant-
wortung der einen Frage noch nicht begonnen, als schon die nächste kam – und plötzlich hatte ich ein aufmerksames Publikum. Die
Fragen wurden länger, die Schüler begannen zu erzählen. Die Veranstaltung dauerte eine gute Stunde länger als geplant.

Kürzlich sah ich in der Fernsehsendung »C'est la vie« mit Patrick
Frey einen Mann, der aus seinem Leben nichts Spektakuläres zu erzählen hatte. Ein zufriedener Mensch mit einem guten Leben. Keine
Klagen, keine Ängste – und irgendwie nahm die Spannung von Satz
zu Satz zu. Die Langsamkeit wurde zur Spannung, und auf die Frage
nach seinem Verhältnis zur heutigen Jugend fiel plötzlich der Satz,
der mir seither dauernd durch den Kopf geht: »Vielleicht werden die

heutigen Jungen das gehetzte Leben wieder langsamer machen.« Das erinnerte mich an jenen Schuldirektor. Darauf ist er in seinen Überlegungen nicht gekommen: daß nämlich nicht etwa die Jungen das Leben schnell gemacht haben, sondern die Alten. Die Jungen können es nur besser und sind noch schneller. Und die Lehrer wollen schnell werden und rennen ihnen hinterher.

Langsamkeit, was ist das? Mir ging das durch den Kopf, als ich vor jenen Schülern saß und großväterlich deren Fragen zu beantworten versuchte:

Es war einmal vor langer, langer Zeit ein Briefkastenonkel im Radio. Dem schrieb man, wenn es Unstimmigkeiten gab über die Höhe eines Berges oder die Tiefe eines Sees, ein Briefchen und wartete dann wochenlang, bis im Radio die Antwort kam. »Liebe Nichten und Neffen«, begann dann der Briefkastenonkel, und er gab nicht nur eine Antwort, sondern er erzählte vorerst über Berge und Seen, über die Probleme der Vermessung, über die Weltmeere, über Längen- und Breitengrade. Er hatte Zeit, und sollte der Streit am Stammtisch über die Tiefe des tiefsten Binnensees ein heftiger gewesen sein, der Briefkastenonkel schlichtete ihn gemütlich.

Nein, niemand wünscht sich ihn zurück. Er wäre nicht mehr auszuhalten, und auf Informationen wartet niemand mehr wochenlang. Die ruft man heute ab, und niemand mehr möchte sie erzählt haben. Da gibt es kein Zurück, die Langsamkeit ist verloren.

Die Langsamkeit des Briefeschreibens, die Langsamkeit des Briefelesens, die Langsamkeit der Zeitung, mit der man gemütlich neben dem Kaffee den Tag begann. Die Welt rast, und wer nicht mitrast, ist verloren. Und so rasen wir halt – die Jungen etwas schneller und die Alten hinterher.

Und mitten in die Raserei hinein platzt kurz die Pisastudie, die feststellt, daß es schlecht steht um die Lesefähigkeit der Jungen. Und selbstverständlich kann das nur die Schule gewesen sein, die versagt hat.

Der Schuldirektor wird sich wohl wieder Gedanken machen müssen. Und er wird wohl wieder feststellen, daß die Schule zu langsam ist.

Ja, darüber sind sich nun alle einig: Die Schule muß verbessert werden, muß effektiver werden, muß mehr Leistung bringen.

Doch ich fürchte, die Schule hat nur insofern damit zu tun, daß sie eben ein Teil der Welt ist – jener Welt, die längst zu schnell geworden ist für das Lesen. Ich fürchte, wieder einmal mehr wird hier etwas auf die Schule geschoben, was nicht die Schule angeht, sondern uns alle – und eine Pisastudie unter Erwachsenen hätte wohl noch viel erschreckendere Ergebnisse.

Das Verhältnis der Gesellschaft zur Schule ist verlogen. Eine Welt, die nicht mehr liest, möchte lesende Schüler. Eine Welt der Gewaltigen und in der Gewalt Tätigen möchte eine Schule, die zur Gewaltfreiheit erzieht. Die erfolgreichen Einzelkämpfer möchten eine Schule, die das Sozialverständnis fördert.

Aber in Wirklichkeit möchten wir doch nur eine Schule für Erfolgreiche, für eine erfolgreiche Wirtschaft zum Beispiel. Und diese Schule haben wir doch – und diese Wirtschaft auch. Und nicht die Schule hat die Welt schnell gemacht, sondern wir.

Ich danke, daß Sie sich Zeit genommen haben, zu lesen.

Eine Schweiz, die siegt

Ich hasse die Freiheit. – Nein, das stammt nicht von mir, und es hat auch mich erschreckt. Gefunden und gelesen habe ich den Satz in einem Eisenbahnwagen – schön säuberlich von der SBB selbst an die Wand geschrieben.

»Ich hasse die Freiheit, wenn ich sie so hingeworfen bekomme, wie man einem Hund einen Knochen hinwirft.« Das Zitat stammt von Robert Walser. Ein Dichter, den man sich – vielleicht auch zu Unrecht – als sanft und still vorstellt. Ein Dichter, von dem man nicht eigentlich Politisches erwartet.

Aber weniges, das mir in letzter Zeit begegnet ist, erscheint mir als derart politisch aktuell wie dieser Satz von Walser: Den Menschen – auch hungernden Menschen zum Beispiel, die nicht nur Brot

ersehnen, sondern auch Gerechtigkeit – die Freiheit, die Demokratie
als Knochen hinwerfen.

Die Populisten beherrschen die Kunst des Kurzfutters, sie bedienen mit ihm die kurzfuttersüchtige Presse, sie liefern den einen Satz
für das Fernsehen – das Kurzfutter, den Knochen.

Präsident Bush tut es noch und noch. Er setzt Wörter in die Welt,
die einmal einen Inhalt hatten: Freiheit, Demokratie – und er benötigt
dafür keine Definitionen. Demokratie ist Demokratie, und damit
basta. Die Knochen sind eine einfache Mahlzeit, und Hunde lieben
sie. Das ist nicht nur menschenverachtend gegenüber jenen, die akut
leiden, es ist auch menschenverachtend gegenüber jenen, denen die
Botschaft gilt, dem Volk, der Meute.

Davon wissen die Populisten nichts, denn die Halter der Meute gehen davon aus – nicht nur zu Unrecht –, daß sie von ihren Hunden
geliebt werden, und weil sie es lieben, geliebt zu werden, gehen sie
davon aus, daß sie ihre Hunde lieben. Die Meute sieht das umgekehrt wohl ähnlich. Sie liebt im übrigen Knochen, das Geschäft funktioniert auf Gegenseitigkeit. Nicht etwa in dem Sinne, daß der Meister auch Knochen liebt, aber er liebt jene, die Knochen lieben. Die
Reichen lieben die Armen durchaus.

Und die Hunde sind seit Jahrhunderten auf dem Sprung, Menschen
zu werden. Sie haben bereits und seit Jahrhunderten die Sympathie
der Menschen, und wer die Sympathie hat, ist auf dem Sprung. Wer
zum Beispiel die Sympathie der Rotarier hat, ist auf dem Sprung, einer
zu werden. Die Meutebesitzer leben davon, daß sie ihre Hunde im
Glauben lassen, sie könnten Menschen werden. (Die Reichen leben
davon, daß sie die Armen im Glauben lassen, sie könnten Reiche
werden.)

Und Mensch werden, das wäre dann so etwas wie Freiheit oder
Unabhängigkeit – der Knochen selbst ist der Inhalt. Der Knochen
heißt zum Beispiel »Freiheit«. Was das ist, spielt keine Rolle, halt
eben Freiheit, und der Knochen, das sei zugegeben, klingt gut. Und
wenn es dem Meister gutgeht, dann geht es der Meute gut. Das ist
zwar eigentlich nicht demokratisch, aber trotzdem: Demokratie, Freiheit, Neutralität, das sind gute Knochen. Und die Frage ist nicht mehr,

ob wir die Abstimmung gewinnen oder verlieren – sondern er, der Meister. Die Meute ist vor den Schlitten gespannt, nicht sie wird gewinnen oder verlieren, sondern ihr geliebter Meister, der ihnen die Knochen vorwirft.

Ein Populist ist nicht einfach ein Politiker, der mit populären Mitteln eine Sache vertritt – er ersetzt die Sache durch seine Person. Nicht die Sache wird gewählt, sondern er. Damit wird die direkte Demokratie, auf die wir mit Recht stolz sind und mit der er wirbt, letztlich ausgehöhlt.

Das ist, und es sei deutlich gesagt, nicht die Schuld des Populisten. Er hat das nicht erfunden, so wie der Hundehalter die grundsätzliche Anhänglichkeit der Hunde nicht erfunden hat.

Es hat wohl viel mehr damit zu tun, daß es der Demokratie in über 150 Jahren immer noch nicht gelungen ist, aus Bürgern Demokraten zu machen. Immer noch träumen sie vom starken Mann, vom König, von dem einen, der dann alles machen wird, und zwar richtig. Immer noch möchten sie einen Bundesrat, der nicht demokratisch verwaltet, sondern souverän regiert. Ausgerechnet jene, die von der Freiheit und der Demokratie sprechen.

Hier mußte ich das Schreiben unterbrechen. Es war Zeit für Simon Ammanns zweiten Sprung zur zweiten Medaille. Er fliegt und fliegt, und er schafft es. Ich verspüre ein Würgen im Hals, eine Träne im Auge. Schließlich sind wir beide – er und ich – Schweizer. Und nicht nur der Skispringer hat gewonnen, sondern die Schweiz. Die Schweiz hat eine zweite Goldmedaille. Die Schweiz hat gesiegt.

Vielleicht ist es das, was die Meute meint: Eine Schweiz, die nichts anderes ist als die Schweiz, eine Schweiz, die siegt.

Ja, es gibt durchaus eine Schweiz, die nicht einfach nur politisch ist, und die Sehnsucht nach einer Schweiz, die eben nichts anderes und nur die Schweiz ist, ist verständlich.

Nur – die Entpolitisierung wäre das Ende der Schweiz, das Ende der Demokratie. Der Glaube an den einen starken Mann führt zur Entpolitisierung. Wer nur noch siegen und den Sieger will, hat die Demokratie aufgegeben.

Von Paris erzählen

Es gibt Tage, die haben keine Gelegenheit stattzufinden. Sie sind dadurch gelähmt, daß man heute nichts tun kann, weil noch so viel zu tun wäre – morgen, übermorgen, nächste Woche. Man kann jetzt nichts tun, weil viel anderes dringend zu tun wäre, und nicht alles, was morgen zu tun ist, kann man heute schon tun.

Am Ende eines solchen langen, langen Tages zwei gute Freunde getroffen. Zwei von jenen Freunden, die man selten sieht, oft monate- oder jahrelang nicht, und an die man immer denkt, nach denen man sich immer wieder erkundigt und sich vornimmt, sie anzurufen. Wir setzten uns in die Abendsonne und redeten und redeten.

Der Tag wurde doch noch zu etwas, zu einem Augenblick, zu einem langen Augenblick. Ich stellte beim Nachhausegehen fest, daß ich doch gern lebe.

Ich erzählte meiner Frau von der beglückenden Begegnung, und sie wollte wissen, wie es den beiden denn gehe. Zu meiner Überraschung wußte ich es nicht. Dann wollte sie wissen, was sie denn erzählt hätten. Das wußte ich zwar noch – das Gespräch war mir wichtig und hatte mich beglückt –, aber nun war es plötzlich nicht mehr erzählenswert. Zwar wußte ich noch, wovon wir gesprochen hatten, aber ich hätte nur den Inhalt des Gesprächs wiedergeben können, und hätte ich es getan, ich hätte mir selbst die Freude an jener Begegnung verdorben.

Warum kann man das später nicht erzählen? Ganz einfach: Eben weil es nicht erzählbar ist.

Ich habe zwei Bücher bekommen, auf denen mein Name steht und die ich nicht lesen kann – eines auf dänisch, eines auf koreanisch. Selbstverständlich freue ich mich, bin ein wenig stolz darauf, und weil ich sie nicht lesen kann, bleibt mir nichts anderes übrig, als sie ein bißchen zu streicheln. Aber irgendwie sind mir die beiden Bücher peinlich. Ich fürchte, daß sie vielleicht nur übersetzt sind, daß darin nur wiedergegeben ist, was ich geschrieben habe. Ich nehme zwar an, daß der Übersetzer sich über meinen Text gefreut hat – so wie ich mich über das Gespräch gefreut habe –, aber ich fürchte, daß er ihn nur wiedergibt, ohne ihn erzählbar gemacht zu haben. Was man erzählt, das muß erzählbar sein.

Es gibt bestimmt unübersetzbare Texte – Texte, die man nicht noch einmal erzählbar machen kann.

Die Fragen meiner Übersetzer nach der Bedeutung einzelner Wörter machen mich skeptisch, die Bedeutung einzelner Wörter hat mit der Erzählbarkeit nichts zu tun.

Es würde mir leichter fallen, über Paris zu erzählen als über New York. Paris kenne ich sehr gut aus literarischen und privaten Erzählungen, aus dem Kino auch. Paris ist für mich zum vornherein eine Erzählung, weil ich im wirklichen Paris noch nie war. In New York war ich aber oft und lange. Vorläufig würde mein Bericht darüber heißen: »Ja, ja. New York.« Für mehr müßte ich es erst erzählbar machen.

(Ich erinnere mich an den alten Bauernknecht, der – vor allem durch mißliche Umstände – weit in der Welt herumgekommen war. Er war ein ehrlicher Erzähler, und das ging so: »Hongkong zum Beispiel, ühh dehr – Helsinki zum Beispiel, ühh dehr – Paris zum Beispiel, ühh dehr ...«. Ich hätte ihm stundenlang zuhören können, die Namen der Orte, die er genüßlich über die Zunge fließen ließ, waren die ganze Geschichte. Er konnte viele Fremdsprachen. Und er wußte von den Grenzen der Erzählbarkeit.)

Als Kind hat man sich vorgestellt, später einmal die ganze Welt anzuschauen, Afrikaforscher zu werden, China zu bereisen wie Marco Polo. Ich saß vor der Weltkarte und plante meine Reisen. Auf Australien verzichtete ich zum voraus, aber Paris hatte erste Priorität. Inzwischen bin ich durch beruflichen Zufall in Australien gewesen, in Paris nie. Ich werde das auch nicht nachholen. Aber die Möglichkeit, einmal hinzufahren, bleibt mir wichtig. Ich bin darauf angewiesen, daß es Paris gibt. Im Kleinen nennt man das Infrastruktur: Alle ärgern sich darüber, daß sonntags fast alle Restaurants geschlossen sind, aber die wenigen in der Stadt, die offen sind, sind leer. Man geht zwar nicht hin, aber die Vorstellung, überhaupt nicht hingehen zu können, ist unerträglich. Ich war schon seit Monaten nicht

mehr im Kino – trotzdem, ich finde, daß es in meiner Stadt zu wenige
Kinos gibt. Ich bin froh, daß es eine ganze Welt gibt. Ich brauche sie
als Fluchtmöglichkeit – nicht in Wirklichkeit, aber in meinem Kopf.
Ich bin froh, daß Paris am Sonntag offen ist.

Darüber sprachen wir drei an diesem schönen Abend, fiel mir hinterher ein. Und wenn man mich fragt, warum denn das Sprechen über
solche Dinge glücklich machen kann, dann kann ich nur hilflos mit
den Schultern zucken, denn weil ich es nicht übersetzen kann vom
Deutschen ins Deutsche, weil ich es nicht erzählbar machen kann,
bleibt es nur ein Inhalt, nur ein Thema. Sprache hat mit Sprechen zu
tun. Hie und da erleben wir Sprache als Glück. Eben, wenn wir sprechen – über irgend etwas –, über Paris zum Beispiel.

Provinzieller Nachtrag zum Fall Borer

Einer verteidigt Botschafter Borer. Die anderen am Tisch haben Bedenken, und nicht eigentlich im Ernst, sondern einfach, weil er sich
mal so positioniert hat, kämpft der eine und ringt nach Argumenten.
Und jetzt hat er endlich, wir sind in Solothurn, ein Argument: »Er
ist doch Solothurner!«

Ja, das ist er zwar, aber eigentlich nur territorial, er ist Schwarz-
bube, das liegt hinter dem Berg, und einige am Tisch kennen Mallorca
oder Thailand besser.

»Er ist doch Solothurner«, es wird still, zwar nur für Sekunden,
aber das fällt hier, wo es selten still ist, auf. Irgendwie hat das alle
überrascht, alle hier sind »Solothurner«, aber eine Nationalität ist
das schon lange nicht mehr. Wenn ein Schweizer eine Goldmedaille
gewinnt, dann genügt das voll und ganz, und daß die Schweizer Männer im Curling eine Medaille gewonnen haben, wird mit Freude vermerkt, daß zwei davon Solothurner sind, kommt höchstens noch
ein bißchen dazu.

Dabei war Solothurn einmal durchaus ein Land – zwar nicht eine
Nation, oder doch, aber nur kurz, denn Nationen gab es erst nach
der Französischen Revolution.

Zwar haben wir immer noch eine Regierung, die mitunter durchaus noch an den Feudalismus erinnert und sich auch beklagt über die mangelnde Identifikation mit dem Kanton – ein Image-Problem, wie sie das nennt. Und der Fußballclub beklagt sich über mangelnde Identifikation mit »seinem« Club, und die Musik beklagt sich und vielleicht auch der kantonale Kaninchenzüchterverein.

Ich habe zu Hause ein Glas Honig von Fritz Ischi, er ist der beste – ich meine den Fritz –, und sein Honig ist wunderbar, und auf dem Glas steht: »Bienenhonig aus der Region Solothurn«, nicht »Solothurner Honig«, so wie es »Schweizer Honig« oder »Französischen Honig« gibt, sondern eben Honig aus der Region Solothurn. Dort wohne ich, dort fühle ich mich ab und zu ein bißchen wohl – wäre es aber eine Nation, ich würde lieber im Baselland leben und dort um Asyl bitten. Ich habe das Recht, als Fremder in der eigenen Gegend zu wohnen, denn ehrlich, ein Solothurner bin ich eigentlich nicht – Schweizer aber schon, gar nicht so ungern, aber das spielt keine Rolle. Auch wenn ich es ungern wäre, könnte ich wenig dagegen, oder nur unter größten Anstrengungen, unternehmen.

Und übrigens habe ich das Wort »Nation« im Zusammenhang mit der Schweiz schon lange nicht mehr gehört. Ein »Volk«, das gibt es zwar noch im Zusammenhang etwa mit Demokratie, Wahlen und Abstimmungen – sogar ein Solothurner Volk gibt es noch, aber auch nur noch in diesem Zusammenhang.

Aber es gibt durchaus noch Nationen. Die USA ist eine Nation. Und Israel ist eine Nation. Und Nationen lassen sich nicht beleidigen, weil sie mächtig sind und eine Armee haben. Sie haben auch Abschreckungswaffen, Atombomben zum Beispiel. Die Welt hat zwar schon längst beschlossen, daß jener, der sie abwerfen wird, ein Verbrecher ist. Die Abschreckung besteht also auch darin, daß die »Nation« damit droht, zum Verbrecher, zum unberechenbaren Verbrecher zu werden.

Terrorismus zum Beispiel ist ein Verbrechen. Mit Verbrechen haben sich die Polizei, die Justiz, der Rechtsstaat, die internationale Gemeinschaft auseinanderzusetzen. Terrorismus ist kein militärisches Problem – aber eben: Terrorismus ist immer ein Anschlag auf den

Staat, und wenn dieser Staat dann halt eine »Nation« und seine
Macht nur noch eine Armee ist, dann kann er auf Terrorismus nur
noch mit der Armee reagieren. Es ist kein Zufall, daß jene politischen
Kreise, die für weniger Staat plädieren, immer auch für mehr Armee
plädieren – denn die Armee ist letztlich der Ort der Rechtlosigkeit:
Töten ist nicht mehr Mord. Befehlen ist nicht mehr undemokratisch.
Lügen ist taktisch und heißt Desinformation – eine schlechte Schule
für Bürger. Die Armee, wenn sie ihre Freiheit hat, läuft jedem Staat
aus dem Ruder – die unkontrollierte Freiheit etwa des militärischen
Geheimdienstes in der Schweiz.

Solothurn ist keine »Nation« mehr, Gott sei Dank, und selbst
Appenzell, eigenartig und eigenständig, ist keine mehr. Und »Nation« ist ein Begriff des 19. Jahrhunderts. Das Insignum der Nation,
die Armee, haben wir zwar noch – aber eingesetzt wird sie nur
noch von jenen, die die Vorstellung von »Nation« haben. Der Traum
der Juden von einem eigenen Staat war ursprünglich ein wunderbarer Traum des 19. Jahrhunderts. Sie haben es endlich realisiert, das
19. Jahrhundert – mit Waffen des 21. Jahrhunderts.

Aber an jenem Tisch existiert das Problem Israel nicht. Und
würde man nach jenem Land in der Gegend von Indien fragen, dann
bekäme man wohl zur Antwort: »Ach ja – die Talibans«, in einem
Tonfall, als wäre das alles schon lange her. Die Armeen, die für Tausende brutale und gesetzlose Realität sind, beginnen uns offensichtlich zu langweilen. Ach ja, über Borer wollte ich schreiben, das habe
ich jetzt verpaßt.

Die Abenteurer

An der Wand in meinem Zimmer hängt ein längst vergilbter Fax.
Die alten Faxe ziehen sich nach und nach diskret zurück wie mein
wunderbar alterndes Gedächtnis, und auch sie – immer noch überraschend moderne Technik – bekommen die tröstliche Patina des
»Lang-lang-ist's-her«.

»Ich habe Ferien und ich wünsche Dir viele Abenteuer«, faxte mir damals – eben vor langen Zeiten – meine Enkelin, die inzwischen, einiges älter geworden, ihre Reklamationen, wenn ich ihr SMS nicht gleich beantworte, mit »Erde an Großvater« beginnt. Der Großvater, der vor einiger Zeit noch als abenteuerfähig galt, schläft inzwischen.

Vielleicht meinte sie mit ihrem Fax damals auch etwas anderes. Der Krampf der Erstkläßlerin mit den Buchstaben produziert halt dann irgend etwas, zum Beispiel Abenteuer. (So wie mein Krampf mit der Kolumne letztlich auch ein Krampf mit Buchstaben ist und – so hoffe ich – dann halt auch irgend etwas wird.)

»Kürzlich habe ich einen Zufall erlebt«, hat Karl Valentin in einer seiner Nummern gesagt. »Kürzlich habe ich ein Abenteuer erlebt«, würde genauso absurd klingen. Aber der Wunsch – ich wünsche Dir Abenteuer – hat mich damals gerührt. Inzwischen ist der Wunsch vergilbt. Und wenn ich es mir genau überlege, ich hatte seither kein einziges Abenteuer. Muß auch nicht sein.

Dabei waren sie versprochen worden, uns allen. Und das Versprechen hieß einmal Livingstone, es hieß Tom Sawyer und Huckleberry Finn, es hieß Rote Zora und Albert Schweitzer, Mahatma Gandhi, Einstein und Oskar Bider, Lederstrumpf und Robinson – und später Oliver Twist, Tristram Shandy, der grüne Heinrich und der Luftschiffer Gianozzo, Abenteuer bedürfen der schriftlichen Form, sie werden nicht gelebt, sie werden gelesen. Sie finden offensichtlich erst statt, wenn sie geschrieben sind. Analphabeten, so stelle ich mir vor, haben keine Abenteuer.

Abenteuer bedürfen der schriftlichen Form. Also müßte ich sie – die Abenteuer der Gegenwart – in Zeitungen finden, und ich stelle fest, daß mich die Sache mit dem Sepp Blatter, dem Fifapräsidenten, interessiert. Ich versuche ihr Spannung abzugewinnen, als läse ich Tom Sawyer oder Oliver Twist – aber ich kriege nur Meldungen über das schale Leben der Erfolgreichen. Ja, es wäre schön, endlich mal zu sehen, wie einem Mächtigen die Macht mißlingt – aber weil es um gar nichts anderes geht als nur um die Macht, wird alles schal. Warum erinnert mich die Geschichte des Fußballpräsidenten an die Geschichte des Schweizer Botschafters in Berlin und jene Geschichte wiederum an die Geschichte des erfolgreichen Schweizer Malers auf Mallorca? Vielleicht, weil ich den bösartigen Verdacht habe, daß der eine ein ebenso guter Diplomat ist wie der andere ein Maler. Nein, ich schlage keineswegs Rolf Knie als Nachfolger von Sepp Blatter vor, nur als möglichen Ersatzmann. Weil in dieser Showszene eigentlich alle austauschbar sind. Diplomatie, Malerei und Fußball werden dasselbe, nichts anderes als ein Vehikel zur Prominenz, zur Prominenz in einer öden Gesellschaft von lauter virtuellen Prominenten, die sich nach und nach gleichen wie teure und exklusive Rassehunde. Ach, könnte man ihnen doch viele Abenteuer wünschen!

Im Falle von Blatter gehe es um Machtmißbrauch – aber das ist doch so, nur wer die Macht mißbraucht, ist mächtig. Korruption? Sie ist schon längst legalisiert – was früher Unterschlagung hieß, heißt heute Entschädigung und wird wie jene selbst getätigt. Das Muster ist wie bei Rassehunden immer dasselbe – daß der Hintergrund Fußball heißt, ist ein Zufall. Blatter könnte sich ebensogut für den Weltverband der Kirschsteinspucker interessieren, wenn die Kirschsteinspucker Milliarden umsetzen würden. Von Image-Schaden wird gesprochen. Auch der ist selbstverständlich. Seit Manager ein Beruf ist, der heute spanische Nüsse managt und morgen Textilien und übermorgen Kanonen, ist der Image-Schaden vorprogrammiert.

Wir leben in einer entfremdeten Welt, und die Erfolgreichen sind jene, die mit der Sache nichts zu tun haben – nur noch mit sich selbst.

Die verzweifelten Swissairangestellten skandierten »Mario, Mario« und meinten damit Corti, der Held, der sie retten wird. Wir aber rätselten, wie jener gute Corti überhaupt dazu kam, das Unmögliche zu versuchen. Inzwischen kennen wir den Grund – es ist zum Kotzen.

Abenteuer ist ein eigenartiges Wort, ein antiquiertes auch. Und ich nehme an, daß es schon seit eh und je ein antiquiertes Wort ist.

Als antiquiert empfinden wir es wohl, weil Abenteuer nur erzählbar sind – wir erleben sie nicht, wir bekommen sie erzählt. »Lang,

lang ist's her«, das ist ihr Anfang, oder: »Es war einmal«. Ja, irgendwie hatte meine Enkelin mit dem Wort »Abenteuer« ein bißchen danebengegriffen. Vielleicht hatte sie gemeint: »Ich wünsche Dir viele
Märchen.« Ich setze mich und höre zu und spüre, wie mir die Zeit
durch die Finger rinnt.

Die Liebe zur Wiederholung

Japaner sind blond. Das weiß ich seit der Fußballweltmeisterschaft.
Daß man Haare färben kann, das weiß ich schon länger. Warum
also sollten sich nicht auch Japaner die Haare färben? Trotzdem, es
hat mich überrascht. Da sahen Japaner plötzlich nicht mehr wie Japaner aus. Ich hatte es mir vor dem Fernseher gemütlich gemacht und
wußte auch, was ich zu erwarten hatte: zweimal 45 Minuten Fußball, für Nichtkenner immer dasselbe, haargenau dasselbe. Wie die
Belgier aussehen werden, das habe ich mir nicht zum vornherein
vorgestellt – die sehen eben aus, wie »man« aussieht. Von Japanern
aber wußte ich, wie sie aussehen werden, und auch, daß ich Mühe
haben würde, sie zu unterscheiden. Nun aber waren sie alle blond.
Sie waren nun plötzlich auf eine andere Art gleich.

Sie waren nun so gleich wie Figuren des traditionellen Theaters,
gleich wie die Sumo-Ringer, gleich wie die Geishas, gleich wie die
Arlecchinos, wie die Bischöfe im Ornat, wie die Engel, wie die Sankt
Nikolause, gleich wie Leute in einer Rolle.

Sie waren für mich nun plötzlich Figuren eines Rituals, und sie erinnerten mich. Sie erinnerten mich an jenes Ritual, dem ich mich so
gerne entziehen möchte und dem ich mich nicht entziehen kann:
Fußball.

Wie selbstverständlich war es mir doch vor drei Wochen noch,
daß ich bestimmt nicht viele Spiele sehen würde – vielleicht einen
Halbfinal, vielleicht den Final, vielleicht gar nichts, und jetzt habe
ich schon fast alle Spiele gesehen –, das immer gleiche Spiel mit kleinen Varianten. Selbst 64 Hamlet-Aufführungen unterscheiden sich
mehr voneinander. Also ist Fußball langweilig?

Ich bin, als ich in Wales war, zum Rugby gegangen. Das erste Spiel langweilte mich, ich kannte die Regeln nicht. Das zweite Spiel war genau gleich, ich kannte die Teams nicht. Und als das dritte Spiel auch genau gleich war, kannte ich bereits die Regeln, war ich bereits ein Swansea-Fan, bewunderte ich bereits die technischen Finessen einzelner Spieler und begann zu staunen wie der Protestant in einer katholischen Messe – und ein Spiel später schon wie der Katholik in der Messe. Das Ritual hatte mich eingeholt.

Daran erinnerten mich die graublonden Japaner, die sich – so schien mir – für ein Ritual geschminkt hatten, für das ehemals europäische Ritual Fußball.

Waren da Japaner dabei, etwas nachzuahmen, hervorragend nachzuahmen? Ist es etwa gar nicht ihre Sache, sondern die Sache anderer – so wie der Hamlet ja eigentlich kein Hamlet ist, sondern ein Hamlet-Darsteller, oder so wie ein Priester kein Heiliger zu sein, sondern nur das Heilige zu repräsentieren hat.

Oder so, wie japanische Musiker den deutschen Beethoven hervorragend interpretieren. Ist das »original« oder ist das exzellente Nachahmung? Ja, es ist Nachahmung – genauso, wie auch die Beethoven-Interpretation eines deutschen Orchesters eine Art von Nachahmung ist: das Noch-einmal und Noch-einmal. Noch einmal die Fünfte von Beethoven.

Ich liebe die Wiederholung. Sie müßte mich zwar langweilen, aber sie langweilt mich nicht. Sie langweilt mich dann nicht, wenn ich sie als Ritual erlebe.

Rituale sind religiös, letztlich nicht ganz erklärbar und für Außenstehende absurd. So absurd wie eine abstruse Sekte, dessen Sektenführer ein absurd hohes Einkommen hat wie der Spitzenmusiker, der Spitzensänger, der Spitzenfußballer.

Das Geld haben alle von jenen, denen das Ritual etwas wert ist – von jenen, für die dieses Ritual alles ist, das ganze Leben ist. Mag sein, daß sich das Einkommen eines Spitzenfußballers mit dem Markt erklären läßt, aber dann läßt sich das Einkommen des Sektenführers auch mit seinem Markt erklären. Daß mitunter gescheite Leute auf ihn hereinfallen, ist uns immer wieder ein Rätsel. Dabei kennen wir ja unsere Neigung zum Ritual, zum Fußball.

Jenes Ritual, wo nicht nur der Schiedsrichter, sondern auch Gott, mitunter eigenwillig, entscheidet – durch Umstände und Zufall, durch Glück und Unglück kann der Bessere verlieren, der Schlechtere gewinnen. Und Pech und Unglück ist letztlich ein Gottesurteil.

Nein, ich übertreibe nicht: Fußball ist so wenig die schönste Nebensache der Welt wie für den gläubigen Katholiken die Messe. Fußball ist eine ernste Sache, die graublond geschminkten Japaner erinnerten mich daran, sie erschienen mir wie zum Opfer vorbereitet. Bei Belgiern fällt mir das nur nicht so schnell auf, und bei Schweizern schon gar nicht.

Und dann gibt es noch die Hooligans. Sie sind wohl dann die militanten Fundamentalisten, die in den heiligen Krieg ziehen. Auch wenn sie uns so wenig gefallen wie andere Fundamentalisten, sie sind halt doch keine Randerscheinung, sondern ein Teil des Rituals. Alle Kriege sind Religionskriege, wenn man die Sache – die Nation zum Beispiel – zur Religion erklärt.

Das tue ich und wohl wir alle im Falle Fußball nicht. Aber wir gehören halt dazu – so wie wir Christen sind, oder eher noch etwas mehr.

Mit freundlichen Grüßen

Meine Briefe enden mit freundlichen Grüßen, einer Floskel zwar, aber trotzdem, mir scheint, ich setze die Floskel mit Bedacht, auch wenn ich nicht genau weiß, was ich eigentlich mit ihr meine. Heißt das vielleicht, daß ich freundlich sein möchte, oder meint es gar ein Angebot von Freundschaft? Ich habe auch schon gezögert, die Floskel zu setzen, wenn ich weiß, daß der Empfänger den Satz gar nicht lesen wird, daß er für ihn so selbstverständlich unverständlich ist wie für mich – trotzdem, ich mag es, daß unsere Briefe freundlich enden.

Ich habe meinen Freund im Spital besucht, es ging ihm sehr schlecht, es war schlimm für mich – jetzt geht es ihm besser, mir auch.

»Mein Freund«, ein eigenartiges Wort, viel zu groß für unsere kleinen Feste, die wir feiern, wenn wir uns treffen. Nein, ich glaube, wir nennen uns gegenseitig nicht so. Das Wort taugt nichts in der Einzahl, in der Mehrzahl geht es: »Meine Freunde« ist viel unverbindlicher als »mein Freund«, und »befreundet sein« heißt bereits nicht viel mehr, als sich einigermaßen zu kennen und ab und zu, meist selten, zu sehen.

Freunde haben wir zwar, und befreundet sind wir auch. Aber »mein Freund«, das hat fast etwas Kindisches.

Ja, als Kinder, damals in der Schule, da hatten wir noch einen Freund. Jeder nur einen. Und irgendwie gab es damals noch keine Mehrzahl, man hatte damals keine Freunde, man hatte einen Freund, einen einzigen. Und daß man ihn hatte, war nichts anderes als ein Beschluß, nichts anderes als eine Behauptung. Vielleicht unternahm man mit ihm gar nicht besonders viel, vielleicht hatte man zu ihm gar nicht eine besondere Beziehung – aber er war *der* Freund, ein für alle Mal.

Und nur noch eine Behauptung, gar nichts anderes als eine Behauptung, war damals, als ich ein kleiner Schüler war, die Freundschaft zu einem Mädchen: Rösli K., das war eine tiefernste Liebe. Und sie beschränkte sich darauf, daß ich ihr ein kleines Zettelchen nicht etwa selbst überreichte, sondern auf komplizierten Wegen zuspielen ließ. Auf dem Zettelchen standen die Wörter: »Willst Du mich für den Schatz haben?« Auch das eine Floskel, die nur so und nicht anders heißen konnte und vielleicht nicht einmal unterschrieben war, vielleicht nicht einmal beantwortet. Aber ab nun war Rösli die Liebe. Die Behauptung hatte stattgefunden. Gesprochen hatte ich mit ihr wohl nie. Höchstens rote Ohren bekommen, wenn ich sie sah, und war unter einem Vorwand weggerannt.

Aber die reine (und vorpubertäre) Behauptung hat sich in meine Seele eingebrannt. Sie ist noch da. Ich habe Rösli nach unserer Schulzeit nie mehr gesehen. Aber sie ist noch da – nicht das Rösli, aber die Behauptung Rösli, der Beschluß Rösli. So ernsthaft können wohl nur Kinder sein.

Oder die beiden jungen Frauen im Coffee-Shop in New York, Stu-

dentinnen wohl. Ich frühstückte da ab und zu. Sie kannten meine Be-
stellung zum voraus und brachten mir die Rühreier und die wunderbar schlechten Bratkartoffeln – ich versuche seit Jahren zu Hause
so schlechte Bratkartoffeln zu machen, sozusagen als gute Erinnerung, es gelingt mir nicht. Die beiden Frauen waren sehr freundlich, zwei strahlende Wesen, aber mehr als »Guten Tag«, »Danke
schön« und »Bitte schön« sprachen wir nicht miteinander. Eines
Morgens nun standen die beiden da mit verweinten Augen, brachten schluchzend die Eier und den Kaffee, und ich wußte in meiner
Hilflosigkeit nichts anderes zu sagen als: »Can I help you?« – »Kann
ich Ihnen helfen?« »Nein«, bekam ich zur Antwort, »Elvis ist tot.«

Das machte mich sprachlos. Zwei intelligente Wesen weinten hier
um einen dicklichen Schnulzensänger. Sehr wahrscheinlich hatten
auch sie mal als kleine Kinder beschlossen und behauptet, ihn zu
lieben. Ich ging in den nächsten Plattenladen, kaufte mir zwei Pres-
ley-Platten, ging nach Hause und hörte ihn den ganzen Tag – eigentlich bewundernd, und nach und nach ging mir sein Tod nahe: Hier
war einer gestorben, der von zwei Frauen geliebt wurde.

Ich habe meinen Freund im Spital besucht, ich habe um ihn gezittert. Er hat überlebt – erst jetzt weiß ich, was ich verloren hätte,
ich wische eine Träne vom Auge. Wie lange kennen wir uns schon?
43 Jahre! Aber seit wann eigentlich sind wir Freunde? Irgendeinmal
muß uns wohl – unausgesprochen – diese kindliche Behauptung noch
einmal gelungen sein: »Willst du mein Freund sein?«

Entschuldigung, ich war nicht da

Das Foto müßte noch irgendwo sein, aber ich brauche es nicht zu
suchen, das Bild ist bis zum hintersten Detail eingebrannt in mein
Gedächtnis, ich muß es als Kind tausendmal betrachtet haben und
nicht nur betrachtet, sondern ausgeforscht bis in die hinterste Ecke:
Meine Eltern auf einem Schiffchen im Schifflibach der Landesausstellung, der Landi, 1939 in Zürich. Beide im Sonntagskleid, das gab

es damals noch, Sonntagskleider und Werktagskleider, und die Sonntagskleider sahen aus wie nigelnagelneu, die Mutter mit einem kleinen Hütchen, eine schöne Frau.

Man könnte mich ohne weiteres davon überzeugen, daß ich selbst – damals als Vierjähriger – in diesem Schiffchen saß. Ich erinnere mich an alles. Sogar an die kleinen Wasserspritzer auf meinem Gesicht, an das Landidörfli, an die Fahnen sämtlicher Schweizer Gemeinden, an die Schwebebahn über den See.

Aber ich war nicht da. Ich war in diesen Tagen in Huttwil bei meinen Großeltern, und ich bin da sogar in einem richtigen Auto gefahren, das war selten damals, daß man in einem richtigen Auto fuhr, und nur wenige hatten das Glück, es je erlebt zu haben.

25 Jahre später war die Expo in Lausanne. Die habe ich gesehen. Wenn ich mich richtig erinnere, dann hat sie mir auch gefallen – aber eben, ich erinnere mich fast nicht mehr. Sie ist mir – im Unterschied zur Landi 39 – nicht zur Geschichte, zur Legende geworden. Die Expo 64 kriegte ich schon nicht mehr erzählt, die war einfach da.

An der Expo 02 war ich noch nicht. Das hat weder etwas Demonstratives noch etwas Trotziges, mir fehlt einfach im Augenblick die Lust, durch Ausstellungen zu stolpern, ich spaziere lieber anderswo, durch Straßen und Kneipen und durch Bücher, immer wieder durch Bücher: Gottfried Keller ersetzt mir sämtliche Landesausstellungen, und ich finde im Martin Salander eine Schweiz, die mich Satz für Satz an meine jetzige Schweiz erinnert. Aber ich sehe ein, daß das nicht für alle so sein muß.

Ja, ich schreibe dies ein bißchen in Verzweiflung. Erstens die Verzweiflung, in der Sommerhitze eine Kolumne schreiben zu müssen, dann aber auch die Verzweiflung darüber, mich dauernd dafür rechtfertigen zu müssen, daß ich noch nicht da war. Wie schweizerisch diese Expo 02 ist, kann ich selbstverständlich nicht beurteilen, aber daß ich mich dauernd für mein Verhalten zu rechtfertigen habe, das ist wohl sehr schweizerisch. Man hat in diesem Land dauernd zu erklären, warum man sich nicht so verhält wie die anderen.

»Waren Sie schon an der Expo?« »Warum nicht?« Und wenn ich sage: »Einfach so, ich war einfach nicht da, ich hatte dafür noch keine Zeit«, dann nimmt man mir das nicht ab.

Und ich frage zurück: »Waren Sie denn schon an der Expo?« Und ich kriege zur Antwort: »Ja, es hat mir gefallen.« Und ich warte und warte, kriege aber nichts erzählt, gar nichts.

Vielleicht ist es das: Ich möchte sie nicht nur sehen, ich möchte sie auch erzählt bekommen. Aber eben, ich bin nicht mehr vier und ich habe keine Eltern mehr, die sie mir erzählen würden – eben zum Beispiel, daß es im Schifflibach gespritzt hat. Die Wolke in Yverdon, so stelle ich mir vor, ist ja auch naß, aber ich höre nur: »Die Wolke hat mir imponiert.«

Vielleicht liegt es daran, daß ich ein Erwachsener bin, Erwachsenen erzählt man nicht. Vielleicht liegt es daran, daß unsere Zeit aktualitätskrank ist, nur die Aktualität zählt, nur das Jetzt. Und das Jetzt ist dem Erzählen feindlich. Erzählungen beginnen mit dem Grimmschen »Es war einmal«: Es war einmal eine Landesausstellung.

Auf der Fahrt nach Zürich komme ich an zwei alten Landihallen vorbei, die nach dem Abbruch der Landi dort zu industriellen Zwecken aufgestellt wurden. Ich sehe sie eigenartigerweise jedesmal, und sie erscheinen mir als ehrwürdige Denkmäler. Mein Vater hatte mich auf sie aufmerksam gemacht. Sie erinnern mich an meinen Vater.

Mit Inhalten hat das wenig zu tun. Ich glaube, die Landi 39 würde mir kaum gefallen, der Heimatstil, den sie ausgelöst hat, war fürchterlich.

Aber sie ist zur Erzählung geworden.

Daß die Expo, nun schon zum zweiten Mal, nicht zur Erzählung, zur Legende werden kann, das liegt nicht etwa an ihrer Qualität. Das liegt nur daran, daß sie in der falschen Zeit steht. Nur deshalb ist sie, so modern sie auch immer ist, unzeitgemäß.

Und sollte ich sie in zwei Jahren oder in fünf Jahren doch noch erzählt bekommen, dann würde mich das ungemein freuen – aber ich fürchte, sie wird vorbei sein, wenn sie vorbei ist, und auslösen wird sie nichts, weil sie nur sie selbst ist: eine Ausstellung einer Ausstellung sozusagen.

Vor dem Haus steht ein Baum

> Gedächtnis – Woher weiß ich denn,
> daß das Wort, dessen ich mich lange
> erinnern wollen, endlich, wenn es
> gefunden ist, das gesuchte ist?
>
> *Jean Paul*

»Weißt Du«, schrieb Hemingway an Sherwood Anderson, der sich beklagt hatte, daß er nie ins Ausland komme, »ich war eigentlich auch noch nie in der Fremde, denn ich bin Amerikaner, und wo Amerikaner sind, ist immer Amerika.« Man kann das durchaus vordergründig interpretieren, als Kritik am amerikanischen Imperialismus. Aber es könnte auch noch mehr heißen: Sobald die Wildnis berührt ist, ist sie nicht mehr wild. Auch im Fremden sind wir immer noch wir selbst.

Nein, auch wenn es selbstverständlich ist, daß wir es alle sind und zu sein haben, ich bin kein Naturfreund – ich bin ein Zivilisationsfreund. Ich ziehe die Bahnhofshalle dem wunderschönen Sonnenaufgang vor, und der Kräutertee ist nicht etwa – wie wir meinen – von Natur aus gesund, er wurde es erst, als er von Menschen entdeckt wurde, als er eingebracht wurde in die Zivilisation. Die Wildnis auf der Fotografie ist keine mehr – sie ist damit eingebracht in unsere Ordnung, in unsere ästhetische Ordnung zum Beispiel. (Ich staune immer wieder, wie die Fotografen die schreckliche Sauordnung in meinem Büro aufräumen, auf ihren Bildern kriegt sie ihre Ordnung.)

Die unberührte Natur, der Sonnenaufgang, mag uns durchaus, und wohl nicht zu Unrecht, als göttlich erscheinen, mein Gott aber ist ein Teil der Zivilisation.

Als Kind wollte ich Missionar werden. Ich wollte in die Wildnis, nach Afrika. Ich wollte die Wilden zu Christen machen, ich wollte sie wohl zivilisieren. Ich wäre auch selbst gern in eine Missionsschule gegangen – in jene Schule, wie ich mir vorstellte, wo man nichts anderes lernt als die Buchstaben. Die Missionare waren überzeugt davon, daß die Zivilisation mit den Buchstaben beginnt, mit den Buchstaben der Schrift, der Heiligen Schrift.

Warum eigentlich muß ich wissen, wie der Vogel mit dem rötlichen Gefieder an meinem Futterhäuschen heißt. Er selbst kennt seinen Namen nicht, und er heißt in allen Sprachen anders. Für mich aber wird er erst richtig schön, wenn ich seinen Namen kenne. Und die Suche nach seinem Namen ist vorerst die Suche nach Buchstaben, und wenn er endlich gefunden – woher weiß ich denn, daß es der gesuchte ist? –, dann steht er in aufgereihten Buchstaben vor meinen Augen.

Ich weiß nicht, ob der Baum vor meinem Haus schön wäre, würde er nicht »Baum« heißen. Und ich weiß nicht, ob mir das überhaupt einfallen würde, wäre »Baum« nur eine mündliche Bezeichnung und nicht ein Wort mit vier Buchstaben. Mit ihnen, mit diesen Buchstaben, entreiße ich ihn der Wildnis, der Natur – mit diesen vier Buchstaben wird er zu einem Teil meiner Zivilisation. Mit diesen vier Buchstaben erinnert er mich nicht nur an sich selbst, sondern auch an alle anderen, die auch »Baum« heißen. Er wird so zum Baum der Bäume. Durch die vier Buchstaben kriegt er sein Pathos. Er ist mehr als nur er selbst – ein Baum.

Doch, doch – »Sonnenaufgang« ist ein schönes Wort –, in Wirklichkeit wohl schon, weil es mich an Sonnenaufgänge erinnert –, aber nicht nur deshalb, sondern auch weil der wirkliche Sonnenaufgang damit zu einem Wort geworden ist. Mit ihm, mit seinen dreizehn Buchstaben, nehme ich die Sonnenaufgänge in Besitz, ein Bild eines Sonnenaufgangs zeigt nur einen, das Wort aber sind alle Sonnenaufgänge.

»Vor dem Haus steht ein Baum.« Ich erinnere mich an diesen Satz. Er ist wie kaum ein anderer in mein Hirn eingebrannt. Ich erinnere mich daran, wie er eines Tages im Setzkasten des Erstkläßlers stand, mühsam zusammengefügt mit einzelnen Buchstaben. Weder ein Haus hatte ich mit ihm entdeckt noch einen Baum – nur Sprache, sichtbar gemachte Sprache. Ich erinnere mich an meine Glückseligkeit: Was hier stand, das war ein Satz, nichts anderes als ein Satz. Zudem ein handwerklich gefertigter Satz, Buchstabe für Buchstabe in die Hand genommen, mit zittrigen Fingern auf die Linie gefügt. Hier stand er nun, eingemeißelt in Steinschrift.

Heute noch brauche ich zum Schreiben eine Tastatur. Mir fällt nichts ein, wenn ich nicht die Buchstaben der Tastatur vor den Augen habe. Immer noch baue ich Sätze zusammen, immer noch mit zwei Fingern, schön langsam ein Buchstabe nach dem anderen. Die Vorstellung, daß ich mal mit zehn Fingern und blind schreiben gelernt hätte, läßt mich erschrecken. Ich baue meine Sätze, Buchstabe für Buchstabe. Und mir scheint, wenn die Sätze mißlingen, mißlingen sie immer noch gleich wie dem Erstkläßler. Sie brechen auseinander. Ich hätte mit dem Zehnfingersystem meinen Satz mit dem Baum verloren. Ich hätte ihn nicht mehr vorsichtig aufbauen können, vorsichtig der Wildnis entreißen. Noch immer versuche ich den Satz mit dem Baum wieder und wieder zu schreiben, immer wieder mit verschiedenen Buchstaben in verschiedener Reihenfolge. Ich bin der Steinschrift treu geblieben.

Ob das für irgend etwas nützlich ist? Für die fortschreitende Welt wohl kaum. Die einen sehnen sich nach der unberührten Natur, und die anderen haben die Freiheit der Wildnis entdeckt, die Freiheit der Postmoderne, die Freiheit des endlichen Endes der Aufklärung. Zwar beklagt man noch, daß die Jungen mit Buchstaben wenig am Hut haben, die Erwachsenen haben sie längst über Bord geworfen.

Nur noch der Computer verteidigt, vorläufig, die Buchstaben. Warum komme ich mir ausgerechnet vor der Tastatur des doch modernen Computers als alter Mann vor? Zwar nicht in der Wildnis, aber einsam schon.

Eine Geschichte ohne Bedeutung

Er lebt wohl nicht mehr, er war schon damals sehr alt, und ich war noch ein Kind. Er wäre mir wohl nicht aufgefallen, hätte er mich nicht an meinen Großvater erinnert, an meinen Großvater, den ich mochte, und er mich auch, wenn auch mit Bedenken, weil er fürchtete, es könnte in mir etwas stecken, was schon einmal, im 19. Jahrhundert, der Familie zur Schande wurde: Ein Bauer, der Bücher las, zu spät pflanzte und zu spät erntete, eine Unordnung um das Schuldenhöfli hatte, später dann noch studierte und als Pfarrer scheiterte. Die Bauern prügelten ihn nach einer Predigt aus der Kirche.

Mein Großvater war ein Verdingbub, der – das plagte ihn ein Leben lang – nicht mit auf die Schulreise durfte, weil das zu teuer war, und vom Bauern gezwungen wurde, mit seinem Taschentuch auf dem Bahnhof zu winken, als sich seine Schulkameraden, ihn verspottend, mit dem Zug auf die Reise machten.

Aber – und das war das Schicksal, das ihm sein böser Bauer und die Spötter bescherten – er kämpfte sich hoch, wurde ein angesehener Handwerker und Geschäftsmann, mischte mit in der Dorfpolitik und war Kavallerie-Wachtmeister – ein Mann mit Bedeutung –, und nur jene, die unter ihm ihren Dienst zu leisten hatten, grüßten ihn nicht mehr. Von den einen mit Respekt gegrüßt zu werden und von den anderen nicht, das gab ihm seine Würde und seine Macht, und er haßte Radfahrer, weil er sie für Sozialdemokraten hielt.

Von alledem wußte ich damals nichts, es wurde mir später erzählt. Er trat erst in meine Erinnerung, als er alt und fast ein bißchen weise war, als sein Rotwein nicht mehr der Unterstützung seiner Rechthaberei und seiner cholerischen Anfälle diente, sondern die Rückschau auf ein erfolgreiches Leben in einem milden Lichte erscheinen ließ. Er fragte mich nie, was ich werden wollte, wohl weil er ohnehin der einzige war, der wirklich aus eigener Kraft etwas geworden war. Mir war das recht so. Ich begegnete ihm mit Respekt, und ich war recht stolz, wenn ich neben ihm über die Hügel spazierte und mitunter sogar in seine kargen Monologe mit einbezogen wurde. Ja, ich liebte ihn.

Das ist nun, ich gebe es zu, ein sehr umständlicher Anfang einer Geschichte, und umständlich ist er, weil die Geschichte eigentlich nicht erzählenswert ist. Es gibt keinen Grund, sie zu erzählen, außer eben, daß jener Alte, der am Boden kauerte, mich an meinen Groß-vater erinnerte. Ich bin jetzt selber alt genug, ich muß die Geschichte endlich loswerden, vielleicht auch, weil ich inzwischen endlich weiß, warum sie mich an meinen Großvater erinnerte.

Jener ergraute Alte also war ein Rhesusaffe im Basler Zoo. Er hockte unten in der Grube, war der größte von allen – alt, weise und bedeutungsvoll. Er fiel mir gleich auf, und er sah auch überzeugt davon aus, daß kein anderer aufzufallen hatte. Er blickte müde vor sich hin, er war wohl der Chef der Bande, er hatte es erreicht, er kannte das alles, und es langweilte ihn. Ich weiß nicht mehr, ob er mich gleich an meinen Großvater erinnerte oder erst im Verlaufe des Geschehens. Aber irgend etwas an ihm faszinierte mich, viel-leicht sein beharrliches Nichtstun, sein Alles-hinter-sich-Haben. Er saß bewegungslos da, und nach langem sah ich, wie sich seine Augen langsam und rhythmisch dauernd von oben nach unten bewegten, und erst als ich diese Augenbewegung wahrnahm, sah ich auch das leichte Nicken des Kopfes, das der Bewegung der Augen andeutungs-weise folgte.

Oben auf dem Kletterbaum saß ein kleines Äffchen auf dem äußer-sten Ästchen und schaukelte in einem großen Bogen hinauf und her-unter, von Zeit zu Zeit mit einem eleganten Schwung der Knie das Schweben antreibend.

Mich interessierte der Alte am Boden. Irgend etwas war zu er-warten. Und nach einer Stunde, zwei Stunden bewegte sich der Alte würdevoll auf den Baum zu, kletterte langsam den Stamm hoch und wählte sich einen dem kleinen Äffchen benachbarten Ast aus. Und weil er ein bedeutender Affe war, wählte er sich den dicksten aus. Dort begann er nun die lange beobachteten Bewegungen des Klei-nen nachzuahmen. Und als sie auf dem dicken Ast nichts bewirkten, begann er wütend am Ast zu rütteln und fauchte den Kleinen, der durch die Luft flog, an. Seine Wut war erbärmlich, und er tat mir leid. Als er dann endlich seinen Rückzug antrat, verließ ich den Schauplatz. Wenigstens sein Rückzug sollte ohne Zeugen stattfinden dürfen.

Aber wie gesagt, er war schon damals sehr alt und lebt wohl heute, wie auch mein Großvater, nicht mehr. Das ist alles, und das hat keine Bedeutung – Entschuldigung.

Aarau liegt weit weg

Mit dem Zug fahre ich von Solothurn nach Aarau, eine Fahrt von einer halben Stunde, und werde dort am Bahnhof abgeholt. »Sind Sie gut gereist?« fragt man mich, oder: »Wie war die Reise?«

Ich habe mich ja nur in den Zug gesetzt – drei Stationen –, und schon war ich da. Die Frage macht mich deshalb verlegen, und ich komme ins Stottern. Vorgestern kam ich mit dem Zug aus Berlin zurück, da hätte ich wenigstens sagen können, daß die Reise ein bißchen lang gewesen sei.

Aber wenn man jemanden abholt am Bahnhof, dann muß man ja etwas sagen – »Scheißwetter«, zum Beispiel. Ich mag Gespräche über das Wetter. Sie meinen nichts anderes als: ich spreche mit dir, sag etwas, irgend etwas, ich möchte dich sprechen hören, und ich sage: »Ja, Scheißwetter.« »Morgen soll's besser werden«, sagt er. Morgen bin ich aber wieder in Solothurn, geht es mir durch den Kopf, aber ja, das Wetter wird wohl gleich sein in Solothurn.

Und jetzt auch wirklich die Frage: »Wie ist das Wetter in Solothurn?« »Gleich«, sage ich.

Wie weit ist es denn von Solothurn nach Aarau? Aarau liegt zwar noch am selben Fluß wie Solothurn, aber Aarau ist etwas ganz anderes, und es gibt für die meisten Solothurner keine Gründe, nach Aarau zu reisen, und für die meisten Aarauer keine Gründe, nach Solothurn zu reisen. Aarau liegt weit weg, sehr weit weg – auch wenn es mit dem Zug in einer halben Stunde erreicht wird.

Und weil Solothurn so weit weg liegt, fragt mich jener, der mich abholt: »Wie war die Reise?« Eine Frage, die aus einer Zeit stammt,

als Reisen noch lang waren. Wäre ich mit der Postkutsche gekommen, in Olten hätte man wohl die Pferde gewechselt, und das Wetter von Solothurn wäre vielleicht inzwischen ein anderes Wetter geworden als das Wetter von Aarau.

Der Longman besuchte noch vor ein paar Jahren seinen Freund
in Sankt Gallen mit dem Fahrrad und war abends wieder zurück.
Nein, nicht körperliche Ertüchtigung, nicht Leistung, nur Fortbewegung – der Longman hatte einen Freund in Sankt Gallen, und er
hatte ein Fahrrad, das war alles.

Und wenn Robert Walser von Biel nach Zürich wollte – es gab
durchaus schon eine Eisenbahn damals –, dann ging er zu Fuß, nein
nicht mit Windjacke und Rucksack, sondern mit Hut und Schirm,
mit Weste, Hut und Krawatte – kein Wanderer, nur einer, der nach
Zürich wollte. Die Frage: »Wie war die Reise?« wäre berechtigt gewesen, ich nehme an, der ruppige Walser hätte sie trotzdem beleidigt von sich gewiesen, schließlich hatte er nichts anderes getan, als
von Biel nach Zürich zu gehen.

Denis Diderot, wohl einer der fleißigsten Menschen, die es je gab –
er war der Erfinder des Lexikons –, besuchte mehrmals in Sankt
Petersburg die russische Zarin Katharina mit der Postkutsche, und
ich frage mich, woher er bei all seinem Fleiß die Zeit genommen hat
für die langen und beschwerlichen Reisen.

»Das Land der Griechen mit der Seele suchend«, schrieb Goethe.
Er hat Griechenland nie erreicht, aber einen wunderbaren Hauch davon – Italien, eine lange, lange Reise nach Italien, sozusagen Griechenland genug. Inzwischen gibt es keine Reisen mehr – Griechenland ist
erreichbar, unabhängig davon, ob man weiß, wo es liegt –, man steigt
hier ein und steigt in Griechenland aus, und eigentlich müßte man
die Frage: »Wie war die Reise?« beantworten mit: »Es war keine!«

Nein, ich habe nicht im Sinn, zu Fuß nach Zürich zu gehen, nicht
einmal nach Aarau. Es wäre inzwischen keine Reise mehr, sondern
eine Wanderung – ich käme nicht darum herum, eine Leistung er-
bracht zu haben. Wer denn schon kann sein Fahrrad noch benützen,
wie der Longman, eben nur, um nach Sankt Gallen zu kommen?
Daß das Radfahren gesund ist, verdirbt die Möglichkeit, mit ihm
einfach und nur so zu fahren.

Mit der Eisenbahn kann ich das noch. Ich fahre und fahre, wie als Kind auf dem Karussell, und steige – wie auf dem Karussell – endlich dort wieder aus, wo ich eingestiegen bin.

Der Soziologe Ivan Illich übrigens hat einmal ausgerechnet, wie viele Stunden ein Amerikaner im Jahr durchschnittlich für und mit seinem Auto verbringt, und er hat die Zahl in ein Verhältnis gesetzt zur Meilenzahl, die er mit seinem Auto leistet. Er kam auf das tröstliche Resultat, daß ein Amerikaner in der Stunde durchschnittlich 3,5 Meilen weit kommt. Also etwa so viel, wie er zu Fuß leisten könnte.

Wir sparen keine Zeit, wir komprimieren sie nur, und weil wir zu schnell sind, können wir nicht mehr mit Zeit umgehen.

»Es ist meine feste Überzeugung«, schrieb Robert Walser, »daß wir alle viel zu wenig langsam sind.«

Von Gustav erzählen

»Woher weiß ich denn, daß das Wort, dessen ich mich lange erinnern wollen, endlich, wenn es gefunden ist, das gesuchte ist?« schrieb Jean Paul auf einem seiner Tausenden von Zetteln – sehr wahrscheinlich abends spät und in Verzweiflung, nämlich dann, wenn einem das müde Hirn vorspielt, ein gescheites Hirn zu sein, ein Hirn, das alles weiß, aber gescheit genug ist, nichts davon herzugeben. Wohin zu geben? Vom Hirn ins Hirn?

Was fällt mir eigentlich nicht ein, wenn mir nichts einfällt? Ein Nichts ist es ja nicht, das mir nicht einfällt.

Oder einfacher: Mir fällt nichts ein.

Gestern noch saßen wir doch zusammen, und jeder wollte immer wieder zu Wort kommen, weil jedem immer wieder, und noch und noch, etwas einfiel, etwas Wichtiges, etwas, was gerade jetzt und gerade an diese Stelle paßt.

Was es aber war, das Gespräch, weiß ich nicht mehr. Oder ich weiß sozusagen nur noch die Titel der einzelnen Kapitel: FC Basel, das scheußliche Wetter, die Katastrophe und die Katastrophen usw.

Wiedergeben könnte ich das Gespräch nicht, und eine Inhaltsangabe wäre äußerst langweilig. Aber es war ein sehr angenehmer und langer Abend, und ein Wort ergab das andere. Das ist es wohl, was geschieht, jetzt, wenn mir nichts einfällt, das eine Wort ergibt nicht das andere. Es ist nicht das eine, was mir nicht einfallen will, es ist das andere, weil das Eine das Andere nicht auslösen will. Soll ich nun zuerst nach dem Einen oder gleich nach dem Anderen suchen?

Und dann kam der Gustav. Und wir machten uns breiter am Tisch. Nur das jetzt nicht – nur jetzt nicht der Gustav! Aber er fand noch eine Lücke, fand noch einen Stuhl. Nur ja nicht reagieren, wenn er jetzt etwas sagt. Nicht zuhören, nicht antworten. Die Runde verstummte – jetzt nur nichts sagen. Und Gustav, ein kleines altes Männchen mit einem pfiffigen Gesicht, strahlte erst mal in die Runde, sagte erst mal einen Satz sehr leise vor sich hin, überprüfte den Satz, legte dabei die Stirn in Falten und sagte dann: »So ist es doch, wenn es so ist.« Und als – seit über dreißig Jahren gilt die Losung – keiner reagierte, sagte er bedeutungsvoll und pathetisch, aber leise: »Oder ist es nicht so, weil es nicht so ist.« Die Leute am Tisch rufen die Bedienung und bezahlen. Der Abend ist im Eimer.

Ich bezahle auch, aber mit ein bißchen schlechtem Gewissen. Ich fühle mich immer wieder verpflichtet, ihm wenigstens ein wenig zuzuhören. Ja, schon, es gibt nichts zu hören, wenn man ihm zuhört.

Gustav grinst, hebt den Zeigefinger, legt die Stirn in Falten und sagt: »Oder nicht?«

»Doch, doch«, sage ich. Und er sagt: »Aber was doch?«

Dem Gustav fällt nichts ein. Und er hat diese eigenartige Eigenschaft, daß dort, wo er auftritt, augenblicklich allen nichts mehr einfällt.

Keiner am Tisch fürchtet sich so sehr vor ihm wie ich. Und auf keinen hat er es so sehr abgesehen wie auf mich. Ich kriege ihn nicht los. Ich habe mehr als mein halbes Leben mit Gustav verbracht. Wenn Gustav hier ist, fällt mir nichts ein. Gustav kennt all die Wörter, die keine anderen Wörter auslösen. Gustav spricht nicht über Fußball, nicht über das Wetter, Gustav erzählt keine Witze, er beklagt sich nicht über seinen Vermieter, er haßt Hunde nicht, er liebt Katzen nicht – er stellt keine Fragen, nur Grundfragen. Kein einziges Wort ergibt bei ihm ein anderes.

Seine Wörter müssen sich sehr einsam fühlen in seinem Kopf – und seine Wörter machen alle anderen Wörter einsam.

Seit über dreißig Jahren möchte ich wissen, wer er ist. Aber Gustav beantwortet keine Fragen. Vielleicht ist er nur das, was seine Wörter sind, einsam. Einsam wie geflügelte Worte, die er nachzuahmen versucht – einsam wie Zitate aus einem großen Werk. Gustav ist das Buch, das sich nie öffnet.

Ich hasse es, wenn Gustav kommt. Aber wenn ihn alle abweisen, dann möchte ich ihn doch in Schutz nehmen. Gustav mag es, in Schutz genommen zu werden, und bedankt sich bei mir mit einem Lächeln, öffnet sein Buch einen kleinen Spalt weit, ich sehe, daß es voller Buchstaben ist, aber lesen kann ich sie durch den Spalt nicht.

Doch, ich habe mich an Gustav gewöhnt – so wie ich mich an meine schlechten Eigenschaften besser gewöhnt habe als an meine guten. Ich mag Gustav nicht, aber er gehört zu mir. Er ist schuld, wenn mir das Schreiben mißlingt. Er ist schuld, wenn mir das Schreiben zu meinem Vergnügen schwerfällt, und wenn ich von Gustav erzähle, erzähle ich von nichts. Und wenn ich ganz mit mir allein bin, erzähle ich von Gustav.

Am Anfang war das Wort

Es wird einmal ein alter Mann sein, der im Jahre 2078, so stelle ich mir vor, den Zug besteigt, um endlich jene Reise zu machen, die schon seit 76 Jahren hätte sein sollen.

Er wird im Altersheim nicht zum Frühstück erscheinen, nicht zum Mittagessen, nicht zum Abendessen. Es wird im Heim eine Aufregung sein. Man wird seine Tischnachbarn fragen, ob sie etwas wüßten. Niemand weiß etwas.

»Doch«, sagt einer, »er sagte immer so Wörter – er sagte tagelang

›Samarkand‹ und ›Salamanca‹ und ›Salerno‹, er sagte ›Santa Cruz‹ und er sagte ›Alexandria‹ –, aber er sagte nur die Wörter, sonst nichts, nur die Wörter – oft den ganzen Tag ›Salamanca‹, wie wenn es eine alte Geliebte wäre.«

Ich sitze kurz vor Weihnachten – 76 Jahre vorher – in der Eisenbahn, kurz vor Zürich kommt die Durchsage: »Nächster Halt Zürich – der Zug fährt weiter nach Zürich-Flughafen, Winterthur, Gossau, Sankt Gallen.« Mir fällt auf, daß die Sprecherin das »O« in »Gossau« übermäßig dehnt, auf der Zunge schmelzen läßt, und nun gleich die Stimme eines Kindes ein paar Sitze vor mir. Es wiederholt: »Goossau, Gooossau«, und dann: »Hast du gehört, Mama, Goossau hat sie gesagt, Goossau.« Die Mutter reagiert eher unwirsch, sie hat wohl schon Ähnliches erlebt mit anderen schönen Wörtern, aber der Kleine insistiert: »Doch, Gossau hat sie gesagt«, und nach einer Pause, in der nicht nur ihm, sondern auch mir und sicher auch seiner Mutter das Wort im Kopf herumhämmerte: »Mami, wir gehen nach Gossau.« »Nein, wir gehen nach Winterthur«, sagt sie, »das weißt du ganz genau, wir gehen immer nach Winterthur.« »Sie hat aber Gossau gesagt, wir gehen nach Gossau«, sagt der Kleine. Nein, er sagt nicht: »Ich will nach Gossau.« Er bittet und bettelt nicht, er wünscht nicht, er tobt nicht, er stellt nur gelassen fest, daß wir nach Gossau gehen. Bereits überlege ich mir, ob ich meinen Termin in Zürich fahrenlassen und nach Gossau gehen soll. Der Kleine hat das Wort zum Klingen gebracht. Gossau ist jetzt nicht mehr einfach die Bezeichnung eines Orts, der ihm und mir fremd ist, das Wort hat jetzt Klang – Klang wie der häßliche Name einer schönen Frau, die man liebt.

»Gossau ist viel zu weit weg, das ist fast in Sankt Gallen«, sagt jetzt die Mutter. »Das macht nichts, ich habe dem Vater gesagt, wir werden lange reisen.«

Zürich – ich steige aus.

Ich nehme an, daß die beiden in Winterthur ausgestiegen sind. Und ich nehme an, daß dies der Kleine ohne Murren akzeptiert hat, daß er still neben seiner Mutter hergetrottet ist und still in sich hinein »Gossau« gesagt hat – mehrmals und immer wieder.

Als Kind beschloß ich, einmal nach Eisenach zu gehen. Das Wort setzte sich in meinem Kopf fest – Eisenach. In einem der wenigen Bücher, die wir zu Hause hatten, im »Großen Lutherbuch«, war ein alter Stich von Eisenach, nächtlich dunkel mit einem erleuchteten Fenster wie auf einem Adventskalender. Aber viel mehr als dieses Bild hatte es mir der Klang des Wortes angetan, und der Wunsch, nach dort zu gehen, setzte sich für immer fest, um so mehr, als es dann nach dem Krieg zu umständlich geworden war zu gehen: Eisenach lag in der DDR. Das nahm mir die Last ab, den Wunsch zu verwirklichen. Aber inzwischen bin ich schon oft mit der Bahn an Eisenach vorbeigekommen. Ich habe das Bahnhofsschild nie verpaßt, da steht es groß und schwarz auf weiß: »Eisenach«. Ich freue mich jedesmal, wenn ich es sehe, wie wenn ich eigentlich nicht den Wunsch nach einer Stadt gehabt hätte, sondern nur nach einem Wort, einem Namen, der hier in Eisenach auf dem Bahnhof seine aktuelle Realität bekommt. Hier auf dem Bahnhof, wo die Stadt, die ich nie gesehen habe, beginnt – am Anfang war das Wort.

Aber zurück zu unserer Geschichte, zurück ins Jahr 2078: Der alte Mann also, der als Kind einmal kurz vor Weihnachten seine Mutter davon überzeugen wollte, daß sie zusammen viel weiter fahren werden als nur bis Winterthur, geht zum Bahnhof, kauft sich eine Fahrkarte und fährt, weil das in diesem Leben jetzt endlich noch sein muß, nach Gossau. Und wäre das eine Geschichte, dann würde er sich dort in die Bahnhofskneipe setzen, würde einen Zweier Roten bestellen und auch gleich bezahlen und würde vor diesem Roten einschlafen – für immer.

Aber das ist keine Geschichte, sondern die Wirklichkeit, und in Wirklichkeit wird er in Gossau aussteigen und wird auf dem Bahnhofsschild den wunderschönen Namen »Gossau« weiß auf blau lesen, wird den Namen auch tonlos mit den Lippen nachbilden wie ein lesendes Kind, wird sich dann auf eine Bank setzen und auf den nächsten Zug warten und mit ihm zurückfahren ins Altersheim.

Wie wenn die Vergangenheit Heimat wäre

Die Kneipe hatte kaum mehr Gäste, nur noch ein paar alte Trinker,
die schon am Morgen kamen, sich an den runden Tisch in der Mitte
des im übrigen leeren Saales setzten, ihre großen Taschentücher zu
einem Strang rollten, den sie sich um den Nacken legten und an den
Enden mit den Händen faßten. Dann nahmen sie in die eine Hand
auch noch das randvolle Schnapsglas und zogen es mit der anderen
Hand zum Mund hoch, um das Zittern der Hände zu überlisten
und nichts zu verschütten.

Dann wurde das Haus abgerissen und an seiner Stelle ein neues
gebaut mit einer neuen Wirtschaft und mit neuen und jüngeren Gästen. Wie wir da saßen in den ersten Tagen nach der Eröffnung, kamen zwei alte Clochards herein, vorsichtig und schüchtern, gingen zur Mitte, blieben dort stehen, die Köpfe zu Boden gesenkt, als
suchten sie etwas. Nach einiger Zeit drehten sie ab und schlurften
hinaus – enttäuscht, das Verlorene nicht gefunden zu haben.

Sie hatten offensichtlich die Stelle ausmachen wollen, wo vor einem
Jahr noch ihr Tisch stand, jene Stelle, die ihnen mal Heimat war.
Nein, nicht eine wunderbare Heimat, nicht der schönste und beste
Ort der Welt, nicht der Ort der Sehnsucht, sondern nur der Ort ihrer
schäbigen Gewohnheit, aber eben doch Heimat – die letzte, die sie
hatten; daß sie sie für immer verloren hatten, das wußten sie bereits,
es war nur noch die Suche nach der Stelle, wo sie war.

Im Hafen von Hamburg sah ich mal einen Ozeanfrachter mit einer
Schweizer Flagge. »Heimathafen Basel« stand darauf. Er wird seine
Heimat nie erreichen. Das ist, fiel mir ein, etwas durchaus Schweizerisches. Wir Schweizer haben einen Heimatort, den wir vom Vater
übernehmen. Schon mein Großvater hatte mit diesem Ort nichts
zu tun. Trotzdem der kleine Stolz, daß er eben nicht Luzerner war,
er wohnte im Luzernischen, sondern Berner. So sitzen am Tisch in
der Beiz Glarner und Thurgauer und Aargauer, die alle nichts anderes
sind als Solothurner, hier geboren, hier aufgewachsen wie ihr Vater,
wie ihr Großvater. Aber in ihrem Paß steht ein Heimatort im Kan-

ton Glarus. Das ist umständlich und Ausländern, ausländischen Polizisten zum Beispiel, schwer zu erklären. Ich bin »gebürtig« von Busswil bei Melchnau im Kanton Bern, aber geboren bin ich in Luzern. Irgendwie ist das so etwas wie vorgeplante Heimatlosigkeit – ich bin nicht von hier, wo ich immer war. Und viele sehen ihren Heimatort in ihrem ganzen Leben nie – wie das Schiff in Hamburg, das seine Heimat in Basel hatte.

Wir müßten es eigentlich gewohnt sein, daß Heimat etwas sehr Abstraktes sein kann. Oder ist Heimat vielleicht doch etwas anderes als das, was uns der Staat in den Paß schreibt?

Die Heimat im Abstrakten suchen: Die Stelle im neuen Restaurant, wo früher mein Stuhl stand; den Ort, der in meinem Paß steht und deshalb mit mir etwas zu tun hat, auf der Landkarte suchen, den Ort, den ich kaum kenne und immer und immer wieder in Formulare und Hotelmeldezettel eintrage – ja eigentlich wäre ich ein Berner, aber eigentlich bin ich etwas anderes.

Die alten Männer abends am Stammtisch sprechen gern von alten Zeiten, und ein Dauerthema, fast wöchentlich einmal, ist die lange Aufzählung all jener Kneipen, die es nicht mehr gibt, und lange Diskussionen darüber, ob die »Weißensteinbahn« nun vor dem »Buffet West« war oder hinter ihm. Ob es das »Tranquille« 1957 noch gab und wie die Wirtin geheißen habe von der »Greiben«. Ich kann da durchaus mitreden. Ich habe das von noch viel älteren immer wieder gehört. Ich kenne die Namen von Wirten, die ich nie gekannt habe. Ich kenne die Namen und die Adressen von Beizen, die ich nie gesehen habe. So wenig wie meinen Heimatort. Aber ich habe mich schon als Junger eingelebt in die Erinnerungen der Alten, und jetzt bin ich so alt wie sie, und ich tue es ihnen nach und erzähle ihre Geschichten weiter. Und weil ich sogar noch den Namen der Kellnerin weiß, habe ich etwas damit zu tun.

Das Gespräch wird rechthaberisch, wie alle Gespräche hier am Stammtisch, wird zum Glaubensstreit. Jeder weiß es jetzt noch ein bißchen besser. Es ist nun wirklich wichtig, die Kneipe, die 1920 geschlossen wurde, richtig zu lokalisieren, auch wenn keiner der Anwesenden damals schon gelebt hat. Und auch mir gefällt es, daß ich noch weiß, wo damals das »Buffet West« war. Wie wenn wir etwas verloren hätten. Wie wenn wir etwas suchen würden, wie die beiden Clochards auf dem Boden der neuen Wirtschaft. Wie wenn auch wir eine Heimat verloren hätten, nicht unsere Heimat, sondern die Heimat unserer Väter und Großväter, die ja durchaus dort hätten sitzen können. So wie wohl einer meiner Vorfahren wirklich in Busswil wohnte.

Wie wenn Heimat nur in der Vergangenheit liegen könnte und es in der Gegenwart keine gäbe.

Das Böse heißt nicht mehr Markus

Markus war böse. Daran erinnere ich mich noch, und ich erinnere mich, daß mich meine Mutter tröstend darin bestätigte: Markus war furchtbar böse. Er war das Böse an und für sich. Allein schon sein Name ließ uns erzittern. Ohne Markus wäre unsere Straße eine friedliche Straße gewesen, unser Quartier ein friedliches Quartier und unsere Welt eine friedliche Welt.

Ich habe geweint wegen Markus; ich habe das Haus nicht verlassen wegen Markus; ich habe gebetet, daran erinnere ich mich noch – und an meinen Schrecken, meine Angst, meine Not, aber ich erinnere mich nicht mehr an ihn. Ich weiß nicht mehr, wie er ausgesehen hat, und vor allem, weiß ich nicht, was er getan hat. Ich versuche es mir vorzustellen, aber ich wüßte nichts gegen ihn vorzubringen, gar nichts. Außer eben, daß er böse war – und das war er, abgrundböse.

Ich war ein frommes Kind damals, und die Frommen wissen, daß das Böse sich nicht nur unfreundlich darstellt, daß das Böse nicht einfach an Fakten abgelesen werden kann, daß das Böse viele Gesichter und viele Doppelgänger hat, daß man auf das Böse nicht hereinfallen darf, daß man es vernichten muß, ein für alle Mal – erst wenn der Antichrist tot ist, ist die Welt erlöst.

Es klingt absurd, aber die Todesstrafe ist eine religiöse Vorstellung – die Ausrottung des Bösen. Das ist nicht nur eine islamische Vorstellung, sondern war auch mal eine christliche – und jene Christen, die diese Vorstellung immer noch haben, halten alle anderen »Christen« für Heiden. Wer gegen das Böse kämpft, gegen das Böse an und für sich, kämpft gegen alle. Wer das Böse ausrotten will, rottet alle Menschen aus – außer eben die Guten, und die Guten sind die, die alles Böse ausrotten. Das hätte ich als kleines Kind damals durchaus geglaubt.

Und das Böse hat einen Namen: Es heißt Markus, es heißt Saddam – es hieß einmal Gaddhafi. Und jene Altchristen in der neuen Welt waren einmal durchaus überzeugt, daß jetzt nur noch Gaddhafi vernichtet werden müsse, damit die Welt in Frieden sei. Gaddhafi lebt noch, aber das Böse hat inzwischen einen anderen Namen.

Der Vorschlag, daß Saddam Hussein freiwillig ins Exil gehen könnte, ist die absurde Folge einer religiösen Vorstellung – nur der Name muß weg, der Name des Bösen. Und was oder wer würde zurückbleiben? Eben einer, der einen Namen hätte, der nicht der Name des Bösen ist – oder der noch nicht der Name des Bösen ist. Das Böse hat viele Gesichter und viele Doppelgänger, aber es hat immer nur einen Namen – nur Bin Laden, nur er allein und kein anderer, hat das World Trade Center zum Einsturz gebracht. Nur ihn müßte man vernichten, und alles wäre gut. Sollte er vielleicht schon vernichtet sein, was hätte es geändert? Im Augenblick sind die Amerikaner darauf angewiesen, daß er lebt, denn sie wollen jetzt ihren Krieg gegen das Böse. Solange es das Böse gibt, werden sie ihren Krieg führen können. Sie werden ihn noch lange führen können, das Böse gibt es, solange es Menschen gibt.

»Politically correct« heißt übrigens in Amerika etwas anderes als »politisch korrekt«. Es heißt nichts anderes als »anständig«. Ja, das war es, Markus war unanständig. Das waren zwar andere auch und mitunter auch ich. Aber Markus war es im Prinzip. Das Böse ist ein Prinzip und das Anständige auch.

Und wenn mein Vater sagte »prinzipiell«, dann gab es keine Argumente mehr, dann war Reden sinnlos. »Prinzipiell« hieß, daß es sein fester Glaube war. Gegen Glauben ist man machtlos. Was immer passiert, die Gläubigen werden auch hinterher im Recht sein – nein, nicht ein Religionskrieg, ein Glaubenskrieg. Mit wem sollen wir noch reden? Mit Markus konnte man jedenfalls nicht reden. Aber das ist weiter nicht mehr so schlimm, das Böse heißt nicht mehr Markus.

Es gab einmal eine Zeit, da hatte das Böse keinen menschlichen Namen, sondern einen abstrakten: »Kommunismus«. Eigenartig, der Krieg gegen ihn konnte letztlich verhindert werden. Aber zum Tode verurteilen kann man nur, was einen menschlichen Namen hat.

Terroristen sind Überzeugungstäter, das macht sie unberechenbar. Ihre religiöse Überzeugung ist ihre Motivation. Dagegen sind alle Argumente machtlos.

Der Krieg sei die Fortsetzung der Politik mit anderen Mitteln, sagte Clausewitz. Aber im Religiösen wird der Krieg selbst die Politik.

Der Bösen sind viele. So viele, daß es für jeden Präsidenten zu einem heiligen Krieg reicht.

Ich möchte nur wissen, warum damals das kleine fromme Kind nicht auf die Idee kam, daß Markus vernichtet werden müßte. Irgend jemand muß ihm das erklärt haben.

Von der Wohltat, ausgelacht zu werden

Es gibt sie wohl nicht mehr, jene Magnetstreifen an Waren, die dann beim Verlassen des Ladens den Alarm auslösten. Aber als es sie noch gab, erfanden ein paar Buben ein Spielchen für langweilige Nachmittage. Sie stellten sich in die Fernsehabteilung des Warenhauses und sahen sich sehr interessiert das laufende Programm an. Währenddessen kratzten sie ein kleines Stück Magnetstreifen von einem Radio. Dieses Streifchen warfen sie dann einer Frau in den Einkaufskorb und amüsierten sich über ihr Erschrecken und die Folgen beim Auslösen des Alarms.

Als sich ein Freund von mir, der in diesem Warenhaus arbeitete, furchtbar über diese Streiche ärgerte, sagte ich ihm, daß ich das eigentlich lustig fände. »Ja«, sagte er, »ja schon, aber diese Kerle werfen den Streifen nicht irgendeiner Frau in die Tasche, sondern sie suchen sich ganz gezielt jene aus, von denen sie annehmen, daß sie am blödesten tut – und sie täuschen sich nie, und dann stehen sie unten an der Ecke und halten sich die Bäuche vor Lachen.«

In New York bin ich mal in eine Party von Psychoanalytikern geraten. Es war fürchterlich, man stieß hier auf nichts anderes als auf Verständnis. Vorerst spielte eine schrecklich untalentierte Frau Klavier – Chopin, stundenlang. Ihr Abschiedskonzert vor einer großen Europatournee. Ich tröstete mich damit, daß Chopin nicht sehr alt geworden ist, denn die Frau beabsichtigte offensichtlich, sein Gesamtwerk herunterzustolpern. Ich blickte in die Runde und suchte irgendeine Person, die lächelte oder ein kleines bißchen den Kopf schüttelte oder eingeschlafen war und vielleicht ein kleines bißchen schnarchte. Aber hier saß ein richtiges und ernsthaftes Konzertpublikum, die Programme auf den Knien und mit geneigten Köpfen den großen Chopin und die große Pianistin genießend. Ich war sehr einsam unter ihnen.

Hinterher erfuhr ich, daß die Frau vor zwei Jahren kaum Klavier spielen konnte und jetzt nach einer Psychoanalyse bei einem Meister mit österreichischer Mutter zu dieser Meisterschaft gefunden hatte. Und hinterher gab es nun auch ein Buffet, ein kaltes und ein warmes. Ich entschied mich fatalerweise für das warme.

Ich weiß nicht, wie die Amerikaner das auf ihren Stehpartys schaffen: Sie halten in der einen Hand das Glas, in der zweiten den Teller und in der dritten und vierten Messer und Gabel. Im ganzen Raum gab es nur ein kleines Tischchen. Als nur zweihändiger Europäer setzte ich mich daran. Und bald kamen andere und schoben ihre Teller auch auf das Tischchen. Dabei rutschte wohl mein Teller mehr und mehr vom Tisch, und als ich essen wollte, kippte er über, und ich hatte den Kartoffelbrei mit Sauce auf meinen Hosen – entsetzlich.

Ich blickte auf. Niemand lachte. Ich begann zu putzen. Ich sammelte die Servietten auf dem Tisch ein. Ich schaute auf und lächelte, aber niemand lächelte zurück. Niemand hielt sich den Bauch vor

Lachen, niemand klopfte sich auf die Schenkel. Und nicht nur meine Ungeschicklichkeit wurde nicht bemerkt, sondern auch ich. Ich war gar nicht da.

Meine Begeisterung für Amerika bekam damals einen ersten Fleck. Ich war entsetzt über diese gnadenlose Anständigkeit, über diese emotionslose Korrektheit – nichts ist passiert, unsere Welt ist in Ordnung. Mein Gedächtnis täuscht mich sicher, wenn ich heute den Eindruck habe, sie hätten alle ausgesehen wie George Bush – auch die Frauen.

Jahre später war ich in Bali. Auf einem langen Spaziergang kam ich an einem Reisfeld vorbei. Auf einem kleinen Platz unten im Feld dreschten Frauen und Männer. In großen weißen Tüchern warfen sie das Gedreschte in die Luft, und der Wind blies die Spreu weg. Es sah nicht wie Arbeit aus, sondern wie ein fröhliches Ritual. Das wollte ich mir aus der Nähe anschauen, und ich machte mich auf den Weg hinunter zum Feld. Zwischen zwei Bewässerungskanälchen balancierte ich auf einem kleinen Hügelchen und war bereits stolz darauf, wie elegant mir das gelang, als ich ausglitt und in ganzer Länge in den Wassergraben fiel. Die Bauern ließen ihre Arbeit augenblicklich fallen und lachten los. Sie lachten und tanzten, sie bückten und streckten sich, sie legten sich auf den Boden, klopften sich auf die Bäuche und lachten. Und als ich sie endlich tropfnaß erreichte, lachten sie weiter und zeigten mit den Fingern auf mich: »Mister Tourist, Mister Tourist!« Ich setzte mich und wartete darauf, daß sie wieder ihre Arbeit aufnähmen. Sie aber lachten. Und als ich nach einer halben Stunde weiterging, lachten sie immer noch, und ich fühlte mich richtig gut.

Tage später kam ich wieder am Reisfeld vorbei, und sie ließen augenblicklich ihre Arbeit fallen und zeigten mit den Fingern auf mich und lachten. Sie hatten mich wahrgenommen. Ich gehörte ein bißchen dazu.

Die Linsen meiner Mutter

Esau hat dem Jakob sein Erstgeburtsrecht – also sein Erbrecht – für ein Linsengericht verkauft. Viel mehr erzählt die Bibel von Esau nicht. Ab jetzt ist es die Geschichte von Jakob.

Ich aber wollte mehr wissen von Esau, und ich habe als kleines Kind meine Sonntagsschullehrerin immer wieder mit Fragen nach Esau genervt. Ich war sicher, daß sie mir etwas verheimlicht. Ich wollte wissen, wie und wer jener ist, der für einen Teller Linsen auf ein ganzes Reich verzichtet.

Meine Kollegen damals hatten nicht das geringste Verständnis für Esau. Sie verabscheuten Linsen und verabscheuten Esau. Ich aber liebte sie. Ich liebte Esau, der sich für das Leben, nämlich für die Linsen, und gegen den Erfolg und die Karriere entschieden hatte.

Mein Tag beginnt mit Kochen. Nein, nicht mit Essen, nicht mit Frühstücken, sondern mit Kochen. Ich taste mich mit Kochen ans Leben heran. Ich brauche viel Zeit zum Wachwerden, und ich genieße es, die Zeit des Erwachens zu verlängern – langsam und tastend ins Leben einzutreten. Kochen erinnert mich. Beim Schälen von Knoblauch denke ich an meinen längst verstorbenen Freund Schampi Gerwig. Als ich ihm mal sagte, daß sich Knoblauch besser schälen läßt, wenn man ihn halbiert, sagte er, daß das nur mit frischem Knoblauch funktioniert. Ich vergaß mich zu wehren – es funktioniert auch mit altem Knoblauch. Und Schampi starb, bevor ich es ihm mitteilen konnte. (Max Frisch: »Wenn Sie an Verstorbene denken: wünschen Sie, daß der Verstorbene zu Ihnen spricht, oder möchten Sie lieber dem Verstorbenen noch etwas sagen?«) Würde Schampi eines Tages plötzlich vor mir stehen, ich würde ihm sagen, daß ich ihm vergessen habe zu sagen, daß das durchaus auch mit altem Knoblauch gelingt.

Ja, das ist banal. Aber das Leben beginnt im Banalen.

Beim Schneiden von Zwiebeln fällt mir Hugo Leber ein – die Geschichte dazu ist zu lang und noch banaler. Sie ist nicht mitteilenswert, trotzdem ist es mir eine wichtige Geschichte.

Kochen erinnert, erinnert an das Leben, erinnert an meine Mutter. Sie war eine gute Köchin. Ich glaube, sie war das wirklich, wenn ich auch weiß, daß das alle Mütter waren und sind. So wie bei Mutter wird es nie mehr, das Kochen und das Leben.

Ich habe mir heute Linsen gekocht. Ich mag Linsen immer noch, aber nicht mehr so sehr, daß ich wie Esau ein Königreich dagegen eintauschen würde. Sie sind wunderbar, meine Linsen, aber ich habe es längst aufgegeben, so gute Linsen wie die meiner Mutter zu erwarten. Was ich auch immer mache, und sosehr ich mich auch immer beschränke, es wird ihnen immer der Glanz der selbstverständlichen Einfachheit fehlen.

Rezepte hatte meine Mutter nur für das Kuchenbacken. Fürs Kochen hatte sie keine. Die Linsen wurden gekocht, das war alles. Und dieses wunderbare Gewürz, das dann alles so schmecken ließ wie eben nur die Gerichte der Mutter – dieses wunderbare Gewürz hieß Salz.

Ja, meine Linsen – heute morgen – waren sehr gut. Ich bin auch längst wieder einfacher und bescheidener geworden mit dem Würzen. Nach langen kulinarischen Umwegen nähere ich mich wieder der Küche meiner Mutter. Vielleicht sind es inzwischen fast dieselben Linsen. Aber was mir offensichtlich seither abhanden gekommen ist, das ist die totale Begeisterung, dieses »Morgen gibt's Linsen!« Ist es vielleicht nichts anderes als die abnehmende Begeisterung für das Leben – diese Begeisterung, für die Esau sein ganzes Reich fahren ließ?

Immerhin, die Linsen erinnern mich daran. Sie erinnern mich an ein Leben, für das man sich begeistern kann.

Kochend versuche ich mich am Morgen an das Leben heranzutasten. Ich erwache kochend in das Leben hinein, schön langsam – die Zwiebeln, die Karotten, der Lauch und die Kartoffeln und der Sellerie und die große Unordnung, das Chaos in der Küche, und dann das Abwaschen – kein Chaos ist leichter zu bewältigen wie jenes der Küche, und wenn ich schon um sieben irgendwo sein muß, dann stehe ich schon um vier auf. Denn etwas muß vorher sein: das Erwachen.

Übrigens, und das muß nun der Wahrheit zuliebe doch noch erwähnt werden. Jakob hatte die Linsen gekocht. Er soll im Gegensatz zum wilden Jäger Esau, der dem Jakob später nach dem Leben trachtete, ein ruhiger Mensch gewesen sein. Am frühen Morgen bin ich das auch.

Warum ich das schreibe? Um für einmal zu schweigen über das Grauen dieser Welt. Am Morgen gelingt mir das Schweigen.

Zeit, die Zeit zu lesen

Wenn ich unterwegs bin, wo auch immer, muß ich das Resultat des Spiels des FC Solothurn wissen, und zwar möglichst gleich, gleich nach Ende des Spiels – und das auch jetzt, wo es um nichts mehr geht, weder um den Aufstieg noch um den Abstieg.

Und wenn ich es dann weiß, dann ist mir, als hätte ich es schon immer gewußt – eine eigenartige Form von Vergeßlichkeit: Sobald ich es weiß, vergesse ich, daß ich es dringend habe wissen wollen. Und sobald ich es weiß, verhalte ich mich so, wie wenn ich es schon immer gewußt hätte und es mich nicht interessieren würde.

Es gibt in der Stadt einen Grasshoppers-Fan, der GC-Walti, der hat ein schweres Leben, weil er an den Stammtischen der einzige ist, der GC liebt. Er wird verspottet und belächelt. Aber er wehrt sich tapfer.

»Wir haben gewonnen«, sagt er, oder: »Wir werden gewinnen.« »Wir werden Schweizermeister, wir fegen die weg.«

Aber ein Fußballfan ist er eigentlich nicht – oder vielleicht nicht mehr. Er schaut sich die Spiele nie an, weder im Original noch im Fernsehen, ihn interessieren nur die Rangliste und die Resultate: 1:1, 2:1, 1:2, Resultate, die er schon Hunderte Male gehört hat – immer dieselben.

Er streitet nicht mit den Leuten am Stammtisch über Fußball. Seit Jahren versucht man ihn dazu zu provozieren – aber er nimmt das Resultat der Niederlage mit demselben gelassenen Lächeln entgegen wie das Resultat des Sieges – und dann sagt er leise: »Wir werden Schweizermeister.«

Ich habe noch nie Lotto gespielt, aber die Lottozahlen interessieren mich trotzdem. Ich sehe sie, ich lese sie, ich höre sie – die Nummern eines magischen Spiels, an dem ich überzeugt nicht teilnehme und das mich trotzdem erreicht. Und die Zahlen überzeugen mich, eigentlich können es gar keine anderen sein – die hätte man nun wirklich schon vorher wissen können. (So funktioniert das Spiel ja auch, daß man die Zahlen zum vornherein wissen könnte.)

Ja, das ist sehr einfach, wenn man es weiß. Das sage ich auch, wenn ich jemanden nach seiner Telefonnummer frage. Auch wenn ich sie noch nie gehört haben kann, sie kommt mir bekannt vor, und ich habe oft den Eindruck, daß ich sie gar nicht aufzuschreiben brauche, daß ich sie mir merken kann, weil ich sie eigentlich bereits kenne.

Der FC Solothurn hat verloren, zwei haben die richtigen sechs Zahlen getippt, die Amerikaner haben gewonnen – aus, Ende, vorbei und vergessen.

Der Krieg ist nicht mehr schauerlich, er verstößt nicht mehr gegen das Völkerrecht, er ist nicht mehr der brutale Wahnsinn – er ist gewonnen, das ist das Resultat.

Und weil es die Sowjetunion nicht mehr gibt, hat es sie eigentlich gar nicht gegeben. Die DDR wird wohl schon bald nur noch ein paar Zeilen in deutschen Schulbüchern beanspruchen – wir haben schon immer gewußt, daß es sie einmal nicht mehr geben wird.

Wir haben jetzt – hinterher – alles schon gewußt, und die Lottozahlen sind so wenig überraschend wie andere Resultate und machen einen absolut selbstverständlichen Eindruck.

In der Beiz flickt ein Handwerker eine Kleinigkeit an der Heizung. Er hat seinen kleinen Buben mitgebracht, vielleicht weil die Mutter dringend wegmußte. Der steht neben ihm und wartet. Er schaut sich in der Beiz um. Nein, er schaut sich nicht um, sondern er schaut die einzelnen Gegenstände an. Erst ein Bild, lange immer dasselbe Bild, dann ein anderes Bild, dann einen Tisch – nicht die Tische –, dann einen Stuhl – nicht die Stühle. Und er schaut den Stuhl so an, wie wenn er noch nie einen Stuhl gesehen hätte. Er schaut diesen einen Stuhl ganz genau an. Und er hat diesen Stuhl vorher noch nicht gewußt, wie wir Erwachsenen, die alles vorher schon gewußt haben und hinterher ein schales Gefühl haben: 2:1, war das nun alles; der Irakkrieg, das war es nun also; und Federer hat die zweite Runde überstanden, und Rosset ist ausgeschieden – Resultate, Resultate.

Der kleine Junge aber ist hier nicht dabei, sich zu informieren. Er schaut nur. Er schaut nur das Jetzt an. Ja, aus Langeweile wohl, aber er kann die Langeweile: Er verweilt lange bei den einzelnen Gegenständen. Und er steht gern neben seinem Vater, und er hat Zeit, neben seinem Vater zu stehen.

Im selben Lokal habe ich vor einigen Wochen den Wirt gefragt, ob er sich eine neue Uhr angeschafft habe. »Nein«, sagte er, »die hängt schon seit vielen Jahren hier.«

In den vielen Jahren muß ich Hunderte Male die Zeit von ihr gelesen haben, oft mehrmals an einem Abend.

Ich habe nach ihr geschaut, aber ich habe sie nie angeschaut, weil ich wohl zum vornherein wußte, daß dies eine Uhr ist. Und wenn ich die Zeit von ihr las, kam es mir immer so vor, wie wenn ich die Zeit schon vorher gewußt hätte.

Der kleine Bub wird wohl nächstens lernen, die Zeit zu lesen. Ich stelle mir das schön vor, am Anfang – wenn man es noch nicht gut kann und sich einige Minuten damit beschäftigen muß und Zeit hat, die Zeit zu lesen.

Sie gleichen uns und ihm

Ich bin unsportlich, ich bin es sogar leidenschaftlich – leidenschaftlich unsportlich. Ich kann mir einfach nicht vorstellen, daß Leiden gesund ist. Ich kann dem Wort Leistung ebensowenig abgewinnen wie dem Begriff Positives Denken.

Dabei gehe ich zum Fußball und kann mich durchaus aufregen, wenn meine Mannschaft nicht bereit ist, die geforderte und gerade jetzt so nötige Leistung zu erbringen – wenn ihr also das positive Denken nicht gelingt. Und gelingt es ihr einigermaßen, bin ich gerne bereit, ihre athletische Leistung zu bewundern.

Ich habe auch schon geträumt vom Fußball. Ich stand im Sturm einer bedeutenden Mannschaft, stand mit dem Ball allein vor dem leeren Tor und haute voll neben den Ball, das tat furchtbar weh. Am anderen Tag hinkte ich – eine leichte Zerrung.

Meine Unsportlichkeit, das gebe ich zu, überzeugt mich nicht. Sie ist nicht frei gewählt. Nicht ich habe sie gewählt, sondern sie mich – aber inzwischen ist es mir sehr angenehm, daß sie mich gewählt hat.

Das war nicht immer so: Ich war der schlechteste Turner in der Klasse, und ich habe damals in den ernsten und frommen Gebeten meinem Gott einen Handel vorgeschlagen, nämlich, daß er mir im Aufsatz eine halbe Note schlechter macht und mir dafür 30 Zentimeter mehr Weitsprung schenkt. Er ist auf den Handel nicht eingegangen, dabei fand ich mein Angebot fair – ich war ihm böse.

Später wurde ich Lehrer und hatte auch Turnen zu unterrichten, und es wäre nun doch selbstverständlich gewesen, daß ich viel Verständnis gehabt hätte für die schlechten Turner – aber ich hatte wenig Verständnis für sie, sie ärgerten mich, wenn sie wie Säcke am Reck hingen. Sie erinnerten mich an mein eigenes Elend, das ich – ich war ja jetzt der Lehrer – hinter mir gelassen hatte.

Selbstverständlich erschrak ich, als ich das entdeckte, und selbstverständlich versuchte ich nun, jene zu lieben oder wenigstens nicht zu hassen, die gleich waren wie ich.

Das sind wohl die Schwierigkeiten mit den Jungen, mit den Söhnen, sie gleichen uns und sie erinnern uns an uns selbst – an unser Elend.

Oskar ereifert sich über jene Chaoten, die anläßlich der Demonstrationen gegen den G8-Gipfel in Genf Schaufenster einschlugen. Da bin ich zwar mit ihm einverstanden, und ich sage nicht viel. Ich beobachte ihn nur. Ich möchte wissen, ob er sich erinnert, und ich sehe, wie hinter seinen Augen ein Gedächtnis arbeitet. Er selbst ist zwar schon längst erwachsen, aber er hat früher der Polizei auch etwelche Schwierigkeiten gemacht – als einsamer Reiter aus irgendeinem Western, als Mächtiger und Gerechter der Straße.

Ja, er erinnert sich.

Und er verteidigt sich nur noch sanft: »Diese Genfer Geschäftsleute haben ja gar nichts damit zu tun – das trifft doch immer völlig Unschuldige.«

»Ja, wie im Irak, wo ein George Bush Scheiben eingeschlagen hat«, sage ich, und ich frage mich, ob jener Bush nun noch der Jugend oder schon den Erwachsenen zuzurechnen ist – ob er also noch ein Nachahmer oder schon ein Vorbild ist –, eine müßige Frage, er ist wohl doch ein Erwachsener und das Vorbild: Der mächtige Mann einer mächtigen Nation, der Macht demonstriert.

Und einer am Tisch sagt: »Wenn das so weitergeht«, und er meint die Chaoten in Genf, »dann geht die ganze Welt zum Teufel.«

»Ja«, sage ich.

»Was ja?« sagt er.

»Ich habe Ja gesagt«, sage ich.

Und daß vielleicht jene Chaoten, die nach einem Fußballspiel randalieren, dieselben sind wie die, die in Genf randalieren – nämlich solche, denen es nicht um die Sache geht –, das mag so sein.

Auch das Vorbild Bush sucht noch und noch nach Argumenten für seinen Irakkrieg. Um was für eine Sache ging es da?

Oskar übrigens war auch – wie die Mehrheit in unserer Gegend – gegen Bushs Krieg. Aber inzwischen ist er ihm – wie wir alle – nicht mehr böse.

Der Machtmißbrauch des Mächtigen war erfolgreich. Er ist mächtig und hat seine Macht demonstriert, und die Opfer bleiben ungezählt und werden in kein Verhältnis gesetzt zu irgendwelchen anderen Opfern.

Wer erfolgreich ist, ist in unserer Welt ein Vorbild. Der Mächtige ist das Vorbild dafür, daß Macht etwas Gewalttätiges ist. Und auch ohne die Gefahr von Demonstrationen hätten in Genf Hunderte von Polizisten die Mächtigen geschützt – die Mächtigen gefallen sich im Glanz der Gewalt.

Die Machtdemonstration der Mächtigen nennt man legale Macht, und man empfindet sie als Ordnung. Die Macht der Ohnmächtigen aber ist illegal – und sie ist hoffnungslos und verzweifelt und führt in die Verzweiflung. Die Demonstranten der Hoffnung sind gegen die G8, die Verzweifelten nur noch gegen die Polizei – das ist hoffnungslos.

Aber es ist wieder einmal vorbei.

Und jetzt sind wir doch alle interessiert, trotz Bush, daß das im Irak ein bißchen gut kommt.

In Genf übrigens ist alles schon wieder gut.

Die Sprengung des Hochkamins

Es gibt Menschen, die begleiten einen im Leben lang ohne jede Funktion. Sie sind weder Verwandte noch Nachbarn, weder politische Freunde noch Feinde, man braucht sie nicht zu mögen und braucht sie nicht zu hassen, man kennt nicht einmal ihren Namen und ihren Beruf, und sie wissen nichts davon, daß sie im Leben eines anderen eine Rolle spielen.

Jedesmal, wenn ich in den Bus steige, um nach Hause zu fahren, fällt er mir ein, ein alter Mann, klein, glatzköpfig und sehr von sich überzeugt. Er setzte sich immer an denselben Platz, und sein erster Blick galt dem Knopf, mit dessen Betätigung man bewirken konnte, daß der Bus an der nächsten Station hält – ein Summton und die Leuchtschrift »Bus hält«.

Diesen Knopf nun betätigte er resolut und mit der bedeutenden Miene eines Fachmanns, der die Sprengung eines Hochkamins auslöst.

Er haßte kleine Kinder und schaute sie schon beim Einsteigen strafend an. Sie waren seine Konkurrenz, wenn sie ihre Mutter baten, den Knopf drücken zu dürfen. Er aber kam ihnen zuvor, er drückte gleich nach der Abfahrt auf der vorletzten Station und wartete dann, die Arme auf der Brust verschränkt, triumphierend.

Auf was wartete er? Nein, nicht einfach auf das Anhalten des Busses, sondern auf die Folgen des strengen Befehls, den er erteilt hatte – der Hochkamin stürzte in sich zusammen. Er hatte die Befehlsgewalt über die Bewegungen des Busses.

Und ich war blöd genug, mich jedesmal ein bißchen über ihn zu ärgern – er ging mir mit seiner Befehlsgewalt auf die Nerven.

Es muß Monate gedauert haben, bis mir auffiel, daß er nicht mehr fuhr, und es muß Jahre gedauert haben, bis ich mich fragte, ob er wohl gestorben war. Sehr wahrscheinlich schon – er müßte jetzt wohl hundert sein. Und vielleicht bin ich der letzte, der noch an ihn denkt – jedesmal, wenn ich in den Bus steige.

Elias Canetti schrieb in seinem Buch »Masse und Macht«, daß jeder Befehl, ob sinnvoll oder nicht, wie ein Stachel unter die Haut dringe. Dies sei kaum schmerzhaft, aber die kleinen Stachel mit Widerhaken begännen dann später im Alter zu eitern.

Vielleicht ist es das, was mich an ihn erinnert – seine zwar sinnvollen Befehle und seine total lächerliche Befehlsgewalt.

Befehle nennt man auch die Eingaben in einen Computer. Ich befehle ihm ein B, und ich befehle ihm ein A, ein U und ein M – und ich tue das resolut, weil ich von der mechanischen Schreibmaschine herkomme, die man mit Muskelkraft betätigte. Und wenn der Computer einen etwas komplizierteren Befehl nicht begreifen will, dann hacke ich noch kräftiger auf die Tasten und versuche ihn mit Kraft zu überzeugen, mit Überzeugungskraft eben.

Als ich mal in der Eisenbahn auf meinem Taschencomputer schrieb, kam ein kleines Mädchen, knapp vierjährig, schaute mir zu und fragte: »Was machst du?«

»Ich schreibe«, sagte ich.

»Darf ich auch mal?« fragte es. Ich schob ihm den Computer zu.

»Ich kann meinen Namen schreiben«, sagte es und suchte die Buchstaben auf der Tastatur und berührte sie sanft mit seinen Fingerchen – nein, keine Befehle, sondern nur sanfte, fast schüchterne Hinweise. Irgendwie beschämte mich das, und es erinnerte mich an den Befehlsgewaltigen im Bus und auch an mich.

Und ab und zu erinnert es mich auch, wenn die Leute von ihrem Umgang mit dem Internet erzählen. Sie selbst und nur sie selbst besitzen das Wissen, das da im Internet steht; und sie sind die legalen Besitzer dieses Wissens, weil sie die absolute Befehlsgewalt über ihr Internet haben – und die absolute Befehlsgewalt über ihren Rasenmäher, über ihre elektrische Heckenschere und die Befehlsgewalt über ihr Auto. Und für ihre Gewalt über das Auto besitzen sie sogar ein Diplom, einen staatlich beglaubigten Ausweis – den Führerschein, den sie sich in einer harten Prüfung erworben haben –, staatlich lizenzierte Befehlsgewaltige, die in ihrem Machtzentrum die Befehle zum Fahren geben.

Übertreibungen, Übertreibungen – ich weiß. Aber die alltäglichen Befehlsgewalten, die allmorgendliche über meine Kaffeemaschine, machen vielleicht doch auch ein bißchen gewaltbereit.

Jedenfalls verstehe ich jene, die sich fürchten vor dem Betätigen eines Kaffeeautomaten, die sich fürchten, einen Computer in ihre Gewalt zu nehmen.

Auch ich befehle nicht besonders gern, und ich bin eigentlich recht froh, wenn im Bus jemand vor mir den Knopf drückt und mir die Last der Befehlsgewalt abnimmt. Und das kleine Mädchen, das von seiner Mutter zum Knopf hochgehoben wird, kann das mit seinem kleinen Fingerchen auch wesentlich gewaltfreier als ich.

Gari, der Meister im Weitsprung

Ein Abend mit Freunden, 1955, ich war zwanzig – der Gastgeber war ein Musikliebhaber mit einer großen Plattensammlung. Er spielte uns die Brandenburgischen Konzerte von Bach vor und kommentierte die verschiedenen Aufnahmen mit seinem Fachwissen.

»Und jetzt«, sagte er, »etwas ganz Spezielles – dasselbe Konzert in einer Aufnahme eines amerikanischen Orchesters.« Ich erinnere mich, daß ich mir das damals kaum vorstellen konnte, ein amerikanisches Orchester, das Bach spielt, und ich erinnere mich an eine lange Diskussion über die Qualität dieser Aufnahme: technisch absolut präzis, eigentlich zu präzis und jedenfalls ganz anders als ein europäisches Orchester.

Ich weiß nicht mehr, um was für ein Orchester es sich handelte – vielleicht um die Bostoner Symphoniker oder um das Cleveland

Orchester –, ich weiß nur noch, daß wir eine sehr exotische Vorstellung davon hatten, wie Amerikaner klassische Musik spielen.

Wir hätten es schon damals besser wissen müssen, aber wir wußten es nicht. Wir wußten noch nichts davon, daß amerikanische Orchester so »europäisch« sind wie alle guten Orchester. Schon zwei, drei Jahre später war uns das selbstverständlich. Nicht sie spielten ganz anders, sondern wir hörten ganz anders. Wir wollten ganz anders hören. Wir waren darauf angewiesen, zwischen dem Hier und dem Dort zu unterscheiden.

In Solothurn, wo ich wohnte, gab es damals auch Künstler – Maler, die von ihrer Malerei leben konnten, auch wenn man ihre Namen vielleicht schon in Aarau oder in Biel nicht mehr kannte. Wir besuchten zwar auch große Museen in Basel, Zürich und Bern. Wir liebten die deutschen Expressionisten, Picasso, Klee und Kandinsky. Wir kannten uns einigermaßen aus in der »großen« Kunst – aber zu Hause stritten wir uns heftig über die Qualitäten der örtlichen Maler, und ob nun Jauslin, Brunner, Spinnler, Schwarz oder Kessler der beste sei.

Gari, den trinkenden Wirt vom »Buristurm«, verehrten wir immer noch, weil er vor Jahren solothurnischer Meister im Weitsprung war. Ob es das wohl noch gibt, solothurnische Meister? Jedenfalls weiß ich nichts mehr davon und hätte schon deshalb keinen Anlaß mehr, sie zu verehren. Aber Weltmeister gibt es hier – wie wohl überall immer wieder: Kanu, Curling, und ein Einwohner von Solothurn ist Weltmeister im Schwimmen geworden und wurde von der Stadt gebührend empfangen und gefeiert, Popov, ein Russe – gäbe es noch solothurnische Meisterschaften, er würde sie wohl gewinnen. Aber nachdem es jeden Monat in der Gegend irgendwelche Weltmeister gibt in irgendwelchen Sparten, bleibt keine Zeit mehr, einen solothurnischen Meister im Weitsprung zu verehren.

Zurück zu den Malern: Nein, sie malten wohl nicht ganz anders als die Maler in Aarau, in Biel oder Lenzburg. Es gab wohl nicht so etwas wie eine solothurnische Malerei, wenn man mitunter auch durchaus einen Bezug zum solothurnischen Altmeister Amiet hätte ausmachen können. Es gab aber ein solothurnisches Publikum für Solothurner Maler, für Solothurner Weitspringer, für Solothurner Geiger. Die provinzielle Kultur spielte in einer anderen Liga. Alles andere war die Welt – und auch ganz schön.

Inzwischen, so scheint mir, wurden die Ligen alle zusammengelegt. Es spielen und malen und springen jetzt alle in der Weltliga und erhoffen sich dort durch Zufall einen sichtbaren Platz. Die Provinz hat ihre Kultur an die Welt verloren.

Oder, wie das der Fußballfunktionär formulieren würde: Es fehlt inzwischen der Aufbau in den unteren Ligen. (Wie wenn sie alle in der Championsleague spielen würden.)

Nein, ich habe keine Vorschläge, das wieder rückgängig zu machen. Ich werde nicht mit Hunderten von Mitstreitern vor einer lokalen Kunstausstellung gegen die Globalisierung demonstrieren. Auch wenn mir die Demonstrationen gegen die Globalisierung der Wirtschaft sehr einleuchten.

Und da fällt mir noch ein: Ich weiß genau, wann mir der Begriff »Multinationale Gesellschaften« zum ersten Mal begegnete – im Herbst 1973. Er gehörte von diesem Augenblick an zu meinem alltäglichen Vokabular. Wann aber habe ich ihn zum letzten Mal gehört? Irgendwie hat der Begriff »multinational«, der damals noch erschreckend war, bereits etwas nostalgisch Niedliches.

Der Schrecken erinnert mich an jenen »Schrecken«, als wir glaubten, die Brandenburgischen Konzerte von Amerikanern ganz anders gespielt zu hören. Das war nicht nur ein Hörfehler, sondern entsprach unserer Vorstellung, daß es nicht nur eine Welt gibt, sondern Welten.

Solothurn, nur zum Beispiel, war eine dieser Welten. Und als Aarau oder Lenzburg oder Welschenrohr noch eine Welt war, gab es noch eine lokale, eine provinzielle Kultur.

Inzwischen gibt es nur noch eine einzige große Welt, und niemand hat das bewerkstelligt, das kam einfach so, und die Globalisierung nistete sich in unseren Köpfen ein, bevor es sie gab.

Wir verlieren die Welt, weil wir die Welten verlieren. Und Gari, den wir verehrten, wäre unter dieser Bedingung nie Meister geworden – denn damals fielen die Meister noch nicht vom globalen Himmel.

Gesucht wird Rosa Minder

Gesucht werden alte Dienstkameraden, Schulkolleginnen, Ferienfreunde. »Ich suche Rosa Minder, wir waren 1948 zusammen im Welschen, in Blonay«, dazu ein Foto von zwei jungen Frauen.

Eine Rubrik in einer Zeitschrift, warum lese ich sie Woche für Woche, auch wenn es immer dasselbe ist: Der zweite von links in der hinteren Reihe; das Kindermädchen, 1942, in Ollon; die Vroni, mit der ich zusammen im Service war im »Rössli« in Abtwil.

Und die Fotos sind auch immer dieselben, genau dieselben wie letzte Woche, wie vorletzte Woche – eigenartig, daß es Amateurfotografen in aller Welt gelingt, immer wieder genau dieselben Bilder zu knipsen, mit genau denselben Menschen, in der genau gleichen Umgebung: eben zwei Mädchen in einer Landschaft.

Nein, nicht die Gesuchten interessieren mich, sondern die Suchenden. Warum wird es plötzlich dringend, nach sechzig Jahren, Rosa Minder zu finden? Und wen würde ich suchen, wenn ich auch so eine Anzeige aufgeben würde?

»Ich suche die Polizistin, die im Frühling 1969 auf dem Stachus in München stand und den Verkehr dirigierte.«

Und was würde ich ihr sagen, wenn ich sie finden würde? Ich würde ihr sagen: »Damals, als Sie dort standen, bin ich mit meinem Deux-Chevaux an Ihnen vorbeigefahren.«

Ihr Gesicht hat sich mir eingeprägt – kein besonders schönes Gesicht, kein besonders freundliches, kein besonders unfreundliches –, irgendein Gesicht, aber es ist in meinem Kopf abgespeichert als Bild, und ich habe sie in meinem Leben nur einmal gesehen und wohl nur für fünf Sekunden. Trotzdem, sie ist ein Teil meiner Biographie, ein unwesentlicher Teil zwar, aber sie hätte durchaus auch ein wesentlicher Teil meiner Biographie werden können – zum Beispiel, wenn ich da einen Unfall gebaut hätte, der mein Leben entscheidend verändert hätte.

»So etwas Saublödes«, würde die alte Frau wohl sagen, wenn ich sie in München besuchte, um ihr mitzuteilen, daß ich einst an ihr vorbeigefahren sei, und sie würde mir wütend und mit Recht die Tür vor der Nase zuschlagen.

Ist die Suchende in der Zeitschrift – eine alte Frau – wirklich auf der Suche nach Rosa Minder? Ist sie nicht vielmehr auf der Suche nach ihrer eigenen Biographie?

Ich komme ab und zu in die peinliche Situation, daß ich mir meine Biographie anhören muß, etwa wenn mich ein Veranstalter vor einer Lesung dem Publikum vorstellt. Er erwähnt dann, daß ich 1935 geboren bin und wann welche Bücher erschienen sind. Ich kenne diese Biographie, und ich habe sie genauso auswendig gelernt wie er – ich kenne sie, aber sie ist mir fremd. Schon an dieses Jahr 1935, das mich ein Leben lang begleitet, habe ich keine Erinnerungen.

Es ist mir peinlich, eine Biographie anhören zu müssen, die zwar die meine ist, die mir aber fremd vorkommt. Ich habe immer das Gefühl, ich müßte etwas korrigieren, ich müßte zum Beispiel erwähnen, daß ich 1969 mit meinem Deux-Chevaux über den Stachus gefahren bin, daß ich einmal in Wien in einem Café eine Kellnerin sah, die schön war, daß ich einmal als Jüngling außerhalb Solothurns unter einem Baum saß, in einem Buch las und glücklich war.

Die Suche nach Rosa Minder ist die Suche nach der verlorenen Zeit. Ich weiß nicht, wohin ich gefahren bin und aus welchem Grund – die Polizistin ist so etwas wie ein Lesezeichen in einem Buch mit leeren Seiten, aber immerhin ein Lesezeichen.

Vor Jahren traf ich eine schöne schwarze Frau in Amerika. Wir unterhielten uns, und ich fragte sie, woher sie komme. »Ich bin in New York geboren«, sagte sie. »Nein«, sagte ihr Begleiter, »du bist in Washington geboren«, und sie begannen zu streiten. »Wo ich geboren bin, das bestimme ich, und ich bin da geboren, wo mein Leben begann.« »Sehr gut«, sagte ich, »das mache ich ab jetzt auch so, ich bin jetzt auch in New York geboren.« Und sie sagte: »Wie alt bist du?« »Fünfzig«, antwortete ich. »Too late – zu spät«, sagte sie.

Wie vielen Menschen begegnet man eigentlich im Leben? Sind es Hunderte, Tausende, Hunderttausende? Man hätte sie zählen sollen. Man hätte Striche machen sollen. Aber schon ein Gang durch die Stadt hätte ganze Bücher mit Strichen gefüllt.

Also beginnen wir mit Zählen von vorn: Da war also Rosa Minder in Blonay, und da war ...

Kürzlich fragte mich ein junger Freund, ob er mir eine schüchterne Frage stellen dürfe: Er wolle gern in einer Geschichte von mir vorkommen und wie er das anstellen müsse. Die Frage machte mich verlegen, aber ich mag ihn. Er heißt Fabian Malovini, und jetzt ist er drin in der Geschichte, und wir haben miteinander zu tun.

Doch, ich gehe wählen

Es gibt diese stereotypen Interviewfragen mit ebenso stereotypen Antworten.

Frage: »Lieblingsfarbe?«
Antwort: »Blau!«
Frage: »Hobby?«
Antwort: »Wandern!«

Und dann gibt es die Frage: »Wen wählen sie?« Und die Antwort heißt stereotyp: »Ich wähle nicht nach Parteien, ich schaue die einzelnen Personen an.«

Die Antwort erschreckt mich immer wieder. Das möchte ich eigentlich auch, nur bin ich im Unterschied zu allen anderen Leuten ein schlechter Menschenkenner, ich kann mich im Unterschied zu allen anderen nicht auf Fotos verlassen. Und das Hobby »Familie, Wandern, Skifahren« weist auf nichts Besonderes hin – dann schon eher der Hinweis »Oberst im Generalstab«, das weist schon eher auf Charakter hin, auf einen eben besonderen Charakter.

Die Bisherigen haben die besten Chancen, gewählt zu werden, weil sie eine Eigenschaft haben, mit der sie sich für dieses Amt qualifizieren, sie sind Nationalräte. Aber wäre es so, daß der Wähler nur auf die Person schaut, dann ... ach, lassen wir das.

Die Wahlen sind wohl das wichtigste Ereignis in einer Demokratie. Und sie gefällt mir, die Demokratie – aber ausgerechnet dort, wo sie beginnt – alle vier Jahre bei den Wahlen –, verleidet sie mir:

Ich habe genug von diesem Jahrmarkt mit »Ich bin nicht ganz dafür
und auch nicht ausgesprochen ganz dagegen«, diesem fürchterlichen
Blödsinn vom »Menschen im Mittelpunkt«. Wen denn sonst? Den
Walfisch im Mittelpunkt? Den Zwetschgenbaum? Den Blocher und
den Leutenegger? Den Kanarienvogel? Das Hacksteak?

Die Wahlen sind die Durststrecke der Demokratie. Da gibt es
nur eines: Augen zu und durch. Ja, ich wähle. Ja, ich bin Demokrat.
Ich wähle eine Partei, jene Partei, die meiner Meinung am nächsten
kommt – und ob ihre Mitglieder wandern oder langohrige Belgier
züchten, ist mir Wurst.

Und ich möchte eigentlich gern die Interviewfrage stellen: »Warum denn wollen Sie – willst du – Nationalrat werden?«, aber die Antworten darauf interessieren mich nicht. Die Frage schon, die Antworten nicht.

Frage: »Warum wollen Sie Fähnrich des Hornusserclubs werden?«
Antwort: »Weil für mich der Mensch im Mittelpunkt steht!«

Nein, das hat nichts mit politischer Resignation zu tun. Das ist
einfach so, und das kann man nicht ändern. Das hat nichts damit zu
tun, daß unsere Wahlen »veramerikanisiert« werden, hat nichts mit
brutaler Werbetechnik zu tun. Das war schon immer so. Schon Gottfried Keller beschrieb das im »Martin Salander«, und einige Köpfe,
die mich aus dem Tagesanzeiger anstrahlen, erinnern mich an die
Gesellen aus Kellers »Salander«.

Wer die Demokratie will, der muß die Wahlen ertragen. Sie sind
häßlich, sie sind apolitisch, sie stellen alle vier Jahre einen großen
politischen Schaden an, der dann in vier Jahren nur knapp verheilt –
und in den Wahlen werden alle vier Jahre die alten Wunden der Demokratie aufgerissen.

Das läßt sich nicht ändern. Das ist einfach so. Und das war schon
immer so. Und die Wahl irgendeines Demokraten ist immer noch
ein angenehmeres Ereignis als die Geburt eines Erbprinzen.

Und wenn sie dann alle schön gewählt sind, dann werden sie
sich im Parlament setzen. Sitzungen hat mit nichts anderem zu tun
als mit »sich hinsetzen«.

»Man kann nur denken und schreiben, wenn man sitzt«, sagte

Gustave Flaubert, der großartige Autor der »Madame Bovary« vor hundertfünfzig Jahren.

Und sie werden sich setzen, und sie werden denken. Im Augenblick aber rennen sie herum wie aufgescheuchte Gockel und Hühner. Es sind Wahlen, niemand sitzt mehr.

Und wenn sie sich dann wieder gesetzt haben, werden sie unter anderem auch einen Nachfolger, eine Nachfolgerin, für einen zurückgetretenen Bundesrat wählen. Und wie immer erwarten wir die Sensation. Und in Wirklichkeit werden wir es alle schon zum voraus irgendwie gewußt haben. Und wer auch immer gewählt wird, es wird mit ihr und mit ihm dann schon irgendwie gehen.

Das ist Demokratie. Ja, sie ist langweilig, unsere Demokratie. Aber genau diese Langeweile ist seit hundertfünfzig Jahren ihre Stärke. Wir haben mit ihr gute Erfahrungen gemacht.

Und gewarnt sei vor jenen, die sie spannend machen wollen. Eine spannende Demokratie ist keine mehr. Die Netten, das sei zugegeben, sind langweilig. Sie sollen es auch sein – und die Unnetten sind keine demokratische Alternative.

Und wer Spannung will, hat sie anderswo zu suchen. Im Leben zum Beispiel. Und über dieses Leben wollte ich jetzt für einmal und ausnahmsweise nicht schreiben.

Mir fällt dazu nur ein, daß ich nicht mehr rauche. Und diese banale Lächerlichkeit ist jetzt mein Problem. Was ist wichtig? Was ist unwichtig? Und wer entscheidet darüber? Leben besteht nicht aus Wichtigkeiten und Unwichtigkeiten. Das Rauchen zum Beispiel, das ist Leben – und das Nichtrauchen leider auch. Entschuldigung.

Die Kunst des Schuheputzenlassens

Ich putze meine Schuhe selten, und ich lasse sie mir ungern putzen. Ich mag es nicht, dazusitzen und auf einen Menschen hinunterzuschauen, der vor mir kniet, um mir die Schuhe zu putzen.

Auch das mußte ich lernen.

Und jedesmal, wenn mich ein Schuhputzer fragt, ob er meine Schuhe putzen dürfe, sage ich erst mal nein – und dann erinnere ich mich, daß ich das ja vor Jahren gelernt habe, und ich rufe ihn zurück und lasse mir die Schuhe putzen.

Der Schuhputzer in Polen trug nigelnagelneue, blitzblanke, rahmengenähte englische Schuhe. Und er fragte auch jeden, wieviel er denn dächte, daß diese Schuhe kosten würden, und er sagte es auch jedem: nämlich 800 Euro, ein englischer Gentleman habe sie ihm geschenkt – nobel soll die Welt zugrunde gehen, auch die Welt der Schuhputzer.

Ich hatte keine Chance. Ich saß in Krakau im Zug und wartete auf die Abfahrt, und da saßen auch viele andere, aber ausgerechnet meine Schuhe und nur meine Schuhe wollte er putzen. Offensichtlich sah er mir an, daß ich ein gelernter, ein ausgebildeter Schuhputzlasser bin. Und Ausgebildete werden nicht nur besser bezahlt, sie bezahlen auch besser.

Und ich hätte auch den teuren Schuhputzer von Krakau bereits vergessen, hätte es nicht das Unglück mit der Fähre zwischen Manhattan und Staten Island gegeben. Auf jener Fähre hatte mir ein Schuhputzer mühsam die Kunst des Sich-die-Schuheputzen-Lassens beigebracht.

Ich kann das jetzt. Und wenn man, wie ich, jederzeit Taschengeld in der Tasche hat, muß man das können. So hat mir das der Schuhputzer auf der Fähre in Manhattan auch beigebracht. Er hat mir gesagt, daß es so Arschlöcher gäbe, die jederzeit Taschengeld in der Tasche hätten und sich die Schuhe nicht putzen ließen. Selbstverständlich sei es eine einigermaßen harte Arbeit, sich die Schuhe putzen zu lassen. Es sei keineswegs angenehm, sich die Schuhe putzen zu lassen, aber es sei auch keineswegs angenehm, Schuhe zu putzen, und da könnte man sich doch wenigstens auf halbem Wege entgegenkommen.

Von da an kaufte ich mir am Dienstagmorgen und am Freitagmorgen eine »New York Times«, ging auf die Fähre und ließ mir die Schuhe putzen.

Das wurde zum Ritual, und unter Ritualen hat man zu leiden. Ich

hatte die ganze Fähre zu durchstöbern, bis ich endlich meinen Schuhputzer fand. Und dann weigerte er sich tapfer, meine Schuhe zu putzen. Er hätte noch fünf Voranmeldungen – vielleicht auf der Rückfahrt, er setze mich mal auf die Warteliste. Da nützte weder betteln
noch bitten, und auch die fünf Dollar die ich ihm unter die Nase hielt,
bewirkten nicht mehr als ein Kopfschütteln – ich war auf der Warteliste.

Und so sind wir Geschäftspartner geworden und nach und nach
Geschäftsfreunde – und eigentlich Freunde: Ich hielt die Dienstage
und die Freitage ohne ihn nicht mehr aus.

Nein, ich lasse mir die Schuhe nicht putzen, damit sie sauber sind.
Ich lebe gut und gern mit schmutzigen Schuhen. Ich lasse mir die
Schuhe putzen, um mit den Schuhputzern ins Geschäft zu kommen.
Sie leisten eine Arbeit, und ich bezahle sie.

Betteln ist auch, wie wir alle wissen, eine harte Arbeit. Ich sehe
ein, daß ich sie hie und da zu bezahlen habe. Arbeit muß bezahlt
werden.

Und da wäre dann noch der Schuhputzer von Assuan, ein schlitz-
ohriger schwarzer Schlaumeier, der mit seinem Trick dem großen
Schweizer Hotelier Cesar Ritz glich, der unter anderem vor allem
auch deshalb reich wurde, daß er ein Mineralwasser – Apollinaris –
zwanzigmal teurer verkaufte als alle anderen – ein Nobelwasser eben.

Der kleine muntere Schwarze in Assuan war ein Nobelschuhput-
zer. Er saß in einer Reihe mit zehn anderen Schuhputzern auf dem
Basar, und er rief, als ich in Assuan ankam: »Mister, shoeshining!«

Diesmal hatten es meine Schuhe wirklich nötig, und ich ging zu
ihm und stellte meinen Fuß auf die Kiste. Er strahlte mich an und
nannte, was sonst nicht üblich ist, erst mal seinen Preis – umgerech-
net stolze dreißig Franken.

»Du bist verrückt«, sagte ich, und ich begann zu markten – keine
Chance.

»Ich bin teuer«, sagte er – und als ich mich an den alten Schuhputzer neben ihm wandte, sagte der und wies auf den Jungen: »Er
war zuerst.«

Es war nichts zu machen. Ich ging weiter.

Und von nun an rief er jedesmal, wenn ich über den Basar ging: »Mister, shoeshining«, und ich fragte ihn nach dem Preis, und er sagte: »Du weißt, daß ich teuer bin«, und ich marktete, und er blieb hart.

Und dann kam der Tag meiner Abreise, und ich ging noch einmal über den Basar, und ich hatte, wie wohl schon viele Touristen vor mir, noch viel ägyptisches Geld, und er rief Mister, und ich ließ mir die Schuhe putzen und gab ihm den großen Rest meines Geldes. Und er lachte herzlich, und die ganze Reihe der Schuhputzer bückte sich vor Lachen. Sie lachten mich aus, aber ich bin noch nie so herzlich und so herzerfrischend ausgelacht worden.

Sie hatten gewonnen und ich auch.

Die Schäbigkeit der Noblesse

Noch immer haben die langen lackierten Fingernägel der Damen den Hauch der Noblesse, wenn sie auch inzwischen allen, auch den Unnoblen, zugänglich sind.

Ursprünglich aber waren sie das Zeichen dafür, daß ihre Trägerin es nicht nötig hatte, zu arbeiten. Ähnlich muß es früher auch mit den hohen Absätzen gewesen sein. Sie waren das Zeichen dafür, daß man es nicht nötig hatte, weite Strecken zu Fuß zu gehen.

Längst haben sie diesen Symbolwert verloren, aber trotzdem, der Hauch des Noblen hängt ihnen noch an, wenn auch ab und zu der Hauch des Allerbilligsten, was dem Noblen halt mitunter nahe ist.

Tennis zum Beispiel erinnert mich daran – an ein altes Symbol der Noblesse, das glücklicherweise keines mehr ist –, aber trotzdem, immer wieder machen mich Leute, die Tennis spielen, ungefragt darauf aufmerksam, daß das nicht mehr so sei wie früher. Ich habe damals, nämlich »früher«, selber zwei Jahre Tennis gespielt, und schon damals war es eben nicht mehr so ganz wie früher – mir war es »früher« genug, und ich ließ es sein.

Sport wurde einmal, und das noch im 19. Jahrhundert, von Noblen betrieben, die damit bewiesen, daß sie es sich leisten können, sich zu bewegen – kräftig und tüchtig zu bewegen –, ohne Geld zu verdienen.

Einzelnen Sportarten hängt dieser Hauch für immer so an, wie den manikürierten Fingernägeln der Damen.

Nein, nichts gegen Tennis – ich habe in der Nacht das ganze Spiel von Roger Federer gesehen. Ich habe mich gefreut. Er – oder die Schweiz, ich bin Schweizer – wurde Weltmeister. Das ist nicht nichts – das mußte ich sehen. Weshalb habe ich das Gefühl, daß ich ihn kenne? Ich kenne ihn so wenig wie einen russischen oder kroatischen Tennisspieler, aber ich habe den Eindruck, wir kennen uns.

Einen richtigen Schweizermeister aber kannte ich wirklich. Ich saß fast täglich mit ihm zusammen in der Beiz, und was Bescheidenheit auch immer meint, er war es – er war bescheiden.

Er züchtete Kaninchen, Castor Rex, und einer seiner Rammler wurde Schweizermeister, oder besser: Er wurde Schweizermeister mit einem seiner Rammler. Darauf war er stolz, aber man mußte sehr lange auf ihn einreden, bis er seinen Stolz ein bißchen zeigte. Das hieß dann etwa: »Es haben schon drei angerufen und wollten ihn kaufen.«

»Wieviel ist denn so ein Schweizermeister wert?« fragte ich. »Ja, so 100 Franken schon – einer hat viermal angerufen, er ging bis auf 140 – ich habe nicht verkauft.«

Ich mochte Wauti Knuchel sehr, ich vermisse ihn. Er war einer von jenen, die ein bißchen Ernst in die Beiz brachten, den Ernst der Leidenschaft. Kaninchen züchten, das gibt sehr viel zu tun, mindestens so viel wie Tennis spielen, und wer dabei Schweizermeister werden will, dem muß es ernst sein.

Wauti war Mitglied des Ornithologischen Vereins. Die Ornithologen sind die Vogelfreunde. Die Kaninchen sind zwar keine Vögel, aber die Kaninchenzüchter waren schon immer eine Unterabteilung der Ornithologen. Und Ornithologie und Kaninchenzucht waren damals, als sich die Noblen noch in den olympischen Regeln, ohne Geld zu verdienen, bewegten, der Sport jener, die es sich nicht leisten konnten, sich zu bewegen, ohne zu verdienen – das Fleisch der Kaninchen konnte man auch essen.

Die olympischen Amateurregeln klangen zwar wie Idealismus – aber im Grunde genommen waren sie elitär, sie schlossen jene aus, die sich den Sport nicht leisten konnten, die Unnoblen.

Am Kaninchenzüchten aber hängt kein Hauch der Noblesse, daran hängt der Hauch von »Im Schweiße deines Angesichts«. Damit war wohl ursprünglich nicht der Schweiß von Agassi und Federer gemeint.

Im Schweiße seines Angesichts konnte man »damals« keine Millionen verdienen.

Jene Millionen, die die Tennisspieler so imposant machen. Da spielen nicht einfach zwei Athleten gegeneinander, sondern zwei Bedeutende, und es gibt nicht nur eine Rangliste der sportlichen Leistung, es gibt auch eine Rangliste des jährlichen Verdiensts. Da wird Welt nachgeahmt, die Welt der Großmanager und die Welt der Reichen.

Die Welt zum Beispiel jenes Möbelhändlers aus Houston, der das Ganze finanziert hat. Der hat mir ganz und gar nicht gefallen, aber mit ihm hat das Tennis zu leben.

Ja, die Fingernägel: Ausdruck der Noblesse und Ausdruck erbärmlicher Schäbigkeit. Wie nahe das doch zusammen ist:

Der Glanz des Tennis und die Schäbigkeit des überreichen Möbelhändlers. Und das Ganze heißt Macht, die Schäbigkeit der Macht.

Und schließlich hat Federer auch Macht über Agassi ausgeübt, und mir hat das gefallen. Was beklage ich mich?

Und ich gebe zu, der Castor Rex von Wauti Knuchel war zwar wohl wunderschön, aber ich wäre nachts nicht für ihn aufgestanden.

Die heilige Zeit

Mein treuer Leser Egon teilte mir schon vor zwei Wochen mit, daß meine nächste Kolumne in die Weihnachtswoche fällt. Und als ich nicht darauf reagierte, sagte er es ein zweites Mal.

Ich wußte gleich, was er damit meinte. Das war nicht irgendeine zufällige Bemerkung, das war ein Auftrag – oder noch mehr, es war Egons Hoffnung auf eine Geschichte, eine richtige Geschichte, eine Weihnachtsgeschichte.

Egon ist nicht nur mein bester Leser, er ist auch ein strenger Leser – ein Leser, der weiß, was er will, und er will eine Geschichte.

»Erzähl mir doch was, erzähl mir doch was«, wie Stefan, der ab und zu anruft, seinen Namen sagt und grüßt und dann schweigt und meine Frage, ob er noch da sei, mit einem knappen Ja beantwortet und weiter schweigt.

Es ist mir auch schon gelungen, mitzuschweigen, einfach auch nichts zu sagen – dann verabschiedet er sich nach ein paar Minuten und wünscht einen schönen Abend.

Offensichtlich möchte er einfach, daß mit ihm geredet wird. Aber was soll ich reden? Halt irgend etwas – aber nichts ist schwerer als das Irgendetwas.

Ja, Egon, ich weiß, du wirst dich auf diese Kolumne stürzen. Du wirst sie lesen und bitter enttäuscht sein.

Ich sitze in der Beiz und suche verzweifelnd nach einem Thema für diese Kolumne. Eben ist ein leicht angetrunkener Weihnachtsmann in seinem Coca-Cola-Kostüm, der lange da saß, wieder auf die Straße gegangen, um Nüsse zu verteilen. Vielleicht sagt auch er zu den Kindern: »Erzähl mir doch was!«

Nein, lieber Egon, du bist nicht der einzige, der von mir – warum immer von mir? – eine Weihnachtsgeschichte erwartet. Es haben auch dieses Jahr wieder einige Zeitungen angerufen und gefragt, ob ich ihnen eine Weihnachtsgeschichte schreiben könnte.

Noch nie wurde mir eine Ostergeschichte abverlangt, noch nie eine Pfingstgeschichte.

Es gibt nur drei Arten von Geschichten: die Geschichten, die Kindergeschichten und die Weihnachtsgeschichten.

Und von keiner der drei wissen wir so genau, wie sie zu sein haben, wie eben von den Weihnachtsgeschichten. Sie spielen in der Kälte, im Schnee, im Dunkeln – und sie haben mit jenem Ereignis vor 2000 Jahren in Palästina wenig zu tun.

Sehr wahrscheinlich war es der Stern von Bethlehem, der die Nacht nötig machte – und Nächte haben kalt zu sein, und schon sind die Nächte deutsch und verschneit, und die Palmen werden zu Fichten.

Ich weiß, Egon, du möchtest nicht so eine Weihnachtsgeschichte von mir, sondern eine andere, eine ganz andere, die aber dann doch eine richtige Weihnachtsgeschichte sein soll.

Geschichten erzählen ist Umgehen mit Zeit. Eine Geschichte hat ihre Zeit, hat einen Anfang und ein Ende, wie das Leben.

Umgehen mit Zeit – die Weihnachtszeit, das klingt so schön: Zeit haben, die Zeit lang werden lassen –, die Sehnsucht danach, nur zu sein und Zeit zu haben. Das muß auch mit dem Jahresende zu tun haben, mit dem verlorenen Jahr, mit der verlorenen Zeit: »Erzähl mir doch was, erzähl mir doch was« – eine lange Geschichte, eine Geschichte die lange Zeit dauert, eine Geschichte über die lange Zeit, di längi Zyt, eine Geschichte über die Sehnsucht, die Sehnsucht, die uns die Zeit lang macht – längi Zyt.

Und solange erzählt wird, wird nicht geredet, wird nicht argumentiert, wird nicht gestritten – Erzählen ist friedlich, und der wahre Frieden ist eine große und wunderbare Erzählung, eine Ahnung, eine Sehnsucht, ein Umgehen mit der langen Zeit.

Das ist es wohl, was uns in dieser Weihnachtszeit so streßt – nicht einfach die Einkäufe und die Umstände und das Gedränge im Warenhaus, sondern jetzt –, am Ende des Jahres, am Ende eines Zeitabschnittes liegt die Erinnerung daran, daß es eine Zeit gibt, eine Zeit, mit der wir umgehen sollten, die uns gehören sollte. Aber wir haben sie verloren – nun suchen wir sie und hetzen ihr nach. Aber die Zeit ist langsam und erreicht uns nicht mehr.

»Ja, ja – die heilige Zeit«, sagen die Leute und meinen damit nichts Schönes. Sie meinen damit, daß es mehr Betrunkene gibt in der Kneipe, daß die Leute unfreundlich werden, unfriedlich und bösartig – und sie reden und reden und reden.

Erzählen aber ist etwas anderes als Reden – Erzählen ist eine eigenartige Form von Schweigen, Erzählen ist der Weg in die Stille.

Lieber Egon, selbstverständlich hast du ein Recht auf eine Geschichte – aber nicht nur der Zuhörer muß für sie die Stille finden, sondern auch der Erzähler.

Seit zwei Wochen suche ich diesen Weg in die Stille. Aber auch ich habe in dieser Zeit die Zeit verloren. Eine Geschichte wäre jetzt eine Lüge.

Aber erinnerst du dich, es kam schon vor, daß wir uns in der Beiz trafen, uns gegenübersaßen und schwiegen. Das kann wunderschön sein, mit jemandem schweigen zu können.

Das ist wie das Eintauchen in eine große Geschichte. Erzählen ist Einüben in das Schweigen, und wir lassen für einmal diese Seite sozusagen eine weiße Seite sein: Weiß wie Schnee und weiß wie eine Weihnachtsgeschichte.

Die kleine Große Welt

Schon zu Gotthelfs Zeiten, und in Gotthelfs Romanen, fuhren die Bauern nach Solothurn zum Markt – zu den Kartholischen, wie sie sagten, und schon damals war der Markt eine uralte Tradition –, immer am zweiten Montag des Monats, seit Jahrhunderten.

Und noch vor vierzig Jahren war der Markt ein kleines Volksfest, und oft auch gegen Morgen ein großes. Die Beizen hatten Freinacht – unbeschränkte Freinacht –, und die Bauern hatten Geld im Sack.

Solothurn war damals noch eine richtig große Stadt, denn jene, die kamen, die kamen von weit her – das machte die Stadt groß. Und in den Beizen gab es die traditionellen Essen: Erbssuppe, Gnagi, Kalbskopf, Bratwurst. Und einige Wirte verdienten an diesem Tag wohl so viel wie sonst den ganzen Monat zusammen, und einige Wirte ließen einen Bauern nicht ziehen, solange er noch einen Franken im Portemonnaie hatte.

Und wir aus der Stadt waren so etwas wie Zaungäste und eigentlich nur am Rande beteiligt.

Den Markt gibt es immer noch. Und er hat sich gar nicht so sehr verändert. Immer noch hat er sein besonderes Warenangebot. Und er hat auch immer noch Kunden.

Aber das große Fest ist vorbei. Die Bauern kommen nicht mehr zum Markt, und wenn sie kommen, dann sieht man ihnen nicht mehr an, daß sie Bauern sind.

Und sie kommen jetzt alle nicht mehr zum großen Fest in die große Stadt. Sie haben jetzt alle schon größere Städte gesehen, richtigere Feste gefeiert, viel besser und teurer gegessen. Sie brauchen jetzt nicht mehr der Kellnerin auf die Beine zu schauen – ihre einzige Freude und ihre einzige Hoffnung ist nicht mehr Solothurn. Und auch Solothurn ist eine richtig moderne Stadt geworden und damit eine kleine Stadt. Die Welt trifft sich nicht mehr hier. Die Welt findet nicht mehr nur hier statt, sondern eben überall.

Ich weiß nicht mehr – wie damals – zum voraus, wann Markt ist. Aber wenn ich am Morgen in die Stadt komme und die Marktstände sehe, dann kommt eine kleine Freude in mir auf, wie wenn der Tag bereits gerettet wäre.

Aber in der Beiz ist alles gleich wie alle Tage – das Fest hat sich davongeschlichen, die Bauern gibt es nicht mehr. Ich habe es schmerzlich miterlebt, wie sie von Jahr zu Jahr weniger wurden. Und mit jedem, der nicht mehr da saß, starb auch ein kleines Stück Welt, bis plötzlich mit den kleinen Stücken zusammen eine große Welt verloren war. Die Welt ist klein geworden, weil sie nicht mehr im Kleinen stattfindet.

Alexander ist der letzte Mohikaner. Der letzte Bauer und Marktgänger. Sicher, unter den Marktkunden wird es noch viele Bauern geben. Aber Alexander ist der letzte, für den der Markt noch das monatliche Ereignis in der Stadt ist. Er ist der letzte, der noch an das alte große Fest erinnert. Er freut sich auf den Markt, und ich freue mich jedesmal herzlich, wenn ich ihn treffe am zweiten Montag des Monats, und ich bin stolz darauf, daß er mich mit Namen kennt. Ich gehöre jetzt endlich auch dazu, zu jenen vielen, die mal dazugehörten – aber inzwischen sind wir nur noch zwei.

Ich weiß nicht, ob Alexander mitbekommen hat, daß er der letzte ist. Er war wohl immer eher ein Einzelgänger. »Es hat wohl jetzt keinen Sinn mehr, zu heiraten«, sagt der Achtzigjährige ab und zu und setzt sein Konfirmandengesicht auf. Alexander ist ein Schlaumeier. Er sagt: »Ja, ja«, als wüßte er etwas, und grinst – und das sagt er so zu mir, wie wenn es selbstverständlich wäre, daß wir das beide wissen, und wir gehören zusammen und verstehen uns. Darauf bin ich stolz.

Nein, der Alexander spricht nicht – oder wenn, dann in Rätseln –, kleine Andeutungen, ein Zeigefinger und ein Lächeln und ein Tonfall, den ich weder nachahmen noch beschreiben kann, jener Tonfall, der vor allem Friedlichkeit signalisiert – heute wollen wir uns nicht streiten! Jener Tonfall, der zum mindesten signalisiert, daß wir uns nicht fremd sind.

Und genau in diesem Tonfall sagt er zu mir: »E wett de ned i d'EU« (»Ich möchte nicht in die EU«), und er grinst und meint damit, daß er weiß, was ich davon halte. Und dann nickt er, was eine sanfte Form von Mißbilligung ist.

Was bin ich schon zusammengeschissen, angebrüllt, bedroht worden für meine Haltung in Sachen Schweiz und EU! Was habe ich mich schon wehren und argumentieren müssen!

Und dann kommt Alexander und sagt: »E wett de ned i d'EU.« Das ist gescheit und ausgereift, weil es still ist. Ich könnte ihn für diesen Satz umarmen, für den Tonfall dieses Satzes.

Alexander sagt kaum etwas, aber er kann reden, er kennt den Tonfall des miteinander Redens. Und ich habe ihn verstanden, er, der Alexander, möchte nicht in die EU. Wir werden ihn wohl hier lassen müssen.

Und eigentlich möchte er mir nur mitteilen, daß er meine Meinung mitbekommen hat und daß ich mit meiner Meinung trotzdem noch dazugehöre: Er distanziert sich und bietet gleichzeitig Freundschaft an.

Bis jetzt ist mir in dieser Frage von Andersdenkenden nur Feindschaft angeboten worden.

Doch, mit Alexander zusammen bin ich gern Schweizer.

Goethe, Kleopatra und Habegger

»Dann hast du ja sicher auch noch den Lehmann gekannt«, sagt der eine, und der andere sagt: »Ja, das war doch so ein kleiner Rothaariger.«

»Nein, das war der Bachmann.«

»Der hatte doch so eine böse Frau.«

Die alten Männer in der Beiz erzählen von den Zeiten, als sie noch jung waren, und sie erzählen von Männern, die damals, als sie noch jung waren, bereits alt waren.

Ich höre zu und erwarte eine Geschichte, die Geschichte von Bachmann und seiner bösen Frau. Aber die beiden sind bereits weiter – bereits beim Müller und beim Schmied, beim Hofer und beim Weber.

»Doch, den Hofer habe ich auch gekannt«, versuche ich zu sagen, aber sie sind schon weiter beim Karlen und beim Ramseier und beim Nussbaumer.

Es klingt wie die langen Aufzählungen von Namen in der Bibel, sie sind langweilig und eigentlich unnötig, aber wenn man sie sich laut vorliest, werden sie zum Gedicht und zum historischen Gemälde. Keine Geschichte, aber eine Aufzählung im Tonfall der Geschichten.

Die beiden in der Beiz erzählen, sie erzählen eine Geschichte, die nur aus Namen besteht – ein großes Buch, das wie das Telefonbuch alle Geschichten einer ganzen Gegend enthält und sie verschweigt.

Nur die Namen – doch, doch den Habegger habe ich auch gekannt, er war der Wirt im »Ochsen«. Endlich kann ich auch einsteigen in das große Buch der Aufzählungen, endlich gehöre ich auch zu denen, die eben den Habegger noch gekannt haben.

Er muß etwa den Jahrgang 1875 gehabt haben, und er hätte also durchaus in seiner Jugend noch einen gekannt haben können, der seinerseits Goethe zum Beispiel noch gekannt hätte. So wie ich einen Großvater hatte, der als Kind noch einen Soldaten der Bourbaki-Armee aus dem Deutsch-Französischen Krieg gesehen hatte, der seine Mütze am Hüftknochen seines ausgehungerten Pferdes aufgehängt hatte.

Und meine Mutter hatte die Königin Bertha, die so wohltätig und freundlich war und den Frauen das Spinnen und das Stricken beibrachte, noch persönlich gekannt. Davon war ich als Kind überzeugt, und wenn der Vater vom Wilhelm Tell erzählte, dann erzählte er so, wie wenn ihn zum mindesten sein Vater noch mit eigenen Augen gesehen hätte.

»Hast du den alten Fankhauser noch gekannt«, das ist nicht die Einleitung zu einer Erzählung, sondern ein Versuch, sich selbst in die Tradition einzureihen, dazuzugehören zur langen Reihe der Geschichte und letztlich etwas zu tun zu haben mit Goethe oder Wilhelm Tell, mit Cäsar und Kleopatra – die ich übrigens alle vier weit besser kenne als den Habegger, von dem ich nichts anderes erzählen kann, als daß ich ihn gekannt habe.

Ich erinnere mich an eine Diskussion mit ostasiatischen Studenten. Irgendeinmal fiel von einem westlichen Teilnehmer der Satz: »Die Zukunft liegt vor uns«, und ein Koreaner korrigierte: »Nein, sie liegt hinter uns – vor uns liegt die Vergangenheit.«

Das war uns unverständlich. Und unsere Vorstellung war ihnen unverständlich.

»Die Zukunft«, sagte der Koreaner, »kann ich nicht sehen, also liegt sie hinter mir; die Vergangenheit aber sehe ich, also liegt sie vor mir.«

Und so sitzen wir in der Beiz und malen uns das riesengroße Bild der Vergangenheit – ein Gruppenbild von Kleopatra bis Habegger und von Habegger bis zu uns. Wie viele Köpfe, wie viele Namen sind auf diesem Bild? Wie vielen bin ich in meinem Leben begegnet, und wie vielen sind jene begegnet, und wie vielen jene? Und wer war mir nun näher – Goethe oder Habegger?

Es gibt so Wörter, die sich ohne ersichtlichen Grund ins Gedächtnis eingebrannt haben – Gossau zum Beispiel oder Kroatien. Irgendwie ist mir das Wort Kroatien unter vielen anderen immer wieder ins Auge gesprungen, irgendwie hatte ich mit Kroatien irgend etwas zu tun. Aber ich war nie da. Und ich weiß erst seit kurzem, was es damit auf sich hat.

Ich habe, und das wußte ich nicht mehr, eine gute Zeit meiner Kindheit in Kroatien verbracht.

Ich habe das wunderbare Buch aus meiner Kindheit wieder gelesen: »Die rote Zora« von Kurt Held. Es spielt in Kroatien, und ich lebte damals, als ich es mit roten Ohren und Augen las, wohl mehr in Kroatien als in Olten.

Aber ich kann meinen Mittrinkern in der Beiz nicht erzählen, daß ich meine Jugend in Kroatien verbracht habe. Sie würden mich der Lüge bezichtigen.

Also bleibt mir nichts anderes übrig, als zu deklarieren, daß auch ich den Habegger – den Wirt vom »Ochsen« – noch gekannt habe, ohne daß ich dazu etwas zu erzählen hätte – eine schäbige Vergangenheit. Und eine Vergangenheit, eine Geschichte, aus der man nur lernen kann, daß früher alles besser war – die ewig alte Schule der Konservativen.

Der Glaube an die Muskatnuß

Unser Onkel Eduard war ein gläubiger Mensch, das heißt – man kann das nicht banal genug sagen –, er glaubte. Er glaubte nicht nur an Gott und an Jesus von Nazareth, er glaubte auch an eine Welt und an eine Schöpfung. Und er glaubte an die Menschen, daß es kaum auszuhalten war: Wenn wir aus dem Kino kamen und entsetzt über den Film schimpften, auf den wir hereingefallen waren und der nun wirklich scheußlich war, dann wies er uns sanft zurecht und sagte, daß das sicher nicht einfach sei, so einen Film herzustellen, daß da sicher sehr viele Leute daran gearbeitet hätten, daß die sich bestimmt unendlich Mühe gegeben hätten und daß wir nun nicht das Recht hätten, ihre Arbeit einfach als ein Nichts zu bezeichnen. Onkel Eduards Sanftmut trieb uns immer wieder zur Rotglut: Wir waren jung und bezogen unsere Energie aus dem Ärger – er aber glaubte staunend.

Er bestaunte Magellan, von dem er annahm, ich weiß nicht, ob zu Recht, daß er die Muskatnuß nach Europa gebracht hatte. Oder war es Marco Polo? Vielleicht auch beide. Er bestaunte also Magel-

lan, und er hatte in seiner Jackentasche stets eine kleine Raffel und
eine Muskatnuß, und auf alles, was er aß, kam ein bißchen Muskatnuß, auf Sandwich und Obst, in die Suppe und auf das Steak – im
Restaurant war uns das oft peinlich, und wir versuchten es zu verhindern. »Zwei Kühe hat man damals eingetauscht gegen eine Muskatnuß«, sagte er dann ernst und entsetzt, und wenn wir das belächelten, dann waren es schnell Schlösser und halbe Königreiche,
die gegen eine Muskatnuß eingetauscht worden waren.

Er beharrte darauf, daß eine Muskatnuß ein hoher Wert sei – unabhängig vom heutigen Preis. Und daß eine Muskatnuß aus dem fernen Osten eben ein Kulturgut sei und daß wir uns vorstellen müßten, wie das war, als der erste Europäer – ein König wohl – diesen
Geschmack zum ersten Mal auf seiner Zunge hatte. Und von wie
weit her sie kam und auf was für mühsamen Wegen. Und sie kam
für ihn, den frommen Christen, wohl auch aus jenem Heidentum,
das tapfere Missionare dem Christentum zuführen wollten – und
sie war auch der Stolz jenes Magellans, auf den der Onkel Eduard
so stolz war.

Warum erzähle ich das?

Weil ich ihn halt mochte, den Onkel Eduard mit seiner Muskatnuß, mit seinem Magellan und mit seiner Welt, die keine schlechte
Welt sein konnte – und weil er mich, je älter ich werde, an meine Jugend erinnert, als ich durchaus auch die Neigung hatte zu glauben:
an Corbusier und Mies van der Rohe, an Picasso und Klee, an Tolstoi
und Adalbert Stifter, an Hugo Ball und Tristan Tzara und an eine
moderne Welt, die auf uns zukam und auf die ich mich freute.

Heute bin ich so alt wie er damals – damals, als wir ihn belächelten für seinen naiven Glauben an Muskatnüsse. Und heute fällt er
mir ein, wenn mir meine Treulosigkeit einfällt: Picasso ist mir nicht
mehr so wichtig, und ein Leben ohne Hugo Ball und Emmy Hennings
ist sehr vorstellbar geworden, und für moderne Architektur würde
ich wohl kaum mehr auf die Barrikade gehen. Ich habe offensichtlich
meinen Glauben verloren.

Das war es wohl – Onkel Eduard und seine Muskatnuß, ein täg-
liches Training des Glaubens –, und nicht die Muskatnuß war wich-

tig, sondern der Glaube an sie. Seine Muskatnuß war nichts anderes als eine Behauptung – eine Behauptung, an der er seinen Glauben übte, nicht den Glauben an die Muskatnuß, sondern den Glauben an und für sich.

Irgendeinmal, wohl in seiner Jugend, mußte er sich entschieden haben, Magellan zu lieben. Dabei ist er nicht einmal ein Magellan-Kenner geworden – so wie es wohl mehr fromme Menschen gibt, die keine Theologen sind, als etwa umgekehrt –, und er übte seinen Glauben an das Irreale an einem realen Gegenstand, an einer Muskatnuß. Bestimmt hätte er den Verlust der Muskatnuß weniger gefürchtet als den Verlust des Glaubens an sie.

Und der Verdacht ist wohl berechtigt, daß er vielleicht nur süchtig war, so wie andere süchtig sind auf Süßigkeiten, oder vielleicht ist in der Muskatnuß sogar etwas, das Süchtigkeit bewirken kann. Mir jedenfalls ist Onkel Eduard und seine Muskatnuß eingefallen, weil ich schon seit einiger Zeit – dort, wo Eduard seine Nuß hatte, in der Jackentasche – keine Zigaretten mehr habe. Bereits beginne ich sie zu vergessen, bereits vermisse ich sie nicht mehr sehr.

Und eigentlich sind mir nicht die Zigaretten, nicht ein Genuß abhanden gekommen – sondern eine Sucht, mit der ich in Symbiose gelebt habe, ich bin ihr untreu geworden, und meine Fähigkeit zur Untreue erschreckt mich.

So wie sie auch Onkel Eduard erschreckt hätte. Es ging Onkel Eduard nicht um die Muskatnuß, es ging ihm um den Glauben an sie. Und so wie sich Eduard wohl fürchtete, den ganzen Glauben zu verlieren, so fürchte ich mich nun, die ganze Sucht zu verlieren – auch die Sucht auf Buchstaben und Bücher, die Sucht auf Musik, die Sucht auf Liebe und Zuneigung. Der Glaube an die Muskatnuß ist etwas Ernstes.

Oder ein Hähnchen in Hannover?

Nein, wenn ich das nächste Mal nach B. komme, werde ich nicht mehr im Hotel R. wohnen. Das Hotel R. ist schäbig, die Leute am Empfang sind bodenlos unfreundlich. Mindestens zwanzig Mal habe ich dort gewohnt, aber niemand lächelt, wenn ich ankomme. Der Lift stottert, irgendeinmal wird er stehenbleiben zwischen zwei Stockwerken. Er riecht penetrant nach einem Desinfektionsmittel.

Nur – ich kriege dieses Hotel nicht los.

Es ist – ob mir das paßt oder nicht – mein Hotel. Und es gibt in B. nur ein Hotel, das mein Hotel ist, das Hotel R.

Ich habe mir auch schon überlegt, das Problem so zu lösen, daß ich überhaupt nicht mehr nach B. gehe. Nur wenn es mir gelingen sollte, auf die Stadt B. ganz zu verzichten, bekäme ich das Hotel, das scheußliche, wohl los. Vorgestern habe ich wieder gebucht, ich muß beruflich nach B. Ich werde im Hotel R. wohnen.

Ja, ich werde wohnen. Denn wirklich wohnen kann man nur im Gewohnten. Ich habe mir das Hotel R. angewöhnt. Jedes andere Hotel wäre inzwischen Verrat.

Und eigentlich wäre ich gar nicht in meiner Stadt B., wenn ich nicht im Hotel R. wäre. Ich mag die Stadt B. Ich bin gern in B. Aber auch B. hat seine Nachteile. Zum Beispiel das Hotel R., das ist ein Nachteil. Nur ist inzwischen dieser Nachteil für mich zu einem Teil von B. geworden. Mein liebes B. wäre nicht mehr mein B. ohne den kleinen Makel des Hotels R.

Während ich das schreibe, sitze ich in M. in einem Café oder Pub oder so was Ähnlichem. Ich wollte nach G. Ich spaziere gern in G. herum, aber immer wieder entscheide ich mich kurz vor G., in M. auszusteigen, um in dieses Café zu gehen. Würde ich in M. wohnen, ich wäre wohl nie hier, aber weil mir M. fremd ist, darf auch das Café fremd sein. Irgendwie bin ich gern hier. Nur der Platz, an dem ich sitze, gefällt mir nicht.

Als ich heute ankam, war kaum ein Gast hier. Ich hätte mich an den kleinen Tisch am Fenster setzen können. Ich spekuliere immer wieder auf diesen kleinen Tisch am Fenster. Aber dann überraschte mich meine Freude darüber, daß mein Platz frei war, nämlich der Platz, auf dem ich schon beim ersten Mal saß und seither immer wieder. Er ist übrigens immer frei, er ist gleich neben der Tür, und es zieht hier. Aber es ist mein Platz. Ich hätte beim ersten Mal wählerischer sein sollen, dann wäre vielleicht inzwischen der schöne Platz am kleinen Tischchen am Fenster der meine – das Schicksal wollte es nicht so. Nun mag es nicht der schönste Platz im Café sein, es ist auch nicht eines der schöneren Cafés – aber ich habe in M., wo ich niemanden kenne und mich niemand kennt, einen Platz, der mein Platz ist. Oder soll ich mich an einen besseren setzen, der dann nicht meiner wäre?

Ist das Treue? Und Treue, was ist das eigentlich? Meine Treue zum Rotwein ist mir geblieben, und mein Verrat an der Gauloise macht mir zu schaffen – nicht der Verlust, nur der Verrat.

Wer ein Hotel, wenn auch mit Gründen, aufgibt, kann gleich alle Hotels aufgeben. Gründe zur Untreue gibt es genug – und Gründe zur Treue? Wer das Gewohnte aufgibt, wohnt nicht mehr und verliert Stück für Stück das Dach über dem Kopf. Es ist ein kleines bißchen kälter geworden ohne das Wohnen in der Gauloise.

Soll ich es wirklich wagen, das Hotel R. in B. aufzugeben? Nichts bindet mich an das Hotel R., weder eine schöne Erinnerung noch ein einschneidendes Erlebnis – nichts, gar nichts, nur die Gewohnheit. Ich fürchte mich davor, daß es auch in B. kälter werden könnte, sollte ich meine Gewohnheit verlassen.

Hannover hingegen ist weniger schlimm. Es könnte durchaus sein, daß ich in diesem Leben nie mehr nach Hannover komme. In Hannover wohnte ich nie im selben Hotel. Ich habe die Hotels dort nie selber gebucht, und so kam es, daß ich in Hannover ab und zu in einem recht angenehmen Hotel wohnte. Ich habe recht gute Erinnerungen an Hotels in Hannover.

Nur, sollte ich doch noch einmal nach Hannover kommen, dann weiß ich zum voraus, was auf mich zukommt. Ich werde kurz vor Hannover Hunger verspüren und dabei den Geruch von gebratenen Poulets in die Nase bekommen. Ich werde mich also gleich nach der

Ankunft auf die Suche nach jener Hähnchenbraterei machen, in der ich schon immer, wenn ich in Hannover war, gleich nach der Ankunft ein Hähnchen gegessen hatte.

Es stinkt in diesem Lokal nach verbranntem Fritieröl, nach jenem Fritieröl, aus dem auch das schlabberige tropfende Hähnchen kommt – ich weiß es zum voraus: Das Hähnchen ist an der Grenze der Ungenießbarkeit. Also vielleicht doch auf Hannover endgültig verzichten.

Oder vielleicht dort ankommen, die Hähnchenbraterei suchen und entsetzt feststellen, daß es sie nicht mehr gibt. Sich dann überlegen, ob man sich das Risiko leisten kann, eine neue lästige Gewohnheit zu beginnen oder sich endlich gegen die Gewohnheit entscheiden und verhungern oder weiterreisen.

Robert Walser wohnt jetzt hinter dem Bahnhof

Ob es in Rom war oder in Mailand, ich weiß es nicht mehr, aber ich fand auf dem Stadtplan zufällig die Piazza Ennio Flaiano. Ich liebe diesen Ennio Flaiano, oder besser: Ich habe mir mal in den Kopf gesetzt, ihn lieben zu wollen.

Also machte ich mich auf den Weg zum Flaiano-Platz. Schon nur einen Weg zu finden war äußerst kompliziert, und ich wollte den Platz »meines« Flaianos nicht mit dem Taxi erreichen. Touristen in Zeit- und Fantasienot erreichen ihre Sehenswürdigkeiten im Taxi, ich aber machte mich auf zu einem Besuch. Ich hatte im Sinn, den Platz meines geliebten Autors, den Platz von Ennio Flaiano, zu besuchen.

Nur, was suchte ich denn da? Was erwartete ich? Eine Kneipe vielleicht, wo er seinen Wein hätte getrunken haben können? Einen Baum, unter dem er damals gesessen wäre, oder vielleicht auch nur ein Mädchen auf hohen Absätzen, dem er hätte nachgeschaut haben können.

Aber da war nichts – das war zu erwarten –, gar nichts: Weder ein Mädchen auf hohen Absätzen noch irgendein anderer Mensch, weder eine Kneipe noch ein Baum, nur ein paar Wohnkasernen und eine Tafel »Piazza Ennio Flaiano«, immerhin. Ich habe die Tafel mehrmals gelesen. Ich nehme eigentlich doch an, daß er sich, wenn auch nicht ohne Sarkasmus, über die Tafel gefreut hätte.

Nur gehörte sie eigentlich doch eher in die Gegend des »Dolce Vita«. Er hatte das Drehbuch zum Film geschrieben, und er war selber einer jener versnobten Intellektuellen, die auf der Via Veneto saßen und tiefschürfende oberflächliche Gespräche führten. Und er setzte sich in seinem Buch »Via Veneto« selbst ein sarkastisches Denkmal: »Er ist dermaßen eitel, daß er seinem eigenen Charme nicht widerstehen kann. Er ruiniert seine Gesundheit durch Selbstporträts.«

Nur möchte ich dann doch nicht, daß die Via Veneto in Via Flaiano umbenannt würde. Schließlich hat er sie beschrieben in »Dolce Vita«. Und wer das weiß, den erinnert die Veneto ohnehin an Flaiano. Und wem das nichts gilt, den erinnert nichts an Flaiano, nicht einmal die hilflose Piazza Flaiano in einer öden und wohl – das einzige, was an ihn erinnern könnte – nicht ungefährlichen Gegend.

Wenn ich mich richtig erinnere, war es heiß an jenem Tag. Einen einzigen Mann sah ich am anderen Ende des Platzes vorbeischlurfen, einen Obdachlosen wohl – vielleicht jener Johannes aus Flaianos wunderbarem Buch »Alles hat seine Zeit«, das im Original »Tempo di ucidere« heißt – »Zeit zu sterben«. Jener Johannes, der dem Ich-Erzähler, dem jungen italienischen Leutnant in Eritrea, im heißen Afrika als schlechtes Gewissen durch den ganzen Roman begegnet.

Ja, Johannes-Platz: Damit könnte ich jetzt in der Hitze und in der Öde etwas anfangen. Vielleicht müßte man die Plätze nicht nach Dichtern, sondern nach ihren Figuren benennen.

Nicht weil der einigermaßen erfolglose Dichter inzwischen berühmt geworden ist. Sondern weil er seine Leser gerührt hat. Gerührt mit verlorenen Figuren wie dem Gehülfen oder dem Jakob von Gunten. Ja, der »Gehülfe-Platz« oder der »Jakob-von-Gunten-Platz« könnte darauf hinweisen, daß Walser nicht einfach nur ein berühmter Bieler war, sondern daß er etwas in die Welt gesetzt hat, eben jene Figuren, die durchaus zu so elenden und leblosen Plätzen passen könnten.

Der Robert-Walser-Platz hinter dem Bahnhof in Biel ist die Hilflosigkeit an und für sich. Er wurde gebaut für ein Ereignis, an das sich auch bald nur noch alte Leute erinnern werden – die Expo. Sozusagen der Terminal zur Expo, mit Busstation, mit Gebäuden, die einen kleinen Hauch von Flughafen hatten. Hier sollte die Welt, die große Welt ankommen – und sie kam, was das auch immer ist, diese Welt, wohl auch an. Inzwischen aber ist hier eine Busstation, von der kein Bus fährt – ein Terminal, der weder Anfang noch Zugang ist. Uhr ohne Zeiger!

Ich besuche den Platz ab und zu mit Jörg Steiner – eine Art Schabernack: »Jetzt gehen wir noch auf den Walser-Platz!« Und irgendwie haben wir in unseren Hinterköpfen die Vorstellung, daß wir damit jemanden ärgern könnten. Wen denn? Vielleicht doch auch ein bißchen jenen Robert Walser selbst. Jener Walser, der sich mit fünfzig tiefernst dafür entschieden hatte, kein Schriftsteller mehr zu sein. Er würde sich ernsthaft darüber ärgern, daß ein Platz nun trotzdem an ihn erinnert, und vielleicht würde er mit uns dann doch ein bißchen kichern über die Schäbigkeit des Platzes, der weder an ihn noch an die Expo erinnert, aber irgendwie müssen die Plätze halt heißen. Und wer Fritz heißt, muß nicht aussehen wie ein Fritz. Wie sieht ein Fritz aus?

In Den Haag gab es eine Spinoza-Bar. Spinoza war ein sehr strenger jüdischer Philosoph. Er saß auch immer noch in Grünspan auf einem Sockel vor dieser Bar. Ich war dort ab und zu. Eine schwierige Bar in einer schwierigen Gegend mit schweren Leuten, mit betrunkenen Leuten und mit allzu leichten. Irgendwie hat mir das gefallen. Namen sind unpassend, und wenn eine Dolores heißt, muß sie noch lange nicht schön sein.

Die Dinge beim Namen nennen

Eine kleine Meldung in der Zeitung: Ein alter Mann wurde zusammengeschlagen, das Opfer heißt Porter. Der Name würde weiter nicht auffallen, es ist durchaus möglich, daß auch in unserer Gegend jemand so heißen kann – aber hinter dem Namen »Porter« steht in Klammer »Name von der Redaktion geändert«, und das läßt aufhorchen. »Porter« ist nicht ein üblicher Name in unserer Gegend. Warum also, wenn schon geändert, nicht Müller oder Meier oder Schmied? Könnte es zum Beispiel sein, daß dieser »Porter« in Wirklichkeit Carter heißt, also auch in Wirklichkeit einen für die Gegend unüblichen Namen hat, und daß nun – (Name der Redaktion bekannt) – das Pseudonym »Meier« nicht zu ihm gepaßt hätte. Oder eine weitere Vermutung: Das Pseudonym Meier wäre nun wirklich daneben, weil das Opfer in Wirklichkeit Müller heißt, und das wäre als Tarnung wirklich zu durchsichtig. Aber warum dann nicht Bohnenblust oder Häberli oder Zimmermann? Warum kommt der Redaktor ausgerechnet auf Porter? Vielleicht eben, weil er in Wirklichkeit wirklich Müller heißt, das ist zweisilbig und Porter eben auch. Selbst Porter ist dem Müller klanglich näher als Zimmermann. Carter aber ist auch zweisilbig – das bringt mich auf den Verdacht.

»Name von der Redaktion geändert«, das klingt so einfach. Aber jene grauenhafte Frau, die das ganze Quartier durcheinanderbringt, den Kindern das Leben schwer macht, ihre Nachbarn denunziert, dauernd die Polizei ruft, die heißt Kiburz – und sie ist eben *die* Kiburz. Und wenn man sie umbenennen würde in »Sieburg« zum Beispiel, sie würde gleich ihren Schrecken verlieren – denn nicht nur die Frau heißt Kiburz, sondern der ganze Schrecken heißt so. (Aber auch hier, weil ja die Gefahr bestehen könnte, daß es irgendwo, zum Beispiel in Hamburg, eine solch schreckliche Kiburz geben könnte, auch hier: Name von der Redaktion geändert, selbstverständlich auch der Name der Stadt.)

Und irgendeiner wird mir schreiben, er kenne die Frau Kiburz, sie heiße Immergrün und wohne in Karlsruhe. Nein, werde ich zurück-

schreiben, der Schrecken, den ich meine, heiße nicht Immergrün –
er heiße in Wirklichkeit Meier – *die* Meier, und jedenfalls empfände
ich nicht den geringsten Schrecken beim Namen Immergrün.

Ich habe das schon mehrmals erlebt – nach einer Lesung vor
Kindern. Die erste Frage heißt meistens: »Wie lange haben Sie für
so eine Geschichte gebraucht?« und dann: »Wie macht man daraus
ein Buch?« Und plötzlich fragt ein Mädchen: »Wie finden Sie die
Namen«, und es wird ernst, denn ich weiß, daß dies nur die Frage
einer Kollegin sein kann. Ich weiß, dieses Mädchen kennt die Schwierigkeiten des Schreibens. Meine kleine Kollegin weiß, wie man tagelang für eine Figur einen Namen sucht – einen möglichst einfachen
Namen. Aber er soll auch weder zu gewöhnlich sein noch zu unge-
wöhnlich, also nicht Müller, aber auch nicht Porter, und im übrigen paßt ja nur ein Name zu ihr: Kiburz, aber den gilt es zu ändern.
Ich habe Respekt vor meiner Kollegin und zögere mit der Antwort.
Und ich sage ihr etwa das, was ich hier in dieser Kolumne geschrieben habe. Und meine gestotterte Antwort interessiert nur sie, meine
schreibende Kollegin.

Aber weshalb denn braucht die Zeitungsmeldung einen Namen?
Ganz einfach: Damit aus der Meldung eine Geschichte wird, also
aus der Realität Fiktion. Die Fiktion wirkt stärker – Boulevard-Jour-
nalismus ist eine Art Literatur.

Schaggi Streuli war einer der letzten wirklichen Schweizer Volks-
autoren. Er machte sich das herzerfrischend einfach: Sein Taxifahrer hieß Benz, sein Polizist hieß Waeckerli, und sein Landarzt hieß
Doktor Hilfiker. So etwa möchte meine kleine Kollegin und ich das
auch, ein Name, der zu einer Person paßt, etwa wie Ulysses zu Ulysses, wie Oliver Twist zu Oliver Twist oder gar wie Jesus von Nazareth zu Jesus von Nazareth – oder wollen wir auch hier den Namen
zur Sicherheit durch die Redaktion ändern lassen?

Und wenn Alfons sich in eine Frau verliebt, die so wunderschöne
dunkeltraurige Augen hat und dazu ein stilles Lächeln, dann kann
sie nicht heißen, wie sie will oder wie Alfons das will – sie heißt Heidi,
und so heißt sie nun mal, und dem Alfons wäre noch vor einer Woche
nichts Schönes an dem Namen aufgefallen – jetzt ist es der schönste

Name der Welt – da gibt es nichts mehr zu ändern: Das Liebste heißt Heidi, so wie das Schrecklichste – siehe oben – Kiburz heißt (Name eventuell, aber eher doch nicht, von der Redaktion geändert.)

Wie findet man die Namen? Und zu was sollen sie passen, die Namen? Zu Müller? Zu Meier? Appolonia Müller? Kevin Meier? Ob es Namen des Schreckens werden oder Namen der Liebe, das hängt nicht am Namen. Jeder Name kann zum Namen des Schreckens werden, zum Beispiel dann, wenn es einem um kaum etwas anderes geht, als sich einen Namen zu machen – zum Beispiel ... Und diesen Namen lassen wir nicht einmal von der Redaktion zur Sicherheit ändern, sondern wir erwähnen ihn zur Sicherheit gar nicht – ja, richtig, genau den meine ich! Also wollen wir endlich die Dinge beim Namen nennen und Klartext reden.

Bernhard Blumes Gläser

Meine riesige Sammlung von leeren Koffern, Kisten, Schachteln, von Taschen, Täschchen, Rucksäcken, Seesäcken, Reisetaschen, Sportsäcken ist mir ein Ärgernis. Sie warten alle auf eine Reise, die sie nie machen werden, denn sollte ich eine Reise machen, werde ich ohnehin vorher die Auslagen von mehreren entsprechenden Fachgeschäften mehrmals inspizieren, durch ein paar Warenhäuser schlendern und aus den Augenwinkeln das Angebot an Säcken und Taschen überprüfen.

Zwar werde ich keine neue Tasche brauchen, und so eine, wie ich sie mir wünsche, das weiß ich nach fünfzig Jahren Erfahrung, gibt es nicht. Ich habe schon immer die beste Variante gekauft und gut genug war keine.

Meine kleine wunderbare Tasche, das steht fest, werde ich nie finden – es gibt sie nicht.

Letzte Woche habe ich wieder eine Tasche gekauft, ein kleines Rucksäcklein, schön praktisch mit Innentaschen – »Ein interessantes Innenleben«, sagte der Verkäufer.

Noch trage ich das Säcklein, noch spielt es mir vor, es werde seinen Zweck erfüllen, noch freue ich mich darüber, und wir führen
uns gegenseitig spazieren. Wir wissen, daß daraus auf die Dauer
nichts wird, und schwören uns gegenseitig ewige Treue.

Noch wird die große Ewigkeit eingerichtet – ein kleines Schäch-
telchen für Notfälle –, Pillen und Pflästerchen, ein kleiner Schirm,
ein kleines Buch, zwei Kugelschreiber, ein Nagelknipser und fünfzig Franken im Geheimfach, ein großes Taschenmesser, ein Vergrö-
ßerungsglas – ein Kompaß? Nein, kein Kompaß!

Und für was denn eigentlich schon nur der Gedanke an einen
Kompaß?

Einen Kompaß kann man sozusagen für nichts brauchen. Aber er
ist ein Symbol, das Symbol des Überlebens – ein Überlebensmesser
zum Beispiel unterscheidet sich von einem gewöhnlichen Messer
durch einen Kompaß.

Ist es das, was ich ein Leben lang suche: die richtige Tasche, den
Koffer, den Rucksack zum Überleben – mit der richtigen Größe
zum Überleben, mit der richtigen Einteilung zum Überleben.

Aber was ist das denn – Überleben? Und braucht man dazu wirklich einen Schirm (Knirps), Pflästerchen und einen Kugelschreiber?

Und ist »überleben« eigentlich mehr oder weniger als »leben«?

Eine ganz andere Geschichte, die mir dabei einfällt: 1966 tagte die
Gruppe 47 in Princeton. Die Schriftsteller waren in einem amerika-
nisch-öden Motel untergebracht, und am ersten Abend saßen nun
ein paar Leute zusammengepfercht in einem Zimmer. Jeder brachte
seinen Whisky, den er noch im Duty Free erstanden hatte, und einer
erklärte sich bereit, bei der Rezeption einige Becher zu holen.

Da erhob sich Bernhard Blume, ein älterer würdiger Herr, deutsch-
amerikanischer Germanist und sagte: »Ich mache das.« »Nein, nein,
das machen wir schon«, riefen alle.

»Ich«, sagte der Professor, »ich werde die Gläser beschaffen.«
»Laßt ihn nur machen«, sagte seine Frau, und nach einiger Zeit
kam Blume mit einer großen Kiste zurück, stellte sie ab, strahlte übers
ganze Gesicht und öffnete die Kiste mit jener Grandezza, mit der ein

Meistergeiger seinen Geigenkasten öffnet. Und im Kasten waren die schönsten Whisky-Gläser, geschliffener Kristall, und Blume strahlte immer noch, und wir bestaunten ihn und seine Gläser.

Und nachdem die Gläser bestaunt und eingefüllt waren, sagte die Frau Blume: »Diese Gläser haben mich jahrzehntelang geärgert. Diese Kiste versperrte den halben Kofferraum. Wir stritten uns immer wieder wegen dieser blöden Kiste, und Bernhard sagte immer: Die bleiben hier, die wird man einmal brauchen können.«

Und dann sagte sie: »Jetzt ist es so weit, schön für Bernhard«, und es wurde einen kurzen Augenblick still im Zimmer – so etwas wie ein ganz kleiner historischer Augenblick: Wir waren dabei, als Bernhard Blume seine Gläser brauchen konnte.

Blume war ein deutscher Emigrant. Er ist mit seiner jüdischen Frau Carola, der Sekretärin von Martin Buber, nach Amerika geflüchtet und wurde erst dort zu dem großen Germanisten.

Überleben? Er hat wohl gewußt, was das heißt. Aber seine Kristallgläser hatten nichts mit Überlebensstrategie zu tun, sondern nur mit Leben und vielleicht auch mit der wunderbaren Gedichtzeile von Ingeborg Bachmann: »Einmal muß das Fest ja kommen.«

Und es kam, und es war kein großes Fest, ein ganz kleines in einem leicht schäbigen amerikanischen Motel – und die Gläser selbst waren das Fest, Bernhard Blumes Gläser.

Dafür und nur dafür, daß er später einmal sagen könnte: »Ich hole die Gläser«, hatte er sie jahrelang in seinem Kofferraum, und eigentlich konnte die Geschichte nur in einem schäbigen Zimmer eines Motels funktionieren. »Schön für Bernhard«, sagte seine Frau.

Wie schäbig nehmen sich neben seinen Gläsern meine Überlebensstrategien aus, meine kleinbürgerlichen Fluchtbeutel und Fluchttaschen – trotzdem, ich fürchte, meine Sammlung nimmt nie ein Ende, und fluchttauglich bin ich ohnehin nicht. Da ist der beste Fluchtbeutel nicht von Nutzen.

Blumes Gläser aber waren eines Tages wirklich brauchbar.

Der stellvertretene Marathon

Fußball am Fernsehen in der Beiz – der Dicke ärgert sich über diese dicken Flaschen, die unbeweglich und langsam sind. Es klingt so, als könnte er es besser. Mehr und mehr ärgere ich mich über ihn und bin schon auf dem Sprung, ihn zurechtweisen zu wollen, als mir eben noch einfällt, daß seine Situation dieselbe ist wie meine.

Wir, hier in der Kneipe, wir sind die eigentlichen Fußballer, auch wenn wir in unserem ganzen Leben noch nie Fußball gespielt haben. Wir sind die Fußballer, wir sind die Kenner und die Könner, und jene am Fernsehen – also jene im Stadion – sind nur unsere Stellvertreter. Sie spielen Fußball, stellvertretend für uns.

So wie der Seiltänzer im Zirkus stellvertretend für uns übers Seil geht. Wir, wir Menschen, können übers Seil gehen. Wir, wir Schweizer, haben die Iren geschlagen – und weil wir, wir Schweizer, sie geschlagen haben, haben wir eben nicht nur die irischen Fußballer geschlagen, sondern gleich die ganze irische Nation. Das »Wir«, das wir uns für solche Situationen angewöhnt haben, ist ernster, als wir annehmen.

So habe ich denn inzwischen auch die Pyrenäen und die Alpen – Alpe d'Huez – hinter mir. Diesmal wenigstens ohne dieses »Wir«, weil wir diesmal keine Rolle spielten – aber immerhin. Und diesmal war ich auch sicher, daß ich mir die Tour de France nicht anschauen werde – aber dann eben die Pyrenäen und dann die Alpen. Warum tue ich mir das an? Warum muß ich Jahr für Jahr auf diese blöde Alp – ich meine, warum bin ich interessiert daran, daß diese Leute stellvertretend für mich da hochstrampeln?

Und fasziniert mich das wirklich, daß der Armstrong das eben kann?

»Wenn man es kann, dann ist es keine Kunst – und wenn man es nicht kann, dann ist es auch keine«, sagte Karl Valentin. Ja, Armstrong kann es, er kann es total, und das ist – Valentin hat recht – kunstlos. Armstrong ist ein echter Profi. Er macht das professionell, er überläßt nichts dem Zufall. Ja, das ist beeindruckend und vorbildlich, und es ist nichts dagegen einzuwenden. Und ein Zurück gibt es da nicht. Wer es kann, der kann das eben.

Der Seiltänzer aber läßt mich ein bißchen zittern, er schwankt ein bißchen, in seinem Können ist noch eine kleine Spur meines Nichtkönnens mit dabei, ich spüre mich selbst, wenn er schwankt. Beckham spielt hundertmal besser Fußball als ich, aber wenn er einen Elfmeter verschießt, dann tut er das genau gleich, wie ich das täte. Beckham ist noch mein Stellvertreter, ab und zu – beim Elfmeter – erinnert er mich an mein eigenes Scheitern. Der totale Professionelle aber, der totale Armstrong, erinnert nur an ihn selbst. »Wenn man's kann, dann ist es keine Kunst.«

Professionalität hat einen Hauch von Lieblosigkeit, von Kaltschnäuzigkeit. Ich habe noch nie gehört, daß sich ein Schreiner als professioneller Schreiner bezeichnet hat, und würde er es tun, ich würde meinen Tisch bei einem anderen machen lassen.

Warum eigentlich brauchen wir die weibliche Form des Wortes für die Anbieterin von liebloser Liebe – eine Professionelle?

Als Ernst (nein, nicht verwandt mit Toni) Allemann noch Profi war, wußte ich noch nichts davon. Er war wohl einer der ersten Schweizer Fußballer, die im Ausland, in Paris, professionell spielten, das war in den dreißiger Jahren. Ich habe ihn erst kennengelernt, als er alt und behindert war – eine heimtückische Muskelkrankheit –, er hatte für den Weg in die Beiz, den man ohne Anstrengung in zehn Minuten hätte machen können, eine gute Stunde, und diesen Weg machte er täglich tapfer. Er, der noch kurz vorher jede freie Minute braungebrannt in den Bergen verbracht hatte.

Ernst war ein wunderbarer, lieber und stiller Mensch. Ich mochte ihn sehr. Und jedesmal, wenn ich ihn traf, fragte er mich, wie denn der FC Solothurn gespielt habe, denn in diesem FC Solothurn hatte er mit dem Fußball angefangen.

»Gehst du eigentlich nicht mehr zum Fußball«, fragte ich ihn einmal. »Was heißt nicht mehr«, sagte er, »ich habe in meinem ganzen Leben noch nie ein Fußballspiel gesehen, außer ich habe mitgespielt oder ich bin auf der Ersatzbank gesessen. Wenn ich nicht spielte, dann ging ich in die Berge.«

Ob er sich denn die Spiele am Fernsehen anschaue, fragte ich ihn. Jetzt, wo er allein sei, versuche er es ab und zu, aber ein ganzes Spiel schaue er sich selten an, sagte er, er sei es einfach nicht gewöhnt. Fußball anschauen, das müsse man sich wohl jung angewöhnen, er habe eben nie Zeit gehabt, sich das anzuschauen. Er habe leidenschaftlich Fußball gespielt – aber Spielen sei etwas ganz anderes.

Ich hätte jedenfalls dem Ernst Allemann gerne mal zugeschaut beim Fußballspielen. Er war einer, der das Spiel nur von innen kannte. Wohl der einzige, der es nur von innen kannte – vielleicht der erste Profi überhaupt.

Ach, wie gern möchte ich die Olympischen Spiele verpassen, aber der stellvertretene Marathon ist mir wohl schon wieder sicher. Warum tue ich mir das an?

Anton und die Verschwörung der Leser

Ich freute mich immer wieder, wenn ich Anton traf. Er besuchte dieselben Beizen wie ich, und er hatte, wie ich, dazwischen auch anderes zu tun – der große Garten, die Familie, er war Rentner –, und er setzte sich in der Regel allein an einen Tisch und meist nur für kurze Zeit.

Ich freute mich über ihn, weil er an vielem interessiert war und man mit ihm über vieles sprechen konnte. Anton war ein Leser – er lebte lesend. Er kaufte sich morgens früh am Bahnhof das Boulevardblatt, den »Blick«, und er trug die Zeitung den ganzen Tag in seiner Jackentasche und ging mit ihr so sorgsam um wie andere mit teuren Kunstbänden, noch abends sah seine Zeitung aus wie ungelesen.

Dabei benützte kaum ein anderer die Zeitung so intensiv. Anton war den ganzen Tag am Lesen: Morgens beim Kaffee auf der ersten Seite, nachmittags um vier schon fast beim Sportteil, und abends beim Bier auf der letzten Seite. Dem Anton machte das Lesen richtig Mühe – trotzdem war er ein leidenschaftlicher Leser. Unsere Lesefähigkeit mag nicht dieselbe gewesen sein, unsere Begeisterung für das Lesen aber machte uns zu Freunden. Mit ihm konnte man über alles sprechen. Irgendwie gehörten wir auf eine eigenartige Weise zusammen.

Kürzlich im Zug nach Hannover: Ich hatte in Basel noch einen fast leeren Wagen gefunden und vier leere Plätze mit einem großen Tisch, und ich richtete mich ein. Aber schon in Freiburg wurde der Wagen voll, und es wurde eng. Mir gegenüber ein Mann mit Bart, Mitte vierzig, neben ihm ein lesender Jüngling und neben mir ein Mann, der mit der Bezeichnung Geschäftsmann eigentlich schon beschrieben ist.

Ich entschied mich jedenfalls, mein Buch auf die Seite zu legen und Kreuzworträtsel zu lösen. In der Enge fällt mir das Lesen schwer. Ich brauche nämlich, wenn möglich, einen Tisch, auf dem ich die Ellenbogen aufstützen kann, damit ich meinen Kopf zwischen die Hände nehmen kann – Lesen macht schwere Köpfe, mein Anton jedenfalls wußte davon.

Dem Jüngling schräg gegenüber aber gelang es, sein Buch auf den Tisch zu legen und sich tief darüber zu beugen und mit einem kleinen Bleistift dauernd ins Buch zu kritzeln, als löste auch er ein Kreuzworträtsel, wobei nicht nur ich, sondern auch der Mann mit dem Bart sich schon längere Zeit möglichst unauffällig Hals und Rücken verrenkten, um Kopf und Brille in eine günstige Lage rücken und erhaschen zu können, um was für ein Buch es sich handelte. Der Bärtige mußte also auch ein Leser sein, denn nur leidenschaftliche Leser müssen unbedingt wissen, womit der andere denn seine Leidenschaft befriedigt. Und als es dem Bärtigen endlich gelang, den Autor ausfindig zu machen, fragte er den lesenden Jüngling: »Studieren Sie Germanistik?« »Wie kommen Sie darauf?« fragte der Leser zurück. »Das liest doch sonst niemand – Jean Paul.« »Was denn von Jean Paul?« fragte ich.

Er las den »Titan«. Ja, er bereitete sich vor auf ein Seminar, das er besuchte. Aber das Lesen mache ihm auch Spaß, erklärte er.

Es wurde ein langes Gespräch und eine kurze Fahrt. Wir freuten uns alle drei, und der Geschäftsmann saß daneben und sagte kein

Wort. Aber irgendwie gehörte er trotzdem dazu. Man sprach auch mit ihm, wenn man sprach.

Nur habe ich keine Ahnung mehr, worüber wir gesprochen haben, ich erinnere mich nicht. Ich erinnere mich nur daran, daß wir uns freuten – drei Leser, die sich gefunden hatten, drei Leser von Jean Paul, der für uns drei mindestens so schwer zu lesen ist wie für Anton das Boulevardblatt. Und wir reden von unserer Mühe, die wir beim Lesen von Jean Paul haben, und davon, wie sich diese Mühe lohnt und zur Freude wird, und mir fiel die ganze Zeit Anton ein, der fast nicht lesen konnte, es aber zu seiner großen Freude trotzdem tat.

Die ältere Frau auf der anderen Seite des Mittelgangs hatte ihr Buch in eine Zeitung eingeschlagen – wohl um ihren Autor vor der Umwelt zu schützen, und plötzlich sagte der Geschäftsmann doch noch etwas: »Was lesen *Sie* denn?« fragte er die Frau, weil er offensichtlich bemerkte, daß sie schon längst nicht mehr las, sondern zuhörte. Sie errötete, schlug ihr Buch aus der Zeitung und streckte es uns entgegen – Jean Paul: »Die Flegeljahre«.

Der Bärtige war schon in Kassel ausgestiegen. Der Student und ich mußten in Hannover umsteigen. Wir wollten beide nach Berlin.

Im voll besetzten Zug nach Berlin, einige Leute mußten stehen, drängte sich plötzlich der Geschäftsmann durch den Gang. Er kam auf uns zu, reichte uns die Hand und sagte: »Ich habe mitbekommen, daß Sie auch nach Berlin fahren, ich habe Sie im ganzen Zug gesucht, ich wollte mich nur für dieses wunderbare Gespräch über Jean Paul bedanken«, und bevor wir etwas sagen konnten, war er weg.

Also gehörte auch er zu uns, zur Verschwörung der Leser – er und Anton, der Bärtige und der Student und die ältere Dame mit ihrem beschützten Jean Paul und ich – ja, wir sind wenige, und es ist selten, daß wir uns treffen, aber wenn wir uns treffen, dann sind wir mehr als viele, nämlich alle.

Von den richtigen Erwachsenen

Der alte Busfahrer winkt mir zu, wenn er irgendwo an mir vorbei-
fährt. Das freut mich. Ich bin stolz darauf, daß er mich kennt, und
ich bin stolz darauf, daß ich ihn kenne, den guten alten Buschauf-
feur.

Und mir fällt nicht ein, daß er ja jünger als ich sein muß. Ich halte
immer noch mich für den Jungen und ihn für den Alten. Wenn ich
auch wissen sollte, daß, seit ich 65 wurde, alle, die noch richtig arbeiten, jünger sein müssen als ich. Aber als ich noch richtig jung war,
waren alle, die arbeiteten, Erwachsene, und Erwachsene waren immer älter als ich, und Leute mit einer Funktion – der Lehrer, der Lokomotivführer, der Kondukteur oder Schaffner, der Briefträger, der
Milchmann, die Kellnerin – waren eben Erwachsene, also älter.

Meinen Respekt vor Menschen in Funktionen habe ich gelernt,
als ich sehr jung war – und mein Respekt ist geblieben, ist derselbe
geblieben. Das macht es nun aus, daß jene, denen mein Respekt gilt,
alle immer noch als älter erscheinen, auch wenn ich weiß, daß mein
Hausarzt dreißig Jahre jünger ist als ich, in seiner Funktion aber ist
er der ältere. Und wenn ich 90 werden sollte, wird der junge Busfahrer immer noch der ältere sein, weil er im Besitze der Macht ist, der
Macht über Bus und Fahrplan und Tarife, und wer in der Macht ist,
ist erwachsen.

Vielleicht ist es so, daß man selbst gar nie erwachsen ist, man ist
es immer nur für die anderen.

In Ostfriesland, erzählt ein blöder Witz, sind die Autobusse nicht
sechs Meter lang und zwei Meter breit, sondern 6 Meter breit und
zwei Meter lang. Warum? Weil alle neben dem Fahrer sitzen wollen.

Nun nehmen wir an, daß der Platz neben dem Fahrer oder der
Fahrerin beliebt ist wegen der besonders günstigen Sicht. Aber ich
beobachte das Tag für Tag und seit Jahren, wenn ich mit dem Bus
nach Hause fahre. Da geht es nicht um die Sicht, da geht es nur um
den Platz neben der Macht und darum, von jenem, der die Macht über

Bus und Fahrplan hat, wahrgenommen zu werden und damit ein bißchen an der Macht beteiligt zu sein.

Es ist mitunter eine Eifersuchtsszene. Da sitzt schon jemand neben dem Fahrer, der Fahrerin, und der neue Anwärter setzt sich zwei Sitze hinter ihn und wartet, daß der erste aufgibt. Der aber gibt nie auf, und so wechselt der andere am Bahnhof in einen anderen Bus, um neben einem anderen Inhaber der Macht sitzen zu können.

Es gibt einige, die tun das sozusagen professionell, Invalide, Pensionierte, Arbeitslose. Sie verbringen wohl mehr Zeit im Bus als die Fahrer selbst.

Und die »Professionellen«, die echten Machtteilhaber, setzen sich auch nicht neben den Fahrer. Sie stehen neben dem Fahrer und signalisieren damit so etwas wie Funktion – sie sind nicht etwa gewöhnliche Fahrgäste, sondern sie sind Begleiter und Teilhaber der Macht. Sie lassen sich nicht transportieren, sondern sie sind beteiligt am Transport. Sie kennen jenen, der die Macht hat, persönlich.

Die Kellnerin in der Beiz hat sie auch, die Macht, und die Trinker sitzen am Stammtisch und buhlen um ihre Aufmerksamkeit. Sie kennt mich. Sie weiß, wie ich heiße. Sie weiß, was ich trinke. Ich glaube, sie mag mich. Aber auch Ernst würde nicht mehr kommen, wenn er nicht fast der einzige wäre, den sie mag. Wenn man sie aber trifft auf der Straße oder im Einkaufscenter, ist das alles weg. Nur in ihrer Funktion hat sie ihre Macht.

Es kommt vor, daß mich fremde Leute auf der Straße erkennen. Das ist nicht nur unangenehm. Aber wenn mich der Kondukteur, der Schaffner erkennt, dann ist das mehr, dann bin ich von der Funktion wahrgenommen worden. Die Macht kennt mich, und ich kenne die Macht.

Und ich sitze im Bus und beobachte, wie da vorn um die Gunst des Fahrers gebuhlt wird.

Und eigentlich möchte ich selbst da vorn stehen, neben dem Fahrer, und mein Wissen über Fahrpläne, Arbeitspläne, Routen und Nummern und Tarife mit ihm teilen, dazugehören und den richtig »Erwachsenen« bestaunen. Auch ich beobachte das nicht ohne eine kleine Spur von Eifersucht.

Es kommt immerhin oft vor, daß ich in meiner Stadt durch die Straße gehe und mir ein vorbeifahrender Busfahrer zuwinkt – das macht mich fast glücklich, und ich bin ungemein stolz darauf: ein kleiner Bub, der von einem richtigen Erwachsenen wahrgenommen wird.

Ein kleiner Bub, der inzwischen zwar ziemlich alt geworden ist, aber immer noch wie damals neben dem Servicemonteur steht, der gekommen ist, um die Waschmaschine zu reparieren. Ein kleiner Bub, der ihm im Weg steht und ihn bestaunt, weil er das kann. Und auch er kann das eben, weil er ein richtiger Erwachsener ist.

Die lange Reise nach Ithaka

Zwei kommen aus ihren Ferien zurück, der eine aus der Südtürkei, der andere von den Malediven. Sie erzählen, und was sie erzählen, interessiert mich nicht: Die Preise des Arrangements, die Freundlichkeit der Leute, die Qualität und die Quantität des Essens – von der Südtürkei erfahre ich nichts und von den Malediven auch nichts, nicht einmal vom Strand erzählen sie, der ist selbstverständlich.

Irgendwie habe ich das Gefühl, daß sie gar nicht da waren, zwar hingeflogen sind, aber nicht anwesend waren. Sie hätten eigentlich ihre Reiseziele auch gegenseitig tauschen können, sie wären irgendwie am selben Ort gewesen. Hinfliegen und nicht da sein, ja, das kenne ich, in New York ankommen und nicht da sein, sich immer noch langweilen wie zu Hause und nur daran denken, was man zu erzählen haben wird, wenn man zurückkommt – und das, was erzählt wird, weiß man auch zum voraus, wir gehen schon seit dreizehn Jahren in die Südtürkei –, und dann ein großes Strahlen über das Gesicht des einen, wie die Frau gegenüber sagt: »Braun bist du geworden!« Und dann kommt plötzlich der Satz: »Nein, Südamerika hat mich nie gereizt.«

Vielleicht gibt es auch das Umgekehrte: Nicht hinfliegen, nicht hinfahren – aber da sein. Es gibt die Legende, die ich selbst unglücklicherweise in die Welt gesetzt habe, daß ich nie in Paris gewesen sei. Sie sei hier endgültig dementiert. Selbstverständlich war ich da, und das schon vor über hundert Jahren mit Balzac, mit Victor Hugo, mit Heinrich Heine, dann mit Hemingway, mit Henry Miller – später mit Nathalie Sarraute, mit Michel Butor, mit Ennio Flaiano. Und wie hatten wir es lustig in der Metro mit Raymond Queneau und seiner Zazie.

Über Paris, wo ich körperlich noch nie war, wüßte ich wesentlich mehr zu erzählen als über Solothurn, weil mir wohl wesentlich mehr über Paris erzählt wurde als über Solothurn.

Und wenn ich mir selbst etwas erzähle, erzähle ich mir in der Regel nicht Geschichten, die ich erlebt habe, sondern Geschichten, die ich gelesen habe.

Allerdings, was ich selbst schreibe, findet in der Regel da statt, wo ich wohne, in Solothurn – so auch meine letzte Kolumne. Ich schrieb davon, wie ich mich freue, wenn mir die Busfahrer zuwinken.

Nun bekomme ich einen Brief von einer Leserin, der Verena K., die mir mitteilt, daß sie durch meine Kolumne erinnert wurde an eine Geschichte aus der »Menschlichen Komödie« von William Saroyan. Mehr schreibt sie darüber nicht, aber sie schickt mir die Geschichte, die in Ithaka in Kalifornien spielt. Sie hat wegen meiner Kolumne eine lange Reise gemacht, zurück zu einer Geschichte, die ihr lieb ist. Vielleicht war auch sie nie in Kalifornien.

Eine wunderschöne Geschichte übrigens vom kleinen Jungen Ulysses, der dem Lokomotivführer zuwinkt. Der aber winkt nicht zurück.

Nein, so kurz ist die Geschichte nicht, und Verena hat sie sogar lang, sehr lang gemacht. Sie hat sie Wort für Wort von Hand abgeschrieben, mit schön lesbaren Blockbuchstaben, acht Seiten lang. Offensichtlich ist sie eine echte Leserin, Lesen macht das Leben langsam, wer lesen will, muß die Langsamkeit lieben. Und wenn sie die Geschichte abschreibt, dann wird die Geschichte lang wie eine Reise, eine Reise nach Ithaka, Kalifornien, wo sie spielt.

Ja, selbstverständlich ist Paris eine schöne Stadt. Aber ich leiste mir den Luxus, nur in Büchern, die ich lese, nach Paris zu reisen.

Und dazu fällt mir noch eine Geschichte ein, der Schriftsteller Peter Weiss hat sie erzählt. Er war mal längere Zeit in Paris und wohnte in einem kleinen billigen Hotel. Jedesmal, wenn er an der Rezeption vorbeikam, sagte die Frau, daß hier auch schon mal ein Schriftsteller gewohnt habe, sie habe aber den Namen vergessen, ein Amerikaner. Das interessierte den Peter Weiss nicht besonders. Dann sagte die Frau eines Tages, daß sie das alte Hotelbuch mit dem Eintrag des Schriftstellers gefunden habe: Henry Miller.

Nun interessierte sich Weiss aber sehr. Jener Henry Miller, der sein wildes und ausschweifendes Leben in Paris beschrieben hatte, orgiastische Feiern, Saufereien und heiße Liebesgeschichten.

Und er begann die alte Wirtin auszufragen. Wie war er denn? Ein Wahnsinniger, von morgens früh bis abends besoffen? Hat er seine Freunde, Hemingway zum Beispiel, auch hierher mitgebracht?

Und die Frau schaute ihn entsetzt an und sagte: »Nein, er war ein stiller Herr. Er saß den ganzen Tag in seinem Zimmer und schrieb, und nur am frühen Morgen machte er einen kleinen Spaziergang, kaufte sich Milch und ein Brötchen und kam zurück.«

Ich kenne das Paris von Henry Miller. Ich habe gelesen, was er geschrieben hat, es hat mir damals durchaus ein bißchen gefallen. Ob es nun wahr ist oder nicht – jedenfalls wird auch das wildeste Leben durch die Beschreibung langsam.

Die versammelte Ordnung

Ein Freund erzählte mir mal von einem erfolgreichen und bekannten Geschäftsmann, den er bewunderte für seinen Pragmatismus, für seine realistische Einschätzung aller Situationen. Von dieser Bewunderung erzählte er dann auch dem Sohn dieses Geschäftsmannes, und jener sagte: »Ach was, so ist der gar nicht, der ist ganz lustig, aber er spinnt.« Und als mein Freund entsetzt darauf reagierte, sagte der Sohn: »Komm mit, ich zeig dir was«, und sie gingen zusammen auf den Dachboden.

Da standen riesige Gestelle, und in den Gestellen Hunderte von Schuhschachteln, die waren alle mit Daten versehen waren: zum Beispiel 12. Februar 1932-16. Mai 1932 ...

»Was ist da drin?« fragte mein Freund.

»Schau selber«, sagte der Sohn, »aber sehr vorsichtig.«

In den Schachteln war Zigarrenasche in langen Würsten. Die Asche von jenen zwei, drei Zigarren, die der Geschäftsmann abends rauchte, wobei er höchstens einmal die Asche abstreifte. Er hielt es für eine hohe Kunst, möglichst lange eine möglichst lange Asche an der Zigarre, einer teuren Havanna, zu halten, und er hielt sich selbst für den absoluten Meister dieser Kunst. Er feierte sich selbst ab und zu mit einem geblasenen Rauchring, der sich in seiner ebenmäßigen Schönheit in nichts von einem Heiligenschein unterschied.

Sonst weiß ich nichts von diesem Mann, nur eben daß er ein Leben lang die Asche seiner teuren Havannas sammelte – und irgendwie beeindruckt mich das.

Mir selbst sind sämtliche Sammlungen mißlungen. Meine Sammlung von Nashörnern aus den verschiedensten Materialien. Ich entwickelte eine Leidenschaft dafür, ich reiste ihnen nach, ich umkreiste tagelang ein Geschäft mit einem besonders teuren Exemplar, bis ich mich endlich dazu durchrang, da es sein mußte.

Und eines Tages besuchten mich zufällig zwei Nachbarskinder, fanden meine Nashörner schön, und ich schenkte ihnen die schönsten – die Sammlung war kaputt, mein Interesse für Nashörner auch.

Ich bin kein Sammler.

Ich habe es später noch mit Uhren versucht, mit Taschenuhren – auch hier begann das Ende mit Verschenken.

Irgendwo haben Sammlungen eine kritische Größe – etwa dann, wenn die Sammlung an und für sich wichtiger wird als ihr Inhalt.

Ich kannte einen Verleger, der hatte nicht nur ein Verhältnis zur Literatur, er liebte sie auch, diese Literatur, und vor allem, er verehrte und er liebte die Schriftsteller, also legte er sich eine riesengroße Sammlung von Schriftstellern zu, und er pflegte seine Schriftsteller wie ein Briefmarkensammler seine teuren Briefmarken – ich hätte mir durchaus vorstellen können, daß er abends seine Schriftsteller mit einer Pinzette vorsichtig aufnimmt, zu Einheiten zusammenfügt und in ein Album klebt. Hie und da stellte er dann fest, in dieser Reihe, in diesem Satz fehlt einer, und er machte sich auf, um sich das fehlende Stück zu besorgen, und wenn ihm das nicht gelang, dann tröstete er sich mit dem Satz: »Eines Tages werden ohnehin alle bei mir sein.«

Er hatte die Vorstellung von einer vollständigen Sammlung der Literatur, was wohl eine naive Vorstellung war, aber auch eine, die vielen Autoren und noch viel mehr Lesern geholfen hat. Unter die Räder kamen dann aber ab und zu jene Autoren, die nur der Vollständigkeit halber dabei waren – sozusagen der Ordnung wegen.

Das ist es, was mir nicht gelingt: die Ordnung. Eine Sammlung braucht ihre Ordnung. Und die Sammlung an und für sich ist schon etwas – sie ist die Ordnung an und für sich, und in diesem Sinne ist die großartige Sammlung von französischen Impressionisten, Cézanne, Monet, dasselbe wie die blöde Sammlung von Kafferahm-Deckelchen. Und einzelne Deckelchen erreichen mitunter an der Börse recht hohe Preise, weil sie selten sind und Vollständigkeit herzustellen haben. Und wären diese Deckel so selten wie Cézannes, sie wären wohl genau gleich teuer.

Oder einfach sammeln wie die Kinder, einfach viel vom Gleichen: Viele Büroklammern, viele Glasperlen, viele Roßkastanien, viele Kieselsteine, viele Knöpfe – viel vom Gleichen, mit dem man dann eine Ordnung herstellen kann.

Nicht die Sammlungen sind mir mißlungen, nur die Ordnungen, und hätte ich mich für nur drei wunderschöne Nashörner entschieden, sie wären Nashörner geblieben, ich mag Nashörner, aber es wurden weit über hundert, und sie waren nur noch eine Sammlung – eine Sammlung von irgend etwas. Nun hätte die Sammlung auch der Ordnung bedurft.

Aber das wollte ich meinen Nashörnern nicht antun, und ich entließ sie nach und nach in die ordnungslose Freiheit. Sie sind jetzt wieder überall verstreut, sie sind jetzt keine Sammlung mehr, aber wieder Nashörner.

Und ich verstehe jenen Geschäftsmann mit seiner Zigarrenasche. Eine Sammlung an und für sich, wertlos, wertfrei. Sie wird ihn nicht überleben müssen, aber sie ist sein Leben – vielleicht viel mehr, als es andernorts die teuren Monets sind.

Für mich ist es inzwischen zu spät, die Asche eines ganzen Lebens zu sammeln. Aber in meinem nächsten Leben werde ich genüßlerisch Zigarren rauchen, um endlich auch zu einer richtigen Sammlung zu kommen, einer Sammlung von Spuren des Lebens.

Personen- und Stichwortregister

Das Register haben erarbeitet Meike Behrmann, Sabine Lange, Ulrike Seyer, Christopher Strunz, Elvira Weiss und Rainer Weiss

Inhalt

Inhalt